UN
CŒUR
POUR LA VIE

Martin Juneau M.D., M.Ps., FRCP(C)

UN CŒUR
POUR LA VIE

PRÉVENTION CARDIOVASCULAIRE GLOBALE

Préface de Pierre Lavoie

TRÉCARRÉ
Une société de Québecor Média

Catalogage avant publication de Bibliothèque et Archives nationales du Québec et Bibliothèque et Archives Canada

Juneau, Martin, 1953-
  Un cœur pour la vie : prévention cardiovasculaire globale
  Comprend des références bibliographiques et un index.
  ISBN 978-2-89568-695-8
  1. Appareil cardiovasculaire - Maladies - Prévention. 2. Cœur - Maladies - Prévention. I. Titre.
RC672.J86 2017   616.1'205   C2016-942132-5

Édition : Miléna Stojanac
Révision et correction : Isabelle Lalonde et Justine Paré
Couverture et mise en pages : Clémence Beaudoin et Louise Durocher
Illustrations : François Escalmel, Michel Rouleau et Axel Pérez de León
Photo de l'auteur : Michel Paquet

L'auteur et l'éditeur tiennent à remercier Denis Gingras de sa précieuse collaboration.

Remerciements
Gouvernement du Québec – Programme de crédit d'impôt pour l'édition de livres – gestion SODEC.

Les Éditions du Trécarré
Groupe Librex inc.
Une société de Québecor Média
La Tourelle
1055, boul. René-Lévesque Est
Bureau 300
Montréal (Québec) H2L 4S5
Tél. : 514 849-5259
Téléc. : 514 849-1388
www.edtrecarre.com

Dépôt légal – Bibliothèque et Archives nationales du Québec et Bibliothèque et Archives Canada, 2017

ISBN 978-2-89568-695-8

Distribution au Canada
Messageries ADP inc.
2315, rue de la Province
Longueuil (Québec) J4G 1G4
Téléphone : 450 640-1234
Sans frais : 1 800 771-3022
www.messageries-adp.com

Diffusion hors Canada
Interforum
Immeuble Paryseine
3, allée de la Seine
F-94854 Ivry-sur-Seine Cedex
Tél. : 33 (0)1 49 59 10 10
www.interforum.fr

Ce livre est dédié au Dr Paul David, fondateur
de l'Institut de Cardiologie de Montréal,
un grand médecin humaniste et visionnaire qui croyait
fermement à la prévention et qui a inspiré toute ma carrière.

Ce livre est aussi dédié à tous les membres du personnel
de cet hôpital ultraspécialisé qui soignent
les patients du Québec et d'ailleurs depuis plus de 60 ans,
toujours avec la même passion.

Sommaire

Le défricheur en sarrau blanc

Je suis vraiment très fier d'écrire la préface de ce livre de Martin Juneau. J'y ai vu une occasion de rendre hommage non seulement au travail remarquable qu'il accomplit depuis des années en matière de prévention médicale, mais aussi aux qualités exceptionnelles de cet homme que je considère comme un ami.

Un défricheur, voilà ce qu'est le Dr Martin Juneau. Il y a une trentaine d'années, il a choisi de faire de la médecine préventive son cheval de bataille. Pas facile, quand tout le système d'alors était plutôt axé sur la médecine curative, de convaincre les patients de changer des comportements néfastes pour leur santé.

Il faut de profondes convictions, une persévérance à toute épreuve et une grande crédibilité. Il faut quelqu'un comme Martin Juneau qui a réussi, au fil des années, à faire germer dans l'esprit des gens l'idée que nos habitudes de vie ont une incidence directe sur notre qualité de vie actuelle et future. Aujourd'hui, je suis heureux de suivre le sillon qu'il a tracé.

À ma connaissance, Martin a été le premier à lancer des signaux d'alarme dans les médias à propos de l'obésité, de l'hypertension et de tout ce qui peut nuire à la santé cardiovasculaire. À l'époque, je l'observais de loin, sans me douter qu'un jour j'allais avoir le privilège de travailler avec lui.

Notre première rencontre remonte à l'automne 1998. Germain Thibault, mon associé actuel qui était alors réalisateur à Radio-Canada, m'avait contacté pour m'inviter à participer à un reportage sur

la compétition Ironman. Il voulait faire évaluer ma condition cardiorespiratoire par une sommité, le cardiologue Martin Juneau.

Ce fut le début d'une longue collaboration. Lorsque nous avons formé le conseil d'administration du Grand Défi Pierre Lavoie, Martin a été le premier à accepter de faire partie de cette nouvelle aventure, signe que le défricheur en lui est toujours prêt à mettre la main à la pâte pour une cause qui lui tient à cœur.

Aujourd'hui, quand je me questionne sur les résultats d'une nouvelle étude médicale, quand j'ai besoin de statistiques ou de valider une information pour mes conférences, j'appelle Martin. Il est ma référence scientifique et je pense qu'avec *Un cœur pour la vie*, il va le devenir pour beaucoup de monde.

Dans son livre, Martin présente les plus récentes recherches sur la prévention des maladies chroniques en les rendant accessibles à tous. La science appliquée au gros bon sens, c'est là tout le brio d'*Un cœur pour la vie*. Au terme de la lecture, on sait exactement ce qu'on doit faire pour maintenir une qualité de vie grâce à quelques principes fondamentaux.

Je suis content que nous ayons un livre qui traite de la prévention médicale de façon à nous faire comprendre que prévenir, c'est plus simple qu'on le pense. Car des entrevues, des capsules vidéo, c'est bien, mais un livre permet d'aller beaucoup plus loin dans l'éveil des consciences et surtout un ouvrage comme celui-ci, écrit par le pionnier de la prévention au Québec. Je suis convaincu que si vous mettez en pratique les quelques conseils qu'on y retrouve, vous vous en porterez mieux, et notre société aussi, pour la vie !

Pierre Lavoie
Ironman et cofondateur
du Grand Défi Pierre Lavoie

Prévenir les maladies chroniques pour vivre mieux et plus longtemps

Si nous sommes en principe tous d'accord pour dire qu'il vaut mieux prévenir que guérir, dans la vie de tous les jours, nous plaçons beaucoup plus nos espoirs dans la guérison des maladies qui nous touchent que dans leur prévention. Les gouvernements peuvent être défaits à cause des problèmes liés au système de santé, comme les listes d'attente trop longues ou le débordement des salles d'urgence, mais jamais parce qu'il n'y a pas « assez de prévention ».

Ce n'est donc pas un hasard si l'ensemble de notre système de santé est principalement orienté vers le traitement des maladies, tandis que la prévention demeure négligée. Selon un rapport récent de l'Association pour la santé publique du Québec (ASPQ), moins de 2 % du budget de la province est consacré à la prévention, une proportion nettement insuffisante pour contrer les ravages causés par le tabagisme, l'obésité et la sédentarité.

Comme la plupart de mes collègues, j'ai choisi de me spécialiser en cardiologie en raison de mon désir de sauver des vies et de diminuer les symptômes qui affectent les patients souffrant de maladies cardiovasculaires. Grâce aux progrès médicaux réalisés au cours du dernier siècle, la médecine moderne possède un impressionnant arsenal de médicaments, de techniques d'imagerie et de procédures d'intervention, qui ont permis d'éviter un nombre incalculable de morts prématurées et de contribuer à augmenter l'espérance de vie.

Même si ces progrès sont impressionnants, les cardiologues sont aux premières

loges pour constater tous les jours les limites de cette approche curative. Par exemple, même si nous pouvons la plupart du temps sauver un patient en phase aiguë d'infarctus du myocarde, il est beaucoup plus difficile de traiter les causes sous-jacentes à cet infarctus, c'est-à-dire le processus d'athérosclérose qui attaque l'intérieur des artères coronaires, qui nourrissent le muscle cardiaque. Par conséquent, même s'il est hors de danger à court terme, le patient victime d'un infarctus aigu qui ne règle pas les problèmes ayant entraîné sa maladie (mauvaise alimentation, sédentarité, tabagisme) risque de subir un deuxième infarctus et, ultimement, de souffrir d'une insuffisance cardiaque qui va miner sa qualité de vie.

Autrement dit, la médecine moderne est excellente et sans égale pour traiter les événements qui mettent soudainement la vie d'une personne en danger, mais son efficacité demeure limitée devant les maladies chroniques qui apparaissent insidieusement au fil des décennies.

Les experts s'entendent pour dire que les habitudes de vie représentent un des principaux facteurs du développement de l'ensemble des maladies chroniques. Par exemple, la baisse de mortalité observée depuis les années 1970 chez les gens atteints de maladies cardiovasculaires n'est pas due seulement aux avancées médicales, mais aussi à l'amélioration de certaines habitudes de vie, en particulier la diminution importante du tabagisme au cours des 50 dernières années. Malheureusement, on constate que ces gains récents seront annulés par les effets négatifs de l'obésité et de la malbouffe, et on commence déjà à percevoir les premiers signes d'une augmentation de l'incidence des maladies cardiovasculaires chez les jeunes. Dans un éditorial paru récemment dans la revue médicale *JAMA Cardiology*, le Dr Donald M. Lloyd-Jones, du département de médecine préventive de l'Université Northwestern de Chicago, souligne que les gains réalisés au cours des 50 dernières années seront effacés par la plus grande épidémie de maladies chroniques de l'histoire de l'humanité. Depuis 1985, on assiste en effet à une augmentation continue de l'obésité et du diabète, qui touchent toutes les tranches d'âge de la société, ce qui contribue à une recrudescence des maladies cardiovasculaires, particulièrement chez les jeunes adultes. De plus, des données récentes montrent que l'incidence d'infarctus du myocarde n'a pas diminué au cours des 10 dernières années chez les hommes de 30 à 54 ans, et qu'elle a même augmenté chez les femmes de ce groupe d'âge.

Il s'agit d'une situation préoccupante, car un des graves problèmes auxquels nos sociétés sont déjà confrontées est que l'espérance de vie en santé, c'est-à-dire sans maladie incapacitante, n'a pas augmenté aussi vite que l'espérance de vie totale. Par exemple, au Canada, l'espérance de vie est de 79 ans pour les hommes et de 83 ans pour les femmes, alors que l'espérance de vie en santé est seulement de 69 ans pour les hommes et de 71 ans pour les femmes : une différence de 10 et de 12 ans respectivement. Cela signifie donc que, pour de très nombreuses personnes, les 10 à 12 dernières années de leur vie seront de piètre qualité, en dépit des progrès de la médecine. Cette situation risque même d'empirer au cours des prochaines années en raison de la hausse fulgurante du surpoids et des maladies chroniques qui en découlent.

Heureusement, malgré la gravité du problème, de nombreuses études ont démontré que la grande majorité des maladies chroniques, et en particulier les maladies cardiovasculaires, peuvent être évitées ou grandement retardées grâce à de simples modifications de notre mode de vie. Ces études indiquent donc que nous ne devons pas nous résigner : il est possible d'éviter l'apparition précoce des maladies associées au vieillissement et d'augmenter ainsi de façon spectaculaire notre qualité de vie. La durée de l'existence est limitée, mais poser des actions pour que la période d'invalidité dure le moins longtemps possible permet de maximiser le plein potentiel de la vie humaine.

Après plus de trois décennies de clinique et de recherche à l'Institut de Cardiologie de Montréal (ICM) et dans son centre de prévention, le Centre ÉPIC, j'ai été à même de constater, tous les jours, à quel point les personnes qui décident de modifier en profondeur leur mode de vie améliorent leur santé ainsi que leur qualité de vie. Les effets sont souvent impressionnants : plusieurs patients qui terminent un programme de prévention secondaire après un infarctus du myocarde ou une chirurgie affirment qu'ils sont beaucoup plus en forme qu'avant leur accident cardiaque, qui a été le déclencheur de grands changements dans leur mode de vie.

Le but de ce livre est de vous partager ma conviction que les maladies chroniques et, surtout, les maladies cardiovasculaires ne sont pas une fatalité, et qu'il est possible, en modifiant nos habitudes de vie, de vivre longtemps et en bonne santé.

Martin Juneau

CHAPITRE 1

Espérance de vie en bonne santé et maladies chroniques

Au Canada, tout comme dans l'ensemble des pays industrialisés, l'espérance de vie d'un enfant qui naît aujourd'hui est d'environ 80 ans, soit presque le double d'il y a 150 ans (figure 1).

Le premier facteur qui explique cette augmentation phénoménale de la longévité est la diminution marquée de la mortalité prématurée au cours de l'enfance et le début de l'âge adulte. Il s'agit d'une réussite due, en grande partie, à l'amélioration des conditions sanitaires ainsi qu'à la découverte d'antibiotiques et de vaccins qui ont permis d'éliminer plusieurs types de bactéries et de virus responsables d'infections et de maladies graves, ce qui a permis de sauver d'innombrables vies. Par exemple, à Montréal, en 1899, on comptait 2 071 morts pour 7 715 naissances, soit un taux de mortalité de 26,8 % (la situation était encore pire à Québec, avec 665 morts sur 1 332 naissances, soit un taux de 49,9 %). À l'heure actuelle, ce taux de mortalité est seulement de 0,7 %.

La hausse de la longévité n'aurait cependant pas atteint les niveaux actuels sans une diminution de la mortalité à des âges plus avancés, rendue possible par les immenses progrès médicaux réalisés dans le traitement de plusieurs maladies. Qu'il s'agisse de procédures chirurgicales (qui sont de plus en plus sophistiquées), de greffes d'organes, de traitements médicamenteux ou de diagnostics précoces par imagerie, pour n'en nommer que quelques-uns, toutes ces avancées permettent maintenant de sauver un grand nombre de personnes d'une mort prématurée et d'ajouter ainsi plusieurs années à leur vie.

Aussi spectaculaire soit-elle, cette augmentation de l'espérance de vie masque toutefois une réalité plus sombre : nous vivons peut-être plus longtemps, mais ces années supplémentaires sont très souvent marquées par la maladie et la souffrance. Par exemple, les hommes nés au Canada en 1990 vivront en moyenne jusqu'à 73 ans, mais la détérioration de leur état de santé commencera 8 années plus tôt, soit à 65 ans.

Pour ceux qui sont nés en 2013, l'âge moyen du décès grimpe à 79 ans, tandis que les problèmes de santé feront leur apparition 10 ans plus tôt, à 69 ans. Autrement dit, même si l'espérance de vie a augmenté de 6 ans au cours des 25 dernières années, les années de vie en bonne santé n'ont pas suivi le même rythme, de sorte que les Canadiens devront vivre en moyenne une année supplémentaire en mauvaise santé. Et il ne s'agit pas d'un cas isolé : selon les statistiques de l'Organisation mondiale de la santé (OMS), l'espérance de vie en bonne santé de la grande majorité des habitants de la planète est en moyenne inférieure de 10 ans à leur espérance de vie totale. Cet écart représente évidemment une réduction substantielle des bienfaits associés à une augmentation de la durée de vie : le but principal n'est pas de vivre plus longtemps

AUGMENTATION DE L'ESPÉRANCE DE VIE AU COURS DES XIXᵉ ET XXᵉ SIÈCLES

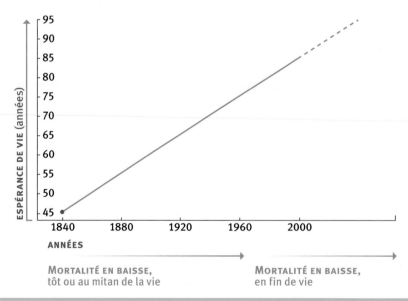

FIGURE 1   Adapté de Oeppen (2002) et Kirkwood (2008)

20

à tout prix, mais surtout de jouir de ces années supplémentaires pour profiter au maximum de notre brève existence.

Est-ce que ces années de vie en mauvaise santé sont inévitables, une sorte de rançon à payer pour l'augmentation phénoménale de la longévité au cours du dernier siècle ? Les pessimistes diront que oui, et qu'il vaut mieux mourir plus jeune que de vieillir de façon misérable pendant les 10 à 15 dernières années de son existence, confronté à une qualité de vie médiocre qui rend incapable de vivre normalement, tout en imposant souvent un fardeau à ses proches. Il va sans dire que je ne partage pas cette vision fataliste puisque de nombreuses études portant sur le vieillissement démontrent qu'il est possible d'allonger non seulement l'espérance de vie totale, mais surtout l'espérance de vie *en bonne santé*.

Le chercheur James F. Fries, de l'Université Stanford, a bien documenté ce phénomène dans ses recherches : il a constaté une réduction de 7 à 12 ans de la période d'invalidité en fin de vie chez les personnes qui pratiquent une activité physique modérée. De même, une grande étude initiée en 1986 chez d'anciens étudiants de l'Université de Pennsylvanie a démontré que les participants qui pratiquaient une activité physique modérée, ne fumaient pas et maintenaient un poids santé retardaient l'invalidité en fin de vie de plus de 7 années. Plusieurs études similaires ont été publiées depuis.

DIMINUTION APPRÉHENDÉE DE L'ESPÉRANCE DE VIE CHEZ LES JEUNES GÉNÉRATIONS

Alors que les baby-boomers ont une espérance de vie en santé moins longue que l'espérance de vie totale, les jeunes font face à une autre réalité : la réduction de leur espérance de vie à cause des conséquences de l'épidémie d'obésité. Le chercheur Olshansky et ses collègues ont prédit il y a une dizaine d'années que les jeunes Américains nés dans les années 1990 pourraient être la première génération depuis plus d'un siècle à connaître une diminution de l'espérance de vie : ils pourraient donc vivre moins longtemps que leurs parents. En effet, les gains importants réalisés depuis 50 ans pourraient être effacés par les conséquences de l'obésité.

Alors que, entre 1961 et 1983, l'espérance de vie a augmenté de façon constante dans tous les États américains, entre 1983 et 1999, l'espérance de vie des hommes vivant dans les États les plus affectés par l'obésité a *diminué*. Cette baisse de la longévité va presque certainement s'accélérer chez les jeunes générations actuelles puisque les taux d'obésité ont encore augmenté au cours des dernières années aux États-Unis et au Canada. Comme le mentionne David Ludwig, pédiatre et endocrinologue à l'Université Harvard, les avancées médicales sont relativement efficaces pour prévenir la mortalité prématurée quand l'obésité se produit vers 45 ans, le diabète qui apparaît vers 55 ans ainsi que les maladies cardiovasculaires qui en résultent vers 65 ans. Il sera cependant de plus en plus difficile et coûteux de

traiter ces conséquences néfastes de l'obésité, puisque cette séquence d'événements commence maintenant dès l'enfance et l'adolescence. Il est donc critique de s'attaquer rapidement à ce problème de société à l'aide d'une approche globale plutôt que simplement médicale. Il faut que des mesures soient prises par tous les secteurs de la société pour modifier les environnements toxiques pour la santé.

LES MALADIES CHRONIQUES

En septembre 2011, l'Organisation des Nations unies (ONU) a tenu un sommet sur la prévention des maladies chroniques, également appelées « maladies non transmissibles ». Il s'agissait d'un événement assez rare, la deuxième fois seulement dans toute l'histoire de l'ONU qu'une réunion de cette ampleur était convoquée pour une question de santé (la première concernait le sida et avait eu lieu en 2000), ce qui reflète bien l'énorme défi que représentent ces maladies. Contrairement aux idées reçues, une bonne proportion de la mortalité due aux maladies chroniques est *prématurée*, c'est-à-dire que ces dernières ne touchent pas seulement les personnes très âgées, mais aussi les gens dans la force de l'âge, ce qui entraîne d'énormes conséquences sociales et économiques. Qu'il s'agisse de maladies cardiovasculaires ou du système respiratoire, du diabète de type 2, du cancer ou encore de maladies neurodégénératives (Alzheimer et autres démences), toutes ces maladies chroniques sont responsables de la majorité des décès à l'échelle mondiale, autant dans les pays riches que dans ceux qui sont en transition économique.

En raison de la mondialisation des échanges commerciaux et de la dissémination du mode de vie occidental à travers l'ensemble de la planète, les maladies chroniques ont remplacé la malnutrition comme principale cause de décès prématuré et d'invalidité dans les pays émergents. En Chine, par exemple, 90 % des décès sont dus aux maladies chroniques, qui touchent particulièrement les gens de 30 à 59 ans. Il faut dire qu'il y a 300 millions de fumeurs et 160 millions de personnes qui souffrent d'hypertension artérielle en Chine, deux causes majeures de maladies cardiovasculaires et de cancers. L'avenir s'annonce sombre dans ce pays où l'obésité touche 20 % des enfants et des adolescents, conséquence directe de l'adoption du mode de vie occidental, surtout dans les grandes villes de Chine, alors que les régions rurales sont, pour le moment, en grande partie épargnées par les maladies chroniques. Le Dr Barry Popkin, professeur d'économie à l'Université de Caroline du Nord et spécialiste des questions d'économie de la santé dans les pays émergents, prédit que la mauvaise alimentation et la sédentarité qui se sont installées en Chine et qui se répandent de façon très rapide vont surtaxer le système de santé chinois, en plus de freiner sa croissance économique. Il estime que les coûts des maladies chroniques représenteront entre 4 et 8 % de toute l'économie du pays. À cela, il faut évidemment ajouter les coûts énormes liés aux effets néfastes de la pollution atmosphérique sur la santé des Chinois.

Selon la directrice de l'OMS, la Dre Margaret Chan, les maladies chroniques représentent une catastrophe sur le plan humain et économique qui risque de nuire grandement au développement de toutes les nations, même les plus riches. Au même titre que les changements climatiques, les maladies chroniques représentent donc un des plus grands défis du XXIe siècle.

Comme les maladies chroniques, et en particulier les maladies cardiovasculaires, peuvent être soignées, toutes les

dépenses de santé sont dirigées vers les *traitements*, alors que les *causes* profondes liées principalement aux habitudes de vie ne sont pas prises en compte. Selon l'OMS, « jusqu'à 80 % des cardiopathies et accidents vasculaires cérébraux et des cas de diabète de type 2 et jusqu'à 30 % des cancers pourraient être évités par l'élimination des facteurs de risques que ces pathologies ont en commun, à savoir le tabagisme, la mauvaise alimentation et la sédentarité ».

L'ampleur de ce défi est particulièrement bien mise en lumière au Canada, où les maladies chroniques, principalement les maladies cardiovasculaires, les cancers et des maladies respiratoires, sont responsables à elles seules d'environ 75 % de tous les décès annuels (figure 2).

Non seulement ces maladies sont une tragédie humaine, mais elles exercent également des pressions énormes sur nos systèmes de santé. Au Canada, les maladies cardiovasculaires représentent la première cause d'hospitalisations et d'interventions chirurgicales, en plus d'être la catégorie de maladies dont les coûts directs sont les plus importants. Selon un rapport du groupe CIRANO, la proportion du budget du Québec consacrée à la santé constitue maintenant 49 % de toutes les dépenses du gouvernement. Si la croissance des dépenses en santé continue au même rythme, soit environ 2 % par année (une estimation optimiste), la part du budget de la province consacré au système de santé

LES PRINCIPALES CAUSES DE MORTALITÉ AU CANADA EN 2012

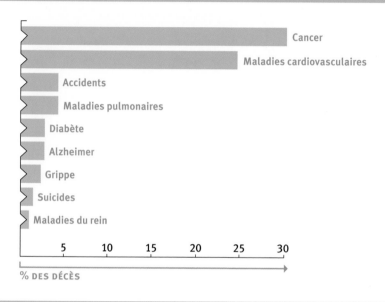

FIGURE 2
Source : Statistique Canada

va atteindre environ 70 % d'ici 2030. Il s'agit bien entendu d'une situation insoutenable qui mettra en péril plusieurs missions essentielles de l'État, comme l'éducation, les autres mesures sociales et les infrastructures.

La lutte contre les maladies chroniques est compliquée par le fait que ces pathologies évoluent très lentement, souvent sans symptômes apparents, et que les personnes touchées ignorent tout des facteurs qui sont responsables de leur développement. Le caractère foudroyant d'un infarctus du myocarde ou d'un accident vasculaire cérébral (AVC) peut laisser croire que ces maladies apparaissent subitement, mais, en réalité, elles ne sont que la conclusion d'un très long processus, au cours duquel des plaques d'athérome progressent lentement sur les parois des vaisseaux sanguins. Sur ces plaques d'athérome, il se produit une inflammation qui peut à tout moment fissurer ces dernières, ce qui peut entraîner la formation d'un caillot de taille variable. Si le caillot est assez gros, il peut obstruer complètement l'artère et provoquer une occlusion menant à l'infarctus du myocarde, qui peut être fatal ou non. Les prouesses médicales modernes, comme la dilatation rapide de ce blocage, parviennent très souvent à sauver la vie du patient, ce qui peut laisser croire qu'il est « guéri », alors que ce n'est malheureusement pas le cas. L'infarctus du myocarde n'est que la manifestation visible d'un problème beaucoup plus profond que le patient doit régler, sinon les risques de récidive seront élevés. Pour vaincre les maladies chroniques, en particulier les maladies cardiovasculaires, il faut d'abord et avant tout empêcher leur développement à la source.

Pour y arriver, des moyens existent et ils n'ont rien d'extrême ni d'inaccessible. Un très grand nombre d'études ont clairement prouvé que seulement cinq modifications simples aux habitudes de vie peuvent diminuer de façon très importante les maladies cardiovasculaires (figure 3).

L'efficacité de ces comportements pour contrer l'infarctus du myocarde est frappante : alors que certains des médicaments les plus couramment prescrits pour prévenir les maladies cardiovasculaires (voir chapitre 9) ne diminuent que de 1 % le risque absolu d'événement coronarien en prévention *primaire*, la combinaison de ces cinq facteurs entraîne quant à elle une baisse du risque absolu tout à fait remarquable, soit d'environ 85 % (figure 4).

Des résultats similaires ont été observés chez les femmes et on estime que, globalement, la simple modification des habitudes de vie pour y inclure ces cinq comportements pourrait permettre un gain de 14 années de vie.

Bien qu'ils soient à la portée de tous, ces changements du mode de vie sont boudés par la grande majorité de la population des pays industrialisés. Par exemple, 60 % des Canadiens ne mangent pas au moins 5 portions de fruits et de légumes par jour, 85 % ne font pas au moins 150 minutes d'activité physique d'intensité modérée par semaine, 66 % présentent un excès de poids (incluant 25 % d'obèses) et près de 20 % des gens fument encore. Enfin, on estime que

FACTEURS DU MODE DE VIE ASSOCIÉS À UNE RÉDUCTION DU RISQUE D'INFARCTUS DU MYOCARDE CHEZ LES HOMMES

Facteurs préventifs

1   Avoir une saine alimentation (plus de végétaux et de grains entiers, moins de sucres ajoutés, moins d'aliments transformés, moins de charcuteries et de viandes rouges).

2   Maintenir un poids corporel normal (tour de taille : < 100 cm pour les hommes et < 88 cm pour les femmes).

3   Ne pas fumer.

4   Pratiquer une activité physique régulièrement (30 minutes par jour de marche ou de vélo, par exemple).

5   Consommer de l'alcool de façon modérée (de 10 à 30 g (une à deux consommations) par jour).

FIGURE 3   Source : d'après Åkesson, 2014

seulement 3 % de la population adopte ces cinq comportements !

Pourtant, plusieurs grandes études ont prouvé l'efficacité remarquable de meilleures habitudes de vie. Par exemple, une étude néerlandaise réalisée auprès de 33 000 hommes et femmes en bonne santé âgés de 20 à 70 ans a montré que les personnes qui combinaient les cinq bons comportements de la figure 3 diminuaient de 85 % le risque de subir un accident cardiovasculaire *prématuré*, en plus d'augmenter considérablement leur espérance de vie *en bonne santé*. L'adoption d'un mode de vie plus sain est donc un moyen très efficace non seulement pour vivre plus longtemps, mais surtout – et c'est là le plus important – pour allonger notre espérance de vie *en bonne santé*.

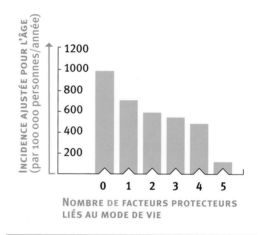

DIMINUTION DE L'INCIDENCE D'INFARCTUS DU MYOCARDE CHEZ LES HOMMES COMBINANT UN OU PLUSIEURS FACTEURS PROTECTEURS LIÉS AU MODE DE VIE

FIGURE 4　　Source : d'après Åkesson, 2014

EFFETS COLLATÉRAUX

Il est essentiel de réaliser que les changements au mode de vie décrits dans ce livre ne se limitent pas à la prévention des maladies cardiovasculaires. Depuis une dizaine d'années, j'ai remarqué que mes patients craignent beaucoup moins de mourir d'un infarctus du myocarde que du cancer ou de la maladie d'Alzheimer. Ils ont l'impression qu'une crise cardiaque est une « belle mort », plutôt rapide et relativement peu souffrante, tandis qu'ils sont terrorisés à l'idée de perdre leurs facultés intellectuelles et

de finir leur vie dans un centre d'accueil, sans aucune autonomie.

Il est possible de faire d'une pierre plusieurs coups : les études réalisées au cours des dernières années ont clairement montré que les habitudes de vie qui sont associées à une réduction du risque de maladies cardiovasculaires ont également un effet préventif contre plusieurs cancers (en particulier ceux du côlon, du poumon, du sein et de la prostate) ainsi que contre les maladies neurodégénératives, comme la maladie d'Alzheimer. De plus, on sait maintenant qu'une grande proportion des démences sont directement liées à notre santé vasculaire et qu'on peut en conséquence prévenir leur apparition simplement en adoptant les habitudes de vie connues pour diminuer l'incidence des maladies cardiovasculaires.

ET LA GÉNÉTIQUE ?

On cherche souvent à associer une longue espérance de vie à de quelconques « gènes de longévité » qui protégeraient certaines personnes de la maladie. Pourtant, plusieurs études ont bien démontré que le « secret » des gens qui vivent longtemps n'est pas génétique : par exemple, une étude récente n'a pu observer aucune différence notable dans la séquence des gènes de personnes « supercentenaires » qui pourrait expliquer leur incroyable longévité (110 ans et plus). Sauf en ce qui concerne certaines maladies génétiques rares, le destin n'est pas fixé à la naissance : la recherche des 50 dernières années dans le domaine de la nutrition et de l'activité physique démontre que notre alimentation et nos activités quotidiennes influencent fortement notre santé, et qu'elles peuvent compenser largement une mauvaise génétique.

En effet, la science de l'épigénétique, c'est-à-dire la façon dont « s'expriment » nos gènes, confirme que les habitudes de vie ont un effet sur les gènes « défavorables » et « favorables ». Autrement dit, si vos parents ont souffert d'une maladie cardiovasculaire sévère, vous n'êtes pas condamné à subir le même sort puisque vos habitudes de vie peuvent modifier l'activation de vos « mauvais » gènes. En résumé : les bonnes habitudes de vie activent les « bons » gènes et inactivent les « mauvais ».

TÉLOMÈRES ET HABITUDES DE VIE

Nos gènes sont des séquences d'ADN dispersées au sein des vingt-trois paires de chromosomes situés à l'intérieur des noyaux de nos cellules. Ces chromosomes possèdent à leurs extrémités des « capuchons », appelés « télomères », qui protègent le matériel génétique des dommages subis lors de la division cellulaire (figure 5).

Lorsqu'on vieillit, nos télomères raccourcissent progressivement, si bien que leur longueur est un indicateur du temps qu'il nous reste à vivre et de notre état général de santé. Plus ils sont longs, plus il nous reste d'années de vie en santé ; plus ils sont courts, plus le décès est imminent et plus on souffre de différentes formes d'invalidité. La Dre Elizabeth Blackburn a reçu le prix Nobel de médecine en 2009 pour son travail sur les télomères. En collaboration avec cette chercheure, le Dr Dean Ornish a démontré qu'un programme de modification des habitudes de vie suivi pendant une période de 5 ans par un groupe expérimental avait entraîné un allongement des télomères chez les participants, tandis que les télomères des sujets du groupe contrôle se sont raccourcis (figure 6). Que de simples modifications aux habitudes de vie exercent un tel impact sur l'intégrité de notre ADN illustre à quel point notre mode de vie joue un rôle prédominant dans le maintien d'une bonne santé ; cela est particulièrement vrai en ce qui concerne la santé cardiovasculaire.

LES TÉLOMÈRES

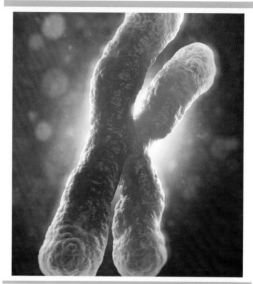

FIGURE 5

IMPACT DU MODE DE VIE SUR LA LONGUEUR DES TÉLOMÈRES

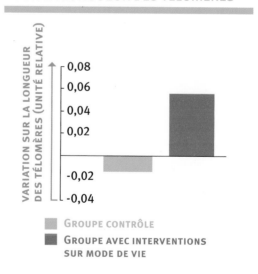

FIGURE 6   D'après Ornish et coll. (2013)

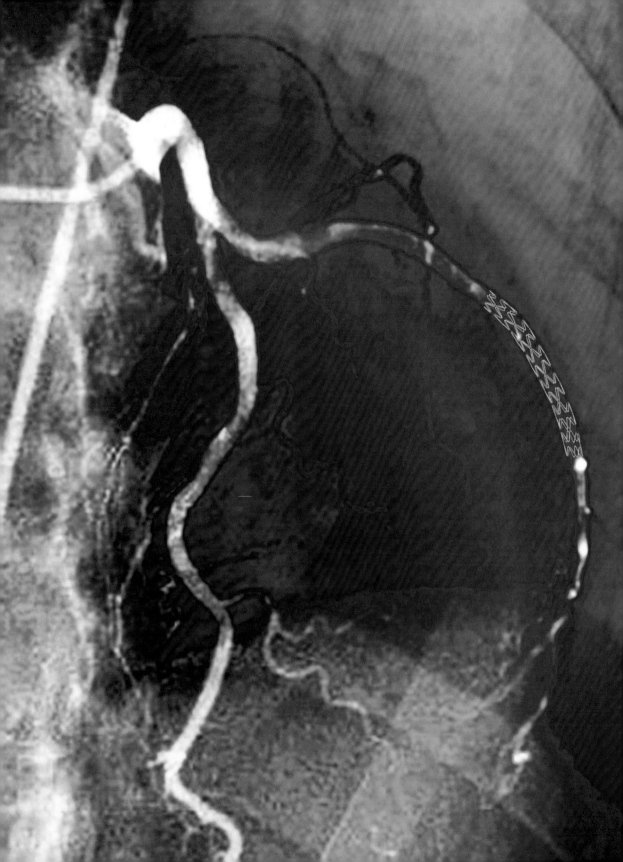

CHAPITRE 2

La maladie coronarienne et ses traitements

Le cœur est un muscle creux, de la grosseur de votre poing fermé, dont la fonction est d'assurer la circulation constante du sang dans l'ensemble de l'organisme. Il s'agit ni plus ni moins d'une pompe qui reçoit le sang veineux par la veine cave (côté droit du cœur) et qui le renvoie dans l'organisme par l'aorte (côté gauche) une fois qu'il a été oxygéné par les poumons (figure 7).

Le muscle du cœur, le myocarde, se nourrit en oxygène grâce à son réseau d'artères, qu'on appelle « coronaires » parce qu'elles forment une couronne (du latin *corona*) autour du cœur. Ces artères sont d'un diamètre de 3 mm à leur origine, soit environ la grosseur d'une allumette de bois, et ce diamètre rétrécit au fur et à mesure que les artères se ramifient et

pénètrent dans le muscle cardiaque afin de lui fournir l'oxygène dont il a besoin pour soutenir la contraction incessante du cœur (100 000 battements par jour, en moyenne). Il y a deux coronaires, soit la coronaire gauche et la coronaire droite. Celle de gauche se divise rapidement en deux grosses branches : l'interventriculaire antérieure, qui irrigue le devant du cœur, et l'artère circonflexe, qui irrigue le côté gauche du cœur (figure 8). En pratique, ces deux divisions de la coronaire gauche sont souvent considérées comme deux artères distinctes. On parle souvent de maladie coronarienne des « trois vaisseaux » lorsque la coronaire droite, l'interventriculaire antérieure et l'artère circonflexe sont touchées. Selon le nombre d'artères coronaires atteintes, on parle

LA CIRCULATION DU SANG

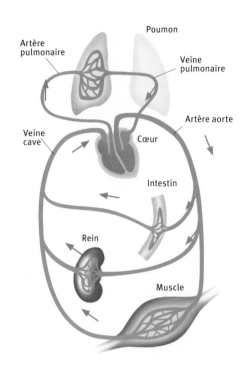

FIGURE 7

donc de maladie d'un, de deux ou de trois vaisseaux.

En fait, il s'agit d'une simplification pour résumer l'étendue de la maladie coronarienne, parce que toutes les artères coronaires sont touchées à des degrés divers même lorsqu'il n'y a qu'un seul blocage bien visible sur l'une d'entre elles.

BOUCHONS DE CIRCULATION

La maladie coronarienne est très dangereuse, car lorsqu'une coronaire est partiellement ou complètement bouchée, la région du myocarde irriguée par cette coronaire manque de sang et donc d'oxygène, un phénomène qu'on appelle en langage médical « ischémie » du myocarde (du grec *ískhô*, qui signifie « arrêter », et *haîma*, qui veut dire « sang »). En effet, l'oxygène est emmagasiné à l'intérieur de l'hémoglobine des globules rouges du sang. Lorsque cette ischémie dure trop longtemps, c'est-à-dire environ 20 minutes, les cellules du muscle cardiaque commencent à mourir et la fonction de ce dernier est compromise.

C'est la présence de plaques formées par le processus d'athérosclérose qui est responsable du blocage des coronaires (voir chapitre 3). En clinique, on peut visualiser la présence de ces plaques grâce à une technique d'imagerie appelée « coronarographie » (figure 9). La coronarographie consiste à insérer un cathéter (petit tube creux) dans les coronaires, en passant généralement par l'artère radiale située dans le poignet, pour injecter une solution radio-opaque (qui permet de voir l'intérieur de l'artère grâce aux rayons X), dans le but de visualiser où sont situés le ou les blocages.

Ces blocages sont souvent localisés dans les bifurcations (où la circulation du sang est plus mouvementée), mais on peut aussi les retrouver à n'importe quel endroit. Plus l'obstruction de l'artère est proximale (au début de l'artère), plus les dommages seront importants. Pour faire une analogie simple, c'est un peu comme lorsqu'on coupe un arbre : si on le coupe près de ses racines, tout l'arbre va tomber, tandis que si on ne coupe que sa cime, on ne perd que très peu de branches.

Jusque vers les années 1990, on croyait que l'infarctus du myocarde – soit le blocage complet de la coronaire qui cause la mort du myocarde irrigué par cette artère – était causé par un rétrécissement progressif du vaisseau causé par une plaque de plus en plus volumineuse. On s'est cependant aperçu que ce blocage pouvait être causé subitement par des plaques très peu développées et peu visibles lors des examens par coronarographie. En effet, ces plaques peuvent s'enflammer et se fissurer ou encore s'éroder rapidement, entraînant alors la formation d'un caillot qui peut obstruer partiellement ou totalement le flot sanguin dans l'artère. C'est pour cette raison que vous pouvez vous sentir très bien et, soudainement, être terrassé par un infarctus. En résumé, au moment de la fissure ou de l'érosion d'une plaque d'athérosclérose, un caillot se forme, l'artère coronaire se bloque complètement et l'infarctus se produit subitement.

LES ARTÈRES DU CŒUR

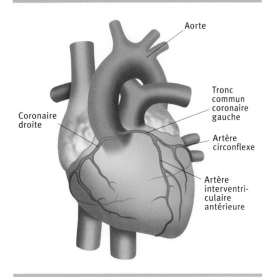

Aorte

Tronc commun coronaire gauche

Artère circonflexe

Artère interventriculaire antérieure

Coronaire droite

FIGURE 8

LA PRÉSENCE DE BLOCAGE (STÉNOSE) VISUALISÉE PAR CORONAROGRAPHIE

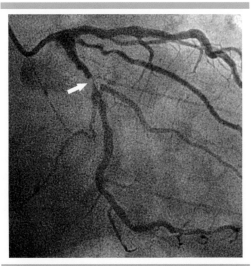

FIGURE 9

33

QU'EST-CE QUE L'ANGINE ?

L'angine est une douleur qui se situe dans la poitrine, généralement au centre, et qui est causée par un rétrécissement d'une ou de plusieurs artères coronaires. Ce blocage partiel (de 60 à 70 % du diamètre interne de l'artère) freine le passage du sang, ce qui prive le myocarde d'oxygène. En général, l'angine se manifeste lors d'un effort (lorsque le muscle cardiaque travaille plus fort et requiert plus d'oxygène) et est soulagée par le repos. Par exemple, une personne qui pellette de la neige un peu trop vite ressent une douleur dans le milieu de la poitrine. Elle arrête de pelleter, et la douleur disparaît en quelques minutes. Si la personne recommence à pelleter, la douleur revient très rapidement, exactement au même endroit. Cette douleur (très inquiétante pour la personne qui la ressent) est en fait un mécanisme de défense de l'organisme pour nous prévenir d'arrêter immédiatement un effort dangereux pour le muscle cardiaque. La douleur d'angine peut se situer seulement dans le milieu de la poitrine, mais peut aussi irradier vers le bras gauche, l'épaule gauche, parfois l'épaule droite et les poignets, ainsi que vers le cou et parfois la

LA DOULEUR D'ANGINE

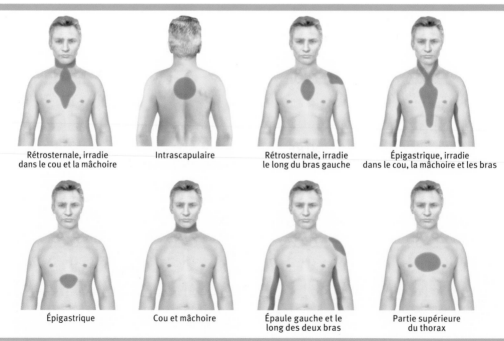

Rétrosternale, irradie dans le cou et la mâchoire

Intrascapulaire

Rétrosternale, irradie le long du bras gauche

Épigastrique, irradie dans le cou, la mâchoire et les bras

Épigastrique

Cou et mâchoire

Épaule gauche et le long des deux bras

Partie supérieure du thorax

FIGURE 10

mâchoire (figure 10). Il faut retenir qu'une douleur ressentie à l'un de ces endroits, qui survient lors de l'effort et qui disparaît au repos peut être la manifestation d'une maladie coronarienne. On doit donc consulter son médecin le plus rapidement possible lorsque ce type de malaise se produit.

Les douleurs d'angine surviennent souvent de façon plus intense après un repas. Notre équipe de recherche au Centre ÉPIC de l'ICM a démontré que, 30 minutes après un repas de 1000 calories, les douleurs d'angine apparaissent après un effort moindre. Pour les patients atteints d'une maladie coronarienne et qui présentent de l'angine stable, il est donc préférable d'attendre au moins 90 minutes avant de faire de l'exercice. De même, lorsqu'il fait froid, surtout lorsqu'il vente, notre équipe a observé que des exercices réalisés à - 8 °C et à - 20 °C étaient associés à une augmentation de l'angine lors d'un effort.

QUELLE EST LA DIFFÉRENCE ENTRE L'ANGINE ET L'INFARCTUS ?

L'angine se produit lorsque l'artère n'est pas obstruée complètement. On parle d'infarctus en présence d'un blocage complet et subit de l'artère accompagné d'un manque de sang immédiat dans toute une région du myocarde, ce qui provoque la mort des cellules situées dans celle-ci. La plupart du temps, la douleur

Un infarctus qui se présente comme une « indigestion »

Il y a quelques années, un de mes patients a appelé ma secrétaire pour lui demander conseil puisqu'il ressentait des nausées légères et un malaise au « creux de l'estomac », comme une « indigestion ».

Ma secrétaire, qui soupçonnait un infarctus, lui a recommandé d'appeler le 911, mais il a plutôt préféré se rendre chez son médecin de famille, qui est toujours accessible en cas d'urgence. Lorsque l'homme est arrivé à la clinique, le médecin a tout de suite pensé qu'il pouvait en effet s'agir d'un infarctus. Au moment de son examen, le patient a été victime d'un arrêt cardiaque. Le médecin a effectué les manœuvres de réanimation et a utilisé le défibrillateur pour restaurer le rythme cardiaque. Les ambulanciers sont arrivés très rapidement et ont transporté l'homme à l'hôpital, où une angioplastie a été pratiquée immédiatement pour débloquer la coronaire droite obstruée par un caillot. Le patient s'en est tiré sans aucune séquelle et s'entraîne toujours au Centre ÉPIC.

Cette histoire vraie se termine bien, mais la fin aurait été moins heureuse si chacun des intervenants (le patient, la secrétaire et le médecin) n'avait pas pensé et agi de façon appropriée.

de l'infarctus est extrêmement intense. Le patient transpire abondamment et a même parfois l'impression que sa mort est imminente. C'est l'une des pires douleurs que l'on rencontre en médecine. On peut d'ailleurs souvent diagnostiquer un infarctus juste en voyant l'expression du patient, avant même que ce soit confirmé par un électrocardiogramme. La douleur, comme pour l'angine, est généralement située dans le milieu de la poitrine et peut irradier vers les mêmes endroits. Dans quelques cas, l'infarctus peut ne pas être accompagné de douleur, notamment chez les gens très âgés et les diabétiques. Il peut alors ressembler, par exemple, à une nausée associée à une grande faiblesse.

INFARCTUS ET MORT SUBITE

On entend souvent parler de mort subite, qui a généralement lieu dans les premières minutes de l'infarctus, conséquence d'une arythmie très grave appelée « tachycardie ventriculaire » ou, le plus souvent, d'une fibrillation ventriculaire (figure 11). C'est de cette dernière qu'a été victime le patient mentionné plus tôt. La mort subite peut aussi survenir sans qu'il y ait d'infarctus en même temps : la tachycardie ventriculaire qui dégénère en fibrillation ventriculaire se produit alors au site d'une cicatrice d'un infarctus ancien. Ainsi, cette cicatrice ancienne cause un genre de court-circuit dans le muscle cardiaque.

Malheureusement, la mort subite est souvent la première manifestation d'une maladie coronarienne. C'est pour cette raison qu'il est primordial d'en prévenir l'apparition puisqu'une fois que la maladie est installée, si rien n'est fait pour l'empêcher de se développer, la mort peut frapper de façon inattendue.

RÉTABLIR LA CIRCULATION

Il est essentiel de consulter rapidement son médecin de famille si on ressent des malaises à la poitrine lors d'efforts physiques. Le médecin dirige généralement le patient vers un cardiologue pour confirmer et préciser le diagnostic d'angine, afin de commencer un traitement.

Le cardiologue va souvent procéder à une épreuve d'effort sur tapis roulant avec électrocardiogramme. En général, simplement en interrogeant le patient le cardiologue sait déjà qu'il s'agit d'angine. Pourquoi alors le tapis roulant ? Parce que cette épreuve d'effort va déterminer le degré de sévérité de l'angine et son pronostic, c'est-à-dire sa gravité, ce qui va indiquer s'il faut traiter le patient de façon « agressive » ou « conservatrice ». Par exemple, si le patient termine l'épreuve en 7 à 10 minutes, en fonction du protocole utilisé, et que l'angine survient à un niveau d'effort important, on peut décider de traiter le patient de façon « conservatrice », c'est-à-dire avec des médicaments plutôt qu'avec une angioplastie ou une chirurgie.

Dans ce cas, il ne s'agit pas d'éliminer l'obstruction, mais plutôt de diminuer les répercussions du blocage de la coronaire sur le myocarde. Autrement dit, le myocarde continue à manquer de sang lors de l'effort si le patient dépasse un certain niveau, mais l'ischémie (le manque de sang) est réduite parce que le médicament réduit la consommation d'oxygène du cœur ou contribue à augmenter le flot sanguin au myocarde. Les bêta-bloqueurs, par exemple, diminuent

LA FIBRILLATION VENTRICULAIRE

Lors d'un battement de cœur normal, un signal électrique passe des cavités supérieures (les oreillettes) aux cavités inférieures (les ventricules), faisant en sorte que les ventricules se contractent et que le sang circule. Lorsqu'il y a fibrillation ventriculaire, des pulsions électriques rapides et irrégulières se produisent dans les ventricules : ceux-ci se contractent alors de manière désordonnée et inefficace plutôt que de propulser le sang dans l'organisme.

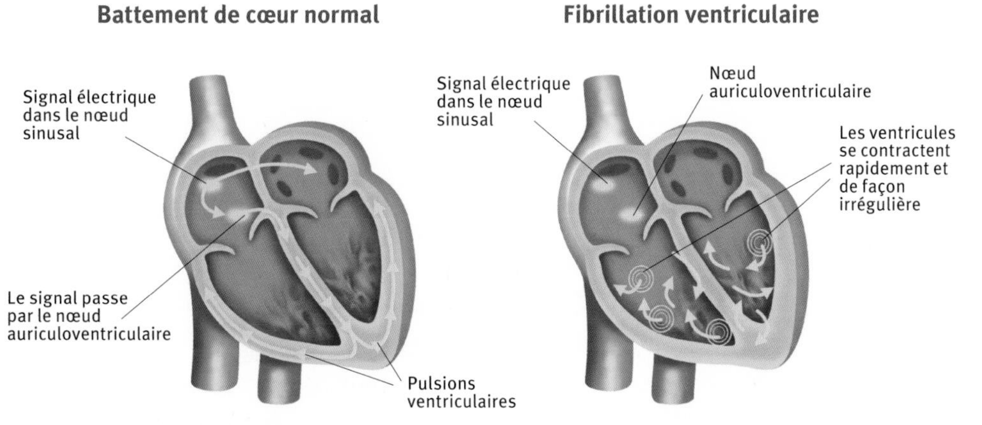

Battement de cœur normal

Signal électrique dans le nœud sinusal

Le signal passe par le nœud auriculoventriculaire

Pulsions ventriculaires

Fibrillation ventriculaire

Signal électrique dans le nœud sinusal

Nœud auriculoventriculaire

Les ventricules se contractent rapidement et de façon irrégulière

FIGURE 11

la force de contraction du muscle cardiaque, ce qui fait que, lors d'un effort, l'ischémie et la douleur seront réduites. Les antagonistes du calcium, quant à eux, dilatent les artères coronaires. La nitroglycérine, la fameuse « nitro » dont tout le monde a entendu parler, provoque une vasodilatation intense des artères coronaires qui soulage la douleur presque instantanément. Ces médicaments sont très efficaces dans la majorité des cas, et il arrive fréquemment que des patients prennent pendant des années (et parfois toute leur vie) une médication « antiangineuse » sans avoir à subir des interventions comme l'angioplastie ou les pontages.

Par contre, si la douleur apparaît très tôt pendant l'épreuve d'effort sur tapis roulant et que l'électrocardiogramme (ECG) signale un important blocage, le cardiologue peut plutôt décider d'examiner directement les artères coronaires au moyen de la coronarographie (figure 12).

Si le cardiologue ne s'est pas trompé, il constatera un blocage important lors de cet examen. Il peut alors, au cours de la même procédure, introduire un petit guide qui va traverser l'obstruction, puis placer sur ce guide un cathéter muni d'un ballonnet pour dilater l'artère. Dans la très grande majorité des cas, le cardiologue va laisser un tuteur (aussi appelé communément « stent ») en place pour empêcher

DÉTECTION DE L'ANGINE À L'AIDE DE L'ECG À L'EFFORT

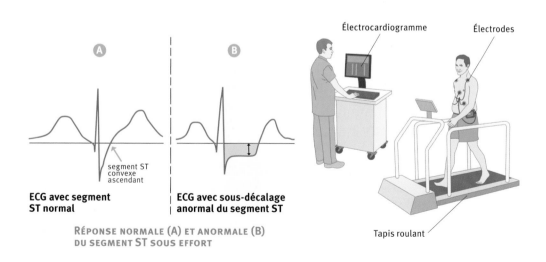

segment ST convexe ascendant

ECG avec segment ST normal

ECG avec sous-décalage anormal du segment ST

RÉPONSE NORMALE (A) ET ANORMALE (B) DU SEGMENT ST SOUS EFFORT

Électrocardiogramme

Électrodes

Tapis roulant

FIGURE 12

39

que l'artère se bouche de nouveau. Cette procédure est sous anesthésie locale (le patient est éveillé) et dure de 45 minutes à 1 heure (figure 13).

Si les trois artères coronaires sont bloquées de façon sévère, le cardiologue peut décider, au lieu de dilater chaque blocage, de recommander des pontages aortocoronariens. Il s'agit alors d'une chirurgie pendant laquelle le thorax est ouvert (le sternum est coupé avec une scie spéciale). On utilise l'artère mammaire, qui nourrit le sein, et des veines prélevées dans la jambe (veines saphènes) pour créer des « ponts » passant par-dessus les blocages, d'où le nom « pontages » (figure 14). L'artère mammaire est fixée par des points de l'autre côté du blocage sur l'artère coronaire. Les veines saphènes sont placées entre l'aorte et l'autre côté du blocage sur la coronaire. Évidemment, chaque cas est différent et on peut choisir de dilater trois ou quatre blocages plutôt que de faire subir une chirurgie au patient.

Il y a évidemment une grosse différence entre l'angioplastie par ballonnet

ANGIOPLASTIE AVEC BALLONNET ET STENT

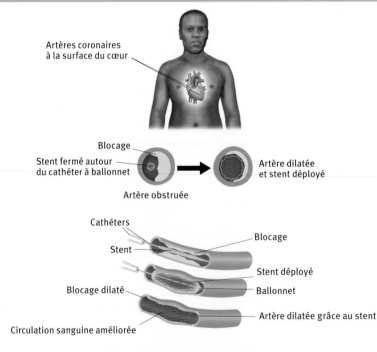

Artères coronaires à la surface du cœur

Blocage
Stent fermé autour du cathéter à ballonnet
Artère obstruée
Artère dilatée et stent déployé

Cathéters
Stent
Blocage dilaté
Circulation sanguine améliorée
Blocage
Stent déployé
Ballonnet
Artère dilatée grâce au stent

FIGURE 13

et la chirurgie de pontages. L'angioplastie se fait pendant que le patient est éveillé, donc sans anesthésie. La personne est consciente pendant toute la procédure et peut repartir le jour même, ou le lendemain matin. Sa convalescence est très courte (environ 1 semaine).

La chirurgie cardiaque (pontages), au contraire, demande évidemment une anesthésie générale. La plupart du temps, on provoque l'arrêt du cœur à l'aide d'une solution spéciale (cardioplégie) et la circulation sanguine est assurée par un dispositif communément appelé « machine cœur-poumon » ou, plus scientifiquement, « appareil de circulation extracorporelle » (CEC). Le sang est ainsi dévié vers un appareil qui remplace les fonctions du cœur et des poumons, qui fournit de l'oxygène au sang et qui le retourne ensuite au corps. Cet appareil est actionné par un technicien très spécialisé appelé « perfusionniste ». La chirurgie dure environ 3 heures et exige une convalescence évidemment beaucoup plus longue (de 1 à 3 mois).

TRAITEMENT À LONG TERME APRÈS UNE INTERVENTION CARDIAQUE

Il est très important de comprendre que l'angioplastie par ballonnet et le pontage aortocoronarien ne « guérissent » pas le patient. Ces interventions sont très efficaces pour diminuer les douleurs d'angine.

PONTAGES AORTOCORONARIENS

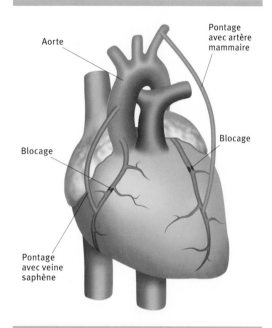

Aorte

Pontage avec artère mammaire

Blocage

Blocage

Pontage avec veine saphène

FIGURE 14

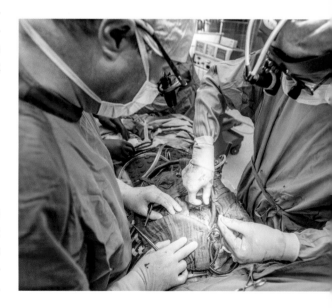

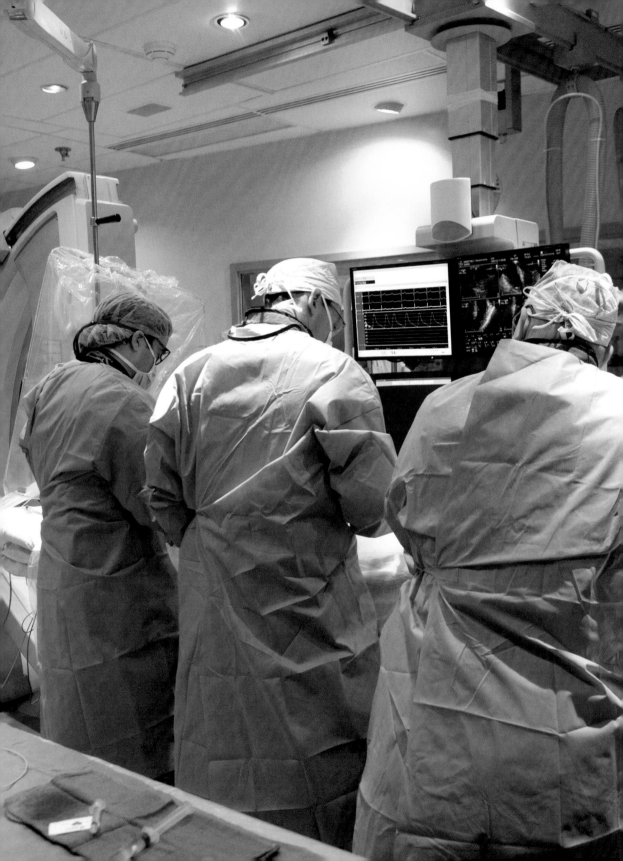

Il faut toutefois rappeler aux patients que les conditions qui ont mené à une obstruction de leurs artères coronaires sont toujours présentes et qu'elles peuvent « s'attaquer » à nouveau aux artères débloquées par ballonnet ou pontées. Si les patients ne modifient pas leur mode de vie et ne prennent pas les médicaments efficaces recommandés, les symptômes réapparaîtront et tout sera à recommencer. C'est malheureusement ce qui se produit souvent chez de nombreuses personnes qui se sentent complètement guéries. Il faut donc s'assurer que le patient qui a subi une de ces interventions suive un programme de prévention dite « secondaire », qu'on appelle aussi « réadaptation cardiaque ».

TRAITEMENT DE L'INFARCTUS AIGU OU DE L'ANGINE INSTABLE

En présence d'un infarctus du myocarde ou d'une angine instable (angine très sévère qui dégénère rapidement en infarctus du myocarde si elle n'est pas traitée), il faut procéder immédiatement à un traitement « agressif ». Lors d'un infarctus aigu, il y a un blocage complet de la coronaire par un caillot. Il faut donc amener le patient le plus rapidement possible dans une salle de cathétérisme cardiaque pour procéder à une angioplastie

(on parle alors d'angioplastie primaire). On passe le guide à travers le blocage complet, on place un ballonnet pour dilater le blocage et on laisse un tuteur (stent) en place. Dans la très grande majorité des cas, on peut arrêter l'infarctus en évolution. Plus ce traitement est fait rapidement, moins il y a de dommages au muscle cardiaque : chaque minute compte (en cardiologie, on dit : « *Time is muscle* », en référence au « *Time is money* » du domaine financier). Les équipes médicales sont d'ailleurs évaluées selon leur performance à procéder rapidement, c'est-à-dire qu'on calcule combien de minutes s'écoulent entre la prise en charge du patient à la porte de l'hôpital et l'ouverture de l'artère coronaire bloquée (« *door-to-balloon time* »).

On voit régulièrement des patients se présenter une heure après le début de douleurs intenses causées par un infarctus. On dilate alors immédiatement l'artère, et les patients reçoivent leur congé moins de 36 heures plus tard. Ils n'ont généralement que très peu de séquelles. À l'inverse, si le patient tarde à venir à l'urgence et que sa douleur dure plus de 6 heures, les dommages sont beaucoup plus importants. En résumé, lors d'un infarctus ou d'une angine instable, il faut appeler rapidement le 911. Dans tous ces cas, une intervention rapide peut sauver la vie du patient et minimiser les séquelles.

CHAPITRE 3

Au cœur du problème : l'athérosclérose

Comme le nom l'indique, les maladies cardiovasculaires comprennent toutes les maladies qui touchent le cœur et les vaisseaux sanguins. Toutefois, la maladie cardiovasculaire qui cause les infarctus du myocarde et l'angine tout en entraînant le plus de morts subites est la *maladie coronarienne*, qui attaque les artères coronaires nourrissant le muscle cardiaque. Cette maladie est elle-même causée par l'athérosclérose. Plus que de simples « bouchons de circulation » qui privent le cœur de l'oxygène essentiel à son fonctionnement, les lésions d'athérosclérose sont en fait le point culminant d'un processus d'une grande complexité, qui fait intervenir une foule de facteurs biochimiques, immunitaires, génétiques et épigénétiques. Éviter, ou à tout le moins

ralentir le développement du processus d'athérosclérose est donc absolument indispensable à la prévention des maladies cardiovasculaires.

UNE MALADIE INFLAMMATOIRE

L'athérosclérose est une maladie chronique de la paroi des artères qui se développe silencieusement pendant de nombreuses années, sans provoquer de symptômes apparents. La paroi intérieure des artères est tapissée d'une mince couche de ce qu'on appelle « cellules endothéliales » ou « endothélium ». Très important pour la santé vasculaire, l'endothélium est présent dans toutes les artères du corps, des plus grosses jusqu'aux plus petits vaisseaux capillaires. C'est la première ligne de défense contre les diverses « agressions » : inflammation, virus, bactéries, taux de cholestérol élevé, produits toxiques de la fumée de cigarette, etc. Si l'endothélium subit trop d'« agressions », il ne peut plus jouer son rôle de protection, ce qui permet à l'athérosclérose de s'installer progressivement. Les lésions sont d'abord de simples traînées de dépôts graisseux dans la paroi interne de l'artère, des « stries lipidiques » dues à l'infiltration de certains globules blancs qui emmagasinent le cholestérol et provoquent son accumulation dans la paroi musculaire du vaisseau (figure 15). Ce phénomène entraîne

une réaction inflammatoire chronique locale qui, par une série d'événements complexes, stimule la croissance des cellules musculaires présentes dans la paroi du vaisseau, et qui provoque la formation d'une couche fibreuse isolant les cellules immunitaires et la matière graisseuse de la circulation sanguine. Lorsqu'elles demeurent sous cette forme, les plaques ne présentent pas de danger immédiat pour la santé, car la couche fibreuse est très stable et parvient à sceller hermétiquement les dépôts graisseux présents dans la paroi de l'artère. Les artères possèdent également suffisamment d'élasticité pour s'étirer afin de conserver leur diamètre normal et de

DÉVELOPPEMENT DE L'ATHÉROSCLÉROSE

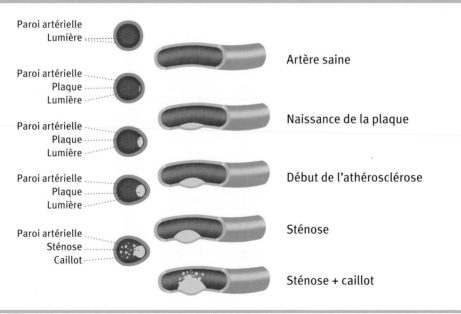

Paroi artérielle
Lumière

Artère saine

Paroi artérielle
Plaque
Lumière

Naissance de la plaque

Paroi artérielle
Plaque
Lumière

Début de l'athérosclérose

Paroi artérielle
Plaque
Lumière

Sténose

Paroi artérielle
Sténose
Caillot

Sténose + caillot

FIGURE 15

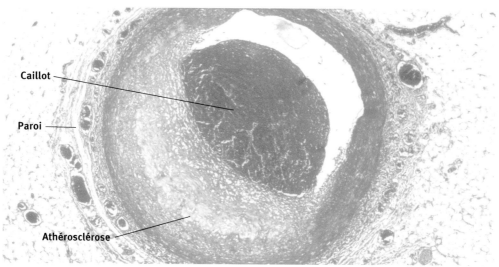

Caillot

Paroi

Athérosclérose

↗ Coupe d'une artère bloquée vue au microscope

maintenir le même débit de circulation du sang malgré la présence de plaques (phénomène de Glagov). Par contre, lorsque le volume occupé par la plaque d'athérosclérose devient trop important, l'obstruction partielle du vaisseau cause alors une diminution de l'arrivée de sang au muscle cardiaque. Ce blocage partiel peut se manifester typiquement par des douleurs lors de l'effort (angine).

Toutefois, dans plusieurs cas, le blocage du vaisseau qui mène à un infarctus n'est pas provoqué par une plaque volumineuse qui empêche la circulation du sang, mais plutôt par des caillots (thrombus) qui se forment à partir de plaques de plus faible volume. Ces plaques qui se fissurent sont une conséquence d'une inflammation chronique incontrôlée au niveau de la paroi de l'artère : la mort d'une trop grande quantité de cellules au cœur de la plaque déstabilise alors la couche fibreuse, provoquant l'apparition de zones très minces et fragiles à la surface de la plaque. La rupture ou l'érosion de ces plaques expose leur contenu au système de coagulation qui, croyant qu'il s'agit d'une blessure à réparer, forme immédiatement un caillot qui obstrue complètement le vaisseau. Il va sans dire qu'il s'agit d'une situation très dangereuse, car il n'y a alors que peu de signes, parfois même aucun, pour nous avertir de cette obstruction soudaine. D'ailleurs, comme il a été mentionné au chapitre précédent, la mort subite est souvent la première manifestation de la présence de lésions d'athérosclérose et elle représente 50 % des causes des décès par maladie cardiovasculaire dans nos pays.

PRÉDISPOSITION INNÉE

L'athérosclérose n'est pas un phénomène récent : l'analyse de momies égyptiennes a révélé la présence de calcifications dans les vaisseaux sanguins chez près de la moitié des défunts, incluant une athérosclérose sévère touchant l'ensemble du réseau artériel chez une princesse ayant vécu vers 1600 av. J.-C. Des observations similaires ont été réalisées auprès de corps momifiés de Péruviens, d'Anasazis (Amérindiens du sud-ouest de l'Amérique du Nord) et d'Aléoutes (Inuits de l'Alaska) datant d'environ 1000 ans. La plupart de ces individus étaient assez jeunes au moment du décès (43 ans en moyenne), et vivaient bien avant la période industrielle, mais plusieurs milliers d'années après l'apparition de l'agriculture et de l'élevage, ce qui

suggère que leur alimentation pouvait en partie ressembler à la nôtre.

L'apparition de l'athérosclérose des coronaires à un âge très jeune est bien illustrée par les résultats d'autopsies réalisées auprès de jeunes adultes décédés de causes autres que de maladies cardiovasculaires. Lors de la guerre de Corée, par exemple, les autopsies de soldats américains, âgés de 22 ans en moyenne et morts au combat, ont révélé la présence de plaques d'athérosclérose chez 77 % d'entre eux, de même qu'une occlusion complète d'un ou de plusieurs vaisseaux chez 3 % des individus. Une athérosclérose précoce a aussi été observée chez des soldats ayant combattu au Vietnam, ainsi que chez des enfants et de jeunes adultes vivant dans plusieurs régions du monde. Ce phénomène a été particulièrement bien documenté à

Bogalusa (en Louisiane, aux États-Unis), où une étude réalisée auprès d'enfants et de jeunes adultes décédés en bas âge a montré que les premiers stades d'athérosclérose (stries lipidiques et plaques fibreuses) apparaissent très tôt au cours de l'existence, tant au niveau de l'aorte que des artères coronaires (figure 16). Dans certains cas extrêmes (hypercholestérolémie maternelle), ces lésions ont même pu être détectées avant la naissance, dans le réseau artériel du fœtus !

L'étude « PDAY », réalisée à l'échelle mondiale, a confirmé ces observations et révélé que des lésions d'athérosclérose au niveau de l'aorte sont présentes chez l'ensemble des individus âgés de 15 à 19 ans. La moitié de ces adolescents présentent également déjà des lésions au niveau des artères coronaires, une proportion qui ne cesse d'augmenter au cours des décennies suivantes, jusqu'à affecter plus de 70 % des individus dans la quarantaine. Ces observations confirment donc que les lésions athérosclérotiques apparaissent dès le début de la vie, indépendamment du sexe, de la race ou de l'origine géographique.

En somme, un infarctus du myocarde qui survient à l'âge adulte représente la conclusion d'un long processus, au cours duquel les premiers dépôts graisseux sont

PRÉVALENCE DE PLAQUES D'ATHÉROSCLÉROSE DANS L'AORTE ET LES ARTÈRES CORONAIRES D'ENFANTS ET DE JEUNES ADULTES

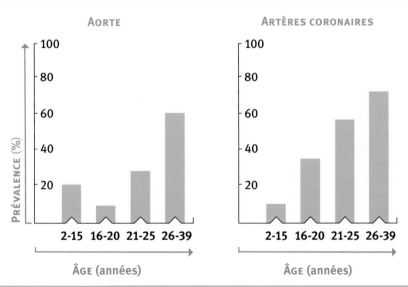

FIGURE 16

Source : Berenson et coll. (1998)

apparus durant l'enfance pour évoluer progressivement en plaques fibreuses possédant le potentiel d'obstruer la circulation sanguine (figure 17).

Cette prédisposition innée à l'athérosclérose signifie donc que nous risquons tous d'être atteints d'une maladie cardiovasculaire. Elle explique aussi pourquoi

L'ATHÉROSCLÉROSE, UNE MALADIE CHRONIQUE QUI DÉBUTE DÈS L'ENFANCE

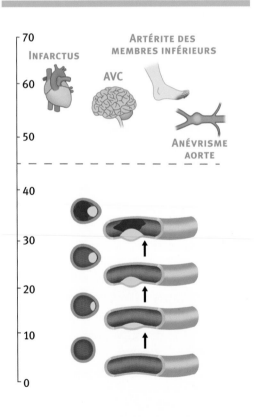

70
INFARCTUS
ARTÉRITE DES MEMBRES INFÉRIEURS
AVC
60
ANÉVRISME AORTE
50
40
30
20
10
0

FIGURE 17   Adapté de McGill et coll. (2000)

ces maladies représentent une cause majeure de mortalité dans la population. Cependant, pourquoi certaines personnes sont-elles terrassées par ces maladies dans la fleur de l'âge, tandis que d'autres atteignent au contraire un âge avancé sans jamais en être affectées ? En d'autres mots, quels sont les facteurs capables d'influencer à ce point le développement de l'athérosclérose et l'apparition des maladies cardiovasculaires ?

FACTEURS DE RISQUE

Un très grand nombre d'études réalisées au cours des 75 dernières années ont permis de mieux comprendre ces facteurs de risque. Il y a tout d'abord ce qu'on appelle les facteurs de risque non modifiables (ou de base), c'est-à-dire qui ne dépendent pas de notre volonté :

– l'âge, parce que la formation spontanée de plaques d'athérome tout au long de notre vie fait en sorte que la surface des vaisseaux sanguins occupée par ces plaques augmente graduellement en vieillissant, ce qui hausse le risque d'obstruction ;

– le sexe, parce que les femmes sont touchées par les maladies cardiovasculaires en moyenne 10 années plus tard que les hommes (en raison de la protection offerte par les œstrogènes) ;

– l'hérédité, parce qu'on ne choisit pas ses parents et que certaines familles sont plus à risque en raison de certaines variations génétiques qui favorisent le processus d'athérosclérose.

Globalement, on estime que ces facteurs non modifiables sont responsables de 15 à 20 % des décès associés aux maladies coronariennes, une proportion beaucoup plus faible que celle des décès causés par une série de facteurs modifiables, directement associés aux habitudes de vie (figure 18). La mauvaise alimentation, le manque d'activité physique, le tabagisme et le stress excessif sont les quatre facteurs *primordiaux* qui augmentent le risque de mortalité, car ils entraînent de nombreuses perturbations métaboliques, comme l'obésité, l'hypertension et la résistance à l'insuline (hyperglycémie).

L'importance de ces facteurs modifiables est bien illustrée par les variations spectaculaires de l'incidence des

PRINCIPAUX FACTEURS DE RISQUE DE MALADIES CARDIOVASCULAIRES

Non modifiables		Modifiables	
		Primordiaux	**Traditionnels**
Âge		Tabac	Cholestérol-LDL élevé
Sexe	**+**	Alimentation	Cholestérol-HDL bas
Hérédité		Activité physique	Hypertension
		Stress	Obésité
			Hyperglycémie
			Syndrome métabolique

FIGURE 18

maladies cardiovasculaires à l'échelle de la planète ainsi que chez les populations migrantes. Par exemple, alors que le Japon présente l'une des plus faibles incidences de maladies cardiovasculaires au monde, ce nombre double chez les Japonais qui migrent à Hawaï et quadruple chez ceux qui choisissent de vivre en Californie (San Francisco) (figure 19). Ce qui est surprenant, c'est que cette hausse ne dépend pas de la tension artérielle ou du taux de cholestérol, mais semble plutôt directement liée à l'abandon du mode de vie traditionnel japonais par les migrants. En d'autres mots, même si ces Japonais ont les mêmes facteurs de risque de base (âge, sexe et hérédité) que leurs compatriotes demeurés dans leur pays d'origine, le simple fait qu'ils adoptent les habitudes de vie de leur pays d'accueil est suffisant pour augmenter considérablement leur risque de maladies cardiovasculaires.

CIBLES DE LA PRÉVENTION

La prévention des maladies cardiovasculaires est donc, en théorie, relativement simple : il s'agit d'abord et avant tout de modifier les facteurs de risque primordiaux (alimentation, activité physique, tabac et stress) de façon à réduire l'impact négatif de l'obésité, de l'hypertension et de l'hyperglycémie qui en découlent. Un bon exemple des bienfaits associés à cette prévention *primordiale* est le taux de tabagisme : les nombreuses campagnes antitabac, la taxation accrue et l'interdiction de fumer dans les lieux publics ont provoqué une diminution importante du tabagisme au cours des dernières décennies, ce qui s'est traduit par une réduction considérable du nombre de maladies cardiovasculaires et de cancers du poumon (voir chapitre 8).

Curieusement, la stratégie de prévention des facteurs primordiaux n'est pas appliquée de façon systématique et « agressive ». Par exemple, même si on sait que c'est la mauvaise alimentation et la sédentarité qui sont les *causes premières* d'une grande proportion des maladies cardiovasculaires,

PRÉVALENCE DE MALADIE CORONARIENNE CHEZ DES JAPONAIS AU JAPON, À HAWAÏ ET À SAN FRANCISCO

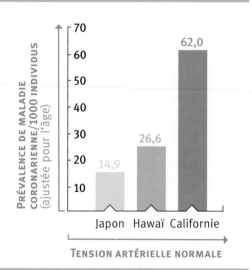

FIGURE 19   Source : Marmot et coll. (1975)

ce sont plutôt les *conséquences* de ces mauvaises habitudes (hypertension, excès de cholestérol ou encore hyperglycémie) qui sont ciblées par l'approche médicale classique. Ainsi, si votre bilan sanguin indique un taux de cholestérol-LDL supérieur à la normale ou que votre tension artérielle est élevée, il est d'usage de prescrire immédiatement un médicament anticholestérol (statine) ou antihypertenseur. Il est rare qu'on tente de corriger ces anomalies *à la source*, en préconisant plutôt la modification de l'alimentation et la pratique régulière d'une activité physique. Dans un éditorial récent, le Dr Dariush Mozaffarian, doyen de la Friedman School of Nutrition Science & Policy, à l'Université Tufts, à Boston, résume ainsi l'approche qu'on devrait plutôt privilégier : améliorer l'alimentation et augmenter l'activité physique ne devraient pas être considérés seulement comme des *moyens* de diminuer les facteurs de risque traditionnels (hypertension, diabète, obésité), mais plutôt comme des *cibles en elles-mêmes*. Ces modifications des habitudes de vie, même si elles réduisent grandement les facteurs de risque traditionnels, ont aussi *beaucoup d'effets physiologiques additionnels majeurs* qui améliorent la santé cardiovasculaire et la santé globale. Lors d'une visite médicale, avant même de vérifier la tension artérielle, la glycémie et le taux de cholestérol, le médecin devrait d'abord demander au patient ce qu'il mange, s'il fait de l'activité physique et, évidemment, s'il fume.

Les trois niveaux de la prévention

Prévention primordiale – Elle cherche à prévenir, dès les stades très précoces, avant même que le facteur de risque soit présent, les activités favorisant l'émergence des modes de vie, des comportements et des influences néfastes qui contribuent à un taux élevé de maladie. Par exemple, un enfant qui est témoin du tabagisme de ses parents pourrait conclure, à tort, qu'il s'agit là d'un bon choix de mode de vie. Dans de telles circonstances, conseiller aux parents d'arrêter de fumer serait un exemple de prévention primordiale.

Prévention primaire – Il s'agit de prévenir la maladie en cherchant à contrôler l'exposition à des facteurs de risque. Par exemple, bien surveiller son poids et, surtout, son tour de taille prévient l'obésité abdominale, qui compte elle aussi parmi les facteurs de risque de plusieurs affections, dont les maladies cardiaques et le diabète.

Prévention secondaire – En cardiologie, le terme « prévention secondaire » s'emploie pour décrire les interventions ayant pour but d'éviter l'évolution défavorable d'une maladie déjà installée et, ainsi, de prévenir une aggravation ou une récidive.

L'importance de cibler les causes primordiales de maladies cardiovasculaires (alimentation, activité, tabagisme, stress) afin de prévenir efficacement ces dernières sera présentée en détail dans les chapitres qui suivent. Avant d'aborder ces aspects, par contre, il est essentiel de comprendre les raisons pour lesquelles la communauté médicale a, depuis 40 ans, pris l'habitude de s'attaquer aux effets plutôt qu'aux causes de ces dérèglements, ainsi que les limites de cette approche.

CHOLESTÉROL

Peu de substances ont autant marqué l'histoire des sciences que le cholestérol : pas moins de treize lauréats du prix Nobel ont consacré leurs travaux de recherche à cette molécule. Un intérêt justifié, d'ailleurs, car le cholestérol joue un rôle extrêmement important dans le fonctionnement du corps humain, autant comme constituant des membranes cellulaires que comme ingrédient de base à la fabrication de plusieurs substances essentielles, comme les sels biliaires et certaines vitamines (vitamine D), ainsi que de plusieurs hormones (sexuelles, corticoïdes, etc.).

Principalement fabriqué par le foie, le cholestérol est insoluble dans l'eau (et donc dans le sang) et doit utiliser un système de transport adapté pour être acheminé aux différentes cellules de l'organisme. Les lipoprotéines de faible densité (LDL) transportent le cholestérol du foie vers les cellules, tandis que les lipoprotéines de haute densité (HDL) font l'inverse, c'est-à-dire qu'elles captent le cholestérol excédentaire et l'acheminent vers le foie, où il sera éliminé (figure 20).

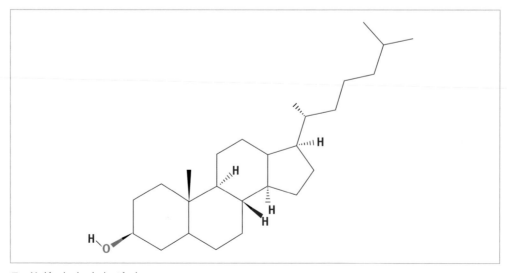

↗ Molécule de cholestérol

TRANSPORT DU CHOLESTÉROL DANS L'ORGANISME (SIMPLIFIÉ)

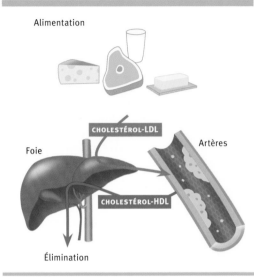

Alimentation

CHOLESTÉROL-LDL

Foie

Artères

CHOLESTÉROL-HDL

Élimination

FIGURE 20

Un très grand nombre d'études ont établi que des anomalies dans les taux sanguins de ces deux types de cholestérol exercent une grande influence sur le risque de maladies cardiovasculaires. Un excès de cholestérol-LDL, par exemple, signifie qu'une plus grande quantité de cholestérol entre en contact avec la paroi des artères, ce qui peut donc accélérer la formation de plaques d'athéromes. Ceci se traduit par une hausse considérable du risque de problèmes cardiovasculaires chez les individus qui présentent des taux élevés de cholestérol-LDL, d'où son appellation de « mauvais » cholestérol (figure 21).

Ce lien est particulièrement bien documenté en ce qui concerne les personnes atteintes d'hypercholestérolémie familiale (HF), un désordre génétique qui expose les individus à des taux élevés de cholestérol-LDL dès leur naissance en raison d'une incapacité à éliminer correctement cette substance. Si elles ne sont pas traitées, les personnes souffrant d'HF hétérozygote (transmission du gène défectueux par un seul parent) risquent d'être touchées par un accident coronarien avant d'atteindre 55 ans, tandis que celles atteintes d'HF homozygote (transmission du gène défectueux par chacun des deux parents) peuvent mourir avant même de parvenir à l'âge adulte. Dans le monde, on estime qu'environ 1 personne sur 500 est atteinte d'HF, mais cette prévalence est beaucoup plus élevée dans certaines régions, en particulier dans le Nord-Est québécois (Côte-Nord, Lac Saint-Jean), où elle peut atteindre 1 personne sur 100 et même plus.

Il existe également un lien entre les taux de cholestérol-HDL et le risque de maladies cardiovasculaires, mais cette fois-ci à l'inverse, c'est-à-dire que des taux élevés favorisent l'élimination du cholestérol et sont donc bénéfiques pour la santé du cœur, d'où son appellation de « bon » cholestérol.

Ce sont toutes ces données bien connues qui font en sorte que la mesure des taux de cholestérol-LDL et de cholestérol-HDL fait partie du bilan sanguin de base depuis plus de 30 ans, et que tout écart avec les valeurs normales est considéré comme un facteur de risque de maladies cardiovasculaires.

INCIDENCE DE MORTALITÉ ASSOCIÉE À UNE MALADIE CORONARIENNE
EN FONCTION DU TAUX DE CHOLESTÉROL, SELON L'ÉTUDE « MRFIT »

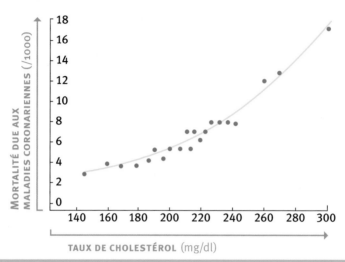

FIGURE 21   Source : Martin et coll. (1986)

Il faut cependant comprendre qu'un taux de cholestérol-LDL élevé n'est pas une maladie en soi, mais bien un *facteur de risque* de maladies cardiovasculaires. Le taux de cholestérol doit donc être considéré comme un élément parmi un ensemble complexe, c'est-à-dire en tenant compte des habitudes de vie et de tous les autres facteurs de risque.

HYPERTENSION

Affectant plus d'un milliard de personnes dans le monde, l'hypertension est directement responsable de près de 10 millions de décès chaque année, ce qui en fait le plus important facteur de risque de mort prématurée à l'échelle mondiale. L'impact majeur d'une pression sanguine trop élevée est d'entraîner au fil du temps un épaississement et un durcissement des artères, un stress mécanique qui favorise le développement de l'athérosclérose ainsi que la rupture des plaques d'athéromes. Plusieurs études ont d'ailleurs montré l'existence d'une relation étroite entre une tension artérielle supérieure à la valeur idéale (au-delà de 115/75 mm Hg) et le risque d'accidents coronariens ou d'AVC, à tous les âges et dans tous les groupes démographiques. Le contrôle de la tension artérielle représente donc un aspect incontournable de la prévention des maladies cardiovasculaires. C'est d'ailleurs ce qui explique pourquoi les antihypertenseurs sont les médicaments les plus prescrits au Canada, tout juste avant ceux qui traitent l'hypercholestérolémie.

Les études prouvent que ces médicaments diminuent le risque de maladie coronarienne (de 15 à 25 %), d'AVC (de 35 à 40 %) et d'insuffisance cardiaque (jusqu'à 65 %). Il semble toutefois que ces médicaments soient plus bénéfiques pour les personnes hypertendues dont la pression systolique est plus élevée que 160 mm Hg. Si on les administre à des personnes dont la tension est plus élevée que la normale, mais sans atteindre des valeurs aussi élevées, on constate une réduction réelle, mais plus modeste du risque de décès dû à une maladie cardiovasculaire. Il faut aussi savoir que les patients traités avec succès par des médicaments antihypertenseurs ont tout de même 2,5 fois plus de risques de subir un infarctus que les personnes naturellement normotendues (dont la tension artérielle est normale sans aucun traitement pharmacologique) qui présentent la même tension artérielle. Il est donc plus efficace pour la santé de traiter les *causes* de l'hypertension, soit la mauvaise alimentation, l'obésité et la sédentarité, plutôt que d'opter pour une médication. Cela dit, si vous n'arrivez pas à abaisser votre tension artérielle en modifiant vos habitudes de vie, n'hésitez surtout pas à prendre les médicaments prescrits par votre médecin. En effet, l'hypertension non traitée peut

causer des dommages très graves aux reins, à la rétine, au cerveau et, évidemment, au cœur.

L'hypertension se manifeste rarement seule et c'est une des raisons qui limitent les bienfaits des médicaments antihypertenseurs. Les personnes hypertendues présentent en effet très souvent d'autres facteurs de risque « classiques » de maladies cardiovasculaires, comme le surpoids et l'obésité (en particulier au niveau abdominal), des taux trop élevés de lipides dans le sang (dyslipidémie) et des désordres du métabolisme du sucre (résistance à l'insuline). Vu la hausse fulgurante de l'embonpoint et de l'obésité qui s'est produite au cours des dernières décennies, il est de plus en plus fréquent qu'une personne soit touchée par plusieurs de ces facteurs. C'est ce qu'on appelle le « syndrome métabolique ».

SYNDROME MÉTABOLIQUE

Le syndrome métabolique n'est pas une maladie au sens strict du terme, mais un regroupement d'un certain nombre de dérèglements du métabolisme qui, pris collectivement, augmentent de façon très importante le risque de maladies cardiovasculaires (figure 22).

LE SYNDROME MÉTABOLIQUE

Génotype défavorable

Mode de vie sédentaire

Manque d'activité physique vigoureuse

Alimentation riche en sucres raffinés et en gras saturés

Alcool

Stress

Hypertriglycéridémie

Cholestérol-HDL bas

Apolipoprotéine B élevée

Molécules HDL et LDL petites et denses

Inflammation

Insulino-résistance

Hyperinsulinémie

Intolérance au glucose

Fibrinolyse altérée

Dysfonction endothéliale

Risque de maladie cardiovasculaire et de diabète de type 2

FIGURE 22   D'après Després (2015)

– Tour de taille élevé (> 102 cm [41 po] pour les hommes et > 88 cm [35 po] pour les femmes)

– Hypertriglycéridémie (> 1,7 mmol/L)

– Cholestérol-HDL bas (< 1,0 mmol/L pour les hommes et < 1,3 mmol/L pour les femmes)

– Taux de glucose à jeun élevé (> 6,1 mmol/L, ou sous prescription d'hypoglycémiant)

– Hypertension (> 135/85 mm Hg, ou sous traitement antihypertenseur)

Les personnes qui présentent un ou deux de ces dérèglements ont deux fois plus de risque d'être affectées prématurément par une maladie cardiovasculaire, une hausse qui peut même atteindre 5 fois chez les individus qui présentent l'ensemble de ces conditions et qui sont diabétiques.

Les travaux du Dr Jean-Pierre Després, de l'Université Laval, ont clairement établi qu'un excédent de graisse au niveau de l'abdomen constitue un facteur de risque de maladies cardiovasculaires plus important que lorsque ce gras se situe à d'autres endroits du corps, aux hanches par exemple. Un des impacts les plus dommageables de cet excès de gras abdominal est de diminuer l'efficacité de l'insuline à stimuler l'absorption de sucre par certains organes, notamment les muscles, le foie et le tissu adipeux. Cette *résistance à l'insuline* fait en sorte que la quantité de sucre dans le sang demeure trop élevée (mesuré cliniquement par un taux de glucose à jeun supérieur à la normale), ce qui force le pancréas à sécréter encore plus d'insuline afin de faire entrer le sucre dans les cellules. Lorsqu'elle se produit trop longtemps, cette résistance à l'insuline peut provoquer un épuisement du pancréas, menant à l'apparition du diabète de type 2.

Sur le plan des maladies cardiovasculaires, l'apparition d'un diabète de type 2 n'est rien de moins qu'une catastrophe; les personnes qui présentent une hyperglycémie chronique ont de très grands risques de subir un accident coronarien ainsi qu'une foule de complications. De plus, il s'agit d'une condition extrêmement difficile à traiter pharmacologiquement. Les médicaments utilisés jusqu'à présent pour traiter le diabète de type 2 ne réduisent pas, sinon très peu, le risque de maladies cardiovasculaires et peuvent entraîner d'importants effets secondaires qui diminuent la qualité de vie des patients.

En résumé, l'approche médicale courante pour prévenir les maladies cardiovasculaires se résume essentiellement à prendre en charge l'hypercholestérolémie, la tension artérielle élevée et l'hyperglycémie à l'aide de médicaments. Cette stratégie peut sembler efficace en apparence, car la médication parvient effectivement à normaliser le cholestérol, la tension artérielle et la glycémie chez la majorité des patients, ce qui peut laisser croire que la situation est maîtrisée et que le risque de subir un infarctus ou un AVC est éliminé. Ce n'est malheureusement pas le cas: plusieurs études ont indiqué que le maintien d'un taux de cholestérol normal à l'aide d'une intervention pharmacologique (statines) ne réduit que de 1 % environ le risque absolu de maladie coronarienne (voir chapitre 9). Même chose pour les hypoglycémiants: ces médicaments peuvent aider à contrôler la glycémie à court et à moyen terme, mais si le patient demeure sédentaire et conserve un excès de poids, ils ne peuvent stopper la progression de l'athérosclérose.

L'athérosclérose est un processus multifactoriel d'une grande complexité et aucun médicament, aussi efficace soit-il, ne peut corriger à lui seul les problèmes de santé associés à de mauvaises habitudes de vie, comme une alimentation de faible qualité nutritionnelle et la sédentarité. Autrement dit, la protection offerte par les médicaments n'est pas à négliger, mais on peut faire beaucoup mieux en s'attaquant aux causes profondes responsables du développement des maladies cardiovasculaires.

Ceci est vrai autant pour la prévention d'un premier infarctus que pour l'amélioration de la qualité de vie des personnes qui ont déjà subi un accident coronarien.

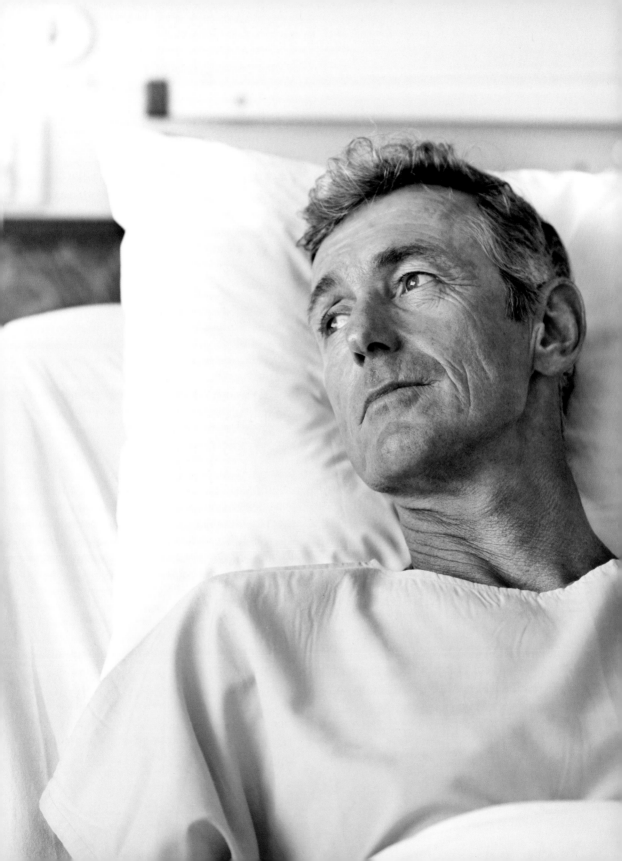

EFFET DE L'ALIMENTATION ET DE L'EXERCICE SUR LE RISQUE DE MORTALITÉ CHEZ DES PATIENTS AYANT SUBI UN ÉVÉNEMENT CORONARIEN

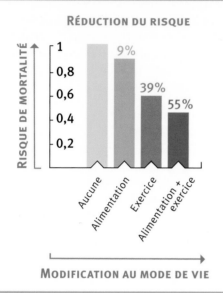

RÉDUCTION DU RISQUE

FIGURE 23   Source : Chow et coll. (2010)

Il est donc souhaitable de modifier notre approche quant à la prévention des maladies cardiovasculaires. De façon routinière en médecine, on estime le risque de subir un accident coronarien en se basant essentiellement sur l'âge et sur une série de mesures chiffrées (cholestérol, glycémie et tension artérielle), mais sans tenir compte des habitudes alimentaires, du niveau d'activité physique et du tour de taille. Ces trois facteurs ne font même pas partie des « scores de risque » employés en clinique. Le score de Framingham, par exemple, qui est le plus connu et le plus utilisé, néglige ces facteurs.

Il est bien sûr beaucoup plus facile de s'attaquer à une seule cible, comme la tension artérielle ou le taux de cholestérol, qu'à l'ensemble des facteurs responsables de la progression d'une pathologie aussi complexe que l'athérosclérose. Aucun médicament, aussi efficace soit-il pour corriger les déséquilibres provoqués par une mauvaise alimentation et la sédentarité, ne pourra apporter les mêmes bienfaits qu'une approche préventive qui s'attaque à la *source* des problèmes. En clinique, on doit fournir toutes les informations au patient et lui donner le choix : c'est ce qu'on appelle l'« approche du patient partenaire ».

L'objectif des chapitres qui suivent est justement de mieux faire connaître les données scientifiques actuellement disponibles sur les facteurs qui influencent le risque de maladie cardiovasculaire.

Par exemple, une étude réalisée par le cardiologue canadien Salim Yusuf a montré que les patients qui modifient leur alimentation et adhèrent à un programme régulier d'activité physique après un infarctus voient leur risque de récidives diminuer de moitié comparativement à ceux qui ne changent pas leurs habitudes (figure 23). Puisque tous ces patients étaient traités avec l'ensemble des médicaments habituels (bêta-bloqueurs, statines, aspirine, etc.), ces résultats illustrent à quel point le mode de vie peut influencer le risque de rechute.

Les limites du score de risque

Prenons l'exemple d'un homme de 63 ans sans antécédent familial de maladie cardiaque, végétarien, qui fait 30 minutes d'exercice par jour et qui présente un poids santé, un tour de taille de 81 cm, une tension artérielle systolique de 130 mm Hg, un taux de cholestérol total de 5,2 mmol/L et un taux de HDL de 1,25 mmol/L. Selon les barèmes du score de Framingham, le risque que cet homme soit touché par une maladie du cœur au cours des 10 prochaines années s'élève à 18,4 %, un pourcentage modérément élevé. Plusieurs médecins lui recommanderont donc de prendre une statine, ce qui est aberrant puisqu'en réalité le risque de cette personne de subir un accident cardiaque est quasi nul. À l'opposé, un homme de 38 ans, obèse, sédentaire, qui fume vingt-cinq cigarettes par jour, qui consomme de la malbouffe et qui présente les mêmes chiffres de cholestérol et de tension artérielle (parce que les « chiffres » n'ont pas encore commencé à augmenter à cet âge) sera considéré à faible risque (9,4 %), alors qu'il est en fait une véritable bombe ambulante : infarctus, mort subite et accident vasculaire cérébral le guettent. Ces exemples ne sont pas théoriques : je vois des variantes de ces deux cas types toutes les semaines en clinique au Centre ÉPIC. De plus, je connais bien le premier cas : c'est le mien.

CHAPITRE 4

Alimentation et maladies cardiovasculaires

Une alimentation de bonne qualité représente un des principaux piliers de la prévention des maladies chroniques ainsi que du maintien d'une bonne santé en général. Pourtant, malgré cette importance, il existe encore aujourd'hui énormément de confusion à propos de ce qu'est vraiment une alimentation « santé ». Tous les jours, j'entends mes patients se plaindre que les recommandations nutritionnelles changent continuellement, que ce qui est bon un jour ne l'est plus le lendemain (ou inversement) et que, en conséquence, « on ne sait plus trop quoi manger ».

Ce malaise envers l'alimentation est d'une certaine façon compréhensible, car jamais nous n'avons eu accès à une telle quantité d'informations sur le contenu de nos aliments quotidiens. La nutrition moderne est devenue une science bien compliquée pour le commun des mortels !

La situation devient encore plus complexe lorsque les études qui se penchent sur l'impact de ces différents éléments sur la santé arrivent à des résultats contradictoires. En cardiologie, le meilleur exemple est sans doute l'influence des graisses saturées sur le risque d'infarctus du myocarde. Plusieurs études ont montré que le remplacement de ces graisses saturées par des graisses végétales polyinsaturées (oméga-3) ou mono-insaturées diminuait le risque d'infarctus. C'est pour cette raison qu'on recommande depuis plusieurs années de remplacer le beurre par des huiles végétales, comme l'huile d'olive ou de canola. Par contre, certaines analyses récentes n'ont pas observé de lien entre la consommation de graisses saturées et le risque de maladies cardiovasculaires : il n'en fallait pas plus pour que les médias s'emparent de la nouvelle pour proclamer « le retour du beurre » (« *Butter is back* », titrait le magazine *Time* en 2014). Un enthousiasme qui n'avait pourtant pas sa raison d'être, comme nous le verrons plus loin, et qui ne fait qu'ajouter à la confusion du consommateur.

En fait, la situation est beaucoup plus simple qu'on pourrait le penser. Au lieu de trop s'attarder aux résultats d'études portant sur une classe bien précise de nutriments (les gras saturés, par exemple), il est beaucoup plus utile d'examiner les habitudes alimentaires *globales*. Car les individus ne mangent pas un seul type de nutriments, mais plutôt un ensemble d'aliments lors de repas contenant plusieurs éléments qui vont interagir entre eux et influencer mutuellement leur impact sur le corps humain. Et ce n'est que lorsqu'on observe les habitudes alimentaires des gens dans leur *ensemble* que l'on constate à quel point bien manger n'est pas si compliqué.

ASSIETTE SANTÉ

Les grands principes d'une saine alimentation sont connus depuis plusieurs années, notamment grâce au travail d'experts en nutrition et en médecine préventive, comme Walter Willett et David Ludwig, de l'Université Harvard, et David Katz, de l'Université Yale. Ces principes, récemment confirmés dans un rapport de plus de cinq cents pages réalisé par un groupe de spécialistes consultés par le United States Department of Agriculture (USDA), sont illustrés par « l'assiette santé » de la figure 24.

Concrètement, dans une alimentation santé, on laisse une large place aux aliments d'origine végétale (comme les fruits, les légumes, les légumineuses et les céréales à grains entiers), on réduit notre consommation de produits d'origine animale (les viandes rouges, par exemple) et on évite le plus possible les aliments industriels transformés (comme les charcuteries, les boissons sucrées et la malbouffe). Une alimentation santé se traduit par un apport élevé en glucides complexes (les fibres et les grains entiers, par exemple) et une quantité modérée de protéines, provenant principalement de végétaux, de poissons ou de volailles. De plus, les matières grasses qu'elle préconise sont surtout *insaturées* (incluant une grande part d'oméga-3) plutôt que saturées. Bien qu'elle n'ait rien de révolutionnaire, cette combinaison est néanmoins optimale pour la santé, car la prédominance des végétaux assure un apport élevé en nutriments et en composés antioxydants et anti-inflammatoires. Elle permet aussi d'éviter les variations trop brusques de la glycémie et l'excès de calories qui sont associés à la consommation de produits animaux et industriels.

Ces principes peuvent être résumés par la célèbre maxime du journaliste

L'ASSIETTE SANTÉ DE L'ÉCOLE DE SANTÉ PUBLIQUE DE L'UNIVERSITÉ HARVARD

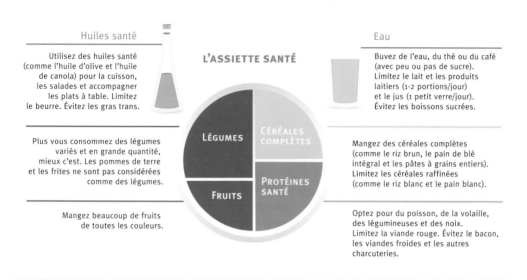

Huiles santé

Utilisez des huiles santé (comme l'huile d'olive et l'huile de canola) pour la cuisson, les salades et accompagner les plats à table. Limitez le beurre. Évitez les gras trans.

Plus vous consommez des légumes variés et en grande quantité, mieux c'est. Les pommes de terre et les frites ne sont pas considérées comme des légumes.

Mangez beaucoup de fruits de toutes les couleurs.

L'ASSIETTE SANTÉ

LÉGUMES
CÉRÉALES COMPLÈTES
PROTÉINES SANTÉ
FRUITS

Eau

Buvez de l'eau, du thé ou du café (avec peu ou pas de sucre). Limitez le lait et les produits laitiers (1-2 portions/jour) et le jus (1 petit verre/jour). Évitez les boissons sucrées.

Mangez des céréales complètes (comme le riz brun, le pain de blé intégral et les pâtes à grains entiers). Limitez les céréales raffinées (comme le riz blanc et le pain blanc).

Optez pour du poisson, de la volaille, des légumineuses et des noix. Limitez la viande rouge. Évitez le bacon, les viandes froides et les autres charcuteries.

FIGURE 24

américain Michael Pollan, fin analyste des habitudes alimentaires modernes, qui dit : « *Eat food, not too much, mostly plants.* » (« Mangez de la nourriture, pas trop, surtout des végétaux. ») Il ajoute : « *And nothing that your great-grandmother would not recognize as food.* » (« Et rien que votre arrière-grand-mère ne pourrait reconnaître comme de la nourriture. »)

Par « *eat food* », Michael Pollan veut dire qu'il faut manger de la « vraie » nourriture, entière et fraîche, plutôt que des aliments transformés auxquels on a ajouté toutes sortes de produits plus ou moins nocifs pour la santé. « *Not too much* » signifie évidemment qu'on doit manger moins de calories. « *Mostly*

plants » souligne que la majorité de nos calories doivent provenir de sources végétales (fruits, légumes, légumineuses, noix) plutôt que de sources animales. « *And nothing that your great-grandmother would not recognize as food* » fait bien sûr référence aux produits ultra-transformés créés de toutes pièces par l'industrie alimentaire.

Bien manger pour vivre longtemps et en bonne santé est d'une grande simplicité. Il s'agit d'adopter une alimentation semi-végétarienne, comme c'est d'ailleurs le cas dans les régions du monde où l'on observe les longévités les plus exceptionnelles : l'île d'Okinawa, au Japon, certains endroits de la Sardaigne, la péninsule de Nicoya, au Costa Rica, l'île d'Ikaria, en Grèce, et la ville de Loma Linda, en Californie. Le journaliste Dan Buettner a publié trois livres où il décrit le mode de vie dans ces régions qu'il a surnommées les « Blue Zones ».

Les principes d'une saine alimentation sont néanmoins diamétralement opposés aux habitudes alimentaires modernes, en particulier celles des habitants des pays industrialisés. Il n'y a pas de doute que c'est ce qui contribue à la forte incidence de maladies chroniques dans nos sociétés. Non seulement nous ne mangeons pas suffisamment d'aliments d'origine végétale, mais, en plus, la majeure partie de nos calories quotidiennes provient de produits industriels transformés. On estime que, à l'heure actuelle, environ

60 % de toutes les calories ingérées proviennent de ce type d'aliments, fabriqués à partir d'ingrédients bas de gamme et peu coûteux, et qui sont d'abord et avant tout destinés à satisfaire notre attirance innée envers le gras, le sucre et le sel. Ces produits sont nocifs pour la santé, car ils sont généralement dépourvus de nutriments essentiels, comme les fibres alimentaires, et contiennent en revanche des quantités astronomiques de gras, de sucre et donc de calories, ce qui favorise l'excès de poids et l'inflammation.

En matière de prévention des maladies chroniques, le point le plus important est donc de corriger ce déséquilibre en augmentant l'apport en végétaux. Non seulement parce que ce changement s'accompagne forcément d'une réduction d'aliments transformés, mais aussi parce que cette simple modification influencera à elle seule la nature des protéines, des glucides et des lipides ingérés ainsi que, du même coup, l'ensemble des phénomènes qui favorisent l'apparition et la progression des plaques d'athérosclérose. Dans les pages qui suivent, les lecteurs curieux pourront se familiariser avec les données scientifiques qui soustendent ces recommandations. Ceux qui sont plus pressés et qui veulent immédiatement connaître l'impact d'une alimentation plus riche en produits d'origine végétale sur la réduction du risque de maladies cardiovasculaires peuvent, quant à eux, consulter le chapitre 5, où sont présentées

des applications concrètes de ces recommandations, c'est-à-dire le régime méditerranéen ainsi que les alimentations végétarienne et végétalienne.

PROTECTION VÉGÉTALE

À l'échelle mondiale, on estime que 2,2 millions de décès causés par les maladies coronariennes et les AVC sont directement liés à une consommation insuffisante de fruits et de légumes. Pourtant, malgré de nombreuses campagnes visant à promouvoir la consommation de végétaux, ceux-ci demeurent les grands négligés des habitudes alimentaires actuelles : à peine 20 % de la population mange au moins 5 portions quotidiennes (400 g) de fruits et de légumes par jour.

Un très grand nombre d'études ont démontré que les personnes qui mangent beaucoup de fruits et de légumes risquent moins de souffrir d'une maladie cardiovasculaire que celles qui en mangent très peu. Par exemple, une importante étude réalisée en Europe (« EPIC-Heart Study ») auprès de 313 074 hommes et femmes en bonne santé a révélé que les personnes qui consommaient au moins 8 portions de fruits et de légumes par jour avaient 22 % moins de risque de décéder prématurément d'une maladie coronarienne, comparativement à celles qui en mangeaient trois ou moins. Les deux classes de végétaux semblent essentielles pour générer cet effet protecteur : par exemple, même si les Chinois mangent régulièrement beaucoup de légumes frais, une étude a récemment montré que ceux qui mangent en plus un fruit par jour voient leur risque de maladies cardiovasculaires diminuer de 40 %. Globalement, les études indiquent que chaque portion de fruits et de légumes réduit le risque de maladie cardiovasculaire de 4 %, ce qui illustre à quel point il est important d'intégrer ces végétaux aux habitudes alimentaires.

Plusieurs facteurs ont été proposés pour expliquer l'impact positif des fruits et des légumes sur le risque de maladie cardiovasculaire (figure 25). Il semble toutefois que ce soit la combinaison de l'ensemble de ces éléments qui est responsable des bienfaits associés à la consommation de ces aliments. Par exemple, même s'il est indéniable que le contenu élevé en vitamines et en minéraux des végétaux influence les niveaux d'inflammation et de stress oxydatif, qui contribuent tous deux au processus d'athérosclérose, aucune étude n'a pu démontrer que des *suppléments* contenant des quantités élevées de ces éléments pouvaient diminuer le risque de mortalité due aux maladies cardiovasculaires. Cela n'a rien d'étonnant, car les fruits et les légumes contiennent plusieurs autres molécules bioactives, comme les polyphénols de la classe des flavonoïdes, qui peuvent, eux aussi, influencer le processus d'athérosclérose. En d'autres mots, aucune molécule purifiée ne peut remplacer la complexité moléculaire des végétaux. C'est pour cette raison que la seule façon de profiter des bienfaits de ces aliments est d'intégrer ces derniers aux habitudes alimentaires.

Même s'il n'est jamais trop tard, l'idéal est de commencer à manger des fruits et des légumes dès l'enfance, car on constate une plus faible incidence de calcification des artères coronaires (un indicateur bien reconnu d'athérosclérose) chez les personnes qui consomment beaucoup de végétaux au début de l'âge adulte que chez ceux qui commencent à en manger plus tard au cours de leur vie. Malheureusement, seulement 10 % des enfants canadiens âgés de 12 à 17 ans consomment la quantité minimale de fruits et de légumes recommandée. Par conséquent,

PRINCIPAUX EFFETS BÉNÉFIQUES DES FRUITS ET LÉGUMES SUR LA SANTÉ CARDIOVASCULAIRE

Les fruits et les légumes ont un effet :
– antihypertenseur ;
– antioxydant ;
– anti-inflammatoire.

De plus, ces végétaux :
– normalisent le taux de lipides sanguins ;
– modifient le microbiome intestinal ;
– améliorent la glycémie ;
– ont une faible densité calorique.

FIGURE 25

ils risquent plus d'être touchés un jour par une maladie cardiovasculaire.

CÉRÉALES : L'IMPORTANCE DES GRAINS ENTIERS

Les glucides présents dans l'alimentation moderne contribuent eux aussi à l'épidémie d'obésité et de maladies chroniques, incluant les maladies cardiovasculaires, qui déferle actuellement sur la planète. Un très grand nombre de produits consommés quotidiennement sont en effet fabriqués à partir de farines blanches raffinées (le pain, les pâtes, les pâtisseries, etc.) ou contiennent des quantités importantes de sucres ajoutés (les boissons gazeuses et la malbouffe en général). Il s'agit d'une situation problématique, car lorsque le sucre est ingéré sous ces formes, il est assimilé très rapidement par l'intestin et cause une élévation rapide de la glycémie en atteignant la circulation sanguine. Notre métabolisme est mal adapté à ces brusques variations de sucre, ce qui entraîne avec le temps plusieurs bouleversements métaboliques qui ont de graves répercussions sur le développement de l'athérosclérose.

Les études des dernières années montrent que les sucres simples (par opposition aux sucres complexes) qui sont ajoutés

SOURCES DE SUCRES AJOUTÉS DANS L'ALIMENTATION

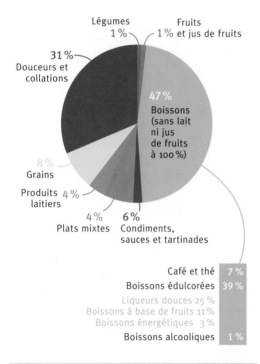

Légumes 1 %

Fruits 1 % et jus de fruits

31 % Douceurs et collations

47 % Boissons (sans lait ni jus de fruits à 100 %)

8 % Grains

Produits laitiers 4 %

4 % Plats mixtes

6 % Condiments, sauces et tartinades

Café et thé 7 %
Boissons édulcorées 39 %
Liqueurs douces 25 %
Boissons à base de fruits 11 %
Boissons énergétiques 3 %
Boissons alcooliques 1 %

FIGURE 26 D'après Mitka (2006)

à une grande variété de produits industriels, surtout dans les boissons sucrées et diverses collations (figure 26), sont particulièrement néfastes pour la santé.

Les personnes qui consomment fréquemment des aliments contenant ces sucres ajoutés risquent plus de souffrir d'obésité, de diabète de type 2 et de maladies cardiovasculaires, des conséquences particulièrement bien documentées en ce qui concerne les boissons sucrées (gazeuses ou non). Par exemple, des études réalisées auprès de 88 000 infirmières et de 42 883 professionnels de la santé américains ont révélé que la consommation quotidienne de 2 portions de boissons sucrées était associée à une hausse de 35 % du risque de maladie coronarienne. Lorsque la quantité de sucres ajoutés consommés représente 25 % des calories quotidiennes, le risque de maladie cardiovasculaire est même triplé. Divers facteurs semblent contribuer à cet effet néfaste des sucres simples : augmentation de la tension artérielle et des taux de triglycérides, diminution du cholestérol-HDL et augmentation du cholestérol-LDL (plus spécifiquement les LDL de petite taille, très denses, qui sont plus nuisibles pour les artères), hausse de l'inflammation et du stress oxydatif. Plusieurs études ont aussi démontré une augmentation de nombreux marqueurs de l'inflammation qui contribue directement au développement de l'athérosclérose. La consommation de sucres ajoutés, particulièrement le fructose, favorise la formation de graisse dans le foie (stéatose hépatique non alcoolique) et diminue l'activité de la lipoprotéine lipase dans les cellules graisseuses (adipocytes), ce qui réduit l'élimination des triglycérides et contribue à l'obésité abdominale. Le fructose augmente également la production d'acide urique, ce qui diminue la formation de NO (oxyde nitrique), un puissant vasodilatateur. Ce sucre augmente aussi l'activité du système nerveux sympathique et crée une rétention du sodium, contribuant à l'hypertension artérielle.

Selon l'Organisation mondiale de la santé, les sucres ajoutés ne devraient pas dépasser 10 % de notre apport énergétique quotidien. Pour un adulte moyen qui consomme 2000 calories par jour, cela représente 200 calories, soit 50 g ou 12 cuillerées à thé de sucre, l'équivalent d'une seule cannette de boisson gazeuse. La seule façon réaliste de réduire l'apport en sucres ajoutés est de limiter la consommation de produits industriels, surtout ceux proposés par l'industrie de la malbouffe, et d'éliminer complètement les boissons sucrées.

Il est aussi important de noter que les sucres artificiels, comme l'aspartame ou le sucralose (Splenda), ne semblent pas être des solutions de rechange valables aux sucres ajoutés. Plusieurs études ont clairement établi que les personnes qui consomment des aliments contenant ces

sucres artificiels, des boissons gazeuses diètes par exemple, risquent autant de souffrir d'obésité, de diabète de type 2, de maladies cardiovasculaires et de syndrome métabolique que les gens qui consomment des aliments contenant du vrai sucre. Les mécanismes en cause demeurent mal compris, mais il est possible que le cerveau soit désorienté par la présence d'une substance sucrée sans calories et qu'il cherche à compenser cette carence en stimulant l'appétit. Une étude récente suggère aussi que les édulcorants provoquent des modifications au microbiome intestinal, ce qui cause une intolérance au glucose et un dérèglement du métabolisme. Loin de diminuer les dommages causés par les sucres ajoutés, les édulcorants peuvent donc au contraire aggraver ces problèmes.

Une autre façon de réduire l'impact néfaste des sucres simples sur la santé cardiovasculaire est de consommer autant que possible des produits céréaliers à grains entiers. Contrairement aux farines raffinées qui ne contiennent que du sucre sous forme d'amidon, les céréales complètes contiennent en plus l'enveloppe (le son) ainsi que l'embryon (le germe) des grains, ce qui permet de hausser l'apport en fibres et en nutriments, tout en rendant le sucre de l'amidon plus difficile à assimiler (figure 27).

En conséquence, le sucre est libéré beaucoup plus lentement, ce qui permet de maintenir la glycémie à un niveau suffisant pour assurer le fonctionnement des cellules, mais sans toutefois atteindre des valeurs excessives et toxiques pour le corps. Les fibres ralentissent la vidange gastrique, ce qui augmente la sensation de satiété et prévient l'ingestion d'un excès de calories. Elles sont également fermentées à l'intérieur du côlon pour produire, entre autres, des acides gras à courtes chaînes dotés de propriétés anticholestérolémiantes et anti-inflammatoires. La liste des bienfaits associés à la consommation de fibres alimentaires est longue et il n'y a pas de doute que ces molécules jouent un rôle clé dans l'effet protecteur des végétaux sur la santé cardiovasculaire.

L'impact positif des grains entiers est bien illustré par la réduction du risque d'accidents coronariens et de la mortalité observée dans un grand nombre d'études populationnelles. Par exemple, plusieurs méta-analyses ont récemment montré que la consommation d'environ 50 g de grains entiers par jour était associée à une réduction de 22 à 30 % de la mortalité due aux maladies cardiovasculaires, de 14 à 18 % de la mortalité liée au cancer et de 19 à 22 % de la mortalité totale.

Cet effet protecteur est principalement observé pour les fibres contenues dans les fruits et les céréales. Il est également important de remplacer autant que possible les produits céréaliers raffinés (pain, riz, pâtes blanches) par leurs équivalents fabriqués avec des grains entiers. Le potentiel préventif de

GRAIN ENTIER ET GRAIN RAFFINÉ

GRAIN ENTIER

GRAIN RAFFINÉ

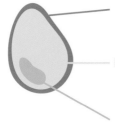

SON
Couche externe du grain, riche en fibres, en vitamines B et en minéraux

ENDOSPERME
La majeure partie du grain, composée d'amidon et de protéines

GERME
La partie la plus riche du grain, composée de vitamines B et E et de matières grasses

FIGURE 27

75

ces derniers demeure largement inexploité, car moins de 5 % de la population mange les 3 portions quotidiennes recommandées de grains entiers.

DIVERSITÉ DES SOURCES DE PROTÉINES

Une autre conséquence de la faible quantité de végétaux dans notre diète est que la majorité des protéines de l'alimentation proviennent de sources animales, comme les viandes, les produits laitiers et les œufs. Plusieurs études indiquent que la consommation élevée de protéines d'origine animale est associée à une augmentation considérable du risque de

mort prématurée, un impact négatif surtout observé pour les viandes rouges et les charcuteries. Par exemple, une grande étude réalisée auprès de 121 342 personnes a révélé que la consommation d'une portion quotidienne de viandes rouges (100 g) et de charcuteries (50 g) fait augmenter de 18 % et 21 %, respectivement, le risque de décéder d'une maladie cardiovasculaire. Cette hausse semble restreinte aux viandes rouges, car la consommation régulière de volaille ou de poisson est plutôt associée à une diminution de la mortalité. Dans plusieurs études, l'augmentation du risque de maladie cardiovasculaire ou de décès prématuré est surtout observée chez les consommateurs de charcuteries. Une synthèse de vingt études effectuées

auprès de 1 218 380 personnes indique que, pour chaque portion de 50 g de charcuteries consommées, le risque de souffrir d'une maladie coronarienne grimpe de 42 %, mais pas pour les viandes rouges non transformées. Un impact négatif des charcuteries sur la tension artérielle et le risque d'insuffisance cardiaque a aussi été observé, ce qui illustre à quel point ces produits sont mauvais pour la santé cardiovasculaire. D'ailleurs, une étude a récemment montré que le simple fait de remplacer les charcuteries par des protéines d'origine végétale diminue de 34 % le risque de mort prématurée. Pour ce qui est des viandes rouges non transformées, la prudence demeure de mise, car

des études ont révélé que leur consommation est associée à un gain de poids ainsi qu'à une hausse de la glycémie à jeun et des taux d'insuline, deux importants facteurs de risque de diabète de type 2 et de maladies cardiovasculaires.

Il n'y a donc que des avantages à diversifier ses sources de protéines et à réduire sa consommation de viandes rouges et de charcuteries en les remplaçant par des protéines d'origine végétale, comme les légumineuses, les noix, les graines et les légumes. Dans une grande étude menée auprès de 84 000 infirmières suivies pendant plus de 26 ans, le Dr Walter Willett et ses collaborateurs de l'Université Harvard ont noté que le fait de remplacer plusieurs fois par semaine une portion de viande rouge par une portion de noix fait chuter de 30 % le risque de subir un accident coronarien.

L'impact sur la santé du cœur des deux autres sources importantes de protéines animales, soit les produits laitiers et les œufs, semble plus neutre. La consommation de lait (200 ml/jour) ne semble pas influencer le risque de maladies coronariennes, d'AVC ou de mortalité précoce, malgré son contenu élevé en gras saturés. Certaines études suggèrent que les produits laitiers *fermentés*, tels que le yogourt et le fromage, pourraient avoir des effets positifs sur le maintien d'un poids corporel santé, alors que d'autres affirment que ces produits pourraient même être associés à un plus faible risque de diabète.

Le microbiome intestinal : des milliards de bactéries qui prennent soin de nous

Les centaines de milliards de bactéries présentes dans notre intestin sont des partenaires indispensables au maintien de notre santé. Cette imposante communauté bactérienne, qu'on appelle « microbiome intestinal », joue en effet des rôles absolument essentiels dans la digestion, le métabolisme, l'immunité et même le bon fonctionnement du cerveau. Le microbiome est d'ailleurs de plus en plus considéré comme un « organe » en tant que tel, qui doit travailler de façon optimale pour nous garder en bonne santé.

En matière de maladies cardiovasculaires, l'importance de ces bactéries vient de leur capacité à métaboliser certaines molécules (la phosphatidylcholine, la choline et la carnitine) contenues dans les aliments d'origine animale, comme la viande et les œufs. Ce métabolisme génère la triéthylamine (TMA), un « déchet » métabolique qui est acheminé vers le foie, où il est transformé en TMAO, une molécule très inflammatoire. Plusieurs études indiquent que la présence d'une quantité élevée de TMAO dans le sang est associée à une accélération du développement des plaques d'athérosclérose et à une hausse du risque de maladies cardiovasculaires. Une étude récente a également révélé que la production de TMAO par le microbiome intestinal augmentait la réactivité des plaquettes sanguines et le potentiel de formation de caillots sanguins. Ce n'est donc pas un hasard si les végétariens risquent moins d'être touchés par les maladies cardiovasculaires que les carnivores : comme ils évitent la viande, ou en mangent très peu, leurs bactéries intestinales ne génèrent pas de TMAO, ce qui protège le système cardiovasculaire.

Il est intéressant de noter qu'il serait aussi possible de bloquer la formation de TMAO en agissant directement sur le métabolisme des bactéries. En effet, le 3,3-diméthyl-1-butanol (DMB), une molécule possédant une structure analogue à la choline, ralentit la production de TMAO par différentes souches de bactéries intestinales et empêche la formation de lésions d'athérosclérose chez des modèles animaux. Cette substance naturelle se retrouve dans certains aliments, comme le vin rouge et l'huile d'olive, deux piliers du régime méditerranéen qui ont été à maintes reprises associés à une réduction importante du risque de maladies du cœur. Il est donc possible que la protection cardiovasculaire offerte par la diète méditerranéenne provienne aussi d'une réduction de la formation de TMAO par les bactéries intestinales.

La consommation modérée de produits laitiers faibles en gras, en particulier ceux qui sont fermentés, semble donc avoir un impact neutre et même possiblement positif sur la santé cardiovasculaire. Ce sujet fait cependant toujours l'objet de débats puisque l'une de ces deux études, quoique très bien réalisée par un auteur sérieux, était subventionnée en partie par un grand fabricant de yogourt. De plus, l'auteur est membre du comité scientifique consultatif du Global Dairy Platform, un organisme dont la mission est de promouvoir les produits laitiers aux États-Unis.

Quant aux œufs, plusieurs études ont montré que leur consommation modérée (< 7 œufs par semaine) n'a pas d'impact notable sur le risque d'infarctus du myocarde ou d'AVC au sein de la population en général, ni chez les personnes qui sont porteuses d'une variante génétique qui les prédispose à avoir un taux de cholestérol-LDL plus élevé (ApoE4). La consommation d'œufs sans restriction est cependant déconseillée par plusieurs experts, comme le Dr Jean Davignon, de l'Institut de recherches cliniques de Montréal (IRCM), car ces aliments ont la propriété d'oxyder le cholestérol-LDL et de le rendre plus toxique pour la paroi des artères. Une étude récente a également démontré que la phosphatidylcholine des œufs est transformée par le microbiome intestinal (voir encadré de la page précédente) en une molécule inflammatoire nocive pour les artères coronaires, le triméthylamine-N-oxyde (TMAO). Les personnes touchées par une maladie coronarienne ou celles qui risquent plus de l'être (les diabétiques, par exemple) auraient donc avantage à limiter leur consommation à un maximum de 1 à 2 œufs par semaine.

BIEN CHOISIR SES GRAS

Une autre bonne raison de remplacer les produits d'origine animale par des végétaux est que cette substitution a également un impact positif sur le type de matières grasses consommées. Les sources de protéines animales (viandes, produits laitiers, œufs) contiennent des graisses saturées, tandis que les matières grasses

LES DIFFÉRENTS TYPES DE GRAS

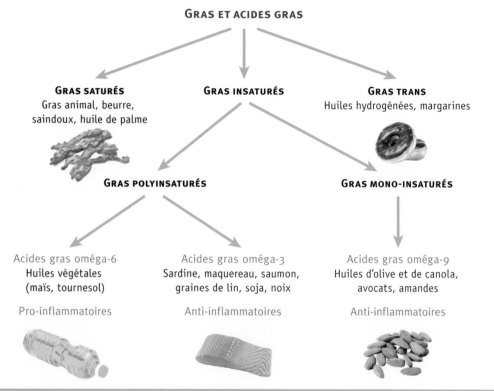

GRAS ET ACIDES GRAS

GRAS SATURÉS
Gras animal, beurre,
saindoux, huile de palme

GRAS INSATURÉS

GRAS TRANS
Huiles hydrogénées, margarines

GRAS POLYINSATURÉS

GRAS MONO-INSATURÉS

Acides gras oméga-6
Huiles végétales
(maïs, tournesol)

Pro-inflammatoires

Acides gras oméga-3
Sardine, maquereau, saumon,
graines de lin, soja, noix

Anti-inflammatoires

Acides gras oméga-9
Huiles d'olive et de canola,
avocats, amandes

Anti-inflammatoires

FIGURE 28

d'origine végétale sont principalement insaturées (figure 28). Ces deux types de gras ont des effets opposés sur les taux de cholestérol-LDL : les gras saturés sont associés à une augmentation de ce cholestérol, tandis que les gras insaturés entraînent plutôt une réduction de son taux sanguin.

Plusieurs études ont montré que le simple fait de remplacer 5 % des calories provenant des gras saturés par des sources de gras insaturés (de type oméga-3 surtout) réduit de 10 à 25 % le risque d'infarctus du myocarde ainsi que la mortalité cardiovasculaire. La consommation d'aliments riches en gras insaturés, de type oméga-3 d'origine végétale (acide alpha-linolénique) ou animale (poissons), revêt donc une grande importance pour la santé cardiovasculaire.

Historiquement, une des meilleures illustrations de ce concept est la différence spectaculaire d'incidence de maladies cardiovasculaires entre certaines populations du monde. En 1970, par exemple, une étude a révélé que les habitants de l'île de Crète, en Grèce, qui consommaient jusqu'à 40 % de leurs calories quotidiennes sous la forme de gras mono-insaturés (huile d'olive) et de gras polyinsaturés oméga-3, étaient beaucoup moins touchés par ces maladies que les Finlandais, dont l'essentiel de l'apport en gras était d'originale animale et donc saturés (figure 29). Pour la santé cardiovasculaire, l'idéal est donc de privilégier les sources de matières grasses insaturées, comme les huiles végétales de type oméga-3, soit les noix, certaines graines (lin, chia, chanvre) et les poissons, tout en limitant l'apport en aliments principalement composés de gras saturés, comme les viandes rouges.

Si cette supériorité des gras insaturés est si bien établie, comment expliquer alors que plusieurs études ne voient aucun lien entre la consommation de gras saturés et le risque de maladies cardiovasculaires ? Pourquoi se priver de beurre, de crème et de viandes grasses si les gras saturés n'ont aucun impact sur la santé, demanderont certains ? Avant de sauter trop vite aux

BIEN CHOISIR SES GRAS
POUR PRÉVENIR LES MALADIES CARDIOVASCULAIRES

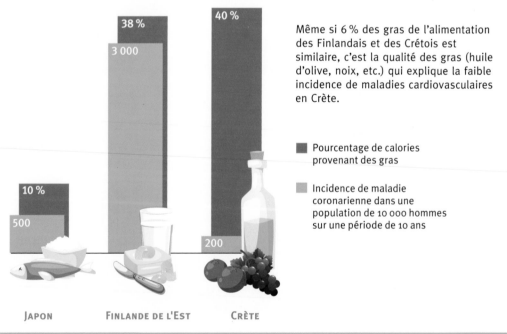

40 %

38 %
3 000

Même si 6 % des gras de l'alimentation des Finlandais et des Crétois est similaire, c'est la qualité des gras (huile d'olive, noix, etc.) qui explique la faible incidence de maladies cardiovasculaires en Crète.

■ Pourcentage de calories provenant des gras

■ Incidence de maladie coronarienne dans une population de 10 000 hommes sur une période de 10 ans

10 %
500

200

JAPON   FINLANDE DE L'EST   CRÈTE

FIGURE 29

D'après Stampfer et Willett (2006)

Gras et sucre

Au cours des années 1980, tous les experts recommandaient d'adopter une alimentation faible en gras pour réduire le taux de cholestérol sanguin et diminuer le risque de maladie coronarienne. On sait maintenant que cette « croisade antigras » était une grave erreur : non seulement on ne faisait pas la distinction entre les bons et les mauvais gras, mais les spécialistes n'avaient pas évalué les répercussions néfastes que pouvait entraîner la substitution des gras par d'autres aliments, notamment ceux contenant des sucres ajoutés. Consommer trop de sucres simples contribue directement au développement de l'athérosclérose et favorise le gain de poids, un autre facteur de risque de maladies cardiovasculaires. Certains scientifiques, dont le Dr Gerald Reaven, avaient pourtant montré dès le début des années 1980 qu'un excès de glucides augmentait le risque d'apparition du syndrome métabolique, se manifestant par une résistance à l'insuline, des taux de triglycérides élevés, une diminution du cholestérol-HDL, une augmentation des LDL denses (une forme particulièrement néfaste des LDL) et de l'hypertension. Mais, à cette époque, très peu de personnes voyaient les sucres ajoutés comme des substances nocives. La recommandation de réduire le gras est donc devenue la norme, soutenue par une avalanche de produits industriels portant les mentions « Faible en gras » ou « 0 % de gras », mais contenant des quantités parfois astronomiques de sucres ajoutés.

Comme l'a mentionné plus tard le Dr Walter Willett : « En diminuant les gras de façon indiscriminée, nous avons provoqué une augmentation de la consommation de sucre, et c'est probablement la cause de l'épidémie d'obésité que l'on voit aujourd'hui aux États-Unis et ailleurs dans le monde. » En effet, si on regarde plus particulièrement les États-Unis, où les données sont beaucoup plus disponibles, on a noté, au cours des 25 dernières années, une augmentation des calories ingérées (environ 400 calories de plus), une diminution des gras de 8 % et une augmentation des sucres ajoutés d'environ 10 %.

conclusions, il faut savoir que, dans de nombreuses études des années 1970 et 1980, la diminution de l'apport en graisses saturées s'est accompagnée d'une hausse correspondante de la consommation de glucides, principalement sous forme de sucres simples, ou encore par un apport élevé en gras polyinsaturés oméga-6 (dans les faits, on a remplacé les gras saturés par des sucres ou par des gras de moins bonne qualité). Comme il a été mentionné plus tôt, les sucres simples sont très dommageables pour la santé cardiovasculaire, non seulement parce qu'ils augmentent les taux de triglycérides et diminuent le cholestérol-HDL, mais aussi en raison de leur impact négatif sur la hausse du poids corporel, de la glycémie, de la résistance à l'insuline (voir encadré Gras et sucre) et de l'inflammation. Dans ce contexte, il est normal qu'on ne voie pas d'avantages à réduire la consommation de gras saturés; les bienfaits de cette réduction sont tout simplement camouflés par l'impact négatif associé à une hausse de l'apport en sucres simples ou en gras de moins bonne qualité.

Ce n'est donc pas tellement la quantité totale de matières grasses qui importe, mais plutôt le type de gras qui est consommé. D'ailleurs, aucune étude ayant examiné les effets d'une alimentation

↗ Des gras néfastes

faible en gras (où *toutes* les formes de gras sont réduites) n'est parvenue à observer une réduction de l'incidence des maladies cardiovasculaires. La meilleure façon de maintenir un apport en bons gras est de privilégier les aliments qui sont de bonnes sources de gras insaturés, tout en limitant ceux qui sont riches en graisses saturées. Concrètement, cela signifie tout simplement de manger plus de végétaux (légumes, légumineuses, noix, graines) et de poissons, et moins de viandes rouges, de charcuteries et d'aliments frits. Les produits qui portent les mentions « Faible en gras » ou « 0 % de gras » ne sont cependant pas une solution, car ils ont été créés de toutes pièces par l'industrie alimentaire pour tirer profit de la mode « antigras » des années 1980. Ils contiennent généralement de grandes quantités de sucres ajoutés pour compenser la perte de goût due à la disparition du gras et n'apportent par conséquent rien d'utile en matière de prévention des maladies cardiovasculaires. Il faut aussi éliminer complètement les gras trans (huile végétale hydrogénée, graisse alimentaire, etc.), c'est-à-dire les gras contenus, par exemple, dans les croissants, les muffins et les biscuits fabriqués de façon industrielle, car il est maintenant clairement établi que les graisses artificielles augmentent dramatiquement le risque de maladies cardiovasculaires.

En résumé, la meilleure façon de bien manger est d'adopter une *vue d'ensemble* de l'alimentation, sans trop s'attarder aux composantes individuelles des aliments quotidiens. À moins d'être un spécialiste de la nutrition et de noter systématiquement tous les aliments consommés, il est pratiquement impossible de déterminer avec précision la quantité de gras saturés et insaturés ou de sucres simples ingérés chaque jour (d'autant plus que les nombres affichés sur les étiquettes nutritionnelles sont souvent imprécis). Il est beaucoup plus simple de consommer des aliments entiers, principalement d'origine végétale, de limiter les produits animaux et d'éliminer autant que possible les produits transformés industriellement. Pour plusieurs personnes, les hommes en particulier, la viande occupe une place très importante dans l'alimentation et la simple perspective de diminuer sa consommation est immédiatement perçue comme un compromis inacceptable. Il faut toutefois savoir qu'une réduction de l'apport en viandes, même modeste, est associée à des bienfaits pour la santé si cette diminution est compensée par une hausse de l'apport en végétaux. Le meilleur exemple des bienfaits de cette dernière est sans doute l'alimentation méditerranéenne.

CHAPITRE 5

Alimentation : effets sur la santé des humains et de la planète

En 2010, l'alimentation méditerranéenne a été inscrite par l'UNESCO sur la liste du patrimoine culturel immatériel de l'humanité comme « un ensemble de savoir-faire, de connaissances, de rituels, de symboliques et de traditions qui concernent les cultures, les récoltes, la cueillette, la pêche, l'élevage, la conservation, la transformation, la cuisson et, tout particulièrement, la façon de partager la table et de consommer les aliments ». La reconnaissance de l'UNESCO témoigne des profondes racines culturelles qui sont à la base de cette alimentation, mais aussi de son impact extraordinaire sur la santé : un très grand nombre d'études ont bien démontré que l'alimentation méditerranéenne est associée à une réduction importante du risque de l'ensemble des maladies chroniques, qu'il s'agisse des maladies cardiovasculaires, du diabète de type 2, de certains cancers ainsi que du déclin cognitif (démences).

Chaque culture possède ses propres traditions culinaires et il existe autant de versions du « régime méditerranéen » que de pays situés dans cette région du globe. On peut néanmoins déterminer certains grands principes de ce type d'alimentation (figure 30).

Il s'agit globalement d'une alimentation riche en fruits et en légumes, en gras mono-insaturés et polyinsaturés oméga-3, dans laquelle les sucres complexes des fibres et des céréales sont les sources principales de glucides, et où les protéines proviennent principalement des légumineuses, des noix, des volailles et des poissons plutôt que des viandes rouges.

BIENFAITS POUR LE CŒUR

L'impact positif du régime méditerranéen sur la prévention des maladies cardiovasculaires a été initialement suggéré par des études comparant l'incidence de ces maladies dans les pays méditerranéens à celle observée ailleurs dans le monde. Par exemple, les habitants des îles grecques de Crète et de Corfou étaient très peu touchés à cette époque par l'angine, l'infarctus du myocarde et les maladies coronariennes en général. L'incidence de ces conditions était beaucoup plus faible que celle des pays dont les traditions alimentaires sont principalement basées sur des aliments d'origine animale, comme la Finlande.

Réalisée dans les années 1990 par le cardiologue français Michel de Lorgeril, l'« Étude de Lyon » (« Lyon Heart Study ») est l'un des meilleurs exemples du grand potentiel du régime méditerranéen pour le maintien de la santé cardiovasculaire. Cette étude visait à vérifier l'efficacité de ce type d'alimentation quant à la prévention des récidives chez les personnes ayant subi un infarctus du myocarde. Les patients ont donc été séparés au hasard en deux groupes : un groupe soumis à une alimentation limitée en matières grasses, recommandée traditionnellement pour les patients cardiaques, et un groupe soumis à une alimentation méditerranéenne. Les résultats obtenus ont été tout à fait spectaculaires

PRINCIPAUX ALIMENTS DU RÉGIME MÉDITERRANÉEN

Aliments consommés abondamment	Aliments consommés modérément	Aliments consommés occasionnellement
Gras mono-insaturés (huile d'olive)	Alcool (vin rouge)	Viandes rouges et charcuteries
Fruits	Produits laitiers fermentés ou non	Sucreries
Légumes		
Légumineuses		
Produits céréaliers à grains entiers		
Gras polyinsaturés de type oméga-3 (végétaux ou poisson)		
Poissons		

FIGURE 30

(figure 31): après quatre ans, chez les patients ayant adopté le régime méditerranéen, l'incidence d'infarctus non mortels avait été réduite de 70 % et celle de la mortalité due à une maladie cardiovasculaire avait diminué de 71 %, des taux deux fois plus élevés que ceux obtenus avec les médicaments anticholestérol (voir chapitre 9). Cette étude a complètement révolutionné l'approche nutritionnelle en cardiologie. Grâce à plusieurs autres études positives, l'alimentation méditerranéenne est maintenant recommandée par tous les experts en prévention cardiovasculaire, autant en Amérique du Nord qu'en Europe.

Non seulement l'alimentation méditerranéenne est bénéfique pour les patients affectés par une maladie coronarienne, mais elle est aussi efficace en prévention primaire, c'est-à-dire chez les personnes

COMPARAISON DU TAUX DE SURVIE DES PATIENTS CORONARIENS SOUMIS À UN RÉGIME CONTRÔLE FAIBLE EN GRAS OU À UN RÉGIME MÉDITERRANÉEN

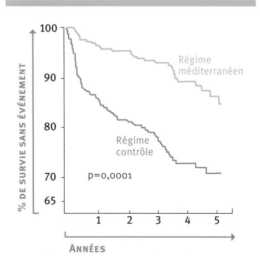

FIGURE 31   Source : De Lorgeril et coll. (1999)

qui ne souffrent d'aucune maladie cardiovasculaire. L'étude « PREDIMED » (*Prevención con Dieta Mediterránea*) a permis de démontrer que l'incidence de maladies cardiovasculaires (infarctus, AVC) était diminuée d'environ 30 % chez les personnes soumises à un régime méditerranéen riche en huile d'olive extravierge ou en noix comparativement au groupe contrôle, dont l'alimentation était faible en gras (figure 32).

Il n'y a donc aucun doute qu'une alimentation de type méditerranéen, dans laquelle la consommation de viande est très modérée (environ un repas par semaine), entraîne des effets extrêmement positifs sur la santé cardiovasculaire, autant dans la population en général que chez les personnes qui ont déjà subi un accident cardiaque.

Selon notre expérience des 20 dernières années au Centre ÉPIC de l'Institut de Cardiologie de Montréal, la plupart des gens s'adaptent facilement à ce régime et ont même tendance à conserver de façon durable ces nouvelles habitudes alimentaires en raison du bien-être général qu'elles apportent.

L'ALIMENTATION BASÉE SUR LES VÉGÉTAUX : AUX GRANDS MAUX, LES GRANDS REMÈDES

Plusieurs études ont révélé que les personnes qui adoptent une alimentation principalement basée sur les végétaux sont généralement en meilleure santé et qu'elles risquent moins d'être touchées par une maladie cardiovasculaire. La mortalité liée aux maladies coronariennes est réduite de 20 à 30 % chez les végétariens, comparativement aux non-végétariens, ce qui est surtout observé chez ceux qui ont délaissé les produits d'origine animale depuis au moins 5 ans.

Pour la plupart des gens, un régime méditerranéen permet un apport en végétaux suffisant pour bénéficier de cette protection. Il est à noter que la majorité des études n'indiquent pas qu'une alimentation strictement végétarienne ou végétalienne est supérieure au régime méditerranéen pour prévenir les maladies cardiovasculaires. Par exemple, une caractéristique importante de ce dernier est la consommation régulière de poissons, et les études affirment que les pesco-végétariens (qui mangent du poisson, mais pas de viandes « terrestres ») ont le même faible risque de mort prématurée que les végétaliens, qui ne consomment aucun produit animal, y compris les poissons. Il faut aussi savoir que le végétarisme strict est très rare au Japon, mais que les Japonais, grands consommateurs de poissons, présentent encore aujourd'hui la plus faible incidence de maladies cardiovasculaires au monde.

EFFET PROTECTEUR DU RÉGIME MÉDITERRANÉEN

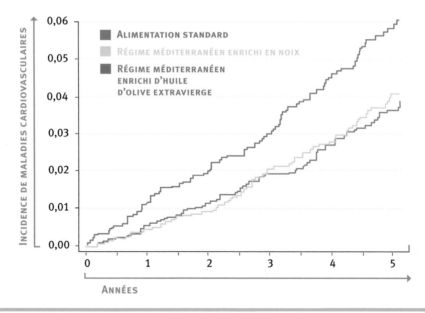

FIGURE 32

Source : Estruch et coll. (2013)

La situation est cependant différente pour les personnes qui souffrent d'une maladie coronarienne grave et qui, par conséquent, risquent beaucoup plus de mourir prématurément. Plusieurs études indiquent que, chez ces patients, l'adoption d'une alimentation végétarienne stricte, sans viandes ni produits laitiers, permet d'enrayer la progression de l'athérosclérose et peut même, dans plusieurs cas, faire *régresser* la maladie coronarienne. Le premier exemple documenté de ce phénomène est le cas du Dr Nathan Pritikin, qui a reçu à l'âge de 42 ans un diagnostic de maladie coronarienne sévère. Inspiré par l'absence de maladies cardiovasculaires chez certains peuples principalement végétariens, il a conçu un régime très faible en gras principalement basé sur un apport élevé en glucides complexes provenant de fruits, de légumes, de légumineuses et de grains entiers, le tout combiné à une activité physique aérobique fréquente, mais modérée. Lorsque le Dr Pritikin est décédé des suites d'un lymphome à l'âge de 69 ans, les pathologistes ont observé que ses artères coronaires ne présentaient que quelques plaques d'athérosclérose minimes, chose tout à fait remarquable pour une personne de son âge et chez qui, de plus, on avait diagnostiqué de sérieux problèmes coronariens plus tôt dans son existence.

Le programme de réadaptation cardiaque élaboré par le médecin californien Dean Ornish a permis de mieux documenter ce phénomène. Ce programme est basé sur une alimentation végétarienne stricte, riche en glucides complexes et pauvre en gras, jumelée à la pratique d'une activité modérée et à l'application de techniques de gestion du stress. Le Dr Ornish a fait suivre ce programme à des patients dont les artères coronaires présentaient des blocages importants. De plus, ces derniers souffraient d'angine, avaient des résultats anormaux lors d'électrocardiogrammes à l'effort et présentaient des images de scintigraphie myocardiques (*PET scan*) montrant un manque de sang au myocarde (ischémie). Une étude célèbre publiée en 1990 (dans *The Lancet*) et en 1998 (dans le *JAMA*) présente les résultats obtenus après 1 et 5 ans, respectivement, de ce traitement. Pour cette étude, le Dr Ornish a séparé ses patients de façon aléatoire en deux groupes distincts : un groupe était soumis à son programme intensif, tandis que l'autre recevait les traitements appliqués de façon standard en cardiologie à cette époque. Les résultats ont été tout à fait spectaculaires : les patients suivant la méthode Ornish ont vu leurs symptômes s'améliorer très rapidement (en 2 à 3 semaines). Après un an, on a pu constater une diminution considérable des lésions et une nette amélioration de la perfusion du myocarde. L'amélioration était encore plus marquée après 5 ans. Quant aux patients du groupe témoin, qui recevaient pourtant les traitements habituels, ils ont vu leurs lésions coronariennes s'aggraver. Par exemple, la sévérité des sténoses (blocages) des vaisseaux des patients du groupe témoin a augmenté

de 11 % dans les 5 années suivant le début de l'étude, tandis qu'elle a diminué de 3 % chez ceux qui suivaient la méthode Ornish (figure 33), une baisse qui a même atteint 7 % chez les personnes qui adhéraient le plus fortement aux directives de cette dernière. Ces réductions peuvent sembler modestes, mais il faut se rappeler qu'une faible modification du diamètre d'une artère cause une importante variation du débit, car la résistance au flot sanguin varie de façon exponentielle en fonction du diamètre de l'artère. En conséquence, les réductions des blocages dues à l'adoption du programme Ornish se traduisent par une amélioration marquée de

RÉGRESSION DES STÉNOSES AVEC LE PROGRAMME ORNISH

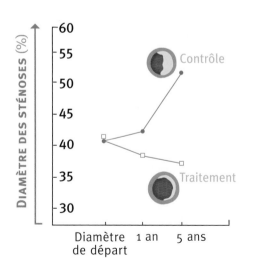

FIGURE 33   Source : Ornish et coll. (1998)

Un exemple clinique de la régression de la maladie coronarienne

Le premier patient que j'ai traité à l'aide de ce programme présentait, à l'âge de 52 ans, un blocage important (environ 80 %) sur l'artère interventriculaire antérieure (la principale artère coronaire) et souffrait d'angine à l'effort après seulement 5 minutes sur le tapis roulant. Son cardiologue lui recommandait (avec raison) de subir une angioplastie (dilatation). Par choix personnel, ce patient voulait un traitement plus « conservateur » et était disposé à uniquement prendre des médicaments. Son médecin de famille me l'a donc envoyé pour obtenir une deuxième opinion. Je lui ai expliqué que, s'il voulait éviter l'angioplastie coronarienne, seul un programme très intensif de modification des habitudes de vie, comme la méthode Ornish, pouvait être une option dans son cas, étant donné la sévérité de sa maladie. Il a accepté et a adopté une alimentation végétarienne stricte, s'est mis à faire régulièrement de l'exercice et a entrepris un programme de gestion du stress basé sur la méditation. Sa situation s'est améliorée rapidement, au point où j'ai pu diminuer progressivement ses médicaments contre l'angine en quelques mois. Après un an, son électrocardiogramme montrait toujours de l'ischémie (manque de sang au myocarde) à l'effort, mais à un niveau très élevé (9 METs, soit presque le double de sa capacité avant de commencer le programme), et le patient ne présentait plus aucun symptôme d'angine. Je l'ai suivi annuellement pendant une dizaine d'années pour finalement lui « donner congé ». Ce premier cas m'a confirmé que l'approche du Dr Ornish pouvait être adoptée par une personne très motivée et, depuis le milieu des années 1990, je recommande ce traitement « intensif » aux patients qui sont très motivés à changer leurs habitudes de vie.

la perfusion du myocarde et par la quasi-disparition des symptômes d'angine chez ces patients. En d'autres mots, la progression de la maladie coronarienne a été non seulement stoppée, mais même renversée dans plusieurs cas.

Depuis la publication de ces résultats, la méthode Ornish a été appliquée dans de très nombreux centres en Amérique du Nord avec beaucoup de succès. J'ai moi-même suivi plusieurs patients souffrant d'une maladie coronarienne documentée qui étaient motivés à suivre ce programme assez strict et j'ai pu constater une évolution remarquable. Leurs symptômes se sont atténués rapidement en quelques

Le programme Ornish

Je vous conseille de consulter le site web du Dr Ornish : (http://ornishspectrum.com/) et de visionner ses conférences sur YouTube. Un programme québécois adapté à partir de celui du Dr Ornish est offert au Centre ÉPIC de l'ICM.

semaines, à tel point qu'on a pu réduire la médication de façon graduelle. Dans la grande majorité des cas, je n'ai jamais eu à faire opérer ou dilater les coronaires des patients appliquant la méthode Ornish, même ceux chez qui les lésions étaient multiples et sévères.

Un autre médecin, le Dr Caldwell Esselstyn, de la Cleveland Clinic, l'un des meilleurs centres de cardiologie au monde, propose un régime alimentaire similaire à celui du Dr Ornish, mais sans demander à ses patients de s'entraîner de façon régulière ni de suivre un programme de réduction de stress. Les résultats obtenus sont également excellents, c'est-à-dire qu'on observe une évolution très favorable des patients et de très rares récidives d'infarctus ou d'angine sévère, ainsi qu'une diminution marquée de la prise de médicaments et des traitements chirurgicaux. La méthode utilisée par le Dr Esselstyn est moins rigoureuse sur le plan scientifique que celle du Dr Ornish (les effets de son régime ne sont pas comparés à ceux d'un groupe contrôle, car il juge que l'alimentation végétalienne stricte, très limitée en gras, est si efficace qu'il ne serait pas éthique, selon lui, de traiter des patients coronariens autrement), mais il est indéniable que l'adoption de son régime végétalien a un impact extrêmement positif sur la santé de ses patients. À titre d'exemple, l'image ci-contre d'une coronarographie d'un homme atteint d'une sténose sévère de la coronaire droite indique

que le blocage a été nettement amélioré 32 mois après l'adoption d'un régime végétalien strict (figure 34).

Un des patients les plus célèbres du Dr Ornish est l'ancien président américain Bill Clinton. Après avoir subi un quadruple pontage aortocoronarien en 2004 en raison de blocages importants de plusieurs vaisseaux, ses pontages se sont progressivement obstrués et ont dû être dilatés d'urgence par angioplastie coronarienne en 2010. Devant l'évolution dramatique et rapide de sa condition cardiaque, M. Clinton a fait appel au Dr Ornish, qui lui a évidemment recommandé son programme. En peu de temps, sa condition médicale s'est améliorée de façon spectaculaire, notamment grâce à une perte de poids importante et à une disparition de ses symptômes d'angine. Il se dit aujourd'hui en meilleure forme que jamais. Depuis plusieurs années, la méthode Ornish n'est plus considérée comme expérimentale et est remboursée aux États-Unis par Medicare ainsi que par plusieurs compagnies d'assurance médicale privées.

Aujourd'hui, de nombreux cardiologues nord-américains affirment qu'une alimentation principalement à base de végétaux, comme celle proposée par le Dr Ornish, est idéale pour la santé cardiovasculaire. D'ailleurs, le Dr Kim Williams, président sortant de l'American College of Cardiology, est lui-même végétalien. Il n'y a pas vraiment de controverse sur la capacité d'une telle alimentation à contrer l'athérosclérose. La plupart de mes collègues hésitent pourtant à recommander ce type de programme intensif, puisqu'il est très exigeant et qu'il n'est pas, selon eux, réaliste de demander à leurs patients de devenir des végétariens stricts, de faire de l'exercice trois à quatre fois par semaine, et de suivre un programme de gestion du stress. On peut pourtant se demander ce qui est plus radical : subir un triple pontage ou une angioplastie coronarienne sur deux ou trois vaisseaux, ou changer en profondeur son mode de vie ?

Pour ma part, je crois qu'il faut informer les patients quant à l'efficacité des programmes des Drs Ornish et Esselstyn, et leur laisser le choix. Plus les

EXEMPLE CLINIQUE DE RÉGRESSION DE MALADIE CORONARIENNE

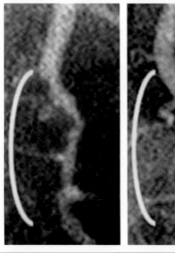
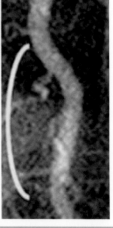

FIGURE 34 Source : Esselstyn et coll. (2014)

patients seront informés, mieux ils seront armés pour discuter de façon précise avec leur médecin des options de traitement.

Si vous souffrez déjà d'une maladie coronarienne documentée, par exemple si vous avez déjà subi des pontages aortocoronariens, une angioplastie coronarienne, un infarctus du myocarde, ou encore si vous avez des symptômes d'angine chronique, et que vous êtes intéressé par l'approche du Dr Ornish, vous pouvez en discuter avec votre médecin.

Si vous n'avez jamais eu de problèmes coronariens, je vous suggère d'adopter l'alimentation méditerranéenne, qui demeure un choix logique pour la plupart des gens. Cependant, si vous cumulez plusieurs

facteurs de risque de maladie coronarienne ou si plusieurs de vos parents proches ont été touchés par un accident coronarien à un âge relativement jeune (moins de 65 ans), je crois que vous devriez sérieusement considérer l'alimentation végétarienne. Je la conseille d'ailleurs souvent à des personnes dans la trentaine et la quarantaine qui me consultent pour une évaluation préventive et qui ont de très lourds antécédents cardiovasculaires dans leur famille.

En résumé, il est possible de réduire grandement le risque de maladies cardiovasculaires en augmentant l'apport en aliments d'origine végétale tout en diminuant la consommation de produits d'origine animale. La décision d'adopter une alimentation végétarienne ou végétalienne doit être prise avec sérieux : il ne suffit pas d'éliminer la viande, car ce n'est pas parce qu'on l'évite qu'on mange nécessairement bien. Un végétarien qui se nourrit principalement de féculents (frites, pâtes alimentaires, pâtisseries) ou de produits industriels qui imitent les produits à base de viande (saucisses au tofu, etc.) n'aura évidemment pas une alimentation optimale. Il ne faut pas oublier que l'alimentation traditionnelle méditerranéenne fait une très large place aux végétaux qu'il s'agisse de légumes ou de feuilles, et que ces aliments jouent un rôle prédominant dans les bienfaits que procure ce mode d'alimentation. Pour cette raison, je conseille toujours à mes patients qui envisagent de devenir végétariens ou végétaliens de consulter une nutritionniste.

BON POUR LA SANTÉ DE LA PLANÈTE

En 2006, la Food and Agriculture Organization (FAO) des Nations unies a créé une onde de choc en publiant un rapport très étoffé démontrant que l'élevage de bétail était responsable de plus d'émissions de gaz à effet de serre (GES) que toute l'industrie des transports. Selon la FAO, l'industrie de l'élevage et de la production laitière génère 18 % de tous les GES, soit 9 % du CO_2, 37 % du méthane (qui a un pouvoir de réchauffement au moins 25 fois plus grand que le CO_2) et 65 % de l'hémioxyde d'azote. De plus, l'élevage constitue la principale source de pollution de l'eau, autant dans les pays développés que dans les pays émergents.

Cette évaluation de la FAO a été confirmée par d'autres organisations, notamment le Groupe d'experts intergouvernemental sur l'évolution du climat (GIEC), qui estime que 25 % des GES sont le résultat de l'agriculture, de l'élevage et de la déforestation qui en résulte. L'élevage du bétail est la principale cause de ces émissions, en particulier le fumier et le méthane produit par les ruminants, qui sont responsables à eux seuls de plus de la moitié des GES.

Le secteur de l'élevage consomme aussi beaucoup plus de protéines qu'il n'en produit : la quantité de protéines nécessaires pour nourrir les animaux d'élevage est d'environ 77 millions de tonnes, alors que les aliments produits par la viande de ces animaux n'en fournissent que 58 millions, un déficit de 19 millions de tonnes qui pourraient servir à nourrir des humains. Sans compter qu'on élève du bétail sur 70 % de la surface globale des terres agricoles et 30 % des surfaces émergées de la planète.

En Amazonie, l'élevage intensif est la principale cause de déforestation. Comme il est prévu que la consommation mondiale de viande va plus que doubler d'ici 2050, les conséquences sur le réchauffement climatique seront désastreuses et vont certainement annuler les effets positifs obtenus par la réduction de notre consommation de pétrole.

La solution n'est pas simple, car l'élevage est une source de revenus pour un très grand nombre de gens dans le monde et particulièrement dans les pays pauvres, où on estime qu'il fournit un moyen de subsistance à près d'un milliard de personnes. Plusieurs experts recommandent par contre d'au moins réduire l'augmentation prévue de notre consommation de viande, ce qui aurait un impact très important sur le réchauffement climatique et, en même temps, sur la santé des populations. Par exemple, une étude récente publiée par des chercheurs de l'Université d'Oxford, en Angleterre, estime que l'adoption d'une alimentation méditerranéenne pourrait réduire la hausse prévue de GES en 2050 de 60 %, tandis que le pesco-végétarisme

(végétarisme avec consommation de poissons) et le végétarisme pourraient complètement annuler cette hausse, et même entraîner des émissions plus faibles qu'aujourd'hui (figure 35), tout en réduisant considérablement la mortalité liée aux maladies chroniques (maladies cardiovasculaires, diabète et différents cancers).

Plusieurs scientifiques ont publié des études similaires et il n'y a pas de doute qu'une diminution de notre consommation de produits d'origine animale pourrait améliorer autant la santé des populations que celle de la planète. De plus, sur le plan économique, les réductions de coûts pour les systèmes de santé seraient aussi (sinon plus) importantes que les bénéfices économiques liés à l'amélioration des changements climatiques.

Compte tenu de l'impact important de l'élevage sur les GES, il est surprenant de

RÉDUCTION DES ÉMISSIONS DE GES PAR L'ADOPTION DE DIFFÉRENTS TYPES D'ALIMENTATION

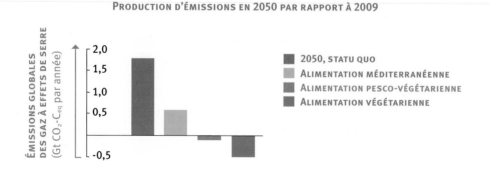

PRODUCTION D'ÉMISSIONS EN 2050 PAR RAPPORT À 2009

ÉMISSIONS GLOBALES DES GAZ À EFFETS DE SERRE (Gt CO_2-C_{eq} par année)

- 2050, STATU QUO
- ALIMENTATION MÉDITERRANÉENNE
- ALIMENTATION PESCO-VÉGÉTARIENNE
- ALIMENTATION VÉGÉTARIENNE

FIGURE 35

D'après D. Tilman et M. Clark (2014)

voir que ce problème est rarement discuté dans les grands sommets sur le climat. Il s'agit évidemment d'un enjeu complexe, et pointer du doigt tout le secteur de l'élevage et de la production laitière, comme on le fait pour l'industrie du pétrole, est difficile pour les politiciens : il faudrait non seulement toucher à un secteur très important de l'économie, mais aussi cibler des habitudes de consommation très ancrées. Suggérer aux gens de manger moins de viande est beaucoup plus délicat que de leur demander de consommer moins de pétrole.

En conclusion, il est bien démontré qu'une alimentation plus riche en produits végétaux et moins riche en protéines animales comporte des avantages autant pour la santé des individus que pour celle de la planète.

CHAPITRE 6

L'exercice : la meilleure médecine

Au cours de l'évolution de l'espèce humaine, notre physiologie s'est adaptée à la marche et à la course sur de longues distances afin de nous permettre d'obtenir une nourriture de qualité, suffisamment calorique pour satisfaire aux exigences énergétiques nécessaires au fonctionnement et à l'évolution de notre cerveau. Nos lointains ancêtres préhistoriques pouvaient en effet parcourir jusqu'à 20 km par jour (20 000 pas et plus) pour subvenir à leurs besoins, un effort physique presque quatre fois plus important que celui d'aujourd'hui (figure 36). Cet écart est une conséquence directe des profonds bouleversements du mode de vie causés par les révolutions industrielle et technologique des dernières décennies. Alors que, il y a un siècle à peine, chaque aspect du quotidien demandait un effort physique, autant au travail qu'à la maison, la mécanisation et les technologies modernes ont rendu nos activités beaucoup moins exigeantes physiquement. Il existe toutefois une communauté religieuse, les Amish, qui refuse ces progrès et préfère un mode de vie traditionnel. Leur activité physique est donc similaire à celle de nos ancêtres : ils font chaque jour 15 000 pas environ tandis qu'un adulte américain moyen en fait 5 000, soit 3 fois moins (figure 36). À l'heure actuelle, une personne qui va travailler en voiture, prend l'ascenseur pour se rendre à son bureau et passe l'essentiel de sa journée devant un ordinateur n'utilise pratiquement pas ses muscles, une situation qui peut même empirer si elle consacre sa soirée à des

loisirs passifs devant un écran (télévision, tablette, ordinateur). En moyenne, un Canadien adulte consacre chaque jour près de 10 heures de sa période d'éveil à des activités sédentaires, dépourvues de toute dépense physique!

Cette sédentarité moderne a de graves conséquences sur la santé de la population: par exemple, une étude réalisée en Australie a montré que les personnes qui regardent la télévision plus de 4 heures par jour voient leur risque d'être touchées par une maladie cardiovasculaire augmenter de 80%. Une hausse du risque de diabète de type 2 et de certains cancers a aussi été observée chez les téléphages, ce qui illustre à quel point être inactif pendant des périodes prolongées peut avoir des répercussions néfastes sur la santé. Malheureusement, selon le Conseil de la radiotélédiffusion et des télécommunications canadiennes (CRTC), les Canadiens passent en moyenne 28 heures par semaine devant la télévision.

IMPACT DE L'INDUSTRIALISATION SUR LE NOMBRE DE PAS QUOTIDIENS

Population	Année	Nombre moyen de pas quotidiens
Paléolithique	Il y a 20 000 ans	10 560 à 21 120
Amish	2002	14 196 à 18 425
Américains	2010	4 912 à 5 340

FIGURE 36   D'après Booth (2012)

DU CŒUR AU TRAVAIL

Bien que l'importance de l'activité physique régulière pour le maintien d'une bonne santé ait déjà été proposée dans l'Antiquité, notamment par Hippocrate et Galien, les pères de la médecine, ce n'est qu'au milieu du xxᵉ siècle que ce lien a pu être établi scientifiquement. Le mérite en revient au Britannique Jeremy Morris, qui a démontré en 1953 que les chauffeurs d'autobus de Londres, assis au volant pendant toute la journée, subissaient plus d'accidents cardiovasculaires que les contrôleurs, qui se promenaient d'un étage à l'autre pour vérifier les billets (figure 37A). Un phénomène similaire a aussi été observé chez les fonctionnaires britanniques : ceux qui étaient plus actifs physiquement, les facteurs par exemple, étaient deux fois moins touchés par un accident cardiovasculaire que leurs confrères qui occupaient un emploi plus sédentaire, comme les téléphonistes et les commis de bureau (figure 37B).

Bien que spectaculaires, ces résultats ont été accueillis avec beaucoup de scepticisme par la communauté médicale de l'époque, car les médecins ne croyaient pas qu'une chose aussi simple que l'activité physique puisse influencer le risque de maladie coronarienne. On a aussi critiqué la méthodologie utilisée par le Dr Morris, en soulignant que le conducteur occupait peut-être cet emploi parce qu'il était déjà en moins bonne santé que celui qui pouvait se promener et monter les escaliers de

INCIDENCES D'INFARCTUS DU MYOCARDE ET DE MORTALITÉ PRÉMATURÉE

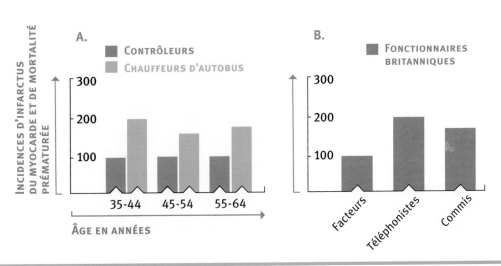

FIGURE 37

D'après Paffenbarger (2001)

l'autobus à deux étages pendant toute la journée. Ce fameux « biais de sélection » a toujours été le talon d'Achille des études épidémiologiques sur l'activité physique : est-ce que les gens qui font plus d'activité physique, qui subissent moins d'accidents cardiovasculaires et qui ont une espérance de vie plus longue ne sont pas tout simplement plus en santé au départ que ceux qui n'en font pas ? Autrement dit, ceux qui ne font pas d'activité physique sont inactifs parce qu'ils sont déjà malades et il est donc normal qu'ils risquent plus de décéder prématurément que les personnes plus en forme.

Au cours des années suivantes, plusieurs études sont néanmoins parvenues à résoudre ce problème et à clairement établir que l'activité physique régulière est étroitement associée à une diminution de l'incidence de maladies cardiovasculaires.

Le Dr Ralph Paffenbarger, un célèbre chercheur de l'Université Stanford, en Californie, a montré que les employés du port de la ville de San Francisco qui étaient affectés à des tâches de bureau avaient un taux de mortalité coronarienne de 80 % plus élevé que ceux qui déchargeaient les bateaux et qui étaient par conséquent beaucoup plus actifs. Puisque ces emplois étaient attribués en fonction de règles syndicales très strictes qui ne tenaient pas compte de l'état de santé des travailleurs, ces résultats indiquaient donc que c'était l'activité physique associée au travail qui était la grande responsable de cette différence de risque. Un phénomène similaire a été observé chez les travailleurs de kibboutz israéliens, ces communautés collectivistes basées sur la propriété commune des biens. En comparant les niveaux d'activité physique des travailleurs de ces kibboutz, il a été établi que ceux qui étaient assignés à des tâches plus sédentaires (les comptables, par exemple) avaient deux fois plus de risque de subir un infarctus du myocarde que ceux dont le travail nécessitait un effort physique plus intense (comme les agriculteurs et les cuisiniers). Puisque les kibboutzniks avaient tous le même niveau de vie, mangeaient la même nourriture (à la cantine commune) et présentaient des taux de cholestérol et de triglycérides sanguins similaires, ces observations ont permis d'illustrer à quel point le simple fait d'occuper un emploi requérant une plus grande dépense énergétique influence le risque de mort prématurée. Les emplois exigeants physiquement préviennent donc de façon significative les maladies cardiovasculaires.

Dans la majorité des cas, par contre, le travail ne requiert que très peu d'efforts physiques et il faut absolument compenser cette sédentarité en faisant plus d'exercices durant les loisirs. L'étude des habitudes de vie de 16 963 anciens étudiants de l'Université Harvard a révélé que le risque d'infarctus est directement lié à la quantité d'énergie dépensée pendant ces périodes de loisirs : les personnes peu actives avaient 64 % plus de risque de subir un infarctus du myocarde que celles qui étaient beaucoup plus actives. Par la suite, plus d'une centaine d'études ont confirmé que l'exercice physique permettait de diminuer les risques d'événements cardiovasculaires, qu'il s'agisse d'infarctus du myocarde, d'accidents vasculaires cérébraux ou de mort subite. Plusieurs études ont également clairement démontré que l'activité physique régulière est associée à une diminution du risque d'être atteint d'au moins 13 différents types de cancers, de souffrir de diabète de type 2 et de connaître un déclin cognitif. La liste des bienfaits de l'exercice sur la santé est très longue (figure 38) et, comme le dit le cliché : « Si une pilule pouvait procurer tous les bienfaits de l'activité physique, elle deviendrait un succès planétaire instantané. »

EFFORT MINIMUM

Non seulement les bienfaits de l'activité physique sont nombreux, mais la quantité d'exercice requise pour profiter de ces

LES NOMBREUX BIENFAITS ASSOCIÉS À L'EXERCICE PHYSIQUE RÉGULIER

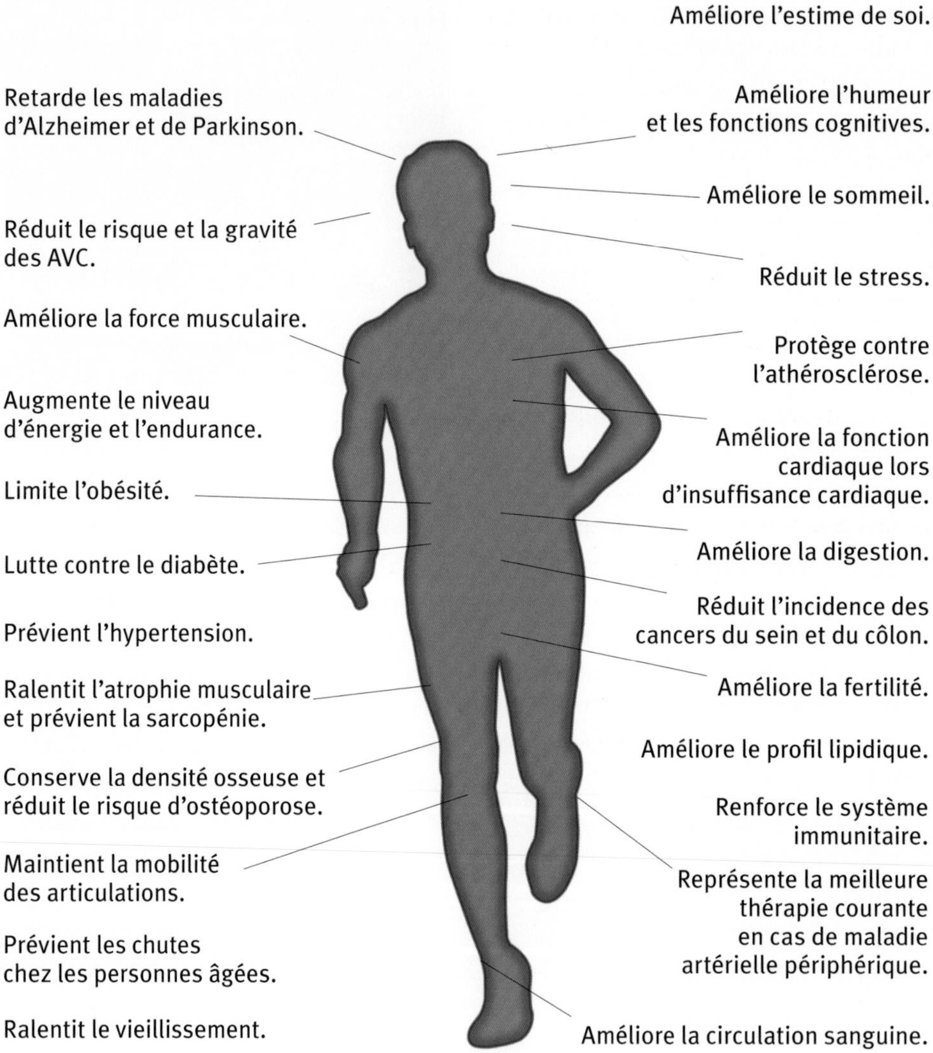

Améliore l'estime de soi.

Retarde les maladies
d'Alzheimer et de Parkinson.

Améliore l'humeur
et les fonctions cognitives.

Améliore le sommeil.

Réduit le risque et la gravité
des AVC.

Réduit le stress.

Améliore la force musculaire.

Protège contre
l'athérosclérose.

Augmente le niveau
d'énergie et l'endurance.

Améliore la fonction
cardiaque lors
d'insuffisance cardiaque.

Limite l'obésité.

Améliore la digestion.

Lutte contre le diabète.

Réduit l'incidence des
cancers du sein et du côlon.

Prévient l'hypertension.

Améliore la fertilité.

Ralentit l'atrophie musculaire
et prévient la sarcopénie.

Améliore le profil lipidique.

Conserve la densité osseuse et
réduit le risque d'ostéoporose.

Renforce le système
immunitaire.

Maintient la mobilité
des articulations.

Représente la meilleure
thérapie courante
en cas de maladie
artérielle périphérique.

Prévient les chutes
chez les personnes âgées.

Ralentit le vieillissement.

Améliore la circulation sanguine.

FIGURE 38

D'après Rowe (2014)

bienfaits est beaucoup moins élevée qu'on peut le penser. Jusqu'à tout récemment, on croyait qu'une dépense d'énergie de 1000 kcal par semaine était la quantité minimale nécessaire pour diminuer le risque de mort prématurée. Ceci correspond à 60 minutes d'activité de faible intensité, 30 minutes d'activité d'intensité modérée ou encore 20 minutes d'activité d'intensité élevée par jour, tous les jours de la semaine (figure 39).

Cependant, une très grande étude réalisée à Taiwan a bouleversé cette notion. En examinant les niveaux d'activité physique de presque un demi-million d'hommes et de femmes pendant 8 ans, les chercheurs ont en effet démontré qu'aussi peu que 15 minutes d'activité physique modérée par jour (la marche par exemple) suffisent pour

DURÉE ET FRÉQUENCE NÉCESSAIRES POUR DÉPENSER ENVIRON 1000 KCAL PAR SEMAINE SELON L'INTENSITÉ DE L'ACTIVITÉ PHYSIQUE

Intensité (catégorie)	Fréquence (nombre de fois par semaine)	Durée (min)	kcal/séance
Faible	7	60	150
	4	90 à 120	250
Modérée	7	30	150
	4	45	250
Élevée	7	20	150
	4	30	250

FIGURE 39

diminuer de façon marquée le nombre de décès total, de même que le taux de mortalité associée aux maladies cardiovasculaires, au diabète et à certains cancers.

Évidemment, l'ampleur de ces bienfaits sera encore plus grande si on augmente la durée et l'intensité de l'activité physique effectuée (figure 40). Par exemple, si 15 minutes d'une activité modérée telle que la marche réduisent de 14 % le risque de mort prématurée, ce risque sera diminué de près de 20 % si on marche 30 minutes, pour atteindre un maximum d'environ 35 % pour 90 minutes de marche par jour. Concrètement, le message à retenir est que le simple fait de

faire quotidiennement de 15 à 60 minutes d'exercice modéré procure d'importants bienfaits pour la santé. Et c'est vrai à tous les âges : une étude réalisée à Hawaï a montré que les personnes âgées de 65 ans et plus qui marchaient 3,2 km ou plus par jour avaient un risque de mortalité prématurée deux fois plus faible que les gens sédentaires.

Ces bienfaits peuvent cependant être obtenus beaucoup plus rapidement grâce à un exercice vigoureux comme la course à pied. Courir vite pendant seulement 5 minutes procure en effet les mêmes bienfaits qu'une marche de 15 minutes, tandis qu'une course de 25 minutes équivaut à

LA COMPARAISON DES BIENFAITS DE LA MARCHE ET DE LA COURSE

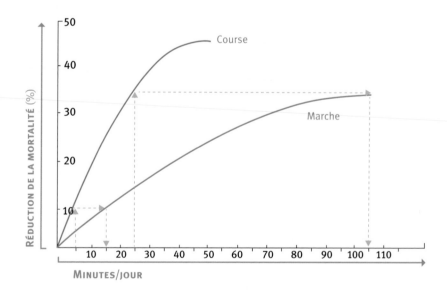

FIGURE 40 D'après Wen (2014)

105 minutes de marche, soit une efficacité 4 fois plus grande (figure 40).

Autrement dit, plus l'activité physique est vigoureuse ou intense, moins il faudra de temps pour constater les bienfaits en matière de réduction du risque de mort prématurée. Des résultats similaires ont été obtenus lors d'une étude réalisée auprès de 55 137 adultes américains : comparativement aux personnes qui ne courent jamais, les coureurs ont 45 % moins de risque d'être touchés par les maladies cardiovasculaires et leur risque de mourir prématurément est réduit de 30 %, ce qui se traduit par l'ajout de 3 années d'espérance de vie. Et la quantité requise est encore ici bien inférieure aux recommandations habituelles (75 minutes d'exercice vigoureux par semaine). Ainsi, courir moins de 51 minutes *par semaine*,

soit de 5 à 10 min par jour, même à une vitesse relativement faible (< 6 km/h), est suffisant pour réduire considérablement la mortalité précoce. Courir plus longtemps n'est pas associé à une augmentation notable de cet effet protecteur, une observation confirmée par plusieurs études montrant que des exercices très intenses et vigoureux, comme ceux réalisés par les athlètes, ne semblent pas réduire davantage le risque de mortalité prématurée ou de maladies cardiovasculaires.

Il n'est donc pas nécessaire de s'entraîner jusqu'à l'épuisement ou de passer de longues heures au gymnase à lever des poids pour profiter des bienfaits de l'activité physique sur la santé. Notre société valorise énormément les sports d'élite (Jeux olympiques, championnats du monde, sports extrêmes), ce qui peut donner l'impression que faire de l'exercice est synonyme de performances sportives spectaculaires ou de records à battre. C'est totalement faux, car la recherche montre clairement que le simple fait d'intégrer de 5 à 15 minutes d'exercice vigoureux ou 30 minutes d'activité modérée à la routine quotidienne est amplement suffisant pour diminuer considérablement le risque de mort prématurée, procurer une foule de bienfaits pour la santé et améliorer de façon marquée la qualité de vie.

Cet impact positif de l'activité physique est très bien illustré par les travaux de James Fries, un chercheur de l'Université Stanford. Son équipe de recherche suit depuis plusieurs années une cohorte de coureurs occasionnels, mais assidus, de la région de Palo Alto, en Californie, et compare périodiquement leur état de santé avec un groupe de gens du même âge, mais qui sont sédentaires. Les résultats obtenus sont tout à fait remarquables et montrent que, en vieillissant, particulièrement après l'âge de 75 ans, les gens actifs physiquement ont un degré d'invalidité beaucoup moins grand que les sédentaires (figure 41). Cette étude prouve ainsi que le degré d'invalidité des gens actifs est très faible, même à 80 ans et plus, alors que celui des sédentaires est assez élevé, dès 75 ans. En fait, la période d'invalidité des personnes actives dure en général *8 années de moins*,

INVALIDITÉ EN FONCTION DE L'ÂGE DE COUREURS ET DE GENS SÉDENTAIRES

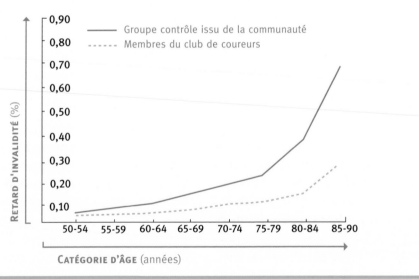

FIGURE 41

D'après Wang et coll. (2002)

en moyenne, que celles des sédentaires. Ce phénomène est appelé « compression de la morbidité ». Ainsi, au lieu de tenter de prolonger la vie, les interventions en santé devraient plutôt viser à comprimer la période de morbidité en fin de vie, pour que chacun puisse vivre le plus d'années possible en santé avant de décéder.

EXERCICE EXTRÊME

Le 13 septembre de l'an 490 av. J.-C., les Athéniens ont remporté une importante victoire en combattant les troupes du Perse Darius Ier lors de la bataille de Marathon, une ville située au nord-est d'Athènes. Selon la légende, le Grec Phidippidès a couru les 42 kilomètres séparant les deux villes pour annoncer la bonne nouvelle aux Athéniens, mais il a tout juste eu le temps de livrer son message (« *Nenikekamen!* », ce qui signifie : « Nous avons vaincu! ») avant de s'effondrer et de mourir. Une histoire tragique, mais qui a néanmoins servi d'inspiration pour la création de l'épreuve d'endurance la plus populaire au monde : le marathon.

Un nombre croissant de personnes sont attirées par ces épreuves. En effet, plus d'un demi-million de coureurs terminent chaque année un marathon aux États-Unis seulement. Et c'est sans compter les courses d'endurance extrême qui ont vu le jour au cours des dernières décennies, comme les ultra-marathons de 218 km (dans la vallée de la Mort, aux États-Unis) ou de 240 km (Marathon des sables, au Maroc), le triathlon Ironman (3,8 km de natation et 180,2 km de vélo

suivis d'un marathon) ou même les ultra-triathlons, dont le triple déca-Ironman (un Ironman par jour pendant 30 jours)! Ces performances sont tout simplement incroyables, mais je dis toujours à mes patients qui désirent s'entraîner pour ce type d'épreuves qu'ils doivent le faire seulement si c'est une passion pour eux, et non dans l'espoir d'être en meilleure santé. Comme il a été mentionné plus tôt, il n'y a absolument aucun intérêt à s'entraîner autant pour prévenir les maladies cardiovasculaires et vivre plus longtemps, car l'effet protecteur maximal est atteint à des niveaux d'activité physique bien inférieurs à ces extrêmes.

Plus préoccupantes sont les études qui démontrent que l'exercice physique intensif et prolongé peut amener certaines complications cardiovasculaires. On sait depuis longtemps que le cœur des athlètes qui s'entraînent très fort peut devenir différent de celui de la population en général, en raison notamment d'une hypertrophie du ventricule gauche et d'un épaississement de la paroi du muscle cardiaque. Ces phénomènes reflètent l'adaptation normale du cœur à l'énorme travail imposé par l'entraînement intensif, entre autres chez les athlètes d'élite pratiquant des disciplines qui combinent force et aérobie (aviron, ski de fond, cyclisme, natation). Au repos, le cœur pompe environ 5 litres de sang par minute et ce débit peut être multiplié par 5 ou même par 7 lors d'un exercice de très grande intensité, soit de 25 à 35 litres par minute. Cette hausse marquée du débit a évidemment des répercussions sur le muscle cardiaque lorsqu'un tel travail est effectué à répétition. L'adaptation physiologique à l'exercice régulier est tout à fait normale et même bénéfique. Cependant, les études indiquent que pratiquer une activité de façon très intensive pendant plus d'une vingtaine d'heures par semaine et pendant plusieurs années peut mener à des arythmies, comme la fibrillation auriculaire.

Cette anomalie du rythme cardiaque est habituellement observée chez les gens âgés de plus de 65 ans et se caractérise par des battements de cœur très irréguliers, conséquence d'un dérèglement de l'activité électrique de l'oreillette gauche (les ventricules se contractent normalement, heureusement). En pratique, la transmission du signal électrique est tellement anarchique que l'oreillette ne se contracte pas, ce qui cause une stagnation du sang à cet endroit et un risque élevé de formation d'un caillot (thrombus). Ce caillot peut à tout moment traverser la valve mitrale pour se rendre au ventricule gauche et ensuite être éjecté dans la circulation sanguine en passant par l'aorte (figure 42).

Dans plusieurs cas, le caillot peut alors atteindre le cerveau et provoquer une embolie cérébrale aux conséquences dévastatrices. D'ailleurs, la fibrillation auriculaire non traitée par des anticoagulants représente l'une des premières causes d'accidents vasculaires cérébraux.

Un lien entre l'exercice intensif de longue durée et cette arythmie est suggéré par des études montrant que les très grands athlètes, tels que les marathoniens, les cyclistes et les skieurs de fond professionnels ou de haut niveau, sont plus touchés par la fibrillation auriculaire. Par exemple, une étude a révélé que les champions de ski de fond scandinaves qui avaient terminé le plus de courses avec les meilleurs chronos risquaient de 4 à 5 fois plus d'être touchés par des épisodes de fibrillation auriculaire. Cette hausse du risque ne semble pas restreinte aux athlètes d'élite et toucherait également les hommes âgés de moins de 50 ans qui

LA FIBRILLATION AURICULAIRE EST UNE CAUSE FRÉQUENTE D'AVC

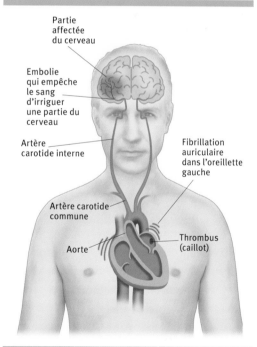

Partie affectée du cerveau

Embolie qui empêche le sang d'irriguer une partie du cerveau

Artère carotide interne

Fibrillation auriculaire dans l'oreillette gauche

Artère carotide commune

Aorte

Thrombus (caillot)

FIGURE 42

115

s'entraînent de façon *extrêmement intensive* plus de 5 jours par semaine. Les mécanismes de ce phénomène ont fait l'objet de nombreuses études, la plus connue étant celle de l'équipe du Dr Stanley Nattel, de l'Institut de Cardiologie de Montréal, qui a soumis des rats à un entraînement intensif sur un tapis roulant 1 heure par jour pendant 16 semaines d'affilée, ce qui représente l'équivalent de 10 ans d'entraînement chez l'humain. Les résultats ont montré que la fibrillation auriculaire serait liée à une dilatation des oreillettes causée par l'augmentation du débit cardiaque ainsi qu'à une hyperactivité du nerf vague qui rend l'oreillette plus susceptible de se contracter de façon désordonnée. À l'inverse, pour compliquer un peu les choses, la pratique régulière d'une activité physique *modérée* contribue à diminuer le risque de fibrillation auriculaire. Tout est donc en fonction de la « dose » d'exercice.

Par ailleurs, d'autres études ont constaté, chez de très grands athlètes, de la fibrose à différents endroits des ventricules droit et gauche pouvant mener à des arythmies ventriculaires dangereuses.

Il faut retenir que l'exercice est indispensable à la prévention des maladies cardiovasculaires et au maintien d'une bonne santé en général, mais qu'il est préférable d'en faire de façon modérée, et non extrême, pour éviter les problèmes associés à des périodes prolongées d'entraînement très intensif.

Ce sont surtout les complications à plus long terme de l'exercice « extrême » dont il faut se méfier, notamment la hausse du risque de fibrillation auriculaire. Même si elles sont spectaculaires et font chaque fois les manchettes, les morts subites du type de celle qui a foudroyé Phidippidès demeurent très rares : entre janvier 2000 et mars 2010, il y a eu seulement 59 morts subites sur 10,9 millions de coureurs de marathon et de demi-marathon, soit une incidence de 0,5 décès par 100 000 participants. Un taux de mortalité plus élevé a

été observé lors de triathlons (1,5 décès par 100 000 athlètes), la plupart de ces décès se produisant dans le premier segment de l'épreuve, soit la natation.

BREF, MAIS INTENSE

Pour ceux qui aiment la sensation associée à l'activité physique intense, une option intéressante est l'exercice intermittent à haute intensité, aussi connu sous le nom d'« entraînement par intervalles ». Initialement, cette méthode a été élaborée dans les années 1930 et 1940 pour entraîner (avec succès) certains athlètes, notamment le Suédois Gunder Hägg (1918-2004), titulaire d'une douzaine de records du monde en athlétisme. L'exercice intermittent à haute intensité a été étudié scientifiquement par le cardiologue

PRINCIPE DE L'ENTRAÎNEMENT PAR INTERVALLES

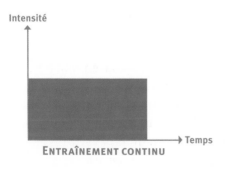
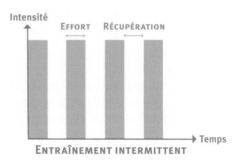

FIGURE 43

allemand Herbert Reindell, qui a observé qu'une alternance d'efforts intenses, mais de courte durée, et de périodes d'activité de faible intensité favorisait l'augmentation de la capacité d'effort (figure 43). L'entraînement par intervalles a rapidement été adopté par les athlètes de haut niveau, les athlètes amateurs et, plus récemment, la population générale.

Le principe de ce type d'entraînement est très simple. Au lieu de se dérouler en continu de façon modérée, par exemple pendant 30 ou 40 minutes, il est réalisé sur une période plus courte, disons 15 minutes, et consiste en de courts intervalles très rapides suivis de courts épisodes de repos. Au Centre ÉPIC de l'ICM, nous avons étudié des dizaines de protocoles d'entraînement par intervalles et celui que nos membres préfèrent est le suivant : 15 secondes de vélo stationnaire au maximum de la capacité, suivies de 15 secondes d'arrêt complet, pendant 8 minutes. La personne pédale donc pendant 4 minutes au total. Elle fait ensuite une courte pause de 4 à 5 minutes pour faire des exercices de flexion et de relaxation, puis elle recommence le tout pour une deuxième période de 8 minutes. En fin de compte, la personne fait 16 minutes d'activité physique, mais seulement 8 minutes d'activité réelle puisqu'elle est en arrêt la moitié du temps. Lorsqu'on mesure la capacité aérobique après ce type d'entraînement, on observe que ces 8 minutes d'activité physique intense,

mais fractionnée, sont plus efficaces que 30 minutes d'activité modérée continue. Des études récentes suggèrent même qu'aussi peu que 3 minutes d'activité intense par semaine, fractionnées en blocs de 20 secondes, seraient suffisantes pour augmenter la capacité aérobique !

Il n'y a donc aucun doute que l'entraînement par intervalles est très bon pour augmenter la capacité aérobique, mais il est évident que ce n'est pas apprécié par tout le monde. Beaucoup de mes patients, même très âgés, aiment ce type d'entraînement parce que « ça passe plus vite » ou que « c'est plus ludique », tandis que d'autres trouvent au contraire que « c'est trop agressif » et préfèrent s'en tenir à une activité physique modérée continue « normale », comme la marche. Mais comme le plus difficile est de maintenir l'effort à long terme et de ne pas abandonner après quelques mois seulement, je conseille de varier le plus possible le type d'activité physique en y intégrant de temps à autre un entraînement par intervalles. En multipliant les exercices et leurs modalités, on maximise nos chances de s'entraîner toute notre vie. C'est ce qui compte.

PAS POUR MAIGRIR !

Au fil des années, on a surtout considéré l'exercice physique comme un moyen de « brûler » les calories en trop de façon

à maintenir un poids normal. Ce message est trompeur pour deux principales raisons. Tout d'abord, parce qu'il est très réducteur : l'activité physique régulière procure des bienfaits qui vont bien au-delà de la gestion du poids, dont notamment une réduction marquée du risque de maladies cardiovasculaires ainsi qu'une augmentation de la longévité et de la qualité de vie. L'autre problème de ce message est qu'il est en grande partie faux, car c'est beaucoup plus la *quantité d'énergie consommée* qui détermine l'accumulation de gras excédentaire que le niveau d'activité physique. Par exemple, une étude a montré que des hommes et des femmes qui ont pratiqué régulièrement une activité physique d'intensité élevée pendant 20 ans ont quand même pris du poids. Évidemment, ils en ont pris moins que ceux et celles qui sont restés sédentaires, mais

l'impact de l'exercice est demeuré relativement modeste. Les données scientifiques accumulées depuis 30 ans indiquent clairement que les gens font autant d'activité physique aujourd'hui qu'au cours des trois dernières décennies et que la sédentarité ne peut expliquer la hausse phénoménale du nombre de personnes souffrant d'embonpoint ou d'obésité. Ce sont surtout les calories ingérées qui posent problème, conséquence directe de l'arrivée massive sur le marché d'aliments à forte densité calorique, offerts partout et souvent en portions gigantesques.

Il n'est donc pas étonnant que l'industrie alimentaire, en particulier celle de la malbouffe, soit le principal promoteur de l'exercice comme moyen de contrôle du poids corporel et qu'elle répète sans cesse que l'épidémie d'obésité est due à la sédentarité plutôt qu'à l'augmentation du

nombre ou de la qualité des calories ingé-rées. Toutes les grandes compagnies de malbouffe, que ce soit Coca-Cola, Pepsi, Hershey's ou McDonald's, affirment sans arrêt que tout est une question d'équilibre et que le problème de l'obésité est secon-daire par rapport au manque d'activité physique. Cela explique aussi pourquoi ces compagnies commanditent les évé-nements sportifs d'envergure tels que les Jeux olympiques ou encore la Coupe du Monde de soccer, pour ne nommer que ceux-là.

Je ne dis pas que l'exercice n'est pas important dans la lutte contre l'obésité. En effet, des études récentes indiquent qu'il est associé à une diminution mar-quée de la graisse viscérale (localisée au niveau abdominal) et de la quantité de graisse stockée dans le foie, deux impor-tants facteurs de risque de maladies car-diovasculaires. Mais comme moyen d'éli-miner considérablement les kilos en trop, l'exercice ne fait pas le poids (sans jeu de mots) comparativement à la quantité de calories consommées. Par exemple, pour dépenser 100 calories, un homme adulte de 70 kilos doit marcher 1,6 km. S'il mange un simple morceau de tarte au sucre, qui contient près de 400 calories, il devra mar-cher *environ 6,5 km* pour brûler cet excès de calories (selon votre taille et votre poids, ce nombre varie de 5 à 8 km)! Les exemples de ce type sont faciles à trouver dans la restauration rapide. Par exemple, le Blizzard (lait frappé d'une chaîne bien

connue) peut contenir plus de 1000 calo-ries, qui peuvent être facilement ingérées en moins de 5 minutes. Imaginez la quan-tité phénoménale d'exercice qu'il faut pour les dépenser (il faut marcher 16 km)! Il faut aussi bien comprendre que notre organisme s'est modifié au cours de l'évo-lution pour résister aux famines et qu'il est en conséquence extrêmement efficace pour *conserver* les calories lors des périodes de privation.

MOTIVÉ À BOUGER

Le plus important pour rester motivé est de se concentrer chaque jour sur les bien-faits de l'activité physique. Après une séance d'exercice modéré, on se sent bien ; il faut donc se « nourrir » de cette sensation de bien-être, pour qu'elle nous incite à recommencer le lendemain ou le surlendemain. Se fixer des objectifs à long terme est plus difficile, car notre psychologie fait en sorte qu'un bienfait lointain ne constitue pas une excellente motivation.

Le type d'exercice ou l'endroit où il est réalisé ont peu d'importance. Il y a plusieurs années, on croyait que seul l'entraînement aérobique était bon pour la santé cardiovasculaire, mais on sait aujourd'hui que la musculation est également excellente. Un programme d'entraînement complet doit inclure une forme d'activité aérobique et une période de musculation, en plus d'améliorer l'équilibre et la flexibilité. Les kinésiologues sont les professionnels les mieux formés pour vous conseiller quant aux différents types d'exercice. Je recommande à tout le monde de rencontrer un de ces spécialistes au moins une fois pour se faire concevoir un programme d'activité physique qui correspond à ses préférences et

Pollution et maladies cardiovasculaires

Le cardiologue François Reeves, du CHUM, à Montréal, a écrit en 2010 un excellent livre à ce sujet, que j'invite le lecteur à consulter : *Planète Cœur. Santé cardiaque et environnement*, Éditions du CHU Sainte-Justine et Éditions MultiMondes, 2011.

qui respecte ses limites, ses handicaps, etc. Il s'agit d'un investissement minimal qui vaut vraiment la peine.

POLLUTION ATMOSPHÉRIQUE ET MALADIES CARDIOVASCULAIRES

La pollution atmosphérique représente un facteur qu'on doit malheureusement considérer avant d'entreprendre une activité physique. Un grand nombre d'études ont en effet montré que cette pollution, en particulier celle liée à la présence de particules fines et ultrafines (émissions liées au transport), est très nocive pour le système cardiovasculaire, car ces particules pénètrent facilement dans les poumons, d'où elles accèdent directement aux vaisseaux sanguins pulmonaires, puis se propagent dans toutes les artères du corps. Elles y produisent alors une réaction inflammatoire et endommagent l'endothélium vasculaire, cette fine couche de cellules qui recouvre la paroi interne des artères et qui assure leur bon fonctionnement. Les artères se dilatent alors moins facilement et ont donc plus tendance à se contracter, ce qui nuit à la circulation normale du sang. Si cet effet est combiné à une augmentation de la coagulation sanguine (effet prothrombotique), toutes les conditions seront alors réunies pour provoquer des accidents cardiaques et vasculaires cérébraux ou exacerber une maladie coronarienne préexistante.

Il n'y a malheureusement que peu d'options lorsque la pollution atmosphérique de notre région est élevée. Un avis de l'American Heart Association publié en 2010 suggère d'éviter *les exercices intenses* (jogging et autres activités physiques vigoureuses) lorsque l'indice de qualité de l'air est mauvais. Cette recommandation est basée sur des études montrant que, lors d'une exposition à de fortes quantités de particules fines, l'inhalation de ces dernières est 4,5 fois plus importante lors d'un effort physique qu'au repos. Une autre étude a rapporté que, dans un trafic intense, les cyclistes étaient 4,3 fois plus exposés aux polluants atmosphériques que les passagers des automobiles circulant aux mêmes endroits. Les gens qui souffrent déjà d'une maladie cardiovasculaire, les diabétiques et les personnes âgées

sont particulièrement à risque, mais les auteurs de cet avis recommandent à tous de réduire l'intensité des activités physiques et de favoriser l'entraînement à l'intérieur, même si l'air des édifices peut être également vicié en l'absence d'un système de filtration efficace. Les auteurs suggèrent aussi fortement d'éviter les exercices intenses au moment des heures de pointe et près des endroits où la circulation est très dense.

À Montréal, selon le rapport du Service de l'environnement, il y a eu 63 jours de mauvaise qualité de l'air en 2014 et 64 jours en 2015, attribuables entre autres aux particules fines, dont 10 jours de smog durant les mois d'hiver. La situation est souvent pire en hiver, car le chauffage au bois est la deuxième cause d'émission de particules fines ($PM_{2.5}$), après les

émissions des véhicules. Il existe plusieurs sites internet où l'on peut vérifier tous les jours la qualité de l'air de toutes les régions (voir par exemple la section «Suivi de la qualité de l'air» sur le site de la Ville de Montréal). Ces sites d'information sont très utiles, car des circonstances exceptionnelles peuvent grandement altérer la qualité de l'air: c'est ce qui s'est produit le 22 mai 2016, alors que l'indice AQI (qui tient compte des particules fines et de différents gaz polluants) était de 106 à Montréal, un taux plus élevé que ceux de Beijing (93), de New York (56), de Paris (41) et de Los Angeles (26). Une situation heureusement exceptionnelle attribuée à un système d'anticyclone particulier qui maintenait l'air pollué sur la ville.

Pour obtenir le maximum de bienfaits de l'exercice sans y consacrer trop de temps, il est conseillé de marcher, de jogger ou de faire du vélo de façon modérée pendant 30 à 40 minutes, 3 ou 4 fois par semaine. Pour déterminer si un exercice est modéré, faites le test de la parole: si vous êtes capable de soutenir une conversation pendant votre activité, celle-ci est modérée. Lorsque vous n'arrivez plus à parler normalement, cela indique que l'exercice est plus intense. C'est un peu plus difficile, mais cela offre plus d'avantages sur le plan physiologique et sur la santé, en moins de temps.

Pour les gens qui aiment les chiffres, on dit généralement que l'entraînement est efficace lorsqu'on atteint une fréquence cardiaque qui se situe entre 65 et 90 % de sa fréquence maximale. Cette dernière est déterminée par la formule suivante: 220 moins l'âge de la personne. Toutefois, il s'agit d'une estimation grossière, car la fréquence cardiaque maximale varie considérablement d'un individu à l'autre. Le seul moyen de connaître sa fréquence cardiaque de façon précise est de passer une épreuve d'effort maximale sur vélo ou sur tapis roulant. Cependant, il n'est ni réaliste ni souhaitable de soumettre l'ensemble de la population à ce type d'épreuve avant de commencer un programme d'exercice. On peut plutôt se fier à sa perception de l'effort. Le psychologue suédois Gunnar Borg a très bien démontré que cette perception est encore plus fiable que la fréquence cardiaque mesurée par un cardiofréquencemètre pour estimer ou évaluer le niveau d'intensité de l'effort.

Notre cerveau est un très bon juge, car il est capable de tenir compte simultanément de la fréquence respiratoire, de la sensation de fatigue et d'autres différents paramètres physiologiques (comme l'acide lactique dans les muscles qui cause la lourdeur dans les jambes au moment de l'exercice intense). Pour cette raison, je dis souvent à mes patients que le niveau d'intensité atteint pendant l'activité ne doit pas provoquer un inconfort important. Si toutefois vous aimez ressentir un léger inconfort, il faut qu'il soit assez bref, c'est-à-dire de quelques minutes seulement. En effet, si vous n'êtes pas un athlète confirmé et que vous vous entraînez constamment au-delà de vos limites pendant de longues périodes, les séances d'exercice seront pénibles et vous aurez besoin de plusieurs heures pour bien récupérer. Un entraînement bien fait vous procurera une sensation de bien-être et vous revigorera plutôt que de vous épuiser.

BOUGER APRÈS UN INFARCTUS

Jusqu'à la fin des années 1960, on conseillait aux victimes d'un infarctus du myocarde de garder le lit, pendant un mois. L'intention était de protéger le cœur, mais il a par la suite été démontré que ce repos forcé était associé à une détérioration majeure des fonctions cardiaques et musculaires, et qu'un retour plus rapide aux activités habituelles était souhaitable. Un des premiers à préconiser une reprise plus rapide de l'activité physique après un infarctus du myocarde a été le docteur Paul Dudley White, un éminent cardiologue du Massachusetts General Hospital, à Boston, qui est considéré comme le « père » de la cardiologie américaine. Lorsque le président américain Dwight Eisenhower a subi un infarctus, le 24 septembre 1955, le Dr White lui a recommandé d'adopter un programme d'exercice régulier, une « prescription » qui a été adoptée deux décennies plus tard par l'ensemble de la communauté médicale. La sagesse de cette approche a été confirmée par la célèbre « Dallas Bed Rest Study », qui a observé que les capacités physiques de jeunes hommes alités pendant trois semaines avaient considérablement diminué, en particulier la capacité aérobique. Trente ans plus tard, un suivi de ces personnes a même révélé que leur capacité aérobique s'était plus détériorée au cours de ces trois semaines qu'après trois décennies de vieillissement !

Réadaptation cardiaque

Pour plus de renseignements, vous pouvez visiter le site web du Centre ÉPIC et consulter *Prendre sa santé à cœur*, un guide très complet écrit par l'équipe du Centre ÉPIC.

Exemple d'un programme type de réadaptation cardiaque et de prévention secondaire

Offert par une équipe multidisciplinaire comprenant des infirmières, des nutritionnistes, des kinésiologues et des médecins, un programme de réadaptation cardiaque intègre plusieurs volets. Certains programmes peuvent aussi compter sur les services de pharmaciens et de psychologues.

La première étape consiste à examiner le dossier médical du patient afin de bien lui expliquer les détails de sa situation : quelles coronaires sont touchées, quelles artères ont été dilatées ou pontées, quelle sorte de tuteur a été utilisé (médicamenté ou non), quelle est la fonction résiduelle du muscle cardiaque (c'est-à-dire la quantité de muscle qui reste efficace), quel est le rôle de chacun des médicaments prescrits au congé de l'hôpital.

Par la suite, on effectue une épreuve d'effort sur tapis roulant pour évaluer la capacité d'effort, la réponse de la fréquence cardiaque et de la tension artérielle, les arythmies, etc. Cette épreuve permettra de déterminer la « prescription d'exercice », c'est-à-dire l'intensité recommandée pour l'activité.

La kinésiologue s'appuiera sur les résultats de cette épreuve d'effort pour superviser l'entraînement individualisé du patient.

Une nutritionniste fera une évaluation complète des habitudes alimentaires de la personne, et lui proposera une alimentation méditerranéenne et des outils pratiques.

Idéalement, le patient devrait aussi suivre un programme de gestion du stress.

Un médecin fera les ajustements nécessaires à la médication pour assurer un contrôle optimal des facteurs de risque.

Un programme type de réadaptation cardiaque dure 3 mois, mais on conseille évidemment au patient de poursuivre ces changements durant toute sa vie.

Réadaptation cardiaque plus intensive
Comme il a été mentionné au chapitre précédent, le programme du Dr Dean Ornish (http://ornishspectrum.com) préconise une approche similaire pour ce qui est de l'exercice, mais recommande plutôt une alimentation végétalienne. De plus, la gestion du stress sous forme de yoga, de méditation et de séances de groupe est une composante essentielle de son programme. Les résultats de son approche ne font plus aucun doute et ont été publiés dans d'excellentes revues médicales.

Il est maintenant bien documenté qu'un programme d'activité physique (réadaptation cardiaque) après un infarctus ou une chirurgie peut non seulement améliorer grandement la capacité d'effort et le bien-être en général, mais peut aussi réduire les récidives d'accidents cardiaques (de 25 à 30 %), la mortalité (de 25 %) et les visites à l'urgence (de 50 % la première année après l'infarctus) (figure 44). Il est donc fortement recommandé à toute personne ayant subi un accident cardiaque ou une intervention en cardiologie de suivre un programme de « réadaptation cardiaque ».

De tels programmes existent dans quelques hôpitaux québécois ; à Montréal, on trouve malheureusement très peu de ces programmes. Si vous avez subi un infarctus, une intervention en cardiologie ou une chirurgie cardiaque, demandez à votre médecin de vous informer des endroits offrant de la réadaptation cardiaque dans votre région. Avec plusieurs collègues cardiologues, je milite depuis des années pour que ces programmes soient implantés dans tous les hôpitaux du Québec.

BIENFAITS DE LA RÉADAPTATION CARDIAQUE SUR LA PRÉVENTION DES ÉVÉNEMENTS POST-INFARCTUS CHEZ LES PATIENTS CORONARIENS

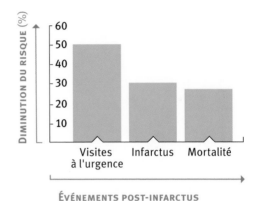

FIGURE 44   Adapté de Nigam et Juneau (2011)

CHAPITRE 7

Stress et maladies cardiaques

En 1942, le Dr Walter B. Cannon, professeur de physiologie à la Faculté de médecine de l'Université Harvard, a écrit un article intitulé « Voodoo Death » qui a fait sensation à l'époque. Avec beaucoup de détails, le Dr Cannon décrivait des cas de personnes décédées à la suite d'une grande frayeur. Les récits, qui provenaient de différentes régions du monde, avaient toujours certains traits communs, soit l'impression ou la croyance absolue qu'une force externe venant d'un sorcier ou d'un chaman pouvait causer la mort et que la victime n'avait aucun pouvoir de l'empêcher. Après la publication de l'article de Cannon, de nombreuses personnes ont rapporté des expériences similaires et la profession médicale a pu expliquer les mécanismes par lesquels une mort subite peut se produire lors d'un événement très stressant.

Quelques années plus tard, George L. Engel a décrit huit catégories d'événements stressants pouvant provoquer une mort subite.

1. La mort subite d'une personne très proche.
2. Une très grande peine.
3. La menace de perdre une personne très proche.
4. L'anniversaire de la mort d'un proche.
5. La perte d'un statut ou de l'estime de soi.
6. Un danger ou une menace très grave.
7. Un danger évité.
8. La suite heureuse d'un événement tragique.

Depuis plus de 70 ans, les liens entre le cœur et le cerveau ont été beaucoup étudiés, avec plus de 40 000 articles publiés à ce sujet, et les mécanismes en cause sont maintenant bien documentés. Le stress intense et subi a d'abord un effet très important sur le système nerveux autonome sympathique, qui provoque directement une grande stimulation du cœur, de même que par l'intermédiaire d'hormones, comme l'adrénaline. Ces changements accélèrent le rythme cardiaque, provoquent des arythmies sévères ou entraînent une contraction des artères coronaires. Un bon exemple de l'impact négatif du stress est la hausse considérable de mortalité subite qui survient à la suite d'un événement tragique : dans les semaines qui ont suivi le tremblement de terre survenu au large de Sendai et le puissant tsunami qui a dévasté cette région du Japon en 2011, le nombre de personnes décédées subitement a doublé comparativement aux années précédentes, une tendance qui s'est maintenue pendant les 3 semaines suivant le choc initial (figure 45). Une augmentation de mortalité subite a aussi été observée à la suite d'autres tremblements de terre majeurs, ce qui illustre à quel point la réponse physiologique à un stress aigu peut entraîner des répercussions négatives sur le cœur.

MORTALITÉ SUBITE À LA SUITE DU TREMBLEMENT DE TERRE ET DU TSUNAMI DE 2011 AU JAPON

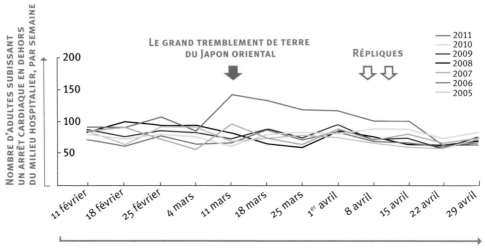

FIGURE 45

Source : Kitamura et coll. (2013)

CŒUR BRISÉ

Depuis une vingtaine d'années, une des cardiomyopathies associées au stress qui est de plus en plus reconnue est le syndrome de *tako-tsubo*, ou « syndrome du cœur brisé ». Initialement décrit en 1990 par des cardiologues japonais, ce syndrome survient lorsqu'une personne est exposée à un stress important ou encore à une très mauvaise nouvelle. Elle est alors subitement atteinte d'une douleur thoracique très intense due à un infarctus du myocarde. Si la personne survit (ce qui est généralement le cas), on note à son arrivée à l'hôpital un infarctus aigu du myocarde, mais sans aucune lésion artérielle (aucun blocage des coronaires). Le nom de ce syndrome vient de la forme du ventricule gauche lors de l'examen par angiographie, qui ressemble à un *tako-tsubo*, c'est-à-dire un piège que les pêcheurs japonais utilisent pour attraper les pieuvres (figure 46).

Ce phénomène est causé par une atteinte sévère du ventricule gauche, la région du muscle cardiaque qui pompe le sang artériel vers le corps.

Plusieurs facteurs déclencheurs ont été déterminés au fil des années, la plupart

Un cas d'infarctus causé par un stress intense (*tako-tsubo*)

J'ai moi-même eu l'occasion de traiter quelques cas de *tako-tsubo* au cours des dernières années et il est toujours très impressionnant de constater qu'un stress aigu peut avoir un effet aussi grave sur le cœur. Récemment, j'ai soigné une jeune femme âgée de moins de 30 ans. Alors qu'elle était dans un parc avec ses enfants, elle a été menacée physiquement sans aucune raison, par une personne très agressive. Très apeurée, la jeune femme s'est enfuie avec ses enfants et, alors qu'on lui portait secours, elle s'est effondrée en raison d'une très grande douleur thoracique. L'ambulance l'a amenée immédiatement à notre urgence, où on a pu constater un infarctus aigu à la paroi antérieure du cœur. Comme pour tous les cas d'infarctus du myocarde aigu, la patiente a été tout de suite transférée en salle d'hémodynamie pour effectuer une coronarographie urgente dans le but de dilater l'artère obstruée. Dans ce cas-ci, il n'y avait aucune obstruction, les artères étaient très belles, sans aucune trace d'athérosclérose. Cependant, lors de l'injection de la substance de contraste dans le ventricule gauche, on a pu remarquer la forme de vase typique du syndrome de *tako-tsubo*. Heureusement, ce dernier guérit bien et laisse généralement très peu de séquelles.

d'entre eux étant associés à des émotions fortes négatives, comme le deuil, la colère ou la peur. Des résultats récents indiquent toutefois que des émotions positives fortes (mariage, victoire d'une équipe sportive) peuvent également provoquer l'apparition de ce syndrome.

STRESS CHRONIQUE

Mis à part ces exemples assez extraordinaires qui démontrent les effets dramatiques que peuvent avoir le cerveau et nos émotions sur le cœur, des milliers d'études ont été publiées sur l'effet du stress chronique, des émotions négatives, de l'anxiété, de la dépression, de la colère et de l'hostilité sur l'incidence de maladies coronariennes à long terme. Dans les années 1940 et 1950, les premiers psychosomaticiens, c'est-à-dire des psychiatres (en général des psychanalystes), se sont intéressés aux caractéristiques psychologiques qui semblaient associées aux patients souffrant d'une maladie coronarienne. Par la suite, dans les années 1960, deux cardiologues, R. H. Rosenman et M. Friedman, ont décrit la personnalité de type A, c'est-à-dire celle des personnes pressées, impatientes et ayant de la difficulté à gérer leur agressivité. Posséder ce type de personnalité semblait lié à l'apparition d'une maladie coronarienne, mais ce lien est encore assez controversé de nos jours. La recherche à ce sujet suggère que ce sont plutôt deux composantes de la personnalité de type A, soit la colère et l'hostilité, qui constituent des facteurs de risque importants. En effet, une méta-analyse de 25 études a démontré que ces deux émotions sont associées à un risque plus élevé de subir un infarctus du myocarde. Elles sont aussi liées à un plus grand risque de récidives

LE SYNDROME DE *TAKO-TSUBO* : MOURIR D'UN CŒUR BRISÉ

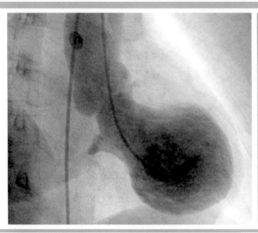

FIGURE 46   Source : Skerrett (2012)

selon 19 études réalisées auprès de patients ayant déjà subi un accident cardiaque.

Malgré les nombreuses observations prouvant l'existence d'un lien étroit entre le cerveau et les maladies cardiovasculaires, cette question est passée relativement sous le radar jusqu'à la publication de l'étude « INTERHEART » du cardiologue canadien Salim Yusuf. Réalisée auprès de plus de 24 000 personnes vivant dans 52 pays différents, cette grande étude visait à déterminer les principaux facteurs de risque d'infarctus du myocarde. À l'origine, le Dr Yusuf voulait surtout étudier les facteurs de risque classiques, soit le cholestérol, l'hypertension, l'obésité abdominale et le tabac, mais il avait décidé, même s'il y croyait peu, d'observer également les mesures de stress perçu ou objectivé des patients. Un ajout pertinent, car l'étude a permis de constater que les stress « psychosociaux » sont effectivement associés à un risque accru d'infarctus du myocarde et que cet effet, bien que moins important que celui du tabagisme, est comparable à ceux de l'hypertension et de l'obésité abdominale. Le Dr Yusuf a conclu son article en soulignant que les facteurs psychosociaux sont beaucoup plus importants qu'on l'avait reconnu jusqu'alors et qu'ils peuvent contribuer à une proportion « substantielle » des infarctus du myocarde dans toutes les sociétés. Plusieurs mécanismes peuvent expliquer les conséquences du stress sur le système cardiovasculaire et, notamment, les artères coronaires : une inflammation, une augmentation de la coagulabilité du sang, une diminution de la fibrinolyse (capacité du sang à dissoudre les caillots) ainsi qu'une augmentation des catécholamines circulantes (adrénaline et noradrénaline) qui, entre autres, accélèrent le cœur et augmentent sa force de contraction.

DÉPRESSION ET MALADIES CARDIOVASCULAIRES

Pour ce qui est de la dépression, plusieurs études affirment qu'un état dépressif après un infarctus du myocarde augmente le risque de mortalité au cours des mois suivant le congé de l'hôpital. Une étude effectuée à l'Institut de Cardiologie de Montréal par le Dr François Lespérance et ses collaborateurs a démontré que la présence de dépression chez des patients hospitalisés après un épisode d'angine instable multiplie par 6 les risques de récidive fatale ou d'infarctus dans l'année qui suit le congé de l'hôpital.

Bien que le stress et la dépression soient maintenant reconnus comme des facteurs de risque importants de maladies cardiovasculaires, les études portant sur les traitements de ces conditions à l'aide de médicaments antidépresseurs ou anxiolytiques n'ont pas donné de résultats probants. Il s'agit d'un problème considérable puisque jusqu'à 30 à 40 % des patients présentent des symptômes dépressifs après

135

présentant des conditions semblables, favorise considérablement l'amélioration des sentiments dépressifs et la diminution du stress après un accident cardiaque ou une chirurgie. Lorsqu'on demande aux patients ce qui est le plus important pour eux après un infarctus du myocarde, plusieurs d'entre eux répondent qu'ils voudraient avant tout « diminuer leur stress ». Les patients ont également souvent la conviction que le stress qu'ils vivent est la première cause de leur condition cardiaque.

Au début de ma pratique, quand je demandais à des patients pourquoi ils ne cessaient pas de fumer, j'étais surpris d'entendre : « C'est tout ce qu'il me reste », « C'est le seul plaisir que j'ai » ou « J'ai bien d'autres soucis à régler ». Même chose pour les changements alimentaires ou l'exercice : « J'ai d'autres problèmes à régler. » Des réponses de ce genre ne m'étonnent plus parce que je les ai entendues trop souvent ; elles reflètent ce que les patients vivent avant et après un accident cardiaque. Ces comportements que nous jugeons aberrants (fumer, consommer de la malbouffe, etc.) sont souvent une source de réconfort pour les gens qui vivent des situations difficiles. Notre attitude paternaliste et nos conseils ont souvent peu de prise sur une personne qui a beaucoup « d'autres problèmes à régler » : stress financier, problèmes de couple, perte d'estime de soi, inquiétude face à l'avenir, etc. Les patients nous rapportent

un infarctus du myocarde, qui peuvent grandement augmenter le risque de récidive et de mort prématurée s'ils ne sont pas traités adéquatement. On constate également un taux élevé de dépression après une chirurgie cardiaque. Au Centre ÉPIC de l'ICM, nous observons depuis une trentaine d'années qu'un programme de réadaptation cardiaque comprenant un entraînement à l'effort pratiqué 2 ou 3 fois par semaine sur place, au Centre, en compagnie d'un groupe de patients

que la cigarette les réconforte, que l'alcool calme l'anxiété, que la malbouffe aide à compenser toutes sortes d'émotions négatives... Il s'agit des moyens qu'ils ont trouvés pour s'adapter à une situation difficile.

Pour arriver à prévenir efficacement les récidives, tout doit donc commencer par le cerveau, parce qu'une fois que le stress et les états dépressifs sont bien « gérés », et que les priorités sont redéfinies, les patients sont prêts à modifier leurs habitudes de vie de façon importante. Malheureusement, ceux qui proviennent de milieux socio-économiques défavorisés ont des difficultés sur lesquelles la médecine seule a peu d'emprise ; ce sont ces patients-là qui profitent le moins des programmes de prévention pour de multiples raisons économiques

et sociales. Ce phénomène est bien documenté dans tous les pays occidentaux. La pauvreté reste le plus grand facteur de risque de mortalité prématurée.

GESTION DE STRESS

Comment peut-on modifier nos habitudes de vie lorsque notre condition psychologique est instable ? Selon mon expérience, les patients qui évoluent le mieux sont ceux qui ont réussi à faire ces changements de façon assez radicale, soit par eux-mêmes, parce qu'un infarctus du myocarde ou une chirurgie cardiaque a été le déclencheur d'une remise en question, soit grâce à l'aide d'une équipe multidisciplinaire et d'un programme de gestion du stress.

Gérer son stress – quelques références

Au Centre ÉPIC de l'ICM, les ateliers sur la gestion du stress par la pleine conscience sont animés par le Dr Robert Béliveau et d'autres professionnels expérimentés dans cette approche. J'encourage le lecteur à se documenter sur ce sujet, notamment en consultant les ouvrages suivants :
– Christophe André, *Méditer, jour après jour* ;
– Matthieu Ricard, *L'Art de la méditation* ;
– Jon Kabat-Zinn, *Full Catastrophe Living (Au cœur de la tourmente, la pleine conscience)* ;
– Rick Hanson, *Hardwiring Happiness (Le Cerveau du bonheur)*.

Depuis une dizaine d'années, nous utilisons l'approche mise au point par Jon Kabat-Zinn, du Center for Mindfulness de l'École de médecine de l'Université du Massachusetts, à Boston, qui utilise ce qu'on appelle « *mindfulness-based stress reduction* » ou « gestion du stress par la pleine conscience ». Il s'agit d'une approche assez intensive qui se présente sous forme d'ateliers hebdomadaires de 2 heures et demie pendant 8 semaines. Cette méthode fait ses preuves depuis plus de 25 ans et de nombreux articles scientifiques ont démontré son efficacité, non seulement pour réduire le stress et améliorer la qualité de vie en général, mais aussi pour prévenir les récidives après un accident cardiaque. Par exemple, une étude publiée en 2012 par R. H. Schneider et ses collègues affirme que la pratique de la méditation pendant 20 minutes, 2 fois par jour, diminue de moitié les rechutes après un accident cardiaque au cours des 5 années suivantes. En gérant beaucoup mieux leur stress, les patients adoptent plus facilement tous les changements nécessaires pour éviter les récidives.

Est-ce qu'on devrait aussi utiliser cette approche en prévention primaire, c'est-à-dire avant de tomber malade ? La réponse est oui, absolument. Les personnes qui présentent de nombreux facteurs de risque ou qui ont une qualité de vie médiocre à cause d'un stress chronique peuvent bénéficier grandement de cette approche basée sur la pleine conscience.

Ce que les neurosciences nous ont appris, et que Rick Hanson décrit très bien dans son livre *Hardwiring Happiness* (2013), c'est que le cerveau humain est d'abord passé par un stade « reptilien » au cours de l'évolution, c'est-à-dire qu'il a à la base renforcé nos réactions face au danger pour favoriser notre survie. Évidemment, le cerveau a évolué et est devenu beaucoup plus complexe à la suite du développement du cortex cérébral, mais les vestiges de notre cerveau reptilien demeurent présents. Nous avons donc une propension à donner de 3 à 5 fois plus d'importance aux événements négatifs qu'aux événements positifs. Par exemple, Daniel Kahneman, qui a reçu le prix Nobel d'économie en 2002 pour ses études à ce sujet, a observé que, pour un montant d'argent égal, une perte financière est perçue beaucoup plus fortement qu'un gain. Autrement dit, si vous perdez 1000 $ à la Bourse, l'impact psychologique sera aussi fort que si vous gagnez 5000 $. Il en est de même dans nos relations interpersonnelles : une remarque ou un comportement négatif à notre endroit a de 3 à 5 fois plus d'impact que son équivalent positif. Cette tendance à survaloriser le côté négatif a permis à l'humain de survivre et d'évoluer. Par exemple,

s'inquiéter, puis s'assurer qu'il n'y a pas de serpent caché dans un buisson est une situation où la vigilance associée à l'inquiétude permet d'éviter une morsure, tandis que l'insouciance face au danger peut causer la mort. Ainsi, notre cerveau est programmé pour s'inquiéter. Pour bien gérer notre stress et améliorer notre qualité de vie, il faut donc travailler activement à le « reprogrammer » pour qu'il accorde plus d'importance aux effets des expériences positives qu'à ceux des expériences négatives.

L'approche suggérée par Jon Kabat-Zinn, Christophe André ou Matthieu Ricard permet de prendre un temps d'arrêt, de bien observer nos réactions physiques et psychologiques, et de modifier nos perceptions et nos comportements. Contrairement à ce que plusieurs personnes pensent, la méditation n'est pas une technique de relaxation ni une façon de masquer nos problèmes. C'est tout le contraire : le but est de s'arrêter un instant, de se concentrer sur le moment présent et d'observer ses pensées pour arriver à transformer sa façon de réfléchir. Plutôt qu'un moyen de relaxation, il s'agit en fait d'un moyen de *transformation*.

CHAPITRE 8

Le tabac et la cigarette électronique

Selon les derniers rapports de l'Organisation mondiale de la santé et du Surgeon General des États-Unis, l'usage du tabac est la cause la plus importante de mortalité « évitable » dans le monde. Chaque année, environ 6 millions de personnes en meurent. La moitié des consommateurs réguliers de tabac vont mourir à cause de leur habitude et, ce qu'on sait moins, c'est que la moitié de ces morts évitables se produisent à un âge relativement jeune, soit entre 35 et 69 ans, ce qui diminue de 20 à 25 ans l'espérance de vie des fumeurs.

On estime que, au XXe siècle, le tabagisme a été responsable de pas moins de 100 millions de morts dans le monde. Si rien n'est fait pour enrayer sa progression, ce nombre grimpera à 1 milliard au XXIe siècle. Au Québec, le tabac cause plus de 10 000 décès par année et on évalue que près du tiers des lits d'hôpitaux sont occupés par des patients qui souffrent d'une maladie liée au tabac. Ces statistiques reflètent l'impact catastrophique du tabagisme et de l'exposition secondaire au tabac sur l'ensemble du corps humain (figure 47).

TABAC ET MALADIES CARDIOVASCULAIRES

Bien qu'on parle surtout de l'impact majeur du tabac sur le risque de souffrir d'un cancer du poumon, il ne faut pas oublier que ce sont les maladies cardiovasculaires qui demeurent la principale cause de mortalité associée au tabagisme. Le risque de subir un infarctus du myocarde est augmenté de 300 % chez les hommes et de 600 % chez les femmes qui fument 20 cigarettes par jour, et ce risque est proportionnel au nombre de cigarettes fumées quotidiennement. Même les fumeurs de moins de 5 cigarettes par jour augmentent leur risque d'infarctus. Il n'y a donc pas de seuil sécuritaire en ce qui concerne le tabac.

Après un pontage aortocoronarien ou une dilatation coronarienne, les patients qui continuent à fumer augmentent leur risque de mortalité de près de 70 %. De toutes les actions qu'une personne peut prendre pour améliorer sa santé cardiovasculaire (et sa santé en général), l'abandon du tabagisme est sans contredit la plus importante.

IMPACT DU TABAC ET DE LA FUMÉE SECONDAIRE SUR LA SANTÉ

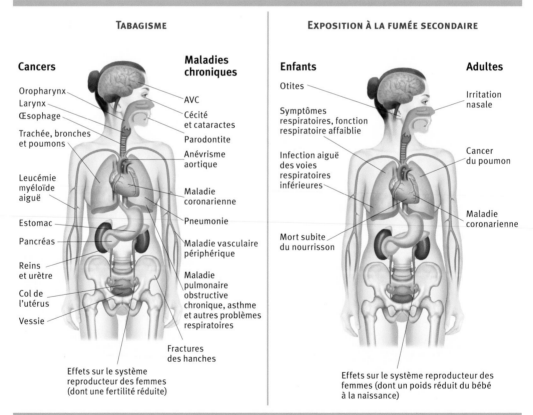

TABAGISME

Cancers

- Oropharynx
- Larynx
- Œsophage
- Trachée, bronches et poumons
- Leucémie myéloïde aiguë
- Estomac
- Pancréas
- Reins et urètre
- Col de l'utérus
- Vessie
- Effets sur le système reproducteur des femmes (dont une fertilité réduite)

Maladies chroniques

- AVC
- Cécité et cataractes
- Parodontite
- Anévrisme aortique
- Maladie coronarienne
- Pneumonie
- Maladie vasculaire périphérique
- Maladie pulmonaire obstructive chronique, asthme et autres problèmes respiratoires
- Fractures des hanches

EXPOSITION À LA FUMÉE SECONDAIRE

Enfants

- Otites
- Symptômes respiratoires, fonction respiratoire affaiblie
- Infection aiguë des voies respiratoires inférieures
- Mort subite du nourrisson
- Effets sur le système reproducteur des femmes (dont un poids réduit du bébé à la naissance)

Adultes

- Irritation nasale
- Cancer du poumon
- Maladie coronarienne

FIGURE 47

D'après USDHHS (2004, 2006)

FUMÉE SECONDAIRE

Malheureusement, même si vous ne fumez pas, l'exposition régulière à la fumée secondaire (celle des fumeurs) augmente votre risque de maladies cardiovasculaires (infarctus et AVC) de 20 à 30 %. Encore là, le risque augmente avec la quantité et le nombre d'années d'exposition. Par exemple, les non-fumeurs mariés à des fumeurs ont 20 % plus de risque de subir un infarctus et de souffrir d'un cancer du poumon.

Les personnes qui habitent dans des immeubles à appartements sont également exposées à la fumée secondaire des locataires qui fument, car cette dernière a la capacité de s'infiltrer dans tous les logements d'un édifice. Pour cette raison, plusieurs municipalités aux États-Unis interdisent de fumer dans les immeubles à appartements. Au Québec, l'Association pour les droits des non-fumeurs a créé un site qui vise à promouvoir les « habitations sans fumée ».

MESURES ANTITABAC

En 2005, le gouvernement du Québec a adopté le projet de loi 112, qui interdit de fumer dans les endroits publics. En 2016, c'est le projet de loi 44 qui est entré en vigueur : dorénavant, personne ne peut fumer sur les terrasses des restaurants et des bars ainsi que dans les voitures en présence d'enfants. Dans toutes les études publiées sur les mesures antitabac, on note que, dans les États ou les municipalités qui ont adopté de tels règlements ou de telles lois, il

s'est produit une baisse très importante des hospitalisations dues à des maladies liées au tabac. Par exemple, dans la ville de Kent, en Ohio, le nombre d'admissions pour des accidents coronariens (infarctus du myocarde, angine instable, etc.) a diminué de 39 % la première année suivant l'adoption de mesures antitabac et de 47 % après 3 ans. Dans le comté d'Olmsted, au Minnesota, l'incidence de mort subite a diminué de 17 % au cours des 18 mois qui ont suivi l'implantation de lois interdisant de fumer dans les restaurants et les lieux de travail.

CESSER DE FUMER PROCURE DES AVANTAGES TRÈS RAPIDEMENT

Les réductions de mortalité observées peu de temps après une simple interdiction de fumer dans les espaces publics montrent à quel point la diminution du tabagisme entraîne une amélioration rapide de la santé. Il n'est jamais trop tard pour cesser de fumer, car l'abandon du tabagisme, quel que soit l'âge, réduit substantiellement le risque de maladies, en particulier de maladies cardiovasculaires :

– 20 minutes après la dernière cigarette, la tension artérielle et la fréquence cardiaque redeviennent normales ;

– 8 heures plus tard, le risque de spasme des artères coronaires est presque éliminé ;

– 24 heures plus tard, les taux de monoxyde de carbone et de catécholamines circulantes (qui stimulent le cœur) reviennent à la normale ;

– dès la première année, le patient qui cesse de fumer après un infarctus du myocarde réduit son risque de récidive de 50 %, et son risque d'AVC est similaire à celui de quelqu'un qui n'a jamais fumé ;

– après 5 ans, le risque d'accident coronarien (infarctus, mort subite) est similaire à celui d'un non-fumeur.

Aucune autre intervention médicale ou chirurgicale n'est aussi efficace que l'arrêt du tabac pour la santé cardiovasculaire. En plus, c'est la moins coûteuse. C'est donc surprenant que la majorité des hôpitaux québécois n'offrent pas de programme de traitement du tabagisme aux patients hospitalisés. À l'Institut de Cardiologie de Montréal, un tel programme est offert à tous les patients grâce au financement de notre fondation.

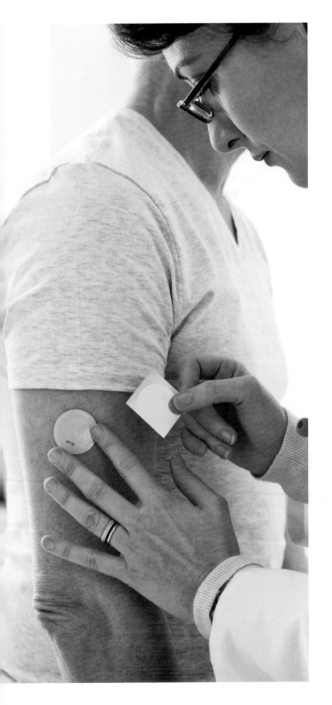

En général, quelle que soit la maladie (cancer, maladie respiratoire ou cardiovasculaire), les experts s'entendent pour dire que cesser de fumer améliore l'espérance de vie de 10 ans. Évidemment, plus on cesse tôt, plus les bienfaits sont importants.

En plus des années de vie gagnées, la qualité de vie est nettement améliorée par l'arrêt du tabac. La toux, l'essoufflement, les infections respiratoires récidivantes et la perte de goût qui découlent du tabagisme sont des symptômes nuisibles qui disparaissent rapidement quand on cesse de fumer.

COMMENT ARRÊTER DE FUMER AVEC SUCCÈS

Les études montrent qu'il est très difficile de cesser de fumer sans aide : à peine 5 % des gens qui essaient parviennent à rester non-fumeurs après un an. Cependant, on peut facilement augmenter ce taux de succès à 20 ou 25 % grâce à un programme d'aide combiné à l'utilisation de traitements pharmacologiques (figure 48).

Le programme d'aide à la cessation tabagique est habituellement pris en charge par une infirmière qui peut conseiller le fumeur, prescrire la médication sous la supervision d'un médecin, vérifier la tolérance aux médicaments et leurs effets secondaires, et offrir un soutien psychologique en personne et grâce à un suivi téléphonique régulier.

CIGARETTE ÉLECTRONIQUE : SOLUTION OU NOUVEAU PROBLÈME ?

Il faut d'abord savoir que ce sont les centaines de produits de combustion de la cigarette de tabac qui causent les problèmes de santé et non la nicotine. Cette dernière est une drogue qui entraîne rapidement une dépendance qui pousse à fumer, mais elle n'est pas responsable des maladies cardiovasculaires ni du cancer du poumon : « On fume pour la nicotine, mais on meurt du tabac. » Les produits de remplacement de la nicotine, comme les gommes et les timbres de nicotine, sont utilisés depuis plus de 20 ans et les études démontrent qu'ils sont très sécuritaires. Il y a également des inhalateurs et des vaporisateurs de nicotine qui ont démontré leur innocuité.

La cigarette électronique (*e-cigarette*; voir figure 49) contient de l'eau, de la glycérine végétale, du propylèneglycol, de la saveur et de la nicotine en différentes

TAUX COMPARÉS DE CESSATION DU TABAGISME APRÈS UN AN

Les taux de cessation tabagique à long terme sont les plus élevés lorsqu'on offre à la fois pharmacothérapie et soutien comportemental.	Aucune thérapie	Conseils sommaires	Thérapie comportementale
Aucune médication ou placebo	5 %	10 %	15 %
Médication	10 %	20 %	30 %

FIGURE 48

concentrations. Inventée par un pharmacien chinois en 2003, elle est apparue en Europe en 2007. Les Britanniques et les Français ont donc maintenant plus de 9 ans d'expérience avec cette innovation technologique. Les premières générations de cigarettes électroniques étaient peu performantes, mais, comme pour toute technologie, les nouveaux modèles jetables ou rechargeables sont beaucoup plus efficaces : meilleures piles, atomiseurs plus fiables, etc. Malgré ces progrès, la cigarette électronique n'a pas du tout la même efficacité que la cigarette de tabac pour livrer la nicotine au cerveau. Pour cette raison, les grands fumeurs (ceux qui fument plus d'un paquet par jour) ne sont souvent pas « satisfaits » par la dose de nicotine obtenue à chaque inhalation.

Il y a d'abord une grande différence de chaleur entre les deux produits : la température de combustion au bout d'une cigarette de tabac avoisine les 900 °C, contre environ 80 °C pour la cigarette électronique, qui ne produit pas de combustion (il n'y a rien qui brûle), mais plutôt une vapeur qui est en fait un aérosol de fines gouttelettes en suspension. La cigarette électronique ne libère pas de monoxyde de carbone, ni de particules fines, ni évidemment les 4000 produits de combustion présents dans la fumée de la cigarette de tabac. Les analyses effectuées sur différents types de cigarettes électroniques démontrent qu'elles contiennent en général de 10 à 400 fois moins de produits nocifs que la cigarette de tabac. Bien qu'elle ne soit certainement pas idéale ni sans aucun risque, la plupart des experts s'entendent pour dire qu'elle est beaucoup moins nocive que le tabac.

En 2007, en Angleterre, le Royal College of Physicians avait déjà émis cette opinion

LA CIGARETTE ÉLECTRONIQUE

Tirer sur une e-cigarette produit une vapeur qui contient de la nicotine mais sans aucun des sous-produits toxiques associés au tabac.

Lorsque le fumeur tire sur la cigarette, un capteur le détecte et **la diode LED** s'allume.

L'atomiseur vaporise la nicotine.

Un microprocesseur régule l'élément chauffant et la lumière.

La cartouche contient de la nicotine dissoute dans du propylène glycol.

FIGURE 49

et, en avril 2016, il a publié une mise à jour très complète qui comprend plus de 600 références scientifiques. Dans ce dernier rapport, le Collège réaffirme :

« Bien qu'il ne soit pas possible de quantifier de manière précise les risques à long terme associés aux cigarettes électroniques, les données disponibles suggèrent que ces risques n'excéderaient très probablement pas le vingtième (5 %) des risques associés aux produits de tabac à fumer, et pourraient bien être considérablement moindres. »

Quant à l'efficacité de la cigarette électronique pour aider à cesser de fumer, les différents registres publiés à ce jour indiquent des chiffres variant de 50 à 70 %. Le Dr Gaston Ostiguy, pneumologue au Centre universitaire de santé McGill (CUSM) et pionnier de la lutte contre le tabagisme au Québec, rapporte un taux de succès de 50 % chez ses patients particulièrement difficiles à traiter. En effet, certains de ses patients qui souffrent de maladies pulmonaires chroniques ont une grande dépendance au tabac et continuent de fumer en dépit de nombreux symptômes sévères (toux persistante, infections respiratoires fréquentes, essoufflement marqué au moindre effort, etc.). On est loin du fumeur social occasionnel ! Ces patients ont donc déjà « tout essayé », sans succès, et un taux de réussite de 50 % maintenu pendant un an représente plus du double de celui des méthodes pharmacologiques conventionnelles.

Un livre sur la cigarette électronique

Le Dr Philippe Presles, un tabacologue français, a publié, en France et au Québec, un livre particulièrement convaincant, qui est une excellente référence pour ceux qui veulent cesser de fumer à l'aide de la cigarette électronique. J'ai trouvé cet ouvrage très bien fait et c'est pourquoi j'ai accepté d'en écrire la préface : *La Cigarette électronique. Enfin la méthode pour arrêter de fumer facilement*, Éditions de l'Homme, 2014.

À la clinique de traitement du tabagisme du Centre ÉPIC de l'ICM, nous suggérons la cigarette électronique aux fumeurs qui n'ont connu que des échecs en utilisant les méthodes pharmacologiques reconnues. Chez ces patients, notre taux de succès est d'environ 70 %. Il faut souligner que la plupart de nos patients cardiaques semblent moins « accros » à la cigarette que ceux atteints de maladies pulmonaires. Depuis 2013, après avoir appris de mes collègues cardiologues et tabacologues européens à quel point cette méthode est efficace, je suggère la cigarette électronique à mes patients cardiaques fumeurs pour les aider à cesser de fumer.

Plusieurs organismes officiels au Canada et aux États-Unis sont encore

farouchement opposés à la cigarette électronique parce qu'ils craignent qu'elle « renormalise » le fait de fumer et, surtout, qu'elle y incite les adolescents. Je comprends très bien ces inquiétudes, mais je ne les partage pas, parce que ce n'est pas du tout ce que démontrent les données britanniques et françaises. Dans ces deux pays, l'usage de la cigarette de tabac n'a pas cessé de diminuer chez les jeunes depuis l'arrivée de la cigarette électronique. Pour les adolescents français, la cigarette de tabac est devenue « démodée ». Peu à peu, les spécialistes britanniques et français ont compris qu'il s'agissait d'une innovation technologique qui avait le potentiel de réduire le tabagisme chez les jeunes plutôt que le contraire. L'organisme Public Health England a réitéré cette prise de position dans un rapport publié en août 2015 : *E-cigarettes : an evidence update*. L'Office français de prévention du tabagisme (OFT) a aussi produit un rapport abondant dans le même sens en 2014 : *La cigarette électronique et les jeunes*. Voici le premier paragraphe de ce document :

« La cigarette électronique apparaît de plus en plus comme *un produit de sortie du tabac à l'échelon individuel et à l'échelon collectif* comme le démontrent les données françaises et anglaises qui sont les deux pays où l'*e-cigarette* est bien disponible (alors que la Belgique, par exemple, où la vente d'*e-liquide* est interdite, voit son taux de fumeurs et ses ventes de cigarettes augmenter). »

De notre côté de l'Atlantique, les spécialistes de la santé publique restent en général très opposés à la cigarette électronique et refusent de croire qu'elle peut avoir des bienfaits. Je comprends que, lorsqu'on a lutté pendant 50 ans contre la cigarette de tabac, il est difficile d'accepter quoi que ce soit qui semble s'en rapprocher. Je suis convaincu qu'il y a aussi chez les Américains et les Canadiens un côté un peu puritain et moralisateur qu'on retrouve moins en Europe. On accepte mal, par exemple, de remplacer « une dépendance par une autre », alors qu'en pratique la dépendance à la nicotine, sans les dommages liés à la combustion du tabac, est assez bénigne. Plusieurs ex-fumeurs consomment des gommes de nicotine pendant des années sans noter aucune conséquence négative sur leur santé.

Mes patients qui ont cessé de fumer grâce à la cigarette électronique l'ont généralement abandonnée après un an sans retourner au tabac. Souvent, ceux qui aiment le « geste » de fumer conservent la cigarette électronique, mais sans nicotine. De plus, la nicotine sans le tabac semble causer moins de dépendance, puisque la plupart des utilisateurs réduisent leur concentration de nicotine avec le temps plutôt que de l'augmenter. Ces données sont bien documentées. D'ailleurs, le Dr Karl Olov Fagerström, l'un des experts de la dépendance à la nicotine les plus connus au monde et qui a inventé le célèbre questionnaire qui porte son nom, affirme que les données recueillies jusqu'à présent démontrent que la nicotine seule crée moins de dépendance que lorsqu'elle est associée à la fumée de tabac. Parmi les 4000 produits de combustion de la cigarette de tabac, il y en a certainement qui augmentent la dépendance à la nicotine. On sait que les fabricants de cigarettes ajoutent plusieurs produits chimiques au tabac dans le but de rendre la fumée plus « douce » et d'augmenter la dépendance. L'addition de sucres, par exemple, adoucit le goût et produit, lors de la combustion, des inhibiteurs de la monoamine oxydase, qui augmentent les niveaux de dopamine et, par conséquent, la dépendance au tabac.

En conclusion, si vous fumez, votre priorité, en matière de prévention, est de cesser de le faire. Si vous êtes très dépendant à la cigarette, vous augmenterez beaucoup vos chances de réussite en consultant un centre d'abandon du tabac ou une clinique spécialisée. Si vous avez essayé sans succès tous les médicaments disponibles sur le marché, la cigarette électronique peut s'avérer une solution efficace.

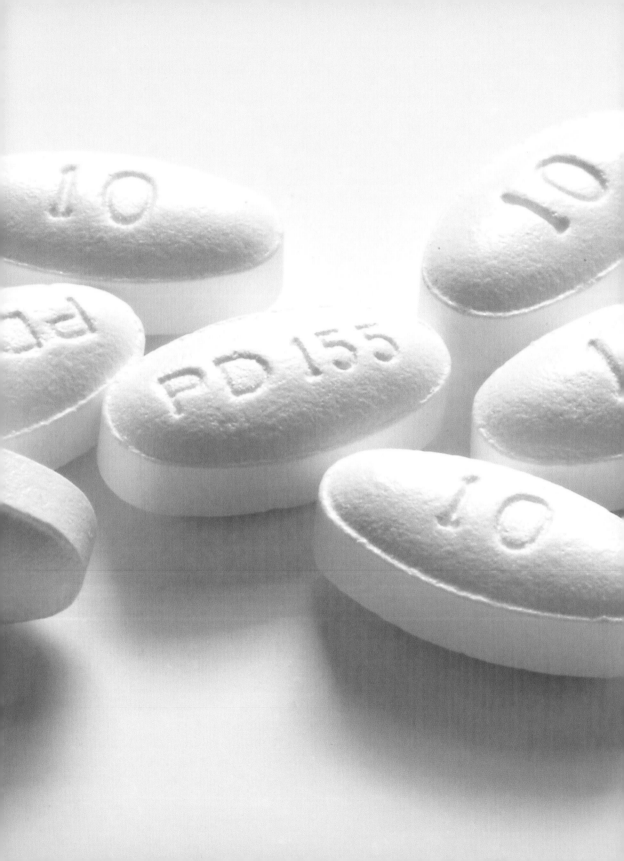

CHAPITRE 9

Les statines en prévention primaire et secondaire

La mise en cause du cholestérol dans la progression des plaques d'athérome a entraîné une véritable course contre la montre pour la découverte de médicaments qui abaissent les taux de cholestérol-LDL et, par le fait même, réduisent le risque de maladies cardiovasculaires. La découverte d'une nouvelle classe de médicaments capables de bloquer la production de cholestérol par le foie a complètement modifié l'approche médicale en ce qui concerne la prévention des maladies cardiovasculaires. Il s'agit des statines.

DE LA MOISISSURE À LA PHARMACIE

Les statines n'auraient probablement jamais vu le jour sans la ténacité du biochimiste japonais Akira Endo. Grand admirateur d'Alexander Fleming, qui avait montré que certaines moisissures produisaient des substances antibiotiques telles que la pénicilline pour se protéger des bactéries présentes dans leur environnement, le Dr Endo a émis l'hypothèse que les microorganismes pouvaient aussi se défendre en sécrétant des substances capables d'empêcher la formation du cholestérol et de ses dérivés, absolument essentiels à la survie de nombreux microbes. Pour identifier ces molécules, son équipe a cultivé près de 6000 souches de différents microorganismes et le potentiel anticholestérol de chacune d'entre elles a été examiné en mesurant sa capacité à bloquer l'activité de la HMG-CoA réductase, la plus importante des quelque

30 enzymes qui travaillent ensemble pour transformer l'acétate en cholestérol.

Un travail de longue haleine, mais qui leur a permis de montrer que la moisissure *Penicillium citrinum* produisait effectivement une substance qui inhibe l'activité de la HMG-CoA réductase, molécule qu'ils ont appelée « mévastatine » pour souligner sa capacité à bloquer (« stat », dérivé de « statique ») la synthèse de mévalonate. Quelques années plus tard, une molécule très semblable, la lovastatine, présente naturellement dans certains champignons (pleurotes) et levures (levure de riz rouge) a été produite à grande échelle par la compagnie Merck et commercialisée en 1987 sous le nom de Mevacor pour traiter l'hypercholestérolémie. C'est ainsi qu'est née la « grande famille des statines » et, grâce à l'arrivée sur le marché de nombreux dérivés (simvastatine, atorvastatine, etc.), elle allait devenir l'une des classes de médicaments les plus vendues dans le monde. Après avoir joué un rôle plus qu'important dans le traitement des maladies infectieuses avec la pénicilline, les *Penicillium* ont, 50 ans plus tard, révolutionné la cardiologie avec les statines, ce qui fait de ces moisissures les microorganismes les plus rentables de l'histoire de l'industrie pharmaceutique !

PRÉVENIR LES RECHUTES

L'importance clinique des statines est bien illustrée dans les études de prévention *secondaire*, c'est-à-dire lorsque le médicament est administré aux patients qui souffrent d'une maladie coronarienne, y compris ceux qui ont déjà subi un infarctus du myocarde ou qui ont été hospitalisés pour une angine instable, de même que ceux qui ont subi une angioplastie ou des pontages aortocoronariens. Les personnes qui souffrent d'angine stable ou qui ont eu un diagnostic de maladie coronarienne après un examen, comme l'épreuve d'effort avec médecine nucléaire, ou une échographie à l'effort bénéficient également de ce traitement. Tous les patients qui ont une maladie coronarienne risquent de voir leur maladie progresser et d'être frappés par une récidive ou une aggravation des symptômes d'angine. Plusieurs études indiquent que les statines réduisent de façon significative le risque de subir un nouvel accident cardiaque (figure 50).

C'est la publication de la fameuse étude « 4S » effectuée chez 4444 patients scandinaves au début des années 1990 qui a montré l'efficacité d'une statine, la simvastatine, chez des patients coronariens. Cette étude révèle que 11,5 % des patients non traités (groupe placebo) sont décédés après un peu plus de 5 ans, comparativement à 8,2 % chez ceux traités avec la statine. Il y a donc une réduction de 3,3 % du risque absolu de mortalité, ce qui équivaut à une réduction du risque relatif de 29 % (3,3 % divisé par 11,5 % = 0,29). En ce qui a trait à l'incidence des infarctus, il y en a eu 502

IMPACT DES STATINES SUR LA PRÉVENTION DE LA MORTALITÉ ET DES ACCIDENTS CORONARIENS CHEZ LES PATIENTS DÉJÀ TOUCHÉS PAR UNE MALADIE DU CŒUR (*PRÉVENTION SECONDAIRE*)

À titre de comparaison, l'impact du régime (« Étude de Lyon ») est indiqué

Étude	Paramètres mesurés	Groupe placebo	Groupe statine	Réduction du risque relatif	Réduction du risque absolu
4S	Mortalité totale	11,5 %	8,2 %	28,6 %	4 %
	Accidents cardiovasculaires majeurs	22,6 %	15,6 %	29,6 %	6,7 %
CARE	Mortalité par maladie cardiovasculaire	5,7 %	4,6 %	19 %	1,1 %
	Infarctus mortels et non mortels	13,2 %	10,2 %	23 %	3,0 %
LIPID	Mortalité totale	14,1 %	11 %	22 %	3,1 %
	Infarctus du myocarde	10,3 %	7,4 %	28 %	2,9 %
HPS	Mortalité totale	14,7 %	12,9 %	12 %	1,8 %
	Mortalité par maladie coronarienne	6,9 %	5,7 %	19 %	1,3 %
		Régime AHA (faible en gras)	Régime méditerranéen		
Étude de Lyon Alimentation méditerranéenne	Mortalité totale	11,7 %	6,4 %	45 %	5,3 %
	Mortalité par maladie cardiovasculaire	9,3 %	2,7 %	71 %	6,6 %
	Infarctus non mortels	12,2 %	3,6 %	70 %	8,6 %

FIGURE 50

155

dans le groupe placebo (22,6 %) et 353 (15,9 %) dans le groupe traité avec la statine, soit une réduction absolue de 6,7 %, ce qui donne une réduction relative de 29,6 % (6,7 % divisé par 22,6 % = 29,6 %). Comme le montre la figure 50, des résultats similaires ont aussi été obtenus dans d'autres études de prévention *secondaire*, et il est maintenant clairement établi que le traitement des patients ayant été victimes d'un accident coronarien contribue à prévenir les récidives et même la mortalité. En conséquence, ces médicaments font désormais partie de l'arsenal thérapeutique standard pour soigner toute personne ayant survécu à un accident coronarien ou qui présente une maladie coronarienne stable.

Il est toutefois important de réaliser que cet effet protecteur des statines, même s'il est bien prouvé, n'est pas une panacée, car la réduction du risque absolu est modeste (figure 50) et les patients demeurent à haut risque.

Ce risque qui reste élevé malgré le traitement est appelé « risque résiduel » par les chercheurs en cardiologie. Il est aussi observé lorsque de plus fortes doses d'une statine plus puissante sont administrées et que le taux de cholestérol-LDL est nettement abaissé, soit aux environs de 1,6 mmol/L. Une des meilleures illustrations de ce phénomène est à mon avis l'étude « PROVE IT », publiée dans le *New England Journal of Medicine* en 2004. Dans cette étude, on a comparé l'efficacité de deux statines pour prévenir les rechutes et la mortalité après un accident coronarien, soit l'atorvastatine, à une dose de 80 mg par jour, et la pravastatine, à une dose de 40 mg par jour. Après 30 mois, les chercheurs ont rapporté une baisse beaucoup plus marquée du cholestérol-LDL avec l'atorvastatine, comme on pouvait s'y attendre étant donné le fort effet hypocholestérolémiant de ce médicament (figure 51A). Cette baisse plus marquée du cholestérol-LDL dans le groupe traité avec l'atorvastatine s'est accompagnée d'une réduction de récidives d'accidents cardiaques de 3,9 % (26,3 % comparativement à 22,4 %) par rapport au groupe « pravastatine » dont le cholestérol-LDL a moins diminué. Ce qu'il est important de noter, c'est que l'incidence de mortalité et d'accidents cardiovasculaires majeurs après 30 mois de traitement demeure très élevée, *soit de 22,4 %*, même dans le groupe chez qui le cholestérol-LDL a baissé jusqu'à 1,6 mmol/L (figure 51B). Autrement dit, même lorsque le traitement avec une dose maximale de statine entraîne une réduction marquée du cholestérol-LDL sanguin, il reste toujours un pourcentage important de patients (presque le quart dans ce cas-ci) qui demeurent à très haut risque de rechutes dans les 3 années suivant le début du traitement.

Peut-on réduire ce risque résiduel et augmenter davantage les chances de survie des patients coronariens ? Comme c'est souvent le cas, les efforts en ce

L'ÉTUDE « PROVE-IT » : COMPARAISON DE L'EFFICACITÉ DE DEUX STATINES POUR PRÉVENIR LES RECHUTES ET LA MORTALITÉ APRÈS UN ACCIDENT CORONARIEN

A.

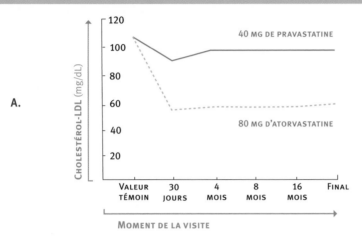

Nombre de patients

Pravastatine	1973	1844	1761	1647	1445	1883
Atorvastatine	2003	1856	1758	1645	1461	1910

B.

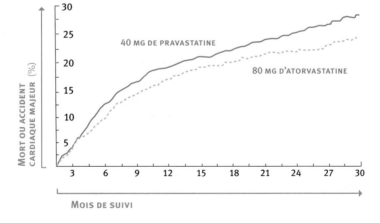

Nombre de patients à risque

Pravastatine	2063	1688	1536	1423	810	138
Atorvastatine	2099	1736	1591	1485	842	133

FIGURE 51

Source : Cannon et coll. (2004)

sens sont principalement consacrés à la découverte de médicaments capables d'amener les taux de cholestérol-LDL à des niveaux encore plus bas. Cependant, les résultats obtenus jusqu'à présent sont peu concluants. Par exemple, la combinaison d'une statine avec une molécule qui réduit l'absorption de cholestérol au niveau de l'intestin (ezétimibe) entraîne une baisse additionnelle du cholestérol-LDL (jusqu'à 1,4 mmol/L en moyenne, soit bien au-dessous des valeurs considérées comme souhaitables). Dans l'étude « IMPROVE-IT », la diminution des accidents sérieux n'est que de 2 % (34,7 % comparativement à 32,7 %), un effet plutôt faible même s'il est significatif sur le plan statistique. De plus, il n'y a aucune différence en ce qui concerne le taux de mortalité totale entre les deux groupes (15,3 % par rapport à 15,4 %) et le taux de mortalité due à une maladie cardiovasculaire (6,8 % comparativement à 6,9 %). Ces résultats ont été jugés trop peu probants par le comité consultatif de la Food and Drug Administration (FDA) américaine, qui n'a donc pas conseillé l'usage de ce médicament en association avec une statine chez les patients coronariens.

Y a-t-il une combinaison de médicaments qui permettra un jour une baisse plus radicale des taux de cholestérol-LDL afin de réduire de façon marquée les taux de mortalité due à une maladie cardiovasculaire ? Il faudra attendre les résultats des études cliniques en cours sur les inhibiteurs de PCSK9, une nouvelle classe de médicaments qui réduisent le cholestérol de façon importante, pour pouvoir répondre à cette question. Lorsqu'ils sont administrés avec les statines, ces inhibiteurs diminuent en effet de façon spectaculaire le cholestérol-LDL (de 50 à 70 %) et devraient donc, en théorie, améliorer considérablement la survie des patients dont le risque de mortalité due à une maladie cardiovasculaire est élevé. Cependant, si ces médicaments s'avèrent efficaces, comme ils sont extrêmement chers (environ 7000 $ par personne, par année), il est à prévoir que leur utilisation sera balisée de façon très stricte pour limiter les coûts pour le système de santé.

La recherche de nouveaux médicaments capables d'améliorer les chances de survie des patients atteints de maladies cardiovasculaires ne doit cependant pas faire oublier que l'alimentation, l'activité physique et la gestion du stress sont des moyens efficaces et peu coûteux de diminuer grandement le risque de rechute. L'« Étude de Lyon », dont les sujets étaient soumis à une alimentation de type méditerranéenne, a permis d'observer une réduction des risques de rechute *deux fois plus élevée que celle notée pour les statines* (voir chapitre 5 et la figure 50). Si vous avez subi un accident cardiaque ou une intervention en cardiologie (angioplastie, pontage, etc.) et que vous prenez des statines, sachez qu'il a été démontré qu'adopter de saines habitudes de vie *en plus de prendre*

des statines réduit fortement les risques de récidive. Deux grandes études récentes pilotées par le Dr Salim Yusuf ont encore confirmé le bien-fondé de cette approche, sans compter que les recherches de Dean Ornish ont montré qu'on pouvait complètement stabiliser et même faire *régresser* la maladie coronarienne au moyen d'un programme intensif modifiant les habitudes de vie, comme on l'a vu au chapitre 5.

PRÉVENTION À LA SOURCE

Les limites d'une approche strictement basée sur l'utilisation des statines pour freiner la mortalité liée aux maladies cardiovasculaires sont plus flagrantes en prévention *primaire*, c'est-à-dire chez des personnes qui n'ont jamais eu d'accident cardiovasculaire (infarctus, angine, etc.) ou qui n'ont pas de maladie coronarienne connue. Chez ces personnes, plusieurs études ont montré que l'impact de ces médicaments sur les accidents cardiaques graves est assez modeste et la plupart ont observé une réduction du risque absolu d'environ 1 % seulement (figure 52). Autrement dit, pour 100 personnes qui prennent le médicament tous les jours pendant des années, *une seule* sera épargnée.

Comment expliquer que les statines aient acquis la réputation d'être

IMPACT DES STATINES SUR LA PRÉVENTION DE LA MORTALITÉ ET DES ÉVÉNEMENTS CORONARIENS DANS LA POPULATION (*PRÉVENTION PRIMAIRE*)

Étude	Paramètres mesurés	Groupe placebo	Groupe statine	Réduction du risque relatif	Réduction du risque absolu
WOSCOPS	Mortalité totale	4,1 %	3,2 %	22 %	0,9 %
	Mortalité par maladie coronarienne	1,7 %	1,2 %	29 %	0,5 %
	Infarctus non mortels	6,5 %	4,6 %	29 %	1,9 %
ASCOT	Mortalité totale	4,1 %	3,6 %	12 %	0,5 %
	Infarctus mortels et non mortels	3,0 %	1,9 %	36 %	1,1 %
AFCAPS	Mortalité par maladie cardiovasculaire	0,7 %	0,5 %	28 %	0,2 %
	Accidents cardiovasculaires majeurs	5,5 %	3,5 %	36 %	2 %
ALLHAT	Mortalité totale	15,3 %	14,9 %	2,6 %	0,4 %
	Infarctus mortels et non mortels	10,4 %	9,3 %	10 %	1,1 %
HOPE-3	Mortalité par maladie cardiovasculaire	2,7 %	2,4 %	11 %	0,3 %
	Accidents cardio-vasculaires graves	4,8 %	3,7 %	23 %	1,1 %
		Régime standard faible en gras	Régime méditerranéen riche en huile d'olive extravierge		
PREDIMED (Alimentation méditerranéenne)	Infarctus du myocarde, AVC et mortalité par maladie cardiovasculaire	4,4 %	3,7 %	16 %	0,7 %

FIGURE 52

indispensables à la prévention primaire des maladies cardiovasculaires, qu'elles comptent parmi les médicaments les plus couramment prescrits ? Plusieurs raisons expliquent ce phénomène, la principale étant bien sûr que notre culture médicale occidentale privilégie toujours l'approche pharmacologique dans le traitement des maladies. En présence d'un taux de cholestérol-LDL élevé, même légèrement, on préfère prescrire une statine par précaution plutôt que de s'attaquer aux causes, soit une alimentation de piètre qualité et le manque d'exercice physique.

La grande popularité des statines en prévention *primaire* s'explique également par le fait que leur faible impact sur les accidents cardiovasculaires est relativement peu connu de la communauté médicale. Ceci est en grande partie dû à la façon habituelle de présenter les résultats des études cliniques en ne montrant que la réduction *relative* du risque, ce qui amplifie la perception de l'effet protecteur des statines. Un bon exemple est l'étude « ASCOT », qui a contribué à faire de l'atorvastatine (Lipitor) le médicament le plus rentable de l'histoire de l'industrie pharmaceutique, avec des revenus de 140 milliards générés depuis sa sortie en 1996.

Comme l'indique la figure 52, cette statine fait passer le risque de subir un accident cardiaque de 3 % à 1,9 %, ce qui représente une diminution de seulement 1,1 % du risque *absolu* d'accidents coronariens. Sauf que ce n'est pas cette diminution du risque absolu qui est habituellement communiquée aux médecins et à la population, mais plutôt la réduction du risque *relatif*, une façon beaucoup plus frappante de présenter les données. Puisque le risque de subir un accident cardiaque quand on ne prend aucun médicament est de 3 % et que la statine diminue ce risque de 1,1 %, les auteurs de l'étude concluent, avec raison, que la statine réduit le risque de crise cardiaque de 36 %. Le calcul est le suivant : le pourcentage 1,1 %, qui représente la réduction du risque (soit la différence entre les pourcentages des deux groupes), est divisé par 3 %, soit le risque d'accidents cardiaques dans le groupe placebo, ce qui donne 36 % (1,1 divisé par 3 = 0,36, soit 36 %). Toute la publicité concernant le Lipitor (figure 53) dans les revues médicales est basée sur la promesse que la statine peut diminuer de plus du tiers le risque de crise cardiaque.

LIPITOR

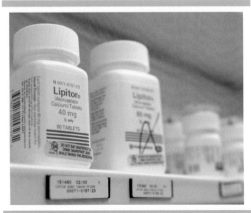

FIGURE 53

Toutefois, lorsqu'on explique aux médecins et aux patients que le risque absolu est en fait réduit de 1,1 %, l'enthousiasme est moins grand.

Plus récemment, en avril 2016, l'étude « HOPE-3 » a démontré encore une fois une baisse de 1 % des accidents cardiaques (4,8 % comparativement à 3,7 %) avec une statine, la rosuvastatine, mais les grands titres des journaux ont comme d'habitude fait état de la baisse du risque relatif de 23 % (4,8 − 3,7 = 1,1 et 1,1 divisé par 4,8 = 23 %). De plus, on peut noter dans le tableau des résultats que la mortalité n'est pas plus faible dans le groupe traité avec ce médicament. À propos de cette étude, le cardiologue John Mandrola a écrit sur son blogue du site internet médical Medscape : « Ma plus grande inquiétude, c'est que les médecins commettent l'erreur de prescrire un médicament alors que marcher et bien manger feraient mieux. »

En juin 2016, une étude publiée dans une revue médicale britannique démontrait que de nombreuses personnes abandonnent leurs statines en prévention primaire à la suite de la publication d'articles de journaux qui critiquent ces médicaments. Pour plusieurs cardiologues, dont moi-même, ce n'est pas une catastrophe puisque leur efficacité est peu importante en prévention primaire. Le Dr Eric Topol, l'un des cardiologues les plus influents de la planète, commentait cette étude ainsi dans une revue populaire aux États-Unis : « En prévention primaire, il y a trop de gens qui prennent des statines sans que ce soit nécessaire, alors qu'elles bénéficient à 2 personnes sur 100. »

QUE FAIRE SI VOTRE MÉDECIN VOUS RECOMMANDE UNE STATINE ?

Dans certains cas, il n'y a pas de doute que la prise d'une statine peut être un bon choix en prévention *primaire*, par exemple si vous souffrez d'une maladie génétique appelée « hypercholestérolémie familiale » ou que vous cumulez plusieurs facteurs de risque (hérédité de maladie coronarienne précoce, hypertension, diabète, obésité abdominale, cholestérol élevé). Vous risquez alors grandement de subir un accident cardiovasculaire et votre médecin insistera pour vous prescrire une statine. Plus vous cumulez de facteurs de risque, plus celle-ci devient utile. Il faut cependant se rappeler que, si vous ne modifiez pas vos habitudes de vie, la statine n'aura qu'un effet bien limité, soit une réduction du risque absolu d'environ 1 %, comme il a été mentionné précédemment. Vous ne seriez donc vraiment pas à l'abri d'un accident cardiovasculaire et je vous conseillerais alors fortement d'adopter un style de vie très différent. Si vous décidez de le faire, vous serez beaucoup mieux protégé que si vous prenez seulement un médicament.

Certains médecins recommandent une statine à une personne en bonne santé si son taux de cholestérol-LDL se situe au-dessus des valeurs jugées normales. Comme nous l'avons vu au chapitre 3, la façon de déterminer le risque de maladie cardiovasculaire est en grande partie basée sur l'âge et des valeurs de laboratoire, tandis que le poids corporel, le tour de taille, les habitudes alimentaires et la fréquence d'activité physique ne sont absolument pas pris en compte, ce qui est aberrant. Si vous n'avez aucun autre facteur de risque de maladie cardiovasculaire, qu'il n'y a aucune pathologie cardiovasculaire dans votre famille immédiate (père, mère, frères et sœurs), que vous ne fumez pas, que vous ne souffrez pas d'hypertension ni de diabète et que seul votre taux de cholestérol-LDL est élevé, il est tout à fait raisonnable de ne pas prendre de statines si vous modifiez votre alimentation et faites de l'exercice. Comme pour tout enjeu de santé important, vous devez discuter avec votre médecin du pour et du contre lorsqu'il est question d'une nouvelle prescription de médicaments ou d'une intervention médicale quelconque. Il s'agit pour vous de prendre une décision éclairée, c'est-à-dire basée sur les données scientifiques disponibles et sur vos propres valeurs. Considérez votre risque à long terme et demandez-vous si vous voulez prendre une médication pour le reste de vos jours afin de diminuer le risque de maladie cardiovasculaire d'environ 1 %. Si la réponse est non, vous sentez-vous capable de modifier en profondeur vos habitudes de vie, êtes-vous motivé à le faire ? Comme on l'a vu dans les chapitres précédents, changer ses habitudes est beaucoup plus efficace, et vous améliorerez en même temps votre qualité de vie.

LES EFFETS SECONDAIRES DES STATINES

Pour les personnes qui risquent peu de subir un accident coronarien, une approche « modérée » en ce qui concerne

les statines est d'autant plus indiquée que ces médicaments peuvent entraîner des effets secondaires causant des problèmes musculaires. On a longtemps minimisé l'importance de ces effets indésirables, sous prétexte qu'ils étaient très peu fréquents dans les études cliniques, mais on sait aujourd'hui que leur incidence est beaucoup plus élevée dans la population en général. Cela s'explique par le fait que les études cliniques de grande envergure sont financées par l'industrie pharmaceutique. Les participants sont sélectionnés rigoureusement de façon à éliminer, avant même le début des essais, ceux qui ne tolèrent pas le médicament.

Les effets secondaires les plus fréquents surviennent généralement dans les muscles des jambes, sous forme de douleur et de faiblesse, mais peuvent aussi affecter les muscles des membres supérieurs chez les gens qui travaillent physiquement ou qui font du sport en utilisant leurs bras. Certaines personnes tolèrent assez bien ces malaises, mais environ 10 à 15 % des patients trouvent qu'ils sont vraiment difficiles à supporter, ce qui mène bien souvent à l'abandon pur et simple du médicament. D'ailleurs, la moitié des patients cessent d'eux-mêmes leur traitement par statine pendant la première année.

Les études ont également révélé que les statines entraînent une intolérance à l'effort, c'est-à-dire que les personnes qui prennent ces médicaments trouvent que l'exercice est plus pénible.

Plusieurs études ont démontré que les statines avaient un effet important sur les muscles et pouvaient même diminuer les bienfaits d'un entraînement. Par exemple, Catherine Mikus et son équipe ont publié une étude à ce sujet dans le *Journal of the American College of Cardiology* en 2013. Trente-sept participants ont été répartis au hasard en deux groupes. Tous les participants devaient s'exercer en prenant soit une statine (premier groupe), soit un placebo (deuxième groupe). Après un entraînement supervisé de 12 semaines, les chercheurs ont noté que les patients du premier groupe n'avaient pas vu augmenter leur capacité aérobique maximale (consommation maximale d'oxygène). Par contre, dans le groupe qui prenait le placebo, il y a eu une augmentation tout à fait normale de la consommation maximale d'oxygène, comme on l'observe toujours après un programme de ce type. Autrement dit, la statine a eu comme conséquence de bloquer l'effet bénéfique de l'entraînement sur la capacité d'effort.

Pour élucider la cause de ce phénomène, les chercheurs ont procédé à des biopsies musculaires dans les deux groupes et ont pu constater que les niveaux d'une enzyme musculaire importante, le citrate synthase, étaient fortement abaissés chez les personnes prenant la statine. Cette enzyme joue un rôle important dans la fonction des mitochondries, la « centrale énergétique » des cellules, ce qui suggère que les statines empêchent partiellement le muscle de générer l'énergie nécessaire à l'effort. Des résultats similaires ont été rapportés par plusieurs auteurs, montrant clairement que, lorsqu'une personne se plaint d'intolérance à l'effort, ce n'est pas une impression purement subjective et qu'il y a une raison physiologique qui explique ce phénomène. Ces effets secondaires, comme les douleurs musculaires, disparaissent complètement si on arrête la médication.

Lorsque cette situation se présente chez l'un de mes patients, je vérifie tout d'abord si l'arrêt de la statine pendant 2 ou 3 semaines permet d'éliminer les symptômes. Si c'est le cas, on peut envisager l'essai d'une autre statine dans l'espoir que celle-ci sera mieux tolérée. Malheureusement, les symptômes refont généralement surface et il faut alors envisager de cesser le traitement si les malaises sont intolérables. Dans ces cas bien précis, je suggère au patient d'arrêter le médicament, mais je lui explique qu'il doit alors absolument modifier ses habitudes de vie, étant donné qu'il ne bénéficiera plus de la protection de la statine, même si celle-ci est faible.

Beaucoup de patients sont très inquiets lorsqu'ils arrêtent leur statine à cause des effets secondaires intolérables. Il est toutefois important de se rappeler qu'en modifiant en profondeur ses habitudes de vie, on arrive à compenser amplement l'effet bénéfique de la statine.

APPROCHE GLOBALE

Comme nous l'avons vu aux chapitres 2 et 3, la formation des plaques d'athérosclérose est un phénomène d'une grande complexité qui est fortement influencé par une foule de facteurs du mode de vie. Le cholestérol est l'un de ces facteurs, bien entendu, mais les effets modestes des statines sur le taux de mortalité, même à fortes doses, viennent nous rappeler que l'approche pharmacologique actuelle a ses limites et qu'il faut absolument cibler d'autres paramètres du processus d'athérosclérose.

Un habitant du bassin méditerranéen a un risque de mortalité due à une maladie cardiovasculaire en moyenne beaucoup plus faible que celui d'un habitant d'Europe du Nord, même si leurs taux de cholestérol sont équivalents, tout comme une hausse de cholestérol n'a que peu d'impact sur le risque de mortalité d'un Japonais, alors qu'elle fait grimper en flèche celui d'un Nord-Américain (figure 54). Les variations internationales d'incidence de maladies cardiovasculaires ne sont donc pas seulement dues au cholestérol, mais reflètent également l'importance du mode de vie typique à chaque culture.

Dans la même veine, une étude portant sur 136 905 patients admis à l'hôpital pour une maladie coronarienne a rapporté que jusqu'à 20 % de ces derniers avaient des taux de cholestérol optimaux, c'est-à-dire inférieurs à 1,8 mmol/L. Ceci illustre à quel point il est simpliste

Un cas typique d'intolérance aux statines

Je vois régulièrement des patients qui présentent des effets secondaires assez sévères à cause des statines. Récemment, un patient m'a consulté pour un problème d'arythmie, alors qu'il n'avait aucune maladie coronarienne ni de facteurs de risque pour cette maladie. Au cours du questionnaire, il m'a expliqué qu'il a dû cesser de faire de l'exercice il y a une dizaine d'années en raison de douleurs musculaires dans les jambes qui survenaient lorsqu'il marchait. De plus, il présentait une raideur importante à la nuque qui nuisait beaucoup à la conduite automobile : il ressentait une douleur en tournant la tête de côté, ce qui l'empêchait de bien évaluer l'angle mort à gauche. Le travail de jardinage avec les bras était également très pénible.

Après plusieurs visites médicales et de nombreuses séances de physiothérapie, il n'a noté aucune amélioration. Il attribuait à sa sédentarité une prise de poids de plusieurs kilos puisqu'il marchait 6 km par jour auparavant. Comme j'avais noté qu'il prenait une statine (rosuvastatine, 10 mg par jour), je lui ai demandé depuis quand il utilisait ce médicament et s'il avait discuté de la possibilité d'effets secondaires avec son médecin. Ce dernier lui avait prescrit cette statine 10 ans auparavant et tenait absolument à ce que le traitement continue, alléguant que les malaises étaient trop « diffus » et « non spécifiques ».

J'ai donc suggéré au patient d'arrêter sa statine pendant une semaine et de me rappeler. Ce qu'il a fait, pour me dire que sa vie était complètement changée : les douleurs qu'il ressentait en marchant et après avoir forcé avec ses bras avaient disparu, de même que sa raideur à la nuque. Il a donc recommencé la marche à raison de 6 km par jour et ses activités de jardinage, entre autres. Je lui ai suggéré de ne pas reprendre ce médicament, de continuer ses activités physiques et d'opter pour une alimentation méditerranéenne, ce qui ne lui posait aucun problème. Après 6 mois, le patient avait perdu 6 kilos et son tour de taille avait diminué de 4 cm : sa qualité de vie est aujourd'hui incomparable. Et je suis convaincu qu'il est moins à risque maintenant en mangeant mieux et en bougeant plus que s'il avait poursuivi son traitement par statine... Bien qu'il soit très heureux, il demeure extrêmement frustré d'avoir perdu 10 années de qualité de vie !

RISQUE DE MORTALITÉ DUE À UNE MALADIE
CARDIOVASCULAIRE DANS DIFFÉRENTES RÉGIONS

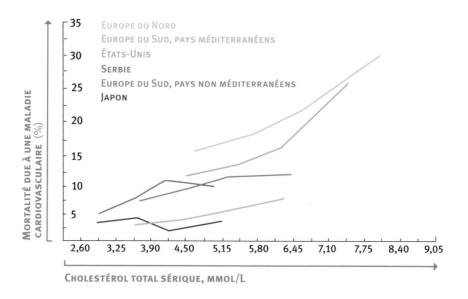

FIGURE 54

Source : Verschuren et coll. (1995)

de viser principalement la réduction du cholestérol pour prévenir les maladies coronariennes.

Beaucoup de mes collègues me disent : « C'est bien beau changer ses habitudes, mais, dans la vraie vie, *personne* ne veut vraiment modifier son alimentation ou faire de l'activité physique régulièrement. » Je crois qu'il n'y a rien de plus faux. Je suis loin d'être convaincu qu'une personne qui se fait proposer une statine en prévention primaire et qui connaît les données de réduction du risque absolu serait tentée de prendre une pilule tous les jours pour le restant de sa vie en sachant qu'elle n'a environ qu'une chance sur 100 d'en profiter. Lorsque les gens sont bien au courant des données scientifiques et des bienfaits remarquables que peuvent apporter l'alimentation et l'activité physique, et qu'ils apprennent que ces modifications du style de vie sont beaucoup plus efficaces que la médication, la plupart d'entre eux sont prêts à faire des changements importants dans leurs habitudes de vie. Je le constate quotidiennement dans ma pratique au Centre ÉPIC de l'ICM.

À l'inverse, la médication peut entraîner un faux sentiment de sécurité qui décourage les gens d'adopter de meilleures habitudes de vie. Toutes les semaines, j'entends des patients me dire : « Depuis que je prends une statine, je n'ai plus à me soucier de mon alimentation puisque mon taux de cholestérol-LDL est maintenant à 1,6 ou 1,8. » Cette façon de penser a des conséquences sérieuses puisqu'elle donne l'impression qu'un médicament peut contrer les effets de la malbouffe sur les maladies cardiovasculaires, l'obésité, le diabète ou les cancers, ce qui est faux. Ce phénomène n'est pas seulement anecdotique. Il a été bien documenté par deux études récentes montrant que les utilisateurs de statines mangent plus de calories, présentent un indice de masse corporelle plus élevé que ceux qui ne prennent pas cette classe de médicaments et font moins d'activité physique, probablement en raison de l'impact négatif des statines sur les muscles. C'est très malheureux, parce que le fait de réduire son taux de cholestérol à l'aide d'une statine seulement ne procure pas les effets positifs d'une alimentation riche en polyphénols, en antioxydants, en fibres et en substances anti-inflammatoires (chapitre 4). L'exercice, lui aussi, apporte beaucoup plus de bienfaits pour la santé globale que les statines (chapitre 5).

Il ne faut pas perdre de vue que l'objectif principal des différents traitements (par statines ou autres) n'est pas de faire baisser une valeur de laboratoire (le taux de cholestérol), mais bien de prévenir des décès ou des accidents cardiaques ou vasculaires cérébraux. On doit traiter un patient, pas un résultat de laboratoire. D'après mon expérience en prévention secondaire et en réadaptation cardiaque au Centre ÉPIC, et après avoir vu des milliers de patients, je peux confirmer que ceux qui ont modifié leur style de vie évoluent en général de façon très favorable, même 10, 20 ou 30 ans après leur accident cardiaque.

Tel que mentionné plusieurs fois dans ce livre, changer les habitudes de vie peut diminuer de 80 % le risque de souffrir d'une maladie cardiovasculaire. Il s'agit d'une protection qu'aucun médicament ne pourra jamais offrir.

Conclusion

Depuis le début des années 1970, les maladies cardiovasculaires ont connu un déclin rapide de près de 50 % dans nos sociétés occidentales. On aurait pu espérer, grâce aux avancées médicales et aux campagnes de prévention, que ce déclin se poursuivrait. Malheureusement, on assiste depuis le milieu des années 1980 à une épidémie sans précédent d'obésité dans tous les groupes d'âge, et particulièrement chez les enfants, les adolescents et les jeunes adultes, ce qui provoque une hausse importante du diabète et d'autres désordres métaboliques. Non seulement les gains des 50 dernières années risquent d'être effacés, mais on s'attend maintenant à une nouvelle augmentation de l'incidence des maladies cardiovasculaires. Des données récentes en provenance des États-Unis confirment cette prévision.

La seule façon efficace de s'attaquer aux causes premières des maladies cardiovasculaires est de modifier notre mode de vie en profondeur.

Dans le cas du tabagisme, la seule chose à faire est de cesser de fumer : aucun traitement médical sophistiqué n'est aussi efficace que cette solution. De la même façon, aucune avancée médicale ne pourra remplacer les innombrables bienfaits de l'activité physique et d'une meilleure alimentation.

Modifier ses habitudes de vie est une entreprise difficile qui ne repose pas seulement sur des choix individuels : elle nécessite la collaboration de tous les secteurs de la société pour créer des environnements favorables à la santé.

Pour en savoir plus...

Introduction

Association pour la santé publique du Québec. *Bâtir la santé durable au 21ᵉ siècle*. 2016:1-8.

Lloyd-Jones DM. « Slowing Progress in Cardiovascular Mortality Rates. You Reap What You Sow ». *JAMA Cardiol.* Juin 2016:1-2.

Gupta A, Wang Y, Spertus JA, et coll. « Trends in Acute Myocardial Infarction in Young Patients and Differences by Sex and Race, 2001 to 2010 ». *Journal of the American College of Cardiology.* 2014;64(4):337-345.

Sidney S, Quesenberry CP Jr, Jaffe MG, et coll. « Recent Trends in Cardiovascular Mortality in the United States and Public Health Goals ». *JAMA Cardiol.* Juin 2016:1-6.

Murray CJL, Barber RM, Foreman KJ, GBD 2013 DALYs and HALE Collaborators. « Global, regional, and national disability-adjusted life years (DALYs) for 306 diseases and injuries and healthy life expectancy (HALE) for 188 countries, 1990–2013: quantifying the epidemiological transition ». *The Lancet.* 2015;386(10009):2145-2191.

Chapitre 1 – Espérance de vie en bonne santé et maladies chroniques

Oeppen J, Vaupel JW. Demography. « Broken limits to life expectancy ». *Science.* 2002;296(5570):1029-1031.

Kirkwood TBL. « A systematic look at an old problem ». *Nature.* 2008;451(7179):644-647.

Milot J. « La mortalité infantile au tournant du xxᵉ siècle au Canada ». *Paediatr Child Health.* 2010;15(5):e6-e8.

Lagacé P. « Je veux mourir à 69 ans ». *La Presse*, 20 janvier 2016: http://plus.lapresse.ca/screens/302ab513-41f6-4718-bd0e-1469f1c62a92%7C_0.html. Consulté 23 février 2016.

Vita AJ, Terry RB, Hubert HB, Fries JF. « Aging, health risks, and cumulative disability ». *N Engl J Med.* 1998;338(15):1035-1041.

OLSHANSKY SJ, PASSARO DJ, HERSHOW RC, ET COLL. « A potential decline in life expectancy in the United States in the 21st century ». *N Engl J Med.* 2005;352(11):1138-1145.

LUDWIG DS. « Lifespan Weighed Down by Diet ». *JAMA.* 2016;315(21):2269–2.

NORMILE D. « Public health. A sense of crisis as China confronts ailments of affluence ». *Science (New York, N.Y.),* 23 avril 2010:422-424.

POPKIN BM. « Will China's Nutrition Transition Overwhelm Its Health Care System And Slow Economic Growth? » *Health Affairs.* 2008;27(4):1064-1076.

Organisation mondiale de la santé. *Les maladies non transmissibles: principales causes de décès dans le monde.* WHO. Avril 2011.

Statistique Canada. *Principales causes de décès, selon le sexe (Les deux sexes).* statcan.gc.ca.

BOISCLAIR D, DÉCARIE Y, LALIBERTÉ-AUGER F, MICHAUD P-C. *Réduction des maladies cardiovasculaires et dépenses de santé au Québec à l'horizon 2050.* 2016:1-16.

AKESSON A, LARSSON SC, DISCACCIATI A, WOLK A. « Low-risk diet and lifestyle habits in the primary prevention of myocardial infarction in men: a population-based prospective cohort study ». *Journal of the American College of Cardiology.* 2014;64(13):1299-1306.

FORD ES, BERGMANN MM, KRÖGER J, SCHIENKIEWITZ A, WEIKERT C, BOEING H. « Healthy living is the best revenge: findings from the European Prospective Investigation Into Cancer and Nutrition-Potsdam study ». *Arch Intern Med.* 2009;169(15):1355-1362.

KHAW K-T, WAREHAM NJ, BINGHAM S, WELCH A, LUBEN R, DAY N. « Combined impact of health behaviours and mortality in men and women: the EPIC-Norfolk prospective population study ». Lopez A, directeur de la publication. *PLoS Med.* 2008;5(1):e12.

Statistique Canada. *Consommation de fruits et de légumes, 2011.* statcan.gc.ca.

Statistique Canada. *L'activité physique mesurée directement des adultes canadiens, 2007 à 2011.* statcan.gc.ca.

LOPRINZI PD, BRANSCUM A, HANKS J, SMIT E. Healthy Lifestyle « Characteristics and Their Joint Association With Cardiovascular Disease Biomarkers in US Adults ». *Mayo Clinic Proceedings.* 2016;91(4):1-11.

MAY AM, STRUIJK EA, FRANSEN HP, ET COLL. « The impact of a healthy lifestyle on Disability-Adjusted Life Years: a prospective cohort study ». *BMC Med.* 2015;13(1):39.

GIERMAN HJ, FORTNEY K, ROACH JC, ET COLL. « Whole-Genome Sequencing of the World's Oldest People ». Lewis P, ed. *PLoS ONE.* 2014;9(11):e112430–10.

ORNISH D, LIN J, CHAN JM, ET COLL. « Effect of comprehensive lifestyle changes on telomerase activity and telomere length in men with biopsy-proven low-risk prostate cancer: 5-year follow-up of a descriptive pilot study ». *Lancet Oncology.* 2013;14(11):1112-1120.

CHAPITRE 2 – La maladie coronarienne et ses traitements

COLLES P, JUNEAU M, GRÉGOIRE J, LARIVÉE L, DESIDERI A, WATERS D. « Effect of a standardized meal on the threshold of exercise-induced myocardial ischemia in patients with stable angina ». *Journal of the American College of Cardiology.* 1993;21(5):1052-1057.

JUNEAU M, JOHNSTONE M, DEMPSEY E, WATERS DD. « Exercise-induced myocardial ischemia in a cold environment. Effect of antianginal medications ». *Circulation.* 1989;79(5):1015-1020.

MEYER P, GUIRAUD T, CURNIER D, ET COLL. « Exposure to extreme cold lowers the ischemic threshold in coronary artery disease patients». *Canadian Journal of Cardiology*. 2010;26(2):e50-e53.

LIBBY P, RIDKER PM, HANSSON GK. «Progress and challenges in translating the biology of atherosclerosis». *Nature*. 2011;473(7347):317-325.

GLAGOV S, WEISENBERG E, ZARINS CK, STANKUNAVICIUS R, KOLETTIS GJ. «Compensatory enlargement of human atherosclerotic coronary arteries». *N Engl J Med*. 1987;316(22):1371-1375.

ZIPES DP, WELLENS HJJ. «Sudden Cardiac Death». *Circulation*. 1998;98(21):2334-2351.

ALLAM AH, THOMPSON RC, WANN LS, ET COLL. «Atherosclerosis in Ancient Egyptian Mummies». *JACC: Cardiovascular Imaging*. 2011;4(4):315-327.

THOMPSON RC, ALLAM AH, LOMBARDI GP, ET COLL. «Atherosclerosis across 4000 years of human history: the Horus study of four ancient populations». *The Lancet*. 2013;381(9873):1211-1222.

ENOS WF, HOLMES RH, BEYER J. «Landmark article, July 18, 1953: Coronary disease among United States soldiers killed in action in Korea. Preliminary report. By William F. Enos, Robert H. Holmes and James Beyer». *JAMA*. 1986;256(20):2859-2862.

McNAMARA JJ, MOLOT MA, STREMPLE JF, CUTTING RT. «Coronary artery disease in combat casualties in Vietnam». *JAMA*. 1971;216(7):1185-1187.

BERENSON GS, SRINIVASAN SR, BAO W, NEWMAN WP, TRACY RE, WATTIGNEY WA. «Association between multiple cardiovascular risk factors and atherosclerosis in children and young adults. The Bogalusa Heart Study». *N Engl J Med*. 1998;338(23):1650-1656.

NAPOLI C, D'ARMIENTO FP, MANCINI FP, ET COLL. «Fatty streak formation occurs in human fetal aortas and is greatly enhanced by maternal hypercholesterolemia. Intimal accumulation of low density lipoprotein and its oxidation precede monocyte recruitment into early atherosclerotic lesions». *J Clin Invest*. 1997;100(11):2680-2690.

NAPOLI C, GLASS CK, WITZTUM JL, DEUTSCH R, D'ARMIENTO FP, PALINSKI W. «Influence of maternal hypercholesterolaemia during pregnancy on progression of early atherosclerotic lesions in childhood: Fate of Early Lesions in Children (FELIC) study». *The Lancet*. 1999;354(9186):1234-1241.

STRONG JP, MALCOM GT, McMAHAN CA, ET COLL. «Prevalence and extent of atherosclerosis in adolescents and young adults: implications for prevention from the Pathobiological Determinants of [...]». *JAMA*. 1999.

ANGELINI A, THIENE G, FRESCURA C, BAROLDI G. «Coronary arterial wall and atherosclerosis in youth (1-20 years): a histologic study in a northern Italian population». *International Journal of Cardiology*. 1990;28(3):361-370.

STERNBY NH. «Pathobiological determinants of atherosclerosis in youth (PBDAY Study), 1986-1996». *Bull World Health Organ*. 1999;77(3):250-257.

McGILL HC, McMAHAN CA, HERDERICK EE, MALCOM GT, TRACY RE, STRONG JP. «Origin of atherosclerosis in childhood and adolescence». *American Journal of Clinical Nutrition*. 2000;72(5 Suppl):1307S–1315S.

MARMOT MG, SYME SL, KAGAN A. «Epidemiologic studies of coronary heart disease and stroke in Japanese men living in Japan, Hawaii and California: Prevalence of coronary and hypertensive heart disease and associated risk factors». *American Journal of Epidemiology*. 1975;102(6):514-525.

MARMOT MG, SYME SL. «Acculturation and coronary heart disease in Japanese-Americans». *American Journal of Epidemiology*. 1976;104(3):225-247.

MOZAFFARIAN D. «The promise of lifestyle for cardiovascular health: time for implementation».

Journal of the American College of Cardiology. 2014;64(13):1307-1309.

BROWN MS, GOLDSTEIN JL. « A receptor-mediated pathway for cholesterol homeostasis ». *Science* 1986 4 avril;232(4746):34-47.

STAMLER J, WENTWORTH D, NEATON JD. « Is relationship between serum cholesterol and risk of premature death from coronary heart disease continuous and graded? Findings in 356,222 primary screenees of the Multiple Risk Factor Intervention Trial (MRFIT) ». *JAMA.* 1986;256(20):2823-2828.

ARAVANIS C, CORCONDILAS A, DONTAS AS, LEKOS D, KEYS A. « Coronary heart disease in seven countries. IX. The Greek islands of Crete and Corfu ». *Circulation.* 1970;41(4 Suppl):I88-I100.

WILSON PW, ABBOTT RD, CASTELLI WP. « High density lipoprotein cholesterol and mortality. The Framingham Heart Study ». *Arterioscler Thromb Vasc Biol.* 1988;8(6):737-741.

KEARNEY PM, WHELTON M, REYNOLDS K, MUNTNER P, WHELTON PK, HE J. « Global burden of hypertension: analysis of worldwide data ». *The Lancet.* 2005;365(9455):217-223.

LEWINGTON S, CLARKE R, QIZILBASH N, PETO R, COLLINS R, PROSPECTIVE STUDIES COLLABORATION. « Age-specific relevance of usual blood pressure to vascular mortality: a meta-analysis of individual data for one million adults in 61 prospective studies ». *The Lancet.* 2002;360(9349):1903-1913.

The SPRINT Research Group. « A Randomized Trial of Intensive versus Standard Blood-Pressure Control ». *N Engl J Med.* 2015;373(22):2103-2116.

LONN EM, BOSCH J, LOPEZ-JARAMILLO P, ET COLL. « Blood-Pressure Lowering in Intermediate-Risk Persons without Cardiovascular Disease ». *N Engl J Med.* April 2016:NEJMoa1600175–12.

LIU K, COLANGELO LA, DAVIGLUS ML, ET COLL. « Can Antihypertensive Treatment Restore the Risk of Cardiovascular Disease to Ideal Levels?: The Coronary Artery Risk Development in Young Adults (CARDIA) Study and the Multi-Ethnic Study of Atherosclerosis (MESA) ». *J Am Heart Assoc.* 2015;4(9):e002275–12.

MATHIEU P, PIBAROT P, DESPRÉS J-P. « Metabolic syndrome: the danger signal in atherosclerosis ». *Vascular Health and Risk Management.* 2006;2(3):285-302.

DESPRÉS J-P. « Obesity and Cardiovascular Disease: Weight Loss Is Not the Only Target ». *Canadian Journal of Cardiology.* 2015;31(2):216-222.

GAUDET D, VOHL MC, Perron P, et coll. « Relationships of abdominal obesity and hyperinsulinemia to angiographically assessed coronary artery disease in men with known mutations in the LDL receptor [...] ». *Circulation.* 1998;97:871-877.

GRUNDY SM, BENJAMIN IJ, BURKE GL, ET COLL. « Diabetes and Cardiovascular Disease : A Statement for Healthcare Professionals From the American Heart Association ». *Circulation.* 1999;100(10):1134-1146.

CHOW CK, JOLLY S, RAO-MELACINI P, FOX KAA, ANAND SS, YUSUF S. « Association of Diet, Exercise, and Smoking Modification With Risk of Early Cardiovascular Events After Acute Coronary Syndromes ». *Circulation.* 2010;121(6):750-758.

CHAPITRE 4 – Alimentation et maladies cardiovasculaires

MOUBARAC J-C, BATAL M, MARTINS APB, ET COLL. « Processed and ultra-processed food products: consumption trends in Canada from 1938 to 2011 ». *Can J Diet Pract Res.* 2014;75(1):15-21.

MARTÍNEZ STEELE E, BARALDI LG, LOUZADA MLDC, MOUBARAC J-C, MOZAFFARIAN D, MONTEIRO CA. « Ultra-processed foods and added sugars in the US diet: evidence from a nationally representative cross-sectional study ». 2016;6(3):e009892-e009899.

LOCK K, POMERLEAU J, CAUSER L, ALTMANN DR, McKEE M. « The global burden of disease attributable to low consumption of fruit and vegetables: implications for the global strategy on diet ». *Bull World Health Organ.* 2005;83(2):100-108.

USDA. *Scientific Report of the 2015 Dietary Guidelines Advisory Committee.* 2015:1-571.

Ministère de la Santé et des Services sociaux du Québec. *Plan stratégique du ministère de la Santé et des Services sociaux du Québec – 2015-2020.* Novembre 2015:1-33.

HU FB. « Plant-based foods and prevention of cardiovascular disease: an overview ». *American Journal of Clinical Nutrition.* 2003;78 (3 Suppl):544S–551S.

CROWE FL, RODDAM AW, KEY TJ, ET COLL. « Fruit and vegetable intake and mortality from ischaemic heart disease: results from the European Prospective Investigation into Cancer and Nutrition (EPIC)-Heart study ». *European Heart Journal.* 2011;32(10):1235-1243.

DU H, LI L, BENNETT D, ET COLL. « Fresh Fruit Consumption and Major Cardiovascular Disease in China ». 2016;374:1332-1343.

JOSHIPURA KJ, HU FB, MANSON JE, ET COLL. « The effect of fruit and vegetable intake on risk for coronary heart disease ». *Ann Intern Med.* 2001;134(12):1106-1114.

LIU RH. « Health benefits of fruit and vegetables are from additive and synergistic combinations of phytochemicals ». *American Journal of Clinical Nutrition.* 2003;78(3 Suppl):517S–520S.

FORTMANN SP, BURDA BU, SENGER CA, LIN JS, WHITLOCK EP. « Vitamin and Mineral Supplements in the Primary Prevention of Cardiovascular Disease and Cancer: An Updated Systematic Evidence Review for the U.S.

Preventive Services Task Force ». *Ann Intern Med.* 2013;159(12):824–834–15.

IVEY KL, HODGSON JM, CROFT KD, LEWIS JR, PRINCE RL. « Flavonoid intake and all-cause mortality ». *Am J Clin Nutr.* 2015;101(5):1012-1020.

LAJOUS M, ROSSIGNOL E, FAGHERAZZI G, ET COLL. « Flavonoid intake and incident hypertension in women ». *Am J Clin Nutr.* 2016;103(4):1091-1098.

ALISSA EM, FERNS GA. « Dietary Fruits and Vegetables and Cardiovascular Diseases Risk ». *Critical Reviews in Food Science and Nutrition.* Juillet 2015:00-00.

MIEDEMA MD, PETRONE A, SHIKANY JM, ET COLL. « Association of Fruit and Vegetable Consumption During Early Adulthood With the Prevalence of Coronary Artery Calcium After 20 Years of Follow-Up: The Coronary Artery Risk Development in Young Adults (CARDIA) Study ». *Circulation.* 2015;132(21):1990-1998.

MINAKER L, HAMMOND D. « Low Frequency of Fruit and Vegetable Consumption Among Canadian Youth: Findings From the 2012/2013 Youth Smoking Survey ». *J Sch Health.* 2016;86(2):135-142.

MITKA M. « New Dietary Guidelines Place Added Sugars in the Crosshairs ». *JAMA.* Mars 2016:1-2.

MALIK VS, POPKIN BM, BRAY GA, DESPRÉS J-P, HU FB. « Sugar-sweetened beverages, obesity, type 2 diabetes mellitus, and cardiovascular disease risk ». *Circulation.* 2010;121(11):1356-1364.

DE KONING L, MALIK VS, RIMM EB, WILLETT WC, HU FB. « Sugar-sweetened and artificially sweetened beverage consumption and risk of type 2 diabetes in men ». *Am J Clin Nutr.* 2011;93(6):1321-1327.

FUNG TT, MALIK V, REXRODE KM, MANSON JE, WILLETT WC, HU FB. « Sweetened beverage consumption and risk of coronary heart disease in women ». *American Journal of Clinical Nutrition.* 2009;89(4):1037-1042.

DE KONING L, MALIK VS, KELLOGG MD, RIMM EB, WILLETT WC, HU FB. « Sweetened beverage consumption, incident coronary heart disease, and biomarkers of risk in men ». *Circulation.* 2012;125(14):1735–41–S1.

YANG Q, ZHANG Z, GREGG EW, FLANDERS WD, MERRITT R, HU FB. « Added Sugar Intake and Cardiovascular Diseases Mortality Among US Adults ». *JAMA Intern Med.* 2014;174(4):516-519.

Dietary Sugars Intake and Cardiovascular Health: A Scientific Statement From the American Heart Association. 2009;120(11):1011-1020.

LIBBY P, HANSSON GK. « Inflammation and immunity in diseases of the arterial tree: players and layers ». *Circulation Research.* 2015;116(2):307-311.

JOHNSON RK, APPEL LJ, BRANDS M, ET COLL. Dietary Sugars Intake and Cardiovascular Health: A Scientific Statement From the American Heart Association. *Circulation.* 2009;120(11):1011-1020.

BROWN IJ, STAMLER J, VAN HORN L, ET COLL. « Sugar-Sweetened Beverage, Sugar Intake of Individuals, and Their Blood Pressure: International Study of Macro/Micronutrients and Blood Pressure ». *Hypertension.* 2011;57(4):695-701.

DHINGRA R, SULLIVAN L, JACQUES PF, ET COLL. « Soft drink consumption and risk of developing cardiometabolic risk factors and the metabolic syndrome in middle-aged adults in the community ». *Circulation.* 2007;116(5):480-488.

SWITHERS SE. « Artificial sweeteners produce the counterintuitive effect of inducing metabolic derangements ». *Trends in Endocrinology & Metabolism.* 2013;24(9):431-441.

WANG Q-P, LIN YQ, ZHANG L, ET COLL. « Sucralose Promotes Food Intake through NPY and a Neuronal Fasting Response ». *Cell Metabolism.* 2016;24(1):75-90.

SUEZ J, KOREM T, ZEEVI D, ET COLL. « Artificial sweeteners induce glucose intolerance by altering the gut microbiota ». *Nature.* Septembre 2014:1-17.

PEREIRA MA, O'REILLY E, AUGUSTSSON K, ET COLL. « Dietary fiber and risk of coronary heart disease: a pooled analysis of cohort studies ». *Arch Intern Med.* 2004;164(4):370-376.

CHEN GC, TONG X, XU JY, ET COLL. « Whole-grain intake and total, cardiovascular, and cancer mortality: a systematic review and meta-analysis of prospective studies ». *American Journal of Clinical Nutrition.* 2016;104(1):164-172.

AUNE D, KEUM N, GIOVANNUCCI EL, ET COLL. « Whole grain consumption and risk of cardiovascular disease, cancer, and all cause and cause specific mortality: systematic review and dose-response meta-analysis of prospective studies ». *BMJ.* 2016;353:i2716–14.

ZONG G, GAO A, HU FB, SUN Q. « Whole Grain Intake and Mortality From All Causes, Cardiovascular Disease, and Cancer. CLINICAL PERSPECTIVE ». *Circulation.* 2016;133(24):2370-2380.

USDA Dietary Guidelines Advisory Committee. *USDA 2015 Diet Guidelines.* 2015:1-571.

LEVINE ME, SUAREZ JA, BRANDHORST S, ET COLL. « Low protein intake is associated with a major reduction in IGF-1, cancer, and overall mortality in the 65 and younger but not older population ». *Cell Metabolism.* 2014;19(3):407-417.

SINHA R, CROSS AJ, GRAUBARD BI, LEITZMANN MF, SCHATZKIN A. « Meat intake and mortality: a prospective study of over half a million people ». *Arch Intern Med.* 2009;169(6):562-571.

PAN A, SUN Q, BERNSTEIN AM, ET COLL. « Red Meat Consumption and Mortality ». *Arch Intern Med.* 2012;172(7):555-559.

KROMHOUT D, BOSSCHIETER EB, DE LEZENNE COULANDER C. « The inverse relation between fish consumption and 20-year mortality from coronary heart disease ». *N Engl J Med.* 1985;312(19):1205-1209.

« Meat consumption and mortality – results from the European Prospective Investigation into Cancer and Nutrition ». *BMC Medicine.* 2013;11(1):63.

ABETE I, ROMAGUERA D, VIEIRA AR, LOPEZ DE MUNAIN A, NORAT T. « Association between total, processed, red and white meat consumption and all-cause, CVD and IHD mortality: a meta-analysis of cohort studies ». *Br J Nutr.* 2014;112(05):762-775.

MICHA R, MICHAS G, MOZAFFARIAN D. « Unprocessed Red and Processed Meats and Risk of Coronary Artery Disease and Type 2 Diabetes – An Updated Review of the Evidence ». *Curr Atheroscler Rep.* 2012;14(6):515-524.

MICHA R, WALLACE SK, MOZAFFARIAN D. « Red and Processed Meat Consumption and Risk of Incident Coronary Heart Disease, Stroke, and Diabetes Mellitus: A Systematic Review and Meta-Analysis ». *Circulation.* 2010;121(21):2271-2283.

LAJOUS M, BIJON A, FAGHERAZZI G, ROSSIGNOL E, BOUTRON-RUAULT M-C, CLAVEL-CHAPELON F. « Processed and unprocessed red meat consumption and hypertension in women ». *American Journal of Clinical Nutrition.* 2014;100(3):948-952.

KALUZA J, AKESSON A, WOLK A. « Processed and Unprocessed Red Meat Consumption and Risk of Heart Failure ». *Circulation: Heart Failure.* 2014;7(4):552-557.

SONG M, FUNG TT, HU FB, ET COLL. « Association of Animal and Plant Protein Intake With All-Cause and Cause-Specific Mortality ». *JAMA Intern Med.* Août 2016:1-11.

MOZAFFARIAN D, HAO T, RIMM EB, WILLETT WC, HU FB. « Changes in Diet and Lifestyle and Long-Term Weight Gain in Women and Men ». *N Engl J Med.* 2011;364(25):2392-2404.

FRETTS AM, FOLLIS JL, NETTLETON JA, ET COLL. « Consumption of meat is associated with higher fasting glucose and insulin concentrations regardless of glucose and insulin genetic risk scores: a meta-analysis of 50,345 Caucasians ». *Am J Clin Nutr.* 2015;102(5):1266-1278.

BERNSTEIN AM, SUN Q, HU FB, STAMPFER MJ, MANSON JE, WILLETT WC. « Major dietary protein sources and risk of coronary heart disease in women ». *Circulation.* 2010;122(9):876-883.

SOEDAMAH-MUTHU SS, DING EL, AL-DELAIMY WK, ET COLL. « Milk and dairy consumption and incidence of cardiovascular diseases and all-cause mortality: dose-response meta-analysis of prospective cohort studies ». *American Journal of Clinical Nutrition.* 2010;93(1):158-171.

SIRI-TARINO PW, CHIU S, BERGERON N, KRAUSS RM. « Saturated Fats Versus Polyunsaturated Fats Versus Carbohydrates for Cardiovascular Disease Prevention and Treatment ». *Annu Rev Nutr.* 2015;35(1):517-543.

ASTRUP A. « Yogurt and dairy product consumption to prevent cardiometabolic diseases: epidemiologic and experimental studies ». *American Journal of Clinical Nutrition.* 2014;99(5):1235S–1242S.

YAKOOB MY, SHI P, WILLETT WC, ET COLL. « Circulating Biomarkers of Dairy Fat and Risk of Incident Diabetes Mellitus Among US Men and Women in Two Large Prospective Cohorts ». *Circulation.* Mars 2016:CIRCULATIONAHA.115.018410-CIRCULATIONAHA.115.018446.

HU FB. « A Prospective Study of Egg Consumption and Risk of Cardiovascular Disease in Men and Women ». *JAMA.* 1999;281(15):1387-1388.

Virtanen JK, Mursu J, Virtanen HE, et coll. « Associations of egg and cholesterol intakes with carotid intima-media thickness and risk of incident coronary artery disease according to apolipoprotein E phenotype in men: the Kuopio Ischaemic Heart Disease Risk Factor Study ». *American Journal of Clinical Nutrition*. February 2016:1-7.

Spence JD, Jenkins DJA, Davignon J. « Dietary cholesterol and egg yolks: Not for patients at risk of vascular disease ». *Canadian Journal of Cardiology*. 2010;26(9):e336-e339.

Larsson SC, Akesson A, Wolk A. « Egg consumption and risk of heart failure, myocardial infarction, and stroke: results from 2 prospective cohorts ». *Am J Clin Nutr*. 2015;102(5):1007-1013.

Tang WHW, Wang Z, Levison BS, et coll. « Intestinal Microbial Metabolism of Phosphatidylcholine and Cardiovascular Risk ». *N Engl J Med*. 2013;368(17):1575-1584.

Zhu W, Gregory JC, Org E, et coll. « Gut Microbial Metabolite TMAO Enhances Platelet Hyperreactivity and Thrombosis Risk ». *Cell*. 2016;165(1):1-15.

Wang Z, Roberts AB, Buffa JA, et coll. « Non-lethal Inhibition of Gut Microbial Trimethylamine Production for the Treatment of Atherosclerosis ». *Cell*. 2015;163(7):1585-1595.

Routaboul JM. « Trienoic Fatty Acids Are Required to Maintain Chloroplast Function at Low Temperatures ». *Plant Physiology*. 2000;124(4):1697-1705.

Jakobsen MU, O'Reilly EJ, Heitmann BL, et coll. « Major types of dietary fat and risk of coronary heart disease: a pooled analysis of 11 cohort studies ». *American Journal of Clinical Nutrition*. 2009;89(5):1425-1432.

Mozaffarian D, Micha R, Wallace S. « Effects on Coronary Heart Disease of Increasing Polyunsaturated Fat in Place of Saturated Fat: A Systematic Review and Meta-Analysis of Randomized Controlled Trials ». Katan MB, directeur de la publication. *PLoS Med*. 2010;7(3):e1000252-10.

Li Y, Hruby A, Bernstein AM, et coll. « Saturated Fats Compared With Unsaturated Fats and Sources of Carbohydrates in Relation to Risk of Coronary Heart Disease: A Prospective Cohort Study ». *Journal of the American College of Cardiology*. 2015;66(14):1538-1548.

Wang DD, Li Y, Chiuve SE, et coll. Association of Specific Dietary Fats With Total and Cause-Specific Mortality. *JAMA Intern Med*. July 2016:1-12.

Scientific American, Inc.« Eating to live ». *Scientific American*. Novembre 2006:1-89.

Ramsden CE, Zamora D, Majchrzak-Hong S, et coll. « Re-evaluation of the traditional diet-heart hypothesis: analysis of recovered data from Minnesota Coronary Experiment (1968-73) ». *BMJ*. 2016;353:i1246–17.

Howard BV, Van Horn L, Hsia J, et coll. « Low-fat dietary pattern and risk of cardiovascular disease: the Women's Health Initiative Randomized Controlled Dietary Modification Trial ». *JAMA*. 2006;295(6):655-666.

Mente A, de Koning L, Shannon HS, Anand SS. « A Systematic Review of the Evidence Supporting a Causal Link Between Dietary Factors and Coronary Heart Disease ». *Arch Intern Med*. 2009;169(7):659–11.

Frontline. Entrevue avec Walter Willett M. D. « Diet Wars », PBS.

Price C. « The cereal box is lying to you — and so is every other label: Why you can't trust that "nutrition" information ». Salon, http://www.salon.com/2016/04/23 the_cereal_box_is_lying_to_you_and_so_is_every_other_label_why_you_cant_trust_that_nutrition_information/

Martínez-González MA, Sánchez-Tainta A, Corella D, et coll. « A provegetarian food pattern and reduction in total mortality in the Prevención con Dieta Mediterránea (PREDIMED) study ». *Am J Clin Nutr.* 2014;100 Suppl 1(Supplement_1):320S–8S.

Chapitre 5 – Alimentation : effets sur la santé des humains et de la planète

FAO. *Mediterranean Food Consumption Patterns and Health: Diet, Environment, Society, Economy.* 2015:1-76.

Estruch R, Ros E, Salas-Salvadó J, et coll. « Primary Prevention of Cardiovascular Disease with a Mediterranean Diet ». *N Engl J Med.* 2013;368(14):1279-1290.

Salas-Salvadó J, Bulló M, Estruch R, et coll. « Prevention of diabetes with Mediterranean diets: a subgroup analysis of a randomized trial ». *Ann Intern Med.* 2014;160(1):1-10.

Toledo E, Salas-Salvadó J, Donat-Vargas C, et coll. « Mediterranean Diet and Invasive Breast Cancer Risk Among Women at High Cardiovascular Risk in the PREDIMED Trial ». *JAMA Intern Med.* 2015;175(11):1752-1759.

Martinez-Lapiscina EH, Clavero P, Toledo E, et coll. « Mediterranean diet improves cognition: the PREDIMED-NAVARRA randomised trial ». *Journal of Neurology, Neurosurgery & Psychiatry.* 2013;84(12):1318-1325.

De Lorgeril M, Salen P, Martin JL, Monjaud I, Delaye J, Mamelle N. « Mediterranean diet, traditional risk factors, and the rate of cardiovascular complications after myocardial infarction: final report of the Lyon Diet Heart Study ». *Circulation.* 1999;99(6):779-785.

De Lorgeril M. « Mediterranean Diet and Cardiovascular Disease: Historical Perspective and Latest Evidence ». *Curr Atheroscler Rep.* 2013;15(12):370-375.

Key TJ, Fraser GE, Thorogood M, et coll. « Mortality in vegetarians and nonvegetarians: detailed findings from a collaborative analysis of 5 prospective studies ». *American Journal of Clinical Nutrition.* 1999;70(3 Suppl):516S–524S.

Huang T, Yang B, Zheng J, Li G, Wahlqvist ML, Li D. « Cardiovascular Disease Mortality and Cancer Incidence in Vegetarians: A Meta-Analysis and Systematic Review ». *Ann Nutr Metab.* 2012;60(4):233-240.

Orlich MJ, Singh PN, Sabaté J, et coll. « Vegetarian Dietary Patterns and Mortality in Adventist Health Study 2 ». *JAMA Intern Med.* 2013;173(13):1230-1238.

Key TJ, Fraser GE, Thorogood M, et coll. « Mortality in vegetarians and non-vegetarians: a collaborative analysis of 8300 deaths among 76,000 men and women in five prospective studies ». *Public Health Nutr.* 1998;1(1):33-41.

Hubbard JD, Inkeles S, Barnard RJ. « Nathan Pritikin's heart ». *N Engl J Med.* 1985;313:52.

Ornish D, Scherwitz L, Billings JH, et coll. « Intensive lifestyle changes for reversal of coronary heart disease ». *JAMA.* 1998;280(23):2001-2007.

Gould KL, Ornish D, Scherwitz L, et coll. « Changes in myocardial perfusion abnormalities by positron emission tomography after long-term, intense risk factor modification ». *JAMA.* 1995;274(11):894-901.

Ornish D, Brown SE, Scherwitz L, et coll. « Can lifestyle changes reverse coronary heart disease? The Lifestyle Heart Trial ». *The Lancet.* 1990;336(8708):129-133.

Esselstyn CB, Gendy G, Doyle J, Golubic M, Roizen MF. « A way to reverse CAD? » *Journal of Family Practice.* 2014;63(7):356–364b; http://dresselstyn.com/JFP_06307_Article1.pdf.

Conason J. « Bill Clinton Reveals How He Became a Vegan ». *AARP The Magazine*, août-septembre 2013; http://www.aarp.org/health/

healthy-living/info-08-2013/bill-clinton-vegan. html.

Keys A. « Mediterranean diet and public health: personal reflections ». *American Journal of Clinical Nutrition.* 1995;61(6 Suppl):1321S–1323S.

FAO. *L'ombre portée de l'élevage: 3. Rôle de l'élevage dans le changement climatique et la pollution atmosphérique.* Novembre 2009:1-53.

GIEC. *Summary for Policymakers.* 2015:1-32; https://ipcc.ch/pdf/assessment-report/ar5/wg3/ipcc_wg3_ar5_summary-for-policymakers.pdf.

Vermeulen SJ, Campbell BM, Ingram JSI. « Climate Change and Food Systems ». *Annu Rev Environ Resourc.* 2012;37(1):195-222.

Tilman D, Clark M. « Global diets link environmental sustainability and human health ». *Nature.* 2014;515(7528):518-522.

Popkin BM. « Reducing Meat Consumption Has Multiple Benefits for the World's Health ». *Arch Intern Med.* 2009;169(6):543-543.

McMichael AJ, Powles JW, Butler CD, Uauy R. « Food, livestock production, energy, climate change, and health ». *The Lancet.* 2007;370(9594):1253-1263.

Springmann M, Godfray HCJ, Rayner M, Scarborough P. « Analysis and valuation of the health and climate change cobenefits of dietary change ». *Proceedings of the National Academy of Sciences.* Mars 2016:201523119–6.

Greenpeace. *Ecological Livestock.* 2012:1-36.

Chapitre 6 – L'exercice : la meilleure médecine

Bramble DM, Lieberman DE. « Endurance running and the evolution of Homo ». *Nature.* 2004;432(7015):345-352.

Dunstan DW, Barr ELM, Healy GN, et coll. « Television Viewing Time and Mortality: The Australian Diabetes, Obesity and Lifestyle Study (AusDiab) ». *Circulation.* 2010;121(3):384-391.

Grøntved A, Hu FB. « Television Viewing and Risk of Type 2 Diabetes, Cardiovascular Disease, and All-Cause Mortality ». *JAMA.* 2011;305(23):2448-2448.

Matthews CE, George SM, Moore SC, et coll. « Amount of time spent in sedentary behaviors and cause-specific mortality in US adults ». *American Journal of Clinical Nutrition.* 2012;95(2):437-445.

Gouvernement du Canada. *CRTC. Rapport de surveillance des communications – Juillet 2011.* 2011:1-224; http://crtc.gc.ca/fra/publications/reports/PolicyMonitoring/2011/cmr2011.pdf

Booth FW, Roberts CK, Laye MJ. « Lack of exercise is a major cause of chronic diseases ». *Compr Physiol.* 2012;2(2):1143-1211.

Paffenbarger RS, Blair SN, Lee IM. « A history of physical activity, cardiovascular health and longevity: the scientific contributions of Jeremy N Morris, DSc, DPH, FRCP ». *Int J Epidemiol.* 2001;30:1184-1192.

Paffenbarger RS, Laughlin ME, Gima AS, Black RA. « Work activity of longshoremen as related to death from coronary heart disease and stroke ». *N Engl J Med.* 1970;282(20):1109-1114.

Paffenbarger RS, Hale WE. « Work activity and coronary heart mortality ». *N Engl J Med.* 1975;292(11):545-550.

Brunner D, Manelis G. « Myocardial infarction among members of communal settlements in Israel ». *The Lancet.* 1960;276:1049-1050.

Brunner D, Manelis G, Modan M, Levin S. « Physical activity at work and the incidence of myocardial infarction, angina pectoris and death due to ischemic heart disease. An epidemiological study in Israeli collective settlements (Kibbutzim) ». *J Chronic Dis.* 1974;27(4):217-233.

Paffenbarger RS, Hyde RT, Wing AL, Hsieh CC. « Physical activity, all-cause mortality, and longevity of college alumni ». *N Engl J Med.* 1986;314(10):605-613.

MOORE SC, LEE IM, WEIDERPASS E, ET COLL. « Association of Leisure-Time Physical Activity With Risk of 26 Types of Cancer in 1.44 Million Adults ». *JAMA Intern Med.* Mai 2016:1-10.

TUOMILEHTO J, LINDSTRÖM J, ERIKSSON JG, ET COLL. « Prevention of type 2 diabetes mellitus by changes in lifestyle among subjects with impaired glucose tolerance ». *N Engl J Med.* 2001;344(18):1343-1350.

DEFINA LF, WILLIS BL, RADFORD NB, ET COLL. « The association between midlife cardiorespiratory fitness levels and later-life dementia: a cohort study ». *Ann Intern Med.* 2013;158(3):162-168.

ROWE GC, SAFDAR A, ARANY Z. « Running Forward: New Frontiers in Endurance Exercise Biology ». *Circulation.* 2014;129(7):798-810.

Avis du comité scientifique de Kino-Québec. *Quantité d'activité physique requise pour en retirer des bénéfices pour la santé.* Mai 1999:1-26.

WEN CP, WAI JPM, TSAI MK, ET COLL. « Minimum amount of physical activity for reduced mortality and extended life expectancy: a prospective cohort study ». *The Lancet.* 2011;378(9798):1244-1253.

HAKIM AA, PETROVITCH H, BURCHFIEL CM, ET COLL. « Effects of walking on mortality among nonsmoking retired men ». *N Engl J Med.* 1998;338(2):94-99.

WEN CP, WAI JPM, TSAI MK, CHEN CH. « Minimal Amount of Exercise to Prolong Life ». *Journal of the American College of Cardiology.* 2014;64(5):482-484.

LEE D-C, PATE RR, LAVIE CJ, SUI X, CHURCH TS, BLAIR SN. « Leisure-time running reduces all-cause and cardiovascular mortality risk ». *Journal of the American College of Cardiology.* 2014;64(5):472-481.

BLAIR SN, KOHL HW 3RD, PAFFENBARGER RS, CLARK DG, COOPER KH, GIBBONS LW. « Physical fitness and all-cause mortality. A prospective study of healthy men and women ». *JAMA.* 1989;262(17):2395-2401.

LA GERCHE A. « The Potential Cardiotoxic Effects of Exercise ». *Canadian Journal of Cardiology.* February 2016:1-8.

FRIES JF. « Measuring and Monitoring Success in Compressing Morbidity ». *Ann Intern Med.* 2003;139(5_Part_2):455-455.

WANG BWE, RAMEY DR, SCHETTLER JD, HUBERT HB, FRIES JF. « Postponed development of disability in elderly runners: a 13-year longitudinal study ». *Arch Intern Med.* 2002;162(20):2285-2294.

MARON BJ, PELLICCIA A. « The Heart of Trained Athletes: Cardiac Remodeling and the Risks of Sports, Including Sudden Death ». *Circulation.* 2006;114(15):1633-1644.

ANDERSEN K, FARAHMAND B, AHLBOM A, ET COLL. « Risk of arrhythmias in 52 755 long-distance cross-country skiers: a cohort study ». *European Heart Journal.* 2013;34(47):3624-3631.

AIZER A, GAZIANO JM, COOK NR, MANSON JE, BURING JE, ALBERT CM. « Relation of Vigorous Exercise to Risk of Atrial Fibrillation ». *The American Journal of Cardiology.* 2009;103(11):1572-1577.

BENITO B, GAY-JORDI G, SERRANO-MOLLAR A, ET COLL. « Cardiac Arrhythmogenic Remodeling in a Rat Model of Long-Term Intensive Exercise Training ». *Circulation.* 2011;123(1):13-22.

GUASCH E, BENITO B, QI X, ET COLL. « Atrial Fibrillation Promotion by Endurance Exercise ». *Journal of the American College of Cardiology.* 2013;62(1):68-77.

FASELIS C, KOKKINOS P, TSIMPLOULIS A, ET COLL. « Exercise Capacity and Atrial Fibrillation Risk in Veterans: A Cohort Study ». *Mayo Clinic Proceedings.* 2016;91(5):558-566.

La Gerche A, Claessen G, Dymarkowski S, et coll. « Exercise-induced right ventricular dysfunction is associated with ventricular arrhythmias in endurance athletes ». *European Heart Journal.* 2015;36(30):1998-2010.

Kim JH, Malhotra R, Chiampas G, et coll. « Cardiac arrest during long-distance running races ». *N Engl J Med.* 2012;366(2):130-140.

Harris KM, Henry JT, Rohman E, Haas TS, Maron BJ. « Sudden death during the triathlon ». *JAMA.* 2010;303(13):1255-1257.

Guiraud T, Juneau M, Nigam A, et coll. « Optimization of high intensity interval exercise in coronary heart disease ». *Eur J Appl Physiol.* 2010;108(4):733-740.

Gillen JB, Martin BJ, MacInnis MJ, Skelly LE, Tarnopolsky MA, Gibala MJ. « Twelve Weeks of Sprint Interval Training Improves Indices of Cardiometabolic Health Similar to Traditional Endurance Training despite a Five-Fold Lower Exercise Volume and Time Commitment ». Sandbakk Ø, directeur de la publication. *PLoS ONE.* 2016;11(4):e0154075–14.

Hankinson AL, Daviglus ML, Bouchard C, et coll. « Maintaining a High Physical Activity Level Over 20 Years and Weight Gain ». *JAMA.* 2010;304(23):2603-2608.

Westerterp KR, Speakman JR. « Physical activity energy expenditure has not declined since the 1980s and matches energy expenditures of wild mammals ». *Int J Obes Relat Metab Disord.* 2008;32(8):1256-1263.

Zhang H-J, He J, Pan L-L, et coll. « Effects of Moderate and Vigorous Exercise on Nonalcoholic Fatty Liver Disease ». *JAMA Intern Med.* July 2016:1-9.

Verheggen RJHM, Maessen MFH, Green DJ, Hermus ARMM, Hopman MTE, Thijssen DHT. « A systematic review and meta-analysis on the effects of exercise training versus hypocaloric diet: distinct effects on body weight and visceral adipose tissue ». *Obes Rev.* Mai 2016:1-27.

Brook RD, Rajagopalan S, Pope CA, et coll. « Particulate Matter Air Pollution and Cardiovascular Disease: An Update to the Scientific Statement From the American Heart Association ». *Circulation.* 2010;121(21):2331-2378.

Daigle CC, Chalupa DC, Gibb FR, et coll. « Ultrafine Particle Deposition in Humans During Rest and Exercise ». *Inhalation Toxicology.* 2008;15(6):539-552.

Panis LI, de Geus B, Vandenbulcke G, et coll. « Exposure to particulate matter in traffic: A comparison of cyclists and car passengers ». *Atmospheric Environment.* 2010;44(19):1-8.

Bérubé N. « Qualité de l'air: quand Montréal est pire que Pékin ». *La Presse*, 25 mai 2016.

Saltin B, Blomqvist G, Mitchell JH, Johnson RL, Wildenthal K, Chapman CB. « Response to exercise after bed rest and after training ». *Circulation.* 1968;38(5 Suppl):VII1-VII78.

McGuire DK, Levine BD, Williamson JW, Snell PG. « A 30-year follow-up of the Dallas Bed Rest and Training Study I. Effect of age on the cardiovascular response to exercise ». *Circulation.* 2001;104:1350-1357.

Chapitre 7 – Stress et maladies cardiaques

Cannon WB. « Voodoo death ». *American Anthropologist.* 1942;44:169-181.

Engel GL. « Sudden and rapid death during psychological stress. Folklore or folk wisdom? » *Ann Intern Med.* 1971;74(5):771-782.

Kitamura T, Kiyohara K, Iwami T. The great east Japan earthquake and out-of-hospital cardiac arrest. *N Engl J Med.* 2013;369(22):2165-2167.

LEOR J, POOLE WK, KLONER RA. « Sudden cardiac death triggered by an earthquake ». *N Engl J Med.* 1996;334(7):413-419.

KARIO K, MCEWEN BRUCE S, PICKERING THOMAS G. « Disasters and the Heart: a Review of the Effects of Earthquake-Induced Stress on Cardiovascular Disease ». *Hypertens Res.* 2003;26(5):355-367.

SKERRETT PJ. « The science behind "broken heart syndrome". » health.harvard.edu: http://www.health.harvard.edu/blog/the-science-behind-broken-heart-syndrome-201202144256; 14 février 2012.

BYBEE KA, PRASAD A. « Stress-Related Cardiomyopathy Syndromes ». *Circulation.* 2008;118(4):397-409.

AKASHI YJ, NEF HM, LYON AR. « Epidemiology and pathophysiology of Takotsubo syndrome ». *Nat Rev Cardiol.* 2015;12(7):387-397.

GHADRI JR, SARCON A, DIEKMANN J, ET COLL. « Happy heart syndrome: role of positive emotional stress in takotsubo syndrome ». *European Heart Journal.* Mars 2016:ehv757-ehv757.

ALLAN R. « John Hunter: Early Association of Type A Behavior With Cardiac Mortality ». *The American Journal of Cardiology.* 2014;114(1):148-150.

YUSUF S, HAWKEN S, ÔUNPUU S, ET COLL. « Effect of potentially modifiable risk factors associated with myocardial infarction in 52 countries (the INTERHEART study): case-control study ». *The Lancet.* 2004;364(9438):937-952.

ROSENGREN A, HAWKEN S, ÔUNPUU S, ET COLL. « Association of psychosocial risk factors with risk of acute myocardial infarction in 11 119 cases and 13 648 controls from 52 countries (the INTERHEART study): case-control study ». *The Lancet.* 2004;364(9438):953-962.

FRASURE-SMITH N, LESPÉRANCE F. « Depression and cardiac risk: present status and future directions ». *Postgraduate Medical Journal.* 2010;86(1014):193-196.

LESPÉRANCE F, FRASURE-SMITH N, JUNEAU M, THEROUX P. « Depression and 1-Year Prognosis in Unstable Angina ». *Arch Intern Med.* 2000;160(9):1354-1357.

LUDWIG DS, KABAT-ZINN J. « Mindfulness in medicine ». *JAMA.* 2008;300(11):1350-1352.

SCHNEIDER RH, GRIM CE, RAINFORTH MV, ET COLL. « Stress reduction in the secondary prevention of cardiovascular disease: randomized, controlled trial of transcendental meditation and health education in Blacks ». *Circulation: Cardiovascular Quality and Outcomes.* 2012;5(6):750-758.

BAUMEISTER RF, BRATSLAVSKY E, FINKENAUER C, VOHS KD. « Bad is stronger than good ». *Review of General Psychology.* 2001;5(4):323-370.

ROZIN P, ROYZMAN EB. « Negativity Bias, Negativity Dominance, and Contagion ». *Pers Soc Psychol Rev.* 2001;5(4):296-320.

CHAPITRE 8 – Le tabac et la cigarette électronique

CDC, OSH, Health OOSA. *Surgeon General's Report: How Tobacco Smoke Causes Disease: The Biology and Behavioral Basis for Smoking-Attributable Disease.* Décembre 2010:1-792.

DOLL R, PETO R, BOREHAM J, SUTHERLAND I. « Mortality in relation to smoking: 50 years' observations on male British doctors ». *BMJ.* 2004;328(7455):1519–0.

PRESCOTT E, HIPPE M, SCHNOHR P, HEIN HO, VESTBO J. « Smoking and risk of myocardial infarction in women and men: longitudinal population study ». *BMJ.* 1998;316(7137):1043-1047.

THUN MJ, HANNAN LM, ADAMS-CAMPBELL LL, ET COLL. « Lung cancer occurrence in never-smokers: an analysis of 13 cohorts and 22 cancer registry studies ». Adami HO, ed. *PLoS Med.* 2008;5(9):e185.

HURT RD, WESTON SA, EBBERT JO, ET COLL. « Myocardial Infarction and Sudden Cardiac Death in

Olmsted County, Minnesota, Before and After Smoke-Free Workplace Laws ». *Arch Intern Med.* 2012;172(21):1635-1637.

Peto R, Whitlock G, Prabhat J. « Effects of Obesity and Smoking on U.S. Life Expectancy ». *N Engl J Med.* 2010;362(9):855-857.

Royal College of Physicians. *Nicotine Without Smoke.* 2016:1-206.

Fagerström KO. « Nicotine: Pharmacology, Toxicity and Therapeutic use ». *Journal of Smoking Cessation.* 2014;9(02):53-59.

Fowler JS, Volkow ND, Wang GJ, et coll. « Inhibition of monoamine oxidase B in the brains of smokers ». *Nature.* 1996;379(6567):733-736.

Chapitre 9 – Les statines en prévention primaire et secondaire

Endo A, Kuroda M, Tsujita Y. « ML-236A, ML-236B, and ML-236C, new inhibitors of cholesterogensis produced by *Penicillium citrinum* ». *The Journal of Antibiotics.* 1976;29(12):1346-1348.

Rea PA. « Statins: From Fungus to Pharma ». *American Scientist,* septembre-octobre 2008; http://www.americanscientist.org/issues/pub/statins-from-fungus-to-pharma.

Sever PS, Dahlöf B, Poulter NR, et coll. « Prevention of coronary and stroke events with atorvastatin in hypertensive patients who have average or lower-than-average cholesterol concentrations, in the Anglo-Scandinavian Cardiac Outcomes Trial—Lipid Lowering Arm (ASCOT-LLA): a multicentre randomised controlled trial ». *The Lancet.* 2003;361(9364):1149-1158.

Sacks FM, Pfeffer MA, Moyé LA, et coll. « The effect of pravastatin on coronary events after myocardial infarction in patients with average cholesterol levels. Cholesterol and Recurrent Events Trial investigators ». *N Engl J Med.* 1996;335(14):1001-1009.

The Long-Term Intervention with Pravastatin in Ischaemic Disease LIPID Study Group. « Prevention of Cardiovascular Events and Death with Pravastatin in Patients with Coronary Heart Disease and a Broad Range of Initial Cholesterol Levels ». *N Engl J Med.* 1998;339(19):1349-1357.

Group HPSC. « MRC/BHF Heart Protection Study of cholesterol lowering with simvastatin in 20 536 high-risk individuals: a randomised placebocontrolled trial ». *The Lancet.* 2002;360(9326):7-22.

Sampson UK, Fazio S, Linton MF. « Residual Cardiovascular Risk Despite Optimal LDL Cholesterol Reduction with Statins: The Evidence, Etiology, and Therapeutic Challenges ». *Curr Atheroscler Rep.* 2011;14(1):1-10.

Cannon CP, Braunwald E, McCabe CH, et coll. « Intensive versus Moderate Lipid Lowering with Statins after Acute Coronary Syndromes ». *N Engl J Med.* 2004;350(15):1495-1504.

Cannon CP, Blazing MA, Giugliano RP, et coll. « Ezetimibe Added to Statin Therapy after Acute Coronary Syndromes ». *N Engl J Med.* 2015;372(25):2387-2397.

« CardioBrief: FDA Panel Rejects Broader Ezetimibe Indication ». *Medpage Cardiology,* 15 décembre 2015; http://www.medpagetoday.com/cardiology/cardiobrief/55256.

Dehghan M, Mente A, Teo KK, et coll. « Relationship between healthy diet and risk of cardiovascular disease among patients on drug therapies for secondary prevention: a prospective cohort study of 31 546 high-risk individuals from 40 countries ». *Circulation.* 2012;126(23):2705-2712.

Shepherd J, Cobbe SM, Ford I, et coll. « Prevention of coronary heart disease with pravastatin in men with hypercholesterolemia. West of Scotland Coronary Prevention Study Group ». *N Engl J Med.* 1995;333(20):1301-1307.

Downs JR, Clearfield M, Weis S, et coll. « Primary Prevention of Acute Coronary Events With Lovastatin in Men and Women With Average Cholesterol Levels ». *JAMA*. 1998;279(20):1615-1622.

The ALLHAT Officers and Coordinators for the ALLHAT Collaborative Research Group. « Major Outcomes in Moderately Hypercholesterolemic, Hypertensive Patients Randomized to Pravastatin vs Usual Care: The Antihypertensive and Lipid-Lowering Treatment to Prevent Heart Attack Trial (ALLHAT-LLT) ». *JAMA*. 2002;288(23):2998-3007.

Yusuf S, Bosch J, Dagenais GR, et coll. « Cholesterol Lowering in Intermediate-Risk Persons without Cardiovascular Disease ». *N Engl J Med*. Avril 2016:NEJMoa1600176–11.

Kollewe J. « World's 10 bestselling prescription drugs made $75bn last year.» *The Guardian*, 27 mars 2014; https://www.theguardian.com/business/2014/mar/27/bestselling-prescription-drugs.

Mandrola J. « Pivoting to Prevention and Population Health Will Not Be an Easy Pill to Swallow ». *Medscape*, 3 avril 2016; http://www.medscape.com/viewarticle/861389.

Matthews A, Herrett E, Gasparrini A, et coll. « Impact of statin related media coverage on use of statins: interrupted time series analysis with UK primary care data ». *BMJ*. Juin 2016:i3283–10.

Belluz J. « How bad reporting on statins may have led thousands to quit their meds ». *Vox*, 29 juin 2016; http://www.vox.com/2016/6/29/12057696/bmj-study-statins-media-influence-health.

Thompson R, et coll.« Concerns about the latest NICE draft guidance on statins ». Juin 2014:1-6; https://www.nice.org.uk/Media/Default/News/NICE-statin-letter.pdf.

Ornish D. « Statins and the soul of medicine ». *The American Journal of Cardiology*. 2002;89(11):1286-1290.

Mikus CR, Boyle LJ, Borengasser SJ, et coll. « Simvastatin impairs exercise training adaptations ». *Journal of the American College of Cardiology*. 2013;62(8):709-714.

Brown MS, Goldstein JL. « Heart attacks: gone with the century? » *Science*. 1996;272(5262):629.

Majeed A. « Prescribing of lipid regulating drugs and admissions for myocardial infarction in England ». *BMJ*. 2004;329(7467):645-645.

Nilsson S, Mölstad S, Karlberg C, Karlsson J-E, Persson L-G. « No connection between the level of exposition to statins in the population and the incidence/mortality of acute myocardial infarction: an ecological study based on Sweden's municipalities ». *J Negat Results Biomed*. 2011;10(1):6.

Vancheri F, Backlund L, Strender L-E, Godman B, Wettermark B. « Time trends in statin utilisation and coronary mortality in Western European countries ». *BMJ Open*. 2016;6(3):e010500.

Verschuren WM, Jacobs DR, Bloemberg BP, et coll. « Serum total cholesterol and long-term coronary heart disease mortality in different cultures. Twenty-five-year follow-up of the seven countries study ». *JAMA*. 1995;274(2):131-136.

Sachdeva A, Cannon CP, Deedwania PC, et coll.« Lipid levels in patients hospitalized with coronary artery disease: An analysis of 136,905 hospitalizations in Get With The Guidelines ». *American Heart Journal*. 2009;157(1):111-117. e112.

Sugiyama T, Tsugawa Y, Tseng C-H, Kobayashi Y, Shapiro MF. « Different Time Trends of Caloric and Fat Intake Between Statin Users and Non-users Among US Adults ». *JAMA Intern Med*. 2014;174(7):1038-1038.

Remerciements

Je tiens d'abord à remercier Denis Gingras, qui m'a énormément aidé à écrire ce livre et sans qui je n'aurais même pas tenté de le faire. Ses connaissances en sciences fondamentales sont un atout précieux de même que sa capacité à résumer simplement des concepts très complexes.

Je remercie tout le personnel du Centre ÉPIC et de l'Institut de Cardiologie de Montréal, qui fait un travail extraordinaire, et en particulier ma secrétaire, Danielle Martel, qui a beaucoup aidé à protéger mon temps consacré à l'écriture du manuscrit.

Je remercie le Dr Denis Roy, directeur général de l'ICM, qui a cru en l'importance de ce projet et qui m'a encouragé à le réaliser.

Je remercie Miléna Stojanac, des Éditions du Trécarré, qui a soutenu ce travail depuis le début.

Finalement, je remercie le Dr Judes Poirier, un grand scientifique pour qui j'ai beaucoup de respect, de m'avoir convaincu d'écrire ce livre.

À propos de l'auteur

Directeur de la prévention de l'Institut de Cardiologie de Montréal et directeur du Centre ÉPIC, le centre de prévention et de réadaptation cardiaque de l'ICM, le Dr Martin Juneau vit à Montréal. Né à Londres de parents canadiens, il a terminé une maîtrise en psychologie clinique à l'Université de Montréal en 1975 et a ensuite entrepris des études de médecine à l'Université de Sherbrooke. Après une résidence en cardiologie dans le réseau de l'Université de Montréal, il a complété un Fellowship en recherche clinique dans le domaine de la prévention cardiovasculaire à l'Université Stanford à Palo Alto, en Californie. À son retour, en 1986, il s'est joint à l'Institut de Cardiologie de Montréal comme cardiologue clinicien et chercheur spécialisé en prévention et réadaptation cardiaque. Il pratique toujours la cardiologie générale et la cardiologie préventive à l'ICM ainsi qu'au Centre ÉPIC, qu'il dirige depuis 1988.

Le Dr Juneau est également un chercheur clinicien qui a publié plus de 130 articles scientifiques et 7 chapitres de livres et donné des centaines de conférences sur invitation autant au Québec qu'à l'échelle internationale. Professeur titulaire de clinique à la Faculté de médecine de l'Université de Montréal, le Dr Juneau a occupé de nombreuses fonctions, dont celle de chef du département de médecine et de cardiologie à l'Institut de Cardiologie de Montréal, directeur des services professionnels à l'Institut de Cardiologie de Montréal, président du jury des examens de cardiologie pour le Collège Royal des Médecins et Chirurgiens du Canada.

Le Dr Juneau est membre de plusieurs conseils d'administration, dont celui de la Fondation de l'Institut de Cardiologie de Montréal et du Grand Défi Pierre Lavoie. Membre fondateur de l'Association canadienne de réadaptation cardiaque, il a été gouverneur pour le Québec de l'American College of Cardiology. Il est aussi coprésident, affaires médicales, de Capsana, une société dédiée à la prévention pour le grand public qui est affiliée à l'Institut de Cardiologie de Montréal.

Il est lauréat de plusieurs prix, dont deux prix de la Société canadienne de cardiologie : le prix Robert Beamish, en 2001, pour l'article qui a eu le plus d'impact en cardiologie, ainsi que le prix Harold N. Segall, en 2006, pour sa contribution à la prévention cardiovasculaire au Canada. Il a reçu le prix du Mérite des Médecins francophones du Canada pour sa contribution à la prévention cardiovasculaire au Canada en 2011, le prix du Professeur au mérite du département de médecine de la Faculté de médecine de l'Université de Montréal, également en 2011, et le prix Innovation sociale du vice-rectorat à la recherche, à la création et à l'innovation de l'Université de Montréal en 2015.

Ses intérêts de recherche sont l'exercice et ses applications en cardiologie, la cardiologie du sport, l'effet du froid et de la température élevée chez les patients porteurs de maladie cardiovasculaire ainsi que le rôle du stress dans les pathologies cardiovasculaires. Le Dr Juneau prêche par l'exemple : adepte du jogging et passionné de planche à voile, de planche à neige et de ski alpin, il pratique une alimentation essentiellement végétarienne depuis plus de 30 ans.

À propos du centre ÉPIC

Le Centre ÉPIC est le centre de prévention et de réadaptation cardiaque de l'Institut de Cardiologie de Montréal. Fondé en 1974 par un groupe de patients qui avaient participé à une étude intitulé « Étude Pilote Institut de Cardiologie de Montréal », d'où le nom ÉPIC, ce centre a été fusionné à l'Institut de Cardiologie de Montréal en 1983. Le Dr Martin Juneau en assure la direction médicale depuis 1988.

Le Centre ÉPIC de l'Institut de Cardiologie de Montréal est le plus grand centre de prévention cardiovasculaire au Canada avec plus de 5000 membres actifs. Ouvert au public, il accueille des adultes de tous les âges en prévention primaire (sans pathologie cardiovasculaire) et des patients porteurs de maladies cardiovasculaires (prévention secondaire et réadaptation cardiaque).

L'équipe de recherche que dirige le Dr Juneau au Centre ÉPIC compte des cardiologues dédiés à la prévention, des physiologistes de l'exercice, des kinésiologues, des infirmières et des nutritionnistes. L'équipe comprend également un important groupe de recherche dirigé par le neuropsychologue Louis Bherer, qui s'intéresse à la prévention du déclin cognitif par l'amélioration des habitudes de vie. L'équipe de cliniciens et de chercheurs du Centre ÉPIC a mis sur pied l'Observatoire de la prévention de l'Institut de Cardiologie de Montréal (observatoireprevention.org), qui a pour mission d'informer la population sur les grands enjeux de la prévention cardiovasculaire.

CRÉDITS ICONOGRAPHIQUES

FRANÇOIS ESCALMEL : 32, 33, 34, 37, 39, 40, 41, 46, 50, 55, 58, 67, 75, 82, 93, 115, 142

MICHEL ROULEAU : 148

GETTY IMAGES : Dean Mitchell / Getty Images 12 ; Sally Anscombe / Getty Images 14 ; Musketeer / Getty Images 16 ; Blend Images - KidStock / Getty Images 18 ; Marcy Maloy / Getty Images 21 ; Image Source / Getty Images 22 ; Image Source / Getty Images 24 ; Ascent Xmedia / Getty Images 27 ; Hero Images / Getty Images 28 ; Science Picture Co / Getty Images 29 ; Science Photo Library - ZEPHYR / Getty Images 30 ; Agence Photographique BSIP / Getty Images 33 ; Science Photo Library / Getty Images 36 ; Westend / Getty Images 61 / Getty Images 41 ; jamesbenet / Getty Images 44 ; Associates - Biophoto / Getty Images 47 ; Vstock LLC / Getty Images 51 ; VOISIN / PHANIE / Getty Images 57 ; Michael Greenberg / Getty Images 59 ; kupicoo / Getty Images 61 ; DigiPub / Getty Images 64 ; Martin Irwin / Getty Images 68 ; Rajko Simunovic / EyeEm / Getty Images 71 ; mark peterson / Getty Images 72 ; Nikola Borovko / EyeEm / Getty Images 73 ; Janine Lamontagne / Getty Images 75 ; Yasuhiro Koyama / EyeEm / Getty Images 76 ; Gary S Chapman / Getty Images 80 ; JGI / Jamie Grill / Getty Images 83 ; Christine Birkett / EyeEm / Getty Images 89 ; John Block / Getty Images 90 ; Georgijevic / Getty Images 95 ; BRETT STEVENS / Getty Images 96 ; Andy Sacks / Getty Images 98 ; SHOSEI / Aflo / Getty Images 101 ; Jetta Productions / Getty Images 106 ; stevecoleimages / Getty Images 109 ; Bim / Getty Images 111 ; David Madison / Getty Images 116 ; davidf / Getty Images 120 ; moodboard / Getty Images 121 ; LeoPatrizi / Getty Images 123 ; Paul Bradbury / Getty Images 134 ; Dougal Waters / Getty Images 138 ; Alexandra Dudkina / EyeEm / Getty Images 140 ; Laurence Cartwright Photography / Getty Images 143 ; Rob Lewine / Getty Images 145 ; B. Boissonnet / Getty Images 147 ; Adél Békefi / Getty Images 150 ; Chris Gallagher / Getty Images 152 ; SolStock / Getty Images 159 ; James Leynse / Getty Images 161

SHUTTERSTOCK : pixelaway 38 ; Monkey Business Images 48 ; l i g h t p o e t 69 ; Anastasia Grankina 77 ; 5 second Studio 78 ; Joe Gough, 81 ; 5 81 ; Tatiana Popova, 81 ; amenic181 81 ; Mivr 81 valeriiaarnaud 84 ; Rawpixel. com 86 ; its_al_dente 92 ; Kuznetcov_Konstantin 104 ; Joseph Sohm 113 ; kart31 114 ; blurAZ 124 ; Rawpixel. com 128 ; Pressmaster 130 ; Iakov Filimonov 136 ; Dmitry Kalinovsky 137 ; Rommel Canlas 144 ; Image Point Fr 146 ; Kryvenok Anastasiia 163 ; Olaf Protze 170

TECHNIQUES AUDIOVISUELLES ICM : 42, 102, 107, 164, 169

MIXOWEB / CENTRE ÉPIC : 63, 119, 127

C.B. ESSELSTYN JR : 97

HARVARD HEALTH PUBLICATIONS : 133

f Restez à l'affût des prochains titres
à paraître chez Trécarré
en suivant la page de Groupe Librex :
facebook.com/groupelibrex

edtrecarre.com
observatoireprevention.org
centreepic.org
icm-mhi.org

Cet ouvrage a été composé en Proforma Book 10,5/13,75 et achevé d'imprimer
en avril 2017 sur les presses de Imprimerie Transcontinental, Beauceville, Canada

Employment Distribution by Major Nonfarm Sector, 1954–2003
(Data displayed graphically in Figure 2.3 on text page 31.)

Year	Goods-producing industries*	Nongovernment Services	Government Services
1954	37.7%	48.3%	14.0%
1964	33.8	49.6	16.6
1974	29.8	52.0	18.2
1984	24.9	58.1	17.0
1994	19.9	63.2	16.9
2003	16.8	66.6	16.6

*Manufacturing, construction, and mining
Source: http://www.bls.gov/web/empsit.supp.toc.htm, Table B-1.

TABLE 2.4

Unemployment and Long-Term Unemployment, Selected European and North American Countries, 2003

	Unemployment: Overall Rate	Percent of Unemployed Out of Work > One Year	Unemployment: Long-Term Rate
Belgium	8.1%	46.3%	3.8%
Canada	7.6	10.1	0.8
Denmark	5.6	19.9	1.1
France	9.4	33.8[a]	3.2[a]
Germany	9.3	50.0	4.7
Netherlands	3.8	29.2	1.1
Norway	4.5	6.4	0.3
Sweden	5.6	17.8	1.0
United Kingdom	5.0	23.0	1.2
United States	6.0	11.8	0.7

[a]For year 2002.
Source: OECD, *Employment Outlook* (Paris: OECD, 2004), Tables A and G.

MODERN LABOR ECONOMICS

THE ADDISON-WESLEY SERIES IN ECONOMICS

Abel/Bernanke
Macroeconomics

Bade/Parkin
Foundations of Economics

Bierman/Fernandez
Game Theory with Economic Applications

Binger/Hoffman
Microeconomics with Calculus

Boyer
Principles of Transportation Economics

Branson
Macroeconomic Theory and Policy

Bruce
Public Finance and the American Economy

Byrns/Stone
Economics

Carlton/Perloff
Modern Industrial Organization

Caves/Frankel/Jones
World Trade and Payments

Chapman
Environmental Economics: Theory, Application, and Policy

Cooter/Ulen
Law and Economics

Downs
An Economic Theory of Democracy

Ehrenberg/Smith
Modern Labor Economics

Ekelund/Ressler/Tollison
Economics

Fusfeld
The Age of the Economist

Gerber
International Economics

Ghiara
Learning Economics

Gordon
Macroeconomics

Gregory
Essentials of Economics

Gregory/Stuart
Russian and Soviet Economic Performance and Structure

Hartwick/Olewiler
The Economics of Natural Resource Use

Hoffman/Averett
Women and the Economy

Hubbard
Money, the Financial System, and the Economy

Hughes/Cain
American Economic History

Husted/Melvin
International Economics

Jehle/Reny
Advanced Microeconomic Theory

Johnson-Lans
A Health Care Economics Primer

Klein
Mathematical Methods for Economics

Krugman/Obstfeld
International Economics

Laidler
The Demand for Money

Leeds/von Allmen
The Economics of Sports

Leeds/von Allmen/Schiming
Economics

Lipsey/Courant/Ragan
Economics

Melvin
International Money and Finance

Miller
Economics Today

Miller/Benjamin/North
The Economics of Public Issues

Miller/Benjamin
The Economics of Macro Issues

Mills/Hamilton
Urban Economics

Mishkin
The Economics of Money, Banking, and Financial Markets

Murray
Econometrics

Parkin
Economics

Perloff
Microeconomics

Phelps
Health Economics

Riddell/Shackelford/Stamos/ Schneider
Economics: A Tool for Critically Understanding Society

Ritter/Silber/Udell
Principles of Money, Banking, and Financial Markets

Rohlf
Introduction to Economic Reasoning

Ruffin/Gregory
Principles of Economics

Sargent
Rational Expectations and Inflation

Scherer
Industry Structure, Strategy, and Public Policy

Stock/Watson
Introduction to Econometrics

Studenmund
Using Econometrics

Tietenberg
Environmental and Natural Resource Economics

Tietenberg
Environmental Economics and Policy

Todaro/Smith
Economic Development

Waldman
Microeconomics

Waldman/Jensen
Industrial Organization

Weil
Economic Growth

Williamson
Macroeconomics

MODERN LABOR ECONOMICS

Theory and Public Policy

NINTH EDITION

RONALD G. EHRENBERG
School of Industrial and Labor Relations
Cornell University

ROBERT S. SMITH
School of Industrial and Labor Relations
Cornell University

PEARSON

Addison
Wesley

Boston   San Francisco   New York
London   Toronto   Sydney   Tokyo   Singapore   Madrid
Mexico City   Munich   Paris   Cape Town   Hong Kong   Montreal

Vice President and Editorial Director: Daryl Fox
Editor in Chief: Denise Clinton
Acquisitions Editor: Adrienne D'Ambrosio
Editorial Assistant: Ashley Booth
Senior Production Supervisor: Meredith Gertz
Supplements Editor: Kirsten Dickerson
Executive Marketing Manager: Stephen Frail
Design Manager: Regina Hagen Kolenda
Senior Media Producer: Melissa Honig
Composition, Illustration, and Packaging Services: Electronic Publishing Services Inc.,
NYC
Cover Designer: Leslie Haimes
Senior Print Buyer: Hugh Crawford

Modern Labor Economics: Theory and Public Policy

ISBN: 0-321-31153-1

If you purchased this book within the United States or Canada you should be aware that
it has been wrongfully imported without the approval of the Publisher or the Author.

12345678910—CRW—0908070605

Brief Contents

Detailed Contents

CHAPTER 5   FRICTIONS IN THE LABOR MARKET   129

CHAPTER 14   INEQUALITY IN EARNINGS   487

Preface

Modern Labor Economics: Theory and Public Policy has grown out of our experiences over the last three decades in teaching labor market economics and conducting research aimed at influencing public policy. Our text develops the modern theory of labor market behavior, summarizes empirical evidence that supports or contradicts each hypothesis, and illustrates in detail the usefulness of the theory for public policy analysis. We believe that showing students the social implications of concepts enhances the motivation to learn them and that using the concepts of each chapter in an analytic setting allows students to see the concepts in action. The extensive use of detailed policy applications constitutes a major contribution of this text.

Overview of the Text

Modern Labor Economics is designed for one-semester or one-quarter courses in labor economics at the undergraduate or graduate level for students who may not have extensive backgrounds in economics. Since 1974 we have taught such courses at the School of Industrial and Labor Relations at Cornell University. The undergraduate course requires only principles of economics as a prerequisite, and the graduate course (for students in a professional program akin to an MBA program) has no prerequisites. We have found that it is not necessary to be highly technical in one's presentation in order to convey important concepts and that students with limited backgrounds in economics can comprehend a great deal of material in a single course. However, for students who have had intermediate microeconomics, we have included nine chapter appendixes that discuss more advanced material or develop technical concepts in much greater detail than the text discussion permits.

After an introduction to basic economic concepts in chapter 1, chapter 2 presents a quick overview of demand and supply in labor markets so that students will see from the outset the interrelationship of the major forces at work shaping labor market behavior. This chapter can be skipped or skimmed by students with strong backgrounds in economics or by students in one-quarter courses. Chapters 3 to 5 are concerned primarily with the demand for labor, while chapters 6 to 10 focus on labor supply issues.

Beginning with chapter 11, the concepts of economics are used to analyze several topics of special interest to students of labor markets. The relationship between pay and productivity is analyzed in chapter 11, and the earnings of women and minorities—encompassing issues of discrimination—are the subjects of chapter 12. Chapter 13 uses economic concepts to analyze collective bargaining in the private and public sectors. Chapter 14 offers an analysis of the growth of earnings inequality over the past two decades, and it serves the dual role of both investigating an important current phenomenon and reviewing many key concepts presented in earlier chapters. Chapter 15 treats the macroeconomic issue of unemployment.

In addition to the use of public policy examples and the inclusion of technical appendixes, the text has a number of important pedagogical features. First, each chapter contains boxed examples that illustrate an application of that chapter's theory in a nontraditional, historical, business, or cross-cultural setting. Second, each chapter contains a number of discussion or review questions that allow students to apply what they have learned to specific policy issues. To enhance student mastery, we provide answers to the odd-numbered questions at the back of the book. Third, lists of selected readings at the ends of chapters refer students to more advanced sources of study. Fourth, the footnotes in the text have been updated to cite the most recent literature on the topic; they are intended as a reference for students and teachers alike who may want to delve more deeply into a given topic.

The ninth edition has two significant new features. One is a new chapter (chapter 5) on labor market *frictions*—an area of increasing theoretical and empirical interest in labor economics. This chapter introduces the concept and importance of frictions associated with both employee mobility and employer hiring, and it draws out the implications of these frictions for labor market behavior. The chapter discusses, in a unified way, the concept of monopsonistic conditions in the labor market and the phenomena of quasi-fixed costs, which also affect employer hiring decisions.

The second new feature is that, starting with chapter 2, each chapter contains (at the very end) a summary of an *empirical study* that relates to the chapter's content and provides an illustration of how various empirical challenges have been dealt with by researchers. These summaries are intended to introduce students to the theoretical foundations and the creativity required for credible empirical work. We discuss such issues as the problems of simultaneity and "errors in variables" in regression analysis; the issue of unobserved heterogeneity; the use of "natural," social, and laboratory experiments; the problem of selection bias; the use of panel data, synthetic cohorts and intergenerational data; and the role of replication in empirical work.

Accompanying Supplements

Supplements enrich the ninth edition of *Modern Labor Economics* for both students and instructors.

The **Study Guide** is available in paperback (ISBN 0-321-33463-9). For each chapter in the text, the Study Guide offers: (a) a brief summary of the major concepts, with numerical examples when appropriate; (b) a review section with multiple-choice questions; (c) a problems section with short-answer essay questions; (d) an applications section with problems and questions related to policies or labor market issues; and (e) answers to all questions and problems.

In addition to the Study Guide, students receive a cohesive set of **Online Study Tools** that are available on the Companion Web site, www.aw-bc.com/ehrenberg_smith. For each chapter, students will find a multiple-choice quiz, additional examples and applications, econometric and quantitative problems, newspaper summaries that illustrate concepts central to the chapter, web links to labor data sources, and PowerPoint lecture presentations.

For instructors, an extensive set of online course materials is available for download at the Instructor Resource Center, on the catalog page for *Modern Labor Economics*. All resources are password-protected for instructor use only. An **Online Test Bank** consists of 500 multiple-choice questions that can be downloaded and edited for use in problem sets and exams.

Also available is the **Online Instructor's Manual**, written by co-author Robert Smith. The Online Instructor's Manual presents answers to the even-numbered review questions in the text, outlines the major concepts in each chapter, and contains two new suggested essay questions per chapter (with answers).

Finally, an **Online PowerPoint lecture presentation** is available for each chapter. The slides consist of figures from the text with accompanying lecture notes. The PowerPoint lecture presentations can then be used electronically in the classroom, or they can be printed for use as **Overhead Transparency Masters**.

Acknowledgments

Enormous debts are owed to four groups of people. First are those instrumental in teaching us the concepts and social relevance of labor economics when we were students or young professionals: Orley Ashenfelter, Frank Brechling, George Delehanty, Dale Mortensen, John Pencavel, Orme Phelps, and Mel Reder. Second are the generations of undergraduate and graduate students who sat through the lectures that preceded the publication of each new edition of *Modern Labor Economics* and, by their questions and responses, forced us to make ourselves clear. Third, a special debt is owed Robert Whaples, who contributed several boxed examples and problems to the eighth edition.

Fourth, several colleagues have contributed, both formally and informally, to the recent editions. We appreciate the suggestions of the following people:

John Abowd
Cornell University

Francine Blau
Cornell University

George Boyer
Cornell University

Gary Fields
Cornell University

Robert Hutchens
Cornell University

George Jakubson
Cornell University

Lawrence Kahn
Cornell University

Rasmus Lentz
Boston University

Stephen Lich-Tyler
University of Michigan

Daniel Millimet
Southern Methodist University

Sophie Mitra
Rutgers University

Catherine O'Connor
Bucknell University

Walter Oi
University of Rochester

Peter Orazem
Iowa State University

Tim Schmidle
Workers' Compensation Board, New York State

Leonie Stone
State University of New York, Geneseo

Christopher Swann
SUNY - Stony Brook

Petra E. Todd
University of Pennsylvania

Walter J. Wessels
North Carolina State University

Lawrence A. Wohl
Gustavus Adolphus College

Ronald G. Ehrenberg
Robert S. Smith

Introduction

Economic theory provides powerful, and surprising, insights into individual and social behavior. These insights are interesting because they help us understand important aspects of our lives. Beyond this, however, government, industry, labor, and other groups have increasingly come to understand the usefulness of the concepts and thought processes of economists in formulating social policy.

This book presents an application of economic analysis to the behavior of, and relationship between, employers and employees. The aggregate compensation received by U.S. employees from their employers was $6.2 trillion in the year 2003, while all *other* forms of personal income that year—from investments, self-employment, pensions, and various government welfare programs—amounted to $3 trillion. The *employment* relationship, then, is one of the most fundamental relationships in our lives, and as such it attracts a good deal of legislative attention. Knowing the fundamentals of labor economics is thus essential to an understanding of a huge array of social problems and programs, both in the United States and elsewhere.

1

As economists who have been actively involved in the analysis and evaluation of public policies, we obviously believe labor economics is useful in understanding the effects of these programs. Perhaps more important, we also believe policy analysis can be useful in teaching the fundamentals of labor economics. We have therefore incorporated such analyses into each chapter with two purposes in mind. First, we believe that seeing the relevance and social implications of concepts studied enhances the student's motivation to learn. Second, using the concepts of each chapter in an analytical setting serves to reinforce understanding by permitting the student to see them "in action."

The Labor Market

There is a rumor that a former U.S. Secretary of Labor attempted to abolish the term *labor market* from departmental publications. He believed it demeaned workers to regard labor as being bought and sold like so much grain, oil, or steel. True, labor is unique in several ways. Labor services can only be rented; workers themselves cannot be bought and sold. Further, because labor services cannot be separated from workers, the conditions under which such services are rented are often as important as the price. Put differently, *nonpecuniary factors*—such as work environment, risk of injury, personalities of managers, perceptions of fair treatment, and flexibility of work hours—loom larger in employment transactions than they do in markets for commodities. Finally, a host of institutions and pieces of legislation that influence the employment relationship do not exist in other markets.

Nevertheless, the circumstances under which employers and employees rent labor services clearly constitute a market, for several reasons. First, institutions such as want ads and employment agencies have been developed to facilitate contact between buyers and sellers of labor services. Second, once contact is arranged, information about price and quality is exchanged in employment applications and interviews. Third, when agreement is reached, some kind of *contract*, whether formal or informal, is executed covering compensation, conditions of work, job security, and even duration of the job. These contracts typically call for employers to compensate employees for their *time* and not for what they produce. This form of compensation requires that employers give careful attention to worker motivation and dependability in the selection and employment process.

The end result of employer-employee transactions in the labor market is, of course, the placement of people in jobs at certain rates of pay. This allocation of labor serves not only the personal needs of individuals but the needs of the larger society as well. Through the labor market, our most important national resource—labor—is allocated to firms, industries, occupations, and regions.

Labor Economics: Some Basic Concepts

Labor economics is the study of the workings and outcomes of the market for labor. More specifically, labor economics is primarily concerned with the behavior of employers and employees in response to the general incentives of wages, prices, profits, and nonpecuniary aspects of the employment relationship, such as working conditions. These incentives serve both to motivate and to limit individual choice. The focus in economics is on inducements for behavior that are impersonal and apply to wide groups of people.

In this book, we shall examine, for example, the relationship between wages and employment opportunities; the interaction among wages, income, and the decision to work; the way general market incentives affect occupational choice; the relationship between wages and undesirable job characteristics; the incentives for and effects of educational and training investments; and the effects of unions on wages, productivity, and turnover. In the process, we shall analyze the employment and wage effects of such social policies as the minimum wage, overtime legislation, safety and health regulations, welfare reform, payroll taxes, unemployment insurance, immigration policies, and antidiscrimination laws.

Our study of labor economics will be conducted on two levels. Most of the time, we shall use economic theory to analyze "what is"; that is, we shall explain people's behavior using a mode of analysis called *positive economics*. Less commonly, we shall use *normative* economic analysis to judge "what should be."

Positive Economics

Positive economics is a theory of behavior in which people are typically assumed to respond favorably to benefits and negatively to costs. In this regard, positive economics closely resembles Skinnerian psychology, which views behavior as shaped by rewards and punishments. The rewards in economic theory are pecuniary and nonpecuniary gains (benefits), while the punishments are forgone opportunities (costs). For example, a person motivated to become a surgeon because of the earnings and status surgeons command must give up the opportunity to become a lawyer and must be available for emergency work around the clock. Both the benefits and the costs must be considered in making this career choice.

SCARCITY   The pervasive assumption underlying economic theory is that of resource *scarcity*. According to this assumption, individuals and society alike do not have the resources to meet all their wants. Hence, any resource devoted to satisfying one set of desires could have been used to satisfy another set, which means that there is a cost to any decision or action. The real cost of using labor hired by a government contractor to build a road, for example, is the production lost by not devoting this labor to production of some other good or service. Thus, in popular terms, "There is no such thing as a free lunch," and we must always make choices and live with the rewards and costs these choices bring us. Moreover, we are always constrained in our choices by the resources available to us.

RATIONALITY   A second basic assumption of positive economics is that people are *rational*—they have an objective and pursue it in a reasonably consistent fashion. When considering *persons*, economists assume that the objective being pursued is *utility maximization*; that is, people are assumed to strive toward the goal of making themselves as happy as they can (given their limited resources).

Utility, of course, is generated by both pecuniary and nonpecuniary dimensions of employment.

When considering the behavior of *firms*, which are inherently nonpersonal entities, economists assume that the goal of behavior is *profit maximization*. Profit maximization is really just a special case of utility maximization in which pecuniary gain is emphasized and nonpecuniary factors are ignored.

The assumption of rationality implies a *consistency* of response to general economic incentives and an *adaptability* of behavior when those incentives change. These two characteristics of behavior underlie predictions about how workers and firms will respond to various incentives.[1]

The Models and Predictions of Positive Economics

Behavioral predictions in economics flow more or less directly from the two fundamental assumptions of scarcity and rationality. Workers must continually make choices, such as whether to look for other jobs, accept overtime, move to another area, or acquire more education. Employers must also make choices concerning, for example, the level of output and the mix of machines and labor to use in production. Economists usually assume that, when making these choices, employees and employers are guided by their desires to maximize utility or profit, respectively. However, what is more important to the economic theory of behavior is not the *particular* goal of either employees or employers; rather, it is that economic actors weigh the costs and benefits of various alternative transactions in the context of achieving *some* goal or other.

One may object that these assumptions are unrealistic and that people are not nearly as calculating, as well informed about alternatives, or as amply endowed with choices as economists assume. Economists are likely to reply that if people are not calculating, are totally uninformed, or do not have any choices, then most predictions suggested by economic theory will not be supported by real-world evidence. They thus argue that the theory underlying positive economics should be judged on the basis of its *predictions*, not its assumptions.

The reason we need to make assumptions and create a relatively simple theory of behavior is that the actual workings of the labor market are almost inconceivably complex. Millions of workers and employers interact daily, all with their own sets of motivations, preferences, information, and perceptions of self-interest. What we need to discover are general principles that provide useful insights

---

[1]For articles on rationality and the related issue of preferences, see Gary Becker, "Irrational Behavior and Economic Theory," *Journal of Political Economy* 70 (February 1962): 1–13, and three articles in the *Journal of Economic Literature* 36 (March 1998): Matthew Rabin, "Psychology and Economics," 11–46; Jon Elster, "Emotions and Economic Theory," 47–74; and Samuel Bowles, "Endogenous Preferences: The Cultural Consequences of Markets and Other Economic Institutions," 75–111. Also see Richard H. Thaler, "From Homo Economicus to Homo Sapiens," *Journal of Economic Perspectives* 14 (Winter 2000): 133–141.

EXAMPLE 1.1

Positive Economics: What Does It Mean to "Understand" Behavior?

The purpose of positive economic analysis is to analyze, or understand, the behavior of people as they respond to market incentives. But in a world that is extremely complex, just what does it mean to "understand" behavior? One theoretical physicist put it this way:

> We can imagine that this complicated array of moving things which constitutes "the world" is something like a great chess game being played by the gods, and we are observers of the game. We do not know what the rules of the game are; all we are allowed to do is to watch the playing. Of course, if we watch long enough, we may eventually catch on to a few of the rules. The rules of the game are what we mean by fundamental physics. Even if we know every rule, however…what we really can explain in terms of those rules is very

limited, because almost all situations are so enormously complicated that we cannot follow the plays of the game using the rules, much less tell what is going to happen next. We must, therefore, limit ourselves to the more basic question of the rules of the game. If we know the rules, we consider that we "understand" the world.[a]

If the behavior of nature, which does not have a will, is so difficult to analyze, understanding the behavior of people is even more of a challenge. Since people's behavior does not mechanistically follow a set of rules, the goal of positive economics is most realistically stated as trying to discover their behavioral tendencies.

---

[a]Richard T. Feynman, *The Feynman Lectures on Physics*, vol. 1, 1963, by Addison Wesley.

into the labor market. We hope to show in this text that a few forces are so basic to labor market behavior that they alone can predict or explain many of the outcomes and behaviors observed in the labor market.

Anytime we attempt to explain a complex set of behaviors and outcomes using a few fundamental influences, we have created a *model*. Models are not intended to capture every complexity of behavior; instead, they are created to strip away random and idiosyncratic factors so that the focus is on general principles. An analogy from the physical sciences may make the nature of models and their relationship to actual behavior clearer.

A PHYSICAL MODEL   Using simple calculations of velocity and gravitational pull, physicists can predict where a ball will land if it is kicked with a certain force at a given angle to the ground. The actual point of landing may vary from the predicted point because of wind currents and any spin the ball might have—factors ignored in the calculations. If 100 balls are kicked, none may ever land exactly on the predicted spot, although they will tend to cluster around it. The accuracy of the model, while not perfect, may be good enough to enable a football coach to decide whether to attempt a field goal or not. The point is that we usually just need to know the *average tendencies* of outcomes for policy purposes. To estimate these tendencies, we need to know the important forces at work, but we must confine ourselves to few enough influences so that calculating estimates remains feasible. (A further comparison of physics and positive economics is contained in Example 1.1.)

AN ECONOMIC MODEL   To really grasp the assumptions and predictions of economic models, we consider a concrete example. Suppose we begin by asserting that, being subject to resource scarcity, workers will prefer high-paying jobs to low-paying ones *if* all other job characteristics are the same in each job. Thus, they will quit low-paying jobs to take better-paying ones if they believe sufficient improvement is likely. This principle does not imply that workers care only about wages or that all are equally likely to quit. Workers obviously care about a number of employment characteristics, and improvement in any of these on their current job makes turnover less likely. Likewise, some workers are more receptive to change than others. Nevertheless, if we hold other factors constant and increase only wages, we should clearly observe that the probability of quitting will fall.

On the employer side of the market, we can consider a similar prediction. Firms need to make a profit to survive. If they have high turnover, their costs will be higher than otherwise because of the need to hire and train replacements. With high turnover they could not, therefore, afford to pay high wages. However, if they could reduce turnover enough by paying higher wages, it might well be worth incurring the added wage costs. Thus, both the utility-maximizing behavior of employees and the profit-maximizing behavior of firms lead us to expect low turnover to be associated with high wages and high turnover with low wages, other things equal.

We note several important things about the above predictions:

1. The predictions emerge directly from the twin assumptions of scarcity and rationality. Employees and employers, both mindful of their scarce resources, are assumed to be on the lookout for chances to improve their well-being. The predictions are also based on the assumptions that employees are aware of, or can learn about, alternative jobs and that these alternatives are open to them.
2. We made the prediction of a negative relationship between wages and voluntary turnover by holding other things equal. The theory does not deny that job characteristics other than wages matter to employees or that employers can lower turnover by varying policies other than the wage rate. However, holding these other factors constant, our model predicts a negative relationship if the basic assumptions are valid.
3. The *assumptions* of the theory concern individual behavior of employers and employees, but the *predictions* are about an aggregate relationship between wages and turnover. The prediction is *not* that all employees will remain in their jobs if their wages are increased, but that *enough* will remain for turnover to be cut by raising wages. The test of the prediction thus lies in finding out if the predicted relationship between wages and turnover exists using aggregate data from firms or industries.

Careful statistical studies suggest support for the hypothesis that higher pay reduces voluntary turnover. One recent study estimated that a 10 percent increase in wages, holding worker characteristics constant, reduced the quit rate by one percentage point.[2]

Normative Economics

Understanding normative economics begins with the realization that there are two kinds of economic transactions. One kind is entered into voluntarily, because all parties to the transaction gain. If Sally is willing to create blueprints for $15 per hour, for example, and Ace Engineering Services is willing to pay someone up to $16 per hour to do the job, both gain by agreeing to Sally's appointment at an hourly wage between $15 and $16; such a transaction is mutually beneficial. The role of the labor market is to facilitate these voluntary, mutually advantageous transactions. If the market is successful in facilitating *all* possible mutually beneficial transactions, it can be said to have produced a condition economists call *Pareto* (or "economic") *efficiency*.[3] (The word *efficiency* is used by economists in a very specialized sense to denote a condition in which all mutually beneficial transactions have been concluded. This definition of the word is more comprehensive than its normal connotation of cost minimization.) If Pareto efficiency were actually attained, no more transactions would be undertaken voluntarily, because they would not be *mutually* advantageous.

The second kind of transaction is one in which one or more parties *lose*. These transactions often involve the redistribution of income, from which some gain at the expense of others. Transactions that are explicitly redistributional, for example, are not entered into voluntarily unless motivated by charity (in which case the donors gain nonpecuniary satisfaction); otherwise, redistributional transactions are mandated by government through tax and expenditure policies. Thus, while markets facilitate *voluntary* transactions, the job of government is often to make certain transactions *mandatory*.

Any normative statement—a statement about what *ought* to exist—is based on some underlying value. Government policies affecting the labor market are often based on the widely shared, but not universally agreed upon, value that society should try to make the distribution of income more equal. Welfare programs, minimum wage laws, and restrictions on immigration are examples of policies based on *distributional* considerations. Other labor market policies are intended either

---

[2]V. Bhaskar, Alan Manning, and Ted To, "Oligopsony and Monopsonistic Competition in Labor Markets," *Journal of Economic Perspectives* 16 (Spring 2002): 158.

[3]Pareto efficiency gets its name from the Italian economist Vilfredo Pareto, who, around 1900, insisted that economic science should make normative pronouncements only about unambiguous changes in social welfare. Rejecting the notion that utility can be measured (and therefore compared across individuals), Pareto argued that we can only know whether a transaction improves social welfare from the testimony or behavior of the affected parties themselves. If they as individuals regard themselves as better off, then the transaction is unambiguously good—even though we are unable to measure how much better off they feel.

to change or to overrule the choices workers make in maximizing their utility; the underlying value in these cases is frequently that workers should not be allowed to place themselves or their families at risk of physical or financial harm. The wearing of such personal protective devices as hard hats and earplugs, for example, is seen as so *meritorious* in certain settings that it is required of workers even if they would choose otherwise.

Policies seeking to redistribute income or force the consumption of meritorious goods are often controversial, because some workers will feel worse off when they are adopted. These transactions must be governmentally mandated because they will not be entered into voluntarily.

MARKETS AND VALUES   Economic theory, however, reminds us that there is that class of transactions in which there are no losers. Policies or transactions from which all affected parties gain can be said to be *Pareto-improving* because they promote Pareto efficiency. These policies or transactions can be justified on the grounds that they unambiguously enhance social welfare; therefore, they can be unanimously supported. Policies with this justification are of special interest to economists, because economics is largely the study of market behavior—voluntary transactions in the pursuit of self-interest.

A transaction can be unanimously supported when

   a. All parties affected by the transaction gain;
   b. Some gain and no one else loses; or
   c. Some gain and some lose from the transaction, but the gainers fully compensate the losers.

When the compensation in *c* takes place, case *c* is converted to case *b*. In practice, economists often judge a transaction by whether the gains of the beneficiaries exceed the costs borne by the losers, thus making it *possible* that there would be no losers. However, when the compensation of losers is *possible* but does *not* take place, there are in fact losers! Many economists, therefore, argue that compensation *must* take place for a government policy to be justified on the grounds that it promotes Pareto efficiency.

As noted above, the role of the labor market is to facilitate voluntary, mutually advantageous transactions. Hardly anyone would argue against at least some kind of government intervention in the labor market if the market is failing to promote such transactions. Why do markets fail?

MARKET FAILURE: IGNORANCE   First, people may be ignorant of some important facts and thus led to make decisions that are not in their self-interest. For example, a worker who smokes may take a job in an asbestos-processing plant not knowing that the combination of smoking and inhaling asbestos dust substantially increases the risk of disease. Had the worker known this, he or she would probably have stopped smoking or changed jobs, but both transactions were blocked by ignorance.

MARKET FAILURE: TRANSACTION BARRIERS   Second, there may be some barrier to the completion of a transaction that could be mutually beneficial. Often such a barrier is created by laws that prohibit certain transactions. For example, as recently as three or four decades ago, many states prohibited employers from hiring women to work more than 40 hours per week. As a consequence, firms that wanted to hire workers for more than 40 hours a week could not transact with those women who wanted to work overtime—to the detriment of both parties. Society as a whole thus suffers losses when transactions that are mutually beneficial are prohibited by government.

Laws can also block transactions in other ways. Consider, for example, a firm that is willing to offer overtime work to its production workers at rates no more than 10 percent above their normal wage. Some workers might be willing to accept overtime at the 10 percent premium. However, this transaction could not legally be completed in most instances because of a law (the Fair Labor Standards Act) requiring production workers to be paid a 50 percent wage premium for overtime. In this case, overtime would not be worked and both parties would suffer.

Another barrier to mutually beneficial transactions may be the expense of completing the transaction. Unskilled workers facing very limited opportunities in one region might desire to move to take better jobs. Alternatively, they might want to enter job-training programs. In either case, they might lack the funds to finance the desired transaction.

MARKET FAILURE: PRICE DISTORTION   A special barrier to transaction is caused by taxes, subsidies, or other forces that create "incorrect" prices. Prices powerfully influence the incentives to transact, and the prices asked or received in a transaction should reflect the true preferences of the parties to it. When prices become decoupled from preferences, parties may be led to make transactions that are not socially beneficial or to avoid others that would be advantageous. If plumbers charge $15 per hour, but their customers must pay an additional tax of $5 to the government, customers who are willing to pay between $15 and $20 per hour and would hire plumbers in the absence of the tax are discouraged from doing so—to the detriment of both parties.

NONEXISTENCE OF MARKET   A fourth reason mutually beneficial transactions may not occur voluntarily is that it may not be possible or customary for buyers and sellers of certain resources to transact. As an illustration, assume that a woman who does not smoke works temporarily next to a man who does. She would be willing to pay as much as 50 cents an hour to keep her working environment smoke-free, and he could be induced to give up smoking for as little as 25 cents an hour. Thus, the potential exists for her to give him 35 cents an hour and for both to benefit. However, custom or the transience of their relationship might prevent her from offering him money in this situation, in which case the transaction would not occur.

Normative Economics and Government Policy

The solution to problems that impede the completion of mutually beneficial transactions frequently involves government *intervention*. When law creates the barrier to a transaction, the intervention might be to repeal the law. Laws prohibiting women from working overtime, for example, were repealed as their adverse effects on society became recognized.

In other cases, however, the government might be able to undertake activities to reduce transaction barriers that the private market would not undertake. Below, we cite three examples that relate to the barriers created by lack of information or restrictions on choice. Finally, we conclude with a brief discussion of the trade-off society faces between the goal of a more equitable distribution of income and the goal of achieving Pareto efficiency.

PUBLIC GOODS   First let us take the case of the dissemination of information. Suppose that workers in noisy factories are concerned about the effects of noise on their hearing, but that ascertaining these effects would require an expensive research program. A union representing sawmill workers considers undertaking such research and financing the project by selling its findings to the many other interested unions or workers. The workers would then have the information they desire—albeit at some cost—which they could use to make more intelligent decisions concerning their jobs.

The hitch in the scheme is that as soon as the union's findings are published to its own members or its first customers, the results can easily become public knowledge—and thus available *free* from newspapers or by word of mouth. Anticipating this problem, the union will probably decide not to undertake the research.

Information in this example is called a *public good*—a good that can be consumed by any number of people at the same time, including those who do not pay for it. Because nonpayers cannot be excluded from consuming the good, no potential customer will have an incentive to pay. The result is that the good never gets produced by a private organization. The government, however, can compel payment through its tax system, so it is natural to look to the government to produce public goods. When information on occupational health hazards is to be produced on a large scale, the government is likely to have to be involved.

CAPITAL MARKET IMPERFECTIONS   An example of a second type of situation in which the government might have to step in to overcome a transaction barrier is a case in which loans are not available to finance job training or interregional moves, even though such loans might give workers facing a very poor set of choices access to better opportunities. Because such loans are not usually secured by anything other than the debtor's promise to pay them back, banks cannot ordinarily afford to risk making such loans, particularly when the loan recipients are poor. This lack of available loans to finance worthwhile transactions represents a *capital market imperfection*.

The government, however, might be willing to make loans in such situations even if it faced the same risk of default, because enabling workers to move to areas of better economic opportunity could improve overall social welfare and strengthen the economy. In short, because society would reap benefits from encouraging people to enter job-training programs or move to areas where their skills could be better utilized, it might be wise for the government to make the loans itself.

ESTABLISHING MARKET SUBSTITUTES   A third situation in which government intervention might be necessary to overcome transaction barriers occurs when a market fails to exist for some reason. Consider again the smoker and nonsmoker who were temporarily working next to each other. Their transitory relationship prevented a mutually beneficial transaction from taking place. A solution in this case might be for the government to impose the same result that a market transaction would have generated—and require the employer to designate their work area a nonsmoking area.

In each case, when government does intervene, it must make sure that the transactions it undertakes or imposes on society create more gains for the beneficiaries than they impose in costs on others. Since it is costly to produce information, for example, the government should do it only if the gains are more valuable than the resources used in producing it. Likewise, the government would want to make loans for job training or interregional moves only if these activities enhanced social welfare. Finally, imposing nonsmoking areas would be socially desirable only if the gainers gained more than the losers lost.

EFFICIENCY VERSUS EQUITY   The social goal of a more equitable distribution of income is often of paramount importance to political decision makers, and disputes can arise over whether equity or economic efficiency should be the prime consideration in setting policy. One source of dispute is rooted in the problem that there is not a unique set of transactions that are Pareto efficient. There are, in fact, a *number* of different sets of transactions that can satisfy our definition of economic efficiency, and questions can arise as to which set is the most equitable.

To understand the multiple sets of efficient transactions that are possible, we return to our example of the woman willing to create blueprints for $15 per hour. If Ace Engineering Services is willing to pay up to $16 per hour for blueprints, and Sally is willing to work for $15, their agreement on her employment at an hourly wage of, say, $15.50 would be beneficial to both parties. However, the same can be said for an agreement on wages of either $15.25 or $15.75 per hour. Which agreement is most equitable?

The second source of dispute over equity and efficiency is rooted in the problem that, to achieve more equity, steps *away* from Pareto efficiency must often be taken.[4] Minimum wage laws, for example, block transactions that parties might be willing to make at a lower wage; thus, some who would have accepted jobs at less than the legislated minimum are not offered any at all because their services are "priced out of the market." Similarly, welfare programs have often been struc-

---

[4]See Arthur Okun, *Equality and Efficiency: The Big Trade-Off* (Washington, D.C.: Brookings Institution, 1975), for a lucid discussion of the trade-offs between efficiency and equity.

tured so that recipients who find paid work receive, in effect, a zero wage—a price distortion of major proportions, but one that is neither easily nor cheaply avoided (as we will see in chapter 6).

Normative economics tends to stress efficiency over equity considerations, not because it is more important, but because it can be analyzed more scientifically. For a transaction to be mutually beneficial, all that is required is for each party individually to feel better off. Hence studying voluntary transactions (that is, market behavior) is useful when taking economic efficiency into account. Equity considerations, however, always involve comparing the welfare lost by some against the utility gained by others—which, given the impossibility of measuring happiness, cannot be scientifically done. For policy decisions based on considerations of equity, society usually turns to guidance from the political system, not from markets.

Plan of the Text

The study of labor economics is mainly a study of the interplay between employers and employees—or between demand and supply. Chapter 2 presents a quick overview of demand and supply in the labor market, allowing students to see from the outset the interrelationship of the major forces at work shaping labor market behavior. Chapters 3–5 are concerned primarily with the demand for labor. As such, they are devoted to an analysis of employers' incentives and behavior.

Chapters 6–10 contain analyses of various aspects of workers' labor supply behavior. They address issues of whether to work for pay (as opposed to consuming leisure or working at home without pay), the choice of occupations or jobs with very different characteristics, and decisions workers must make about educational and other investments designed to improve their earning capacities. Like the earlier "demand" chapters, these "supply" chapters necessarily incorporate aspects of behavior on the other (here, employer) side of the labor market.

Chapters 11–15 address special topics of interest to labor economists, including the effects of institutional forces in the labor market. Chapter 11 analyzes how the compensation of workers can be structured to create incentives for greater productivity. Chapter 12 analyzes wage differentials associated with race, gender, and ethnicity. The labor market effects of unions are dealt with in chapter 13, and chapter 14 summarizes what economic theory contributes to our understanding of wage differences by looking at the contemporary issue of growing earnings inequality. The final chapter of the text focuses on the topic of unemployment.

At the end of each chapter are several features that are designed to enhance understanding. First, starting with chapter 2, readers will find a summary of an empirical study related to concepts introduced in the chapter text. These summaries are designed to convey, in a nontechnical way, how researchers can creatively confront the challenges of testing the predictions of economic theory in the "real world." Because the summaries often assume a very basic familiarity with regression analysis (the basic empirical tool in economics), we introduce this statistical technique in the appendix to chapter 1.

The end-of-chapter materials also include a set of review questions that are designed to test understanding of the chapter's concepts and how these concepts can be applied to policy issues. The questions are ordered by level of difficulty (the more difficult ones come later), and answers to the odd-numbered questions are in a separate section at the end of the textbook. Some numerically based problems follow the review questions, again with answers to the odd-numbered problems at the end of the textbook.

For students who want to go more deeply into the concepts introduced in the text of each chapter, we provide extensive footnotes designed to provide references to seminal works and the most recent literature. We also provide selected readings, at the very end of each chapter, that go more deeply into the material. Many chapters also have an appendix that delves more deeply into a specialized topic that may be of interest to some readers.

Review Questions

1. Using the concepts of normative economics, when would the labor market be judged to be at a point of optimality? What imperfections might prevent the market from achieving this point?

2. Are the following statements "positive" or "normative"? Why?
   a. Employers should not be required to offer pensions to their employees.
   b. Employers offering pension benefits will pay lower wages than they would if they did not offer a pension program.
   c. If further immigration of unskilled foreigners is prevented, the wages of unskilled immigrants already here will rise.
   d. The military draft compels people to engage in a transaction they would not voluntarily enter into; it should therefore be avoided as a way of recruiting military personnel.
   e. If the military draft were reinstituted, military salaries would probably fall.

3. Suppose the federal government needs workers to repair a levee along a flood-prone river. From the perspective of normative economics, what difference does it make whether able-bodied citizens are compelled to work (for pay) on the levee or whether a workforce is recruited through the normal process of making job offers to applicants and relying on their voluntary acceptance?

4. What are the functions and limitations of an economic model?

5. In chapter 1 a simple model was developed in which it was predicted that workers employed in jobs paying wages less than they could get in comparable jobs elsewhere would tend to quit and seek the higher-paying jobs. Suppose we observe a worker who, after repeated harassment or criticism from her boss, quits an $8-per-hour job to take another paying $7.50. Answer the three questions below:
   a. Is this woman's behavior consistent with the economic model of job quitting outlined in the text?
   b. Can we test to see whether this woman's behavior is consistent with the assumption of rationality?
   c. Suppose the boss in question had harassed other employees but this woman was the only one who quit. Can

we conclude that economic theory applies to the behavior of some people but not to others?

6. A law in one town of a Canadian province limits large supermarkets to just four employees on Sundays. Analyze this law using the concepts of normative economics.

7. Child labor laws generally prohibit children from working until age 14 and restrict younger teenagers to certain kinds of work that are not considered dangerous. Reconcile the prohibitions of child labor legislation with the principles underlying normative economic analysis.

Problems

1. (Appendix) You have collected the following data (see table below) on 13 randomly selected teenage workers in the fast-food industry. What is the general relationship between age and wage? Plot the data and then construct a linear equation for this relationship.

2. (Appendix) Suppose that a least squares regression yields the following estimate:

$$W_i = -1 + 0.3A_i$$

where W is the hourly wage rate (in dollars) and A is the age (in years).

A second regression from another group of workers yields this estimate:

$$W_i = 3 + 0.3A_i - 0.01(A_i)^2$$

a. How much is a 20-year-old predicted to earn based on the first estimate?

b. How much is a 20-year-old predicted to earn based on the second estimate?

3. (Appendix) Suppose you estimate the following relationship between wages and age:

$$W_i = -1 + 0.3A_i$$
$$(0.1)$$

(the standard error is in parentheses). Are you confident that wages actually rise with age?

Age (years)	Wage (dollars per hour)	Age (years)	Wage (dollars per hour)
16	$5.25	18	$6.00
16	$6.00	18	$6.50
17	$5.50	18	$7.50
17	$6.00	19	$6.50
17	$6.25	19	$6.75
18	$5.25	19	$8.00
18	$5.75		

Selected Readings

Boyer, George R., and Robert S. Smith. "The Development of the Neoclassical Tradition in Labor Economics." *Industrial and Labor Relations Review* 54 (January 2001): 199–223.

Friedman, Milton. *Essays in Positive Economics.* Chicago: University of Chicago Press, 1953.

Hausman, Daniel M. "Economic Methodology in a Nutshell." *Journal of Economic Perspectives* 3 (Spring 1989): 115–128.

McCloskey, Donald. "The Rhetoric of Economics." *Journal of Economic Literature* 21 (June 1983): 481–517.

Statistical Testing
of Labor Market Hypotheses

This appendix provides a brief introduction to how labor economists test hypotheses. We will discuss how one might attempt to test the hypothesis presented in chapter 1 that, other things equal, one should expect to observe that the higher the wage a firm pays, the lower will be the voluntary labor turnover among its employees. Put another way, if we define a firm's quit rate as the proportion of its workers who voluntarily quit in a given time period (say, a year), we expect to observe that the higher a firm's wages, the lower will be its quit rate, holding *other* factors affecting quit rates constant.

A Univariate Test

An obvious first step is to collect data on the quit rates experienced by a set of firms during a given year and match these data with the firms' wage rates. This type of analysis is called *univariate* because we are analyzing the effects on quit rates of just one other variable (the wage rate); the data are called *cross-sectional* because they provide observations across behavioral units at a point in time.[1] Table 1A.1 contains such information for a hypothetical set of 10 firms located in a single labor market in 1993. For example, firm A is assumed to have paid an average hourly wage of $4 and to have experienced a quit rate of 40 percent in 1993.

The data on wages and quit rates are presented graphically in Figure 1A.1. Each dot in this figure represents a quit-rate/hourly-wage combination for one of the firms in Table 1A.1. Firm A, for example, is represented in the figure by point *A*, which shows a quit rate of 40 percent and an hourly wage of $4, while point *B* shows the comparable data for firm B. From a visual inspection of all 10 data points,

---

[1]Several other types of data are also used frequently by labor economists. One could look, for example, at how a given firm's quit rate and wage rate vary over time. Observations that provide information on a single behavioral unit over a number of time periods are called *time-series* data. Sometimes labor economists have data on the behavior of a number of observational units (e.g., employers) for a number of time periods; combinations of cross-sectional and time-series data are called *panel* data.

TABLE 1A.1

Average-Wage and Quit-Rate Data for a Set of 10 Hypothetical Firms in a Single Labor Market in 1993

Firm	Average Hourly Wage Paid	Quit Rate	Firm	Average Hourly Wage Paid	Quit Rate
A	$4	40%	F	$8	20%
B	4	30	G	10	25
C	6	35	H	10	15
D	6	25	I	12	20
E	8	30	J	12	10

it appears from this figure that firms paying higher wages in our hypothetical sample do indeed have lower quit rates. Although the data points in Figure 1A.1 obviously do not lie on a single straight line, their pattern suggests that, on average, there is a linear (straight-line) relationship between a firm's quit rate and its wage rate.

Any straight line can be represented by the general equation

$$Y = a + bX \tag{1A.1}$$

Variable Y is the *dependent variable,* and it is generally shown on the vertical axis of the graph depicting the line. Variable X is the *independent* or *explanatory* variable, which is usually shown on the horizontal axis.[2] The letters "a" and "b" are the

FIGURE 1A.1

Estimated Relationship between Wages and Quit Rates Using Data from Table 1A.1

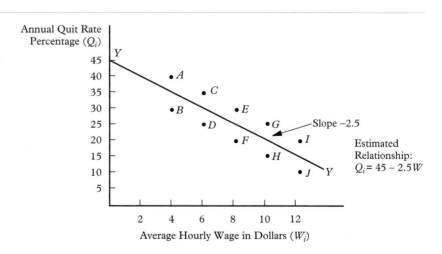

---

[2]An exception occurs in the demand and supply curves facing firms, in which the independent variable, price, is typically shown on the vertical axis.

parameters (the fixed coefficients) of the equation, with "a" representing the intercept and "b" the slope of the line. Put differently, "a" is the value of Y when the line intersects the vertical axis ($X = 0$). The slope, "b," indicates the vertical distance the line travels for each one-unit increase in the horizontal distance. If "b" is a positive number, the line slopes upward (going from left to right); if "b" is a negative number, the line has a downward slope.

If one were to try to draw the straight line that best fits the points in Figure 1A.1, it is clear that the line would slope downward and that it would not go through all 10 points. It would lie above some points and below others, and thus it would "fit" the points only with some error. We could model the relationship between the data points on the graph, then, as follows:

$$Q_i = \alpha_0 + \alpha_1 W_i + \varepsilon_i \tag{1A.2}$$

Here Q_i represents the quit rate for firm i, and it is the dependent variable. The independent or explanatory variable is W_i, firm i's wage rate. α_0 and α_1 are the parameters of the line, with α_0 the intercept and α_1 the slope of the line. The term ε_i is a random *error term;* it is included in the model because we do not expect that the line (given by $Q_i = \alpha_0 + \alpha_1 W_i$) will connect all the data points perfectly. Behaviorally, we are assuming the presence of random factors unrelated to wage rates that also cause the quit rate to vary across firms.

We seek to estimate what the true values of α_0 and α_1 are. Each pair of values of α_0 and α_1 defines a different straight line, and an infinite number of lines can be drawn that "fit" points A–J. It is natural for us to ask, "Which of these straight lines fits the data the best?" Some precise criterion must be used to decide which line fits the best, and the procedure typically used by statisticians and economists is to choose that line for which the sum (in our example, across all firms) of the squared vertical distances between the line and the individual data points is minimized. The line estimated from the data using this method, which is called *least squares regression analysis,* has a number of desirable properties.[3]

Application of this method to the data found in Table 1A.1 yields the following estimated line:

$$\overline{Q_i} = 45 - 2.5 W_i \tag{1A.3}$$
$$(5.3)\ (0.625)$$

---

[3]These properties include that, on average, the correct answer for α_1 is obtained; the estimates are the most precise possible among a certain class of estimators; and the sum of the positive and negative vertical deviations of the data points from the estimated line will be zero. For a more formal treatment of the method of least squares, see any statistics or econometrics text. A good introduction for the reader with no statistical background is Larry D. Schroeder, David L. Sjoquist, and Paula E. Stephan, *Understanding Regression Analysis: An Introductory Guide* (Beverly Hills, Calif.: Sage, 1986).

The estimate of α_0, the intercept of the line, is 45, and the estimate of α_1, the slope of the line, is –2.5.[4] Thus, if a firm has a wage rate of \$4/hour, we would predict that its annual quit rate would be 45 – 2.5(4), or 35 percent. This estimated quit/wage relationship is drawn in Figure 1A.1 as the line YY. (The numbers in parentheses below the equation will be discussed later.)

Several things should be noted about this relationship. First, taken at face value, this estimated relationship implies that firms paying their workers *nothing* (a wage of zero) would be projected to have *only* 45 percent of their workers quit each year (45 – 2.5(0) = 45), while firms paying their workers more than \$18 an hour would have negative quit rates.[5] The former result is nonsensical (why should any workers stay if they were paid nothing?), and the latter result is logically impossible (the quit rate cannot be less than zero). As these extreme examples suggest, it is dangerous to use linear models to make predictions that take one outside the range of observations used in the estimation (in the example, wages from \$4 to \$12). The relationship between wages and quit rates cannot be assumed to be linear (represented by a straight line) for very low and very high values of wages. Fortunately, the linear regression model used in the example can be easily generalized to allow for nonlinear relationships.

Second, the estimated intercept (45) and slope (–2.5) that we obtained are only estimates of the "true" relationship, and there is uncertainty associated with these estimates. The uncertainty arises partly from the fact that we are trying to infer the true values of α_0 and α_1—that is, the values that characterize the wage/quit relationship in the entire population of firms—from a sample of just 10 firms. The uncertainty about each estimated coefficient is measured by its *standard error*, or the estimated standard deviation of the coefficient. These standard errors are reported in parentheses under the estimated coefficients in equation (1A.3); for example, given our data, the estimated standard error of the wage coefficient is 0.625 and that of the intercept term is 5.3. The larger the standard error, the greater the uncertainty about our estimated coefficient's value.

Under suitable assumptions about the distribution of ε, the random error term in equation (1A.2), we can use these standard errors to test hypotheses about the estimated coefficients.[6] In our example, we would like to test the hypothesis that α_1 is negative (which implies, as suggested by theory, that higher wages reduce quits) against the *null hypothesis* that α_1 is zero and there is thus no relationship between wages and quits. One common test involves computing for each coefficient a *t statistic*, which is the ratio of the coefficient to its standard error. A heuristic rule, which can be made precise, is that if the absolute value of the *t* statistic is greater than 2, the hypothesis that the true value of the coefficient equals zero can be rejected. Put another way, if the absolute value of a coefficient is at least twice the size of its standard error, one can be fairly confident that the true value of the

---

[4]Students with access to computer software for estimating regression models can easily verify this result.
[5]For example, at a wage of \$20/hour, the estimated quit rate would be 45 – 2.5(20), or –5 percent per year.
[6]These assumptions are discussed in any econometrics text.

coefficient is other than zero; in this case, we say that the estimated coefficient is *statistically significant* (a shorthand way of saying that it is significantly different from zero in a statistical sense). In our example, the t statistic for the wage coefficient is $-2.5/0.625$, or -4.0, which leaves us very confident that the true relationship between wage levels and quit rates is negative.

Multiple Regression Analysis

The preceding discussion has assumed that the only variable influencing quit rates, other than random (unexplained) factors, is a firm's wage rate. The discussion of positive economics in chapter 1 stressed, however, that the prediction of a negative relationship between wages and quit rates is made holding all other factors constant. As we will discuss in chapter 10, economic theory suggests there are many factors besides wages that systematically influence quit rates. These include characteristics both of firms (e.g., employee benefits offered, working conditions, and firm size) and of their workers (e.g., age and level of training). If any of these other variables that we have omitted from our analysis tend to vary across firms systematically with the wage rates that the firms offer, the resulting estimated relationship between wage rates and quit rates will be incorrect. In such cases, we must take these other variables into account by using a model with more than one independent variable. We rely on economic theory to indicate which variables should be included in our statistical analysis and to suggest the direction of causation.

To illustrate this procedure, suppose for simplicity that the only variable affecting a firm's quit rate besides its wage rate is the average age of its workforce. Other things held constant, older workers are less likely to quit their jobs for a number of reasons (as workers grow older, ties to friends, neighbors, and co-workers become stronger, and the psychological costs involved in changing jobs—which often requires a geographic move—grow larger). To capture the effects of both wage rates and age, we assume that a firm's quit rate is given by

$$Q_i = \alpha'_0 + \alpha'_1 W_i + \alpha'_2 A_i + \varepsilon_i \qquad (1A.4)$$

A_i is a variable representing the age of firm i's workers. Although A_i could be measured as the average age of the workforce, or as the percentage of the firm's workers older than some age level, for expositional convenience we have defined it as a *dichotomous* variable. A_i is equal to 1 if the average age of firm i's workforce is greater than 40, and it is equal to zero otherwise. Clearly theory suggests that α'_2 is negative, which means that whatever values of α'_0, α'_1, and W_i pertain (that is, holding all else constant), firms with workforces having an average age above 40 years should have lower quit rates than firms with workforces having an average age equal to or below age 40.

The parameters of equation (1A.4)—that is, the values of α'_0, α'_1, and α'_2—can be estimated using *multiple regression analysis*, a method that is analogous to the one described above. This method finds the values of the parameters that define the best straight-line relationship between the dependent variable and the set of independent variables. Each parameter tells us the effect on the dependent variable of a one-unit change in the corresponding independent variable, *holding the other independent variables constant*. Thus, the estimate of α'_1 tells us the estimated effect on the quit rate (Q) of a one-unit change in the wage rate (W), holding the age of a firm's workforce (A) constant.

The Problem of Omitted Variables

If we use a univariate regression model in a situation calling for a multiple regression model—that is, if we leave out an important independent variable—our results may suffer from *omitted variables bias*. We illustrate this bias because it is an important pitfall in hypothesis testing and because it illustrates the need to use economic theory to guide empirical testing.

To simplify our example, we assume that we know the true values of α'_0, α'_1, and α'_2 in equation (1A.4) and that there is no random error term in this model (each ε_i is zero). Specifically, we assume that

$$Q_i = 50 - 2.5W_i - 10A_i \qquad (1A.5)$$

Thus, at any level of wages, a firm's quit rate will be 10 percentage points lower if the average age of its workforce exceeds 40 than it will be if the average age is less than or equal to 40.

Figure 1A.2 graphically illustrates this assumed relationship between quit rates, wage rates, and workforce average age. For all firms that employ workers

FIGURE 1A.2

True Relationships between Wages and Quit Rates (Equation 1A.5)

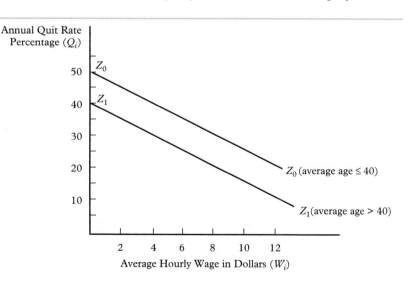

TABLE 1A.2

Hypothetical Average-Wage and Quit-Rate Data for Three Firms That Employ Older Workers and Three That Employ Younger Workers

	Employ Older Workers ($A_i = 1$)			Employ Younger Workers ($A_i = 0$)	
Firm	Average Hourly Wage	Quit Rate	Firm	Average Hourly Wage	Quit Rate
k	$8	20%	p	$4	40%
l	10	15	q	6	35
m	12	10	r	8	30

whose average age is less than or equal to 40, A_i equals zero and thus their quit rates are given by the line Z_0Z_0. For all firms that employ workers whose average age is greater than 40, A_i equals 1 and thus their quit rates are given by the line Z_1Z_1. The quit-rate schedule for the latter set of firms is everywhere 10 percentage points below the one for the former set. Both schedules indicate, however, that a $1 increase in a firm's average hourly wage will reduce its annual quit rate by 2.5 percentage points (that is, both lines have the same slope).

Now suppose a researcher were to estimate the relationship between quit rates and wage rates but ignored the fact that the average age of a firm's workers also affects the quit rate. That is, suppose one were to omit a measure of age and estimate the following equation:

$$Q_i = \alpha_0 + \alpha_1 W_i + \varepsilon_i \tag{1A.6}$$

Of crucial importance to us is how the estimated value of α_1 will correspond to the true slope of the quit/wage schedule, which we have *assumed* to be −2.5.

The answer depends heavily on how average wages and the average age of employees vary across firms. Table 1A.2 lists combinations of quit rates and wages for three hypothetical firms that employ older workers (average age greater than 40) and three hypothetical firms that employ younger workers. Given the wage each firm pays, the values of its quit rate can be derived directly from equation (1A.5).

It is a well-established fact that earnings of workers tend to increase as they age.[7] On average, then, firms employing older workers are assumed in the table to have higher wages than firms employing younger workers. The wage/quit-rate combinations for these six firms are indicated by the dots on the lines Z_0Z_0 and Z_1Z_1 in Figure 1A.3,[8] which reproduce the lines in Figure 1A.2.

---

[7]Reasons why this occurs will be discussed in chapters 5, 9, and 11.

[8]The fact that the dots fall exactly on a straight line is a graphic representation of the assumption in equation (1A.5) that there is no random error term. If random error is present, the dots would fall around, but not all on, a straight line.

FIGURE 1A.3

Estimated Relationships between Wages and Quit Rates Using Data from Table 1A.2

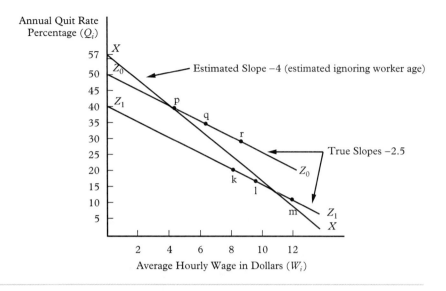

When we estimate equation (1A.6) using these six data points, we obtain the following straight line:

$$Q_i = 57 - 4W_i \qquad (1A.7)$$
$$(5.1) \ (0.612)$$

This estimated relationship is denoted by the line XX in Figure 1A.3. The estimate of α_1, which equals -4, implies that every dollar increase in wages reduces the quit rate by four percentage points, yet we know (by assumption) that the actual reduction is two and a half percentage points. Our estimated response overstates the sensitivity of the quit rate to wages because the estimated equation ignored the effect that age has on quits.

Put differently, quit rates are lower in high-wage firms *both* because the wages they pay are higher *and* because high-wage firms tend to employ older workers, who are less likely to quit. By ignoring age in the analysis, we mistakenly conclude that quit rates are more sensitive to wage changes than they actually are. Therefore, by omitting from our model an important explanatory variable (age) that both affects quit rates and is associated with wage levels, we have obtained a wrong estimate of the effect of wages on quit rates.

This discussion highlights the "other things held equal" nature of most hypotheses in labor economics. In testing hypotheses, we must control for other factors that are expected to influence the variable of interest. Typically this is done by specifying that the dependent variable is a function of a *set* of variables. This specification must be guided by economic theory, and one reason for learning economic theory is that it can guide us in testing hypotheses about human behavior. Without a firm grounding in theory, analyses of behavior can easily fall victim to omitted variables bias.

Having said this, we must point out that it is neither possible nor crucial to have data on all variables that could conceivably influence what is being examined. As emphasized in chapter 1, testing economic models involves looking for *average* relationships and ignoring idiosyncratic factors. Two workers with the same age and the same wage rate may exhibit different quit behaviors because, for example, one wants to leave town to get away from a dreadful father-in-law. This idiosyncratic factor is not important for the testing of an economic model of quit rates, because having a father-in-law has neither a predictable effect on quits (some fathers-in-law are desirable to be around) nor any correlation with one's wage rate. To repeat, omitted variables bias is a problem only if the omitted variable has an effect on the dependent variable (quit rate) *and* is correlated with an independent variable of interest (wages).

CHAPTER 2

Overview of the Labor Market

Every society—regardless of its wealth, its form of government, or the organization of its economy—must make basic decisions. It must decide what and how much to produce, how to produce it, and how the output shall be distributed. These decisions require finding out what consumers want, what technologies for production are available, and what the skills and preferences of workers are; deciding where to produce; and coordinating all such decisions so that, for example, the millions of people in New York City and the isolated few in an Alaskan fishing village can each buy the milk, bread, meat, vanilla extract, mosquito repellent, and brown shoe polish they desire at the grocery store. The process of coordination involves creating incentives so that the right amount of labor and capital will be employed at the right place at the required time.

These decisions can, of course, be made by administrators employed by a centralized bureaucracy. The amount of information this bureaucracy must obtain and process to make the millions of needed decisions wisely, and the number of incentives it must create to ensure that these decisions are coordinated, are truly mind-boggling. It boggles the mind even more to consider the major alternative to centralized decision making—the decentralized marketplace. Millions of producers striving to make a profit observe the prices millions of consumers are willing to pay for products and the wages millions of workers are willing to accept for work. Combining these pieces of information with data on various technologies, they decide where to produce, what to produce, whom to hire, and how much to produce. No one is in charge, and while market imperfections impede progress toward achieving the best allocation of resources, millions of people find jobs that enable them to purchase the items they desire each year. The production, employment, and consumption decisions are all made and coordinated by price signals arising through the marketplace.

The market that allocates workers to jobs and coordinates employment decisions is the *labor market*. With almost 150 million workers and more than 7 million employers in the United States, thousands of decisions about career choice, hiring, quitting, compensation, and technology must be made and coordinated every day. This chapter will present an overview of what the labor market does and how it works.

The Labor Market: Definitions, Facts, and Trends

Every market has buyers and sellers, and the labor market is no exception: the buyers are employers and the sellers are workers. Some of these participants may not be active at any given moment in the sense of seeking new employees or new jobs, but on any given day thousands of firms and workers will be "in the market" trying to transact. If, as in the case of doctors or mechanical engineers, buyers and sellers are searching throughout the entire nation for each other, we would describe the market as a *national labor market*. If buyers and sellers only search locally, as in the case of data entry clerks or automobile mechanics, the labor market is a *local* one.

When we speak of a particular "labor market"—for taxi drivers, say—we are using the term loosely to refer to the companies trying to hire people to drive their cabs and the people seeking employment as cabdrivers. The efforts of these buyers and sellers of labor to transact and establish an employment relationship constitute the market for cabdrivers. However, neither the employers nor the drivers are confined to this market; both could simultaneously be in other markets as well. An entrepreneur with $100,000 to invest might be thinking of operating either a taxi company or a car wash, depending on the projected revenues and costs of each. A person seeking a cabdriving job might also be trying to find work as an actor. Thus, all the various labor markets that we can define on the basis of industry, occupation, geography, transaction rules, or job character are interrelated to some degree. We speak of these narrowly defined labor markets for the sake of convenience.

Some labor markets, particularly those in which the sellers of labor are represented by a union, operate under a very formal set of rules that partly govern buyer-seller transactions. In the unionized construction trades, for example, employers must hire at the union hiring hall from a list of eligible union members. In other unionized markets, the employer has discretion over who gets hired

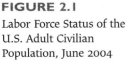

FIGURE 2.1
Labor Force Status of the
U.S. Adult Civilian
Population, June 2004

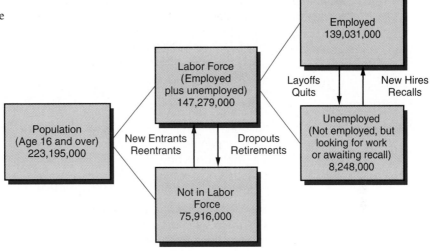

but is constrained by a union-management agreement in such matters as the order in which employees may be laid off, procedures regarding employee complaints, and promotions. The markets for government jobs and jobs with large nonunion employers also tend to operate under rules that constrain the authority of management and ensure fair treatment of employees. When a formal set of rules and procedures guides and constrains the employment relationship *within* a firm, an *internal labor market* is said to exist.[1]

The Labor Force and Unemployment

Figure 2.1 highlights some basic definitions concerning labor market status. The term *labor force* refers to all those over 16 years of age who are either employed, actively seeking work, or expecting recall from a layoff. Those in the labor force who are not employed for pay are the *unemployed*.[2] People who are not employed and are neither looking for work nor waiting to be recalled from layoff by their employers are not counted as part of the labor force. The total labor force thus consists of the employed and the unemployed.

The number and identities of people in each labor market category are always changing, and as we shall see in chapter 15, the flows of people from one category

---

[1]An analysis of internal labor markets can be found in Michael L. Wachter and Randall Wright, "The Economics of Internal Labor Markets," *University of Pennsylvania Law Review* 29 (Spring 1990): 240–262.

[2]The official definition of unemployment for purposes of government statistics includes those who have been laid off by their employers, those who have been fired or have quit and are looking for other work, and those who are just entering or reentering the labor force but have not found a job as yet. The extent of unemployment is estimated from a monthly survey of some 50,000 households called the Current Population Survey (CPS). Interviewers ascertain whether household members are employed, whether they meet one of the aforementioned conditions (in which case they are considered "unemployed"), or whether they are out of the labor force.

to another are sizable. As Figure 2.1 suggests, there are four major flows between labor market states:

1. Employed workers become unemployed by *quitting* voluntarily or *being laid off* (being involuntarily separated from the firm, either temporarily or permanently).
2. Unemployed workers obtain employment by *being newly hired* or *being recalled* to a job from which they were temporarily laid off.
3. Those in the labor force, whether employed or unemployed, can leave the labor force by *retiring* or otherwise deciding against taking or seeking work for pay (*dropping out*).
4. Those who have never worked or looked for a job expand the labor force by *entering* it, while those who have dropped out do so by *reentering* the labor force.

In June 2004 there were more than 147 million people in the labor force, representing 66 percent of the entire population over 16 years of age. An overall *labor force participation rate* (labor force divided by population) of 66 percent is higher than the rates of about 60 percent that prevailed prior to the 1980s, but—as is shown in Table 2.1—a bit lower than the rate in 2000. The reduction from the year 2000 is related to a rise in unemployment since then (we will discuss reasons why in chapter 7), but over the long run there are two important facts that characterize labor force trends in the United States: *labor force participation rates for men are falling while those for women are increasing.* These trends and their causes will be discussed in detail in chapters 6 and 7.

The ratio of those unemployed to those in the labor force is the *unemployment rate.* While this rate is crude and has several imperfections, it is the most widely

TABLE 2.1

Labor Force Participation Rates by Gender, 1950–2004

Year	Total	Men	Women
1950	59.9%	86.8%	33.9%
1960	60.2	84.0	37.8
1970	61.3	80.6	43.4
1980	64.2	77.9	51.6
1990	66.5	76.4	57.5
2000	67.2	74.7	60.2
2004 (June)	66.0	73.3	59.2

Sources: 1950–1980: U.S. President, *Employment and Training Report of the President* (Washington, D.C.: U.S. Government Printing Office), transmitted to the Congress 1981, Table A-1.
1990: U.S. Bureau of Labor Statistics, *Employment and Earnings* 45 (February 1998), Tables A-1, A-2.
2000: U.S. Bureau of Labor Statistics, *Employment Situation* (News Release, October 2001), Table A-1.
2004: U.S. Bureau of Labor Statistics, *Employment Situation* (News Release, July 2004), Table A-1.
Data and news releases are available online at http://www.bls.gov.

cited measure of labor market conditions. When the unemployment rate is around 5 percent in the United States, the labor market is considered *tight*, indicating that jobs in general are plentiful and hard for employers to fill and that most of those who are unemployed will find other work quickly. When the unemployment rate is higher—say, 7 percent or above—the labor market is described as *loose*, in the sense that workers are abundant and jobs are relatively easy for employers to fill. To say that the labor market as a whole is loose, however, does not imply that no shortages can be found anywhere; to say it is tight can still mean that in some occupations or places the number of those seeking work exceeds the number of jobs available at the prevailing wage.

Figure 2.2 shows the overall unemployment rate from 1900 to 2003 (data displayed graphically in Figure 2.2 are contained in a table inside the front cover). The data clearly show the extraordinarily loose labor market during the Great Depression of the 1930s and the exceptionally tight labor market during World War II. However, when we look at long stretches of nonwar years, excluding the years of the Great Depression, two interesting patterns emerge. First, the average unemployment rate has clearly risen: it was 4.4 percent in 1900–1914, but in the most recent nonwar periods, it was 5.3 percent (1954–1965) and 6.3 percent (1973–2003). Second, in recent years, the unemployment rate has fluctuated less than it did in 1900–1914. In the years from 1900 to 1914, the average yearly change in the unemployment rate was 1.9 percentage points; in contrast, from 1954 to 1965 and from 1973 to 2003, it was around 0.8 percentage points. The labor market, then, would

FIGURE 2.2

Unemployment Rates for the Civilian Labor Force, 1900–2003 (detailed data in table inside front cover)

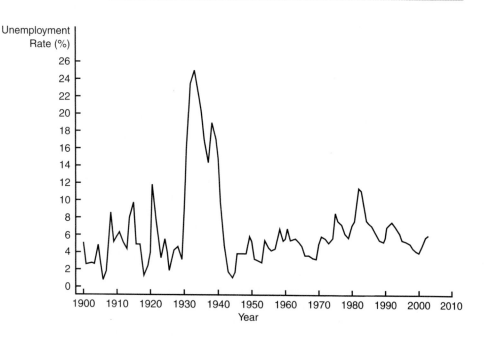

appear to be more stable now than it was at the beginning of the twentieth century, but it operates with proportionately more unemployment. Chapter 15 will present a more detailed analysis of the determinants of the unemployment rate.

Industries and Occupations: Adapting to Change

As we pointed out earlier, the labor market is the mechanism through which workers and jobs are matched. Over the last 50 years, the number of some kinds of jobs has expanded and the number of others has contracted. Both workers and employers have had to adapt to these changes in response to signals provided by the labor market. One way to capture the extent of employment transactions that labor markets must facilitate is to compare the number or distribution of jobs across sectors at different points in time. For example, from 1972 to 1986, roughly 11 percent of all manufacturing jobs were destroyed each year by plant closings and employment contractions, while another 9 percent were newly created yearly by plant expansions and openings.[3]

An examination of the industrial distribution of employment from 1954 to 2003 reveals the kinds of changes the labor market has had to facilitate. Figure 2.3, which graphs data presented in a table inside the front cover, discloses a major shift: employment in goods-producing industries (largely manufacturing) has fallen as a share of total nonfarm employment, while private-sector services have experienced dramatic growth. Thus, while a smaller share of the American labor force is working in factories, job opportunities with private employers have expanded in wholesale and retail trade, education and health care, professional and business services, leisure and hospitality activities, finance, and information services. Government employment as a share of the total has fluctuated in a relatively narrow range over the period.

The combination of shifts in the industrial distribution of jobs and changes in the production technology within each sector has also required that workers acquire new skills and work in new jobs. Just since 1970, for example, the number of skilled craft and repair jobs has fallen from 13.2 percent to 11 percent of total employment, while opportunities for less-skilled operatives and laborers have declined from 22.7 to 13.1 percent of all jobs. Meanwhile, jobs for managers and administrators rose from 8 percent to 15 percent of the total, and those in sales increased from 7 to 11.9 percent.[4]

The Earnings of Labor

The actions of buyers and sellers in the labor market serve both to allocate and to set prices for various kinds of labor. From a social perspective, these prices act as signals or incentives in the allocation process, a process that relies primarily on individual and voluntary decisions. From the worker's point of view, the price of labor is important in determining income—and hence purchasing power.

---

[3]Steven J. Davis and John Haltiwanger, "Gross Job Creation, Gross Job Destruction, and Employment Reallocation," *Quarterly Journal of Economics* 107 (August 1992): 819–863.

[4]U.S. Bureau of the Census, *Statistical Abstract of the United States* (Washington, D.C.: U.S. Government Printing Office, 1974 and 2003), Table 571 (1974), Table 616 (2003).

FIGURE 2.3

Employment Distribution by Major Nonfarm Sector, 1954–2003 (detailed data in table inside front cover)

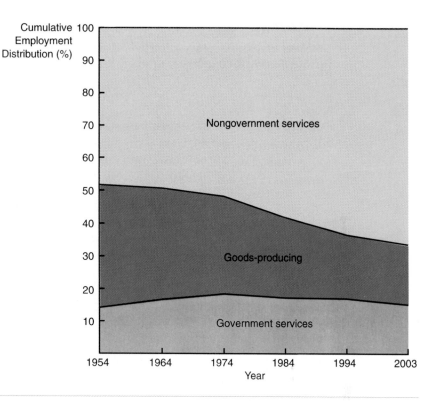

NOMINAL AND REAL WAGES   The *wage rate* is the price of labor per working hour.[5] The *nominal wage* is what workers get paid per hour in current dollars; nominal wages are most useful in comparing the pay of various workers at a given time. *Real wages,* nominal wages divided by some measure of prices, suggest how much can be purchased with workers' nominal wages. For example, if a worker earns $64 a day and a pair of shoes cost $32, we could say the worker earns the equivalent of two pairs of shoes a day (real wage = $64/$32 = 2).

Calculations of real wages are especially useful in comparing the purchasing power of workers' earnings over a period of time when both nominal wages and product prices are changing. For example, suppose we were interested in

---

[5]In this book, we define the hourly wage in the way most workers would if asked to state their "straight-time" wage. It is the money a worker would lose per hour if he or she had an unauthorized absence. When wages are defined in this way, a paid holiday becomes an "employee benefit," as we note below, because leisure time is granted while pay continues. Thus, a worker paid $100 for 25 hours—20 of which are working hours and 5 of which are time off—will be said to earn a wage of $4 per hour and receive time off worth $20.

An alternative is to define the wage in terms of actual hours worked—or as $5 per hour in the above example. We prefer our definition, because if the worker seizes an opportunity to work one less hour in a particular week, his or her earnings would fall by $4, not $5 (as long as the reduction in hours does not affect the hours of paid holiday or vacation time for which the worker is eligible).

TABLE 2.2

Nominal and Real Hourly Earnings, U.S. Nonsupervisory Workers in the Private Sector, 1980–2003

	1980	1990	2003
Average Hourly Earnings	$ 6.84	$ 10.19	$ 15.38
Consumer Price Index (CPI) using 1982–1984 as a base	82.4	130.7	184.0
Average Hourly Earnings, 1982–1984 dollars (using CPI)	$ 8.30	$ 7.80	$ 8.36
Average Hourly Earnings, 2003 dollars (using CPI)	$ 15.27	$ 14.35	$ 15.38
Average Hourly Earnings, 2003 dollars (using CPI inflation less 1 percent per year)	$ 12.20	$ 12.69	$ 15.38

Source: U.S. President, *Economic Report of the President* (Washington, D.C.: U.S. Government Printing Office, 2004), Tables B-47, B-60.

trying to determine what happened to the real wages of American nonsupervisory workers over the period from 1980 to 2003. We can note from Table 2.2 that the average hourly earnings of these workers in the private sector were $6.84 in 1980, $10.19 in 1990, and $15.38 in 2003; thus, nominal wage rates were clearly rising over this period. However, the prices such workers had to pay for the items they buy were also rising over this period, so a method of accounting for price inflation must be used in calculating real wages.

The most widely used measure for comparing the prices consumers face over several years is the Consumer Price Index (CPI). Generally speaking, this index is derived by determining what a fixed bundle of consumer goods and services (including food, housing, clothing, transportation, medical care, and entertainment) costs each year. The cost of this bundle in the base period is then set to equal 100, and the index numbers for all other years are set proportionately to this base period. For example, if the bundle's average cost over the 1982–1984 period is considered the base (the average value of the index over this period is set to 100), and if the bundle costs 84 percent more in 2003, then the index for 2003 is equal to 184.0. From the second line in Table 2.2, we can see that with a 1982–1984 base, the CPI was 82.4 in 1980 and 184.0 in 2003—implying that prices had more than doubled (184.0/82.4 = 2.23) over that period. Put differently, a dollar in 2003 appears to buy less than half as much as a 1980 dollar.

There are several alternative ways to calculate real wages from the information given in the first two rows of Table 2.2. The most straightforward way is to divide the nominal wage by the CPI for each year and multiply by 100. Doing this converts the nominal wage for each year into 1982–1984 dollars; thus, workers paid $6.84 in 1980 could have bought $8.30 worth of goods and services in 1983, while those paid $15.38 in 2003 could have bought $8.36 worth. Alternatively, we could use the table's information to put average hourly earnings into 2003 dollars by multiplying each year's nominal wage rate by the percentage price increase between that year and 2003. Because prices rose by 123 percent between 1980 and 2003, $6.84 in 1980 was equivalent to $15.27 in 2003.

THE CONSUMER PRICE INDEX   Our calculations in Table 2.2 suggest that real wages for American nonsupervisory workers were roughly the same in 2003 as they were in 1980. A lively debate exists, however, about whether real-wage calculations based on the CPI are accurate indicators of changes in the purchasing power of an hour of work for the ordinary American. The issues are technical and beyond the scope of this text, but they center on two problems associated with using a fixed bundle of goods and services to compare prices from year to year.

One problem is that consumers *change* the bundle of goods and services they actually buy over time, partly in response to changes in prices. If the price of beef rises, for example, consumers may eat more chicken; pricing a fixed bundle may thus understate the purchasing power of current dollars, because it assumes that consumers still purchase the former quantities of beef. For this reason, the bundles used for pricing purposes are updated periodically.

The more difficult issue has to do with the *quality* of goods and services.Suppose that hospital costs rise by 50 percent over a five-year period, but that at the same time, new diagnostic equipment and surgical techniques are perfected. Some of the increased price of hospitalization, then, reflects the availability of new services—or quality improvements in previously provided ones—rather than reductions in the purchasing power of a dollar. The problem is that we have not yet found a satisfactory method for feasibly separating the effects of changes in quality.

After considering these problems, some economists believe that the Consumer Price Index has overstated inflation by as much as one percentage point per year.[6] While not everyone agrees that inflation is overstated by this much, it is instructive to recalculate real-wage changes by supposing that it is. Inflation, as measured by the Consumer Price Index, averaged 2.7 percent per year from 1990 to 2003, and in Table 2.2, we therefore estimated that it would take $14.35 in 2003 to buy what $10.19 could have purchased 13 years earlier. Comparing $14.35 with what was actually paid in 2003—$15.38—we would conclude that real wages had risen by 7 percent from 1990 to 2003. If the true decline in purchasing power were instead only 1.7 percent per year during that period, then it would have taken a wage of only $12.69 in 2003 to match the purchasing power of $10.19 in 1990. Because workers actually were paid $15.38 in 2003, assuming that true inflation was one percentage point below that indicated by the CPI results in the conclusion that real wage rates rose by 21 percent over the period! We can use the same methods and assumptions about true inflation to estimate that a wage of $12.20 in 2003 would have had the equivalent purchasing power of $6.84 in 1980. Under the revised assumptions about inflation, real wages from 1980 to 1990 now show a

---

[6]For a review of studies on this topic, see David E. Lebow and Jeremy B. Rudd, "Measurement Error in the Consumer Price Index: Where Do We Stand?" *Journal of Economic Literature* 41 (March 2003): 159–201. These authors place the upward bias in the CPI at between 0.3 and 1.4 percentage points per year, with the most likely bias being 0.9 percentage points.

modest increase instead of the decrease estimated using the unadjusted CPI. Thus, both the size and direction of estimated real wage changes are sensitive to the accuracy of the CPI in measuring changes in purchasing power over time.

WAGES, EARNINGS, COMPENSATION, AND INCOME   We often apply the term *wages* to payments received by workers who are paid on a salaried basis (monthly, for example) rather than an hourly basis. The term is used this way merely for convenience and is of no consequence for most purposes. It is important, however, to distinguish among wages, earnings, and income, as we do schematically in Figure 2.4. The term *wages* refers to the payment for a *unit* of time, whereas *earnings* refers to wages multiplied by the number of time units (typically hours) worked. Thus, earnings depend on both wages and the length of time the employee works.

Both wages and earnings are normally defined and measured in terms of direct monetary payments to employees (before taxes for which the employee is liable). *Total compensation*, on the other hand, consists of earnings plus *employee benefits*—benefits that are either payments in kind or deferred. Examples of *payments in kind* are employer-provided health care and health insurance, where the employee receives a service or an insurance policy rather than money. Paid vacation time is also in this category, since employees are given days off instead of cash.

Deferred payments can take the form of employer-financed retirement benefits, including Social Security taxes, for which employers set aside money now that enables their employees to receive pensions later.

Income—the total command over resources of a person or family during some time period (usually a year)—includes earnings, benefits, and *unearned income,*

FIGURE 2.4

Relationship between Wages, Earnings, Compensation, and Income

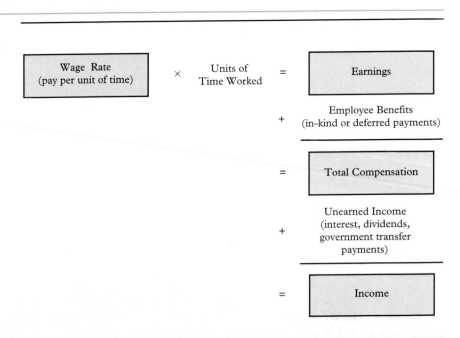

which includes dividends or interest received on investments and transfer payments received from the government in the form of food stamps, welfare payments, unemployment compensation, and the like.

How the Labor Market Works

As shown diagrammatically in Figure 2.5, the labor market is one of three markets in which firms must successfully operate if they are to survive; the other two are the capital market and the product market. The labor and capital markets are the major ones in which firms' inputs are purchased, and the product market is the one in which output is sold. In reality, of course, a firm may deal in many different labor, capital, or product markets simultaneously.

Study of the labor market begins and ends with an analysis of the demand for and supply of labor. On the demand side of the labor market are employers, whose decisions about the hiring of labor are influenced by conditions in all three markets. On the supply side of the labor market are workers and potential workers, whose decisions about where (and whether) to work must take into account their other options for how to spend time.

It is useful to remember that the major labor market outcomes are related to (a) the *terms of employment* (wages, compensation levels, working conditions) and (b) the *levels of employment*. In analyzing both these outcomes, one must usually differentiate among the various occupational, skill, or demographic groups that make up the overall labor market. Any labor market outcome is always affected, to one

FIGURE 2.5

The Markets in Which Firms Must Operate

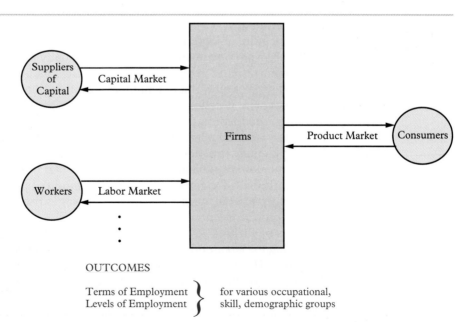

OUTCOMES

Terms of Employment } for various occupational,
Levels of Employment } skill, demographic groups

degree or another, by the forces of both demand and supply. To paraphrase economist Alfred Marshall, it takes both demand and supply to determine economic outcomes, just as it takes both blades of a scissors to cut cloth.

In this chapter, we present the basic outlines and broadest implications of the simplest economic model of the labor market. In later chapters, we shall add some complexities to this basic model and explain assumptions and implications more fully. However, the simple model of demand and supply presented here offers some insights into labor market behavior that can be very useful in the formulation of social policy. Every piece of analysis in this text is an extension or modification of the basic model presented in this chapter.

The Demand for Labor

Firms combine various factors of production—mainly capital and labor—to produce goods or services that are sold in a product market. Their total output and the way in which they combine labor and capital depend on three forces: product demand, the amount of labor and capital they can acquire at given prices, and the choice of technologies available to them. When we study the demand for labor, we are interested in finding out how the number of workers employed by a firm or set of firms is affected by changes in one or more of these three forces. To simplify the discussion, we shall study one change at a time while holding other forces constant.

WAGE CHANGES   How does the number of employees (or total labor hours) demanded vary when wages change? Suppose, for example, that we could vary the wages facing a certain industry over a long period of time but keep the technology available, the conditions under which capital is supplied, and the relationship between product price and product demand unchanged. What would happen to the quantity of labor demanded if the wage rate were *increased?*

First, higher wages imply higher costs and, usually, higher product prices. Because consumers respond to higher prices by buying less, employers would tend to reduce their levels of output and employment (other things being equal). This decline in employment is called a *scale effect,* the effect on desired employment of a smaller scale of production.

Second, as wages increase (assuming the price of capital does not change, at least initially), employers have incentives to cut costs by adopting a technology that relies more on capital and less on labor. Desired employment would fall because of a shift toward a more *capital-intensive* mode of production. This second effect is termed a *substitution effect,* because as wages rise, capital is *substituted* for labor in the production process.

The effects of various wages on employment levels might be summarized in a table showing the labor demanded at each wage level. Table 2.3 illustrates such a *demand schedule.* The relationship between wages and employment tabulated in Table 2.3 could be graphed as a *demand curve.* Figure 2.6 shows the demand curve

TABLE 2.3

Labor Demand Schedule for a Hypothetical Industry

Wage Rate	Desired Employment Level
$3.00	250
4.00	190
5.00	160
6.00	130
7.00	100
8.00	70

Note: Employment levels can be measured in number of employees or number of labor hours demanded. We have chosen here to use number of employees.

generated by the data in Table 2.3. Note that the curve has a negative slope, indicating that as wages rise, less labor is demanded. (Note also that we follow convention in economics by placing the wage rate on the *vertical* axis despite its being an *independent* variable in the context of labor demand by a firm.) A demand curve for labor tells us how the desired level of employment, measured in either labor hours or number of employees, varies with changes in the price of labor when the other forces affecting demand are held constant.

CHANGES IN OTHER FORCES AFFECTING DEMAND What happens to labor demand when one of the forces other than the wage rate changes?

First, suppose that *demand for the product* of a particular industry were to increase, so that at any output price, more of the goods or services in question could be sold. Suppose in this case that technology and the conditions under which capital and labor are made available to the industry do not change. Output levels would clearly rise as firms in the industry sought to maximize profits, and this *scale* (or *output*) *effect* would increase the demand for labor at any given wage rate. (As long as the relative prices of capital and labor remain unchanged, there is no *substitution effect*.)

FIGURE 2.6

Labor Demand Curve (based on data in Table 2.3)

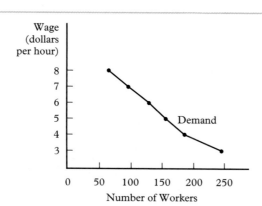

How would this change in the demand for labor be illustrated using a demand curve? Since the technology available and the conditions under which capital and labor are supplied have remained constant, this change in product demand would increase the labor desired at any wage level that might prevail. In other words, the entire labor demand curve *shifts* to the right. This rightward shift, shown as a movement from D to D' in Figure 2.7, indicates that at every possible wage rate the number of workers demanded has increased.

Second, consider what would happen if the product demand schedule, technology, and labor supply conditions were to remain unchanged, but *the supply of capital* changed so that capital prices fell to 50 percent of their prior level. How would this change affect the demand for labor?

Our method of analyzing the effects on labor demand of a change in the price of *another* productive input is familiar: we must consider the scale and substitution effects. First, when capital prices decline, the costs of producing tend to decline. Reduced costs stimulate increases in production, and these increases tend to raise the level of desired employment at any given wage. The scale effect of a fall in capital prices thus tends to increase the demand for labor at each wage level.

The second effect of a fall in capital prices would be a substitution effect, whereby firms adopt more capital-intensive technologies in response to cheaper capital. Such firms would substitute capital for labor and would use less labor to produce a given amount of output than before. With less labor being desired at each wage rate and output level, the labor demand curve tends to shift to the left.

A fall in capital prices, then, generates *two opposite effects* on the demand for labor. The scale effect will push the labor demand curve rightward, while the substitution effect will push it to the left. As emphasized by Figure 2.8, either effect could dominate. Thus, economic theory does not yield a clear-cut prediction about how a fall in capital prices will affect the demand for labor. (A *rise* in capital prices would generate the same overall ambiguity of effect on the demand for labor, with the scale effect pushing the labor demand curve leftward and the substitution effect pushing it to the right.)

The hypothesized changes in product demand and capital supply just discussed have tended to *shift* the demand curve for labor. It is important to distin-

FIGURE 2.7

Shift in Demand for Labor
Due to Increase in Product
Demand

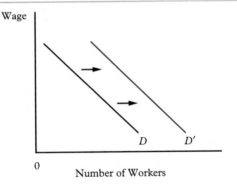

FIGURE 2.8

Possible Shifts in Demand for Labor Due to Fall in Capital Prices

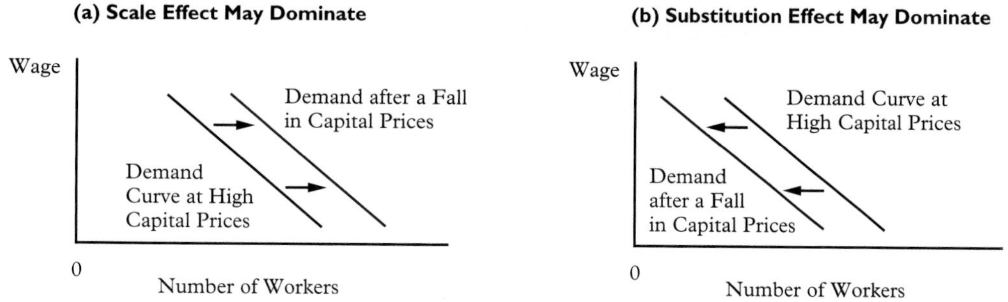

(a) Scale Effect May Dominate

Wage

Demand after a Fall
in Capital Prices

Demand
Curve at High
Capital Prices

0

Number of Workers

(b) Substitution Effect May Dominate

Wage

Demand Curve at
High Capital Prices

Demand
after a Fall
in Capital Prices

0

Number of Workers

guish between a *shift* in a demand curve and *movement along* a curve. A labor demand curve graphically shows the *labor desired* as a function of the *wage rate.* When the *wage* changes and other forces are held unchanged, one *moves along* the curve. However, when one of the *other forces* changes, the labor demand curve *shifts*. Unlike wages, these forces are not directly shown when the demand curve for labor is drawn. Thus, when *they* change, a different relationship between wages and desired employment prevails, and this shows up as a shift of the demand curve.

MARKET, INDUSTRY, AND FIRM DEMAND   The demand for labor can be analyzed on three levels:

1. To analyze the demand for labor *by a particular firm,* we would examine how an increase in the wage of machinists, say, would affect their employment by a particular aircraft manufacturer.
2. To analyze the effects of this wage increase on the employment of machinists *in the entire aircraft industry,* we would utilize an industry demand curve.
3. Finally, to see how the wage increase would affect the *entire labor market* for machinists in all industries in which they are used, we would use a market demand curve.

We shall see in chapters 3 and 4 that firm, industry, and market labor demand curves vary in *shape* to some extent because *scale* and *substitution effects* have different strengths at each level. However, it is important to remember that the scale and substitution effects of a wage change work in the same direction at each level, so that firm, industry, and market demand curves *all slope downward.*

LONG RUN VERSUS SHORT RUN   We can also distinguish between *long-run* and *short-run* labor demand curves. Over very short periods of time, employers find it difficult to substitute capital for labor (or vice versa), and customers may not change their product demand very much in response to a price increase. It takes *time* to fully adjust consumption and production behavior. Over longer periods of time, of course, responses to changes in wages or other forces affecting the demand for labor are larger and more complete.

The Supply of Labor

Having looked at a simple model of behavior on the buyer (or demand) side of the labor market, we now turn to the seller (or supply) side of the market. For the purposes of this chapter, we shall assume that workers have already decided to work and that the question facing them is what occupation and what employer to choose.

MARKET SUPPLY   To first consider the supply of labor to the entire market (as opposed to the supply to a particular firm), suppose that the market we are considering is the one for secretaries. How will supply respond to changes in the wages secretaries might receive?

If the salaries and wages in *other* occupations are held constant and the wages of secretaries rise, we would expect to find more people wanting to become secretaries. For example, suppose that each of 100 people in a high school graduating class has the option of becoming an insurance agent or a secretary. Some of these 100 people will prefer to be insurance agents even if secretaries are better paid, because they like the challenge and sociability of selling. Some would want to be secretaries even if the pay were comparatively poor, because they hate the pressures of selling. Many, however, could see themselves doing either job; for them, the compensation in each occupation would be a major factor in their decision.

Thus, the supply of labor to a particular market is positively related to the wage rate prevailing in that market, holding other wages constant. That is, if the wages of insurance agents are held constant and the secretary wage rises, more people will want to become secretaries because of the relative improvement in compensation (as shown graphically in Figure 2.9).

As with demand curves, each supply curve is drawn holding other prices and wages constant. If one or more of these other prices or wages were to change, it would cause the supply curve to *shift*. As the salaries of insurance agents *rise*, some people will change their minds about becoming secretaries and choose to become insurance agents. In graphical terms (see Figure 2.10), increases in the salaries of insurance agents would cause the supply curve of secretaries to shift to the left.

FIGURE 2.9

Market Supply Curve for Secretaries

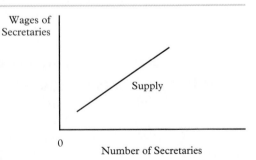

FIGURE 2.10

Shift in Market Supply Curve for Secretaries as Salaries of Insurance Agents Rise

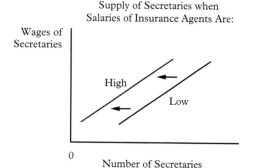

Supply of Secretaries when Salaries of Insurance Agents Are:

Wages of Secretaries

High

Low

0

Number of Secretaries

SUPPLY TO FIRMS   Having decided to become a secretary, the individual would then have to decide which offer of employment to accept. If all employers were offering secretarial jobs that were more or less alike, the choice would be based entirely on compensation. Any firm unwise enough to attempt paying a wage below what others were paying would find it could not attract any employees (or at least none of the caliber it wanted). Conversely, no firm would be foolish enough to pay more than the going wage, because it would be paying more than it would have to pay to attract a suitable number and quality of employees. Supply curves to a *firm*, then, are *horizontal*, as shown in Figure 2.11, indicating that at the going wage, a firm could get all the secretaries it needs. If the secretarial wage paid by others in the market is W_0, then the firm's labor supply curve is S_0; if the wage falls to W_1, the firm's labor supply curve becomes S_1.

The difference in slope between the market supply curve and the supply curve to a firm is directly related to the type of choice facing workers. In deciding whether to *enter* the secretarial labor market, workers must weigh both the compensation *and* the job requirements of alternative options (such as being an insurance agent). If wages of secretaries were to fall, not everyone would withdraw from that market, because the jobs of insurance agent and secretary are not perfect substitutes. Some people would remain secretaries after a wage decline because they dislike the job requirements of insurance agents.

FIGURE 2.11

Supply of Secretaries to a Firm at Alternative Market Wages

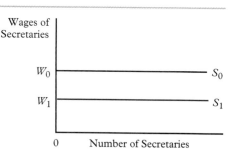

Wages of Secretaries

W_0 ————————————————— S_0

W_1 ————————————————— S_1

0   Number of Secretaries

Once the decision to become a secretary had been made, however, the choice of *which employer* to work for would be a choice among alternatives in which the job requirements were nearly the *same*. Thus, the choice would have to be made on the basis of compensation alone. If a firm were to lower its wage offers below those of other firms, it would lose all its applicants. The horizontal supply curve is, therefore, a reflection of supply decisions made among alternatives that are perfect substitutes for each other.

We have argued that firms wishing to hire secretaries must pay the going wage or lose all applicants. While this may seem unrealistic, it is not a bad proposition with which to start our analysis. If a firm offers jobs *comparable* to those offered by other firms but at a lower level of pay, it might be able to attract a few applicants of the quality it desires because a few people will be unaware of compensation elsewhere. Over time, however, knowledge of the firm's poor pay would become more widespread, and the firm would have to rely solely on less-qualified people to fill its jobs. It could secure quality employees at below-average pay only if it offered *noncomparable* jobs (more pleasant working conditions, longer paid vacations, and so forth). This factor in labor supply will be discussed in chapter 8. For now, we will assume that individual firms, like individual workers, are *wage takers*; that is, the wages they pay to their workers must be pretty close to the going wage if they face competition in the labor market. Neither individual workers nor firms can set a wage much different from the going wage and still hope to transact. (Exceptions to this elementary proposition will be analyzed in chapter 5.)

The Determination of the Wage

The wage that prevails in a particular labor market is heavily influenced by labor demand and supply, regardless of whether the market involves a labor union or other nonmarket forces. In this section, we analyze how the interplay of demand and supply in the labor market affects wages.

THE MARKET-CLEARING WAGE   Recall that the market demand curve indicates how many workers employers would want at each wage rate, holding capital prices and the product demand schedule constant. The market supply curve indicates how many workers would enter the market at each wage level, holding the wages in other occupations constant. These curves can be placed on the same graph to reveal some interesting information, as shown in Figure 2.12.

For example, suppose the market wage were set at W_1. At this low wage, Figure 2.12 indicates that demand *exceeds* supply. Employers will be competing for the few workers in the market, and a shortage of workers would exist. The desire of firms to attract more employees would lead them to increase their wage offers, thus driving up the overall level of wage offers in the market. As wages rose, two things would happen. First, more workers would choose to enter the market and look for jobs (a movement along the supply curve); second, increasing wages would induce employers to seek fewer workers (a movement along the demand curve).

If wages were to rise to W_2, supply would exceed demand. Employers would desire fewer workers than the number available, and not all those desiring employ-

FIGURE 2.12

Market Demand and Supply

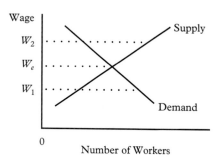

ment would be able to find jobs, resulting in a surplus of workers. Employers would have long lines of eager applicants for any opening and would find that they could fill their openings with qualified applicants even if they offered lower wages. Further, if they could pay lower wages, they would want to hire more employees. Some employees would be more than happy to accept the lower wages if they could just find a job. Others would leave the market and look for work elsewhere as wages fell. Thus, demand and supply would become more equal as wages fell from the level of W_2.

The wage rate at which demand equals supply is the *market-clearing* or *market equilibrium* wage. At W_e in Figure 2.12, employers can fill the number of openings they have, and all employees who want jobs in this market can find them. At W_e there is no surplus and no shortage. All parties are satisfied, and no forces exist that would alter the wage. The market is in equilibrium in the sense that the wage will remain at W_e.

The market-clearing wage, W_e, thus becomes the *going wage* that individual employers and employees must face. In other words, wage rates are determined by the market and "announced" to individual market participants. Figure 2.13 graphically depicts *market* demand and supply in panel (a), along with the demand and supply curves for a typical *firm* (firm A) in that market in panel (b). All firms in the market pay a wage of W_e, and total employment of L equals the sum of employment in each firm.

FIGURE 2.13

Demand and Supply at the "Market" and "Firm" Level

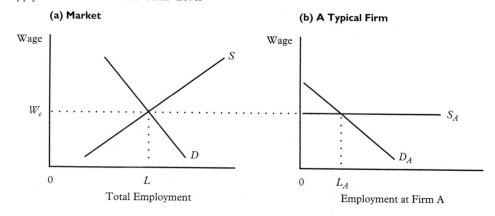

FIGURE 2.14

New Labor Market Equilibrium after Demand Shifts Right

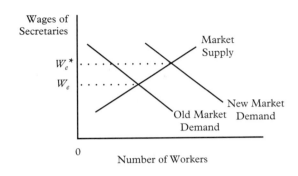

DISTURBING THE EQUILIBRIUM   What could happen to change the market equilibrium wage once it has been reached? Changes could arise from shifts in either the demand or the supply curve. Suppose, for example, that the increase in paperwork accompanying greater government regulation of industry caused firms to demand more secretarial help (at any given wage rate) than before. Graphically, as in Figure 2.14, this greater demand would be represented as a rightward shift of the labor demand curve. If W_e were to persist, there would be a labor shortage in the secretarial market (because demand would exceed supply). This shortage would induce employers to improve their wage offers. Eventually, the secretarial wage would be driven up to W_e^*. Notice that in this case, the equilibrium level of *employment* will also rise.

The market wage can also increase if the labor supply curve shifts to the left. As shown in Figure 2.15 , such a shift creates a labor shortage at the old equilibrium wage of W_e, and as employers scramble to fill their job openings, the market wage is bid up to W_e'. In the case of a leftward-shifting labor supply curve, however, the increased market wage is accompanied by a decrease in the equilibrium level of employment. (See Example 2.1 for an analysis of the labor market effects of the leftward shift in labor supply accompanying the Black Death in 1348–1351.)

FIGURE 2.15

New Labor Market Equilibrium after Supply Shifts Left

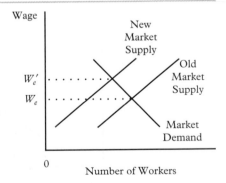

EXAMPLE 2.1

The Black Death and the Wages of Labor

An example of what happens to wages when the supply of labor suddenly shifts occurred when plague—the Black Death—struck England (among other European countries) in 1348–1351. Estimates vary, but it is generally agreed that plague killed between 17 and 40 percent of the English population in that short period of time. This shocking loss of life had the immediate effect of raising the wages of laborers. As the supply curve shifted to the left, a shortage of workers was created at the old wage levels, and competition among employers for the surviving workers drove the wage level dramatically upward.

Reliable figures are hard to come by, but many believe wages rose by 50–100 percent over the three-year period. A thresher, for example, earning 2½ pence per day in 1348 earned 4½ pence in 1350, and mowers receiving 5 pence per acre in 1348 were receiving 9 pence in 1350. Whether the overall rise in wages was this large or not, there was clearly a labor shortage and an unprecedented increase in wages. A royal proclamation commanding landlords to share their scarce workers with neighbors and threatening workers with imprisonment if they refused work at the pre-plague wage was issued to deal with this shortage, but it was ignored. The shortage was too severe and market forces were simply too strong for the rise in wages to be thwarted.

The discerning student might wonder at this point about the demand curve for labor. Did it not also shift to the left as the population—and the number of consumers—declined? It did, but this leftward shift was not as pronounced as the leftward shift in supply. While there were fewer customers for labor's output, the customers who remained consumed greater amounts of goods and services per capita than before. The money, gold and silver, and durable goods that had existed prior to 1348 were divided among many fewer people by 1350, and this rise in per capita wealth was associated with a widespread and dramatic increase in the level of consumption, especially of luxury goods. Thus, the leftward shift in labor demand was dominated by the leftward shift in supply, and the predictable result was a large increase in wages.

Data from: Harry A. Miskimin, *The Economy of Early Renaissance Europe, 1300–1460* (Englewood Cliffs, N.J.: Prentice-Hall, 1969); George M. Modlin and Frank T. deVyver, *Development of Economic Society* (Boston: D.C. Heath, 1946); Douglass C. North and Robert Paul Thomas, *The Rise of the Western World* (Cambridge: Cambridge University Press, 1973); Philip Ziegler, *The Black Death* (New York: Harper and Row, 1969).

If a leftward shift in labor supply is accompanied by a rightward shift in labor demand, the market wage can rise dramatically. Such a condition occurred in Egypt during the early 1970s. Lured by wages over six times higher in Saudi Arabia and other oil-rich Arab countries, roughly half of Egypt's construction workers left the country just as a residential building boom in Egypt got under way. The combination of a leftward-shifting labor supply curve and a rightward-shifting labor demand curve drove the real wages of Egyptian construction workers up by over 100 percent in just five years![7] (This notable wage increase was accompanied by a net employment *increase* in Egypt's construction industry. The student will be asked, in the first review question on page 55, to analyze these events graphically.)

---

[7]Bent Hansen and Samir Radwan, *Employment Opportunities and Equity in Egypt* (Geneva: International Labour Office, 1982), 74.

A fall in the market equilibrium wage rate would occur if there were increased supply or reduced demand. An increase in supply would be represented by a rightward shift of the supply curve, as more people entered the market at each wage (see Figure 2.16). This rightward shift would cause a surplus to exist at the old equilibrium wage (W_e) and lead to behavior that reduced the wage to W_e'' in Figure 2.16. Note that the equilibrium employment level has increased. A decrease (leftward shift) in labor demand would also cause a decrease in the market equilibrium wage, although such a shift would be accompanied by a *fall* in employment.

DISEQUILIBRIUM AND NONMARKET INFLUENCES   That a market-clearing wage exists in theory does not imply that it is reached—or reached quickly—in practice. Because labor services cannot be separated from the worker, and because labor income is by far the most important source of spending power for ordinary people, the labor market is subject to forces that impede the adjustment of both wages and employment to changes in demand or supply. Some of these barriers to adjustment are themselves the result of economic forces that will be discussed later in the text. For example, changing jobs often requires an employee to invest in new skills (see chapter 9) or bear costs of moving (chapter 10). On the employer side of the market, hiring workers can involve an initial investment in search and training (chapter 5), while firing them or cutting their wages can be perceived as unfair and therefore have consequences for the productivity of those who remain (chapter 11).

Other barriers to adjustment are rooted in *nonmarket* forces: laws, customs, or institutions constraining the choices of individuals and firms. Although forces keeping wages *below* their equilibrium levels are not unknown, nonmarket forces usually serve to keep wages *above* market levels. Minimum wage laws (discussed in chapter 4) and unions (chapter 13) are examples of influences explicitly designed to raise wages beyond those dictated by the market. Likewise, if there is a widespread belief that cutting wages is unfair, laws or customs may arise that prevent wages from falling in markets experiencing leftward shifts in demand or rightward shifts in supply.

It is commonly believed that labor markets adjust more quickly when market forces are calling for wages to rise as opposed to pressuring them to fall. If this is so, then those markets observed to be in disequilibrium for long periods will tend

FIGURE 2.16

New Labor Market Equilibrium after Supply Shifts Right

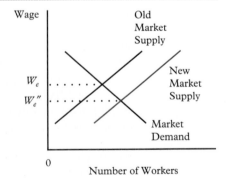

to be ones with above-market wages. The existence of above-market wages implies that the supply of labor exceeds the number of jobs being offered (refer to the relative demand and supply at wage W_2 in Figure 2.12); therefore, if enough markets are experiencing this kind of disequilibrium, the result will be widespread *unemployment*. In fact, as we will see in the chapter-closing section on international differences in unemployment, these differences can sometimes be used to identify where market forces are most constrained by nonmarket influences.

Applications of the Theory

Although this simple model of how a labor market functions will be refined and elaborated upon in the following chapters, it can explain many important phenomena, including the issues of when workers are overpaid or underpaid and what explains international differences in unemployment.

Who Is Underpaid and Who Is Overpaid?

People tend to judge the wages paid or received against some notion of what they "need," but there is no universally accepted standard of need. A worker may "need" more income to buy a larger home or finance a recreational vehicle. An employer may "need" greater profits to pay for sending a child to college. In general, almost all of us feel we "need" more income.

Despite the difficulties of assessing needs, there are still important reasons for defining "overpaid" and "underpaid." For example, the public utilities commissions in every state must consider and approve rate increases requested by the gas and electric companies. These companies desire increases partly to keep up with production costs, which the companies obviously want to pass on to consumers. Suppose, however, that a public utilities commission observed that the *level* of wages paid by these companies or the *increases* in such wages were "excessive." In the interests of holding down consumer prices, it might want to consider adopting a policy whereby excessive labor costs could not be passed on to consumers in the form of rate increases. Obviously, such a policy would require a definition of what constitutes overpayment.

We pointed out in chapter 1 that a fundamental value of normative economics is that, as a society, we should strive to complete all those transactions that are mutually beneficial. Another way of stating this value is to say that we must strive to use our scarce resources as effectively as possible, which implies that output should be produced in the least-costly manner so that the most can be obtained from such resources. This goal, combined with the labor market model outlined in this chapter, suggests how we can define what it means to be overpaid.

ABOVE-EQUILIBRIUM WAGES   We shall define workers as *overpaid* if their wages are higher than the market equilibrium wage for their job. Because a labor

FIGURE 2.17

Effects of an Above-Equilibrium Wage

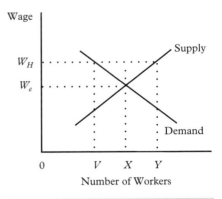

surplus exists for jobs that are overpaid, a wage above equilibrium has two implications (see Figure 2.17). First, employers are paying more than necessary to produce their output (they pay W_H instead of W_e); they could cut wages and still find
enough qualified workers for their job openings. In fact, if they did cut wages, they
could expand output and make their product cheaper and more accessible to consumers. Second, more workers want jobs than can find them (Y workers want jobs,
and only V openings are available). If wages were reduced a bit, more of these
disappointed workers could find work. A wage above equilibrium thus causes consumer prices to be higher and output to be smaller than is possible, and it creates
a situation in which not all workers who want the jobs in question can get them.

With this definition of overpayment, the public utilities commission in question could look to employee behavior for signs of above-market wages. If wages
were above those for comparable jobs, current employees would be *very* reluctant
to quit because they would know their chances of doing better were small. Likewise, the number of applicants for job openings would be unusually large.

An interesting example of above-equilibrium wages was seen in Houston's
labor market in 1988. Bus cleaners working for the Houston Metropolitan Transit
Authority received $10.08 per hour, or 70 percent more than the $5.94 received by
cleaners working for private bus companies in Houston. One (predictable) result
of this overpayment is that the quit rate among Houston's Transit Authority cleaners was only *one-seventh* as great as the average for cleaners nationwide.[8]

To better understand the social losses attendant on overpayment, let us return
to the principles of normative economics. Can reducing overpayment create a situation in which the gainers gain more than the losers lose? Suppose in the case
of Houston's Transit Authority cleaners that *only* the wage of *newly hired* cleaners

---

[8]William J. Moore and Robert J. Newman, "Government Wage Differentials in a Municipal Labor Market: The Case of Houston Metropolitan Transit Workers," *Industrial and Labor Relations Review* 45 (October 1991): 145–153.

FIGURE 2.18

Effects of a Below-Equilibrium Wage

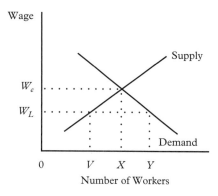

was reduced—to $6.40, say. Current cleaners thus would not lose, but many others who were working elsewhere at $5.94 would jump at the chance to earn a higher wage. Taxpayers, realizing that transit services could now be expanded at lower cost than before, would increase their demand for such services, thus creating jobs for these additional workers. Some workers would gain while no one lost— and social well-being would clearly be enhanced.[9] The wage reduction, in short, would be *Pareto-improving* (see chapter 1).

BELOW-EQUILIBRIUM WAGES   Employees can be defined as *underpaid* if their wage is below market equilibrium. At below-equilibrium wages, employers have difficulty finding workers to meet the demands of consumers, and a labor shortage thus exists. They also have trouble keeping the workers they do find. If wages were increased, output would rise and more workers would be attracted to the market. Thus, an increase would benefit the people in society in *both* their consumer and their worker roles. Figure 2.18 shows how a wage increase from W_L to W_e would increase employment from V to X (at the same time wages were rising).

Wages in the U.S. Army illustrate how the market adjusts to below-equilibrium wages. Prior to 1973, when the military draft was eliminated, the government could pursue a policy of paying below-market wages to military recruits, because the resultant gap between supply and demand could be filled by conscription (see Example 2.2). Not surprisingly, when comparing wages in the late 1970s with those in the last decade of the military draft, we find that the average military cash wages paid to enlisted personnel rose 19 percent more than those of comparable civilian workers.

---

[9]If the workers who switched jobs were getting paid approximately what they were worth to their former employers, these employers would lose $5.94 in output but save $5.94 in costs—and their welfare would thus not be affected. The presumption that employees are paid what they are worth to the employer is discussed at length in chapter 3.

EXAMPLE 2.2

Ending the Conscription of Young American Men: The Role of Economists

Before 1973, American men in their late teens and early 20s were liable to be drafted into the Army for a period of two years. The U.S. Navy, Marine Corps, and Air Force all relied solely on voluntary enlistments, but it was widely believed that the draft was necessary to supplement voluntary enlistments in the Army. The decision to end the draft, which had been in place since World War II, was both momentous and controversial—and it was one in which economists played a central role.

Normative economics provided the philosophical underpinnings of the push for an all-volunteer military. The 1970 report of the President's Commission on an All-Volunteer Armed Force, which contained the policy blueprint for ending conscription, had an introductory chapter entitled "Conscription Is a Tax." This chapter reflected the normative standard of Pareto efficiency, which rests on the proposition that we can be assured a transaction is mutually beneficial only if it is voluntary:

> Under the present system, first-term servicemen must bear a disproportionately large share of the defense burden. Draftees and draft-induced volunteers are paid less than they would

require to volunteer. The loss they suffer is a tax-in-kind....

Conscription also imposes social and human costs by distorting the personal life and career plans of the young.

Positive economics also provided crucial input to the policy debate. Questions naturally arose concerning whether the Army could attract enough high-quality volunteers and how high pay would have to rise to do so. The answers were provided by a careful estimate of the military labor supply curve, which suggested that to maintain the size and quality of the military in 1970 would require the basic pay of first-term enlisted personnel to rise by 50 percent, the pay of first-term officers to rise by 28 percent, and the pay of second-term enlistees to rise by an average of 9 percent.

Data from: President's Commission on an All-Volunteer Armed Force, *Report of the President's Commission on an All-Volunteer Armed Force* (Washington, D.C.: U.S. Government Printing Office, February 1970). For a recent review, see John T. Warner and Beth J. Asch, "The Record and Prospects of the All-Volunteer Military in the United States," *Journal of Economic Perspectives* 15 (Spring 2001): 169–192.

ECONOMIC RENTS   The concepts of underpayment and overpayment have to do with the *social* issue of producing desired goods and services in the least-costly way; therefore, we compared wages paid with the *market-clearing wage*. At the level of *individuals,* however, it is often useful to compare the wage received in a job with one's *reservation wage,* the wage below which the worker would refuse (or quit) the job in question. The amount by which one's wage exceeds one's reservation wage in a particular job is the amount of his or her *economic rent.*

Consider the labor supply curve to, say, the military. As shown in Figure 2.19, if the military is to hire L_1 people, it must pay W_1 in wages. These relatively low wages will attract to the military those who most enjoy the military culture and are least averse to the risks of combat. If the military is to be somewhat larger and to employ L_2 people, then it must pay a wage of W_2. This higher wage is required to

FIGURE 2.19

Labor Supply to the Military: Different Preferences
Imply Different "Rents"

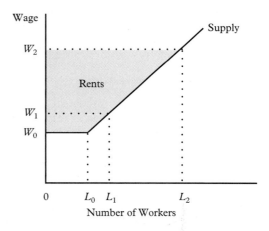

attract those who would have found a military career unattractive at the lower wage. If W_2 turns out to be the wage that equates demand and supply, and if the military pays that wage, everyone who would have joined up for less would be receiving an economic rent!

Put differently, the supply curve to an occupation or industry is a schedule of reservation wages that indicates the labor forthcoming at each wage level. The difference between the wage actually paid and workers' reservation wages—the shaded area in Figure 2.19—is the amount of the rent. Since each worker potentially has a different reservation wage, rents may well differ for each worker in the market. In Figure 2.19, the greatest rents are received by those L_0 individuals who would have joined the military even if the wage were only W_0. They collect an economic rent of $W_2 - W_0$.

Why don't employers reduce the wage of each employee down to his or her reservation level? While capturing employee rents would seem to be lucrative, since by definition it could be done without the workers' quitting, attempting to do so would create resentment, and such a policy would be extremely costly, if not impossible, to implement. Employers do not know the true reservation wages of each employee or applicant, and finding it would involve experiments in which the wage offers to each worker either started high and were cut or started low and were raised. This would be costly, and if workers realized the firm was *experimenting*, they would attempt to disguise their true reservation wages and adopt the strategic behavior associated with bargaining (bluffing, for example). Therefore, firms usually pay according to the job, one's level of experience or longevity with the employer, and considerations of merit—but not according to preferences. An exception to this general rule is the *two-tier wage schedule* that has arisen in a few cases in which the market is calling for a wage decrease and the firm does not want to cut wages for its current workers; in these cases, lower wages are paid to the firm's

EMPIRICAL STUDY

Pay Levels and the Supply of Military Officers: Obtaining Sample Variation from Cross-Section Data

Economic theory predicts that the supply to a particular occupation is expected to increase when the pay for that occupation increases or when the pay in alternative occupations falls. In the late 1960s, the U.S. government was considering a policy change that eventually resulted in the elimination of the military draft (see Example 2.2), and it needed to estimate how much military pay would have to rise—relative to civilian pay—to attract the needed number of officers and enlisted personnel without the presence of a draft. Estimating the labor supply curve of, say, officers depends on whether we can obtain an appropriate data set.

Any study of how (independent) variable X affects (dependent) variable Y requires that the researcher have access to a data set in which both X and Y show considerable *variation*. Put differently, scientific research into cause and effect requires that we observe how *different* causes produce *different* effects! Researchers who are able to conduct laboratory experiments expose their subjects to different "treatments" and then look for differences in outcomes. Economists are rarely able to conduct experiments, so they must look for data sets in which X and Y naturally differ across the observations in a sample. If the ratio of military pay to civilian pay is our independent variable (X), and the number of people

who decide to join the military as officers is our dependent variable (Y), how can we generate a sample in which both variables display enough variation to estimate a relationship?

One way is to use data over a period of 20–30 years ("time series" data), with each year's relative wage and number of new officers representing one observation in the sample. The problem with a time series is that samples are necessarily small (there are not that many years for which we have good data). Behavior can also be affected by all kinds of changing conditions or preferences over time (for example, wars, new occupations both in and out of the military, changing attitudes of the labor force toward risk), so that with time series data we also need to control for these time-related changes to be confident we have isolated the effects of *pay* on labor supply decisions.

Another way to study the effects of relative pay on labor supply is to use "cross-section" data, which involves collecting observations on pay and labor supply for different people at one point in time. This usually allows for a much larger data set, but it requires that those in the data set be operating in sufficiently different environments that X and Y will actually vary. Within any year, for example, military pay for entry-level officers is the same for everyone, so we can use cross-section data to study military supply decisions only if the *civilian wages* facing sample members can be accurately measured and turn out to vary significantly.

One study done in the late 1960s analyzed enrollment data from 82 Reserve Officer Training Corps (ROTC) programs offered by universities in 1963. The supply variable (Y) in this study was measured as the percentage of men at each of the 82 universities enrolled in an Army, Navy, or Air Force ROTC program (the military was virtually all male at that time). Because military pay facing ROTC graduates at each of the 82 institutions was the same, differences in civilian pay opportunities for recent graduates represented the only pay variable that could be used. It turned out that the average earnings of recent male college graduates from each of the 82 universities was both available and varied enough across the universities to be useful; thus, the variable measuring pay (X) was the average earnings in 1963 of men who graduated from each of the universities in 1958.

Theory leads us to expect that the higher civilian pay was for the graduates of a university, the lower would be its ROTC enrollments. The results estimated that there was indeed a negative and statistically significant relationship between civilian pay and ROTC enrollments.[a] The size of the estimated relationship suggested that where civilian pay was 10 percent higher, ROTC enrollments were 20 percent lower. This finding implies that if military pay were to have risen by 10 percent, holding civilian pay constant, ROTC enrollments would have risen by 20 percent. Clearly, ROTC enrollments were very responsive to civilian salaries!

----

[a]Other independent variables were added to the estimating equation to take account of the fact that the universities sampled offered different mixes of Army, Navy, and Air Force ROTC programs. Further, because students in the South may have had a greater preference for military service at any pay level, the list of independent variables also included a variable indicating if the university was located in the South.

Source: Stuart H. Altman and Alan E. Fechter, "The Supply of Military Personnel in the Absence of a Draft," *American Economic Review* 57 (May 1967): 19–31.

new entrants than were paid to its current workers when they were new. Thus, rents are extracted from new workers but no attempt is made to extract them from current employees.

International Differences in Unemployment

We noted earlier that labor markets are often influenced by nonmarket forces that keep wages above market-clearing levels. Because these nonmarket forces generally take the form of laws, government programs, customs, or institutions (labor unions, for example), their strength typically varies across countries. Can we form some conclusions about the countries in which they are most pronounced?

Theory presented in this chapter suggests that if wages are above market-clearing levels, unemployment will result (the number of people seeking work will exceed the number of available jobs). Further, if wages are held above market-clearing levels and the labor demand curve *shifts to the left,* unemployment will rise to even higher levels (you should be able to show this by drawing a graph with an unchanging supply curve, a fixed wage rate, and a leftward-shifting demand curve). Moreover, above-market wages deter the growth of *new* jobs, so wages "stuck" above market-clearing levels also can cause those who suffer a spell of unemployment to remain in that status for a long time. Thus, measures of the incidence and duration of unemployment—which, fortunately, are comparably defined and estimated in several advanced economies—can sometimes be used to infer the relative strength of nonmarket forces across countries. Consider, for example, what happened to unemployment rates in Europe and North America in the 1980s and 1990s.

One phenomenon characterizing the 1980s was an acceleration of technological change, associated primarily with computerization, in the advanced economies of the world. These changes led to a fall in the demand for less-skilled, less-educated, lower-paid workers. In Canada and the United States, the decline in demand for low-skilled workers led to a fall in their real wages throughout the 1980s; despite that, the unemployment rate for less-educated workers rose over that decade—from 7.2 percent to 8.5 percent in the United States, and from 6.3 percent to 9.3 percent in Canada. In the two European countries for which we have data on wages and unemployment by skill level, however, the real wages of low-paid workers *rose* over the decade, with the consequence that increases in unemployment for the less educated were much more pronounced. In France, real wages among the lowest-paid workers rose 1 percent per year, and their unemployment rate increased from 4.6 percent to 10.7 percent over the decade. In Germany, where the pay of low-wage workers rose an average of 5 percent per year, unemployment rates among these workers went from 4.4 percent to 13.5 percent.[10]

Evidence that nonmarket forces are probably stronger in Europe than in North America can be seen in Table 2.4, which compares unemployment rates across countries. While overall rates are not systematically different, the percentages unemployed for longer than one year are generally greater in Europe. Later, we will identify some of the nonmarket forces that might be responsible.[11]

---

[10]Earnings data for all four countries are for workers in the lowest decile (lowest 10%) of their country's earnings distribution. These data are found in Organisation for Economic Co-operation and Development (OECD), *Employment Outlook: July 1993* (Paris: OECD, 1993), Table 5.3. Data on unemployment rates are from Federal Reserve Bank of Kansas City, *Reducing Unemployment: Current Issues and Policy Options* (Kansas City, Mo.: Federal Reserve Bank of Kansas City, 1994), 25.

[11]For discussions of this issue, see Horst Siebert, "Labor Market Rigidities: At the Root of Unemployment in Europe," and Stephen Nickell, "Unemployment and Labor Market Rigidities: Europe versus North America," both in *Journal of Economic Perspectives* 11 (Summer 1997): 37–74; David Card, Francis Kramarz, and Thomas Lemieux, "Changes in the Relative Structure of Wages and Employment: A Comparison of the United States, Canada, and France," *Canadian Journal of Economics* 32 (August 1999): 843–877; and O. J. Blanchard and J. Wolfers, "The Role of Shocks and Institutions in the Rise of European Unemployment: The Aggregate Evidence," *Economic Journal* 110 (March 2000): 1–33.

TABLE 2.4

Unemployment and Long-Term Unemployment, Selected European and North American Countries, 2003

	Unemployment: Overall Rate	Percent of Unemployed Out of Work > One Year	Unemployment: Long-Term Rate
Belgium	8.1%	46.3%	3.8%
Canada	7.6	10.1	0.8
Denmark	5.6	19.9	1.1
France	9.4	33.8[a]	3.2[a]
Germany	9.3	50.0	4.7
Netherlands	3.8	29.2	1.1
Norway	4.5	6.4	0.3
Sweden	5.6	17.8	1.0
United Kingdom	5.0	23.0	1.2
United States	6.0	11.8	0.7

[a]For year 2002.

Source: OECD, *Employment Outlook* (Paris: OECD, 2004), Tables A and G.

Review Questions

1. As discussed on page 45, in the early 1970s Egypt experienced a dramatic outflow of construction workers seeking higher wages in Saudi Arabia at the same time that the demand for their services rose within Egypt. Graphically represent these two shifts of supply and demand, and then use the graph to predict the direction of change in wages and employment within Egypt's construction sector during that period.

2. Analyze the impact of the following changes on wages and employment in a given occupation:
   a. A decrease in the danger of the occupation.
   b. An increase in product demand.
   c. Increased wages in alternative occupations.

3. What would happen to the wages and employment levels of engineers if government expenditures on research and development programs were to fall? Show the effect graphically.

4. Suppose a particular labor market were in market-clearing equilibrium. What could happen to cause the equilibrium wage to fall? If all money wages rose with inflation each year, how would this market adjust?

5. Assume that you have been hired by a company to do a salary survey of its arc welders, who the company suspects are overpaid. Given the company's expressed desire to maximize profits, what definition of "overpaid" would you apply in this situation, and how would you identify whether arc welders were, in fact, overpaid?

6. Ecuador is the world's leading exporter of bananas, which are grown and harvested by a large labor force that includes many children. Assume Ecuador now outlaws the use of child labor on banana plantations. Using economic theory in its "positive" mode, analyze what would happen to employment and wages in the banana farming industry in Ecuador. Use demand and supply curves in your analysis.

7. Unions can raise wages paid to their members in two ways: (i) Unions can negotiate a wage rate that lies above the market-clearing wage. While management cannot pay below that rate, management does have the right to decide how many workers to hire. (ii) Construction unions often have agreements that require management to hire only union members, but they also have the power to control entry into the union. Hence they can raise wages by restricting labor supply.

   a. Graphically depict method (i) above using a labor demand and a labor supply curve. Show the market-clearing wage as W_e, the market-clearing employment level as L_e, the (higher) negotiated wage as W_u, the level of employment associated with W_u as L_u, and the number of workers wanting to work at W_u as L_s.

   b. Graphically depict method (ii) above using a labor demand and a labor supply curve. Show the market-clearing wage as W_e, the market-clearing employment level as L_e, the number of members the union decides to have as L_u (which is less than L_e), and the wage associated with L_u as W_u.

8. American students have organized opposition to the sale by their campus stores of university apparel made for American retailers by workers in foreign countries who work in sweatshop conditions (long hours at low pay in bad working conditions). Assume this movement takes the form of boycotting items made under sweatshop conditions.

   a. Analyze the immediate labor market outcomes for sweatshop workers in these countries using demand and supply curves to illustrate the mechanisms driving the outcomes.

   b. Assuming that actions by American students are the only force driving the improvement of wages and working conditions in foreign countries, what must these actions include to ensure that the workers they are seeking to help are unambiguously better off?

9. Suppose the Occupational Safety and Health Administration were to mandate that all punch presses be fitted with a very expensive device to prevent injuries to workers. This device does not improve the efficiency with which punch presses operate. What does this requirement do to the demand curve for labor? Explain.

10. Suppose we observe that employment levels in a certain region suddenly decline as a result of (i) a fall in the region's demand for labor, and (ii) wages that are fixed in the short run. If the *new* labor demand curve remains unchanged for a long period and the region's labor supply curve does not shift, is it likely that employment in the region will recover? Explain.

Problems

1. Suppose that the adult population is 210 million, and there are 130 million who are employed and 5 million who are unemployed. Calculate the unemployment rate and the labor force participation rate.
2. Suppose that the supply curve for schoolteachers is $L_S = 20{,}000 + 350W$ and the demand curve for schoolteachers is $L_D = 100{,}000 - 150W$, where L = the number of teachers and W = the daily wage.
   a. Plot the demand and supply curves.
   b. What are the equilibrium wage and employment level in this market?

   c. Now suppose that at any given wage, 20,000 more workers are willing to work as schoolteachers. Plot the new supply curve and find the new wage and employment level. Why doesn't employment grow by 20,000?
3. Have the real average hourly earnings for production and nonsupervisory workers in the United States risen during the past 12 months? Go online to the Bureau of Labor Statistics Web site (http://stats.bls.gov) to find the numbers needed to answer the question.

Selected Readings

Organisation for Economic Co-operation and Development. *Employment Outlook.* Chapter 1, "Labour Market Trends and Prospects in the OECD Area," 1–31. Paris: OECD, July 1990.

President's Commission on an All-Volunteer Armed Force. *Report of the President's Commission on an All-Volunteer Armed Force.* Chapter 3, "Conscription Is a Tax," 23–33.

Washington, D.C.: U.S. Government Printing Office, February 1970.

Rottenberg, Simon. "On Choice in Labor Markets." *Industrial and Labor Relations Review* 9 (January 1956): 183–199. Robert J. Lampman. "On Choice in Labor Markets: Comment." *Industrial and Labor Relations Review* 9 (July 1956): 636–641.

The Demand for Labor

The demand for labor is a derived demand, in that workers are hired for the contribution they can make toward producing some good or service for sale. However, the wages workers receive, the employee benefits they qualify for, and even their working conditions are all influenced, to one degree or another, by the government. There are minimum wage laws, pension regulations, restrictions on firing workers, safety requirements, immigration controls, and government-provided pension and unemployment benefits that are financed through employer payroll taxes. All these requirements and regulations have one thing in common: they increase employers' costs of hiring workers.

We explained in chapter 2 that both the scale and the substitution effects accompanying a wage change suggest that the demand curve for labor is a *downward-sloping function of the wage rate.* If this rather simple proposition is true, then policies that mandate increases in the costs of employing workers will have the undesirable side effect of reducing their employment opportunities. If the reduction is large enough, lost job opportunities actually could undo any help provided to workers by the regulations. Understanding the characteristics of labor demand curves, then, is absolutely crucial to anyone interested in public policy. To a great extent, how one feels about many labor market regulatory programs is a function of one's beliefs about labor demand curves!

The current chapter will identify *assumptions* underlying the proposition that labor demand is a downward-sloping function of the wage rate. Chapter 4 will take the downward-sloping nature of labor demand curves as given, addressing instead why, in the face of a given wage increase, declines in demand might be large in some cases and barely perceptible in others.

Profit Maximization

The fundamental assumption of labor demand theory is that firms—the employers of labor—seek to maximize profits (or, in the case of not-for-profit employers, some measure of services rendered, net of costs). In doing so, firms are assumed to continually ask, "Can we make changes that will improve profits?" Two things should be noted about this constant search for enhanced profits. First, a firm can make changes only in variables that are within its control. Because the price a firm can charge for its product and the prices it must pay for its inputs are largely determined by others (the "market"), profit-maximizing decisions by a firm mainly involve the question of *whether, and how, to increase or decrease output.*

Second, because the firm is assumed to constantly search for profit-improving possibilities, our theory must address the *small* ("marginal") changes that must be made almost daily. Really major decisions of whether to open a new plant or introduce a new product line, for example, are relatively rare; once having made them, the employer must approach profit maximization incrementally through the trial-and-error process of small changes. We therefore need to understand the basis for these incremental decisions, paying particular attention to when an employer *stops* making changes in output levels or in its mix of inputs.

(With respect to the employment of inputs, it is important to recognize that analyzing marginal changes implies considering a small change in one input *while holding employment of other inputs constant.* Thus, when analyzing the effects of adjusting the labor input by one unit, for example, we will do so on the assumption that capital is held constant. Likewise, marginal changes in capital will be considered assuming the labor input is held constant.)

In incrementally deciding on its optimal level of *output,* the profit-maximizing firm will want to expand output by one unit if the added revenue from selling that unit is greater than the added cost of producing it. As long as the marginal revenue from an added unit of output exceeds its marginal cost, the firm will continue to expand output. Likewise, the firm will want to contract output whenever the marginal cost of production exceeds marginal revenue. Profits are maximized (and the firm stops making changes) when output is such that marginal revenue equals marginal cost.

A firm can expand or contract output, of course, only by altering its use of *inputs*. In the most general sense, we will assume that a firm produces its output by combining two types of inputs, or *factors of production: labor and capital*. Thus, the rules stated above for deciding whether to marginally increase or reduce output have important corollaries with respect to the employment of labor and capital:

a. If the income generated by employing one more unit of an input exceeds the additional expense, then add a unit of that input;
b. If the income generated by one more unit of input is less than the additional expense, reduce employment of that input;
c. If the income generated by one more unit of input is equal to the additional expense, no further changes in that input are desirable.

Decision rules (a) through (c) state the profit-maximizing criterion in terms of *inputs* rather than output; as we will see, these rules are useful guides to deciding *how*— as well as *whether*—to marginally increase or decrease output. Let us define and examine the components of these decision rules more closely.

Marginal Income from an Additional Unit of Input

Employing one more unit of either labor or capital generates additional income for the firm because of the added output that is produced and sold. Similarly, reducing the employment of labor or capital reduces a firm's income flow because the output available for sale is reduced. Thus, the marginal income associated with a unit of input is found by multiplying two quantities: the change in physical output produced (called the input's *marginal product*) and the *marginal revenue* generated per unit of physical output. We will therefore call the marginal income produced by a unit of input the input's *marginal revenue product*. For example, if the presence of a tennis star increases attendance at a tournament by 20,000 spectators, and the organizers net $25 from each additional fan, the marginal income produced by this star is equal to her marginal product (20,000 fans) times the marginal revenue of $25 per fan. Thus, her marginal revenue product equals $500,000. (For an actual calculation of marginal revenue product in college football, see Example 3.1.)

MARGINAL PRODUCT   Formally, we will define the *marginal product of labor*, or MP_L, as the change in physical output (ΔQ) produced by a change in the units of labor (ΔL), holding capital constant:[1]

$$MP_L = \Delta Q / \Delta L \quad \text{(holding capital constant)} \tag{3.1}$$

Likewise, the marginal product of capital (MP_K) will be defined as the change in output associated with a one-unit change in the stock of capital (ΔK), holding labor constant:

$$MP_K = \Delta Q / \Delta K \quad \text{(holding labor constant)} \tag{3.2}$$

[1]The symbol Δ (the uppercase Greek letter delta) is used to signify "a change in."

EXAMPLE 3.1

The Marginal Revenue Product of College Football Stars

Calculating a worker's marginal revenue product is often very complicated due to lack of data and the difficulty of making sure that everything else is being held constant and only *additions* to revenue are counted. Perhaps for this reason, economists have been attracted to the sports industry, which generates so many statistics on player productivity and team revenues.

Football is a big-time concern on many campuses, and some star athletes generate huge revenues for their colleges, even though they are not paid—except by receiving a free education. Robert Brown collected revenue statistics for 47 Division I-A college football programs for the 1988–1989 season—including revenues retained by the school from ticket sales, donations to the athletic department, and television and radio payments. (Unfortunately,

this leaves out some other potentially important revenue sources, such as parking and concessions at games and donations to the general fund.)

Next, he examined variation in revenues due to market size, strength of opponents, national ranking, and the number of players on the team who were so good that they were drafted into professional football (the National Football League [NFL]). Brown found that each additional player drafted into the NFL was worth about $540,000 in extra revenue to his team. Over a four-year college career, a premium player could therefore generate over $2 million in revenues for his team!

Data from: Robert W. Brown, "An Estimate of the Rent Generated by a Premium College Football Player," *Economic Inquiry* 31 (October 1993), 671–684.

MARGINAL REVENUE   The definitions in (3.1) and (3.2) reflect the fact that a firm can expand or contract its output only by increasing or decreasing its use of either labor or capital. The marginal revenue (*MR*) that is generated by an extra unit of output depends on the characteristics of the product market in which that output is sold. If the firm operates in a purely competitive product market, and therefore has many competitors and no control over product price, the marginal revenue per unit of output sold is equal to product price (*P*). If the firm has a differentiated product, and thus has some degree of monopoly power in its product market, extra units of output can be sold only if product price is reduced (because the firm faces the *market* demand curve for its particular product); students will recall from introductory economics that in this case marginal revenue is less than price (*MR* < *P*).[2]

MARGINAL REVENUE PRODUCT   Combining the definitions presented in this subsection, the firm's marginal revenue product of labor, or MRP_L, can be represented as

$$MRP_L = MP_L \cdot MR \quad \text{(in the general case)} \tag{3.3a}$$

---

[2]A competitive firm can sell added units of output at the market price because it is so small relative to the entire market that its output does not affect price. A monopolist, however, *is* the supply side of the product market, so to sell extra output it must lower price. Because it must lower price on *all* units of output, and not just on the extra units to be sold, the marginal revenue associated with an additional unit is below price.

or as

$$MRP_L = MP_L \cdot P \quad \text{(if the product market is competitive)} \qquad (3.3b)$$

Likewise, the firm's marginal revenue product of capital (MRP_K) can be represented as $MP_K \cdot MR$ in the general case, or as $MP_K \cdot P$ if the product market is competitive.

Marginal Expense of an Added Input

Changing the levels of labor or capital employed, of course, will add to or subtract from the firm's total costs. The marginal expense of labor (ME_L) that is incurred by hiring more labor is affected by the nature of competition in the labor market. If the firm operates in a competitive labor market and has no control over the wages that must be paid (it is a "wage taker"), then the marginal expense of labor is simply the market wage. Put differently, firms in competitive labor markets have labor supply curves that are horizontal at the going wage (refer back to Figure 2.11); if they hire an additional hour of labor, their costs increase by an amount equal to the wage rate, W.

In this chapter, we will maintain the assumption that the labor market is competitive and that the labor supply curve to firms is therefore *horizontal* at the going wage. In chapter 5, we will relax this assumption and analyze how upward-sloping labor supply curves to individual employers alter the marginal expense of labor.

In the analysis that follows, the marginal expense of adding a unit of capital will be represented as C, which can be thought of as the expense of renting a unit of capital for one time period. The specific calculation of C need not concern us here, but clearly it depends on the purchase price of the capital asset, its expected useful life, the rate of interest on borrowed funds, and even special tax provisions regarding capital.

The Short-Run Demand for Labor When Both Product and Labor Markets Are Competitive

The simplest way to understand how the profit-maximizing behavior of firms generates a labor demand curve is to analyze the firm's behavior over a period of time so short that the firm cannot vary its stock of capital. This period is what we will call the *short run*, and of course the time period involved will vary from firm to firm (an accounting service might be able to order and install a new computing system for the preparation of tax returns within three months, whereas it may take an oil refinery five years to install a new production process). What is simplifying about the short run is that, with capital fixed, a firm's choice of output level and its choice of employment level are two aspects of the very same decision. Put differently, in the short run the firm needs only to decide *whether* to alter its output level; *how* to increase or decrease output is not an issue, because only the employment of labor can be adjusted.

TABLE 3.1

The Marginal Product of Labor in a Hypothetical Car Dealership (capital held constant)

Number of Salespersons	Total Cars Sold	Marginal Product of Labor
0	0	
1	10	10
2	21	11
3	26	5
4	29	3

A Critical Assumption: Declining MP_L

We defined the marginal product of labor (MP_L) as the change in the (physical) output of a firm when it changes its employment of labor by one unit, holding capital constant. Since the firm can vary its employment of labor, we must consider how increasing or reducing labor will affect labor's marginal product. Consider Table 3.1, which illustrates a hypothetical car dealership with sales personnel who are all equally hardworking and persuasive. With no sales staff, the dealership is assumed to sell zero cars, but with one salesperson, it will sell 10 cars per month. Thus, the marginal product of the first salesperson hired is 10. If a second person is hired, total output is assumed to rise from 10 to 21, implying that the marginal product of a second salesperson is 11. If a third equally persuasive salesperson is hired, sales rise from 21 to 26 ($MP_L = 5$), and if a fourth is hired, sales rise from 26 to 29 ($MP_L = 3$).

Table 3.1 assumes that adding an extra salesperson increases output (cars sold) in each case. As long as output *increases* as labor is added, labor's marginal product is *positive.* In our example, however, the marginal product of labor increased at first (from 10 to 11), but then fell (to 5 and eventually to 3). Why?

The initial rise in marginal product occurs *not* because the second salesperson is better than the first; we ruled out this possibility by our assumption that the salespeople were equally capable. Rather, the rise could be the result of cooperation between the two in generating promotional ideas or helping each other out in some way. Eventually, however, as more salespeople are hired, the marginal product of labor must fall. A fixed building (remember that capital is held constant) can contain only so many cars and customers, and thus each additional increment of labor must eventually produce progressively smaller increments of output. This law of *diminishing marginal returns* is an empirical proposition that derives from the fact that as employment expands, each additional worker has a progressively smaller share of the capital stock to work with. For expository convenience, we shall assume that the marginal product of labor is always decreasing.[3]

---

[3]We lose nothing by this assumption, because we show later in this section that a firm will never be operated at a point where its marginal product of labor is increasing.

From Profit Maximization to Labor Demand

From the profit-maximizing decision rules discussed earlier, it is clear that the firm should keep increasing its employment of labor as long as labor's marginal revenue product exceeds its marginal expense. Conversely, it should keep reducing its employment of labor as long as the expense saved is greater than the income lost. *Profits are maximized, then, only when employment is such that any further one-unit change in labor would have a marginal revenue product equal to marginal expense:*

$$MRP_L = ME_L \tag{3.4}$$

Under our current assumptions of competitive product and labor markets, we can symbolically represent the profit-maximizing level of labor input as that level at which

$$MP_L \cdot P = W \tag{3.5}$$

Clearly, equation (3.5) is stated in terms of some *monetary* unit (dollars, for example).

Alternatively, however, we can divide both sides of equation (3.5) by product price, P, and state the profit-maximizing condition for hiring labor in terms of *physical quantities:*

$$MP_L = W/P \tag{3.6}$$

We defined MP_L as the change in physical output associated with a one-unit change in labor, so it is obvious that the left-hand side of equation (3.6) is in physical quantities. To understand that the right-hand side is also in physical quantities, note that the numerator (W) is the dollars per unit of labor and the denominator (P) is the dollars per unit of output. Thus, the ratio W/P has the dimension of physical units. For example, if a woman is paid $10 per hour and the output she produces sells for $2 per unit, from the firm's viewpoint she is paid five units of output per hour ($10 \div 2$). From the perspective of the firm, these five units represent her "real wage."

LABOR DEMAND IN TERMS OF REAL WAGES   The demand for labor can be analyzed in terms of either *real* or *money* wages. Which version of demand analysis is used is a matter of convenience only. In this and the following subsection, we give examples of both.

Figure 3.1 shows a marginal product of labor schedule (MP_L) for a representative firm. In this figure, the marginal product of labor is tabulated on the vertical axis and the number of units of labor employed on the horizontal axis. The negative slope of the schedule indicates that each additional unit of labor employed produces a progressively smaller (but still positive) increment in output. Because the real wage and the marginal product of labor are both measured in the same dimension (units of output), we can also plot the real wage on the vertical axis of Figure 3.1.

FIGURE 3.1

Demand for Labor in the Short Run
(Real Wage)

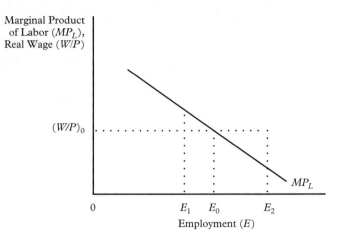

Given any real wage (by the market), the firm should thus employ labor to the point at which the marginal product of labor just equals the real wage (equation 3.6). In other words, *the firm's demand for labor in the short run is equivalent to the downward-sloping segment of its marginal product of labor schedule.*[4]

To see that this is true, pick any real wage—for example, the real wage denoted by $(W/P)_0$ in Figure 3.1. We have asserted that the firm's demand for labor is equal to its marginal product of labor schedule and consequently that the firm would employ E_0 employees. Now suppose that a firm initially employed E_2 workers as indicated in Figure 3.1, where E_2 is *any* employment level greater than E_0. At the employment level E_2, the marginal product of labor is less than the real wage rate; the marginal real cost of the last unit of labor hired is therefore greater than its marginal product. As a result, profit could be increased by reducing the level of employment. Similarly, suppose instead that a firm initially employed E_1 employees, where E_1 is *any* employment level less than E_0. Given the specified real wage $(W/P)_0$, the marginal product of labor is greater than the real wage rate at E_1—and consequently the marginal additions to output of an extra unit of labor exceed its marginal real cost. As a result, a firm could increase its profit level by expanding its level of employment.

Hence, to maximize profits, given any real wage rate, a firm should stop employing labor at the point at which any additional labor would cost more than it would produce. This profit-maximization rule implies two things. First, the firm should employ labor up to the point at which its real wage equals the marginal product of labor—but not beyond that point.

Second, its profit-maximizing level of employment lies in the range where its marginal product of labor is *declining*. If $W/P = MP_L$ but MP_L is *increasing*, then

---

[4]We should add here, "provided that the firm's revenue exceeds its labor costs." Above some real wage level, this may fail to occur, and the firm will go out of business (employment will drop to zero).

adding another unit of labor will create a situation in which marginal product *exceeds* W/P. As long as adding labor causes MP_L to exceed W/P, the profit-maximizing firm will continue to hire labor. It will stop hiring only when an extra unit of labor would reduce MP_L below W/P, which will happen only when MP_L is declining. Thus, the only employment levels that could possibly be consistent with profit maximization are those in the range where MP_L is decreasing.

LABOR DEMAND IN TERMS OF MONEY WAGES In some circumstances, labor demand curves are more readily conceptualized as downward-sloping functions of *money* wages. To make the analysis as concrete as possible, in this subsection we analyze the demand for department store detectives.

At a business conference one day, a department store executive boasted that his store had reduced theft to 1 percent of total sales. A colleague shook her head and said, "I think that's too low. I figure it should be about 2 percent of sales." How can more shoplifting be better than less? The answer is based on the fact that reducing theft is costly in itself. A profit-maximizing firm will not want to take steps to reduce shoplifting if the added costs it must bear in so doing exceed the value of the savings such steps will generate.

Table 3.2 shows a hypothetical marginal revenue product of labor (MRP_L) schedule for department store detectives. Hiring one detective would, in this example, save $50 worth of thefts per hour. Two detectives could save $90 worth of thefts each hour, or $40 more than hiring just one. The MRP_L of hiring a second detective is thus $40. A third detective would add $20 more to thefts prevented each hour.

The MRP_L does *not* decline from $40 to $20 because the added detectives are incompetent; in fact, we shall assume that all are equally alert and well trained. MRP_L declines, in part, because surveillance equipment (capital) is fixed; with each added detective, there is less equipment per person. However, the MRP_L also declines because it becomes progressively harder to generate savings. With just a few detectives, the only thieves caught will be the more-obvious, less-experienced

TABLE 3.2

Hypothetical Schedule of Marginal Revenue Productivity of Labor for Store Detectives

Number of Detectives on Duty during Each Hour Store Is Open	Total Value of Thefts Prevented per Hour	Marginal Value of Thefts Prevented per Hour (MRP_L)
0	$ 0	$—
1	50	50
2	90	40
3	110	20
4	115	5
5	117	2

shoplifters. As more detectives are hired, it becomes possible to prevent theft by the more-expert shoplifters, but they are harder to detect and fewer in number. Thus, MRP_L falls because theft prevention becomes more difficult once all those who are easy to catch are apprehended.

To draw the demand curve for labor, we need to determine how many detectives the store will want to employ at a given wage. For example, at a wage of $50 per hour, how many detectives will the store want? Using the $MRP_L = W$ criterion (equation 3.5), it is easy to see that the answer is "one." At $40 per hour, the store would want to hire two, and at $20 per hour, the number demanded would be three. The labor demand curve that summarizes the store's profit-maximizing employment of detectives is shown in Figure 3.2.

Figure 3.2 illustrates a fundamental point: the labor demand curve in the short run slopes downward because it *is* the MRP_L curve—and the MRP_L curve slopes downward because of labor's diminishing marginal product. The demand curve and the MRP_L curve coincide; this could be demonstrated by graphing the MRP_L schedule in Table 3.2, which would yield exactly the same curve as in Figure 3.2. When one detective is hired, MRP_L is $50; when two are hired, MRP_L is $40; and so forth. Since MRP_L always equals W for a profit maximizer who takes wages as given, the MRP_L curve and labor demand curve (expressed as a function of the money wage) must be the same.

An implication of our example is that there is some level of shoplifting the store finds more profitable to tolerate than to eliminate. This level will be higher at high wages for store detectives than at lower wages. To say the theft rate is "too low" thus implies that the marginal costs of crime reduction exceed the marginal savings generated, and the firm is therefore failing to maximize profits.

Finally, we must emphasize that the marginal product of an individual is *not* a function solely of his or her personal characteristics. As stressed above, the

FIGURE 3.2

Demand for Labor in the Short Run (Money Wage)

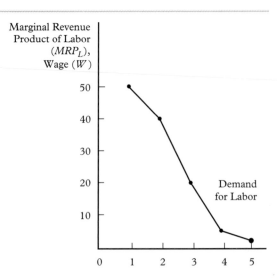

marginal product of a worker depends upon the number of similar employees the firm has already hired. An individual's marginal product also depends upon the size of the firm's capital stock; increases in the firm's capital stock shift the entire marginal product of labor schedule up. It is therefore incorrect to speak of an individual's productivity as an immutable factor that is associated only with his or her characteristics, independent of the characteristics of the other inputs he or she has to work with.

MARKET DEMAND CURVES   The demand curve (or schedule) for an individual firm indicates how much labor that firm will want to employ at each wage level. A *market demand curve* (or schedule) is just the *summation* of the labor demanded by all firms in a particular labor market at each level of the *real* wage.[5] If there are three firms in a certain labor market, and if at a *given* real wage firm A wants 12 workers, firm B wants 6, and firm C wants 20, then the market demand at that real wage is 38 employees. More important, because market demand curves are so closely derived from firm demand curves, they too will *slope downward* as a function of the real wage. When the real wage falls, the number of workers that existing firms want to employ increases. In addition, the lower real wage may make it profitable for new firms to enter the market. Conversely, when the real wage increases, the number of workers that existing firms want to employ decreases, and some firms may be forced to cease operations completely.

OBJECTIONS TO THE MARGINAL PRODUCTIVITY THEORY OF DEMAND Two kinds of objections are sometimes raised to the theory of labor demand introduced in this section. The first is that almost no employer can ever be heard uttering the words "marginal revenue product of labor," and that the theory assumes a degree of sophistication that most employers do not have. Employers, it is also argued, are unable in many situations to accurately measure the output of individual workers.

These first objections can be answered as follows: Whether employers can verbalize the profit-maximizing conditions, or whether they can explicitly measure the marginal revenue product of labor, they must at least *intuit* them to survive in a competitive environment. Competition will "weed out" employers who are not good at generating profits, just as competition will weed out pool players who do not understand the intricacies of how speed, angles, and spin affect the motion of bodies through space. Yet one could canvass the pool halls of America and probably not find one player who could verbalize Newton's laws of motion! The point is that employers can *know* concepts without being able to verbalize them. Those that are not good at maximizing profits will not last very long in competitive markets.

---

[5]If firms' demand curves are drawn as a function of the money wage, they represent the downward-sloping portion of the firms' marginal revenue product of labor curves. In a competitive industry, the price of the product is given to the firm by the market, and thus at the firm level the marginal revenue product of labor has imbedded in it a given product price. When aggregating labor demand to the *market* level, product price can no longer be taken as given, and the aggregation is no longer a simple summation.

The second objection is that in many cases, it seems that adding labor while holding capital constant would not add to output at all. For example, one secretary and one computer can produce output, but it might seem that adding a second secretary while holding the number of word processors constant could produce nothing extra, since that secretary would have no machine on which to work.

The answer to this second objection is that the two secretaries could take turns using the computer, so that neither became fatigued to the extent that mistakes increased and typing speeds slowed down. The second secretary could also answer the telephone and in other ways expedite work. Thus, even with technologies that seem to require one machine per person, labor will generally have a marginal product greater than zero if capital is held constant.

The Demand for Labor in Competitive Markets When Other Inputs Can Be Varied

An implication of our theory of labor demand is that, because labor can be varied in the short run—that is, at any time—the profit-maximizing firm will always operate so that labor's marginal revenue product equals the wage rate (which is labor's marginal expense in a competitive labor market). What we must now consider is how the firm's ability to adjust *other* inputs affects the demand for labor. We first analyze the implications of being able to adjust capital in the long run, and we then turn our attention to the case of more than two inputs.

Labor Demand in the Long Run

To maximize profits in the long run, the firm must adjust both labor and capital so that the marginal revenue product of each equals its marginal expense. Using the definitions discussed earlier in this chapter, profit maximization requires that the following two equalities be satisfied:

$$MP_L \cdot P = W \quad \text{(a restatement of equation 3.5)} \tag{3.7a}$$

$$MP_K \cdot P = C \quad \text{(the profit-maximizing condition for capital)} \tag{3.7b}$$

Both (3.7a) and (3.7b) can be rearranged to isolate P, so these two profit-maximizing conditions also can be expressed as

$$P = W/MP_L \quad \text{(a rearrangement of equation 3.7a)} \tag{3.8a}$$

$$P = C/MP_K \quad \text{(a rearrangement of equation 3.7b)} \tag{3.8b}$$

Further, because the right-hand sides of both (3.8a) and (3.8b) equal the same quantity, P, profit maximization therefore requires that

$$W/MP_L = C/MP_K \qquad\qquad (3.8c)$$

The economic meaning of equation (3.8c) is key to understanding how the ability to adjust capital affects the firm's demand for labor. Consider the left-hand side of (3.8c): the numerator is the cost of a unit of labor, while the denominator is the extra output produced by an added unit of labor. Therefore, the ratio W/MP_L turns out to be the added cost of producing an added unit of output when using labor to generate the increase in output.[6] Analogously, the right-hand side is the marginal cost of producing an extra unit of output using capital. What equation (3.8c) suggests is that, to maximize profits, *the firm must adjust its labor and capital inputs so that the marginal cost of producing an added unit of output using labor is equal to the marginal cost of producing an added unit of output using capital.* Why is this condition a requirement for maximizing profits?

To maximize profits a firm must be producing its chosen level of output in the least-cost manner. Logic suggests that as long as the firm can expand output more cheaply using one input than the other, it cannot be producing in the least-cost way. For example, if the marginal cost of expanding output by one unit using labor were $10, and the marginal cost using capital were $12, the firm could keep output constant and lower its costs of production! How? It could reduce its capital by enough to cut output by one unit (saving $12), and then add enough labor to restore the one-unit cut (costing $10). Output would be the same, but costs would have fallen by $2. Thus, for the firm to be maximizing profits, it must be operating at the point such that further marginal changes in both labor and capital would neither lower costs nor otherwise add to profits.

With equations (3.8a) to (3.8c) in mind, what would happen to the demand for labor in the long run if the wage rate (W) facing a profit-maximizing firm were to rise? First, as we discussed in the section on the short-run demand for labor, the rise in W disturbs the equality in (3.8a), and the firm will want to cut back on its use of labor even before it can adjust capital. Because the marginal product of labor is assumed to rise as employment is reduced, any cuts in labor will raise MP_L.

Second, because each unit of capital now has less labor working with it, the marginal product of capital (MP_K) falls, disturbing the equality in (3.8b). By itself, this latter inequality will cause the firm to want to reduce its stock of capital.

Third, the rise in W will initially end the equality in (3.8c), meaning that the marginal cost of production using labor now exceeds the marginal cost using capital. If the above cuts in labor are made in the short run, the associated increase

---

[6]Because $MP_L = \Delta Q/\Delta L$, the expression W/MP_L can be rewritten as $W \cdot \Delta L/\Delta Q$. Since $W\Delta L$ represents the added cost from employing one more unit of labor, the expression $W\Delta L/\Delta Q$ equals the cost of an added unit of output when that unit is produced by adding labor.

EXAMPLE 3.2

Coal Mining Wages and Capital Substitution

That wage increases have both a *scale effect* and a *substitution effect*, both of which tend to reduce employment, is widely known—even by many of those pushing for higher wages. John L. Lewis was president of the United Mine Workers from the 1920s through the 1940s, when wages for miners were increased considerably with full knowledge that this would induce the substitution of capital for labor. According to Lewis:

> Primarily the United Mine Workers of America insists upon the maintenance of the wage standards guaranteed by the existing contractual relations in the industry, in the interests of its own membership....But in insisting on the maintenance of an American wage standard in the coal fields the United Mine Workers is also doing its

part, probably more than its part, to force a reorganization of the basic industry of the country upon scientific and efficient lines. The maintenance of these rates will accelerate the operation of natural economic laws, which will in time eliminate uneconomic mines, obsolete equipment, and incompetent management.

> The policy of the United Mine Workers of America will inevitably bring about the utmost employment of machinery of which coal mining is physically capable.... Fair wages and American standards of living are inextricably bound up with the progressive substitution of mechanical for human power. It is no accident that fair wages and machinery will walk hand-in-hand.

Source: John L. Lewis, *The Miners' Fight for American Standards* (Indianapolis: Bell, 1925), 40, 41, 108.

in MP_L and decrease in MP_K will work toward restoring equality in (3.8c); however, if it remains more costly to produce an extra unit of output using labor than using capital, the firm will want to substitute capital for labor in the long run. Substituting capital for labor means that the firm will produce its profit-maximizing level of output (which is clearly reduced by the rise in W) in a more capital-intensive way. The act of substituting capital for labor also will serve to increase MP_L and reduce MP_K, thereby reinforcing the return to equality in (3.8c).

In the end, the increase in W will cause the firm to reduce its desired employment level for two reasons. The firm's profit-maximizing level of output will fall, and the associated reduction in required inputs (both capital and labor) is an example of the *scale effect*. The rise in W also causes the firm to substitute capital for labor, so that it can again produce in the least-cost manner; changing the mix of capital and labor in the production process is an example of the *substitution effect*. The scale and substitution effects of a wage increase will have an ambiguous effect on the firm's desired stock of *capital*, but both effects serve to reduce the demand for *labor*. Thus, as illustrated in Example 3.2, the long-run ability to adjust capital lends further theoretical support to the proposition that the labor demand curve is a downward-sloping function of the wage rate.

More than Two Inputs

Thus far we have assumed that there are only two inputs in the production process: capital and labor. In fact, labor can be subdivided into many categories; for example, labor can be categorized by age, educational level, and occupation. Other inputs that are used in the production process include materials and energy. If a firm is seeking to minimize costs, in the long run it should employ all inputs up until the point that the marginal cost of producing an added unit of output is the same regardless of which input is increased. This generalization of equation (3.8c) leads to the somewhat obvious result that the demand for *any* category of labor will be a function of its own wage rate *and* (through the scale and substitution effects) the wage or prices of all other categories of labor, capital, and supplies.

IF INPUTS ARE SUBSTITUTES IN PRODUCTION   The demand curve for each category of labor will be a downward-sloping function of the wage rate paid to workers in that category for the reasons discussed earlier, but how is it affected by wage or price changes for *other* inputs? If two inputs are *substitutes in production* (that is, if the greater use of one in producing output can compensate for reduced use of the other), then increases in the price of the *other* input may shift the entire demand curve for a *given* category of labor either to the right or to the left, depending on the relative strength of the substitution and scale effects. If an increase in the price of one input shifts the demand for *another* input to the left, as in panel (a) of Figure 3.3, the scale effect has dominated the substitution effect and the two inputs are said to be *gross complements;* if the increase shifts the demand for the other input to the right, as in panel (b) of Figure 3.3, the substitution effect has dominated and the two inputs are *gross substitutes.*

IF INPUTS ARE COMPLEMENTS IN PRODUCTION   If, instead, the two inputs must be used together—in which case they are called *perfect complements* or *complements in production*—then reduced use of one implies reduced use of the other.

FIGURE 3.3

Effect of Increase in the Price of One Input (k) on Demand for Another Input (j), where Inputs Are Substitutes in Production

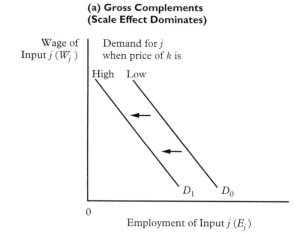
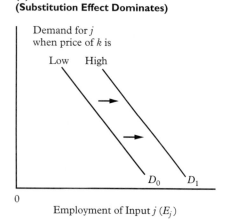

(a) Gross Complements
(Scale Effect Dominates)

(b) Gross Substitutes
(Substitution Effect Dominates)

In this case, there is no substitution effect, only a scale effect, and the two inputs must be gross complements.

EXAMPLES Consider an example of a snow-removal firm in which skilled and unskilled workers are substitutes in production—snow can be removed using either unskilled workers (with shovels) or skilled workers driving snowplows. Let us focus on demand for the skilled workers. Other things equal, an increase in the wage of skilled workers would cause the firm to employ fewer of them; their demand curve would be a downward-sloping function of their wage. If only the wage of *unskilled* workers increased, however, the employer would want fewer unskilled workers than before, and more of the now relatively less expensive skilled workers, to remove any *given amount of snow*. To the extent that this substitution effect dominated over the scale effect, the demand for skilled workers would shift to the right. In this case, skilled and unskilled workers would be gross substitutes. In contrast, if the reduction in the scale of output caused employment of skilled workers to be reduced, even though skilled workers were being substituted for unskilled workers in the production process, skilled and unskilled workers would be considered gross complements.

In the above firm, snowplows and skilled workers are complements in production. If the price of snowplows went up, the employer would want to cut back on their use, which would result in a reduced demand at each wage for the skilled workers who drove the snowplows. As noted above, inputs that are complements in production are always gross complements.

Labor Demand When the Product Market Is Not Competitive

Our analysis of the demand for labor, in both the short and the long run, has so far taken place under the assumption that the firm operates in competitive product and labor markets. This is equivalent to assuming that the firm is both a price taker and a wage taker; that is, that it takes both P and W as given and makes decisions only about the levels of output and inputs. We will now explore the effects of noncompetitive (monopolistic) *product* markets on the demand for labor (the effects of noncompetitive *labor* markets will be analyzed in chapter 5).

Maximizing Monopoly Profits

As explained earlier in footnote 2 and the surrounding text, product market monopolies are subject to the *market* demand curve for their output, and they therefore do not take output price as given. They can expand their sales only by reducing product price, which means that their marginal revenue (MR) from an extra unit of output is less than product price (P). Using the general definition of marginal revenue product in equation (3.3a), and applying the usual profit-maximizing criteria outlined in equation (3.4) to a monopoly that searches for workers in a competitive *labor* market (so that $ME_L = W$), the monopolist would hire workers until its marginal revenue product of labor (MRP_L) equals the wage rate:

$$MRP_L = MR \cdot MP_L = W \qquad (3.9)$$

Now we can express the demand for labor in the short run in terms of the real wage by dividing equation (3.9) by the firm's product price, P, to obtain

$$\frac{MR}{P} \cdot MP_L = \frac{W}{P} \qquad (3.10)$$

Since marginal revenue is always less than a monopoly's product price, the ratio MR/P in equation (3.10) is less than one. Therefore, the labor demand curve for a firm that has monopoly power in the output market will lie below and to the left of the labor demand curve for an *otherwise identical* firm that takes product price as given. Put another way, just as the level of profit-maximizing output is lower under monopoly than it is under competition, other things equal, so is the level of employment.

The *wage* rates that monopolies pay, however, are not necessarily different from competitive levels even though *employment* levels are. An employer with a product market monopoly may still be a very small part of the market for a particular kind of employee, and thus be a *price taker* in the labor market. For example, a local utility company might have a product market monopoly, but it would have to compete with all other firms to hire secretaries and thus would have to pay the going wage.

Do Monopolies Pay Higher Wages?

There are circumstances, however, in which economists suspect that product market monopolies might pay wages that are *higher* than competitive firms would pay.[7] The monopolies that are legally permitted to exist in the United States are regulated by governmental bodies in an effort to prevent them from exploiting their favored status and earning monopoly profits. This regulation of profits, it can be argued, gives monopolies incentives to pay higher wages than they would otherwise pay, for two reasons.

First, regulatory bodies allow monopolies to pass the costs of doing business on to consumers. Thus, while unable to maximize profits, the managers of a monopoly can enhance their *utility* by paying high wages and passing the costs along to consumers in the form of higher prices. The ability to pay high wages makes a

---

[7]For a full statement of this argument, see Armen Alchian and Reuben Kessel, "Competition, Monopoly, and the Pursuit of Money," in *Aspects of Labor Economics*, ed. H. G. Lewis (Princeton, N.J.: Princeton University Press, 1962).

manager's life more pleasant by making it possible to hire people who might be more attractive or personable or have other characteristics managers find desirable.

Second, monopolies that are as yet unregulated may not want to attract attention to themselves by earning the very high profits usually associated with monopoly. Therefore they, too, may be induced to pay high wages in a partial effort to "hide" their profits. The excess profits of monopolies, in other words, may be partly taken in the form of highly preferred workers—paid a relatively high wage rate—rather than in the usual monetary form.

The evidence on monopoly wages, however, is not very clear as yet. Some studies suggest that firms in industries with relatively few sellers *do* pay higher wages than competitive firms for workers with the same education and experience. Other studies of regulated monopolies, however, have obtained mixed results on whether wages tend to be higher for comparable workers in these industries.[8]

Policy Application: The Labor Market Effects of Employer Payroll Taxes and Wage Subsidies

We now turn to an application of labor demand theory to the phenomena of employer payroll taxes and wage subsidies. Governments widely finance certain social programs through taxes that require *employers* to remit payments based on their total payroll costs. As we will see, new or increased payroll taxes levied on the employer raise the cost of hiring labor, and they might therefore be expected to reduce the demand for labor. Conversely, it can be argued that if the government were to subsidize the wages paid by employers, the demand for labor would increase; indeed, wage subsidies for particular disadvantaged groups in society are sometimes proposed as a way to increase their employment. In this section, we will analyze the effects of payroll taxes and subsidies.

Who Bears the Burden of a Payroll Tax?

Payroll taxes require employers to pay the government a certain percentage of their employees' earnings, often up to some maximum amount. Unemployment insurance, as well as Social Security retirement, disability, and Medicare programs, are prominent examples. Does taxing employers to generate revenues for these programs relieve *employees* of a financial burden that would otherwise fall on them?

Suppose that only the employer is required to make payments and that the tax is a fixed amount (X) per labor hour, rather than a percentage of payroll. Now

---

[8]Ronald Ehrenberg, *The Regulatory Process and Labor Earnings* (New York: Academic Press, 1979); Barry T. Hirsch, "Trucking Regulation, Unionization, and Labor Earnings," *Journal of Human Resources* 23 (Summer 1988): 296–319; S. Nickell, J. Vainiomaki, and S. Wadhwani, "Wages and Product Market Power," *Economica* 61 (November 1994): 457–473; and Marianne Bertrand and Sendhil Mullainathan, "Is There Discretion in Wage Setting? A Test Using Takeover Legislation," *RAND Journal of Economics* 30 (Autumn 1999): 535–554.

consider the market demand curve D_0 in Figure 3.4, which is drawn in such a way that desired employment is plotted against the wage *employees receive*. Prior to the imposition of the tax, the wage employees receive is the same as the wage employers pay. Thus, if D_0 were the demand curve before the tax was imposed, it would have the conventional interpretation of indicating how much labor firms would be willing to hire at any given wage. However, *after* imposition of the tax, employer wage costs would be X above what employees received.

SHIFTING THE DEMAND CURVE If employees received W_0, employers would now face costs of $W_0 + X$. They would no longer demand E_0 workers; rather, because their costs were $W_0 + X$, they would demand E_2 workers. Point A (where W_0 and E_2 intersect) would lie on a new market demand curve, formed when demand shifted down because of the tax (remember, the wage on the vertical axis of Figure 3.4 is the wage *employees receive*, not the wage employers pay). Only if employee wages fell to $W_0 - X$ would firms want to continue hiring E_0 workers, for then *employer* costs would be the same as before the tax. Thus, point B would also be on the new, shifted demand curve. Note that, with a tax of X, the new demand curve (D_1) is parallel to the old one and the vertical distance between the two is X.

Now, the tax-related shift in the market demand curve to D_1 implies that there would be an excess supply of labor at the previous equilibrium wage of W_0. This surplus of labor would create downward pressure on the *employee* wage, and this downward pressure would continue to be exerted until the employee wage fell to W_1, the point at which the quantity of labor supplied just equaled the quantity demanded. At this point, employment would also have fallen to E_1. Thus, *employees bear a burden in the form of lower wage rates and lower employment levels.* The lesson is clear: *employees* are not exempted from bearing costs when the government chooses to generate revenues through a payroll tax on *employers*.

Figure 3.4 does suggest, however, that employers may bear at least *some* of the tax, because the wages received by employees do not fall by the full amount of the tax ($W_0 - W_1$ is smaller than X, which is the vertical distance between the

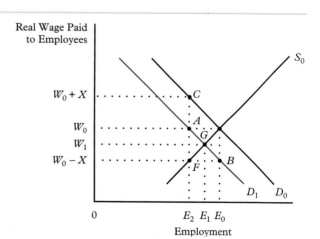

FIGURE 3.4

The Market Demand Curve and Effects of an Employer-Financed Payroll Tax

FIGURE 3.5

Payroll Tax with a Vertical Supply Curve

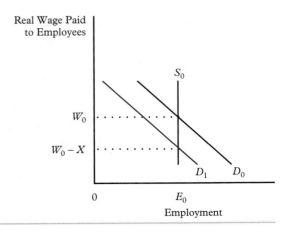

two demand curves). This occurs because, with an upward-sloping labor market supply curve, employees withdraw labor as their wages fall, and it becomes more difficult for firms to find workers. If wages fell to $W_0 - X$, the withdrawal of workers would create a labor shortage that would drive wages to some point (W_1 in our example) between W_0 and $W_0 - X$. Only if the labor market supply curve were *vertical*—meaning that lower wages have no effect on labor supply—would the *entire amount of the tax* be shifted to workers in the form of a decrease in their wages by the amount of X (see Figure 3.5).

EFFECTS OF LABOR SUPPLY CURVES   The extent to which the labor market *supply* curve is sensitive to wages affects the proportion of the employer payroll tax that gets shifted to employees' wages. The less responsive labor supply is to changes in wages, the fewer the employees who withdraw from the market and the higher the proportion of the tax that gets shifted to workers in the form of a wage decrease (compare the outcomes in Figures 3.4 and 3.5). It must also be pointed out, however, that to the degree employee wages do *not* fall, employment levels *will;* when employee wages do not fall much in the face of an employer payroll-tax increase, employer labor costs are increased—and this increase reduces the quantity of labor employers demand.

A number of empirical studies have sought to ascertain what fraction of employers' payroll-tax costs are actually passed on to employees in the form of lower wages (or lower wage increases). Although the evidence is somewhat ambiguous, a comprehensive review of these studies led to at least a tentative conclusion that most of a payroll tax is eventually shifted to wages, with little long-run effect on employment.[9]

[9]Daniel S. Hamermesh, *Labor Demand* (Princeton, N.J.: Princeton University Press, 1993), 169–173. Also see Jonathan Gruber, "The Incidence of Payroll Taxation: Evidence from Chile," *Journal of Labor Economics* 15, no. 3, pt. 2 (July 1997): S72–S101; Patricia M. Anderson and Bruce D. Meyer, "The Effects of the Unemployment Insurance Payroll Tax on Wages, Employment, Claims and Denials," *Journal of Public Economics* 78 (October 2000): 81–106; and Kevin Lang, "The Effect of the Payroll Tax on Earnings: A Test of Competing Models of Wage Determination," National Bureau of Economic Research Working Paper no. 9537, February 2003.

Employment Subsidies as a Device to Help the Poor

The opposite of a payroll tax on employers is a government subsidy of employers' payrolls. In Figure 3.4, for example, if instead of *taxing* each hour of labor by X the government *paid* the employer X, the market labor demand curve would shift *upward* by a vertical distance of X. This upward movement of the demand curve would create pressures to increase employment and the wages received by employees; as with a payroll tax, whether the eventual effects would be felt more on employment or on wage rates depends on the shape of the labor market supply curve.

(Students should test their understanding in this area by drawing labor demand curves that reflect a new payroll subsidy of X per hour, and then analyzing the effects on employment and employee wages with market supply curves that are, alternatively, upward-sloping and vertical. *Hint:* The outcomes should be those that would be obtained if demand curve D_1 in Figures 3.4 and 3.5 were shifted by the subsidy to curve D_0.)

Payroll subsidies to employers can take many forms. They can be in the form of cash payments, as implied by the above hypothetical example, or they can be in the form of tax credits. These credits might directly reduce a firm's payroll-tax rate, or they might reduce some other tax by an amount proportional to the number of labor hours hired; in either case, the credit has the effect of reducing the cost of hiring labor.

Further, wage subsidies can apply to a firm's employment *level,* to any *new* employees hired after a certain date (even if they just replace workers who have left), or only to new hires that serve to *increase* the firm's level of employment. Finally, subsidies can be either *general* or *selective*. A general subsidy is not conditional on the characteristics of the people hired, whereas a selective, or *targeted,* plan makes the subsidy conditional on hiring people from certain target groups (such as the disadvantaged).

The beneficial effects on wages and employment that are expected to derive from payroll-tax subsidies have led to their proposed use as a policy to help alleviate poverty. As one economist concerned about unemployment and earnings levels among low-wage workers wrote:

> What to do? The solution for which I have pleaded the past five years: a low-wage employment subsidy. It would best take the form of a tax credit that employers could use to offset the payroll taxes they owe from their employment of low-wage workers. Lower unemployment and better pay would result at the low end of the labor market—the less of the one, the more of the other.[10]

Experience in the United States with targeted wage subsidies, such as the one proposed above, has been modest. The Targeted Jobs Tax Credit (TJTC) program, which began in 1979 and was changed slightly over the years until it was finally

---

[10]Edmund S. Phelps, "Commentary: Past and Prospective Causes of High Unemployment," in *Reducing Unemployment: Current Issues and Policy Options* (Kansas City, Mo.: Federal Reserve Bank of Kansas City, 1994), 89. For his book on the topic, see Edmund S. Phelps, *Rewarding Work* (Cambridge, Mass.: Harvard University Press, 1997).

EMPIRICAL STUDY

Do Women Pay for Employer-Funded Maternity Benefits? Using Cross-Section Data over Time to Analyze "Differences in Differences"

During the last half of 1976, Illinois, New Jersey, and New York passed laws requiring that employer-provided health insurance plans treat pregnancy the same as illness (that is, coverage of doctor's bills and hospital costs had to be the same for pregnancy as for illnesses or injuries). These mandates increased the cost of health insurance for women of childbearing age by an amount that was equal to about 4 percent of their earnings. Were these increases in employer costs borne by employers, or did they reduce the wages of women by an equivalent amount?

A problem confronting researchers on this topic is that the adopting states are all states with high incomes and likely to have state legislation encouraging the expansion of employment opportunities for women. Thus, comparing wage *levels* across states would require that we statistically control for all the factors, besides the maternity-benefit mandate, that affect wages. Because we can never be sure that we have adequate controls for the economic, social, and legal factors that affect wage levels by state, we need to find another way to perform the analysis.

Fortunately, answering the research question is facilitated by several factors: (a) some states adopted these laws and some did not; (b) even in states that

adopted these laws, the insurance cost increases applied only to women (and their husbands) of childbearing age, and not to single men or older workers; and (c) the adopting states passed these laws during the same time period, so that variables affecting women's wages that change over time (such as recessions or the rising presence of women in the labor force) do not cloud the analysis.

Factors (a) and (c) above allow the conduct of what economists call a "differences-in-differences" analysis. Specifically, these factors allow us to compare wage *changes*, from the pre-adoption years to the post-adoption ones, among women of childbearing age in adopting states (the "experimental group") to wage changes over the same period for women of the same age in states that did not adopt (a "comparison group"). By comparing within-state *changes* in wages, we avoid the need to find measures that would control for the economic, social, and public-policy forces that make the initial wage *level* in one state differ from that in another; whatever the factors are that raise wage levels in New Jersey, for example, they were there both before and after the adoption of mandated maternity benefits.

One might argue, of course, that the adopting and nonadopting states were subject to *other* forces (unrelated to maternity benefits) that led to different degrees of wage change over this period. For example, the economy of New Jersey might have been booming during the period when maternity benefits were adopted, while economies elsewhere might not have been. However, if an adopting state is experiencing unique wage pressures in addition to those imposed by maternity benefits, the effects of these other pressures should show up in the wage changes experienced by single men or older women—groups in the adopting states that were not affected by the mandate. Thus, we can exploit factor (b) above by also comparing the wage changes for women of childbearing age in adopting states to those for single men or older women in the same states.

The three factors above enabled one researcher to measure how the wages of married women, age 20–40, changed from 1974–1975 to 1977–1978 in the three adopting states. These changes were then compared to changes in wages for married women of the same age in non-adopting (but economically similar) states. To account for forces *other than changing maternity benefits* that could affect wage changes across states during this period, the researcher also measured changes in wages for unmarried men and workers over 40 years of age. This study concluded that in the states adopting mandated maternity benefits, the post-adoption wages of women in the 20–40 age group were about 4 percent lower than they would have been without adoption. This finding suggests that the entire cost of maternity benefits was quickly shifted to women of childbearing age.

Source: Jonathan Gruber, "The Incidence of Mandated Maternity Benefits," *American Economic Review* 84 (June 1994): 622-641.

discontinued in 1995, targeted disadvantaged youth, the handicapped, and welfare recipients, providing their employers with a tax credit that lasted for one year. In practice, the average duration of jobs under this program was six months, and the subsidy reduced employer wage costs by about 15 percent for jobs of this duration.

One problem that limited the effectiveness of the TJTC program was that the eligibility requirements for many of its participants were stigmatizing; that is, being eligible (on welfare, for example) was often seen by employers as a negative indicator of productivity. Nevertheless, one evaluation found that the employment of disadvantaged youth was enhanced by the TJTC. Specifically, it found that when 23- to 24-year-olds were removed from eligibility for the TJTC by changes in 1989, employment of disadvantaged youths of that age fell over 7 percent.[11]

---

[11]Lawrence F. Katz, "Wage Subsidies for the Disadvantaged," in *Generating Jobs: How to Increase Demand for Less-Skilled Workers*, ed. Richard B. Freeman and Peter Gottschalk (New York: Russell Sage Foundation, 1998), 21–53.

Review Questions

1. In a statement during the 1992 presidential campaign, one organization attempting to influence the political parties argued that the wages paid by U.S. firms in their Mexican plants were so low that they "have no relationship with worker productivity." Comment on this statement using the principles of profit maximization.

2. Assume that wages for keyboarders (data entry clerks) are lower in India than in the United States. Does this mean that keyboarding jobs in the United States will be lost to India? Explain.

3. The Occupational Safety and Health Administration promulgates safety and health standards. These standards typically apply to machinery (capital), which is required to be equipped with guards, shields, and the like. An alternative to these standards is to require the employer to furnish personal protective devices to employees (labor)—such as earplugs, hard hats, and safety shoes. *Disregarding* the issue of which alternative approach offers greater protection from injury, what aspects of each alternative must be taken into account when analyzing the possible *employment* effects of the two approaches to safety?

4. Suppose that prisons historically have required inmates to perform, *without pay,* various cleaning and food preparation jobs within the prison. Now suppose that prisoners are offered paid work in factory jobs within the prison walls, and that the cleaning and food preparation tasks are now performed by nonprisoners hired to do them. Would you expect to see any differences in the *technologies* used to perform these tasks? Explain.

5. Years ago, Great Britain adopted a program that placed a tax—to be collected from employers—on wages in *service* industries. Wages in manufacturing industries were not taxed. Discuss the wage and employment effects of this tax policy.

6. Suppose the government were to subsidize the wages of all women in the population by paying their *employers* 50 cents for every hour they work. What would be the effect on the wage rate women received? What would be the effect on the net wage employers paid? (The net wage would be the wage women received less 50 cents.)

7. In the last two decades, the United States has been subject to huge increases in the illegal immigration of workers from Mexico, most of them unskilled, and the government has considered ways to reduce the flow. One policy is to impose larger financial penalties on employers who are discovered to have hired illegal immigrants. What effect would this policy have on the employment of unskilled illegal immigrants? What effect would it have on the demand for skilled "native" labor?

8. If anti-sweatshop movements are successful in raising pay and improving working conditions for apparel workers in foreign countries, how will these changes abroad affect labor market outcomes for workers in the apparel and retailing industries in the United States? Explain.

Problems

1. An experiment conducted in Tennessee found that the scores of second and third graders on standardized tests for reading, math, listening, and word study skills were the same in small classrooms (13 to 17 students) as in regular classrooms (22 to 25 students). Suppose that there is a school that had 90 third graders taught by four teachers and that added two additional teachers to reduce the class size. If the Tennessee study can be generalized, what is the marginal product of labor of these two additional teachers?

2. The marginal revenue product of labor in the local sawmill is $MRP_L = 20 - 0.5L$, where L = the number of workers. If the wage of sawmill workers is $10 per hour, then how many workers will the mill hire?

3. Suppose that the supply curve for lifeguards is $L_S = 20$ and the demand curve for lifeguards is $L_D = 100 - 20W$, where L = the number of lifeguards and W = the hourly wage. Graph both the demand and supply curves. Now suppose that the government imposes a tax of $1 per hour per worker on companies hiring lifeguards. Draw the new (after-tax) demand curve in terms of the employee wage. How will this tax affect the wage of lifeguards and the number employed as lifeguards?

4. The output of workers at a factory depends on the number of supervisors hired (see table below). The factory sells its output for $0.50 each, it hires 50 production workers at a wage of $100 per day, and it needs to decide how many supervisors to hire. The daily wage of supervisors is $500, but output rises as more supervisors are hired, as shown in the table. How many supervisors should it hire?

5. (Appendix) The Hormsbury Corporation produces yo-yos at its factory. Both its labor and capital markets are competitive. Wages are $12 per hour and yo-yo-making equipment (a computer-controlled plastic extruding machine) rents for $4 per hour. The production function is $q = 40K^{0.25}L^{0.75}$, where q = boxes of yo-yos per week, K = hours of yo-yo equipment used, and L = hours of labor. Therefore, $MP_L = 30K^{0.25}L^{-0.25}$ and $MP_K = 10K^{-0.75}L^{0.75}$. Determine the cost-minimizing capital-labor ratio at this firm.

Supervisors	Output (units per day)
0	11,000
1	14,800
2	18,000
3	19,500
4	20,200
5	20,600

Selected Readings

Blank, Rebecca M., ed. *Social Protection versus Economic Flexibility: Is There a Trade-Off?* Chicago: University of Chicago Press, 1994.

Hamermesh, Daniel. *Labor Demand.* Princeton, N.J.: Princeton University Press, 1993.

Katz, Lawrence F. "Wage Subsidies for the Disadvantaged." In *Generating Jobs: How to Increase Demand for Less-Skilled Workers,* ed. Richard B. Freeman and Peter Gottschalk, 21–53. New York: Russell Sage Foundation, 1998.

Graphical Derivation of a Firm's Labor Demand Curve

Chapter 3 described verbally the derivation of a firm's labor demand curve. This appendix will present the *same* derivation graphically. This graphical representation permits a more rigorous derivation, but our conclusion that demand curves slope downward in both the short and the long run will remain unchanged.

The Production Function

Output can generally be viewed as being produced by combining capital and labor. Figure 3A.1 illustrates this production function graphically and depicts several aspects of the production process.

Consider the convex curve labeled $Q = 100$. Along this line, every combination of labor (L) and capital (K) produces 100 units of output (Q). That is, the combination of labor and capital at point A (L_a, K_a) generates the same 100 units of output as the combinations at points B and C. Because each point along the $Q = 100$ curve generates the same output, that curve is called an *isoquant* (*iso* = "equal"; *quant* = "quantity").

Two other isoquants are shown in Figure 3A.1 ($Q = 150$, $Q = 200$). These isoquants represent higher levels of output than the $Q = 100$ curve. The fact that these isoquants indicate higher output levels can be seen by holding labor constant at L_b (say) and then observing the different levels of capital. If L_b is combined with K_b in capital, 100 units of Q are produced. If L_b is combined with K_b', 150 units are produced (K_b' is greater than K_b). If L_b is combined with even more capital (K_b'', say), 200 units of Q could be produced.

Note that the isoquants in Figure 3A.1 have *negative* slopes, reflecting an assumption that labor and capital are substitutes. If, for example, we cut capital from K_a to K_b, we could keep output constant (at 100) by increasing labor from L_a to L_b. Labor, in other words, could be substituted for capital to maintain a given production level.

Finally, note the *convexity* of the isoquants. At point *A*, the *Q* = 100 isoquant has a steep slope, suggesting that to keep *Q* constant at 100, a given decrease in capital could be accompanied by a *modest* increase in labor. At point *C*, however, the slope of the isoquant is relatively flat. This flatter slope means that the same given decrease in capital would require a much *larger* increase in labor for output to be held constant. The decrease in capital permitted by a given increase in labor while output is being held constant is called the *marginal rate of technical substitution (MRTS)* between capital and labor. Symbolically, the *MRTS* can be written as

$$MRTS = \frac{\Delta K}{\Delta L} | \overline{Q} \qquad\qquad (3A.1)$$

where Δ means "change in" and $\overline{Q}$ means "holding output constant." The *MRTS* is *negative*, because if *L* is increased, *K* must be reduced to keep *Q* constant.

Why does the absolute value of the marginal rate of technical substitution diminish as labor increases? When labor is highly used in the production process and capital is not very prevalent (point *C* in Figure 3A.1), there are many jobs that capital can do. Labor is easy to replace; if capital is increased, it will be used as a substitute for labor in parts of the production process where it will have the highest payoff. As capital becomes progressively more utilized and labor less so, the few remaining workers will be doing jobs that are hardest for a machine to do, at which point it will take a lot of capital to substitute for a worker.[1]

Demand for Labor in the Short Run

Chapter 3 argued that firms will maximize profits in the short run (*K* fixed) by hiring labor until labor's marginal product (MP_L) is equal to the real wage (*W/P*). The reason for this decision rule is that the real wage represents the *cost* of an added unit of labor (in terms of output), while the marginal product is the *output* added by the extra unit of labor. As long as the firm, by increasing labor (*K* fixed), gains more in output than it loses in costs, it will continue to hire employees. The firm will stop hiring when the marginal cost of added labor exceeds MP_L.

The requirement that $MP_L = W/P$ in order for profits to be maximized means that the firm's labor demand curve in the short run (in terms of the *real* wage) is identical to its marginal product of labor schedule (refer to Figure 3.1). Remembering that the marginal product of labor is the extra output produced by one-unit increases in the amount of labor employed, holding capital constant, consider the production

---

[1]Here is one example. Over time, telephone operators (who used to place long-distance calls) were replaced by a very capital-intensive direct-dialing system. Those operators who remain employed, however, perform tasks that are the most difficult for a machine to perform—handling collect calls, dispensing directory assistance, and acting as troubleshooters when problems arise.

FIGURE 3A.1

A Production Function

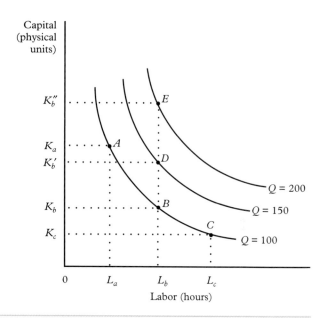

function displayed in Figure 3A.2. Holding capital constant at K_a, the firm can produce 100 units of Q if it employs labor equal to L_a. If labor is increased to L_a', the firm can produce 50 more units of Q; if labor is increased from L_a' to L_a'', the firm can produce an additional 50 units. Notice, however, that the required increase in labor to get the latter 50 units of added output, $L_a'' - L_a'$, is larger than the extra labor required to produce the first 50-unit increment ($L_a' - L_a$). This difference can only mean that as labor is increased when K is held constant, each successive labor hour hired generates progressively smaller increments in output. Put differently, Figure 3A.2 graphically illustrates the diminishing marginal productivity of labor.

Why does labor's marginal productivity decline? Chapter 3 explained that labor's marginal productivity declines because, with K fixed, each added worker has less capital (per capita) with which to work. Is this explanation proven in Figure 3A.2? The answer is, regrettably, no. Figure 3A.2 is drawn *assuming* diminishing marginal productivity. Renumbering the isoquants could produce a different set of marginal productivities. (To see this, change $Q = 150$ to $Q = 200$, and change $Q = 200$ to $Q = 500$. Labor's marginal productivity would then rise.) However, the logic that labor's marginal product must eventually fall as labor is increased, holding buildings, machines, and tools constant, is compelling. Further, as chapter 3 pointed out, even if MP_L rises initially, the firm will stop hiring labor only in the range where MP_L is declining; as long as MP_L is above W/P and *rising*, it will pay to continue hiring.

FIGURE 3A.2

The Declining Marginal Productivity of Labor

Capital (physical units)

K_a

A B C

$Q = 200$

$Q = 150$

$Q = 100$

0   L_a L_a' L_a''

Labor (hours)

The assumptions that MP_L declines eventually and that firms hire until $MP_L = W/P$ are the bases for the assertion that a firm's short-run demand curve for labor slopes downward. The graphical, more rigorous derivation of the demand curve in this appendix confirms and supports the verbal analysis in the chapter. However, it also emphasizes more clearly than a verbal analysis can that the downward-sloping nature of the short-run labor demand curve is based on an *assumption*—however reasonable—that MP_L declines as employment is increased.

Demand for Labor in the Long Run

Recall that a firm maximizes its profits by producing at a level of output (Q^*) where marginal cost equals marginal revenue. That is, the firm will keep increasing output until the addition to its revenues generated by an extra unit of output just equals the marginal cost of producing that extra unit of output. Because marginal revenue, which is equal to output *price* for a competitive firm, is not shown in our graph of the production function, the profit-maximizing level of output cannot be determined. However, continuing our analysis of the production function can illustrate some important aspects of the demand for labor in the long run.

Conditions for Cost Minimization

In Figure 3A.3, profit-maximizing output is assumed to be Q^*. How will the firm combine labor and capital to produce Q^*? It can maximize profits only if it produces

FIGURE 3A.3

Cost Minimization in the Production of Q^* (Wage = \$10 per Hour; Price of a Unit of Capital = \$20)

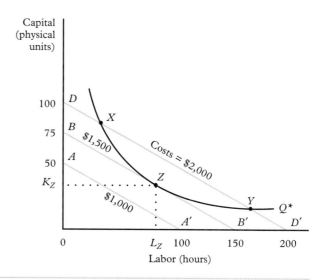

Q^* in the least expensive way; that is, it must minimize the costs of producing Q^*. To better understand the characteristics of cost minimization, refer to the three *isoexpenditure* lines—AA', BB', DD'—in Figure 3A.3. Along any one of these lines the costs of employing labor and capital are equal.

For example, line AA' represents total costs of \$1,000. Given an hourly wage (W) of \$10 per hour, the firm could hire 100 hours of labor and incur total costs of \$1,000 if it used no capital (point A'). In contrast, if the price of a unit of capital (C) is \$20, the firm could produce at a total cost of \$1,000 by using 50 units of capital and no labor (point A). All the points between A and A' represent combinations of L and K that, at $W =$ \$10 and $C =$ \$20, cost \$1,000 as well.

The problem with the isoexpenditure line of AA' is that it does not intersect the isoquant Q^*, implying that Q^* cannot be produced for \$1,000. At prices of $W =$ \$10 and $C =$ \$20, the firm cannot buy enough resources to produce output level Q^* and hold total costs to \$1,000. The firm can, however, produce Q^* for a total cost of \$2,000. Line DD', representing expenditures of \$2,000, intersects the Q^* isoquant at points X and Y. The problem with these points, however, is that they are not cost-minimizing; Q^* can be produced for less than \$2,000.

Since isoquant Q^* is convex, the cost-minimizing combination of L and K in producing Q^* will come at a point where an isoexpenditure line is *tangent* to the isoquant (that is, just barely touches isoquant Q^* at only one place). Point Z, where labor equals L_Z and capital equals K_Z, is where Q^* can be produced at minimal cost, *given* that $W =$ \$10 and $C =$ \$20. No lower isoexpenditure curve touches the isoquant, meaning that Q^* cannot be produced for less than \$1,500.

An important characteristic of point Z is that the slope of the isoquant at point Z and the slope of the isoexpenditure line are the same (the slope of a curve at a given point is the slope of a line tangent to the curve at that point). The slope of the isoquant at any given point is the *marginal rate of technical substitution* as defined in equation (3A.1). Another way of expressing equation (3A.1) is

$$MRTS = \frac{-\Delta K / \Delta Q}{\Delta L / \Delta Q} \tag{3A.2}$$

Equation (3A.2) directly indicates that the *MRTS* is a ratio reflecting the reduction of capital required to *decrease* output by one unit if enough extra labor is hired so that output is tending to *increase* by one unit. (The ΔQs in equation (3A.2) cancel each other and keep output constant.) Pursuing equation (3A.2) one step further, the numerator and denominator can be rearranged to obtain the following:[2]

$$MRTS = \frac{-\Delta K / \Delta Q}{\Delta L / \Delta Q} = -\frac{-\Delta Q / \Delta L}{\Delta Q / \Delta K} = -\frac{MP_L}{MP_K} \tag{3A.3}$$

where MP_L and MP_K are the marginal productivities of labor and capital, respectively.

The slope of the *isoexpenditure line* is equal to the negative of the ratio W/C (in Figure 3A.3, W/C equals 10/20, or 0.5).[3] Thus, at point Z, where Q^* is produced in the minimum-cost fashion, the following equality holds:

$$MRTS = -\frac{MP_L}{MP_K} = -\frac{W}{C} \tag{3A.4}$$

Equation (3A.4) is simply a rearranged version of equation (3.8c) in the text.[4]

The economic meaning, or logic, behind the characteristics of cost minimization can most easily be seen by stating the *MRTS* as $-\dfrac{\Delta K / \Delta Q}{\Delta L / \Delta Q}$ (see equation 3A.2) and equating this version of the *MRTS* to $-\dfrac{W}{C}$:

$$-\frac{\Delta K / \Delta Q}{\Delta L / \Delta Q} = -\frac{W}{C} \tag{3A.5}$$

or

$$\frac{\Delta K}{\Delta Q} \cdot C = \frac{\Delta L}{\Delta Q} \cdot W \tag{3A.6}$$

---

[2]This is done by making use of the fact that dividing one number by a second one is equivalent to *multiplying* the first by the *inverse* of the second.

[3]Note that 10/20 = 75/150, or 0B/0B'.

[4]The negative signs on each side of equation (3A.4) cancel each other and can therefore be ignored.

Equation (3A.6) makes it plain that to be minimizing costs, the cost of producing an extra unit of output by adding only labor must equal the cost of producing that extra unit by employing only additional capital. If these costs differed, the company could reduce total costs by expanding its use of the factor with which output can be increased more cheaply and cutting back on its use of the other factor. Any point where costs can still be reduced while Q is held constant is obviously not a point of cost minimization.

The Substitution Effect

If the wage rate, which was assumed to be $10 per hour in Figure 3A.3, goes up to $20 per hour (holding C constant), what will happen to the cost-minimizing way of producing output of Q^*? Figure 3A.4 illustrates the answer that common sense would suggest: total costs rise, and more capital and less labor are used to produce Q^*. At $W = \$20$, 150 units of labor can no longer be purchased if total costs are to be held to $1,500; in fact, if costs are to equal $1,500, only 75 units of labor can be hired. Thus, the isoexpenditure curve for $1,500 in costs shifts from BB' to BB'' and no longer is tangent to isoquant Q^*. Q^* can no longer be produced for $1,500, and the cost of producing Q^* will rise. In Figure 3A.4, we assume the least-cost expenditure rises to $2,250 (isoexpenditure line EE' is the one tangent to isoquant Q^*).

Moreover, the increase in the cost of labor relative to capital induces the firm to use more capital and less labor. Graphically, the old tangency point of Z is replaced by a new one (Z'), where the marginal productivity of labor is higher relative to MP_K, as our discussions of equations (3.8c) and (3A.4) explained. Point Z' is reached (from Z) by adding more capital and reducing employment of labor. The movement from L_Z to $L_{Z'}$ is the *substitution effect* generated by the wage increase.

FIGURE 3A.4

Cost Minimization in the Production of Q^* (Wage = $20 per Hour; Price of a Unit of Capital = $20)

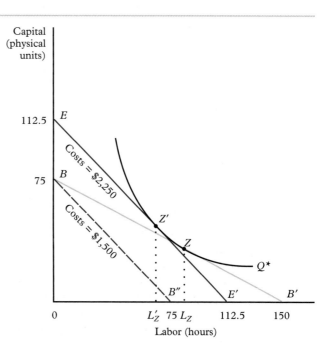

FIGURE 3A.5

The Substitution and Scale Effects of a
Wage Increase

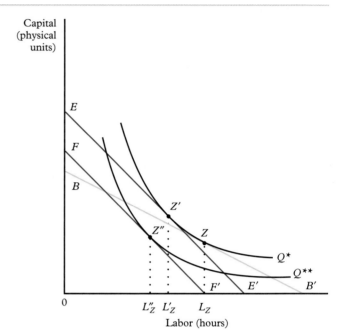

The Scale Effect

The fact that Q^* can no longer be produced for $1,500, but instead involves at least $2,250 in costs, will generally mean that it is no longer the profit-maximizing level of production. The new profit-maximizing level of production will be less than Q^* (how much less cannot be determined unless we know something about the product demand curve).

Suppose that the profit-maximizing level of output falls from Q^* to Q^{**}, as shown in Figure 3A.5. Since all isoexpenditure lines have the new slope of -1 when $W = 20 and $C = 20, the cost-minimizing way to produce Q^{**} will lie on an isoexpenditure line parallel to EE'. We find this cost-minimizing way to produce Q^{**} at point Z'', where an isoexpenditure line (FF') is tangent to the Q^{**} isoquant.

The *overall* response in the employment of labor to an increase in the wage rate has been a fall in labor usage from L_Z to L_Z''. The decline from L_Z to L_Z' is called the substitution effect, as we have noted. It results because the *proportions* of K and L used in production change when the ratio of wages to capital prices (W/C) changes. The *scale effect* can be seen as the reduction in employment from L_Z' to L_Z'', wherein the usage of both K and L is cut back solely because of the reduced *scale* of production. Both effects are simultaneously present when wages increase and capital prices remain constant, but as Figure 3A.5 emphasizes, the effects are conceptually distinct and occur for different reasons. Together, these effects lead us to assert that the long-run labor demand curve slopes downward.

CHAPTER 4

Labor Demand Elasticities

In 1995 a heated debate broke out among economists and policy makers about the employment effects of minimum wage laws. Clearly, the standard theory developed in chapter 3 predicts that if wages are raised above their market level by a minimum wage law, employment opportunities will be reduced as firms move up (and to the left) along their labor demand curves. Two prominent labor economists, however, after reviewing previous work on the subject and doing new studies of their own, published a 1995 book in which they concluded that the predicted job losses associated with increases in the minimum wage simply could not be observed to occur, at least with any regularity.[1]

The book triggered a highly charged discussion of a long-standing question: just how responsive is employment

---

[1]David Card and Alan B. Krueger, *Myth and Measurement: The New Economics of the Minimum Wage* (Princeton, N.J.: Princeton University Press, 1995).

demand to given changes in wages?[2] Hardly anyone doubts that jobs would be lost if mandated wage increases were huge, but how many are lost with modest increases? One economist framed the issue in this way:

> Economists...are divided into two basic groups. On one side are those who believe that responses to price incentives are usually large—the Big Responders (BRs). On the other side are those who believe that responses to price incentives are generally small—Small Responders (SRs)....Logic tells us that massive changes in prices...will have large effects on quantities....But *whether the BR or SR perspective applies to minimum wages in the range observed in the United States is a purely empirical question.*[3]

The focus of this chapter is on the degree to which employment responds to changes in wages. Put in the context of the above quotation, this chapter will analyze both theory and evidence in the Big Responder–Small Responder debate.

The responsiveness of labor demand to a change in wage rates is normally measured as an *elasticity,* which in the case of labor demand is the percentage change in employment brought about by a 1 percent change in wages. We begin our analysis by defining, analyzing, and measuring *own-wage* and *cross-wage* elasticities. We then apply these concepts to analyses of minimum wage laws and the employment effects of technological innovations. (Because the effects of free trade on the demand for labor are qualitatively similar to those of technological change, we analyze the employment effects of free trade in the appendix to this chapter.)

The Own-Wage Elasticity of Demand

The *own-wage elasticity of demand* for a category of labor is defined as the percentage change in its employment (E) induced by a 1 percent increase in its wage rate (W):

$$\eta_{ii} = \frac{\%\Delta E_i}{\%\Delta W_i} \tag{4.1}$$

In equation (4.1), we have used the subscript i to denote category of labor i, the Greek letter η (eta) to represent elasticity, and the notation $\%\Delta$ to represent "percentage change in." Since the previous chapter showed that labor demand curves

---

[2]Six reviews of Card and Krueger, *Myth and Measurement,* appear in the book review section of the July 1995 issue of *Industrial and Labor Relations Review* 48, no. 4. These reviews give an excellent overview of the range of responses to the Card and Krueger book. A more recent review of findings and issues surrounding them can be found in Richard V. Burkhauser, Kenneth A. Couch, and David C. Wittenburg, "A Reassessment of the New Economics of the Minimum Wage Literature with Monthly Data from the Current Population Survey," *Journal of Labor Economics* 18 (October 2000): 653–680.

[3]Richard Freeman, "Comment," *Industrial and Labor Relations Review* 48 (July 1995): 830–831.

slope downward, an increase in the wage rate will cause employment to decrease; the own-wage elasticity of demand is therefore a negative number. What is at issue is its magnitude. The larger its *absolute value* (its magnitude, ignoring its sign), the larger will be the percentage decline in employment associated with any given percentage increase in wages.

Labor economists often focus on whether the absolute value of the elasticity of demand for labor is greater than or less than 1. If it is greater than 1, a 1 percent increase in wages will lead to an employment decline of greater than 1 percent; this situation is referred to as an *elastic* demand curve. In contrast, if the absolute value is less than 1, the demand curve is said to be *inelastic:* a 1 percent increase in wages will lead to a proportionately smaller decline in employment. If demand is elastic, aggregate earnings (defined here as the wage rate times the employment level) of individuals in the category will decline when the wage rate increases, because employment falls at a faster rate than wages rise. Conversely, if demand is inelastic, aggregate earnings will increase when the wage rate is increased. If the elasticity just equals –1, the demand curve is said to be *unitary elastic,* and aggregate earnings will remain unchanged if wages increase.

Figure 4.1 shows that the flatter of the two demand curves graphed (D_1) has greater elasticity than the steeper (D_2). Beginning with any wage (W, for example), a given wage change (to W', say) will yield greater responses in employment with demand curve D_1 than with D_2. To judge the different elasticities of response brought about by the same percentage wage increase, compare $(E_1 - E_1')/E_1$ with $(E_2 - E_2')/E_2$. Clearly, the more elastic response occurs along D_1.

To speak of a demand curve as having "an" elasticity, however, is technically incorrect. Given demand curves will generally have elastic and inelastic ranges—and while we are usually interested only in the elasticity of demand in the range around the current wage rate in any market, we cannot fully understand elasticity without comprehending that it can vary along a given demand curve.

To illustrate, suppose we examine the typical straight-line demand curve that we have used so often in chapters 2 and 3 (see Figure 4.2). One feature of a straight-line demand curve is that, at *each* point along the curve, a unit change in wages induces the *same* response in terms of units of employment. For example, at any

FIGURE 4.1

Relative Demand Elasticities

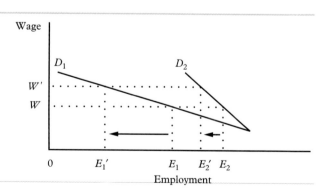

FIGURE 4.2

Different Elasticities along a Demand Curve

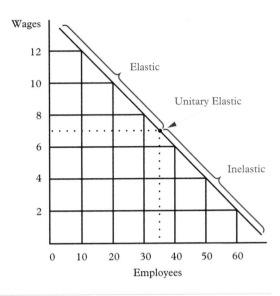

point along the demand curve shown in Figure 4.2, a $2 decrease in wages will increase employment by 10 workers.

However, the same responses in terms of *unit* changes along the demand curve do *not* imply equal *percentage* changes. To see this point, look first at the upper end of the demand curve in Figure 4.2 (the end where wages are high and employment is low). A $2 decrease in wages when the base is $12 represents a 17 percent reduction in wages, while an addition of 10 workers when the starting point is also 10 represents a 100 percent increase in demand. Demand at this point is clearly *elastic*. However, if we look at the same unit changes in the lower region of the demand curve (low wages, high employment), demand there is inelastic. A $2 reduction in wages from a $4 base is a 50 percent reduction, while an increase of 10 workers from a base of 50 is only a 20 percent increase. Since the percentage increase in employment is smaller than the percentage decrease in wages, demand is seen to be inelastic at this end of the curve.

Thus, the upper end of a straight-line demand curve will exhibit greater elasticity than the lower end. Moreover, a straight-line demand curve will actually be elastic in some ranges and inelastic in others (as shown in Figure 4.2).

The Hicks-Marshall Laws of Derived Demand

The factors that influence own-wage elasticity can be summarized by the Hicks-Marshall laws of derived demand—four laws named after the two distinguished British economists, John Hicks and Alfred Marshall, who are closely associated with their development.[4] These laws assert that, other things equal, the own-wage elasticity of demand for a category of labor is high under the following conditions:

1. When the price elasticity of demand for the product being produced is high;
2. When other factors of production can be easily substituted for the category of labor;
3. When the supply of other factors of production is highly elastic (that is, usage of other factors of production can be increased without substantially increasing their prices); and
4. When the cost of employing the category of labor is a large share of the total costs of production.

Not only are these laws generally valid as an empirical proposition but the first three can be shown to always hold. There are conditions, however, under which the final law does not hold.

In seeking to explain why these laws hold, it is useful to act as if we could divide the process by which an increase in the wage rate affects the demand for labor into two steps: First, an increase in the wage rate increases the relative cost of the category of labor in question and induces employers to use less of it and more of other inputs (the *substitution effect*). Second, when the wage increase causes the marginal costs of production to rise, there are pressures to increase product prices and reduce output, causing a fall in employment (the *scale effect*). The four laws of derived demand each deal with substitution or scale effects.

DEMAND FOR THE FINAL PRODUCT   We noted above that wage increases cause production costs to rise and tend to result in product price increases. The greater the price elasticity of demand for the final product, the larger will be the percentage decline in output associated with a given percentage increase in price—and the greater the percentage decrease in output, the greater the percentage loss in employment (other things equal). Thus, *the greater the elasticity of demand for the product, the greater the elasticity of demand for labor will be.*

One implication of this first law is that, other things equal, the demand for labor at the *firm* level will be more elastic than the demand for labor at the *industry*, or market, level. For example, the product demand curves facing *individual* carpet-manufacturing companies are highly elastic because the carpet of company X is a very close substitute for the carpet of company Y. Compared with price increases at the *firm* level, however, price increases at the *industry* level will not have as large an effect on demand because the closest substitutes for carpeting are hardwood, ceramic, or some kind of vinyl floor covering—none a very close substitute for carpeting. (For the same reasons, the labor demand curve for a monopolist

---

[4]John R. Hicks, *The Theory of Wages*, 2nd ed. (New York: St. Martin's Press, 1966), 241–247; and Alfred Marshall, *Principles of Economics*, 8th ed. (London: Macmillan, 1923), 518–538.

is less elastic than for an individual *firm* in a competitive industry. Monopolists, after all, face *market* demand curves for their product because they are the only seller in the particular market.)

Another implication of this first law is that *wage elasticities will be higher in the long run than in the short run.* The reason for this is that price elasticities of demand in product markets are higher in the long run. In the short run, there may be no good substitutes for a product, or consumers may be locked into their current stock of consumer durables. After a period of time, however, new products that are substitutes may be introduced, and consumers will begin to replace durables that have worn out.

SUBSTITUTABILITY OF OTHER FACTORS   As the wage rate of a category of labor increases, firms have an incentive to try to substitute other, now relatively cheaper, inputs for the category. Suppose, however, that there were no substitution possibilities; a given number of units of the type of labor *must* be used to produce one unit of output. In this case, there is no reduction in employment due to the substitution effect. In contrast, when substitution possibilities do present themselves, a reduction in employment owing to the substitution effect will accompany whatever reductions are caused by the scale effect. Hence, other things equal, *the easier it is to substitute other factors of production, the higher the wage elasticity of labor demand will be.*

Limitations on substitution possibilities need not be solely technical ones. For example, as we shall see in chapter 13, unions often try to limit substitution possibilities by including specific work rules in their contracts (e.g., minimum crew size for railroad locomotives). Alternatively, the government may legislate limitations by specifying minimum employment levels for safety reasons (e.g., each public swimming pool in New York State must always have a lifeguard present). Such restrictions make the demand for labor less elastic, but substitution possibilities that are not feasible in the short run may well become feasible over longer periods of time. For example, if the wages of railroad workers went up, companies could buy more powerful locomotives and operate with larger trains and fewer locomotives. Likewise, if the wages of lifeguards rose, cities might build larger, but fewer, swimming pools. Both adjustments would occur only in the long run, which is another reason the demand for labor is more elastic in the long run than in the short run.

THE SUPPLY OF OTHER FACTORS   Suppose that, as the wage rate increased and employers attempted to substitute other factors of production for labor, the prices of these inputs were bid up substantially. This situation might occur, for example, if we were trying to substitute capital equipment for labor. If producers of capital equipment were already operating their plants near capacity, so that taking on new orders would cause them substantial increases in costs because they would have to work their employees overtime and pay them a wage premium, they would accept new orders only if they could charge a higher price for their equipment. Such a price increase would dampen firms' "appetites" for capital and thus limit the substitution of capital for labor.

For another example, suppose an increase in the wages of unskilled workers caused employers to attempt to substitute skilled employees for unskilled employees. If there were only a fixed number of skilled workers in an area, their wages would be bid up by employers. As in the prior example, the incentive to substitute alternative factors would be reduced, and the reduction in unskilled employment due to the substitution effect would be smaller. In contrast, if the prices of other inputs did not increase when employers attempted to increase their use, other things equal, the substitution effect—and thus the wage elasticity of labor demand—would be larger.

Note again that prices of other inputs are less likely to be bid up in the long run than in the short run. In the long run, existing producers of capital equipment can expand their capacity and new producers can enter the market. Similarly, in the long run, more skilled workers can be trained. This observation is an additional reason the demand for labor will be more elastic in the long run.

THE SHARE OF LABOR IN TOTAL COSTS   Finally, the share of the category of labor in total costs is crucial to the size of the elasticity of labor demand. If the category's initial share were 20 percent, a 10 percent increase in the wage rate, other things equal, would raise total costs by 2 percent. In contrast, if its initial share were 80 percent, a 10 percent increase in the wage rate would increase total costs by 8 percent. Since employers would have to increase their product prices by more in the latter case, output and employment would fall more in that case. *Thus, the greater the category's share in total costs, the higher the wage elasticity of demand will tend to be.*[5]

Estimates of Own-Wage Labor Demand Elasticities

We now turn to the results of studies that estimate own-wage demand elasticities for labor as a generic input (that is, labor undifferentiated by skill level). The estimates we discuss are based on studies that utilize wage, output, and employment data from firms or narrowly defined industries. Thus, the employment responses being estimated approximate those that would be expected to occur in a firm that had to raise wages to remain competitive in the labor market. These estimates are

---

[5]An exception to the law occurs when it is easier for employers to substitute other factors of production for the category of labor than it is for customers to substitute other products for the product being produced; in this case, the law is reversed. An example illustrates this exception. Suppose we classify the carpenters who build houses by their race/ethnicity. For example, we might divide carpenters into African-, Asian-, German-, Hispanic-, Irish-, and Italian-American carpenters. Suppose further that carpenters from each group are perfect substitutes for each other. If any one group's wages rose, construction contractors could easily substitute employment of other carpenters for the group's members. Thus, the demand for any one group of carpenters would be highly elastic despite its small share in total cost. In contrast, the demand for all carpenters (taken together) would be less elastic, as long as the price elasticity of the demand for houses was not high. Put another way, even a relatively small share in total cost cannot "protect" inputs with very good substitutes; their wage elasticities of demand will tend to be elastic. See George J. Stigler, *The Theory of Price*, 4th ed. (New York: Macmillan, 1987), 254.

suggestive of what might be a "typical" response, but of course are not indicative of what would happen with any particular firm.

As our analysis has indicated, employers' labor demand responses to a wage change can be broken down into two components: a scale effect and a substitution effect. These two effects can themselves be expressed as elasticities, and their sum is the own-wage labor demand elasticity. In Table 4.1, we display the results of estimates of (a) the short-run scale effect, (b) the substitution effect, and (c) the overall elasticity of demand for labor in the long run.

The scale effect (expressed as an elasticity) is defined as the percentage change in employment associated with a given percentage change in the wage, *holding production technology constant*; that is, it is the employment response that occurs without a substitution effect. By definition, the *short-run* labor demand elasticity includes *only* the scale effect, although we noted earlier that the scale effect is likely to be greater in the long run than it is in the short run (owing to greater possibilities for *product market* substitutions in the long run). Therefore, estimates of short-run labor demand elasticities will be synonymous with the short-run scale effect, which may approximate the long-run scale effect if product market substitutions are relatively swift. A study using data from British manufacturing plants estimated the short-run, own-wage labor demand elasticity to be −0.53 (see Table 4.1). The short-run labor demand curve for a typical firm or narrowly defined sector, therefore, would appear to be inelastic.

The substitution effect, when expressed as an elasticity, is the percentage change in employment associated with a given percentage change in the wage rate, *holding output constant*. That is, it is a measure of how employers change their production techniques in response to wage changes, even if output does not change (that is, even if the scale effect is absent). It happens that substitution effects are easier to credibly estimate, so there are many more studies of these effects. One care-

TABLE 4.1

Components of the Own-Wage Elasticity of Demand for Labor: Empirical Estimates Using Plant-Level Data

	Estimated Elasticity
Short-Run Scale Effect	
British manufacturing firms, 1974–1982	−0.53
Substitution Effect	
32 studies using plant or narrowly-defined	Average: −0.45
industry data	(Typical range: −0.15 to −0.75)
Overall Labor Demand Elasticity	
British plants, 1984	−0.93
British coal mines, 1950–1980	−1.0 to −1.4

Source: Daniel S. Hamermesh, *Labor Demand* (Princeton, N.J.: Princeton University Press, 1993), 94–104.

ful summary of 32 studies estimating substitution-effect elasticities placed the average estimated elasticity at −0.45 (which is what is displayed in Table 4.1), with most estimates falling into the range of −0.15 to −0.75.[6]

With the short-run scale elasticity and the substitution elasticity each very close to −0.5, it is not surprising that estimates of the long-run overall elasticity of demand for labor are close to unitary in magnitude. Table 4.1 indicates that a study of plants across several British industries estimated an own-wage elasticity of −0.93, whereas another of British coal mines placed the elasticity of demand for labor in the range of −1.0 to −1.4. Thus, these estimates suggest that if the wages a firm must pay rise by 10 percent, the firm's employment will shrink by close to 10 percent in the long run, other things being equal (that is, unless something else occurs that also affects the demand for labor).

Applying the Laws of Derived Demand: Inferential Analysis

Because empirical estimates of demand elasticities that may be required for making particular decisions are often lacking, it is frequently necessary to guess what these elasticities are likely to be. In making these guesses, we can apply the laws of derived demand to predict at least relative magnitudes for various types of labor. Consider first the demand for unionized New York City garment workers. As we shall discuss in chapter 13, because unions are complex organizations, it is not always possible to specify what their goals are. Nevertheless, it is clear that most unions value both wage *and* employment opportunities for their members. This observation leads to the simple prediction that, other things equal, the more elastic the demand for labor, the smaller will be the wage gain that a union will succeed in winning for its members. The reason for this prediction is that the more elastic the demand curve, the greater will be the percentage employment decline associated with any given percentage increase in wages. As a result, we can expect the following:

1. Unions would win larger wage gains for their members in markets with inelastic labor demand curves;
2. Unions would strive to take actions that reduce the wage elasticity of demand for their members' services; and
3. Unions might first seek to organize workers in markets in which labor demand curves are inelastic (because the potential gains to unionization are higher in these markets).

Because of foreign competition, the price elasticity of demand for the clothing produced by New York City garment workers is extremely high. Furthermore, employers can easily find other inputs to substitute for these workers—namely, lower-paid nonunion garment workers in the South or in other countries. These facts lead one to predict that the wage elasticity of demand for New York City

---

[6]Daniel Hamermesh, *Labor Demand* (Princeton, N.J.: Princeton University Press, 1993), 103.

EXAMPLE 4.1

Why Are Union Wages So Different in Two Parts of the Trucking Industry?

The trucking industry's "general freight" sector, made up of motor carriers that handle nonspecialized freight requiring no special handling or equipment, is split into two distinct segments. One type of general freight carrier exclusively handles full truckloads, taking them directly from a shipper to a destination. The other type of carrier handles less-than-truckload shipments, which involve multiple shipments on each truck and an intricate coordination of pickups and deliveries. These two segments of the general freight industry have vastly different *elasticities of product demand,* and thus the union that represents truck drivers has a very different ability to raise wages (without suffering unacceptable losses of employment) in each segment.

The full-truckload (TL) part of the industry has a product market that is very competitive, because it is relatively easy for firms or individuals to enter the market; one needs only a truck, the proper driver's license, and access to a telephone (to call a freight broker, who matches available drivers with shipments needing delivery). Because this part of the industry has many competing firms, with the threat of even more if prices rise, each firm faces a relatively elastic product demand curve.

Firms specializing in less-than-truckload (LTL) shipments must have a complex system of coordinated routes running between and within cities, and they must therefore be sufficiently large to support their own terminals for storing and transferring shipments from one route to another. The LTL segment of the industry is not easily entered and thus is partially monopolized. From 1980 to 1995—a time period over which the number of TL carriers tripled—virtually the only new entrants into the LTL market were regional subsidiaries of preexisting national carriers! To contrast competition in the two product markets somewhat differently, in 1987, the four largest LTL carriers accounted for 37 percent

of total LTL revenues, while the four largest TL carriers accounted for only 11 percent of TL revenues.

The greater extent of competition in the TL part of the industry implies that, at the firm level, *product* demand is more elastic there than in the LTL sector; other things being equal, then, we would expect the *labor* demand curve also to be more elastic in the TL sector. Because unions worry about potential job losses when negotiating with carriers about wages, we would expect to find that union wages are lower in the TL than in the LTL part of the industry. In fact, a 1991 survey revealed that the union mileage rates (drivers are typically compensated on a cents-per-mile basis) were dramatically different in the two sectors:

TL sector

Average union rate: 28.4 cents per mile

Ratio, union to nonunion rate: 1.23

LTL sector

Average union rate: 35.8 cents per mile

Ratio, union to nonunion rate: 1.34

The above data support the theoretical implication that a union's power to raise wages is greater when product (and therefore labor) demand is relatively inelastic. In the less-competitive LTL segment of the trucking industry, union drivers' wages are higher, both absolutely and relative to nonunion wages, than they are in the more competitive TL sector.

Data from: Michael H. Belzer, "Collective Bargaining after Deregulation: Do the Teamsters Still Count?" *Industrial and Labor Relations Review* 48 (July 1995): 636–655; and Michael H. Belzer, *Paying the Toll: Economic Deregulation of the Trucking Industry* (Washington, D.C.: Economic Policy Institute, 1994).

unionized garment workers is very high. Consequently, union wage demands historically have been moderate. The union has also sought to reduce the elasticity of product demand by supporting policies that reduce foreign competition, and it has pushed for higher federal minimum wages to reduce employers' incentives to move their plants to the South. (For another illustration of how an elastic *product* demand inhibits union wage increases, see Example 4.1.)

Next, consider the wage elasticity of demand for unionized airplane pilots in the United States. Only a small share of the costs of operating large airplanes goes to pay pilots' salaries; such salaries are dwarfed by fuel and capital costs. Furthermore, substitution possibilities are limited; there is little room to substitute unskilled labor for skilled labor (although airlines can substitute capital for labor by reducing the number of flights they offer while increasing the size of airplanes). In addition, before the deregulation of the airline industry in 1978, many airlines faced no competition on many of their routes or were prohibited from reducing their prices to compete with other airlines that flew the same routes. These factors all suggest that the wage elasticity of demand for airline pilots was quite low (inelastic). As one might expect, pilots' wages were also quite high because their union could push for large wage increases without fear that these increases would substantially reduce pilots' employment levels. However, after airline deregulation, competition among airline carriers increased substantially, leading to a more elastic labor demand for pilots. As a result, many airlines "requested," and won, reduced wages from their pilots.

The Cross-Wage Elasticity of Demand

Because firms may employ several categories of labor and capital, the demand for any one category can be affected by price changes in the others. For example, if the wages of carpenters rose, more people might build brick homes and the demand for *masons* might increase. An increase in carpenters' wages might decrease the overall level of home building in the economy, however, which would decrease the demand for *plumbers*. Finally, changes in the price of *capital* could increase or decrease the demand for workers in all three trades.

The direction and magnitude of the above effects can be summarized by examining the elasticities of demand for inputs with respect to the prices of *other* inputs. The *elasticity of demand for input j with respect to the price of input k* is the percentage change in the demand for input j induced by a 1 percent change in the price of input k. If the two inputs are both categories of labor, these *cross-wage elasticities of demand* are given by

$$\eta_{jk} = \frac{\%\Delta E_j}{\%\Delta W_k} \tag{4.2}$$

and

$$\eta_{kj} = \frac{\%\Delta E_k}{\%\Delta W_j}$$

where, again, the Greek letter η is used to represent the elasticity. If the cross-elasticities are positive (with an increase in the price of one "category" increasing the demand for the other), the two are said to be *gross substitutes*. If these cross-elasticities are negative (and an increase in the price of one "category" reduces the demand for the other), the two are said to be *gross complements* (refer back to Figure 3.3).

It is worth restressing that whether two inputs are gross substitutes or gross complements depends on the relative sizes of the scale and substitution effects. To see this, suppose we assume that adults and teenagers are substitutes in production. A decrease in the teenage wage will thus have opposing effects on adult employment. On the one hand, there is a substitution effect: for a given level of output, employers will now have an incentive to substitute teens for adults in the production process and reduce adult employment. On the other hand, there is a scale effect: a lower teenage wage reduces costs and provides employers with an incentive to increase employment of all inputs, including adults.

If the scale effect proves to be smaller than the substitution effect, adult employment will move in the same direction as teenage wages and the two groups will be gross substitutes. In contrast, if the scale effect is larger than the substitution effect, adult employment and teenage wages will move in opposite directions and the two groups will be gross complements. Knowing that two groups are substitutes in production, then, is not sufficient to tell us whether they are gross substitutes or gross complements.[7]

Because economic theory cannot indicate in advance whether two given inputs will be gross substitutes or gross complements, the major policy questions about cross-wage elasticities of demand relate to the issue of their *sign;* that is, we often want most to know whether a particular cross-elasticity is positive or negative. Before turning to a review of actual findings, we analyze underlying forces that determine the signs of cross-elasticities.

Can the Laws of Derived Demand Be Applied to Cross-Elasticities?

The Hicks-Marshall laws of derived demand are based on four technological or market conditions that determine the size of *own-wage* elasticities. Each of the four

---

[7]As noted in chapter 3, if two groups are complements in production, a decrease in the price of one should lead to increased employment of the other. Complements in production are always gross complements.

conditions influences the substitution or the scale effect and, as noted above, the relative strengths of these two effects are also what determine the sign of *cross-elasticities*. The laws that apply to own-wage elasticities cannot be applied directly to cross-elasticities, because with cross-elasticities, the substitution effect (if there is one) and the scale effect work in opposite directions. The same underlying considerations, however, are basic to an analysis of cross-elasticities.

As we discuss these four considerations in the context of cross-elasticities, it will be helpful to have an example in mind. Let us return, therefore, to the question of what might happen to the demand for adult workers if the wages of teenage workers were to fall. As noted above, the answer depends on the relative strengths of the scale and substitution effects. What determines the strength of each?

THE SCALE EFFECT   The most immediate effect of a fall in the wages of teenagers would be reduced production costs for those firms that employ them. Competition in the product market would ensure that lower costs are followed by price reductions, which should stimulate increases in both product demand and the level of output. Increased levels of output will tend to cause increases in employment of all kinds of workers, including adults. This chain of events obviously describes behavior underlying the scale effect, and we now investigate what conditions are likely to make for a strong (or weak) scale effect.

The initial cost (and price) reductions would be greater among those employers for whom teenage wages constituted a higher proportion of total costs. Other things equal, greater price reductions would result in greater increases in both product demand and overall employment. Thus, *the share of total costs devoted to the productive factor whose price is changing* will influence the size of the scale effect. The larger this share is, other things equal, the greater will be the scale effect (and the more likely it is that gross complementarity will exist). This tendency is analogous to the fourth Hicks-Marshall law discussed earlier; the difference is that with cross-elasticities, the factor whose *price* is changing is not the same as the one for which *employment* changes are being analyzed.

The other condition that greatly influences the size of the scale effect is product demand elasticity. In the above case of teenage wage reductions, the greater the increase in product demand when firms reduce their prices, the greater will be the tendency for employment of all workers, including adults, to increase. More generally, *the greater the price elasticity of product demand, other things equal, the greater will be the scale effect (and thus the greater the likelihood of gross complementarity)*. The effects of product demand elasticity are thus similar for both own-wage and cross-wage elasticities.

THE SUBSTITUTION EFFECT   After teenage wages fall, firms will also have incentives to alter their production techniques so that teenagers are more heavily used. Whether the greater use of teenagers causes an increase or some loss of adult jobs partially depends on a technological question: are teenagers and adults substitutes or complements in production? If they are complements in production, the effect on adults of changing productive techniques will reinforce the scale effect and serve to unambiguously increase adult employment (meaning, of course, that adults and teenagers would be gross complements). If they are substitutes in production, however, then changing productive techniques involves using a higher ratio of teenagers to adults, and the question then becomes whether this substitution effect is large or small relative to the scale effect.

A technological condition affecting the size of the substitution effect is a direct carryover from the second Hicks-Marshall law discussed previously: *the substitution effect will be greater when the category of labor whose price has changed is easily substituted for other factors of production.* When analyzing the effects on adult employment of a decline in the teenage wage, it is evident that when teenagers are more easily substituted for adults, the substitution effect (and therefore the chances of gross substitutability between the two categories of labor) will be greater.

Another condition influencing the size of the substitution effect associated with a reduction in the teenage wage relates to the labor supply curve of adults. If the adult labor supply curve were upward-sloping and rather steep, then adult wages would tend to fall as teenagers were substituted for adults and the demand curve for adults shifted left. This fall would blunt the substitution effect, because adults would also become cheaper to hire. Conversely, if the adult labor supply curve were relatively flat, adult wages would be less affected by reduced demand and the substitution effect would be less blunted. As in the case of own-wage elasticities, *more-elastic supply curves of substitute inputs also lead to a greater substitution effect, other things equal, in the case of cross-wage elasticities.*[8]

Estimates Relating to Cross-Elasticities

Estimating at least the sign of cross-wage labor demand elasticities is useful for evaluating public policies, because a policy aimed at one group can have unintended consequences for other groups. For example, a policy to subsidize the wages of teenagers could reduce employers' demand for adult workers. Thus, it is important to know which categories of labor and capital are substitutes for or complements with each other in the production process. Also, we would like to know whether particular categories of labor exhibit *gross* substitutability or complementarity with each other or with capital.

Most of the cross-wage empirical studies to date have focused on the issue of whether two factors are substitutes or complements in production. These studies estimate the employment response for one category of labor to a wage or price change elsewhere, *holding output constant* (which in effect allows us to focus just on changes in the *mix* of factors used in production). The factors of production paired together for

---

[8]The share of the teenage wage bill in total costs influences the substitution effect as well as the scale effect in the example we are analyzing. For example, if teenage labor costs were a very large fraction of total costs, the possibilities for further substitution of teenagers for adults would be rather limited (this can be easily seen by considering an example in which teenagers constituted 100 percent of all production costs). Thus, while a larger share of teenagers in total cost would make for a relatively large scale effect, it also could reflect a situation in which the possibilities of substituting teenagers for adults are smaller than they would otherwise be.

analysis in these studies are numerous and the results are not always clear-cut; nevertheless, the findings taken as a whole offer at least a few generalizations:[9]

1. Labor and energy are clearly substitutes in production, although their degree of substitutability is small. Labor and materials are probably substitutes in production, with the degree of substitutability again being small.
2. Skilled and unskilled labor are probably substitutes in production.[10]
3. We are not certain whether either skilled or unskilled labor is a substitute for or a complement with capital in the production process. What does appear to be true is that skilled (or well-educated) labor is more likely to be complementary with capital than is unskilled labor—and that if they are both substitutes for capital, the degree of substitutability is smaller for skilled labor.[11]
4. The finding summarized in 3 above suggests that skilled labor is more likely than unskilled labor to be a *gross* complement with capital. This finding is important to our understanding of recent trends in the earnings of skilled and unskilled workers (see chapter 14), because the prices of computers and other high-tech capital goods have fallen dramatically in the past decade or so.
5. The finding in 3 above also implies that if the wages of both skilled and unskilled labor were to rise by the same percentage, the magnitude of any employment loss associated with the substitution effect (as capital is substituted for labor) will be greater for the unskilled. Thus, we expect that, other things equal, *own-wage* labor demand elasticities will be larger in magnitude for unskilled than for skilled workers.

Policy Application: Effects of Minimum Wage Laws

History and Description

The Fair Labor Standards Act of 1938 was the first major piece of protective labor legislation adopted at the national level in the United States. Among its provisions were a minimum wage rate, below which hourly wages could not be reduced,

---

[9]Hamermesh, *Labor Demand*, 105–127.

[10]James D. Adams, "The Structure of Firm R&D, the Factor Intensity of Production, and Skill Bias," *Review of Economics and Statistics* 81 (August 1999): 499–510.

[11]See Claudia Goldin and Lawrence Katz, "The Origins of Technology-Skill Complementarity," *Quarterly Journal of Economics* 113 (May 1998): 693–732, for citations to the literature. Ann P. Bartel and Frank R. Lichtenberg, "The Comparative Advantage of Educated Workers in Implementing New Technology," *Review of Economics and Statistics* 69 (February 1987): 1–11, present evidence that the relative demand for highly educated workers vis-à-vis less-educated workers declines as the capital stock ages. They attribute this to the comparative advantage that highly educated workers have with respect to learning and implementing new technologies; thus, as the capital stock ages, the complementarity of these workers with capital declines.

FIGURE 4.3

Federal Minimum Wage: Level, and Relative to Wages in Manufacturing, 1938–2004

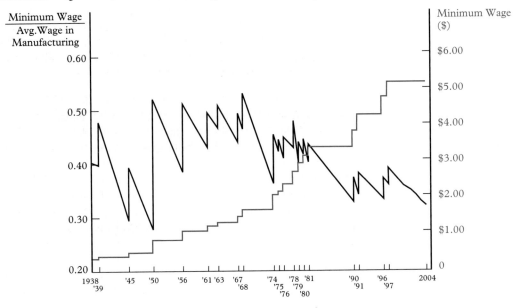

an overtime-pay premium for workers who worked long workweeks, and restrictions on the use of child labor. When initially adopted, the minimum wage was set at $0.25 an hour and covered roughly 43 percent of all nonsupervisory wage and salary workers—primarily those employed in larger firms involved in interstate commerce (manufacturing, mining, and construction). Both the basic minimum wage and coverage under the minimum wage have expanded over time. Indeed, after September 1997, the minimum wage was set at $5.15 an hour and over 70 percent of all nonsupervisory workers were covered by its provisions.

It is important to emphasize that the minimum wage rate is specified in *nominal* terms and not in terms *relative* to some other wage or price index. As illustrated by Figure 4.3, the nominal wage rate usually has been raised only once every few years. Until the early 1980s, newly legislated minimum wage rates were typically at least 45 percent of the average hourly wage in manufacturing. During the years between legislation, productivity growth and inflation caused manufacturing wages to rise, with the result that the minimum wage has often fallen by 10 or more percentage points relative to the manufacturing wage before being raised again. In the last two decades, even the newly legislated minimums have been below 40 percent of the average manufacturing wage.

Employment Effects: Theoretical Analysis

Since the minimum wage was first legislated, a concern has been that it will reduce employment, especially among the groups it is intended to benefit. In the face of downward-sloping labor demand curves, a policy that compels firms to raise the wages paid to all low-wage workers can be expected to *reduce employment opportunities* for the least skilled or least experienced. Further, if the percentage loss of employment among low-wage workers is greater than the percentage increase in their wages—that is, if the demand curve for low-wage workers is *elastic*—then the *aggregate* earnings of low-wage workers could be made smaller by an increase in the minimum wage.

In evaluating the findings of research on the employment effects of minimum wages, we must keep in mind that good research must be guided by good theory. Theory provides us with a road map that directs our explorations into the real world, and it suggests several issues that must be addressed by any research study of the minimum wage.

NOMINAL VERSUS REAL WAGES   Minimum wage levels in the United States have been set in nominal terms and adjusted by Congress only sporadically. The result is that general price inflation gradually lowers the real minimum wage during the years between congressional action, so what appears to be a fixed minimum wage turns out to have constantly changing incentives for employment. Recall that the demand for labor is a downward-sloping function of real wages, so as the real minimum wage falls from the point when it is newly enacted to just before it is raised again, its adverse effects on employment can be expected to decline.

Also, the federal minimum wage in the United States is uniformly applied to a large country characterized by regional differences in prices. Taking account of regional differences in prices or wages, we find that the real minimum wage in Alaska (where wages and prices are very high) is lower than it is in Mississippi. Recognizing that there are regional differences in the real minimum wage leads to the prediction that employment effects of a uniformly applied minimum wage law generally will be most adverse in regions with the lowest costs of living. (Researchers must also take into account the fact that many states have their own minimum wage laws, some having minimums that exceed the federal minimum.)

HOLDING OTHER THINGS CONSTANT   Predictions of job loss associated with higher minimum wages are made *holding other things constant*. In particular, the prediction grows out of what is expected to happen to employment as one moves up and to the left along a *fixed* labor demand curve. If the labor demand curve were to shift at the same time that a new minimum becomes effective, the employment effects of the shift could be confounded with those of the new minimum.

Consider, for example, Figure 4.4, where for simplicity we have omitted the labor supply curve and focused on only the demand side of the market. Suppose that D_0 is the demand curve for low-skilled labor in year 0, in which year the real wage is W_0/P_0 and the employment level is E_0. Further assume that in the absence of any change in the minimum wage, the money wage and the price level would both increase by the same percentage over the next year, so that the real wage in year 1 (W_1/P_1) would be the same as that in year 0.

Now suppose that in year 1, two things happen. First, the minimum wage rate is raised to W_2, which is greater than W_1, so that the real wage increases to W_2/P_1. Second, because the economy is expanding, the demand for low-skilled labor shifts

FIGURE 4.4

Minimum Wage Effects: Growing Demand
Obscures Job Loss

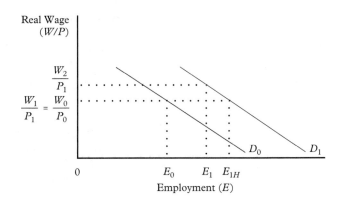

out to D_1. The result of these two changes is that employment increases from E_0 to E_1.

Comparisons of observed employment levels at two points of time have led some investigators to conclude that minimum wage increases had no adverse employment effects. However, this simple before/after comparison is *not* the correct one if labor demand has shifted, as in Figure 4.4. Rather, we should ask, "How did the actual employment level in period 1 compare with the level that *would have prevailed* in the absence of the increase in the minimum wage?" Since demand grew between the two periods, this hypothetical employment level would have been E_{1H}. E_{1H} is greater than E_1, the actual level of employment in period 1, so that $E_{1H} - E_1$ represents the loss of jobs caused by the minimum wage. In a growing economy, then, the expected effect of a one-time increase in the minimum wage is to reduce the rate of growth of employment. Controlling for all the "other things" besides wages that affect labor demand turns out to be the major difficulty in measuring employment changes caused by the minimum wage.

EFFECTS OF UNCOVERED SECTORS   The federal minimum wage law, like many government regulations, has an *uncovered* sector. Coverage has increased over the years, but the law still does not apply to about 30 percent of nonsupervisory workers (mainly those in government and in small firms in the retail trade and service industries). Also, with millions of employers and limited resources for governmental enforcement, *noncompliance* with the law may be widespread, creating another kind of noncoverage.[12] The existence of uncovered sectors significantly affects how the overall employment of low-wage workers will respond to increases in the minimum wage.

Consider the labor market for unskilled, low-wage workers that is depicted in Figure 4.5. The market has two sectors. In one, employers must pay wages equal

---

[12]Orley Ashenfelter and Robert Smith, "Compliance with the Minimum Wage Law," *Journal of Political Economy* 87 (April 1979): 335–350.

FIGURE 4.5

Minimum Wage
Effects: Incomplete
Coverage Causes
Employment Shifts

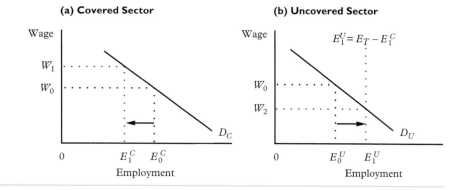

to at least the minimum wage of W_1; wages in the uncovered sector are free to
vary with market conditions. While the total labor supply to both markets taken as
a whole is fixed at E_T (that is, the total labor supply curve is vertical), workers can
freely move from one sector to the other seeking better job offers. Free movement
between sectors suggests that, in the absence of minimum wage regulations, the
wage in each sector will be the same. Referring to Figure 4.5, let us assume that this
"pre-minimum" wage is W_0 and that total employment of E_T is broken down into
E_0^C in the covered sector plus E_0^U in the uncovered sector.

If a minimum wage of W_1 is imposed on the covered sector, all unskilled
workers will prefer to work there. However, the increase in wages in that sector,
from W_0 to W_1, reduces demand, and covered-sector employment will fall from
E_0^C to E_1^C. Some workers who previously had, or would have found, jobs in the covered sector must now seek work in the uncovered sector. Thus, to the E_0^U workers
formerly working in the uncovered sector are added $E_0^C - E_1^C$ other workers seeking jobs there. Thus, all unskilled workers in the market who are not lucky enough
to find "covered jobs" at W_1 must now look for work in the uncovered sector, [13] and
the (vertical) supply curve to that sector becomes $E_1^U = E_0^U + (E_0^C - E_1^C) = E_T - E_1^C$.
The increased supply of workers to that sector drives down the wage there from
W_0 to W_2.

The presence of an uncovered sector thus suggests the possibility that
employment among unskilled workers will be rearranged, but not reduced, by
an increase in the minimum wage. In the above example, all E_T workers remained
employed after the minimum was imposed. Rather than reducing overall employment of the unskilled, then, a partially covering minimum wage law might serve

---

[13]Under some circumstances, it may be rational for these unemployed workers to remain unemployed
for a while and to search for jobs in the covered sector. We shall explore this possibility of "wait unemployment"—which is discussed by Jacob Mincer in "Unemployment Effects of Minimum Wage
Changes," *Journal of Political Economy* 84 (August 1976): S87–S104—in chapter 13. At this point, we
simply note that if it occurs, unemployment will result.

to shift employment out of the covered to the uncovered sector, with the further result that wages in the uncovered sector would be driven down.

The magnitude of any employment shift from the covered to the uncovered sector, of course, depends on the size of the latter; the smaller it is, the lower are the chances that job losers from the covered sector will find employment there. Whatever the size of the uncovered sector, however, its very presence means that the *overall* loss of employment is likely to be less than the loss of employment in the covered sector.

INTERSECTORAL SHIFTS IN PRODUCT DEMAND   The employment effects of a wage change are the result of scale and substitution effects. Substitution effects stem from changes in how firms choose to produce, while scale effects are rooted in consumer adjustments to changes in product prices. Recall that, faced with a given increase (say) in the minimum wage, firms' increases in costs will generally be greater when the share of low-wage labor in total costs is greater; thus, the same increase in the minimum wage can lead to rather different effects on product prices among different parts of the covered sector. Further, if these subsectors compete with each other for customers, it is possible that scale effects of the increased wage will serve to *increase* employment among some firms in the covered sector.

Suppose, for example, that convenience stores sell items that supermarkets also carry, and that a minimum wage law raises the wages paid to low-skilled workers in both kinds of stores. If low-skilled labor costs are a higher fraction of total costs in convenience stores than they are in supermarkets, then other things equal, the minimum wage law would raise costs in convenience stores by a greater percentage. With prices of items increasing more in convenience stores than in supermarkets, consumers would tend to shift some of their convenience-store purchases to supermarkets. Thus, the minimum wage increase could have an ambiguous effect on employment in supermarkets. On the one hand, increased costs of unskilled workers in supermarkets would create scale and substitution effects that cause employment to decline. On the other hand, because they may pick up business formerly going to convenience stores, supermarkets may experience a scale effect that could work to increase their demand for labor.

Employment Effects: Empirical Estimates

While the initial employment effects of adopting a minimum wage in the United States were readily observed (see Example 4.2), the effects of more recent increases are not as obvious—and must therefore be studied using sophisticated statistical techniques. The demographic group for which the effects of minimum wages are expected to be most visible are teenagers—a notoriously low-paid group!—but studies of how mandated wage increases have affected their employment have produced no consensus.

Widely reviewed and replicated studies of employment changes in the fast-food industry, for example, disagree on whether employment was affected at all by

EXAMPLE 4.2

The Employment Effects of the First Federal Minimum Wage

When the federal minimum wage first went into effect, on October 24, 1938, it was expected to have a substantial impact on the economy of the South, where wages were much lower than in the rest of the country. An examination of one of the largest manufacturing industries in the South, seamless hosiery, verifies these predictions.

It is readily apparent that the new minimum wage was binding in the seamless hosiery industry. By 1940, nearly one-third of the labor force earned within 2.5 cents per hour of the minimum wage (which was then 32.5 cents per hour). A longitudinal survey of 87 firms shows that employment, which had been rising, reversed course and started to fall, even though overall demand for the product and production levels were rising. Employment fell by 5.5 percent in southern mills but rose by 4.9 percent in northern mills. Even more strikingly, employment fell by 17 percent in mills that had previously paid less than the new minimum wage, while it stayed virtually the same at higher-wage mills.

Before the passage of the minimum wage, there had been a slow movement from the use of hand-transfer to converted-transfer knitting machines. (A converted-transfer machine had an attachment to enable automated production for certain types of work.) The minimum wage seems to have accelerated this trend. In the first two years of the law's existence, there was a 23 percent decrease in the number of hand-transfer machines, a 69 percent increase in converted-transfer machines, and a 10 percent increase in fully automatic machines. In addition, the machines were used more intensively than before. A night shift was added at many mills, and these workers did not receive extra pay for working this undesirable shift. Finally, total imports of seamless hosiery surged by about 27 percent within two years of the minimum wage's enactment.

Data from: Andrew J. Seltzer, "The Effects of the Fair Labor Standards Act of 1938 on the Southern Seamless Hosiery and Lumber Industries," *Journal of Economic History* 57 (June 1997): 396–415.

minimum wage increases in the early 1990s.[14] A study that reviewed and updated prior estimates of how *overall* teenage employment has responded to increases in the minimum wage, however, found negative effects on employment. Once account is taken of the extent to which minimum wage increases raised the average wage of teenagers, the implications of this latter study are that the elasticity of demand for teenagers is in the range of –0.4 to –1.9.[15]

[14]See David Neumark and William Wascher, "Minimum Wages and Employment: A Case Study of the Fast-Food Industry in New Jersey and Pennsylvania: Comment," and David Card and Alan B. Krueger, "Minimum Wages and Employment: A Case Study of the Fast-Food Industry in New Jersey and Pennsylvania: Reply," both in *American Economic Review* 90 (December 2000): 1362–1420. These studies contain references to earlier studies and reviews on this topic.

[15]Burkhauser, Couch, and Wittenburg (see footnote 2). This paper estimated that the elasticity of teenage employment with respect to changes in the minimum wage was in the range of –0.2 to –0.6. Dividing these elasticities by the estimated elasticity of response in the average teen wage to changes in the minimum wage (the percentage change in the average teen wage divided by the percentage change in the minimum wage was in the range of .32 to .48) yields estimates of the elasticity of the labor demand curve for teenagers.

A recent estimate of how increases in the minimum wage affects employment for *all* low-wage workers, not just teenagers, suggests an own-wage labor demand elasticity that is considerably lower. This study looked at the employment status of those who were at or near the minimum wage right before it increased, and then looked at their employment status a year later. The estimated decline in the probability of employment implied that the labor demand curve facing these workers has an own-wage elasticity of roughly –0.15.[16]

With some studies estimating no effect on employment, and with many of those that do estimating an own-wage labor demand elasticity well below unity (the average we saw in Table 4.1), we remain notably uncertain about how employment among low-wage workers responds to increases in the minimum wage. We will come back to this issue in chapter 5 and offer a possible reason for why *mandated* wage increases might have a smaller and more uncertain effect on labor demand than wage increases generated by market forces.

Does the Minimum Wage Fight Poverty?

As noted above, the short-run response of low-wage employment to changes in the minimum wage is widely believed to be inelastic. Thus, we expect that an increase in the minimum would serve to increase the total earnings going to low-wage workers as a whole. Can it be said, then, that minimum wage laws are effective weapons in the struggle to reduce poverty?

Identifying those who are considered to be living in poverty is done by comparing the income of each family with the poverty line set for families of its particular size; thus, *family* income and family size are the critical variables for defining poverty. Teenagers earning below the minimum, for example, may benefit if their wages are raised by a legislated increase, but if these teenagers mostly live in non-poor families, then the increased overall income among teenagers may do very little to reduce poverty.

One study of the 1990–1991 increases in the minimum wage found that, of those who earned between the old and new minimums (that is, between $3.35 and $4.24), only 22 percent lived in poor families. Conversely, of those workers in 1990 who lived in poverty, only 26 percent earned between the old and new minimums. All told, assuming no employment effects, only 19 percent of the estimated earnings increases associated with the 1990 and 1991 minimum wage increases

---

[16]David Neumark, Mark Schweitzer, and William Wascher, "The Effects of Minimum Wages Throughout the Wage Distribution," *Journal of Human Resources* 39 (Spring 2004): 425–450. This study finds that the elasticity of employment with respect to changes in the minimum wage for those at the minimum is –0.12, while the elasticity of their wages to changes in the minimum is + 0.8; dividing –0.12 by 0.8 equals the estimated demand elasticity of –0.15. This study also looks at effects on the hours of work among those who remain employed; for a similar approach, see Peter F. Orazem and J. Peter Mattila, "Minimum Wage Effects on Hours, Employment, and Number of Firms: The Iowa Case," *Journal of Labor Research* 23 (Winter 2002): 3–23.

went to poor families.[17] Thus, the minimum wage is a relatively blunt instrument with which to reduce poverty. A study that directly estimated the effects of minimum wage increases on poverty rates among both teenagers and junior high dropouts found reductions in poverty associated with wage increases in the early 1990s but not with the changes legislated in the 1980s.[18]

Applying Concepts of Labor Demand Elasticity to the Issue of Technological Change

Technological change, which can encompass the introduction of new products and production techniques as well as changes in technology that serve to reduce the cost of capital (for example, increases in the speed of computers), is frequently viewed as a blessing by some and a curse by others. Those who view it positively point to the enormous gains in the standard of living made possible by new technology, while those who see technological change as a threat often stress its adverse consequences for workers. Are the concepts underlying the elasticity of demand for labor useful in making judgments about the effects of technological change?

There are two aspects of technological change that affect the demand for labor. One is product demand. *Shifts* in product demand curves will tend to shift labor demand curves in the same direction, and changes in the *elasticity* of product demand with respect to product price will tend to cause qualitatively similar changes in the own-wage elasticity of labor demand. The invention of new products (personal computers, for example) that serve as substitutes for old ones (typewriters) will tend to shift the labor demand curve in the older sector to the left, causing loss of employment in that sector. If greater product substitution possibilities are also created by these new inventions, the introduction of new products can increase the *elasticity* of product—and labor—demand. This increases the amount of job loss associated with collectively bargained wage increases, and it reduces the power of unions to secure large wage increases in the older sector. While benefiting consumers and providing jobs in the new sectors, the

---

[17]In 1990, the poverty line for a single individual under age 65 was $6,800, while for a family of three it was $10,419 and for a family of four it was $13,359 (see U.S. Bureau of the Census, *Poverty in the United States: 1990*, Series P-60, no. 175, August 1991). The percentages in this paragraph are based on Richard V. Burkhauser, Kenneth A. Couch, and David C. Wittenburg, "'Who Gets What' from Minimum Wage Hikes: A Re-Estimation of Card and Krueger's Distributional Analysis in *Myth and Measurement: The New Economics of the Minimum Wage*," *Industrial and Labor Relations Review* 49 (April 1996): 547–552. Also see Card and Krueger, *Myth and Measurement*, chapter 9 (see footnote 1); and David Neumark and William Wascher, "Do Minimum Wages Fight Poverty?" working paper no. 6127, National Bureau of Economic Research, Cambridge, Mass., August 1997.

[18]John T. Addison and McKinley L. Blackburn, "Minimum Wages and Poverty," *Industrial and Labor Relations Review* 52 (April 1999): 393–409.

EMPIRICAL STUDY

Estimating the Labor Demand Curve: Time Series Data and Coping with "Simultaneity"

When a proposed labor market policy increases the cost of labor, we frequently want economists to tell us more than "It will reduce employment." We want to know *how much* employment will be affected! Thus, for practical purposes, it is very helpful to have estimates of the elasticity of demand for labor.

Estimating the elasticity of demand for labor is actually very difficult, which helps account for how few studies of demand elasticity were cited in Table 4.1. First, we can only obtain credible estimates if we have data on wages and employment for groups of workers who are reasonably homogeneous in terms of their job requirements, their substitutability with capital, and the characteristics of product demand facing their employers. Given the diversity of firms that hire workers in a given occupation (security guards, for example, are hired by retailers, schools, and movie stars), homogeneity often requires analyzing groups so narrow that data are very difficult to obtain.

A second problem in estimating labor demand curves is that wages and employment are determined *simultaneously* by the interaction of supply and demand curves, and both curves show a (different) relationship between wages and employment. If we gather data just on wage and employment levels, we will not be able to tell whether we are estimating a demand curve, a supply curve, or neither! Consider Diagrams #1 and #2, which show wage (W) and employment (E) outcomes in the market for an occupation.

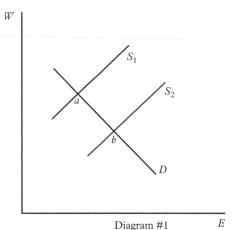

Diagram #1

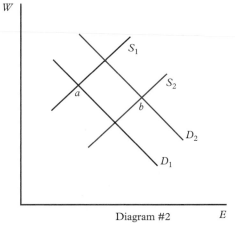

Diagram #2

What we hope to do is illustrated in Diagram #1. There, the labor demand curve remains unchanged, but the supply curve shifts for some reason. All that is observed by the researcher are points *a* and *b*, but connecting them traces out the demand curve (of course, credible estimates would require many more than two observations). Thus, if the demand curve is not shifting, we can "identify" it if we can observe a shifting supply curve. In reality, however, both supply and demand curves can shift over time (see Diagram #2). When both shift, drawing a line between points *a* and *b* traces out neither a supply nor a demand curve. How can we identify the demand curve when both are likely to be shifting?

First, we must have access to variables that cause the demand curve to shift; if we can *control* for factors that shift the demand curve over time, we—in a statistical sense—can shift it back to its original position and create a situation like that in Diagram #1.

Second, for the condition in Diagram #1 to be met, we must also find at least one variable that *shifts the supply curve but does not affect demand*. (Some variables, like real income levels, can theoretically affect both labor demand *and* labor supply curves. If all our "shift" variables are expected to affect both curves, we are back in the situation depicted by Diagram #2, where we cannot distinguish between the two curves!)

A study of the demand for coal miners in Britain (cited at the bottom of Table 4.1) offers an example of how to estimate a labor demand curve for a specific occupation. The occupation is found in one industry, which is very homogeneous in terms of product demand and employer technology, and time-series data on wages and employment were available for several years (the study used data from the 1950–1980 period). The researchers were able to gather data on factors that were expected to shift the labor demand curve (the price of oil, for example, which is a substitute for coal in generating electricity). They also had access to data on variables that were expected to shift the supply curve—including those (such as wages in alternative jobs miners might choose) that were expected to shift *only* the supply curve. The researchers were thus able to identify the labor demand function, and their use of regression analyses suggested that the labor demand elasticity (of employment changes with respect to wage changes) in British coal mining was –1.0 to –1.4.

Source: Alan A. Carruth and Andrew J. Oswald, "Miners' Wages in Post-War Britain: An Application of a Model of Trade Union Behaviour," *Economic Journal* 95 (December 1985): 1003–1020.

introduction of new products does necessitate some painful changes in established industries as workers, unions, and employers must all adjust to a new environment.

A second aspect of technological change is often associated with automation, or the substitution of capital for labor. For purposes of analyzing its effects on labor demand, this second aspect of technological change should be thought of as reducing the cost of capital. In some cases—the mass production of personal computers is one example—a fall in capital prices is what literally occurs. In other cases of technological change—the miniaturization of computer components, for example, which has made possible new production techniques—an invention makes completely new technologies available. When something is unavailable, it can be thought of as having an infinite price (it is not available at any price); therefore, the availability of a new technique is equivalent to observing a decline in its price to some finite number. In either case, with a decline in its cost, capital tends to be substituted for labor in the production process.

The *sign* of the cross-elasticity of demand for a given category of labor with respect to a fall in the price of capital depends on whether capital and the category of labor are gross substitutes or gross complements. If a particular category of labor is a substitute in production for capital, *and* if the scale effect of the reduced capital price is relatively weak, then capital and the category of labor are gross substitutes and automation reduces demand for workers in this category. For categories of labor that are not close substitutes for the new technology, however, the scale effect may dominate and the two can be gross complements. Thus, the effect of automation on the demand for *particular* categories of labor can be either positive or negative.

Clearly, whether capital and a given type of labor are gross substitutes depends on several factors, all of which are highly specific to particular industries and production processes. Perhaps the most that can be said generally is that unskilled labor and capital are more likely to be substitutes in production than are skilled labor and capital, which some studies have identified as complements in production. Because factors of production that are complementary must be gross complements, technological change is more likely to increase the demand for skilled than for unskilled labor.[19]

Before concluding that technological change is a threat to the unskilled, however, we must keep three things in mind. First, even factors that are substitutes in production can be gross complements (if scale effects are large enough). Second, substitution of capital for labor can destroy some jobs, but accompanying scale effects can create others, sometimes in the same industry.

Finally, although the fraction of all workers who are unskilled laborers has declined over the course of the last 100 years, this decline is not in itself convincing evidence of gross substitutability between capital and unskilled labor. The concepts of elasticity and cross-elasticity refer to changes in labor demand caused by changes in wages or capital prices, *holding all else constant*. That is, labor demand elasticities focus on the labor demand curve at a particular point in time. Actual employment outcomes over time are also influenced by labor *supply* behavior of workers. Thus, from simple observations of employment levels over time, it is impossible to tell anything about own-wage demand elasticities or about the signs or magnitudes of cross-elasticities of labor demand.

---

[19]See David Autor, Lawrence Katz, and Alan Krueger, "Computing Inequality: Have Computers Changed the Labor Market?" *Quarterly Journal of Economics* 113 (November 1998): 1169–1213.

The effects of technological change on *total* employment and on society in general are less ambiguous. Technological change permits society to achieve better consumption possibilities, and it leads to scale effects that both enlarge and change the mix of output. As the productive mix changes, some sectors decline or are eliminated (see the data inside the front cover, which show declining employment shares in goods-producing industries). Other sectors of the economy—the services, for example—expand. While these dislocations can create pockets of unemployment as some workers must seek new jobs or acquire new skills, there is no evidence that, by itself, technological change leads to permanent problems of unemployment.

Review Questions

1. Suppose that the government raises the minimum wage by 20 percent. Thinking of the four Hicks-Marshall laws of derived demand as they apply to a particular industry, analyze the conditions under which job loss among teenage workers in that industry would be smallest.

2. Union A faces a demand curve in which a wage of $4 per hour leads to demand for 20,000 person-hours and a wage of $5 per hour leads to demand for 10,000 person-hours. Union B faces a demand curve in which a wage of $6 per hour leads to demand for 30,000 person-hours, whereas a wage of $5 per hour leads to demand for 33,000 person-hours.
   a. Which union faces the *more* elastic demand curve?
   b. Which union will be more successful in increasing the total income (wages times person-hours) of its membership?

3. The federal government, in an effort to stimulate job growth, passes a law that gives a tax credit to employers who invest in new machinery and other capital goods. Applying the concepts underlying cross-elasticities, discuss the conditions under which employment gains in a particular industry will be largest.

4. The public utilities commission in a state lifts price controls on the sale of natural gas to manufacturing plants and allows utilities to charge market prices (which are 30 percent higher). What conditions would minimize the extent of manufacturing job loss associated with this price increase?

5. Many employers provide health insurance for their employees, but others—primarily small employers—do not. Suppose that the government wants to ensure that all employees are provided with health insurance coverage that meets or exceeds some standard. Suppose also that the government wants employers to pay for this coverage and is considering two options:
   Option A: An employer not voluntarily offering its employees acceptable coverage would be required to pay a tax of X cents per hour for each labor hour employed. The funds collected would support government-provided health coverage.
   Option B: Same as option A, except that the government-provided coverage would be financed by a tax collected as a fraction of the employer's total revenues.
   Compare and contrast the labor market effects of each of the two options.

6. In 1942, the government promulgated regulations that prohibited the manufacture of many types of garments by workers who did the sewing, stitching, and knitting in

their homes. If these prohibitions are repealed so that clothing items may now be made either by workers in factories or by independent contractors doing work in their homes, what effect will this have on the labor demand curve for *factory workers* in the garment industry?

7. Briefly explain how the following programs would affect the elasticity of demand for labor in the steel industry:

a. An increased tariff on steel imports.

b. A law making it illegal to lay off workers for economic reasons.

c. A boom in the machinery industry (which uses steel as an input)—causing production in that industry to rise.

d. A decision by the owners of steel mills to operate each mill longer than has been the practice in the past.

e. An increase in the wages paid by employers in the steel industry.

f. A tax on each ton of steel produced.

Problems

1. Suppose that the demand for dental hygienists is $L_D = 5{,}000 - 20W$, where L = the number of dental hygienists and W = the daily wage. What is the own-wage elasticity of demand for dental hygienists when $W = \$100$ per day? Is the demand curve elastic or inelastic at this point? What is the own-wage elasticity of demand when $W = \$200$ per day? Is the demand curve elastic or inelastic at this point?

2. Professor Pessimist argues before Congress that reducing the size of the military will have grave consequences for the typical American worker. He argues that if 1 million individuals were released from the military and were instead employed in the civilian labor market, average wages in the civilian labor market would fall dramatically. Assume that the demand curve for civilian labor does not shift when workers are released from the military. *First,* draw a simple diagram depicting the effect of this influx of workers from the military. *Next,* using your knowledge of (i) the definition of the own-wage elasticity of labor demand, (ii) the magnitude of this elasticity for the economy as a whole, and (iii) the size of civilian employment in comparison with this flood from the military, graph these events and estimate the magnitude of the reduction in wages for civilian workers as a whole. Do you concur with Professor Pessimist?

3. Suppose that the demand for burger flippers at fast-food restaurants in a small city is $L_D = 300 - 20W$, where L = the number of burger flippers and W = the wage in dollars per hour. The equilibrium wage is $\$4$ per hour, but the government puts in place a minimum wage of $\$5$ per hour.

a. How does the minimum wage affect employment in these fast-food restaurants? Draw a graph to show what has happened, and estimate the effects on employment in the fast-food sector.

b. Suppose that in the city above, there is an uncovered sector where $L_S = -100 + 80W$ and $L_D = 300 - 20W$, before the minimum wage is put in place. Suppose that all the workers who lose their jobs as burger flippers due to the introduction of the minimum wage seek work in the uncovered sector. What happens to wages and employment in that sector? Draw a graph to show what happens, and analyze the effects on both wages and employment in the uncovered sector.

4. (Appendix) The production possibilities curve for the United States is linear and allows the country to produce a maximum of 500 million units of clothing or 300 million units of food. The production possibilts curve for France is also linear and allows it to produce a maximum of 250 million units of clothing or 150 million units of food. Which good will the United States export to France?

Selected Readings

Card, David, and Alan B. Krueger. *Myth and Measurement: The New Economics of the Minimum Wage.* Princeton: N.J.: Princeton University Press, 1995.

Hamermesh, Daniel. *Labor Demand.* Princeton, N.J.: Princeton University Press, 1993.

Kennan, John. "The Elusive Effects of Minimum Wages." *Journal of Economic Literature* 33 (December 1995): 1950–1965.

"Review Symposium: *Myth and Measurement: The New Economics of the Minimum Wage,* by David Card and Alan B. Krueger." *Industrial and Labor Relations Review* 48 (July 1995).

International Trade and the Demand for Labor: Can High-Wage Countries Compete?

The question of how international trade affects labor demand in the long run has been highlighted recently by the increasing importance of exports and imports in the U.S. economy. As late as 1970, imports represented only slightly less than 6 percent of gross domestic purchases, while exports were less than 6 percent of gross domestic product. By the year 2002, however, imports had more than doubled, to 13 percent of purchases, and exports had grown to about 10 percent of gross domestic product.[1]

The public is often inclined to support laws restricting free trade on the grounds that lower wages and living standards in other countries inevitably cause employment losses among American workers—losses that could be mitigated only by a large decline in American living standards. This section will show that the effects of international trade on the demand for labor are analogous to the effects of technological change, that they do not depend on relative living standards, and that two countries will generally find trade mutually beneficial regardless of their respective wage rates. To keep things simple, we assume in what follows that goods and services can be traded across countries but that capital and labor are immobile (international mobility of labor is discussed in chapter 10).[2]

Production in the United States without International Trade

Suppose that the available supplies of labor and capital in the United States can be combined to produce two goods, food and clothing. (To allow a graphical pre-

---

[1]U.S. President, *Economic Report of the President* (Washington, D.C.: U.S. Government Printing Office, 2004), Table B-1.

[2]The model presented here is necessarily simplified. More-complex models and a discussion of the conditions under which free trade may not be in a country's best interests are found in Robert E. Baldwin, "Are Economists' Traditional Trade Policy Views Still Valid?" *Journal of Economic Literature* 30 (June 1992): 804–829.

sentation, the analysis will be in the context of just two goods; however, the results are applicable to more.) If all inputs were devoted to food production, 200 million units of food could be produced; similarly, if all available resources were devoted to the production of clothing, 100 million units of clothing could be produced. If 15 percent (say) of the resources were devoted to food and 85 percent to clothing, 30 million units of food and 85 million units of clothing could be produced. All the possible combinations of food and clothing that could be produced in the United States are summarized graphically by line XY in Figure 4A.1, which is called a *production possibilities curve.*

   Two things should be noted about the production possibilities curve in Figure 4A.1. It is negative in slope, indicating that if more of one good is produced, less of the other can be produced. It has a slope of −0.50, symbolizing the real cost of producing food: if the country chooses to produce 1 more unit of food, it must forgo 0.50 units of clothing. (Conversely, if it wants to produce 1 more unit of clothing, it must give up 2 units of food.)[3]

FIGURE 4A.1

Hypothetical Production Possibilities Curves, United States

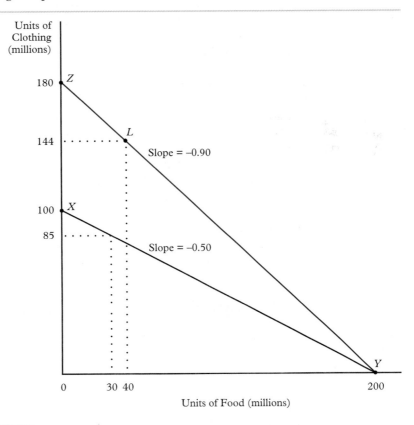

[3]The production possibilities "curve" in Figure 4A.1 is a straight line, which reflects the simplifying assumption that the ratio at which food can be "transformed" into clothing, and vice versa, never changes. This assumption is not necessary to the argument but does make it a bit easier to grasp initially.

The ultimate mix of food and clothing produced depends on consumer preferences. If the United States is assumed to have 100 million workers and chooses to allocate 15 percent to the production of food, incomes would average 0.30 units of food and 0.85 units of clothing per worker.

Suppose an inventor were to come along with a device that could increase the efficiency of inputs in the production of clothing, so that if all inputs were devoted to clothing, 180 million units could be produced. The production possibilities curve would shift out to the colored line (YZ) in Figure 4A.1, and per capita real incomes in the United States would rise (it is possible to produce more of both food and clothing with the resources available, as can be seen at point L). After this innovation, only 1.11 (200/180) units of food would have to be given up to obtain 1 unit of clothing.

(Note that when the real cost of clothing falls from 2 to 1.11 units of food, the *real cost* of food is *automatically* increased from 0.50 to 0.90 units (180/200) of clothing. The reason for this food cost increase is straightforward: if a given set of inputs can now produce more clothing but the same amount of food, diverting enough from the production of clothing to produce 1 more unit of food will now result in a larger decline in clothing output than before. It is this decline in clothing output that is the real cost, or *opportunity cost,* of producing a unit of food.)

Production in a Foreign Country without International Trade

It would be an amazing coincidence if the rates at which food and clothing could be traded off were equal in all countries. Land quality differs, as do the quality and quantity of capital and labor. Therefore, let us assume that a country—call it China—can produce either 300 million units of food, or 500 million units of clothing, or any other combination of food and clothing along the production possibilities curve, AB, in Figure 4A.2.

If 40 percent of its productive inputs were devoted to farming, China could produce 120 million units of food and 300 million units of clothing. With a population of, say, 500 million workers, China's average income per worker would be 0.24 units of food and 0.60 units of clothing. Clearly, then, living standards (real wage rates) are lower in China than in the United States (since the average consumption per worker of *both* food and clothing is lower in China).

After analyzing China's production possibilities curve (AB in Figure 4A.2), it can be calculated that the real cost of a unit of food within China is 1.67 (500/300) units of clothing; to produce 1 more unit of food means that 1.67 fewer units of clothing can be produced. Conversely, the real price of a unit of clothing in China is 0.60 (300/500) units of food.

The Mutual Benefits of International Trade

In the absence of innovation in the clothing industry, discussed earlier, the price of food within the United States is 0.50 units of clothing and the price of clothing is 2 units of food. In contrast, the price of food in China is 1.67 units of clothing and

FIGURE 4A.2

Hypothetical Production
Possibilities Curves, China

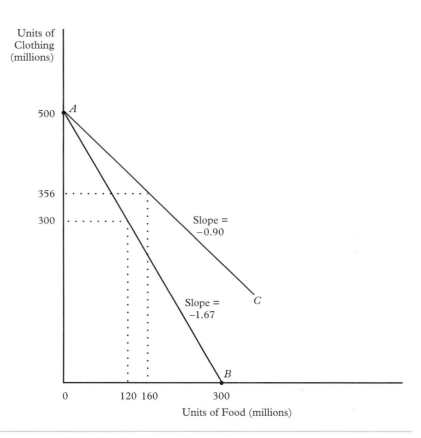

the price of clothing is 0.60 units of food. These prices are summarized in columns (a) and (b) of Table 4A.1. Because the real internal cost of food is lower in the United States than in China while the real internal cost of clothing is higher, economists therefore say that the United States has a *comparative advantage* in producing food and China has a *comparative advantage* in producing clothing.

It is important to note that the real costs of each good in the two countries depend *only* on the *internal trade-offs* between food and clothing output. Despite the assumed fact, for example, that real wages in China are lower than in the United States, food is much more costly in the former country than in the latter! Further, despite the generally more productive inputs in the United States, the real cost of clothing is lower in China.

The costs listed in columns (a) and (b) of Table 4A.1 make it plain that both countries could benefit from trade. China would be willing to buy food from the United States as long as it had to give up something less than 1.67 units of clothing per unit of food (its internal real cost of production). The United States would be willing to trade away a unit of food as long as it could obtain something more than 0.50 units of clothing in return (0.50 units represents what the United States can now obtain internally if it gives up 1 unit of food). The divergent internal values placed on food and clothing make it possible for mutually beneficial trades to take place.

TABLE 4A.1

Hypothetical Costs and Quantities of Food and Clothing in the United States and China, before and after Trade

Good	Before Trade		After Trade	
	(a) United States	(b) China	(c) United States	(d) China
Food costs	0.50 units of clothing	1.67 units of clothing	0.90 units of clothing	0.90 units of clothing
Clothing costs	2 units of food	0.60 units of food	1.11 units of food	1.11 units of food
Assumed food consumption:				
Total	30 million	120 million	40 million	160 million
Per capita	0.30	0.24	0.40	0.32
Assumed clothing consumption:				
Total	85 million	300 million	144 million	356 million
Per capita	0.85	0.60	1.44	0.71
World production of food	150 million		200 million	
World production of clothing	385 million		500 million	

With a lower-bound price of 0.50 units of clothing per unit of food, and an upper-bound price of 1.67, the ultimate price at which the two countries would trade is not predictable. Trade at any price in between these two bounds would benefit both countries and be preferable to each over no trade at all; however, the closer the price of food is to 0.50 units of clothing, the less the United States gains and the more China benefits.

Let us assume that the bargaining strengths of the two countries are such that units of food are traded by the United States to China in return for 0.90 units of clothing. From the perspective of the United States, 1 unit of food can now be transformed into 0.90 units of clothing instead of just 0.50 units. In this example, trade will therefore accomplish exactly what the previously discussed technological innovation in clothing production did: it will move the production possibilities curve out and give the country a greater command over resources. In terms of Figure 4A.1, trade by itself could move the production possibilities curve from *XY* to *YZ*. This outward shift allows the United States to consume more food *and* more clothing.

From the Chinese perspective, trading 0.90 units of clothing for 1 unit of food is equivalent to allowing the transformation of 1 unit of clothing into 1.11 units of food (up from 0.60 units of food). This increase represents an outward shift in the Chinese production possibilities curve (see curve *AC* in Figure 4A.2), and the output that can be consumed by each Chinese worker clearly increases.

To obtain a sense of how trade could affect per capita consumption in our example, let us suppose that the United States specialized in food production and that China specialized in the production of clothing.[4] The United States would produce 200 million units of food, and if it consumed 40 million units, the remaining 160 million units could be traded to China for 144 million units of clothing (0.9×160 million). China would produce 500 million units of clothing, exporting 144 million, so that its total internal consumption of clothing would equal 356 million units. China, of course, would consume 160 million units of food under these assumptions. As can be seen from Table 4A.1, where the pre- and post-trade units of production and consumption are compared, per capita real incomes rise in both countries as a result of trade. Conversely, when trade is restricted, consumers in both countries can lose.[5]

Labor Market Implications

International trade is driven by the relative internal (real) costs of producing various goods. Conclusions from our two-good analysis of trade between the United States and China are not at all affected by the assumptions about living standards (real wages) in the two countries. If the production possibilities curves remained the same but the assumed populations of the two countries had been reversed—and living standards were posited to be higher in China—trade would still have taken place, and the United States would still have traded food for Chinese-made clothing.

The general conclusion we can reach from this simple model of trade is that the advent of free trade between two countries will tend to cause each to specialize in producing goods for which it has a comparative advantage and to reduce its production of goods for which its real internal costs are relatively high. Trade, just like an important technological improvement in a given industry, will tend to *shift* employment from one industry to another.[6] However, there is no reason to believe that the advent of free trade will create a permanent loss of employment in the

---

[4]Complete specialization in production will occur in one or both countries if the production possibilities curves are straight lines; in these cases, the internal rate of transformation between the two goods is unchanging. Specialization may not be total when the production possibilities curves are concave from below. A concave curve implies that the real costs of food production, say, rise with food output, so that at some point the United States could lose its comparative advantage.

[5]For a review of studies of how a country's "openness" affects its growth and poverty, see Robert E. Baldwin, "Openness and Growth: What's the Empirical Relationship?" National Bureau of Economic Research Working Paper no. 9578 (March 2003); and L. Alan Winters, Neil McCulloch, and Andrew McKay, "Trade Liberalization and Poverty: The Evidence So Far," *Journal of Economic Literature* 42 (March 2004): 72–115.

[6]For studies of the labor market effects of increased foreign trade, see John Abowd and Thomas Lemieux, "The Effects of International Trade on Collective Bargaining Outcomes: A Comparison of the United States and Canada," in *Immigration, Trade, and the Labor Market*, ed. John Abowd and Richard Freeman (Chicago: University of Chicago Press, 1991), 343–369; Ana L. Revenga, "Exporting Jobs: The Impact of Import Competition on Employment and Wages in U.S. Manufacturing," *Quarterly Journal of Economics* 107 (February 1992): 255–284; José Manuel Campa and Linda S. Goldberg, "Employment Versus Wage Adjustment and the U.S. Dollar," *Review of Economics and Statistics* 83 (August 2001): 477–489; and chapters in both volumes of David Greenaway and Douglas Nelson, eds., *Globalization and Labor Markets* (Northhampton, Mass.: Edward Elgar, 2001).

country with higher real wages. It is the production possibilities curves, not real-wage rates, that drive international trade.

If the average wages for production workers in, say, Haiti are 20 percent of the average wages in the United States, why can't Haiti undersell American producers in every product line? How can American workers hope to remain employed at high wages when faced with such low-wage competitors?

Haiti has labor and capital resources that are fixed at any moment. It cannot produce *everything!* If, for example, several thousand Haitian workers are employed sewing garments for export to the United States, they are thus not available for (say) the growing and harvesting of agricultural produce. Thus, while there may be a benefit to Haiti when jobs in the garment trades open up, there is also a cost in terms of forgone output that must now be purchased from the United States (the place where dollars received from the export of clothes to the United States must ultimately be spent). Haiti will benefit from increasing the labor it devotes to garment exports *only* if it can replace its forgone production of food more cheaply.

To make the above concepts more concrete, suppose that shirts costing $10 to sew in the United States can be produced in Haiti for $2. Will American garment workers lose their jobs to foreign exports? If the food production forgone in Haiti when one additional shirt is made cannot be purchased from the United States for $2 or less, neither Haitian workers nor their country as a whole will be better off by taking the new jobs. In this case, American garment workers—despite their higher wages—would not lose jobs to Haitians.

If, however, the food production forgone when a shirt is produced can be purchased from the United States for $2 or less, American jobs in the garment trades will tend to be lost to Haitians. However, it is equally true that Haitian agricultural jobs are thereby lost to the much higher paying agricultural sector in the United States!

International trade can cause employment to shift across industries, and these shifts may well be accompanied by unemployment if workers, employers, or market wages are slow in adapting to change.[7] However, there is no reason to believe that the transitional unemployment associated with international trade will become permanent; trade does not condemn jobs in high-wage countries to extinction.

---

[7]In chapter 1, we pointed out that when society as a whole benefits from some policy, but some in that society lose, the losers can (and, many would argue, should) be compensated by the gainers. In the United States, the Trade Adjustment Assistance Reform Act of 2002 can be seen as an attempt to compensate the losers from freer trade; for a discussion, see Katherine Baicker and M. Marit Rehavi, "Policy Watch: Trade Adjustment Assistance," *Journal of Economic Perspectives* 18 (Spring 2004): 239–255.

CHAPTER 5

Frictions in the Labor Market

To this point in our analysis of the labor market, we have treated the cost of labor to employers as having two characteristics. First, we have assumed that the wage rate employers must pay is *given* to them by the market; that is, the supply of labor curve *to a firm* has been assumed to be horizontal (at the market wage). An employer cannot pay less than the going wage, because if it did so, *its workers would instantly quit and go to firms paying the going wage.* Likewise, it can acquire all the labor it wants at the market wage, so paying more would only raise its costs and reduce its ability to compete in the product market (as noted in chapter 3, only firms with product market monopolies could pay more than they have to and still survive). Individual employers in competitive product markets, then, have been seen as wage takers (not wage makers), and their labor market decisions have involved only *how much* labor and capital to employ.

Second, we have treated all labor costs as *variable*—that is, as being strictly proportional to the length of time the employee works. Variable labor costs, such as the hourly wage rate, recur every period and, of course, can be reduced if the hours of work are reduced. By assuming that all labor costs are variable, we have in effect assumed that firms can instantaneously adjust their labor input and associated costs as market conditions change.

The purpose of this chapter is to consider how the demand for labor is affected when we assume that both workers and firms find it *costly to make changes* to their behavior when demand or supply conditions are altered. Because higher costs of change, generally speaking, will cause workers and firms to display more resistance to change, economists borrow (loosely) a concept from physics and talk about these costs as causing labor market "frictions." In this chapter, we will analyze the implications of frictions in the labor market. That is, we will explore the implications of assuming that workers find it costly to change employers and that firms find it costly to hire or fire workers.

In the first section, we look at frictions on the *employee* side of the market, analyzing the labor market effects of employee costs when moving among employers. We will see that as the costs to workers of changing employers rise, the hiring decisions *firms* make differ from predictions of the competitive model—especially in the presence of government-mandated wages. We will also briefly investigate the implications of workers' mobility costs for the observed correlations between wages and labor market experience, tenure with one's employer, and unemployment.

In the final three sections of the chapter, we turn to an analysis of costs that *employers* bear when changing the level of employment. We will distinguish between variable labor costs, which are hourly in nature, and "quasi-fixed" costs that are associated only with the *number* of workers hired (including investments that firms make in hiring and training workers). The presence of quasi-fixed costs on the employer side of the market raises interesting questions we will address concerning firms' use of overtime, their decisions to train some workers but not others, who is laid off during business downturns, the relationship between pay and productivity, and the effects on job growth of employment-protection laws.

Frictions on the Employee Side of the Market

In this section, we first analyze a major implication of assuming employees can move among employers in a costless way and the evidence *against* this implication. We then build a model of wage and employment decisions based on the assumption that employee mobility is costly, and we explore the labor market predictions of this model.

The Law of One Price

The simple model of the labor market based on the assumption of costless employee mobility among employers has a powerful, and testable, prediction:

workers who are of equal skills within occupations will receive the same wage.[1] This implication is known as the "law of one price," and it rests squarely on the assumption that workers can move from employer to employer without delay and without cost. If a firm currently paying the market wage were to attempt to pay even a penny less per hour, this model assumes that it would instantly lose all its workers to firms paying the going wage. Further, because an employer can obtain all the labor it wants at the going wage, none would get any advantage from paying more than market. Thus, the market will assure that all workers with the same skill set will receive the same wages.

The problem with this prediction is that it does not seem to be supported by the facts. For example, how are we to explain that registered nurses in Albany, Madison, and Sacramento—all medium-sized state capitals with very comparable costs of living—received, on average, hourly wages of $22.68, $24.76, and $27.02 (respectively) in 2003? Likewise, how can it be that in the relatively low-skilled occupation of licensed practical nurse, in which skills are not likely to vary much across individuals, the top 25 percent of earners in the Dallas area made more than $18.47 in 2003, while the bottom 25 percent made less than $13.05?[2] We may also question how the market could permit the wages of "level-one" accounts payable clerks (those with less than one year of experience) in *manufacturing* firms to average, at $12.30 per hour, 17 percent more than their counterparts in *banking*.[3]

If workers were completely mobile across employers, these geographic, interfirm, or cross-industry wage differentials within occupations could not be maintained (unless, as we note in footnote 1, the working conditions at high- and low-paying firms are very different). Workers in these occupations who found themselves in low-wage firms would quit and move to the higher-wage firms, even if it meant changing the area in which they live or the industry in which they work. The fact that these wage differences are observed suggests that *worker mobility is costly*, and therefore limited in some way.

It takes time and effort for nurses in Albany, for example, to find out that wages are higher in Sacramento—and once having found out, they will find it

---

[1]This prediction should be qualified by adding "if they are working in similar environments." As we will discuss in chapter 8, we do expect that similar workers will be paid differently if they are working in cities with different costs of living, say, or if some work in more dangerous or unpleasant settings than others.

[2]U.S. Department of Labor, Bureau of Labor Statistics, *May 2003 Metropolitan Area Occupational Employment and Wage Estimates,* http://www.bls.gov/oes/2003/may/oessrcma.htm.

[3]Institute of Management and Administration, *Hourly Compensation Report 2002 Yearbook* (New York: Institute of Management and Administration), 1–2. For more careful studies of intra-occupational wage differences and the law of one price, see Stephen Machin and Alan Manning, "A Test of Competitive Labor Market Theory: The Wage Structure among Care Assistants in the South of England," *Industrial and Labor Relations Review* 57 (April 2004): 371–385; V. Bhaskar, Alan Manning, and Ted To, "Oligopsony and Monopsonistic Competition in Labor Markets," *Journal of Economic Perspectives* 16 (Spring 2002): 155–174; and Dale T. Mortensen, *Wage Dispersion: Why Are Similar Workers Paid Differently?* (Cambridge, Mass.: Massachusetts Institute of Technology, 2003).

costly to apply, interview, move across country, and leave their friends and relatives in Albany. Similar costs will be borne by workers who may be candidates to move within the area in which they live to firms or industries paying higher wages; they must first go to the trouble of acquiring information and then bear the costs of applying and moving to a new employer.

Some of these mobility costs are monetary in nature (printing résumés, buying clothes for interviewing, hiring movers), but all employment changes also involve nonmonetary costs: the expenditure of time for completing applications and interviews, giving up valued nonwage benefits on one's current job (flexible scheduling, specific job duties, employer location, opportunities to socialize with colleagues),[4] and the stress of leaving the "known" for a new place of employment. It is important to note that workers are likely to differ in how they evaluate these nonmonetary costs, so some will find moving more aggravating (costly) than others.

Assuming that worker mobility is costly has profound theoretical implications rooted in the shape of the labor supply curve to individual employers. Instead of being horizontal, as assumed earlier, *the supply of labor curve to firms becomes upward sloping when employee mobility is assumed to be costly.* Consider the relationship shown by the solid line in Figure 5.1. If Firm A is paying, say, $9.25 per hour and decides to raise its wage to $9.50, it could increase the number of workers willing to work for it from E_0 to E_H. The higher wage would attract workers from other firms whose costs of moving are relatively low, and it would reduce the chances that any of its current employees will leave; however, this wage increase is unlikely to attract *all* the other workers in the market, because some would find it too costly to change employers for this modest pay increase. Likewise, if Firm A were to reduce its wage to $9.00, the number of workers it can attract might go down to E_L, as it is probable that it would lose some of its current workers but unlikely (because of mobility costs) that it would lose them all. The supply curve traced out by these responses to A's wage changes would look like the solid line in Figure 5.1.

How would *increased* costs of mobility affect the labor supply curve facing Firm A? With higher mobility costs, wage increases would yield *smaller* increases in labor supply, and wage decreases would result in *smaller* reductions in labor supply. To fix ideas, let us return to Figure 5.1. Suppose that a wage increase to $9.50 had increased supply to the firm only to E_M, and that a decrease to $9.00 would reduce labor supply only to E_N. The labor supply curve these responses would generate is shown by the dashed-line curve in Figure 5.1, which is steeper—or less elastic—than the solid one (the elasticity of a labor supply curve is defined as the percentage change in labor supplied divided by the percentage change in the wage offered).

Thus, the higher workers' mobility costs are, the steeper the labor supply curve facing a firm will tend to be. Conversely, as mobility costs fall, other things equal, the labor supply curve to firms will flatten and become more elastic. It is

---

[4]For a theory of monopsonistic competition based on different preferences among employees for non-wage benefits, see V. Bhaskar and Ted To, "Minimum Wages for Ronald McDonald Monopsonies: A Theory of Monopsonistic Competition," *Economic Journal* 109 (April 1999): 190—203.

FIGURE 5.1

The Supply of Labor to Firm A: Worker
Mobility Costs Increase the Slope of the Labor
Supply Curve Facing Individual Employers

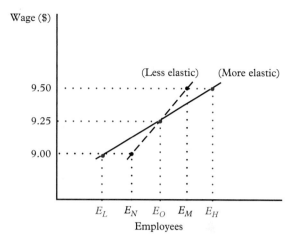

in the special case of zero mobility costs that the labor supply curve to individual
firms becomes horizontal—and thus infinitely elastic—at the market wage. Interestingly, a recent study of how the wage paid by a firm affects an employee's likelihood of quitting suggests a rather small (inelastic) response if, say, the firm were
to lower wages. Studies of how wage changes by a firm affect its ability to recruit
employees from *other* firms also imply supply elasticities that are far from infinite in magnitude.[5]

Monopsonistic Labor Markets: A Definition

Economists describe the presence of upward-sloping labor supply curves to
individual employers as creating *monopsonistic* conditions in the labor market.
Explaining why we use this terminology takes us back to chapter 2 and the distinction between supply of labor curves to a *market* as opposed to individual firms
in the market.

A labor market monopsonist is, strictly speaking, a firm that is the only buyer
of labor in its labor market: a coal mine in an isolated small town in West Virginia,
for example, or a pineapple plantation on a tiny Hawaiian island. In both these
cases, the employer faces (as the only employer in the market) the *market* supply
of labor curve, which we noted in chapter 2 is upward-sloping. For example, if a
coal-mine operator in an isolated town wants to expand its labor supply, it cannot simply get workers at the going wage from competing mines in the local area
(there are none). Instead, it will have to increase wages to (a) attract miners who
must move in from out of town; (b) attract workers from other occupations whose
preferences were such that, at the old, lower mining wage, they preferred to work

[5]Bhaskar, Manning, and To, "Oligopsony and Monopsonistic Competition in Labor Markets," 157–159,
170–172.

at a job that was less dangerous or dusty; or (c) induce people currently out of the labor force to seek paid employment.

In chapter 3, we first developed the labor demand curve under the twin assumptions that both product and labor markets were competitive. Toward the end of the chapter, we briefly analyzed how *product-market* monopolies (only one *seller* of a product) affect the demand for labor, but we deferred the analysis of conditions under which the *labor market* is not competitive. We now return to our analysis of labor demand and consider the implications when the labor market is not completely competitive—that is, when mobility costs impede workers' entry to, and exit from, various places of employment. We call such labor markets *monopsonistic*.

Before proceeding, however, we must emphasize that when we describe a labor market as monopsonistic, we are not thinking exclusively of the rather rare case of pure monopsony (single employers in isolated places). Indeed, our analysis of monopsonistic labor markets rests *only* on the assumption that *the labor-supply curves facing individual employers slope upward* (and are not horizontal). In this analysis, it does not matter *why* these curves slope upward! Being the only employer in town is clearly one cause, but in the prior section, we argued that these curves slope upward because employees find it costly to change jobs—even when there are several potential employers for them in their labor market. Thus, despite the term *monopsonistic*, the analysis that follows applies to labor markets that have many employers in them.

Profit Maximization under Monopsonistic Conditions

Recall from chapter 3 that profit-maximizing firms will hire labor as long as an added worker's marginal revenue product is greater than his or her marginal expense. Hiring will stop when marginal revenue product equals marginal expense. When it is assumed that extra workers can be attracted to the firm at the going wage rate (that is, when labor-supply curves to firms are horizontal), then the marginal expense is simply equal to the wage rate. When firms face upward-sloping labor supply curves, however, the marginal expense of hiring labor *exceeds* the wage. Our purpose now is to analyze how both wages and employment are affected when the marginal expense of labor exceeds the wage rate.

WHY THE MARGINAL EXPENSE OF LABOR EXCEEDS THE WAGE RATE   We start by considering why an upward-sloping labor supply curve causes the marginal expense of labor to exceed the wage rate. To see this, take the hypothetical example of a start-up firm that must attract employees from other employers. Its potential employees find it costly to change jobs, and for some, the costs are higher than for others. Therefore, the start-up firm faces an upward-sloping labor supply schedule like that represented in Table 5.1. If the firm wants to operate with 10 employees, it would have to pay $8 per hour, but if it wants to attract 11 employees, it must pay $9—and if it wants 12 workers, it must pay $10 per hour.

Simple multiplication indicates that its hourly labor costs with 10 employees would be $80, but with 11 employees it would be $99; thus, the *marginal* expense

TABLE 5.1

Labor Supply Schedule for a Hypothetical Firm Operating in a
Monopsonistic Market

Offered Wage	Supply of Labor	Total Hourly Labor Cost	Marginal Expense of Labor
$ 8	10	$80	
9	11	99	$19
10	12	120	21
11	13	143	23

of adding the eleventh worker is $19. If the firm were to operate with 12 workers instead of 11, its hourly costs would rise from $99 to $120, for a marginal expense equal to $21. One can immediately see that the marginal expenses of $19 and $21 are far greater than the wages paid (of $10 and $11).

Why is the marginal expense in this case so much greater than the wage? In moving from 10 to 11 workers, for example, the firm would have to pay one dollar more per hour to each of the 10 it originally planned to hire and then pay $9 to the added worker—for a total of $19 in extra costs. The marginal expense, then, includes the wages paid to the extra worker (as was the case in chapter 3) plus the additional cost of raising the wage for all other workers.[6]

The hypothetical data in Table 5.1 are graphed in Figure 5.2. The (solid) supply curve in Figure 5.2 indicates, of course, the number of employees attracted to the firm at each wage level. In short, it represents, for the firm in question, the *wage it must pay* to get to each of the employment levels it is considering. The dashed line represents the *marginal expense*—the added cost of increasing the employment level by one worker. The marginal expense curve both *lies above* the supply curve and is *steeper in slope* (that is, goes up at a faster rate).[7]

THE FIRM'S CHOICE OF WAGE AND EMPLOYMENT LEVELS   What are the labor market effects caused by having the marginal expense of labor lie above the wage rate? To maximize profits, we know that any firm—including those in

---

[6]We are assuming here that the firm plans to offer its prospective workers the same wage and does not have the ability to find out which of its applicants would work for less. For a fuller discussion of this issue, with some empirical results that support this assumption, see Alan Manning, *Monopsony in Motion: Imperfect Competition in Labor Markets* (Princeton, N.J.: Princeton University Press, 2003), chap. 5.

[7]In the hypothetical example outlined in Table 5.1 and Figure 5.2, the slope of the supply curve is 1; to obtain one more worker, the firm must raise its wage by $1. The slope of the marginal expense curve, however, is 2 (in going from 11 to 12 workers, for example, the marginal expense rises from $19 to $21). In general, it is easy to show (if one knows a bit of calculus) that if the supply curve to a firm is a straight line, the marginal expense curve associated with that supply curve will have a slope that is *twice as steep*.

FIGURE 5.2

A Graph of the Firm-Level Data in Table 5.1

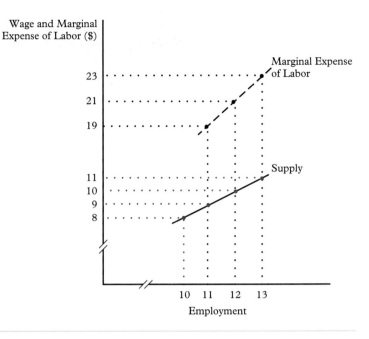

monopsonistic markets—should hire labor until the point at which the marginal revenue product of labor (MRP_L) equals labor's marginal expense (ME_L):

$$MRP_L = ME_L \tag{5.1}$$

To illustrate the effects of having ME_L exceed the wage (W), we turn to Figure 5.3, which displays, for a given employer, its labor supply curve, the associated marginal expense of labor curve, and the downward-sloping curve depicting the firm's marginal revenue product of labor.

Any firm in a monopsonistic labor market must make two decisions about hiring. First, like firms in competitive labor markets, it must decide *how much labor to hire*. This decision, consistent with the profit-maximizing criterion in equation (5.1), is made by finding the employment level at which $MRP_L = ME_L$. In Figure 5.3, the profit-maximizing level of employment for the firm shown is E^*, because it is at E^* that $MRP_L = ME_L$ (note the intersection of the relevant curves at point X).

Second, the firm must find the *wage rate necessary* to generate E^* employees. In Figure 5.3, the wage rate that will attract E^* workers is W^* (note point Y on the labor supply curve). The firm's labor supply curve represents the relationship between its potential wage rates and the number of workers interested in working there. Thus, this second decision (about wages) is shown graphically by reading from the labor supply curve the wage needed to attract the profit-maximizing number of workers.

MONOPSONISTIC CONDITIONS AND FIRMS' WAGE POLICIES   A difference between competitive and monopsonistic labor markets that immediately stands out

FIGURE 5.3

Profit-Maximizing Employment and Wage Levels in a Firm Facing a Monopsonistic Labor Market

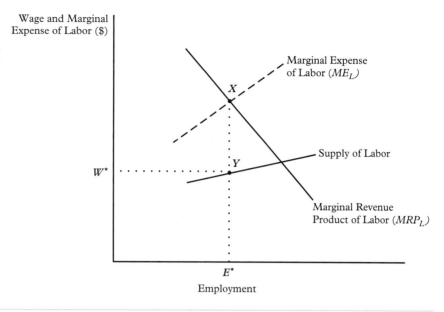

concerns the wage policies of employers. With a competitive labor market, where individual firms are wage takers and can hire all the labor they want at the going wage, employers decide only on the number of workers they want to hire; the wage they pay is given to them by the market. We have seen, however, that firms facing monopsonistic conditions have a second decision to make: they must decide on the wage to pay as well. Further, while firms in competitive labor markets hire until the marginal revenue product of labor equals the (given) wage, firms in monopsonized markets pay workers a wage less than their marginal revenue product.

The implication that firms in monopsonistic labor markets must have their own wage policies does not suggest, of course, that they set wages without constraints. We saw in the model depicted in Figure 5.3 that the wages they pay are determined both by their MRP_L curve and the labor supply curve they face, and in our simple model, both curves were given to the firm and thus were outside its control. Further (and not illustrated by the figure), firms must make labor market decisions that allow them to remain competitive in their product markets. Thus, monopsonistic conditions do not give firms a completely free hand in deciding on their wages; they still must face constraints imposed by both labor and product markets.

Within the product and labor market constraints facing them, however, different firms in monopsonistic labor markets may well offer different wages to equivalent workers. It is unlikely that the labor supply and MRP_L curves would be exactly the same for different firms in the same labor market, and thus we should not be surprised if exactly comparable workers were to have different marginal productivities and receive different wages at different firms. Thus, a firm employing older equipment and having a lower MRP_L could co-exist with one having new equipment and a higher MRP_L by paying a lower wage to the same kind of worker. Indeed, a careful summary of recent work on wage differences and the law of one price found strong evidence suggesting that the same worker would receive different pay if he or she worked for different employers.[8]

How Do Monopsonistic Firms Respond to Shifts in the Supply Curve?

In a monopsonistic labor market, the firm does not really have a labor demand curve! Labor demand curves for a firm are essentially derived from sequentially asking, "If the market wage were at some level ($5, say), what would be the firm's profit-maximizing level of employment? If, instead, the wage were $6, what would be the firm's desired level of employment?" Under monopsonistic conditions, the firm is not a wage taker, so asking hypothetical questions about the level of wages facing the firm is meaningless. Given the firm's labor supply curve and its schedule of marginal revenue product (MRP_L at various levels of employment), there is only one profit-maximizing level of employment and only one associated wage rate, both of which are chosen by the firm.

SHIFTS IN LABOR SUPPLY THAT INCREASE 1   Consider the short-run and long-run effects on a monopsonistic firm's desired level of employment if the supply curve facing the firm shifts (but remains upward-sloping). Suppose, for example, that the labor supply curve were to shift to the left, reflecting a situation in which fewer people are willing to work at any given wage level. With the competitive model of labor demand, a leftward shift of a market supply curve would cause the market wage to increase and the level of employment to fall, as employers moved to the left along their labor demand curves. Will these changes in wages and employment occur under monopsonistic conditions?

In Figure 5.4, the MRP_L curve is fixed (we are in the short run), and the leftward shift of the labor supply curve is represented by a movement to curve S' from the original curve, S. With a supply curve of S, the firm's marginal expense of labor curve was ME_L, and it chose to hire E workers and pay them a wage of W. When the supply curve shifts to S', the firm's marginal labor expenses shift to a higher curve, ME_L'. Therefore, its new profit-maximizing level of employment falls to E', and its new wage rate increases to W'. Thus, with a monopsonistic model (just as with the competitive model), a leftward shift in labor supply increases ME_L, raises wages, and reduces firms' desired levels of employment in the short run.

In the long run, labor's increased marginal expense will induce the substitution of capital for labor as firms seek to find the cost-minimizing mix of capital and labor. You will recall that the cost-minimizing conditions for capital and labor under *competitive* conditions were given in equation (3.8c), in which the wage rate was treated as the marginal expense of labor. In a monopsonistic labor

---

[8]See Mortensen, *Wage Dispersion*, chap. 1.

FIGURE 5.4

The Monopsonistic Firm's Short-Run Response to a Leftward Shift in Labor Supply: Employment Falls and Wage Increases

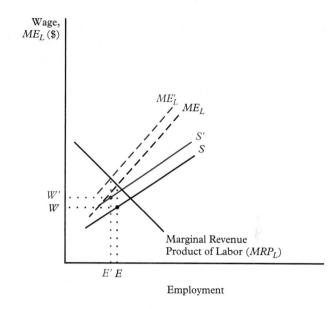

market, ME_L exceeds W, so the left-hand side of equation (3.8c) must be written in its general form:

$$ME_L/MP_L = C/MP_K \qquad (5.2)$$

Clearly, if a monopsonist is minimizing its costs of production and its ME_L is increased, it will want to restore equality to condition (5.2) by substituting capital for labor. Thus, employment decreases even more in the long run than in the short run.

EFFECTS OF A MANDATED WAGE   Let us next consider what would happen if some nonmarket force were to compel the firm to pay a particular wage rate that was higher than the one it was paying. Would the firm's desired level of employment decline? For a monopsonistic firm's short-run response, refer to Figure 5.5, where the firm initially equates MRP_L and ME_L at point A and chooses to hire E_0 workers, which requires it to pay a wage of W_0.

Suppose now that a mandated wage of W_m is set in Figure 5.5. This mandate prevents the firm from paying a wage less than W_m and effectively creates a horizontal portion (BD) in the labor supply curve facing the firm (which is now BDS). The firm's marginal expense of labor curve is now $BDEM$, because up to employment level E_1, the marginal expense of labor is equal to W_m. The firm, which maximizes profits by equating marginal revenue with marginal expense (this equality is now at point C), will hire E_m workers. Even though wages have risen from W_0 to W_m, desired employment rises from E_0 to E_m!

For a monopsonistic firm, then, a mandated wage can simultaneously increase the *average* cost of labor (that is, the wages paid to workers) and reduce labor's *marginal* expense. It is the decrease in *marginal* expense that induces the firm to expand output and employment in the short run. Thus, because an upward-sloping supply curve is converted to one that is horizontal, at least for employment near the current level, it is possible that both wages and employment can increase with the imposition of a mandated wage on a monopsonistic firm. This possibility is subject to two qualifications, however.

First, in the context of Figure 5.5, employment will increase only if the mandated wage is set between W_0 and W'_m. A mandated wage above W'_m would increase ME_L above its current level (W'_m) and cause the profit-maximizing level of employment to fall below E_0. (The student can verify this by drawing a horizontal line from any point above W'_m on the vertical axis and noting that it will intersect the MRP_L curve to the left of E_0.)

Second, Figure 5.5, with its fixed MRP_L curve, depicts only the short-run response to a mandated wage. In the long run, two (opposing) effects on employment are possible. With a mandated wage that is *not too high*, a monopsonistic firm's ME_L is reduced, causing a substitution of labor for capital in the long run. While the monopsonistic firm's *marginal* expense of labor may have fallen, however, labor's *average* cost (the wage) has increased. It is now more expensive to produce the same level of output than before; thus, profits will decline. If it is in a competitive product market, a firm's initial profit level will be normal for that market, so the decline will push its profits below normal. Some owners will get out of the market, putting downward pressure on employment. If this latter (scale) effect is large enough, employment in monopsonistic sectors could fall in the long run if a mandated wage were imposed.

In summary, then, the presence of monopsonistic conditions in the labor market introduces uncertainty into how employment will respond to the imposition of a mandated wage *if* the new wage reduces the firm's marginal expense of labor. Any shift in the supply of labor curve that *increases* the marginal expense of labor, of course, will unambiguously reduce employment.

Monopsonistic Conditions and the Employment Response to Minimum Wage Legislation

At the end of chapter 4, we argued that the estimated responses of employment to increases in the legislated minimum wage presented something of a puzzle. Not all credible empirical studies demonstrate the employment loss predicted by the presence of downward-sloping labor demand curves, and many that do find employment loss tend to show losses that are smaller than we would expect, given the estimates of labor demand elasticities in Table 4.1. Can the presence of monopsonistic conditions in the labor market offer a potential explanation for these findings?

We saw in the previous section that if the labor market is monopsonistic, legislated increases in the minimum wage raise wages but—if modest enough in

FIGURE 5.5

Minimun-Wage Effects under Monopsonistic Conditions: Both Wages and Employment Can Increase in the Short Run

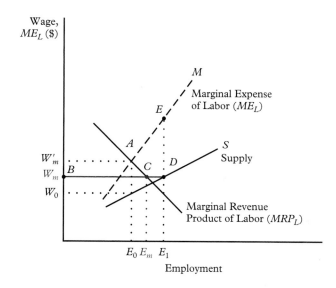

size—can reduce the marginal expense of labor. Thus, our expectations about the direction of employment changes caused by a higher minimum wage are ambiguous: some firms might experience increases in employment (because ME_L falls), but others might be forced to close because higher total labor costs render their operations nonprofitable.

Our discussion in the previous section might also help explain why the labor demand elasticities presented in Table 4.1 tend to be larger (more elastic) than those implied by many studies of employment responses to minimum-wage changes. The elasticities presented in Table 4.1 were estimated from wage and employment outcomes that were generated by market forces. Graphically, these estimates were derived from analyses like the one presented in Figure 5.4, where a leftward shift in the supply curve unambiguously caused wages to rise and employment to fall. Increases in the minimum wage cause a very different set of responses, as we saw when comparing Figures 5.4 and 5.5. If monopsonistic conditions exist, then, theory leads us to expect that employment responses to wage changes generated by *market* forces might be different from employment responses to *legislated* wage increases.

Is it credible to assert that monopsonistic conditions might be what underlie the small or uncertain direction of employment changes we find in minimumwage studies? Most of these studies focus on teenagers, and one might think that teenagers could move almost without cost from one part-time job to another. If mobility is virtually costless for teenagers, they would freely move among employers in response to small wage differentials, the teenage labor market would correspond closely to the competitive model, and we would have to look elsewhere for an explanation of the uncertain estimated effects of minimum wages on teenage employment.

We have argued that mobility is hindered (made more costly) by imperfect information about alternative wage offers and job requirements, by the time and aggravation of applying and being evaluated, and by the necessity of giving up valued nonwage job characteristics that might be difficult to replace in the new job. Teenagers, as well as adults, face these categories of cost. Moreover, teenagers often take jobs with the intent of staying only a short time, and they may perceive the total gains from going to a higher-paying employer as too small to justify the investment of time and effort needed to change employers. Thus, it is not inconceivable that the supply curves to firms that typically employ teenagers (fast-food outlets, for example) are upward-sloping and that monopsonistic conditions prevail even in these places.

Job Search Costs and Other Labor Market Outcomes

The presence of job mobility costs for workers means that they must make decisions about when to search for a new employer (and incur the costs of search) and when to stay put. These decisions about search have some interesting implications that can help explain why wages rise with both labor market experience and the length of time (tenure) with a particular employer. Other reasons for why wages rise with experience and tenure will be discussed later in the text; however, our current discussion of job search costs warrants attention to these implications here. We will also discuss how job search costs affect decisions by those who are unemployed.

WAGE LEVELS, LUCK, AND SEARCH   We have seen that employee mobility costs can create monopsonistic conditions that result in pay differences among workers who have equal productive capabilities. Monopsonistic conditions, however, are not the sole cause of wage differences for workers who appear to be similar. Indeed, we will spend much time later in this text analyzing wage differences associated with job or worker characteristics that are often not easily measured or observed: different working conditions (chapter 8), different on-the-job training requirements or opportunities (chapter 9), and different ways to use pay in creating incentives for productivity (chapter 11). In addition, we will also analyze wage differences related to racial, ethnic, or gender differences that may be unrelated to productive characteristics (chapter 12).

What the theory of monopsonistic labor markets offers to the analysis of wage differences, however, is the implication that to some extent a worker's wage depends on luck. Some workers will be fortunate enough to obtain a job offer from a high-paying employer, and some will not. Further, given the costs of changing employers, the mobility from low- to high-wage firms may never be great or rapid enough to bring wages into equality.

When workers who may think they can get improved job offers face costs in searching for employers, we are naturally drawn to thinking about an employee-employer "matching" process that occurs over a period that may be lengthy. Workers can be viewed as wanting to obtain the best match possible but finding that there is a cost to getting better matches. Those who see their jobs as a poor match (perhaps because of low pay) have more incentives to search for other offers than do workers who are lucky enough to already have good matches (high wages). Over time, as the unlucky workers have more opportunity to acquire offers, matches for them should improve—but of course at some wage levels, likely wage increases from a search are so small (or, given the worker's expected stay on the job, so short-lived) that further search is not worth the cost.

Labor-market studies have observed that workers' wages tend to increase both with (1) overall labor market experience, *and* (2) holding labor market experience constant, the length of time with one's employer ("job tenure").[9] Job search considerations may play a role in producing these patterns, and we will briefly discuss them here.

WAGES AND LABOR MARKET EXPERIENCE   One of the things that makes job search costly is that it takes time and effort to obtain job offers. Further, job openings occur more or less randomly over time, so that during any one period in which a worker is "in the market," not all potentially attractive openings even exist. As time passes, however, jobs open up and workers have a chance to decide whether to apply. Those who have spent more time in the labor market have had more chances to acquire better offers and thus improve upon their initial job matches. While other explanations are explored in chapter 9, the costs of job search offer one explanation for why we observe that, in general, *workers' wages improve the longer they are active in the labor market.*

WAGES AND JOB TENURE   With costly job searches, workers who are fortunate enough to find jobs with high-paying employers will have little incentive to continue searching, while those who are less fortunate will want to search again. This means that the workers who have been with their firms the longest will tend to be the ones who got higher wages to begin with, and we should therefore observe a positive correlation between tenure and earnings. Indeed, as noted above, empirical studies also find that, among workers with the same skills and labor market experience, *those who have longer job tenure with their employers also tend to have higher wages.* While there are other potential explanations for this relationship as well (see chapters 9 and 11), the presence of costly job search suggests that it may not simply be longer tenures that cause higher wages; rather, higher wages can also cause longer job tenures!

JOB SEARCH COSTS AND UNEMPLOYMENT   Job search costs can also help to explain the existence (and level) of unemployment. While we analyze unemployment in chapter 15, the relationship between search costs and the phenomenon of unemployment is important to introduce at this point. Briefly put, searching for job offers is something that the unemployed must do, and the search process

---

[9]Manning, *Monopsony in Motion*, chap. 6.

will take time and effort. The longer it takes for a worker to receive an acceptable offer, the longer the unemployed worker will remain unemployed. Thus, higher job search costs will tend to lengthen the spells of unemployment, and hence increase the unemployment rate.[10]

Monopsonistic Conditions and the Relevance of the Competitive Model

If employee mobility costs mean that monopsonistic conditions exist in the typical labor market, does this imply that the competitive model is irrelevant or misleading? While we have seen that the competitive model does indeed offer predictions that are at least partially contradicted by the evidence, it is difficult to believe that it is irrelevant, especially in the long run.

The major difference between the competitive and monopsonistic models, of course, is the assumption about employee mobility costs. When we consider workers as a group, however, mobility costs are likely to be higher in the near term than over the long haul. It is relatively costly, for example, for a registered nurse with a family established in Albany to move herself and her family to Sacramento. Likewise, an established payroll clerk working in banking may find it aggravating or time consuming to search for, and then move to, a similar job in the automobile industry. It is much less costly, however, for a recent graduate or immigrant who is trying to decide where in the country to locate, or in which industry to work, to "move among" job offers. Recent graduates or immigrants have to search and make a decision anyway (established workers often do not), and when choosing among offers, they have much less to give up in terms of established relationships by taking one offer over the other. As time passes, those established in jobs retire and are replaced by new workers who see the advantages of locating in certain areas or accepting work in certain industries; thus, over time, we would expect wage differences owing to luck to dissipate—even if mobility costs are present in the short term. One study, for example, found that new immigrants to the United States are more likely to be clustered in states offering the highest wages for their skill groups, and that their presence has helped to narrow regional wage differences.[11]

It is also the case that, monopsonistic conditions notwithstanding, employers cannot deviate too far from the market when setting wages, for if they do, they will encounter problems in attracting, retaining, and motivating their workers (a topic to which we will return in chapter 11). Nobel laureate Paul Samuelson put the issue this way in his best-selling economics textbook:

> Just because competition is not 100 per cent perfect does not mean that it must be zero. The world is a blend of (1) competition and (2) some degree of monopoly power over

---

[10]See Manning, *Monopsony in Motion*, chap. 9, for a discussion of job search and unemployment.

[11]George Borjas, "Does Immigration Grease the Wheels of the Labor Market?" *Brookings Papers on Economic Activity* (2001): 69–119.

the wage to be paid. A firm that tries to set its wage too low will soon learn this. At first nothing much need happen; but eventually it will find its workers quitting a little more rapidly than would otherwise be the case. Recruitment of new people of the same quality will get harder and harder, and slackening off in the performance and productivity of those who remain on the job will become noticeable.[12]

Frictions on the Employer Side of the Market

Employers also face frictions in searching for and hiring employees. These frictions cause firms to bear costs that are associated with the number of workers hired, rather than the hours they work, and they are called "quasi-fixed" costs because they are either difficult or impossible to cut in the short run—unlike variable costs (such as hourly wages), which can be readily cut by reducing hours of work. The presence of quasi-fixed costs slows the adjustment of employment levels to changing market conditions faced by firms. The types of quasi-fixed costs are first discussed in this section, and we then move to an analysis of their implications for the labor market behavior of firms.

Categories of Quasi-Fixed Costs

Employers often incur substantial quasi-fixed costs in hiring and compensating their employees. In general, these costs fall into two categories: *investments* in their workforce and certain *employee benefits*. We discuss each type of quasi-fixed costs below.

LABOR INVESTMENTS   When an employer has a job vacancy, it must incur certain costs in finding a suitable employee to hire. It has to advertise the position, screen applications, interview potential candidates, and (in the case of highly sought applicants) "wine and dine" the worker selected. A 1982 survey, for example, which was weighted toward employers hiring less-skilled workers, found that even for these vacancies, almost 22 person-hours were spent screening and interviewing applicants.[13] Once hired, there are the additional costs of orienting the new worker and getting him or her on the payroll.

A hiring cost not to be overlooked—especially because it has been the subject of public policy debates—is the cost of *terminating* the worker. Every employee a firm hires might also have to be let go if economic circumstances or job performance require it. As we discuss in Example 5.1, policies that require severance pay or otherwise increase the costs of *ending* the employment relationship thus add to the quasi-fixed costs of *hiring* workers.

---

[12]Paul A. Samuelson, *Economics: An Introductory Analysis* (New York: McGraw-Hill, 1951), 554.

[13]See John Bishop, "Improving Job Matches in the U.S. Labor Market," *Brookings Papers on Economic Activity: Microeconomics* (1993): 379.

EXAMPLE 5.1

Does Employment Protection Legislation Protect Workers?

Many European countries have adopted employment protection policies that make it more costly for employers to dismiss employees. These policies contain provisions for determining when dismissal is "unjustified" or "unfair," and some (as in Greece) go so far as saying that neither lack of business nor lack of competence are justifiable reasons for dismissal. While many countries have policies that do not go that far—requiring only that firms attempt to transfer or retrain candidates for dismissal—the severance pay required when dismissals are considered "unjust" is frequently in the range of 8 to 12 months of pay.

Procedural inconveniences to employers, such as the need to notify or obtain the approval of third parties (labor unions, for example) and the rights of employees to challenge dismissal in a legal setting, are also part of these laws; additional procedures and delays are imposed on employers wanting to make collective layoffs. Finally, these policies also regulate and restrict the use of temporary employees or employees on fixed-length contracts, because use of these employees is seen as a way around the goal of employment protection.

A study that rated the strictness of each country's employment protection laws found that those with the strictest laws did indeed have lower movements of workers from employment into unemployment. That is, stronger employment protection policies do reduce layoffs. However, the stronger these policies are, the slower is the flow *out* of unemployment, because the costs of these policies also inhibit employers from creating new jobs. While the reduced flows both into and out of unemployment tend to have offsetting effects on the overall unemployment rate, the study did find that stricter employment protection is associated with more *long-term* unemployment and *lower employment levels for women and youth*.

Source: OECD Employment Outlook: 2004 (Paris: Organisation for Economic Co-operation and Development, 2004), chap. 2. This source also references several prior studies of employment protection laws and their effects on employment.

In addition to the hiring costs, firms typically provide formal or informal training to both their new and continuing workers. The costs of this training generally fall into three classes:

1. The *explicit* monetary costs of formally employing trainers and providing training materials;
2. The *implicit* or opportunity costs of lost production incurred when experienced employees take time to demonstrate procedures to trainees in less-formal settings; and
3. The *implicit* or opportunity costs of the trainee's time.

A survey in the early 1990s found that, in the first three months (or 520 hours of work) an employee is with a firm, about 30 percent (153 hours) of his or her time is spent in training. The data from this study, summarized in Table 5.2, also suggest that very little of this training was formal classroom-type instruction; most took place informally at the workstation.[14]

---

[14]For other studies and related references, see Harley Frazis, Maury Gittleman, and Mary Joyce, "Correlates of Training: An Analysis Using Both Employer and Employee Characteristics," *Industrial and Labor Relations Review* 53 (April 2000): 443–462.

TABLE 5.2

Hours Devoted by Firms to Training a New Worker during First Three Months on Job, 1992

Activity	Average Hours
Hours of formal instruction by training personnel	19
Hours spent by management in orientation, informal training, extra supervision	59
Hours spent by co-workers in informal training	34
Hours spent by new worker watching others do work	41
Total	153

Source: John Bishop, "The Incidence of and Payoff to Employer Training," Cornell University Center for Advanced Human Resource Studies Working Paper 94-17, July 1994, 11.

Hiring and training costs can be categorized as *investments*, because they are incurred in the present and have benefits (in the form of increased productivity) only in the future. Investments are inherently risky because, once made, the costs are "sunk" and there are no guarantees about future returns. We will analyze the effects of these investments on employer behavior later in this chapter.

EMPLOYEE BENEFITS   Besides their direct wage and salary earnings, workers also typically receive nonwage compensation in the form of employer-provided medical and life insurance, retirement plans, vacation days, Social Security payments, and other *employee benefits*. Table 5.3 details the employee benefits received by workers in the large firms responding to a 1999 Chamber of Commerce survey, and it is important to note that many of these benefits represent quasi-fixed costs to the employer. That is, many employee benefits are associated with the number of employees but not with the hours they work.

Most life and medical insurance policies have premiums to the employer that are charged on a per-worker basis and are not proportional to the hours worked. Pay for time not worked (breaks, vacation, holidays, and sick leave) also tends to be quasi-fixed. Some pension costs are proportional to hours worked, because some employers offer *defined contribution* plans and make payments to a retirement fund for each worker that are proportional to wage or salary earnings. However, many employers have *defined benefit* pension plans that promise pension payments to retirees that are a function of years of service, not hours of work; the costs of these plans are thus quasi-fixed in nature.

In the category of legally required benefits, workers' compensation insurance costs are strictly proportional to hours worked, because they are levied as a percentage of payroll, and Social Security taxes are proportional for most employees.[15]

---

[15]The Social Security payroll-tax liability of employers is specified as a percentage of each employee's earnings up to a maximum taxable wage base. In 2004, this tax was 6.20 percent of earnings up to $87,900 for retirement and disability insurance, and 1.45 percent on all earnings for Medicare. Because the maximum earnings base exceeded the annual earnings of most workers, the employer's payroll tax liability is increased when a typical employee works an additional hour per week.

TABLE 5.3

Employee Benefits as a Percentage of Total Compensation, 1999 (Average Yearly Cost in Parentheses)

Legally required payments	**6.1**	**($3,220)**
Social Security	5.0	($2,621)
Workers' compensation	0.7	($371)
[a] Unemployment insurance and other	0.4	($228)
Retirement	**6.3**	**($3,244)**
[a] Employment costs based on benefit formulas (defined benefit plans)	2.4	($1,327)
Employer costs proportional to earnings (defined contribution plans)	2.5	($1,368)
[a] Other (including insurance, annuities, and administrative costs)	1.4	($549)
[a] **Insurance** (medical, life)	**6.4**	**($3,668)**
[a] **Paid rest** (coffee breaks, meal periods, set-up and wash-up time)	**1.2**	**($620)**
[a] **Paid vacations, holidays, sick leave**	**6.5**	**($3,600)**
[a] **Miscellaneous** (discounts on products bought, employee meals, child care)	**0.4**	**($302)**
Total	**26.9**	**($14,654)**

[a] Category of costs believed by authors to be largely quasi-fixed (see discussion in the text).

Source: U.S. Chamber of Commerce, *The 1999 Employee Benefits Study* (Washington, D.C.: U.S. Chamber of Commerce, 1999), Table 1.

However, the unemployment insurance payroll-tax liability is specified to be a percentage (the tax rate) of each employee's yearly earnings up to a maximum level (the taxable wage base), which in 2004 was between $7,000 and $12,000 in over two-thirds of all states.[16] Since most employees earn more than $12,000 per year, having an employee work an additional hour per week will *not* cause any increase in the employer's payroll-tax liability. Therefore, unemployment insurance costs are a quasi-fixed cost to most employers.

In Table 5.3, we have indicated (by a superscript *a*) which nonwage costs are usually of a quasi-fixed nature. The data suggest that around 19 percent of total compensation (over two-thirds of nonwage costs) is quasi-fixed. These quasi-fixed costs averaged roughly $10,300 per employee in 1999. The quasi-fixed nature of many nonwage labor costs has important effects on employer hiring and overtime decisions. These effects are discussed below.

---

[16]U.S. Department of Labor, Employment and Training Administration, *Comparison of State Unemployment Insurance Laws 2004* (Washington, D.C.: U.S. Government Printing Office, 2004).

The Employment/Hours Trade-Off

The simple model of the demand for labor presented in the preceding chapters spoke to the quantity of labor demanded, making no distinction between the number of individuals employed by a firm and the average length of its employees' workweek. Holding all other inputs constant, however, a firm can produce a given level of output with various combinations of the number of employees hired and the number of hours worked per week. Presumably, increases in the number of employees hired will allow for shorter workweeks, whereas longer workweeks will allow for fewer employees, other things equal.

In chapter 3, we defined the marginal product of labor (MP_L) as the change in output generated by an added unit of labor, holding capital constant. Once we distinguish between the *number* of workers hired (which we will denote by M) and the *hours* each works on average (H), we must think of two marginal products of labor. MP_M is the added output associated with an added worker, holding both capital and average hours per worker constant. MP_H is the added output generated by increasing average hours per worker, holding capital and the number of employees constant. As with MP_L, we assume that both MP_M and MP_H are positive but that they decline as M and H (respectively) increase.[17]

How does a firm determine its optimal employment/hours combination? Is it ever rational for a firm to work its existing employees overtime on a regularly scheduled basis, even though it must pay them a wage premium, rather than hiring additional employees?

DETERMINING THE MIX OF WORKERS AND HOURS   The fact that certain labor costs are not hours-related, while others are, will lead employers to think of "workers" and "hours-per-worker" as two substitutable labor inputs. Thus, the profit-maximizing employer will weigh the cost of producing an added unit of output by hiring more workers against the cost of producing an added unit of output by employing its current workers for more hours. Recalling our discussion of equation 3.8c, profit maximization can only be achieved when these two costs are equal. Thus, if the marginal expense of hiring an added worker is ME_M, and the marginal expense of hiring current workers for an extra hour is ME_H, then for profits to be maximized, the following condition must hold:

$$\frac{ME_M}{MP_M} = \frac{ME_H}{MP_M} \tag{5.3}$$

The left-hand side of equation (5.3) is the cost of an added unit of output produced by hiring more workers, and the right-hand side is the cost of an added unit of output produced by hiring workers for more hours.

---

[17]When the number of employees is increased, the decline in MP_M may be due to the reduced quantity of capital now available to each individual employee. When the hours each employee works per week are increased, the decline in MP_H may occur because after some point, fatigue sets in.

EXAMPLE 5.2

"Renting" Workers as a Way of Coping with Hiring Costs

One indication that the quasi-fixed costs of hiring are substantial can be seen in the growth of temporary-help agencies. Temporary-help agencies specialize in recruiting workers who are then put to work in client firms that need temporary workers. The temporary-help agency bills its clients, and its hourly charges are generally above the wage the client would pay if it hired workers directly—a premium the client is willing to pay because it is spared the investment costs associated with hiring. Because obtaining jobs through the temporary-help agency also saves employees repeated investment costs associated with searching and applying for available temporary openings, its employees are willing to take a wage less than they otherwise would

receive. The difference between what its clients are charged and what its employees are paid permits the successful temporary-help agency to cover its recruiting and assignment costs.

How anxious are firms and workers to avoid the costs of search and hiring? Some 2 million workers were employed by temporary-help services in 1995, and growth in this industry has been so rapid that it accounted for one-fourth of all employment growth in the United States during the mid-1990s.

Data from: Lewis M. Segal and Daniel G. Sullivan, "The Growth of Temporary Services Work," _Journal of Economic Perspectives_ 11 (Spring 1997): 117–136.

One implication of equation (5.3) is that if for some reason ME_M rises relative to ME_H, firms will want to substitute hours for workers by hiring fewer employees but having each work more hours. (An alternative to hiring more workers or increasing hours is to "rent" workers; see Example 5.2.) Conversely, if ME_H rises relative to ME_M, the employer will want to produce its profit-maximizing level of output with a higher ratio of workers to average hours per worker. The relationship between ME_M/ME_H and hours of work is graphed in Figure 5.6, which indicates that as ME_M rises relative to ME_H, other things equal, hours of work per employee tend to rise.

POLICY ANALYSIS: THE OVERTIME PAY PREMIUM   In the United States, the Fair Labor Standards Act requires that employees covered by the act (generally, hourly paid, nonsupervisory workers) receive an overtime pay premium of at least 50 percent of their regular hourly wage for each hour worked in excess of 40 per week. Many overtime hours are worked because of unusual circumstances that are difficult or impossible to meet by hiring more workers: rush orders, absent workers, and mechanical failures are all examples of these emergency situations. However, some overtime is regularly scheduled; for example, over 20 percent of men who are skilled craft workers or technicians usually work more than 44 hours per week.[18]

Given the "time-and-one-half" premium that must be paid for overtime work, we can conclude that employers who regularly schedule overtime do so because it is cheaper than incurring the quasi-fixed costs of employing more workers.

---

[18]Daniel Hecker, "How Hours of Work Affect Occupational Earnings," _Monthly Labor Review_ 121 (October 1998): 8–18.

FIGURE 5.6

The Predicted Relationship between ME_M/ME_H and Overtime Hours

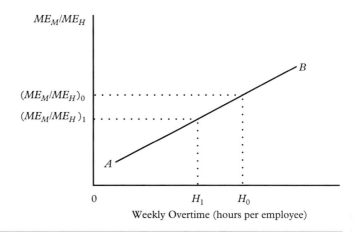

Indeed, the production workers most likely to work long hours on a regular basis are those for which hiring and training costs are higher. For example, while over 20 percent of male craft workers are scheduled for more than 44 hours each week, only 12 percent of unskilled males usually work more than 44 hours.[19]

In the fall of 2004, the U.S. Department of Labor introduced several controversial revisions to federal overtime regulations that redefined which jobs are exempt from coverage. Generally speaking, for a job to be exempt from the requirements of overtime pay, the employee must be paid on a salaried basis (not by the hour) and perform administrative, professional, or executive duties. The regulations introduced in 2004 disallowed exemptions for low-paying salaried jobs (paying less than $455 per week), regardless of duties—thus adding overtime coverage to an estimated 1.3 million workers.[20] The new regulations, however, revised the definitions of "administrative," "professional," and "executive" duties and added many computer and outside sales jobs to the list of those exempt from overtime regulations. Also made exempt were jobs in which total pay exceeds $100,000 per year.

These revisions created a storm of public comment and criticism. While they were lauded for giving "greater protection" to low-paid hourly employment, the revisions were also criticized for making it easier to exempt jobs, thus "making it likely that millions of [workers] will work longer hours at reduced pay."[21] We will briefly analyze these two claims using economic theory.

---

[19]Dora L. Costa, "Hours of Work and the Fair Labor Standards Act: A Study of Retail and Wholesale Trade, 1938–1950," *Industrial and Labor Relations Review* 53 (July 2000): 648–664, references empirical work on the use of overtime. Also, see Hecker, "How Hours of Work Affect Occupational Earnings," 10.

[20]U.S. Department of Labor, Wage and Hour Division, "Defining and Delimiting the Exemptions for Executive, Administrative, Professional, Outside Sales and Computer Employees: Economic Report," *Federal Register* 69, no. 79, part 2 (April 23, 2004): 22191.

[21]Ross Eisenbrey and Jared Bernstein, "Eliminating the Right to Overtime Pay: Department of Labor Proposal Means Lower Pay, Longer Hours for Millions of Workers," *Economic Policy Institute Briefing Paper* (June 26, 2003), 1.

OVERTIME AND SPREADING THE WORK   It is often argued that the time-and-one-half requirement for overtime protects workers by "spreading the work" (creating more job openings) through reduced usage of overtime. One reason to be cautious in our expectations that increased coverage will create more jobs is that applying the overtime premium increases the average cost of labor even if a firm *eliminates* its prior use of overtime! Firms using overtime before *could* have increased their workforce and reduced the use of overtime earlier; the fact that they did not suggests that the quasi-fixed costs of hiring made that a more costly option. If they now eliminate overtime and hire more workers at the same base wage rate, their labor costs will clearly rise. Increased labor costs will tend to reduce both the scale of output and increase firms' incentives to substitute capital for labor, thereby reducing the total labor hours demanded by affected firms. Thus, even if base wages are not changed, it is unlikely that all of the reduced overtime hours will be replaced by hiring more workers.

OVERTIME AND TOTAL PAY   Will newly covered workers experience an increase in earnings, and will those in newly exempt jobs experience an earnings decrease as a result of the revisions? It is possible that they will not, because the base wage rate may change in response to changes in overtime coverage.

We have seen that many overtime hours are regularly scheduled, and in these cases, it is possible that employers and employees mutually agree (informally, at least) on a "package" of weekly hours and total compensation. If so, firms that regularly schedule overtime hours might respond to a legislated increase in coverage by reducing the straight-time salary in a way that, after taking the newly required overtime payments into account, would leave total compensation per worker unchanged. Similarly, employees who lose coverage under overtime laws and are asked to work more hours may be unwilling to stay in those jobs—unless, of course, their pay is increased accordingly.

Thus, the long-run effects of overtime regulations on the total earnings of workers may not be as profound as supporters imply. A recent study of wages in Great Britain, where there is no national overtime pay regulation, found that average hourly earnings after accounting for overtime pay were fairly uniform across firms in given industries. Put differently, in firms that paid above-average overtime premiums, straight-time (base) wages were below average—and firms that paid above-average base wages paid below-average overtime premiums.[22] A study of the effects of overtime premiums in the United States also found evidence that base wages adjust to mandated changes in these premiums in a way that suggests employers and employees regard hours and pay as a package; this study found that legislated expansions in overtime coverage have had no measurable effect on overtime hours worked.[23]

---

[22]David N. F. Bell and Robert A. Hart, "Wages, Hours, and Overtime Premia: Evidence from the British Labor Market," *Industrial and Labor Relations Review* 56 (April 2003): 470–480.

[23]Stephen J. Trejo, "Does the Statutory Overtime Premium Discourage Long Workweeks?" *Industrial and Labor Relations Review* 56 (April 2003): 530–551.

Training Investments

We have identified employer-provided training as an important investment that can increase the quasi-fixed costs of hiring workers. The costs of training, even if provided by the employer, are often at least partly paid by workers themselves in one way or another, so training investments represent a rather unique friction in the labor market. This section explores the implications of this friction for both employer and employee behavior.

The Training Decision by Employers

Consider an employer who has just hired a new employee. If the employer decides to bear the cost of training this worker, it will incur the explicit and implicit training costs discussed earlier—including, of course, the forgone output of the worker being trained. Thus, in the training period, the employer is likely to be bearing costs on behalf of this new worker that are greater than the worker's marginal revenue product. Under what conditions would an employer be willing to undertake this kind of investment?

As with any investment, an employer that bears net costs during the training period would only do so if it believes that it can collect returns on that investment *after training*. It is the prospect of increased employee productivity that motivates an employer to offer training, but the only way the employer can make a return on its investment is to "keep" some of that added post-training revenue by not giving all of it to the worker in the form of a wage increase.

Put succinctly, for a firm to invest in training, two conditions must be met. First, the training that employees receive must increase their marginal revenue productivity more than it increases their wage. Second, the employees must stay with the employer long enough for the employer to receive the required returns (obviously, the longer the employees stay with the firm, other things equal, the more profitable the investment will be).

The Types of Training

At the extremes, there are two types of training that employers can provide. *General training* teaches workers skills that can be used to enhance their productivity with many employers; learning how to speak English, use a word-processing program, drive a truck, or create Web sites are examples of general training. At the other end of the spectrum is *specific training*, which teaches workers skills that increase their productivity only with the employer providing the training. Examples of specific training include teaching workers how to use a machine unique to their workplace or orienting them to particular procedures and people they will need to deal with in various circumstances they will encounter at work.

GENERAL TRAINING   Paying for general training can be a rather risky investment for an employer, for if the employer tries to keep post-training wage increases below increases in marginal revenue productivity, trained workers might leave. Because general training raises productivity with other employers too, trained workers have incentives to look for higher wage offers from employers that have no training costs to recoup!

Thus, if employee mobility costs are not very great, employers will be deterred from investing in general training. The likelihood of making back their required returns are low, because the gap between marginal revenue product and the post-training wage might not be sufficiently great, or the expected tenure of the trained workers with the firms sufficiently long, to recoup their investment costs. When worker mobility costs are low, then, firms either would not provide the training or would require the employees to pay for it by offering a very low (or in the case of some interns, a zero) wage rate during the training period.

Only if employees are deterred from quitting by high mobility costs does our theory suggest that firms would invest in general training. Recent work suggests that often firms *do* invest in general training for their workers, and these investments are cited as yet another reason for believing that the labor market is characterized by monopsonistic conditions.[24]

SPECIFIC TRAINING   Employers have stronger incentives to invest in specific training, because such training does not raise the worker's productivity with other firms, and it therefore does not make the worker more attractive to competing employers. While the training itself does not increase the outside offers an employee might be able to receive, a firm undertaking investments in specific training must nevertheless take precautions to keep the trained employee from quitting, because once the employee quits, the employer's investment is destroyed (that is, returns on the investment cannot be realized). Thus, concerns about the possibility that trained employees will quit before the employer can receive its required investment returns exist relative to specific, as well as general, training. These concerns lead us to a discussion of (a) who bears the costs of training, and (b) the size of post-training wage increases.

Training and Post-Training Wage Increases

Consider a situation in which worker mobility costs are relatively low, and the *employer* is considering bearing all the costs of training. With investment costs to recoup, the employer would be unable to raise wages very much after training and still have incentives to invest. We know that higher wages reduce the probability of a worker's quitting, so by failing to increase the wage much after training, the employer would put its investment at risk. Trained workers might decide to quit at even a small provocation (the boss is in a bad mood one day, for example, or they are asked to work overtime for a while), and without some assurance that trained

---

[24]Daron Acemoglu and Jörn-Steffen Pischke, "Beyond Becker: Training in Imperfect Labour Markets," *Economic Journal* 109 (February 1999): F112–F142; Mark A. Loewenstein and James R. Spletzer, "General and Specific Training: Evidence and Implications," *Journal of Human Resources* 34 (Fall, 1999): 710–733; and Laurie J. Bassi and Jens Ludwig, "School-to-Work Programs in the United States: A Multi-Firm Case Study of Training, Benefits, and Costs," *Industrial and Labor Relations Review* 53 (January 2000): 219–239.

employees will stay, the firm would be reluctant to make a training investment for which it bore all of the cost.

Conversely, if a firm's *employees* paid for their own training by taking a lower wage than they could get elsewhere during the training period, they would require the benefits of a much higher post-training wage to make employment at the firm attractive. If they were to get all of their improved marginal revenue product in the form of a wage increase, however, an employer that finds it relatively inexpensive to hire and fire workers would have little to lose by firing *them* at the smallest provocation—and if they get fired, *their* investment is destroyed!

Thus, if labor market frictions are otherwise small, the best way to provide incentives for on-the-job training is for employers and employees to *share* the costs and returns of the investment. If *employees* pay part of these costs, the post-training wage can be increased more than if employers bear all the training costs—and the increased post-training wage protects *firms'* investments by reducing the chances trained workers will quit. The training costs borne by *employers* must be recouped by not raising the post-training wage very much, but this condition helps protect *workers'* investments by making it attractive for firms to retain them unless the provocation is major (we discuss the issue of layoffs in more detail a bit later in this chapter). Put differently, if both employers and employees share in the costs of training, and thus share in the returns, they both have something to lose if the employment relationship is ended in the post-training period.

Empirical studies measuring the wage profiles associated with on-the-job training in the United States, however, suggest that *employers bear much of the costs and reap most of the returns associated with training*. Wages apparently are not depressed enough during the training period to offset the employer's direct costs of training, so subsequent wages increases are much smaller than productivity increases.[25] A survey of employers, summarized in Figure 5.7, estimated that productivity increases, which generally rose with the hours of initial on-the-job training, were far larger than wage increases over a worker's first two years with an employer. Other studies that directly link the wage profiles of American workers with the amount of training they have received find that post-training wage increases are relatively modest.[26]

The evidence that employers bear much of the training costs, and reap much of the returns, suggests that these employers believe their workers face relatively

[25]John Bishop, "The Incidence of and Payoff to Employer Training," Cornell University Center for Advanced Human Resource Studies Working Paper 94-17, July 1994; and Margaret Stevens, "An Investment Model for the Supply of General Training by Employers," *Economic Journal* 104 (May 1994): 556–570.

[26]David Blanchflower and Lisa Lynch, "Training at Work: A Comparison of U.S. and British Youths," in *Training and the Private Sector: International Comparisons,* ed. Lisa Lynch (Chicago: University of Chicago Press for the National Bureau of Economic Research, 1994), 233–260; Jonathan R. Veum, "Sources of Training and Their Impact on Wages," *Industrial and Labor Relations Review* 48 (July 1995): 812–826; Alan Krueger and Cecilia Rouse, "The Effect of Workplace Education on Earnings, Turnover, and Job Performance," *Journal of Labor Economics* 16 (January 1998): 61–94; and Judith K. Hellerstein and David Neumark, "Are Earnings Profiles Steeper than Productivity Profiles? Evidence from Israeli Firm-Level Data," *Journal of Human Resources* 30 (Winter 1995): 89–112.

FIGURE 5.7

Productivity and Wage Growth, First Two Years on Job, by Occupation and Initial
Hours of Employer Training

Percentage Increase, Productivity and Wages

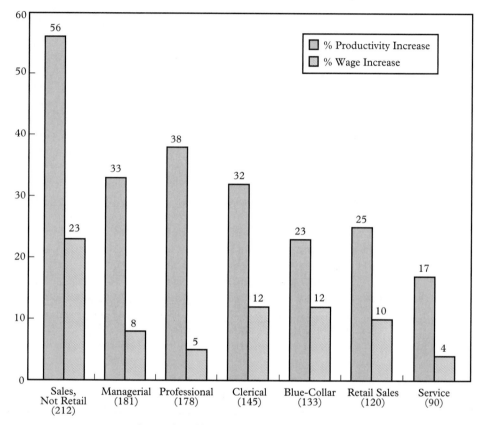

Occupation (Hours of Training in First 3 Months)

Source: John Bishop, "The Incidence of and Payoff to Employer Training," Cornell University Center for
Advanced Human Resource Studies Working Paper 94-17, July 1994, Table 1.

high worker mobility costs. These firms are willing to bear the investment costs
because they do not feel the need to raise the post-training wage much in order
to retain their trained employees.

Employer Training Investments and Recessionary Layoffs

We have seen that employers will have incentives to invest in worker training only
when the post-training marginal revenue productivity is expected to be sufficiently
above the wage so that the investment returns are attractive. Suppose a firm has
made the investment, but at some point thereafter finds that its workers' mar-

ginal revenue productivity falls below what it expected because of a business downturn (a "recession"). If it cannot lower wages for one reason or another (we will discuss why wages might be inflexible in a downward direction in chapter 15), will the firm want to lay off its trained workers?

In general, firms will not want to lay off their workers as long as the workers are bringing in revenues that are in excess of their wages. Even if the gap between marginal revenue productivity and wage is not sufficient to yield an attractive return on the firm's training investment, those training costs—once incurred—are "sunk." While the firm might wish it had not invested in training, the best it can do after training is get what returns it can. Workers who are laid off clearly bring in no returns to the employer, so its incentives are to retain any worker whose marginal revenue productivity exceeds his or her wage. Of course, if the downturn causes marginal revenue productivity still to fall below the wage rate, firms do have incentives to lay off trained workers (unless they believe the downturn will be very short and do not want to take the risk that the laid-off workers will search for other employment).

The presence of employer training investments, then, offers an explanation for two phenomena we observe in the labor market. *First, as a general rule, we observe that workers who are least susceptible to being laid off during recessions are the most skilled and those with the longest job tenures.*[27] Older and more skilled workers are those most likely to have been the objects of past employer training investments, and they therefore tend to enter recessions with larger gaps between marginal revenue product and wage. These gaps cushion any fall in marginal revenue product and provide their employers with stronger incentives to keep on employing them during the downturn. Workers who enter the recession with wages closer to marginal revenue productivity are more likely to find that the downturn causes their marginal revenue product to fall below their wage, and when this occurs, employers may find it profitable to lay them off.

Second, we observe that average labor productivity—output per labor hour—falls in the early stages of a recession and rises during the early stages of recovery. As demand and output start to fall, firms that have invested in worker training respond by keeping their trained workers on the payroll even though their marginal productivity falls. Such "labor hoarding" causes output per worker to fall. Of course, when demand picks up again, firms can increase output without proportionately increasing their employment because, in effect, they have maintained an inventory of trained labor. In the latter situation, output per worker rises.

Hiring Investments

In addition to training employees, firms must also evaluate them when making hiring, placement, and promotion decisions. They may therefore find that training programs—even ones with a "general" component—can be used to help them

---

[27]See Hilary Hoynes, "The Employment, Earnings and Income of Less Skilled Workers over the Business Cycle," in *Finding Jobs: Work and Welfare Reform*, ed. Rebecca Blank and David Card (New York: Russell Sage Foundation, 2000), 23–71.

EXAMPLE 5.3

Why Do Temporary-Help Firms Provide Free General Skills Training?

Temporary-help agencies employ about 3 percent of American workers. They hire workers who are, in effect, "rented out" to client firms, and they make their money by charging clients an hourly fee that exceeds what they pay their employees by 35 to 65 percent. Most provide their employees with nominally free training (temp workers are paid during training days), which is given "up-front" with no requirement of continued employment. The training is general, focusing on word processing and other computer skills. Training periods average only 11 hours, but the skills are clearly valuable—one leading company charges $150 per worker per day to provide similar training to its clients' nontemporary workers. Why do these temp agencies give valuable general training to workers who could take their new skills and run?

A recent study explains this phenomenon by noting that providing training allows the temp agencies to find lower-paid workers who may lack certain skills but have an aptitude for, and place a value on, learning. The training allows temp agencies to screen such workers and learn about their abilities.

How can these agencies capitalize on the information they generate about their trainees?

Many client firms use temp agencies to acquire information on applicants for permanent jobs without having to put much into the quasi-fixed costs of hiring and firing—and, of course, many temp workers are looking for permanent jobs. Indeed, about 15 percent of temporary-help workers are hired for permanent jobs by client firms each month. Temp agencies have thus become a means of providing and auditioning potential permanent workers to their clients, and they are paid primarily as information brokers. Client firms are willing to pay a premium for this information without themselves having to risk an investment, temp workers are willing to take a lower wage for the opportunity to audition for permanent work, and the audition period is long enough for temp agencies to recoup training costs because it takes some time for client firms to make their own evaluations.

Source: David Autor, "Why Do Temporary Help Firms Provide Free General Skills Training?" *Quarterly Journal of Economics* 116 (November 2001): 1409–1448.

discover the learning abilities, work habits, and motivation levels of new employees (see Example 5.3).[28] Thus, some of what appears to be general training may actually represent an investment in firm-specific information about employees that will be useful later on in making assignments and deciding on promotions. We conclude this chapter with a section that analyzes hiring and screening investments in greater detail.

The Use of Credentials

Since firms often bear the costs of hiring and training workers, it is in their interest to make these costs as low as possible. Other things equal, firms should prefer to obtain a workforce of a given quality at the least possible cost. Similarly, they should prefer to hire workers who are fast learners, because such workers

---

[28]Margaret Stevens, "An Investment Model for the Supply of General Training by Employers." Also see W. R. Bowman and Stephen L. Mehay, "Graduate Education and Employee Performance: Evidence from Military Personnel," *Economics of Education Review* 18 (October 1999): 453–463.

could be trained at less cost. Unfortunately, it may prove expensive for firms to extensively investigate the background of every individual who applies for a job to ascertain his or her skill level and ability to undertake training.

One way to reduce these costs is to rely on *credentials*, or *signals*, in the hiring process, rather than intensively investigating the qualities of individual applicants.[29] For example, if *on average* college graduates are more productive than high school graduates, an employer might specify that a college degree is a requirement for the job. Rather than interviewing and testing all applicants to try to ascertain the productivity of each, the firm may simply select its new employees from the pool of applicants who meet this educational standard.

Such forms of *statistical discrimination*, judging individuals by *group* characteristics, have obvious costs. On the one hand, for example, some high school graduates may be fully qualified to work for a firm that insists on college graduates. Excluding them from the pool of potential applicants imposes costs on them (they do not get the job); however, it also imposes costs on the employer *if* other qualified applicants cannot be readily found. On the other hand, there may be some unproductive workers among the group of college graduates, and an employer who hires them may well suffer losses while they are employed. However, if the reduction in hiring costs that arises when *signals* (such as educational credentials, marital status, or age) are used is large, it may prove profitable for an employer to use them even if an occasional unsatisfactory worker sneaks through.

Internal Labor Markets

One of the difficulties in hiring employees is that such personal attributes as dependability, motivation, honesty, and flexibility are difficult to judge from interviews, employment tests, or even the recommendations of former employers. This difficulty has led many larger firms to create an *internal labor market*, in which workers are hired into relatively low-level jobs, and higher-level jobs are filled only from within the firm. This policy gives employers a chance to observe *actual* productive characteristics of the employees hired, and this information is then used to determine who stays with the firm and how fast and how high employees are promoted.

The *benefits* of using an internal labor market to fill vacancies are that the firm knows a lot about the people working for it. Hiring decisions for upper-level jobs in either the blue-collar or the white-collar workforces will thus offer few surprises to the firm. The *costs* of using the internal labor market are associated with the restriction of competition for the upper-level jobs to those in the firm. Those in the firm may not be the best employees available, but they are the only ones the firm considers for these jobs. Firms most likely to decide that the benefits of using an internal labor market outweigh the costs are those whose upper-level workers

---

[29]See Michael Spence, "Job Market Signaling," *Quarterly Journal of Economics* 87 (August 1973): 355–374. Refer to chapter 9 for a more detailed discussion of signaling.

EMPIRICAL STUDY

What Explains Wage Differences for Workers Who Appear Similar? Using Panel Data to Deal with Unobserved Heterogeneity

To test whether the law of one price holds in the labor market, we must test to see if workers who are productively equivalent receive different wages. If we try to use cross-sectional data at one point in time to perform our test, however, we run up against a huge problem: researchers cannot observe all the characteristics that affect worker productivity. For example, we cannot measure how willing a worker is to work overtime with little notice, how pleasant the worker is to customers or co-workers, or whether he or she is a "team player" or has a sunny personality. Without some way to account for worker differences in these characteristics that are important but not directly observed (what economists have come to call "unmeasured worker heterogeneity"), we cannot credibly test to see if the law of one price holds.

To better understand the problem, suppose that we estimate the average relationship between wages employees receive and their measured characteristics, using a sample of cross-section data. We can then use this relationship to derive an expected wage for a particular woman, say, given her age, education, occupation, and other observed qualities. If her actual wage exceeds her expected wage, we do not know if she is merely lucky (and the law of one price does not hold) or if she has unobserved qualities that employers value (and

is therefore more productive than average, given her measured characteristics).

Fortunately, there is a way to deal with the problem of unobserved heterogeneity, but it requires undertaking the expense of gathering "panel data"—data that allow for observations on the same individual in two or more years. If we can follow individuals through time, we can analyze how their wages *change* as they move from job to job, employer to employer, or from one educational level to another. If the woman in our example who received a higher-than-expected wage with her first employer now changes jobs and receives an above-expected wage with the next, the likelihood is that she is an above-average producer and did not merely get lucky twice.

Thus, if we can follow individual workers through time, we can control for their unobserved personal productive characteristics ("person effects") by focusing on how the same person's wage varies when some measurable condition (education, occupation, or employer, for example) changes. To understand how the ability to control for person effects influences conclusions about how closely labor market outcomes correspond to predictions concerning the law of one price, consider findings from a 1999 study using panel data from France.

When the relationships between wages and measured worker productive characteristics were analyzed in a cross-section of several million French workers, the researchers found that these measured characteristics could explain only about 30 percent of the variation in wages across the population. This finding seems to suggest that the predictions of the law of one price are badly off! Once person effects (in addition to the measured characteristics) were accounted for using panel data, however, the researchers were able to account for 77 percent of the variation in French wages. While there is still variation in wages that apparently cannot be explained by employee characteristics (observed and unobserved), the use of panel data permits a more valid test of the law of one price. The findings from using panel data suggest that there may be less variation due to luck than meets the eye.

Source: John M. Abowd, Francis Kramarz, and David N. Margolis, "High Wage Workers and High Wage Firms," *Econometrica* 67 (March 1999): 251–333.

must have a lot of firm-specific knowledge and training that can best be attained by on-the-job learning over the years.[30]

As noted earlier, firms that pay for *training* will want to ensure that they obtain employees who can learn quickly and will remain with them long enough for the training costs to be recouped through the post-training surplus. For these firms, the internal labor market offers two attractions. First, it allows the firm to observe workers on the job and thus make better decisions about which workers will be the recipients of later, perhaps very expensive, training. Second, the internal labor market tends to foster an attachment to the firm by its employees. They know that they have an inside track on upper-level vacancies because outsiders will not be considered. If they quit the firm, they would lose this privileged position. They are thus motivated to become long-term employees of the firm. The full implications of internal labor markets for wage policies within the firm will be discussed in chapter 11.

How Can the Employer Recoup Its Hiring Investments?

Whether a firm invests in training its workers or in selecting them, it will do so only if it believes it can generate an acceptable rate of return on its investment. For a

---

[30]For a detailed discussion of internal labor markets, see Paul Osterman, ed., *Internal Labor Markets* (Cambridge, Mass.: MIT Press, 1984); and George Baker and Bengt Holmstrom, "Internal Labor Markets: Too Many Theories, Too Few Facts," *American Economic Review* 85 (May 1995): 255–259.

labor investment to be worthwhile, an employer must be able to benefit from a situation in which workers are paid less than their marginal value to the firm in the post-investment period. How can employers generate a post-investment surplus from their *hiring* investments?

Suppose that applicants for a job vacancy have either average, below-average, or above-average productivity, but that the employer cannot tell which without making some kind of investment in acquiring that information. If the firm does not make this investment, it must assume that any particular applicant is of average ability and pay accordingly. If the firm makes an investment in acquiring information about its applicants, however, it could then hire *only* those whose productivity is above average. The surplus required to pay back its investment costs would then be created by paying these above-average workers a wage less than their true productivity.

Would the firm pay its new workers the average wage even though they are above average in productivity, thereby obtaining the full surplus? As with the case of training, the firm would probably decide to pay a wage greater than the average, but still below workers' actual productivity, to increase the likelihood that the workers in whom it has invested will remain. If its workers quit, the firm would have to invest in acquiring information about their replacements.

While the self-interest of employers would drive them to pay an above-average wage to above-average workers, two things could allow the screening firm to pay a wage that is still lower than workers' full productivity. One is the presence of mobility costs among employees. The other is that information one employer finds out through a costly screening process may not be observable by other employers without an investment of their own. Either of these conditions would inhibit employees from obtaining wage offers from competing firms that could afford to pay full-productivity wages because they had no screening expenses to recoup.

Review Questions

1. How do worker mobility costs affect the slope of labor supply curves to individual firms?

2. Why do upward-sloping labor supply curves to firms cause the marginal expense of labor to exceed the wage rate?

3. One recent magazine article on economic recovery from a recession argued: "Labor productivity growth usually accelerates in the first year of an expansion, because firms are slow to hire new labor." Comment.

4. "Minimum wage laws help low-wage workers because they simultaneously increase wages and reduce the marginal expense of labor." Analyze this statement.

5. An author recently asserted: "Low-wage jobs provide fewer hours of work than high-wage jobs." According to economic

theory, is this statement likely to be correct? Why?

6. Workers in a certain job are trained by the company, and the company calculates that to recoup its investment costs, the workers' wages must be $5 per hour below their marginal productivity. Suppose that after training, wages are set at $5 below marginal productivity, but that developments in the product market quickly (and permanently) reduce marginal productivity by $2 per hour. If the company does not believe it can lower wages or employee benefits, how will its employment level be affected in the short run? How will its employment level be affected in the long run? Explain, being sure to define what you mean by the short run and the long run!

7. For decades, most large employers bought group health insurance from insurers who charged them premiums on a *per-worker* basis. In 1993, a proposal for a national health insurance plan contained a provision requiring group health insurers to charge premiums based on *payroll* (in effect, financing health insurance by a payroll "tax"). Assuming the *total* premiums paid by employers remain the same, what are the labor market implications of this proposed change in the way in which health insurance is financed?

8. The manager of a major league baseball team argues: "Even if I thought Player X was washed up, I couldn't get rid of him. He's in the third year of a four-year, $24 million deal. Our team is in no position financially to eat the rest of his contract." Analyze the manager's reasoning using economic theory.

Problems

1. Suppose a firm's labor supply curve is $E = 5W$, where W is the hourly wage.
   a. Solve for the hourly wage that must be paid to attract a given number of workers to the firm.
   b. Express the total hourly labor cost associated with any given level of employment.
   c. Express the marginal expense of labor (ME_L) incurred when hiring an additional worker.

2. Assume that the labor supply curve to a firm is the one given in problem 1 above. If the firm's marginal revenue product of labor (MRP_L) = 240 − 2E, what is the profit-maximizing level of employment (E^*) and what is the wage level (W^*) the firm would have to pay to obtain E^* workers?

3. A firm is considering hiring a worker and providing the worker with general training. The training costs $1,000 and the worker's MP_L during the training period is $3,000. If the worker can costlessly move to another employer in the post-training period and that employer will pay a wage equaling the new MP_L, how much will the training firm pay the worker in the training period?

Selected Readings

Becker, Gary. *Human Capital.* 2nd ed. New York: National Bureau of Economic Research, 1975.

Hart, Robert. *Working Time and Employment.* London: Allen and Unwin, 1986.

Lynch, Lisa, ed. *Training and the Private Sector: International Comparisons.* Chicago: University of Chicago Press, 1994.

Manning, Alan. *Monopsony in Motion: Imperfect Competition in Labor Markets.* Princeton, N.J.: Princeton University Press, 2003.

Osterman, Paul, ed. *Internal Labor Markets.* Cambridge, Mass.: MIT Press, 1984.

Parsons, Donald. "The Firm's Decision to Train." In *Research in Labor Economics* 11, ed. Lauri J. Bassi and David L. Crawford, 53–75. Greenwich, Conn.: JAI Press, 1990.

Williamson, Oliver, et al. "Understanding the Employment Relation: The Analysis of Idiosyncratic Exchange." *Bell Journal of Economics* 16 (Spring 1975): 250–280.

CHAPTER 6

Supply of Labor to the Economy: The Decision to Work

This and the next four chapters will focus on issues of *worker* behavior. That is, chapters 6–10 will discuss and analyze various aspects of *labor supply* behavior. Labor supply decisions can be roughly divided into two categories. The first, which is addressed in this chapter and the next, includes decisions about whether to work at all and, if so, how long to work. Questions that must be answered include whether to participate in the labor force, whether to seek part-time or full-time work, and how long to work both at home and for pay. The second category of decisions, which is addressed in chapters 8–10, deals with the questions that must be faced by a person who has decided to seek work for pay: the occupation or general class of occupations in which to seek offers (chapters 8–9) and the geographical area in which offers should be sought (chapter 10).

This chapter begins with some basic facts concerning labor force participation rates and hours of work. We then develop a theoretical framework that can be used in the analysis of decisions to work for pay. This framework is also useful for analyzing the structure of various income maintenance programs.

Trends in Labor Force Participation and Hours of Work

When a person actively seeks work, he or she is, by definition, in the *labor force*. As pointed out in chapter 2, the *labor force participation rate* is the percentage of a given population that either has a job or is looking for one. Thus, one clear-cut statistic important in measuring people's willingness to work outside the home is the labor force participation rate.

Labor Force Participation Rates

Perhaps the most revolutionary change taking place in the labor market today is the tremendous increase in the proportion of women, particularly married women, working outside the home. Table 6.1 shows the dimensions of this change in the United States. As recently as 1950, only 21.6 percent of married women were in the labor force. By 1960, this percentage had risen to 31.9 percent, and recently it

TABLE 6.1

Labor Force Participation Rates of Females in the United States over 16 Years of Age, by Marital Status, 1900–2002 (percentage)

Year	All Females	Single	Widowed, Divorced	Married
1900	20.6	45.9	32.5	5.6
1910	25.5	54.0	34.1	10.7
1920	24.0			9.0
1930	25.3	55.2	34.4	11.7
1940	26.7	53.1	33.7	13.8
1950	29.7	53.6	35.5	21.6
1960	37.7	58.6	41.6	31.9
1970	43.3	56.8	40.3	40.5
1980	51.5	64.4	43.6	49.8
1990	57.5	66.7	47.2	58.4
2002	59.6	67.4	49.2	61.0

Sources: 1900–1950: Clarence D. Long, *The Labor Force under Changing Income and Employment* (Princeton, N.J.: Princeton University Press, 1958), Table A-6.

1960–2002: U.S. Department of Labor, Bureau of Labor Statistics, *Handbook of Labor Statistics,* Bulletin 2340 (Washington, D.C.: U.S. Government Printing Office, 1989), Table 6; and Eva E. Jacobs, ed., *Handbook of U.S. Labor Statistics* (Lanham, Md.: Bernan Press, 2004), 12, 19.

has reached over 60 percent—over two and a half times what it was in 1950. One interest of this chapter is in understanding the factors that have influenced this fundamental change in the propensity of women to seek work outside the home.

A second major trend in labor force participation is the decrease in length of careers for males, as can be seen in Table 6.2. The overall labor force participation rate of men has fallen, especially among the young and the old. The most substantial decreases in the United States have been among those 65 and over—from 68.3 percent in 1900 down to 16.7 percent by 2002. Participation rates for men of "prime age" have declined only slightly, although among 45- to 64-year-olds, there were sharp decreases in the 1930s and 1970s. Clearly, men are starting their careers later and ending them earlier than they were at the beginning of this century.

The trends in American labor force participation rates have been observed in other industrialized countries as well. In Table 6.3, we display, for countries with comparable data, the trends in participation rates for women in the 25–54 age group and for men near the age of early retirement (55 to 64 years old). Typically, the fraction of women in the labor force rose from half or less in 1965 to three-quarters or more roughly 40 years later. Among men between the ages of 55 and 64,

TABLE 6.2

Labor Force Participation Rates for Males in the United States, by Age, 1900–2002 (percentage)

Year	Age Groups					
	14–19	16–19	20–24	25–44	45–64	Over 65
1900	61.1		91.7	96.3	93.3	68.3
1910	56.2		91.1	96.6	93.6	58.1
1920	52.6		90.9	97.1	93.8	60.1
1930	41.1		89.9	97.5	94.1	58.3
1940	34.4		88.0	95.0	88.7	41.5
1950	39.9	63.2	82.8	92.8	87.9	41.6
1960	38.1	56.1	86.1	95.2	89.0	30.6
1970	35.8	56.1	80.9	94.4	87.3	25.0
1980		60.5	85.9	95.4	82.2	19.0
1990		55.7	84.4	94.8	80.5	16.3
2002		47.5	80.7	92.3	80.9	16.7

Sources: 1900–1950: Clarence D. Long, *The Labor Force under Changing Income and Employment* (Princeton, N.J.: Princeton University Press, 1958), Table A-2.

1960: U.S. Department of Commerce, Bureau of the Census, *Census of Population, 1960: Employment Status,* Subject Reports PC(2)-6A, Table 1.

1970: U.S. Department of Commerce, Bureau of the Census, *Census of Population, 1970: Employment Status and Work Experience,* Subject Reports PC(2)-6A, Table 1.

1980–2002: Eva E. Jacobs, ed., *Handbook of U.S. Labor Statistics* (Lanham, Md.: Bernan Press, 2004), 26, 33.

TABLE 6.3

Labor Force Participation Rates of Women and Older Men, Selected Countries, 1965–2002 (percentage)

Country	Women, age 25 to 54				
	1965	1973	1983	1993	2002
Canada	33.9	44.0	65.1	75.6	80.2
France	42.8	54.1	67.0	76.1	79.0
Germany	46.1	50.5	58.3	72.5	78.2
Japan	—	53.0[a]	59.5	65.2	67.4
Sweden	56.0	68.9	87.1	88.2	85.6
United States	45.1	52.0	67.1	74.6	75.9
	Men, age 55 to 64				
Canada	86.4	81.3	72.3	60.4	64.0
France	76.0	72.1	53.6	43.5	47.0
Germany	84.6	73.4	63.1	53.0	52.2
Japan	—	86.3[a]	84.7	85.4	82.8
Sweden	88.3	82.7	77.0	70.9	74.4
United States	82.9	76.9	69.4	66.5	69.2

[a]Data are for 1974 (earlier data not comparable).

Source: Organisation for Economic Co-operation and Development, *Labour Force Statistics* (Paris: OECD, various dates).

participation fell markedly in each country except Japan, although the declines were much larger in some countries (France, for example) than others (Sweden). Further, the downward trends in three of the six countries shown appear to have reversed during the last decade. Thus, while there are some differences in trends across the countries, it is likely that common forces are influencing labor supply trends in the industrialized world.

Hours of Work

Because data on labor force participation include both the employed and those who want a job but do not have one, they are a relatively pure measure of labor supply. In contrast, the weekly or yearly hours of work put in by the typical employee are often thought to be determined only by the demand side of the market. After all, don't employers, in responding to the factors discussed in chapter 5, set the hours of work expected of their employees? They do, of course, but hours worked are also influenced by *employee* preferences on the supply side of the market, especially in the long run.

Even though employers set work schedules, employees can exercise their preferences regarding hours of work through their choice of part-time or full-time work, their decisions to work at more than one job, or their selection of occupations and employers.[1] For example, women managers who work full-time average more hours of work per week than full-time clerical workers, and male sales workers work more hours per week than their full-time counterparts in skilled craft jobs. Moreover, different employers offer different mixes of full- and part-time work, require different weekly work schedules, and have different policies regarding vacations and paid holidays.

Employer offers regarding both hours and pay are intended to enhance their profits, but they must also satisfy the preferences of current and prospective employees. For example, if employees receiving an hourly wage of $X for 40 hours per week really wanted to work only 30 hours at $X per hour, some enterprising employer (presumably one with relatively lower quasi-fixed costs) would eventually seize on their dissatisfaction and offer jobs with a 30-hour workweek, ending up with a more satisfied, productive workforce in the process.

While the labor supply preferences of employees must be satisfied in the long run, most of the short-run changes in hours of work seem to emanate from the *demand* side of the market.[2] Workweeks typically vary over the course of a business cycle, for example, with longer hours worked in periods of robust demand. In analyzing trends in hours of work, then, we must carefully distinguish between the forces of demand and supply.

In the first part of the twentieth century, workers in U.S. manufacturing plants typically worked 55 hours per week in years with strong economic activity; in the last two decades American manufacturing workers have worked, on average, less than 40 hours per week during similar periods. In 1988 and 1995, when the unemployment rate was roughly 5.5 percent and falling, manufacturing workers averaged 38.4 (in 1988) and 39.3 (in 1995) hours per week.[3] In general, the

---

[1]Some 20 percent of men, and 12 percent of women, hold more than one job at some time during a year. See Christina H. Paxson, and Nachum Sicherman, "The Dynamics of Dual Job Holding and Job Mobility," *Journal of Labor Economics* 14 (July 1996): 357–393; and Jean Kimmel and Karen Smith Conway, "Who Moonlights and Why? Evidence from the SIPP," *Industrial Relations* 40 (January 2001): 89–120. For a study that tests (and finds support for) the assumption that workers are *not* restricted in their choice of work hours, see John C. Ham and Kevin T. Reilly, "Testing Intertemporal Substitution, Implicit Contracts, and Hours Restriction Models of the Labor Market Using Micro Data," *American Economic Review* 92 (September 2002): 905–927.

[2]See, for example, Joseph G. Altonji and Christina H. Paxon, "Job Characteristics and Hours of Work," in *Research in Labor Economics*, vol. 8, ed. Ronald Ehrenberg (Greenwich, Conn.: JAI Press, 1986); Orley Ashenfelter, "Macroeconomic Analyses and Microeconomic Analyses of Labor Supply," *Carnegie-Rochester Conference Series on Public Policy* 21 (1984): 117–156; and John C. Ham, "On the Interpretation of Unemployment in Empirical Labour Supply Analysis," in *Unemployment, Search, and Labour Supply,* ed. Richard Blundell and Ian Walker (Cambridge: Cambridge University Press, 1986), 121–142. Altonji and Paxon show, for example, that hours of work fluctuate much more over time for individuals who change employers than they do for individuals who remain with the same employer.

[3]The averages cited in this paragraph refer to *actual* hours of work (obtained from the *Census of Manufactures*), not the more commonly available "hours paid for," which include paid time off for illness, holidays, and vacations.

decline in weekly hours of manufacturing work in the United States occurred prior to 1950, and since then, hours of work have shown no tendency to decline.

A Theory of the Decision to Work

Can labor supply theory help us to understand the long-run trends in labor force participation and hours of work noted above? Because labor is the most abundant factor of production, it is fair to say that any country's well-being in the long run depends heavily on the willingness of its people to work. Leisure and other ways of spending time that do not involve work for pay are also important in generating well-being; however, any economy relies heavily on goods and services produced for market transactions. Therefore, it is important to understand the *work-incentive* effects of higher wages and incomes, different kinds of taxes, and various forms of income maintenance programs.

The decision to work is ultimately a decision about how to spend time. One way to use our available time is to spend it in pleasurable leisure activities. The other major way in which people use time is to work.[4] We can work around the home, performing such *household production* as raising children, sewing, building, or even growing food. Alternatively, we can work for pay and use our earnings to purchase food, shelter, clothing, and child care.

Because working for pay and engaging in household production are two ways of getting the same jobs done, we shall initially ignore the distinction between them and treat work activities as working for pay. We shall therefore be characterizing the decision to work as a choice between leisure and working for pay. Most of the crucial factors affecting work incentives can be understood in this context, but insight into labor supply behavior can be enriched by a consideration of household production as well; this we do in chapter 7.

If we regard the time spent eating, sleeping, and otherwise maintaining ourselves as more or less fixed by natural laws, then the discretionary time we have (16 hours a day, say) can be allocated to either work or leisure. It is most convenient for us to begin our analysis of the work/leisure choice by analyzing the *demand for leisure hours*.

Some Basic Concepts

Basically, the demand for a good is a function of three factors:

1. The *opportunity cost* of the good (which is often equal to *market price*),
2. One's level of *wealth*, and
3. One's set of *preferences*.

---

[4]Another category of activity is to spend time acquiring skills or doing other things that enhance future earning capacity. These activities will be discussed in chapters 9 and 10.

For example, consumption of heating oil will vary with the *cost* of such oil; as that cost rises, consumption tends to fall unless one of the other two factors intervenes. As *wealth* rises, people generally want larger and warmer houses that obviously require more oil to heat.[5] Even if the price of energy and the level of personal wealth were to remain constant, the demand for energy could rise if a falling birthrate and lengthened life span resulted in a higher proportion of the population being aged and therefore wanting warmer houses. This change in the composition of the population amounts to a shift in the overall *preferences* for warmer houses and thus leads to a change in the demand for heating oil. (Economists usually assume that preferences are given and not subject to immediate change. For policy purposes, changes in prices and wealth are of paramount importance in explaining changes in demand because these variables are more susceptible to change by government or market forces.)

OPPORTUNITY COST OF LEISURE   To apply this general analysis of demand to the demand for leisure, we must first ask, "What is the opportunity cost of leisure?" The cost of spending an hour watching television is basically what one could earn if one had spent that hour working. Thus, the opportunity cost of an hour of leisure is equal to one's *wage rate*—the *extra earnings* a worker can take home from an *extra hour of work.*[6]

WEALTH AND INCOME   Next, we must understand and be able to measure wealth. Naturally, wealth includes a family's holdings of bank accounts, financial investments, and physical property. Workers' skills can also be considered assets, since these skills can be, in effect, rented out to employers for a price. The more one can get in wages, the larger is the value of one's human assets. Unfortunately, it is not usually possible to directly measure people's wealth. It is much easier to measure the *returns* from that wealth, because data on total *income* are readily available from government surveys. Economists often use total income as an indicator of total wealth, since the two are conceptually so closely related.[7]

DEFINING THE INCOME EFFECT   Theory suggests that if income increases while wages and preferences are held constant, the number of leisure hours demanded will rise. Put differently, *if income increases, holding wages constant, desired hours of work will go down.* (Conversely, if income is reduced while the wage rate

---

[5]When the demand for a good rises with wealth, economists say the good is a *normal good*. If demand falls as wealth rises, the good is said to be an *inferior good* (traveling or commuting by bus is sometimes cited as an example of an inferior good).

[6]This assumes that individuals can work as many hours as they want at a fixed wage rate. While this assumption may seem overly simplistic, it will not lead to wrong conclusions with respect to the issues analyzed in this chapter. More rigorously, it should be said that leisure's marginal opportunity cost is the marginal wage rate (the wage one could receive for an extra hour of work).

[7]The best indicator of wealth is permanent, or long-run potential, income. Current income may differ from permanent income for a variety of reasons (unemployment, illness, unusually large amounts of overtime work, etc.). For our purposes here, however, the distinction between current and permanent income is not too important.

is held constant, desired hours of work will go up.) Economists call the response of desired hours of leisure to changes in income, with wages held constant, the *income effect*. The income effect is based on the simple notion that as incomes rise, holding leisure's opportunity cost constant, people will want to consume more leisure (which means working less).

Because we have assumed that time is spent either in leisure or in working for pay, the income effect can be expressed in terms of the *supply of working hours* as well as the demand for leisure hours. Because the ultimate focus of this chapter is labor supply, we choose to express this effect in the context of supply.

Using algebraic notation, we define the income effect as the change in hours of work (ΔH) produced by a change in income (ΔY), holding wages constant ($\overline{W}$):

$$\text{Income Effect} = \frac{\Delta H}{\Delta Y}\Big|\, \overline{W} < 0 \tag{6.1}$$

We say the income effect is *negative* because the *sign* of the *fraction* in equation (6.1) is *negative*. If income goes up (wages held constant), hours of work fall. If income goes down, hours of work increase. The numerator (ΔH) and denominator (ΔY) in equation (6.1) move in opposite directions, giving a negative sign to the income effect.

DEFINING THE SUBSTITUTION EFFECT   Theory also suggests that *if income is held constant, an increase in the wage rate will raise the price and reduce the demand for leisure, thereby increasing work incentives.* (Likewise, a decrease in the wage rate will reduce leisure's opportunity cost and the incentives to work, holding income constant.) This *substitution effect* occurs because as the cost of leisure changes, income held constant, leisure and work hours are substituted for each other.

In contrast to the income effect, the substitution effect is *positive*. Because this effect is the change in hours of work (ΔH) induced by a change in the wage (ΔW), holding income constant ($\overline{Y}$), the substitution effect can be written as

$$\text{Substitution Effect} = \frac{\Delta H}{\Delta W}\Big|\, \overline{Y} > 0 \tag{6.2}$$

Because numerator (ΔH) and denominator (ΔW) always move in the same direction, at least in theory, the substitution effect has a positive sign.

OBSERVING INCOME AND SUBSTITUTION EFFECTS SEPARATELY   At times it is possible to observe situations or programs that create only one effect or the other. (Laboratory experiments can also create separate income and substitution effects; an experiment with pigeons, discussed in Example 6.1, suggests that labor supply theory can even be generalized beyond humans!) Usually, however, both effects are simultaneously present, often working against each other.

EXAMPLE 6.1

The Labor Supply of Pigeons

Economics has been defined as "the study of the allocation of scarce resources among unlimited and competing uses." Stated this way, the tools of economics can be used to analyze the behavior of animals, as well as humans. In a classic study, Raymond Battalio, Leonard Green, and John Kagel describe an experiment in which they estimated income and substitution effects (and thus the shape of the labor supply curve) for animals.

The subjects were male White Carneaux pigeons. The job task consisted of pecking at a response key. If the pigeons pecked the lever enough times, their payoff was access to a food hopper containing mixed grains. "Wages" were changed by altering the average number of pecks per payoff. Pecking requirements varied from as much as 400 pecks per payoff (a very low wage) to as few as 12.5 pecks. In addition, "unearned income" could be changed by giving the pigeons free access to the food hopper without the need for pecking. The environment was meant to observe the trade-off between key pecking ("work") and the pigeons' primary alternative activities of preening themselves and walking around ("leisure"). The job task was not awkward or difficult for pigeons to perform, but it did require effort.

Battalio, Green, and Kagel found that pigeons' actions were perfectly consistent with economic theory. In the first stage of the experiment, they cut the wage rate (payoff per peck) but added enough free food to isolate the substitution effect. In almost every case, the birds reduced their labor supply and spent more time on leisure activities. In the second stage of the experiment, they took away the free food to isolate the income effect. They found that every pigeon increased its pecking (cutting its leisure) as its income was cut. Thus, leisure is a normal good for pigeons.

Data from: Raymond C. Battalio, Leonard Green, and John H. Kagel, "Income-Leisure Tradeoffs of Animal Workers," *American Economic Review* 71 (September 1981): 621–632.

Receiving an inheritance offers an example of the income effect by itself. The bequest enhances wealth (income) *independent* of the hours of work. Thus, income is increased *without* a change in the compensation received from an hour of work. In this case, the income effect induces the person to consume more leisure, thereby reducing the willingness to work. (Some support for this theoretical prediction can be seen later in Example 6.2.)

Observing the substitution effect by itself is rare, but one example comes from the 1980 presidential campaign, when candidate John Anderson proposed a program aimed at conserving gasoline. His plan consisted of raising the gasoline tax but offsetting this increase by a reduced Social Security tax payable by individuals on their earnings. The idea was to raise the price of gasoline without reducing people's overall spendable income.

For our purposes, this plan is interesting because, for the typical worker, it would have created only a substitution effect on labor supply. Social Security revenues are collected by a tax on earnings, so reductions in the tax are, in effect, increases in the wage rate for most workers. For the average person, however, the increased wealth associated with this wage increase would have been exactly offset by increases in the gasoline tax.[8] Hence, wages would have been increased while income was held more or less constant. This program would have created a substitution effect that induced people to work more hours.

BOTH EFFECTS OCCUR WHEN WAGES RISE   While the above examples illustrate situations in which the income or the substitution effect is present by itself, *normally both effects are present, often working in opposite directions.* The presence of both effects working in opposite directions creates ambiguity in predicting the overall labor supply response in many cases. Consider the case of a person who receives a wage increase.

The labor supply response to a simple wage increase will involve *both* an income effect and a substitution effect. The *income effect* is the result of the worker's enhanced wealth (or potential income) after the increase. For a given level of work effort, he or she now has a greater command over resources than before (because more income is received for any given number of hours of work). The *substitution effect* results from the fact that the wage increase raises the opportunity costs of leisure. Because the actual labor supply response is the *sum* of the income and substitution effects, we cannot predict the response in advance; theory simply does not tell us which effect is stronger.

If the *income* effect is stronger, the person will respond to a wage increase by decreasing his or her labor supply. This decrease will be *smaller* than if the same change in wealth were due to an increase in *nonlabor* wealth, because the substitution effect is present and acts as a moderating influence. However, when the *income* effect dominates, the substitution effect is not large enough to prevent labor supply from *declining*. It is entirely plausible, of course, that the *substitution* effect will dominate. If so, the actual response to wage increases will be to *increase* labor supply.

Should the substitution effect dominate, the person's labor supply curve— relating, say, his or her desired hours of work to wages—will be *positively sloped*. That is, labor supplied will increase with the wage rate. If, on the other hand, the income effect dominates, the person's labor supply curve will be *negatively sloped*. Economic theory cannot say which effect will dominate, and in fact, individual labor supply curves could be positively sloped in some ranges of the wage and negatively sloped in others. In Figure 6.1, for example, the person's desired hours of work increase (substitution effect dominates) when wages go up as long as wages are low (below W^*). At higher wages, however, further increases result in reduced hours of work (the income effect dominates); economists refer to such a curve as *backward-bending*.

---

[8]An increase in the price of gasoline will reduce the income people have left for expenditures on non-gasoline consumption only if the demand for gasoline is inelastic. In this case, the percentage reduction in gasoline consumption is smaller than the percentage increase in price: total expenditures on gasoline would thus rise. Our analysis assumes this to be the case. For a study of how gasoline taxes affect labor supply, see Sarah West and Roberton Williams, "Empirical Estimates for Environmental Policy Making in a Second-Best Setting," National Bureau of Economic Research Working Paper no. 10330 (March 2004).

FIGURE 6.1

An Individual Labor Supply Curve Can Bend Backward

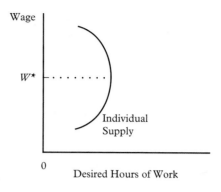

Analysis of the Labor/Leisure Choice

This section introduces indifference curves and budget constraints—visual aids that make the theory of labor supply easier to understand and to apply to complex policy issues. These graphical aids visually depict the basic factors underlying the demand for leisure (supply of labor) discussed above.

PREFERENCES   Let us assume that there are two major categories of goods that make people happy—leisure time and the goods people can buy with money. If we take the prices of goods as fixed, then they can be compressed into one index that is measured by money income (with prices fixed, more money income means it is possible to consume more goods). Using two categories, leisure and money income, allows our graphs to be drawn in two-dimensional space.

Since both leisure and money can be used to generate satisfaction (or *utility*), these two goods are to some extent substitutes for each other. If forced to give up some money income—by cutting back on hours of work, for example—some increase in leisure time could be substituted for this lost income to keep a person as happy as before.

To understand how preferences can be graphed, suppose a thoughtful consumer/worker were asked to decide how happy he or she would be with a daily income of $64 combined with 8 hours of leisure (point *a* in Figure 6.2). This level of happiness could be called utility level A. Our consumer/worker could name *other combinations* of money income and leisure hours that would *also* yield utility level A. Assume that our respondent named five other combinations. All six combinations of money income and leisure hours that yield utility level A are represented by heavy dots in Figure 6.2. The curve connecting these dots is called an *indifference curve,* a curve connecting the various combinations of money income and leisure that yield equal utility. (The term *indifference curve* is derived from the fact that, since each point on the curve yields equal utility, a person is truly indifferent about where on the curve he or she will be.)

Our worker/consumer could no doubt achieve a higher level of happiness if he or she could combine the 8 hours of leisure with an income of $100 per day

FIGURE 6.2

Two Indifference Curves
for the Same Person

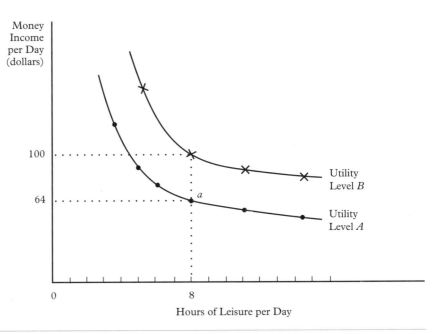

instead of just $64 a day. This higher satisfaction level could be called utility level *B*. The consumer could name other combinations of money income and leisure that would also yield *this* higher level of utility. These combinations are denoted by the x's in Figure 6.2 that are connected by a second indifference curve.

Indifference curves have certain specific characteristics that are reflected in the way they are drawn:

1. Utility level *B* represents more happiness than level *A*. Every level of leisure consumption is combined with a higher income on *B* than on *A*. Hence our respondent prefers all points on indifference curve *B* to any point on curve *A*. A whole *set* of indifference curves could be drawn for this one person, each representing a different utility level. Any such curve that lies to the northeast of another one is preferred to any curve to the southwest because the northeastern curve represents a higher level of utility.

2. Indifference curves *do not intersect*. If they did, the point of intersection would represent one combination of money income and leisure that yielded two different levels of satisfaction. We assume our worker/consumer is not so inconsistent in stating his or her preferences that this could happen.

3. Indifference curves are *negatively sloped,* because if either income or leisure hours are increased, the other is reduced in order to preserve the same level of utility. If the slope is steep, as at segment *LK* in Figure 6.3, a given

FIGURE 6.3

An Indifference Curve

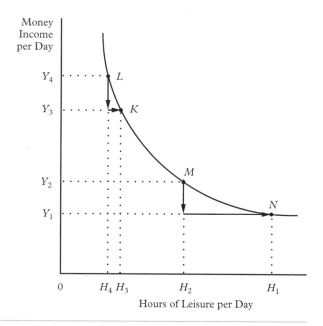

loss of income need not be accompanied by a large increase in leisure hours to keep utility constant.[9] When the curve is relatively flat, however, as at segment *MN* in Figure 6.3, a given decrease in income must be accompanied by a large increase in the consumption of leisure to hold utility constant. Thus, when indifference curves are relatively steep, people do not value money income as highly as when such curves are relatively flat; when they are flat, a loss of income can only be compensated for by a large increase in leisure if utility is to be kept constant.

4. Indifference curves are *convex*—steeper at the left than at the right. This shape reflects the assumption that when money income is relatively high and leisure hours are relatively few, leisure is more highly valued (and income less valued) than when leisure is abundant and income relatively scarce. At segment *LK* in Figure 6.3, a great loss of income (from Y_4 to Y_3, for example) can be compensated for by just a little increase in leisure, whereas a little loss of leisure time (from H_3 to H_4, for example) would require a relatively large increase in income to maintain equal utility. What is relatively scarce is more highly valued.

[9]Economists call the change in money income needed to hold utility constant when leisure hours are changed by one unit the *marginal rate of substitution* between leisure and money income. This marginal rate of substitution can be graphically understood as the slope of the indifference curve at any point. At point *L*, for example, the slope is relatively steep, so economists would say that the marginal rate of substitution at point *L* is relatively high.

FIGURE 6.4

Indifference Curves for Two Different People

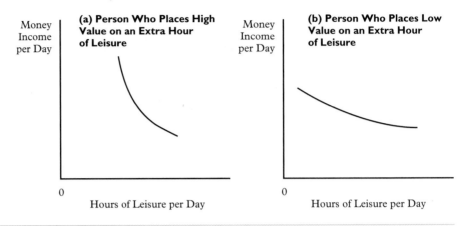

5. Conversely, when income is low and leisure is abundant (segment *MN* in Figure 6.3), income is more highly valued. Losing income (by moving from Y_2 to Y_1, for example) would require a huge increase in leisure for utility to remain constant. To repeat, what is relatively scarce is assumed to be more highly valued.

6. Finally, different people have different sets of indifference curves. The curves drawn in Figures 6.2 and 6.3 were for *one person*. Another person would have a completely different set of curves. People who value leisure more highly, for example, would have had indifference curves that were generally steeper (see Figure 6.4a). People who do not value leisure highly would have relatively flat curves (see Figure 6.4b). Thus, individual preferences can be portrayed graphically.

INCOME AND WAGE CONSTRAINTS   Everyone would like to maximize his or her utility, which would be ideally done by consuming every available hour of leisure combined with the highest conceivable income. Unfortunately, the resources anyone can command are limited. Thus, all that is possible is to do the best one can, given limited resources. To see these resource limitations graphically requires superimposing constraints on one's set of indifference curves to see which combinations of income and leisure are available and which are not.

Suppose the person whose indifference curves are graphed in Figure 6.2 had no source of income other than labor earnings. Suppose, further, that he or she could earn $8 per hour. Figure 6.5 includes the two indifference curves shown in Figure 6.2 as well as a straight line (*ED*) connecting combinations of leisure and income that are possible for a person with an $8 wage and no outside income. If 16 hours per

FIGURE 6.5

Indifference Curves and
Budget Constraint

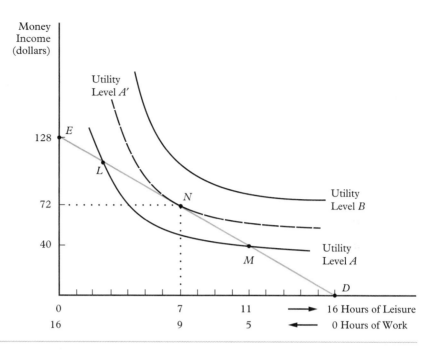

day are available for work and leisure[10] and if this person consumes all 16 in leisure, then money income will be zero (point D in Figure 6.5). If 5 hours a day are devoted to work, income will be $40 per day (point M), and if 16 hours a day are worked, income will be $128 per day (point E). Other points on this line—for example, the point of 15 hours of leisure (1 hour of work) and $8 of income—are also possible. This line, which reflects the combinations of leisure and income that are possible for the individual, is called the *budget constraint*. Any combination to the right of the budget constraint is not achievable; the person's command over resources simply is not sufficient to attain these combinations of leisure and money income.

The *slope* of the budget constraint is a graphical representation of the wage rate. One's wage rate is properly defined as the increment in income (ΔY) derived from an increment in hours of work (ΔH):

$$\text{Wage Rate} = \frac{\Delta Y}{\Delta H} \tag{6.3}$$

---

[10]Our assumption that 8 hours per day are required for sleeping and other "maintenance" activities is purely for ease of exposition. These activities themselves are a matter of economic choice, at least to some extent; see for example, Jeff E. Biddle and Daniel Hamermesh, "Sleep and the Allocation of Time," *Journal of Political Economy* 98, no. 5, pt. 1 (October 1990): 922–943. Modeling a three-way choice between work, leisure, and maintenance activities would complicate our analysis without changing the essential insights theory can offer about the labor/leisure choice workers must make.

Now, $\Delta Y / \Delta H$ is exactly the slope of the budget constraint (in absolute value).[11] Figure 6.5 shows how the constraint rises $8 for every one-hour increase in work: if the person works zero hours, income per day is zero; if the person works 1 hour, $8 in income is received; if he or she works 5 hours, $40 in income is achieved. The constraint rises $8 because the wage rate is $8 per hour. If the person could earn $16 per hour, the constraint would rise twice as fast and therefore be twice as steep.

It is clear from Figure 6.5 that our consumer/worker cannot achieve utility level B. He or she can achieve *some* points on the indifference curve representing utility level A—specifically, those points between L and M in Figure 6.5. However, if our consumer/worker is a utility maximizer, he or she will realize that a utility level *above* A is possible. Remembering that an infinite number of indifference curves can be drawn between curves A and B in Figure 6.5, one representing each possible level of satisfaction between A and B, we can draw a curve (A′) that is northeast of curve A and just *tangent* to the budget constraint at point N. Any movement along the budget constraint *away* from the tangency point places the person on an indifference curve lying *below A′*.

Workers who face the same budget constraint, but who have different preferences for leisure, will make different choices about hours of work. If the person whose preferences were depicted in Figure 6.5 had placed lower values on leisure time—and therefore had indifference curves that were comparatively flatter, such as the one shown in Figure 6.4b—then the point of tangency with constraint ED would have been to the left of point N (indicating more hours of work). Conversely, if he or she had steeper indifference curves, signifying that leisure time was more valuable (see Figure 6.4a), then the point of tangency in Figure 6.5 would have been to the right of point N, and fewer hours of work would have been desired. Indeed, some people will have indifference curves so steep (that is, preferences for leisure so strong) that there is no point of tangency with ED. For these people, as is illustrated by Figure 6.6, utility is maximized at the "corner" (point D); they desire no work at all and therefore are not in the labor force.

THE INCOME EFFECT   Suppose now that the person depicted in Figure 6.5 receives a source of income independent of work. Suppose, further, that this *nonlabor* income amounts to about $36 per day. Thus, even if this person worked zero hours per day, his or her daily income would be $36. Naturally, if the person worked more than zero hours, his or her daily income would be equal to $36 plus earnings (the wage multiplied by the hours of work).

---

[11]The vertical change for a one-unit change in horizontal distance is the definition of *slope*. *Absolute value* refers to the magnitude of the slope, disregarding whether it is positive or negative. The budget constraint drawn in Figure 6.5 is a straight line (and thus has a constant slope). In economic terms, a straight-line budget constraint reflects the assumption that the wage rate at which one can work is fixed, and that it does not change with the hours of work. However, the major theoretical implications derived from using a straight-line constraint would be unchanged by employing a convex one, so we are using the fixed-wage assumption for ease of exposition.

FIGURE 6.6

The Decision Not to Work Is a "Corner Solution"

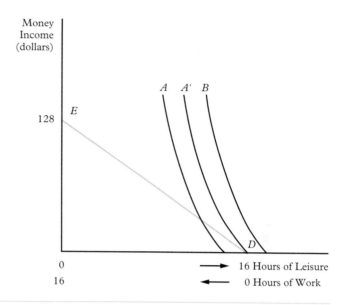

Our person's command over resources has clearly increased, as can be shown by drawing a new budget constraint to reflect the nonlabor income. As shown by the darker blue line in Figure 6.7, the endpoints of the new constraint are point *d* (zero hours of work and $36 of money income) and point *e* (16 hours of work and $164 of income—$36 in nonlabor income plus $128 in earnings). Note that the new constraint is *parallel* to the old one. Parallel lines have the same slope; since the slope of each constraint reflects the wage rate, we can infer that the increase in non-labor income has not changed the person's wage rate.

We have just described a situation in which a pure *income effect* should be observed. Income (wealth) has been increased, but the wage rate has remained unchanged. The previous section noted that if wealth *increased* and the opportunity cost of leisure remained constant, the person would consume more leisure and work *less*. We thus concluded that the income effect was negative, and this negative relationship is illustrated graphically in Figure 6.7.

When the old budget constraint (*ED*) was in effect, the person's highest level of utility was reached at point *N*, working 9 hours a day. With the new constraint (*ed*), the optimum hours of work are 8 per day (point *P*). The new source of income, because it does not alter the wage, has caused an income effect that results in one less hour of work per day. Statistical analyses of people who received large inheritances (Example 6.2) or who won large lottery prizes[12] support the prediction that labor supply is reduced when unearned income rises.

---

[12]Guido W. Imbens, Donald B. Rubin, and Bruce I. Sacerdote, "Estimating the Effects of Unearned Income on Labor Earnings, Savings, and Consumption: Evidence from a Survey of Lottery Players," *American Economic Review* 91 (September 2001): 778–794.

FIGURE 6.7

Indifference Curves
and Budget
Constraint (with an
increase in nonlabor
income)

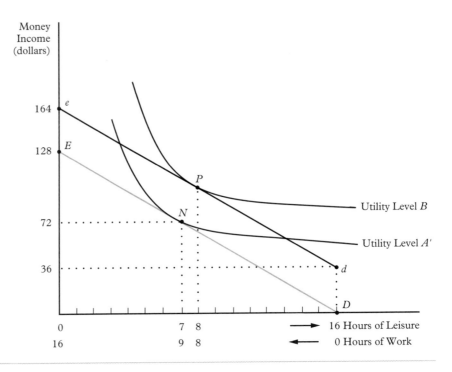

INCOME AND SUBSTITUTION EFFECTS WITH A WAGE INCREASE   Suppose that, instead of increasing one's command over resources by receiving a source of nonlabor income, the wage rate were to be increased from $8 to $12 per hour. This increase, as noted earlier, would cause *both* an income effect and a substitution effect; workers would be wealthier *and* face a higher opportunity cost of leisure. Theory tells us in this case that the substitution effect pushes them toward more hours of work and the income effect toward fewer, but it cannot tell us which effect will dominate.

Figures 6.8 and 6.9 illustrate the possible effects of the above wage change on a person's labor supply, which we now assume is initially 8 hours per day. Figure 6.8 illustrates the case in which the observed response by a worker is to increase the hours of work; in this case, the substitution effect is stronger than the income effect. Figure 6.9 illustrates the case in which the income effect is stronger and the response to a wage increase is to reduce the hours of work. The difference between the two figures lies *solely* in the shape of the indifference curves that might describe a person's preferences; the budget constraints, which reflect wealth and the wage rate, are exactly the same.

Figures 6.8 and 6.9 both show the old constraint, *AB*, the slope of which reflects the wage of $8 per hour. They also show the new one, *AC*, which reflects the $12 wage. Because we assume workers have no source of nonlabor income, both constraints are anchored at point *A*, where income is zero if a person does not work. Point *C* on the new constraint is now at $192 (16 hours of work times $12 per hour).

FIGURE 6.8

Wage Increase with Substitution Effect Dominating

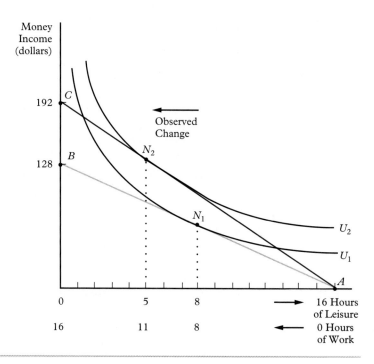

FIGURE 6.9

Wage Increase with Income Effect Dominating

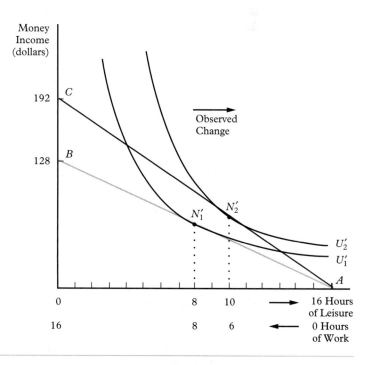

With the worker whose preferences are depicted in Figure 6.8, the wage increase makes utility level U_2 the highest that can be reached. The tangency point at N_2 suggests that 11 hours of work is optimum. When the old constraint was in effect, the utility-maximizing hours of work were 8 per day (point N_1). Thus, the wage increase would cause this person's desired hours of work to increase by 3 per day.

With the worker whose preferences are depicted in Figure 6.9, the wage increase would make utility level U_2' the highest one possible (the prime emphasizes that workers' preferences differ, and that utility *levels* in Figures 6.8 and 6.9 cannot be compared). Utility is maximized at N_2', at 6 hours of work per day. Thus, with preferences like those in Figure 6.9, working hours fall from 8 to 6 as the wage rate increases.

ISOLATING INCOME AND SUBSTITUTION EFFECTS   We have graphically depicted the income effect by itself (Figure 6.7) and the two possible outcomes of an increase in wages (Figures 6.8 and 6.9), which combines the income and substitution effects. Is it possible to graphically isolate the substitution effect? The answer is yes, and the most meaningful way to do this is to return to the context of a wage change, such as the one depicted in Figures 6.8 and 6.9. We arbitrarily choose to analyze the response shown in Figure 6.8.

Figure 6.10 has three panels. Panel (a) repeats Figure 6.8; it shows the final, overall effect of a wage increase on the labor supply of the person whose preferences are depicted. As we saw earlier, the effect of the wage increase in this case is to raise the person's utility from U_1 to U_2 and to induce this worker to increase desired hours of work from 8 to 11 per day. Embedded in this overall effect of the wage increase, however, is an income effect pushing toward less work and a substitution effect pushing toward more. These effects are graphically separated in panels (b) and (c).

Panel (b) of Figure 6.10 shows the income effect that is embedded in the overall response to the wage change. By definition, the income effect is the change in desired hours of work brought on by increased wealth, holding the wage rate constant. To reveal this embedded effect, we ask a hypothetical question: "What would have been the change in labor supply if the person depicted in panel (a) had reached the new indifference curve (U_2) with a change in *nonlabor* income instead of a change in his or her wage rate?"

We begin to answer this question graphically by moving the old constraint to the northeast, which depicts the greater command over leisure time and goods—and hence the higher level of utility—associated with greater wealth. The constraint is shifted outward while maintaining its original slope (reflecting the old $8 wage), which holds the wage constant. The dashed line in panel (b), which is parallel to *AB*, depicts this hypothetical movement of the old constraint, and it results in a tangency point at N_3. This tangency suggests that had the person received nonlabor income, with no change in the wage, sufficient to reach the new level of utility, he or she would have *reduced* work hours from 8 (N_1) to 7 (N_3) per day. This shift is graphical verification that the income effect is negative, assuming that leisure is a normal good.

The substitution effect is the effect on labor supply of a change in the wage rate, holding wealth constant. It can be seen in panel (c) of Figure 6.10 as the dif-

FIGURE 6.10

Wage Increase with Substitution Effect
Dominating: Isolating Income and
Substitution Effects

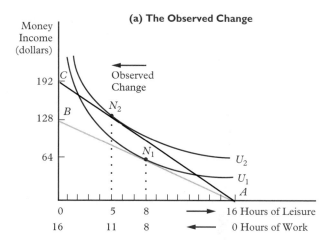

(a) The Observed Change

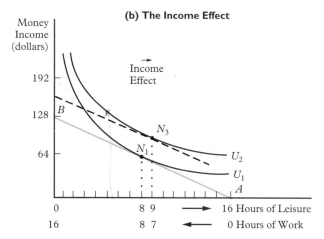

(b) The Income Effect

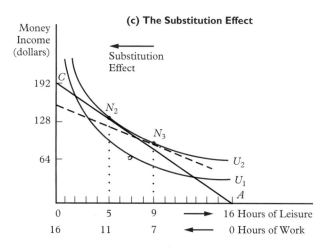

(c) The Substitution Effect

EXAMPLE 6.2

Do Large Inheritances Induce Labor Force Withdrawal?

Do large bequests of unearned income reduce people's incentives to work? One study divided people who received inheritances in 1982–1983 into two groups: those who received small bequests (averaging $7,700) and those who received larger ones, averaging $346,200. The study then analyzed changes in the labor force participation behavior of the two groups between 1982 and 1985. Not surprisingly, those who received the larger inheritances were more likely to drop out of the labor force. Specifically, in an environment in which other forces were causing the labor force participation rate among the small-bequest group to rise from 76 to 81 percent, the rate in the large-bequest group fell from 70 to 65 percent. Somewhat more surprising was the fact that, perhaps in anticipation of the large bequest, the labor force participation rate among the people in the latter group was lower to begin with!

Data from: Douglas Holtz-Eakin, David Joulfaian, and Harvey S. Rosen, "The Carnegie Conjecture: Some Empirical Evidence," *Quarterly Journal of Economics* 108, no. 2 (1993): 413–435. The findings reported above hold up even after controlling for such factors as age and earnings.

ference between where the person actually ended up on indifference curve U_2 (tangency at N_2) and where he or she would have ended up with a pure income effect (tangency at N_3). Comparing tangency points on the *same* indifference curve is a graphical approximation to holding wealth constant. Thus, *with* the wage change, the person represented in Figure 6.10 ended up at point N_2, working 11 hours a day. *Without* the wage change, the person would have chosen to work 7 hours a day (point N_3). The wage change *by itself,* holding utility (or real wealth) constant, caused work hours to increase by 4 per day.[13] This increase demonstrates that the substitution effect is positive.

To summarize, the observed effect of raising wages from $8 to $12 per hour increased the hours of work in Figure 6.10 from 8 to 11 per day. This observed effect, however, is the *sum* of two component effects. The income effect, which operates because a higher wage increases one's real wealth, tended to *reduce* the hours of work from 8 to 7 per day. The substitution effect, which captures the pure effect of the change in leisure's opportunity cost, tended to push the person toward 4 more hours of work per day. The end result was an increase of 3 in the hours worked each day.

WHICH EFFECT IS STRONGER?   Suppose that a wage increase changes the budget constraint facing a worker from CD to CE in Figure 6.11. If the worker had a relatively flat set of indifference curves, the initial tangency along CD might be at

---

[13]In our initial definition of the substitution effect, we held *money income* constant, while in the graphical analysis we held *utility* constant. These slightly different approaches were followed for explanatory convenience, and they represent (respectively) the theoretical analyses suggested by Evgeny Slutsky and John Hicks. For an easy-to-follow explanation of the two approaches, see Heinz Kohler, *Intermediate Microeconomics* (Glenview, Ill.: Scott, Foresman, 1986), 76–81.

FIGURE 6.11

The Size of the Income Effect Is Affected by the Initial
Hours of Work

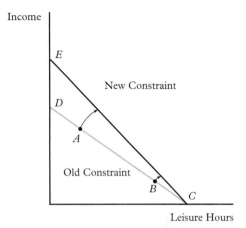

point *A*, implying a relatively heavy work schedule. If the person had more steeply sloped indifference curves, the initial tangency might be at point *B*, where hours at work are fewer.

One important influence on the size of the income effect is the extent of the northeast movement of the new constraint: the more the constraint shifts outward, the greater the income effect will tend to be. For a person with an initial tangency at point *A*, for example, the northeast movement is larger than for a person whose initial tangency is at point *B*. Put in words, the increased command over resources made possible by a wage increase is only attainable if one works, and the more work-oriented the person is, the greater will be his or her increase in resources. Other things equal, people who are working longer hours will exhibit greater income effects when wage rates change.

To take this reasoning to the extreme, suppose a person's indifference curves were so steep that the person was initially out of the labor force (that is, when the budget constraint was *CD* in Figure 6.11, his or her utility was maximized at point *C*). The wage increase and the resultant new constraint, *CE*, can induce only two outcomes: the person will either begin to work for pay or remain out of the labor force. *Reducing* the hours of paid employment is not possible. For those who are out of the labor force, then, the decision to *participate* as wage offers rise clearly reflects a dominant substitution effect. Conversely, if someone currently working decides to change his or her participation decision and drop out of the labor force when wages fall, the substitution effect has again dominated. Thus, the *labor force participation decisions brought about by wage changes exhibit a dominant substitution effect*. We turn now to a more detailed analysis of the decision whether to join the labor force.

THE RESERVATION WAGE   An implication of our labor supply theory is that if people who are not in the labor force place a value of $X on the marginal hour of leisure, then they would be unwilling to take a job unless the offered wage were greater than $X. Because they will "reserve" their labor unless the wage is $X or

EXAMPLE 6.3

Daily Labor Supply at the Ballpark

The theory of labor supply rests in part on the assumption that when workers' offered wages climb above their reservation wages, they will decide to participate in the labor market. An implication of this theory is that in jobs for which hiring is done on a daily basis, and for which wages fluctuate widely from day to day, we should observe daily fluctuations in participation. These expectations are supported by the daily labor supply decisions of vendors at Major-League Baseball games.

A recent study examined the individual labor supply behavior of vendors in one ballpark over the course of the 1996 major-league baseball season. Vendors walk through the stands selling food and drinks, and their earnings are completely determined by the sales they are able to make each day. The vendors studied could freely choose whether to work any given game, and the data collected by this study clearly suggest they made their decisions by weighing their opportunity cost of working against their expected earnings during the course of the

game. (Expected earnings, of course, are related to a number of factors, including how many fans were likely to attend the game.)

The study was able to compare the actual amount earned by each vendor at each game with the number of vendors who had decided to work. The average amount earned by vendors was $43.81, with a low of $26.55 for one game and a high of $73.15 for another—and about 45 vendors worked the typical game at this ballpark. The study found that an increase in average earnings of $10 (which represents about a one standard deviation increase from the mean of $43.81) lured about six extra vendors to the stadium.

Clearly, then, vendors behaved as if they had reservation wages that they compared with expected earnings when deciding whether to work particular games.

Data from: Gerald Oettinger, "An Empirical Analysis of the Daily Labor Supply of Stadium Vendors," *Journal of Political Economy* 107 (April 1999): 360–392.

more (see Example 6.3), economists say that they have a *reservation wage* of $X. The reservation wage, then, is the wage below which a person will not work, and in the labor/leisure context it represents the value placed on an hour of lost leisure time.[14]

Refer back to Figure 6.6, which graphically depicted a person choosing not to work. The reason there was no tangency between an indifference curve and the budget constraint—and the reason the person remained out of the labor force—was that the wage was everywhere lower than his or her marginal value of leisure time.

Often, people are thought to behave as if they have both a reservation wage *and a certain number of work hours* that must be offered before they will consider taking a job. The reasons are not difficult to understand and are illustrated by Figure 6.12. Suppose that taking a job entails two hours of commuting time (round-trip) per day. These hours, of course, are unpaid, so the worker's budget constraint must reflect that, if a job is accepted, two hours of leisure are given up before there is any increase in income. These fixed costs of working are reflected

---

[14]See Hans G. Bloemen and Elena G. F. Stancanelli, "Individual Wealth, Reservation Wages, and Transitions into Employment," *Journal of Labor Economics* 19 (April 2001): 400–439, for a recent study of reservation wages.

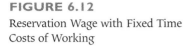

FIGURE 6.12

Reservation Wage with Fixed Time
Costs of Working

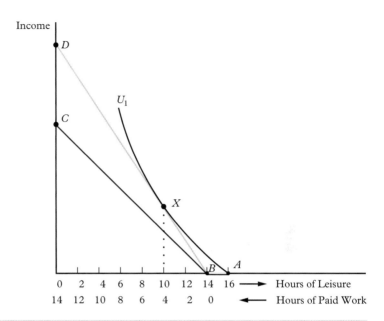

in Figure 6.12 by segment *AB*. Segment *BC*, of course, reflects the earnings that
are possible (once at work), and the slope of *BC* represents the person's wage rate.

Is the wage underlying *BC* great enough to induce the person to work? Consider indifference curve U_1, which represents the highest level of utility this person
can achieve, given budget constraint *ABC*. Utility is maximized at point *A*, and
the person chooses not to work. It is clear from this choice that the offered wage
(given the two-hour commute) is below the person's reservation wage, but can
we show the latter wage graphically?

To take work with a two-hour commute, the person depicted in Figure 6.12 must
find a job able to generate a combination of earnings and leisure time that yields a utility level equal to, or greater than, U_1. This is possible only if the person's budget constraint is equal to (or to the right of) *ABD*, which is tangent to U_1 at point *X*. The
person's reservation wage, then, is equal to the slope of *BD*, and you can readily
note that in this case, the slope of *BD* exceeds the slope of *BC*, which represents the
currently offered wage. Moreover, to bring utility up to the level of U_1 (the utility associated with not working), the person shown in Figure 6.12 must be able to find a job
at the reservation wage that offers 4 hours of work per day. Put differently, at this
person's reservation wage, he or she would want to consume 10 hours of leisure daily,
and with a two-hour commute, this implies 4 hours of work.

Empirical Findings on the Income and Substitution Effects

Labor supply theory suggests that the choices workers make concerning
their desired hours of work depend on their wealth and the wage rate they can

command, in addition to their preferences. In particular, this theory suggests the existence of a negative income effect and a positive substitution effect. Empirical tests of labor supply theory generally attempt to determine if these two effects can be observed, if they operate in the expected directions, and what their relative magnitudes are. Data used for these tests are generally of two kinds:

1. *Cross-sectional* data can be used to analyze the patterns of labor supply across individuals at a given point in time.
2. *Time-series* data can be used to look at *trends* in labor force participation and hours of work over a period of several years. (Cross-sectional and time-related data can also be combined, as illustrated in Example 6.4.)

CROSS-SECTIONAL DATA   Numerous studies of labor supply behavior have relied on cross-sectional data. These studies basically analyze labor force participation or annual hours of work as they are affected by wage rates and income, holding other influences (age, for example) constant. The most reliable and informative studies are those done on large samples of men, primarily because the labor supply behavior of women has been complicated by child-rearing and household work arrangements for which data are sketchy at best.

The cross-sectional studies of male labor supply behavior, especially for men between the ages of 25 and 55, generally conclude that both income and substitution effects are small—perhaps even zero. Probably because responses to wage changes are so small, the results of studies that attempt to isolate income and substitution effects are highly dependent on the statistical methods used.[15]

Cross-sectional estimates of the labor supply behavior among married women generally find a greater responsiveness to wage changes than is found among men. The studies also commonly find that the substitution effect dominates the income effect. Recent studies, however, suggest that the response of working women's *hours* of work to wage changes are about like those of men (that is, very small); it may be the labor force *participation* decision that is most distinctive for married women.[16] As noted in our discussion of Figure 6.11, participation decisions have a dominant substitution effect.

---

[15]See Thomas MaCurdy, David Green, and Harry Paarsch, "Assessing Empirical Approaches for Analyzing Taxes and Labor Supply," *Journal of Human Resources* 25 (Summer 1990): 415–490, for a reference to prior work and an explanation of some methodological issues. This entire issue of the *Journal of Human Resources* is devoted to estimates of the effects, in five countries, of income taxation on labor supply. Also see Paul J. Devereux, "Changes in Male Labor Supply and Wages," *Industrial and Labor Relations Review* 56 (April 2003): 409–428.

[16]See Thomas A. Mroz, "The Sensitivity of an Empirical Model of Married Women's Hours of Work to Economic and Statistical Assumptions," *Econometrica* 55 (July 1987): 765–800. Articles on women's labor supply in the United States and 11 other countries appear in the *Journal of Labor Economics,* January 1985 supplement. Mark Killingsworth, *Labor Supply,* Cambridge Surveys of Economic Literature (Cambridge: Cambridge University Press, 1983), offers a very comprehensive review of "first- and second-generation" estimates of income and substitution effects. For more recent contributions, see John H. Pencavel, "The Market Work Behavior and Wages of Women: 1975–94," *Journal of Human Resources* 33 (Fall 1998): 771–804.

EXAMPLE 6.4

Labor Supply Effects of Income Tax Cuts

In 1986, Congress changed the personal income tax system in the United States by drastically reducing tax rates on upper levels of income. Before this change, for example, families paid a 50 percent tax rate on taxable incomes over $170,000; after the change, this tax rate was reduced to 28 percent. The tax rate on taxable incomes over $50,000 was also set at 28 percent, down from about 40 percent. Lower income tax rates have the effect of increasing take-home earnings, and they therefore act as an increase in wage rates. Because lower rates generate an income and a substitution effect that work in opposite directions, they have an ambiguous anticipated effect on labor supply. Can we find out which effect is stronger in practice?

The 1986 changes served as a *natural experiment* (abrupt changes in only one variable, the sizes of which vary by group). The changes were sudden, large, and very different for families of different incomes. For married women in families that, without their earnings, had incomes at the 99th percentile of the income distribution (that is, the upper 1 percent), the tax rate cuts meant a 22 percent increase in their take-home wage rates. For women in families with incomes at the 90th percentile, the smaller tax rate cuts meant a 12 percent increase in take-home wages. It turns out that married women at the 99th and 90th percentiles of family income were similar in age, education, and occupation—and

increases in their labor supply had been similar prior to 1986. Therefore, comparing their responses to very different changes in their after-tax wage rates should yield insight into how the labor supply of married women responded to tax rate changes.

One study compared labor supply increases, from 1984 to 1990, for married women in the 99th and 90th percentiles. It found that the labor force participation rate for women in the 99th percentile rose by 19.4 percent and that, if working, their hours of work rose by 12.7 percent during that period. In contrast, both labor force participation and hours of work for women at the 90th percentile rose only by about 6.5 percent. The data from this natural experiment, then, suggest that women who experienced larger increases in their take-home wages desired greater increases in their labor supply—which implies that the substitution effect dominated the income effect for these women. Also, consistent with both theory and the results from other studies (discussed in the text), the dominance of the substitution effect was more pronounced for labor force participation decisions than it was for hours-of-work decisions.

Data from: Nada Eissa, "Taxation and Labor Supply of Married Women: The Tax Reform Act of 1986 as a Natural Experiment," working paper no. 5023, National Bureau of Economic Research, Cambridge, Mass., February 1995.

TIME-SERIES DATA   This chapter began with tables that indicated some significant trends in labor force participation and hours of work in the United States and elsewhere. Economists have attempted to explain these trends through the use of labor supply theory, but the use of time-series data to test the theory presents some problems. One problem is that over a period of any given length, there will be years in which labor market disequilibrium causes many workers to work fewer hours than they really want to.

Another problem in trying to relate labor supply trends to changes in income (or wealth) and wage rates is that, over long periods of time, *other* factors that affect desired participation and hours of work can also change. For example, the growth of pensions has affected the labor supply of older workers, and the labor supply of married women has been affected by the growing availability of time-saving devices around the home (washing machines and microwave ovens, for example) and changing attitudes about working wives.

If the other factors that affect labor supply change at the same time that incomes and real wages change, it is difficult to isolate the separate effects of each. Nevertheless, studies that have made serious efforts to control for these other factors have found evidence that the income and substitution effects are indeed important in explaining labor supply behavior. One comprehensive analysis of the labor supply trends of married women concluded that income and substitution effects worked in their expected directions throughout the twentieth century, with the substitution effect clearly dominant after 1950. There is evidence, however, that the *magnitudes* of both effects became smaller over the last 40 years, with the result that the substitution effect for married women is now less dominant and their labor supply behavior is thus becoming less responsive to changes in wages.[17]

An empirical analysis of the labor force participation behavior of older men concludes that their trend toward earlier retirement also suggests a dominant substitution effect.[18] This study finds that the sharp rise in early retirement (mostly at age 62) is primarily among men with lower levels of education, for whom demand has fallen in recent years. As demand has fallen for men of less education (we will discuss this decline in chapter 14), wages for many workers have been pushed below the level of their reservation wage. Apparently, then, a dominant substitution effect has been responsible for the declining participation rates of older men (a subject we will return to in chapter 7).

Policy Applications

Many income maintenance programs create budget constraints that increase income while reducing the take-home wage rate (thus causing the income and substitution effects to work in the same direction). Therefore, using labor supply theory to analyze the work-incentive effects of various social programs is both instructive and important. We characterize these programs by the budget constraints they create for their recipients.

Budget Constraints with "Spikes"

Some social insurance programs compensate workers who are unable to work because of a temporary work injury, a permanent disability, or a layoff. Workers' compensation insurance replaces most of the earnings lost when workers are hurt on the job, and private or public disability programs do the same for workers who become physically or emotionally unable to work for other reasons. Unemploy-

---

[17]Claudia Goldin, *Understanding the Gender Gap* (New York: Oxford University Press, 1990), chap. 5.

[18]Franco Peracchi and Finis Welch, "Trends in the Labor Force Transitions of Older Men and Women," *Journal of Labor Economics* 12 (April 1994): 210–242.

ment compensation is paid to those who have lost a job and have not been able to find another. While exceptions can be found in the occasional jurisdiction,[19] it is generally true that these *income replacement* programs share a common characteristic: they pay benefits only to those who are not working.

To understand the consequences of paying benefits only to those who are not working, let us suppose that a workers' compensation program is structured so that, after injury, workers receive their pre-injury earnings for as long as they are off work. Once they work even one hour, however, they are no longer considered disabled and cannot receive further benefits. The effects of this program on work incentives are analyzed in Figure 6.13, in which it is assumed that the pre-injury budget constraint was AB and pre-injury earnings were E_0 ($= AC$). Further, we assume that the worker's "market" budget constraint (that is, the constraint in the absence of a workers' compensation program) is unchanged, so that after recovery the pre-injury wage can again be earned. Under these conditions, the post-injury budget constraint is BAC, and the person maximizes utility at point C—a point of no work.

Note that constraint BAC contains the segment AC, which looks like a spike. It is this spike that creates severe work-incentive problems, for two reasons. First, the returns associated with the first hour of work are *negative.* That is, a person at point C who returns to work for one hour would find his or her income to be considerably reduced by working. Earnings from this hour of work would be more than offset by the reduction in benefits, which creates a negative "net wage."[20] The substitution effect associated with this program characteristic clearly discourages work.

Second, our assumed no-work benefit of AC is equal to E_0, the pre-injury level of earnings. If the worker values leisure at all (as is assumed by the standard downward slope of indifference curves), being able to receive the old level of earnings while also enjoying more leisure clearly enhances utility. The worker is better off at point C than at point f, the pre-injury combination of earnings and leisure hours, because he or she is on indifference curve U_2 rather than U_1. Allowing workers to reach a higher utility level without working generates an income effect that discourages, or at least slows, the return to work.

Indeed, the program we have assumed raises a worker's reservation wage above his or her pre-injury wage, meaning that a return to work is possible only if the worker qualifies for a higher-paying job. To see this graphically, observe the dashed blue line in Figure 6.13 that begins at point A and is tangent to indifference curve U_2 (the level of utility made possible by the social insurance program).

---

[19]Unemployment insurance and workers' compensation programs in the United States are run at the state level and thus vary in their characteristics to some extent.

[20]For recent empirical evidence, see Jonathan Gruber, "Disability Insurance Benefits and Labor Supply," *Journal of Political Economy* 108 (December 2000): 1162–1183. In graphical terms, the budget constraint contains a vertical spike, and the slope of this vertical segment is infinitely negative. In economic terms, the implied infinitely negative (net) wage arises from the fact that even one minute of work causes a person to lose his or her entire benefit.

FIGURE 6.13

Budget Constraint
with a Spike

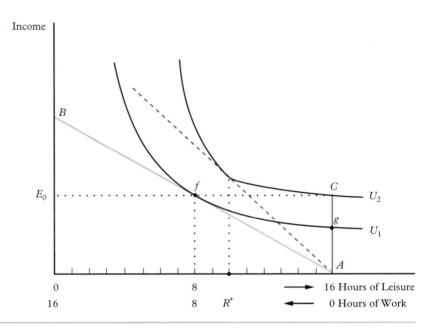

The slope of this line is equal to the person's reservation wage, because if the person can obtain the desired hours of work at this or a greater wage, utility will be at least equal to that associated with point C. Note also that, for labor force participation to be induced, the reservation wage must be received for at least R^* hours of work.

   Given that the work-incentive aspects of income replacement programs often quite justifiably take a backseat to the goal of making unfortunate workers "whole" in some economic sense, creating programs that avoid work disincentives is not easy. With the preferences of the worker depicted in Figure 6.13, a benefit of slightly less than Ag would ensure minimal loss of utility while still providing incentives to return to work as soon as physically possible (work would allow indifference curve U_1 to be attained—see point f—while not working and receiving a benefit of less than Ag would not). Unfortunately, workers differ in their preferences, so the optimal benefit—one that would provide work incentives yet ensure only minimal loss of utility—differs for each individual.

   With programs that create spikes, the best policy makers can do is set a no-work benefit as some fraction of previous earnings and then use administrative means to encourage the return to work among any whose utility is greater when not working. Unemployment insurance, for example, replaces something like half of lost earnings for the typical worker, but the program puts an upper limit on the weeks each unemployed worker can receive benefits. Workers' compensation replaces two-thirds of lost earnings for the average worker but must rely on doctors—and sometimes judicial hearings—to determine whether a worker contin-

EXAMPLE 6.5

Staying Around One's Kentucky Home: Workers' Compensation Benefits and the Return to Work

Workers injured on the job receive workers' compensation insurance benefits while away from work. These benefits differ across states, but they are calculated for most workers as some fraction (normally two-thirds) of weekly, pre-tax earnings. For high-wage workers, however, weekly benefits are typically capped at a maximum, which again varies by state.

On July 15, 1980, Kentucky raised its maximum weekly benefit by 66 percent. It did not alter benefits in any other way, so this change effectively granted large benefit increases to high-wage workers without awarding them to anyone else. Because those injured before July 15 were ineligible for the increased benefits, even if they remained off work *after* July 15, this policy change created a nice natural experiment: one group of injured workers was able to obtain higher benefits, while another group was not. Did the group receiving higher benefits show evidence of reduced labor supply, as suggested by theory?

The effects of increased benefits on labor supply were unmistakable. High-wage workers ineligible for the new benefits typically stayed off the job for four weeks, but those injured after July 15 stayed away for five weeks—25 percent longer! No increases in the typical time away from work were recorded among lower-paid injured workers, who were unaffected by the changes in benefits.

Data from: Bruce D. Meyer, W. Kip Viscusi, and David L. Durbin, "Workers' Compensation and Injury Duration: Evidence from a Natural Experiment," *American Economic Review* 85 (June 1995): 322–340.

ues to be eligible for benefits. (For evidence that more-generous workers' compensation benefits do indeed induce longer absences from work, see Example 6.5.)[21]

Programs with Net Wage Rates of Zero

The programs just discussed were intended to confer benefits on those who are unable to work, and the budget-constraint spike was created by the eligibility requirement that to receive benefits, one must not be working. Other social programs, such as welfare, have different eligibility criteria and calculate benefits differently. These programs factor income needs into their eligibility criteria and then pay benefits based on the difference between one's actual earnings and one's needs. We will see that paying people the difference between their earnings and their needs creates a net wage rate of zero; thus, the work-incentive problems associated with these welfare programs result from the fact that they increase the income of program recipients while also drastically reducing the price of leisure.

NATURE OF WELFARE SUBSIDIES Welfare programs have historically taken the form of a guaranteed annual income, under which the welfare agency determines

---

[21]For a summary of evidence on the labor supply effects of unemployment insurance and workers' compensation, see Alan B. Krueger and Bruce D. Meyer, "Labor Supply Effects of Social Insurance," National Bureau of Economic Research Working Paper no. 9014 (June 2002).

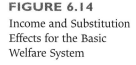

FIGURE 6.14

Income and Substitution
Effects for the Basic
Welfare System

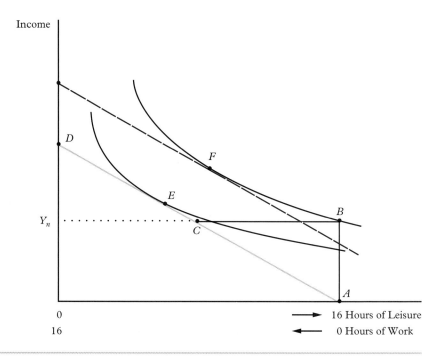

the income needed by an eligible person (Y_n in Figure 6.14) based on family size, area living costs, and local welfare regulations. Actual earnings are then subtracted from this needed level, and a check is issued to the person each month for the difference. If the person does not work, he or she receives a subsidy of Y_n. If the person works, and if earnings cause dollar-for-dollar reductions in welfare benefits, then a budget constraint like *ABCD* in Figure 6.14 is created. The person's income remains Y_n as long as he or she is subsidized. If receiving the subsidy, then, an extra hour of work yields *no* net increase in income, because the extra earnings result in an equal reduction in welfare benefits. The net wage of a person on the program—and therefore his or her price of leisure—is zero, which is graphically shown by the segment of the constraint having a slope of zero (*BC*).[22]

Thus, a welfare program like the one summarized in Figure 6.14 increases the income of the poor by moving the lower end of the budget constraint out from *AC* to *ABC*; as indicated by the dashed hypothetical constraint in Figure 6.14, this shift creates an *income effect* tending to reduce labor supply from the hours associated with point *E* to those associated with point *F*. However, it *also* causes the wage to effectively drop to zero: every dollar earned is matched by a dollar reduction in welfare benefits. This dollar-for-dollar reduction in benefits induces a huge *substitution effect*, causing those accepting welfare to reduce their hours of work to zero (point *B*). Of course, if a person's indifference curves were sufficiently flat

---

[22]Gary Burtless, "The Economist's Lament: Public Assistance in America," *Journal of Economic Perspectives* 4 (Winter 1990): 57–78, summarizes a variety of public assistance programs in the United States prior to 1990. This article suggests that, in actual practice, benefits usually were reduced by something less than dollar for dollar (perhaps by 80 or 90 cents per dollar of earnings).

FIGURE 6.15

The Basic Welfare
System: A Person Not
Choosing Welfare

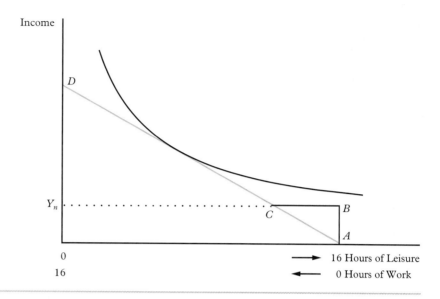

so that the curve tangent to segment *CD* passed *above* point *B* (see Figure 6.15), then
that person's utility would be maximized by choosing work instead of welfare.[23]

WELFARE REFORM   In light of the disincentives for work built into traditional
welfare programs, the United States adopted major changes to its income-sub-
sidy programs in the 1990s. The Personal Responsibility and Work Opportunity
Reconciliation Act (PRWORA) of 1996 gave states more authority over how they
could design their own welfare programs, with the intent of leading to more exper-
imentation in program characteristics aimed at encouraging work, reducing
poverty, and moving people off welfare. PRWORA also placed a five-year (lifetime)
time limit on the receipt of welfare benefits and required that, after two years on
welfare, recipients must work at least 30 hours per week. These changes appear
to have had the effect of increasing the labor force participation rates of single mothers (the primary beneficiaries of the old welfare system); the participation rate for
single mothers jumped from 68 percent in 1994 to roughly 78 percent in 2000—a
much larger increase than was observed for other groups of women.[24]

LIFETIME LIMITS   Both lifetime limits and work requirements can be analyzed
using the graphical tools developed in this chapter. Lifetime limits on the receipt of
welfare have the effect of ending eligibility for transfer payments, either by forcing
recipients off welfare or inducing them to leave so they can "save" their eligibility
in case they need welfare later in life. Thus, in terms of Figure 6.14, the lifetime limit

[23]See Robert Moffitt, "Incentive Effects of the U.S. Welfare System: A Review," *Journal of Economic Literature* 30 (March 1992): 1–61, for a summary of the literature on labor supply effects of the welfare
system.

[24]Rebecca M. Blank, "Evaluating Welfare Reform in the United States," *Journal of Economic Literature*
40 (December 2002): 1105–1166. This article summarizes the literature to date on all aspects of welfare
reform.

FIGURE 6.16

The Welfare System with a Work Requirement

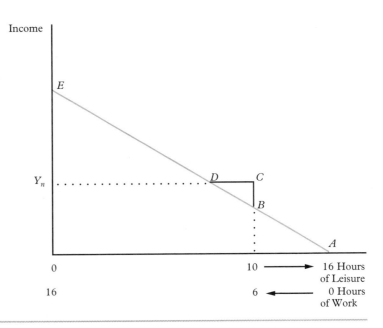

ultimately removes *ABC* from the potential recipient's budget constraint, which then reverts to the market constraint of *AD*. Clearly, the lifetime limit increases work incentives, because point *B* becomes no longer an option.[25]

WORK REQUIREMENTS   Figure 6.16 illustrates the budget constraint associated with a minimum work requirement of six hours a day (30 hours per week). If the person fails to work the required six hours a day, no welfare benefits are received, and he or she will be along segment *AB* of the constraint. If the work requirement is met, but earnings are less than Y_n, welfare benefits are received (see segment *BCD*). If the work requirement is exceeded, income (earnings plus benefits) remains at Y_n—the person is along *CD*—until earnings rise above needed income and the person is along segment *DE* of the constraint and no longer eligible for welfare benefits.

The work-incentive effects of this *work requirement* can be seen from studying Figure 6.16. If indifference curves are steep enough so that utility is maximized at point *C*, those on welfare will desire to work six hours a day, but no more than that. If indifference curves are flat enough so that the curve tangent to segment *DE* passes *above* point *C*, then the person would choose not to receive welfare. Thus, the effect of the work requirement is to induce welfare recipients to work, but as long as they are on welfare, they will have incentives to work only the minimum hours needed to qualify. Above the required hours of work, a program recipient's effective wage is still zero. (For labor supply responses to different forms of a work requirement—requisitions of food from farmers during wartime—see Example 6.6.)

---

[25]For a thorough discussion, see Jeffrey Grogger, "The Effects of Time Limits, the EITC, and Other Policy Changes on Welfare Use, Work, and Income among Female-Headed Families," *Review of Economics and Statistics* 85 (May 2003): 394–408.

EXAMPLE 6.6

Wartime Food Requisitions and Agricultural Work Incentives

Countries at war often adopt "work requirement" policies to obtain needed food supplies involuntarily from their farming populations. Not surprisingly, the way in which these requisitions are carried out can have enormous effects on the work incentives of farmers. Two alternative methods are contrasted in this example: one was used by the Bolshevik government during the civil war that followed the Russian revolution, and the other by Japan during World War II.

From 1917 to 1921, the Bolsheviks requisitioned from farmers all food in excess of the amounts needed for the farmers' own subsistence; in effect, the surplus was confiscated and given to soldiers and urban dwellers. Graphically, this policy created a budget constraint for farmers like ACY_s in diagram (a) below. Because farmers could keep their output until they reached the subsistence level of income (Y_s), the market wage prevailed until income of Y_s was reached. After that, their net wage was zero (on segment CY_s), because any extra output went to the government. Thus, a prewar market constraint of AB

was converted to ACY_s, with the consequence that most farmers maximized utility near point C. Acreage planted dropped by 27 percent from 1917 to 1921, while harvested output fell by 50 percent!

Japan, during World War II, handled its food requisitioning policy completely differently. It required a quota to be delivered by each farmer to the government at very low prices, but it allowed farmers to sell any produce above the quota at higher (market) prices. This policy converted the prewar constraint of AB to one much like EFG in diagram (b). In effect, farmers had to work AE hours for the government at lower than market pay (EF) but were allowed to earn the market wage after that. This preserved farmers' work incentives and apparently created an income effect that increased the total hours of work by Japanese farmers, for despite war-induced shortages of capital and labor, rice production was greater in 1944 than in 1941!

Data from: Jack Hirshleifer, *Economic Behavior in Adversity* (Chicago: University of Chicago Press, 1987), 16–21, 39–41.

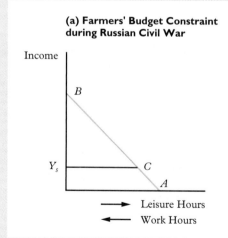

(a) Farmers' Budget Constraint during Russian Civil War

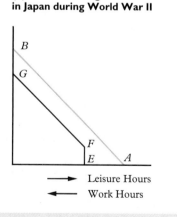

(b) Farmers' Budget Constraint in Japan during World War II

Subsidy Programs with Positive Net Wage Rates

So far, we have analyzed the work-incentive effects of income maintenance programs that create net wage rates for program recipients that are either negative or zero (that is, they create constraints that have either a spike or a horizontal segment). Programs can be devised, however, that create positive net wages for those who are eligible. Do these programs offer a solution to the problem of work incentives? We will answer this question by analyzing a relatively recent and rapidly growing program, the Earned Income Tax Credit (EITC).

The EITC program makes income tax credits available to low-income families with at least one worker. A tax credit of one dollar reduces a person's income taxes by one dollar, and in the case of the EITC, if the tax credit for which workers qualify exceeds their total income tax liability, the government will mail them a check for the difference. Thus, the EITC functions as an earnings subsidy, and because the subsidy goes only to those who work, the EITC is seen by many as an income maintenance program that preserves work incentives. This view led Congress to vastly expand the EITC under President Clinton, and it is now the largest cash subsidy program directed at low-income households with children.

The tax credits offered by the EITC program vary with one's earnings and the number of dependent children. For purposes of our analysis, which is intended to illustrate the work-incentive effects of the EITC, we will focus on the credits in the year 2003 offered to unmarried workers with one child. Figure 6.17 graphs the relevant program characteristics for a worker with one child who could earn a "market" (unsubsidized) wage reflected by the slope of AC. As we will see below, for such a worker, the EITC created a budget constraint of $ABDEC$.

For workers with earnings of $7,500 or less, the tax credit was calculated at 34 percent of earnings. That is, for every dollar earned, a tax credit of 34 cents was also earned; thus, for those with earnings of under $7,500, net wages ($W_n$) were 34 percent higher than market wages (W). Note that this tax credit is represented by segment AB on the EITC constraint in Figure 6.17, and that the slope of AB exceeds *the slope of the market constraint, AC.*

The maximum tax credit allowed for a worker with one child was $2,547. Workers who earned between $7,500 and $13,750 per year qualified for this maximum tax credit. Because these workers experienced no increases or reductions in tax credits per added dollar of earnings, for them the net wage was equal to the market wage. The constraint facing workers with $7,500 to $13,750 of earnings is represented by segment BD in Figure 6.17, which has a slope equal to that of segment AC.

For earnings above $13,750, the tax credit was gradually phased out, so that when earnings reached $29,666, the tax credit was zero. Because after $13,750 in earnings, each dollar earned *reduced* the tax credit, the net wage of anyone earning between $13,750 and $29,666 was *below* one's market wage; this segment of the constraint is shown by DE in Figure 6.17, which has a flatter slope than AC.

Inspection of Figure 6.17 will disclose that, among workers eligible for the EITC, work-incentive effects are different in three earnings zones. The *incomes* of

FIGURE 6.17

Earned Income Tax Credit
(Unmarried, One Child), 2003

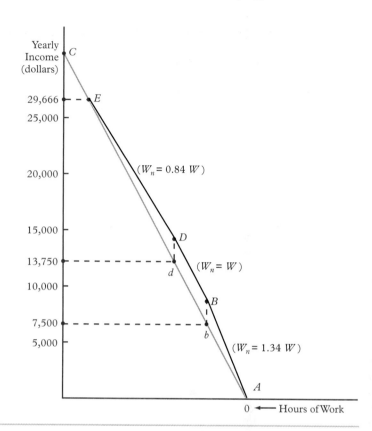

workers in all three zones are enhanced, which means that all EITC recipients experience an income effect that pushes them in the direction of less work. However, the program creates quite different net wage rates in the zones, and therefore the substitution effect differs across zones.

For workers with earnings below $7,500, the net wage is greater than the market wage (by 34 percent), so along segment AB workers experience an increase in the price of leisure. Workers with earnings below $7,500, then, experience a substitution effect that pushes them in the direction of more work. With an income effect and a substitution effect that push in opposite directions, it is uncertain which effect will dominate. What we can predict, though, is that some of those who would have been out of the labor force in the absence of the EITC program will now decide to seek work (earlier we discussed the fact that, for nonparticipants in the labor force, the substitution effect dominates).

Segments BD and DE represent two other zones, in which theory predicts that labor supply will *fall*. Along BD the net wage is equal to the market wage, so the price of leisure in this zone is unchanged while income is enhanced. Workers in this zone experience a pure income effect. Along segment DE the net wage is actually

EMPIRICAL STUDY

Estimating the Income Effect Among Lottery Winners: The Search for "Exogeneity"

Regression analysis, described in Appendix 1A, allows us to analyze the effects of one or more *independent* variables on a *dependent* variable. This statistical procedure is based on an important assumption: that each independent variable is *exogenous* (determined by some outside force and not itself influenced by the dependent variable). That is, we assume that the chain of causation runs from the independent variables to the dependent variable, with no feedback from the dependent variable to those that we assume are independent.

The issue of exogeneity arises when estimating the effects on hours of work caused by a change in income (wages held constant). Theory leads us to predict that desired hours of work are a function of wages, wealth, and preferences. Wealth is not usually observed in most data sets, so *nonlabor* income, such as the returns from financial investments, is used as a proxy for it. Measuring the effect that nonlabor income (an independent, or causal, variable) has on desired hours of work (our dependent variable), holding the wage constant, is intended to capture the income effect predicted by labor supply theory.

The problem is that those who have strong preferences for income and weak preferences for leisure, for example, may tend to accumulate financial assets over time and end up with relatively high levels of nonlabor income later on. Put differently, high levels of work hours (supposedly our dependent variable) may create high levels of nonlabor income (what we hoped would be our independent variable); thus, when we estimate a correlation between work hours and nonlabor income, we cannot be sure whether we are estimating the income effect, some relationship between hard work and savings, or a mix of both (a problem analogous to the one discussed in the empirical study for chapter 4). In estimating the income effect, therefore, researchers must be careful to use measures of nonlabor income that are truly exogenous, and not themselves influenced by the desired hours of work.

Are lottery winnings an exogenous source of nonlabor income? Once a person enters a lottery, winning is a completely random event and thus is not affected by work hours; however, entering the lottery may not be so independent. If those who enter the lottery also have the strongest preferences for leisure, for example, then correlating work hours and lottery winnings across different individuals would not necessarily isolate the income effect. Rather, it might just reflect that those with stronger preferences for leisure (and thus lower work hours) were more likely to enter (and thus win) the lottery.

Therefore, if we want to measure the income effect associated with winning the lottery, we need to find a way to hold both wages *and* preferences for leisure constant. One study of how winning the lottery affected labor supply took account of the preferences of lottery players by performing a before-and-after analysis using panel data on winners and nonwinners. That is, for winners—defined as receiving prizes over $20,000, with a median prize of $635,000—the authors compared hours of work for six years before winning to hours of work during the six years after winning. By focusing on each individual's *changes* in hours and lottery winnings over the two periods, the effects of preferences (which are assumed to be unchanging) drop out of the analysis.

"Nonwinners" in the study were defined as lottery players who won only small prizes, ranging from $100 to $5,000. Labor supply changes for them before and after their small winnings were then calculated and compared to the changes observed among the winners. The study found that for every $100,000 in prizes, winners reduced their hours of work such that their earnings went down by roughly $11,000 (that is, winners spent about 11 percent of their prize on "buying" leisure). These findings, of course, are consistent with the predictions concerning the income effect of nonlabor income on labor supply.

Source: Guido W. Imbens, Donald B. Rubin, Bruce I. Sacerdote, "Estimating the Effect of Unearned Income on Labor Earnings, Savings, and Consumption: Evidence from a Survey of Lottery Players," *American Economic Review* 91 (September 2001): 778–794.

---

below the market wage, so in this zone *both* the income and the substitution effects push in the direction of reduced labor supply.

Labor supply theory, then, suggests that workers in two of the three earnings zones will reduce their labor supply in response to the EITC; the responses of those in the other zone are not predictable, except we can anticipate that some who were previously out of the labor force will now seek work. Empirical studies of labor supply responses suggest that expansion of the EITC did induce more *single* mothers to join the labor market, while it reduced labor supply among *married* mothers in families qualifying for the program (single women were more likely to be along segment *AB* of Figure 6.17, while married women were more likely to have family incomes along *BD* or *DE*).[26]

---

[26]Blank, "Evaluating Welfare Reform in the United States"; and Grogger, "The Effects of Time Limits, the EITC, and Other Policy Changes on Welfare Use, Work, and Income among Female-Headed Families." For other studies of the EITC, see the December 2000 issue of the *National Tax Journal*, and Saul D. Hoffman and Laurence S. Seidman, *Helping Working Families: The Earned Income Tax Credit* (Kalamazoo, Mich.: W. E. Upjohn Institute for Employment Research, 2002).

Review Questions

1. Referring to the definitions in footnote 5, is the following statement true, false, or uncertain: "Leisure must be an inferior good for an individual's labor supply curve to be backward-bending." Explain your answer.

2. Evaluate the following quote: "Higher take-home wages for any group should increase the labor force participation rate for that group."

3. Suppose a government is considering several options to ensure that legal services are provided to the poor:

   Option A: All lawyers would be required to devote 5 percent of their work time to the poor, free of charge.

   Option B: Lawyers would be required to provide 100 hours of work, free of charge, to the poor.

   Option C: Lawyers who earn over $50,000 in a given year would have to donate $5,000 to a fund that the government would use to help the poor.

   Discuss the likely effects of each option on the hours of work among lawyers. (It would help to *draw* the constraints created by each option.)

4. The way the workers' compensation system works now, employees permanently injured on the job receive a payment of $X each year whether they work or not. Suppose the government were to implement a new program in which those who did not work at all got $0.5X but those who did work got $0.5X plus workers' compensation of 50 cents *for every hour worked* (of course, this subsidy would be in addition to the wages paid by their employers). What would be the change in work incentives associated with this change in the way workers' compensation payments were calculated?

5. A firm wants to offer paid sick leave to its workers, but it wants to encourage them not to abuse it by being unnecessarily absent. The firm is considering two options:
   a. Ten days of paid sick leave per year; any unused leave days at end of year are converted to cash at the worker's daily wage rate.
   b. Ten days of paid sick leave per year; if no sick days are used for two consecutive years, the company agrees to buy the worker a $100,000 life insurance policy.

   Compare the work-incentive effects of the two options, both immediately and in the long run.

6. In 2002, a French law went into effect that cut the standard workweek from 39 to 35 hours (workers got paid for 39 hours even though working 35) while at the same time prohibiting overtime hours from being worked. (Overtime in France is paid at 25 percent above the normal wage rate).
   a. Draw the old budget constraint, showing the overtime premium after 39 hours of work.
   b. Draw the new budget constraint.
   c. Analyze which workers in France are better off under the 2002 law. Are any worse off? Explain.

7. Suppose there is a proposal to provide poor people with housing subsidies that are tied to their income levels. These subsidies will be in the form of vouchers the poor can turn over to their landlords in full or partial payment of their housing expenses. The yearly subsidy will equal $2,400 as long as earnings do not exceed $8,000 per year. The subsidy is to be reduced 60 cents for every dollar earned in excess of $8,000; that is, when earnings reach $12,000, the person is no longer eligible for rent subsidies.

Draw an arbitrary budget constraint for a person assuming that he or she receives no government subsidies. Then draw in the budget constraint that arises from the above housing subsidy proposal. After drawing in the budget constraint associated with the proposal, analyze the effects of this proposed housing subsidy program on the labor supply behavior of various groups in the population.

8. The Tax Reform Act of 1986 was designed to reduce the marginal tax rate (the tax rate on the last dollars earned) while eliminating enough deductions and loopholes so that total revenues collected by the government could remain constant. Analyze the work-incentive effects of tax reforms that lower marginal tax rates while keeping total tax revenues constant.

Problems

1. When the Fair Labor Standards Act began to mandate paying 50 percent more for overtime work, many employers tried to avoid it by cutting hourly pay, so that total pay and hours remained the same.
   a. Assuming that this 50 percent overtime pay premium is newly required for all work beyond eight hours per day, draw a budget constraint that pictures a strategy of cutting hourly pay so that, at the original hours of work, total earnings remain the same.
   b. Suppose that an employer initially paid $11 per hour and had a 10-hour workday. What hourly base wage will the employer offer so that the total pay for a 10-hour workday will stay the same?
   c. Will employees who used to work 10 hours per day want to work more or fewer than 10 hours in the new environment (which includes the new wage rate and the mandated overtime premium)?
2. Nina is able to select her weekly work hours. When a new bridge opens up, it cuts one hour off Nina's total daily commute to work. If both leisure and income are normal goods, what is the effect of the shorter commute on Nina's work time?

Selected Readings

Blank, Rebecca M. "Evaluating Welfare Reform in the United States." *Journal of Economic Literature* 40 (December 2002): 1105–1166.

Card, David E., and Rebecca M. Blank, eds. *Finding Jobs: Work and Welfare Reform.* New York: Russell Sage Foundation, 2000.

Hoffman, Saul D., and Laurence S. Seidman. *Helping Working Families: The Earned Income Tax Credit.* Kalamazoo, Mich.: W. E. Upjohn Institute for Employment Research, 2002.

Killingsworth, Mark R. *Labor Supply.* Cambridge, Eng.: Cambridge University Press, 1983.

Linder, Staffan B. *The Harried Leisure Class.* New York: Columbia University Press, 1970.

Moffitt, Robert. "Incentive Effects of the U.S. Welfare System: A Review." *Journal of Economic Literature* 30 (March 1992): 1–62.

Pencavel, John. "Labor Supply of Men: A Survey." In *Handbook of Labor Economics*, ed. Orley Ashenfelter and David Card. Amsterdam, N.Y.: Elsevier, 1999.

CHAPTER 7

Labor Supply: Household Production, the Family, and the Life Cycle

I n chapter 6, the theory of labor supply focused on the simple case in which individuals decide how to allocate their time between labor and leisure. This chapter elaborates on this simple labor supply model by taking account of three issues. First, much of the time spent at home is given to work activities (cooking and child care, for example), not leisure. Second, for those who live with partners, decisions about work for pay, household work, and leisure are usually made in a way that takes account of the activities and income of other household members. Third, just as time at paid work is substitutable with time at home, time spent working for pay in one part of the life cycle is substitutable with time later on. These refinements of our simple model do not alter the fundamental considerations or predictions of labor supply theory, but they do add useful richness to it.

The Theory of Household Production

In this chapter, we analyze a model of labor supply that is built on the assumption that household work, not leisure, is the alternative to working for pay.[1] Such a model assumes that household time and purchased goods (made possible by paid work and any nonlabor income) are combined to produce commodities that are then consumed. Food and energy are combined with preparation time to produce meals, for example, while books, toys, and supervision time contribute to the development of children. Thus, household time is viewed as an *input* to the production of household commodities, not as an item that is directly consumed. It is the *commodities* that are ultimately consumed and that generate utility for household members.

Graphing the Model

To obtain a sense of how we can model the production of household commodities, let us consider a household with just one decision maker: a single mother, Sally, who derives satisfaction (utility) from raising her children.[2] Her objective is to maximize utility for herself and her children, and this she will do by allocating available time to both working for pay and working at home in a way that best satisfies her preferences. In making this allocation, as we will see, she will be deciding simultaneously on how much to work for pay *and* how to accomplish her child-rearing duties.

GRAPHING PREFERENCES   Equal satisfaction from child-rearing can be generated in a number of different ways. Sally can minimize the use of goods and services purchased outside the household by staying home to supervise the children, prepare their meals, and even make some of their clothing. A very different approach would rely heavily on purchased goods or services, and less on her input of household time, by working for pay and then, for example, purchasing the services of a babysitter, serving prepared foods, and buying all clothing. Because various combinations of household time and purchased goods or services potentially generate equally satisfactory results, we could plot a curve that represents all the time/goods combinations that produce equal utility for Sally. Such a curve can be called a utility *isoquant*, where *iso* means "equal" and *quant* means "quantity" (of utility). Two utility isoquants are depicted in Figure 7.1 as M_0 and M_1.

Along any ray (*A* or *B*, for example) emanating from the origin of Figure 7.1, the ratio of purchased goods and services to household time in the production of child-rearing is constant. When household time and purchased goods or services are used in the combinations along ray *A*, Sally accomplishes child-rearing by using

---

[1]Continuing our analysis of the choice between just two time-use alternatives allows the theory to be summarized graphically. For more on the theory of household production, see Reuben Gronau, "The Theory of Home Production: The Past Ten Years," *Journal of Labor Economics* 15 (April 1997): 197–205.

[2]Sally would also derive utility from other things, of course, but to keep things simple, we focus on just one activity for now.

FIGURE 7.1

The Production of
Child Care

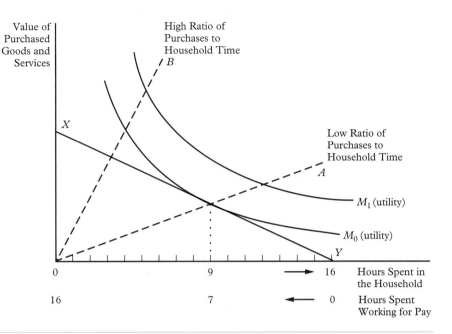

a relatively low ratio of purchases to household time. Along ray *B*, her child-rear-ing process uses a higher ratio of purchased goods and services to household time.

CRITICAL ASSUMPTIONS   Note several things about the isoquants in Figure 7.1. First, along M_0, the utility provided by child-rearing is constant. The utility produced by the time/goods combinations along M_1 is also constant, but it is greater than the utility represented by M_0 because Sally can do more for her children (that is, the child-rearing process involves more parental time and more, or higher-quality, purchased goods or services).

Second, the isoquants M_0 and M_1 are both negative in slope and convex (as viewed from below) in shape. The negative slope reflects an assumption that household time and purchased goods or services are substitutes in the "production" of child-rearing. If Sally's household time is reduced, child-rearing affording equal satisfaction can be produced by increasing the purchases of goods or services outside the home.

The convexity of the isoquants reflects an assumption that as household time devoted to child-rearing progressively falls, it becomes increasingly difficult to make up for it with purchased goods or services and still hold utility constant. If Sally spends a lot of time at home (making clothes, for example), it is relatively easy to replace some of that time with just a few purchased goods (store-bought cloth-ing) and maintain equal levels of satisfaction. However, when her household time is very short to begin with, a further cut in such time may be very difficult to absorb and still keep utility constant (it may take a large increase in the quality of child-care services to replace an hour of parental time if a parent is already out of the home for, say, 10 hours a day).

SHOWING DIFFERENT PREFERENCES   The slope of the utility isoquants, therefore, reflects the trade-offs a person, in this case Sally, is willing to make between household time and purchased goods or services in the production of household commodities. When isoquants are steeply sloped, it is relatively difficult to satisfactorily substitute purchased goods or services for the loss of an hour of household time; as a result, the marginal hour of such time is highly valued. A flatter slope depicts a situation in which it is easier to substitute for household time, and in this case, it can be said that an extra hour of household time is less highly valued.

WORK CHOICES   Because we have assumed that the only two uses of time are paid (or "market") work and household work, deciding on the utility-maximizing mode of child-rearing is the same as deciding on the utility-maximizing supply of hours to the labor market. This decision is influenced by Sally's utility isoquants, discussed above, and her budget constraint. Just as in chapter 6, a budget constraint—like XY in Figure 7.1—reflects the combinations of purchases and household time that are possible for Sally. Also as before, the slope of the budget constraint reflects Sally's wage rate, because it indicates the increased value of purchases made possible by an additional hour of paid work.

Given the isoquants and the constraint XY in Figure 7.1, Sally's utility is maximized by spending 7 hours working for pay and 9 hours working at home each day. If Sally faced the same budget constraint as in Figure 7.1 but had isoquants with a generally flatter slope—indicating that in her view, purchased goods or services could more easily substitute for an hour of her own parental time—then the utility-maximizing point of tangency would have been further to the left along XY and she would have decided to work more hours outside the home.

Implications of the Model

Note that the utility-maximization process depicted in Figure 7.1 looks just like the graphical depictions in chapter 6, even though the models assume different uses of household time. In both models, the budget constraints reflect the combinations of purchased goods or services and household time (whether for leisure or for household work) that can be attained by the person. In both models, the slope of the budget constraint indicates the person's wage rate. In both models, convex isoquants reflect the trade-offs in utility between purchased goods or services and household time. In both, steeply sloped isoquants represent a person who highly values an added hour at home. And in both, a person with steeply sloped isoquants will have a tangency point toward the lower end of the budget constraint, therefore spending relatively few hours in paid work.

Thus, whether household time is conceived of as work or as leisure time, the resulting theory of labor supply is unchanged. Supply of hours to paid work is a function of income, the wage rate, and the trade-offs a person is willing to make between household time and money income (which can be used to purchase goods and services) in the generation of utility. If, for example, Sally were to receive unearned income in a way that did not alter her wage rate, shown in Figure 7.1, her new budget constraint would lie to the northeast of XY (and be parallel to it). Because the added income would allow a greater command over resources, she would now be able to increase her utility by doing more for (or with) her children. She would tend to purchase more, or higher-quality, goods and services, and she would also spend more time at home. Thus, there is an *income effect* that operates just as it did in chapter 6; in this case, the *added* income would tend to *reduce* labor supply to the market.

Likewise, if Sally's *wage* were to rise, there would be an income effect *and* a substitution effect. The income effect would serve to reduce labor supply, but it would be offset to some extent by the fact that the higher wage increases the cost of spending an extra hour at home. In short, there would be a *substitution effect* associated with the wage increase that would push Sally in the direction of more paid work—and toward a mode of child-rearing that relies more on purchased goods and services.

The model of household production, then, predicts the existence of income and substitution effects that have the same implications for labor supply to market work that we saw in chapter 6. The model has additional implications, however, for how goods are produced in the home. Specifically, the effect of increased income, holding wages constant, should be to increase time at home or in leisure activities, because increased income permits the consumption of more—and higher-quality—goods. The effect of a wage increase, holding income constant, should lead to less time spent in household production and to the substitution of purchased goods for time-intensive goods produced at home. Example 7.1 applies these theoretical insights to an analysis of Americans' increased reliance on convenience foods and the startling growth in obesity in recent years.

The Tripartite Choice: Market Work, Household Work, and Leisure

While the household production model of labor supply does not change our conclusions in chapter 6 about the influence of income and substitution effects, consideration of household production does introduce the notion that there is really a *tripartite* choice of how to spend time. That is, people can choose to spend time in market work (for pay), in household work, or in leisure activities. Explicit recognition of this tripartite choice enriches our understanding of how people allocate their time.

Time Use by Women and Men

Consider data from time-use diaries in Table 7.1, which summarizes how men and women in the United States allocated their weekly hours in 1965 and 1981.

EXAMPLE 7.1

Obesity and the Household Production Model

Obesity is a major health problem in the United States. During the period from the late 1970s to the early 1990s, the percentage of adult Americans considered obese rose from 14 percent to almost 22 percent! Obesity is now the second leading cause of early death; 300,000 premature deaths each year are associated with complications from obesity (heart disease, stroke and diabetes, among others). One estimate indicates that, in 1995, the annual costs of obesity (medical treatment plus lost productivity) came to almost $100 billion. Obesity, of course, is related to both genetic and other family influences, but the abrupt increase suggests that other factors may also have come into play. Can economic theory give us insights into this problem?

The model of household production presented in this chapter suggests that time spent in household work, such as meal preparation, will be responsive to changes in *preferences* and to both the *income and substitution effects*. As income grows, holding wages constant, we expect *more* time to be devoted to producing the goods we consume at home. However, as wages increase, holding income constant, the increase in the opportunity cost of time causes people to allocate *less* time to the household and more time to working for pay. If opportunity costs or changes in preferences have induced more people (women in particular) to seek market work and to spend less time in household work (including food preparation), we would expect the demand for convenience foods to grow.

Indeed, between 1972 and 1997—when the percentage of American women who were employed rose from 44 percent to 60 percent—the number of fast-food restaurants per capita doubled, and the number of full-service restaurants per capita rose by one-third. Fast-food restaurants, in particular, serve foods that are high in caloric content, and one recent study found that the increase in the availability of these restaurants is strongly associated with increased obesity. That is, holding personal characteristics constant, the study found that the incidence of obesity increased more in areas with greater growth in restaurants per capita.

Moreover, the study also found evidence that both the income and substitution effect influenced obesity in the predicted direction. Put differently, changes in family income and the opportunity cost of time apparently have had effects on obesity consistent with the explanation that decreased time spent in home meal preparation has led to increased obesity.

Within given geographic areas and various demographic groups defined by sex, race, marital status, and education, individuals with higher family incomes, holding wages for their demographic group constant, were *less* likely to be obese. This finding is consistent with the prediction that the *income effect* induces people to spend more time at home and become less dependent on fattening convenience foods. However, individuals in areas and groups with higher hourly wages (and hours of market work)—holding income constant—had *increased* probabilities of being obese. The latter finding suggests that as the opportunity costs of time rise, the *substitution effect* may induce people to spend less time at home and be more reliant on convenience foods.

Source: Shin-Yi Chou, Michael Grossman, and Henry Saffer, "An Economic Analysis of Adult Obesity: Results from the Behavioral Risk Factor Surveillance System," *Journal of Health Economics* 23 (May 2004): 565–587.

From the table we can see reflections of the previously discussed trends in hours of paid work: weekly hours of market work were up for women and down for men (primarily because of changes in labor force participation rates) over the 1965–1981 period. While in 1981 women still averaged more than twice as many hours in household chores as men, their hours of household work were falling while those

TABLE 7.1

Weekly Hours Spent in Work and Leisure by Men and Women, Age 25–64, in the United States, 1965–1981

	Men		Women	
	1965	1981	1965	1981
Paid work (including commuting)	51.6	44.0	18.9	23.9
Household work	11.5	13.8	41.8	30.5
Leisure	36.7	41.8	35.4	41.9
Personal care	68.2	68.2	71.9	71.6

Source: F. Thomas Juster and Frank P. Stafford, "The Allocation of Time: Empirical Findings, Behavioral Models, and Problems of Measurement," *Journal of Economic Literature* 29 (June 1991): Table 3.

of men were rising. Finally, both men and women experienced substantial increases in leisure time over the period.[3]

Two Substitution Effects

In chapter 6, we noted that the substitution effect has tended to dominate the income effect in the labor supply of women. As women's labor force participation has increased, the dominance of the substitution effect for women has appeared to fade, and the relative sizes of the two effects for men and women have begun to converge. The historical differences in the substitution effects for men and women, and their apparently growing convergence, can be at least partly understood by the presence of *two* substitution effects: one between market and household work, and the other between market work and leisure. We argue below that the magnitudes of these two effects differ depending on one's role in household production.

Recall from Figure 6.10 that the substitution effect is graphically depicted by changing the slope of the budget constraint, keeping it tangent to the same indifference curve. You can see from comparing the two panels in Figure 7.2 that the substitution effect is larger if the isoquant is gently bent (panel a), as opposed to abruptly bent (panel b). What can cause these isoquants to bend differently?

Both panels of Figure 7.2 place the value of goods (and services) used in producing utility on the vertical axis; thus, the vertical axis depicts the goods that can be purchased with the money derived from market work. Panel (a), however, shows the trade-offs between these goods and household *work* time that keep utility constant, while panel (b) shows the goods/*leisure* trade-off. The gradual bend

---

[3]Diary-based estimates of market work hours included commuting time, hours of job search, hours at a second job, and unpaid time spent at the workplace before and after work; thus, these data are not fully comparable to the hours data discussed at the beginning of chapter 6. F. Thomas Juster and Frank P. Stafford, "The Allocation of Time: Empirical Findings, Behavioral Models, and Problems of Measurement," *Journal of Economic Literature* 29 (June 1991): 471–522, argue that the diary-based measures are superior to conventional interview data.

FIGURE 7.2

Large versus Small Substitution Effects Attendant to a Wage Increase

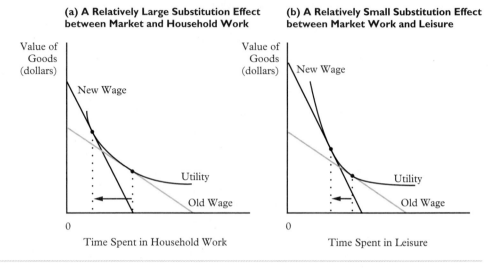

in panel (a) implies that reductions in hours of household work can be easily compensated for by purchasing more goods; that is, reduced time devoted to such household chores as cooking, cleaning, and child care can be easily replaced through the purchase of a microwave oven, prepared foods, an electric dishwasher, or the services of a babysitter.

The steeper bend in the goods/leisure indifference curve (panel b) reflects the greater difficulty in substituting goods for *leisure* time without loss of utility.[4] Leisure activities normally include time as an essential input, and the possibilities for economizing on time are thus limited. A television show can be taped and watched more quickly later by fast-forwarding through commercials, and one can listen to a Beethoven symphony while doing other things, such as driving or jogging. These examples, however, highlight how difficult it is to substitute satisfactorily for time in leisure activities.

Married women have traditionally been—and remain today—the primary household producers in most families. Therefore, as wages have risen, the (stronger) market/household-work substitution effect shown in panel (a) of Figure 7.2 probably has been of greater importance for women than for men. Moreover, as women have increased their hours of paid work markedly over recent decades, they have undoubtedly substituted many purchased goods for household-work time—with the result that further substitutions now may be more difficult. In short,

---

[4]To prove this to yourself, ask, "If an hour of time at home is given up, what amount of goods will have to be added to keep utility constant?" When it is difficult to substitute goods for time, it will take many goods to keep utility constant, and the indifference curve will rise steeply. You should be able to convince yourself that the limiting case in which no substitution is possible involves an indifference curve that is L-shaped; in this case, no change in the wage rate will change the optimum mix of inputs.

many households now may be at a more steeply sloped point on the trade-off curve in panel (a) than they were several years ago. The historical dominance of the substitution effect for women, and the apparent fall in this dominance, thus may at least partially reflect the prominent role of women in household production and the adjustments in household production made over the years as their labor force participation has increased.

Joint Labor Supply Decisions within the Household

The models depicted in chapter 6 and so far in this chapter have been for a single decision maker, who was assumed to be trying to maximize his or her own utility. For those who live with partners, however, some kind of *joint* decision-making process must be used to allocate the time of each and to agree on who does what in the household. This process is complicated by emotional relationships between the partners, and their decisions about market and household work are also heavily influenced by custom.[5] Nevertheless, economic theory may help provide insight into at least some of the forces that shape the decisions all households must make.

Just how to model the different decision-making processes that can be used by households is a question economists have only begun to study. The formal models of decision making among married couples that have been developed, all of which are based on principles of utility maximization, fall into three general categories.[6] The simplest models extend the assumption of a single decision maker to marriage partners, either by assuming they both have exactly the same preferences or by assuming that one makes all the decisions. A second type of model assumes that the partners engage in a bargaining process in making household decisions; each is assumed to have resources that affect their bargaining power. Finally, some models assume that the partners act independently to maximize their own utility, but each does so by considering the likely actions, and reactions, of the other.

Whatever process partners use to decide on the allocation of their time, and it may be different in different households, there are certain issues that nearly all households must face. We turn now to a brief analysis of some joint decisions that affect labor supply.

Specialization of Function

Partners often find it beneficial to specialize to some extent in the work that needs to be done, both in the market and in the household. Often, one or the other partner will bear primary responsibilities for meal planning, shopping, home maintenance, or

---

[5]See Julie A. Nelson, "I, Thou, and Them: Capabilities, Altruism, and Norms in the Economics of Marriage," *American Economic Review* 84 (May 1994): 126–131; and Claire Brown, "An Institutional Model of Wives' Work Decisions," *Industrial Relations* 24 (Spring 1985): 182–204.

[6]See Shelly Lundberg and Robert A. Pollak, "Bargaining and Distribution in Marriage," *Journal of Economic Perspectives* 10 (Fall 1996): 139–158.

child-rearing. It may also be the case that, when both work for pay, one or the other of the partners will be more available for overtime, for job-related travel, or for cutting short a workday if an emergency arises at home. What factors are weighed in deciding who specializes in what?

THEORY   Consider a couple trying to decide which spouse, if either, will take primary responsibility for child-rearing by staying at home (say) or by taking a job that has a less-demanding schedule or a shorter commute. Because the person with primary child-care duties will probably end up spending more hours in the household, the couple needs to answer two questions: Who is relatively more productive at home? Who is relatively more productive in market work?

For example, a couple deciding whether one partner should stay home more and perform most of the child-rearing would want to consider what gains and losses are attendant on either the husband or the wife assuming this responsibility. The losses from staying home are related to the market wage of each, while the gains depend on their enjoyment of, and skill at, child-rearing. (Since enjoyment of the parenting process increases utility, we can designate both higher levels of enjoyment *and* higher levels of skill as indicative of greater "productivity" in child-rearing.) Wage rates for women, for reasons discussed in later chapters, typically have been below those for men. It is also likely that, because of socialization, wives have been historically more productive than husbands in child-rearing. If a given woman's wage rate is lower than her husband's and the woman is more productive in child-rearing, the family gives up less in market goods and gains more in child-rearing if the wife takes primary responsibility in this area.

IMPLICATIONS FOR THE FUTURE   Modeling the choice of who handles most of some household duty as influenced by relative household and market productivities is not meant to imply that customs are unimportant in shaping preferences or limiting choices concerning household production; clearly they are. What the theory of household production emphasizes is that the distribution of household work may well change as wages, incomes, and home productivities change. One study has found that, when both spouses work outside the home, the weekly hours that each spends in household work are affected by their relative wage rates. That is, as wives' wages rise relative to those of their husbands, the household work done by husbands appears to increase, while the work done by wives decreases.[7]

Do Both Partners Work for Pay?

It is clearly not necessary, of course, that either partner stay at home full-time. Many household chores, from cooking and cleaning to child care, can be hired out or oth-

[7]Joni Hersch and Leslie S. Stratton, "Housework, Wages, and the Division of Household Time for Employed Spouses," *American Economic Review* 84 (May 1994): 120–125. Hersch and Stratton also suggest that wages are themselves affected (negatively) by increased household work time; see their "Household, Fixed Effects, and Wages of Married Workers," *Journal of Human Resources* 32 (Spring 1997): 285–307. A more recent publication on the same topic is Shelly Lundberg and Elaina Rose, "Parenthood and the Earnings of Married Men and Women," *Labour Economics* 7 (November 2000): 689–710.

FIGURE 7.3

Home versus Market Productivities

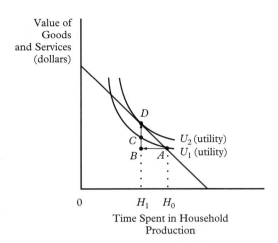

erwise performed in a goods-intensive manner. The considerations underlying the decision about whether both should work can be best understood by looking at Figure 7.3. The utility isoquants there (U_1 and U_2) represent the various combinations of household time and goods that can be used to generate family (or individual) utility of two levels (level 1 and level 2).

As long as an extra hour of market work by both partners creates the ability to buy more goods than are required to make up for the hour of lost home time, both can enhance household resources if they work for pay that extra hour. In terms of Figure 7.3, if a person spending H_0 hours at home decides to work an extra hour for pay, so that H_1 hours are now spent at home, he or she will gain BD in goods.[8] Since an increase of only BC in goods is required to compensate for the lost hour of home production to keep utility constant, household resources are clearly increased if the person works for pay. In other words, at point A, the person is relatively more productive in the marketplace than at home. Thus, decisions about household labor supply must be made in full consideration of the market and household productivities of both partners.

The Joint Decision and Cross-Effects

We have seen that family labor supply decisions are enhanced by jointly considering the household and market productivities of each partner. However, one partner's productivity in both production and consumption at home is affected by the *other* partner's labor supply to the market, so that modeling the joint decision is quite complex. On the one hand, if a married woman decides to increase her hours worked outside the home, her husband's marginal productivity for a given

---

[8]We are talking here of after-tax spending power. The value of what one produces at home is not taxed, but earnings in the marketplace are—a difference that forces us to focus here on wages and earnings *net* of taxes.

EXAMPLE 7.2

Husbands, Wives, Neighbors, and the End of the Six-Hour Workday at Kellogg's

Economic theory suggests that the supply of work hours depends, in part, on the value people place on household time, including leisure. This point is illustrated quite clearly by the workers at Kellogg's, the cereal maker. During the Great Depression, Kellogg's gained the national spotlight by dropping its standard eight-hour workday and adopting a workday of only six hours. Workers willingly "shared the work" with the unemployed, accepting lower earnings for more leisure.

During World War II, the company switched to a 48-hour workweek but promised to revert to six-hour shifts after the emergency ended. In mid-1946, employees reaffirmed their desire for the shorter workday, with 87 percent of women and 71 percent of men voting for six hours. By 1957, however, most departments had opted to switch back to the eight-hour workday—so that only about one-quarter of the work force, mostly women, retained the six-hour shift.

What happened between the end of World War II and the late 1950s that caused workers, especially men, to change their minds about how much to work? Interviews with these workers suggest that one of the most important factors was a clash in spouses' perceptions of how household time should be used. Many men complained about the friction that resulted when they spent too much time around the house: "The wives didn't like the men underfoot all day" and "The wife always found something for me to do if I hung around" were typical responses.

In addition, these men paid attention to what their neighbors did and thought. Without the rationale of sharing work with the unemployed or returning war veterans, they became embarrassed about working shorter shifts than other men. Spending too much time at home came to be seen as abnormal or unmanly, and even though their incomes were rising, these men believed that longer hours were needed to buy the material possessions being acquired by their neighbors. The utility of household time, then, was influenced not only by personal tastes, but also by household interactions and societal pressures.

Source: Benjamin Kline Hunnicutt, *Kellogg's Six-Hour Day*, Philadelphia: Temple University Press, 1996.

number of hours at home may rise as he takes over chores she once performed. Thus, if both wife and husband are *substitutes* in the household production of commodities, one spouse's increased labor supply to the market may tend to decrease the labor supply of the other.

On the other hand, both spouses may be *complementary* in the *consumption* of household commodities. That is, if the woman above takes a job that involves working until 8:00 p.m. each night, her husband may decide that dinners at 6:00 p.m. have less utility than before, and as a result, he might decide that the benefits of working later outweigh the utility lost by so doing. In this case, one spouse's decision to increase hours worked for pay may induce the other spouse to likewise increase labor supply. (See Example 7.2 for a case in which the consumption of household time by spouses was *not* complementary.)

Theory cannot predict whether the spouses are substitutes or complements in household production and consumption; similarly, it is impossible to say which cross-effect will dominate if their signs conflict. There is as yet no real consensus on the sizes and signs of these cross-effects for husbands and wives.[9]

Labor Supply in Recessions: The "Discouraged" versus the "Added" Worker

Changes in one partner's productivity, either at home or in market work, can alter the family's basic labor supply decision. Consider, for example, a "traditional" family in which market work is performed by the husband and in which the wife is employed full-time in the home. What will happen if a recession causes the husband to become unemployed?

ADDED-WORKER EFFECT   The husband's market productivity declines, at least temporarily. The drop in his market productivity relative to his household productivity (which is unaffected by the recession) makes it more likely that the family will find it beneficial for him to engage in household production. If the wage his wife can earn in paid work is not affected, the family *may* decide that, to try to maintain the family's prior level of utility (which might be affected by both consumption and *savings* levels), *she* should seek market work and *he* should substitute for her in home production for as long as the recession lasts. He may remain a member of the labor force as an unemployed worker awaiting recall, and as she begins to look for work, she becomes an added member of the labor force. Thus, in the face of falling family income, the number of family members seeking market work may increase. This potential response is akin to the income effect in that, as family income falls, fewer commodities are consumed—and less time spent in consumption tends to be matched by more desired hours of work for pay.

DISCOURAGED-WORKER EFFECT   At the same time, however, we must look at the *wage rate* someone without a job can *expect* to receive if he or she looks for work. This expected wage, denoted by $E(W)$, can actually be written as a precise statistical concept:

$$E(W) = \pi W \tag{7.1}$$

where W is the wage rate of people who have the job and π is the probability of obtaining the job if out of work. For someone without a job, the opportunity cost of staying home is $E(W)$. The reduced availability of jobs that occurs when the unemployment rate rises causes the *expected wage of those without jobs to fall* sharply

---

[9]For reviews of these issues, see Mark Killingsworth, *Labor Supply* (Cambridge: Cambridge University Press, 1983); Marjorie B. McElroy, "Appendix: Empirical Results from Estimates of Joint Labor Supply Functions of Husbands and Wives," in *Research in Labor Economics*, vol. 4, ed. Ronald Ehrenberg (Greenwich, Conn.: JAI Press, 1981), 53–64; and, more recently, Daniel Hamermesh, "Togetherness: Spouses' Synchronous Leisure, and the Impact of Children," National Bureau of Economic Research Working Paper no. 7455 (January 2000).

for two reasons. First, an excess of labor supply over demand tends to push down real wages (for those with jobs) during recessionary periods. Second, the chances of getting a job fall in a recession. Thus, both W and π fall in a recession, causing $E(W)$ to decline.

Noting the *substitution effect* that accompanies a falling expected wage, some have argued that people who would otherwise have been looking for work become discouraged in a recession and tend to remain out of the labor market. Looking for work has such a low expected payoff for them that they decide spending time at home is more productive than spending time in job search. The reduction of the labor force associated with discouraged workers in a recession is a force working against the added-worker effect—just as the substitution effect works against the income effect.

WHICH EFFECT DOMINATES?   It is possible, of course, for both the added-worker and the discouraged-worker effects to coexist, because "added" and "discouraged" workers will be different groups of people. Which group predominates, however, is the important question. If the labor force is swollen by added workers during a recession, the published unemployment rate will likewise become swollen (the added workers will increase the number of people looking for work). If workers become discouraged and drop out of the labor market after having been unemployed, the decline in people seeking jobs will depress the unemployment rate. Knowledge of which effect predominates is needed in order to make accurate inferences about the actual state of the labor market from the published unemployment rate.

We know that the added-worker effect does exist, although it tends to be rather small. The added-worker effect is confined to the relatively few families whose sole breadwinner loses a job, and there is some evidence that it may be reduced by the presence of unemployment insurance benefits; further, as more and more women become regularly employed for pay, the added-worker effect will tend to both decline and become increasingly confined to teenagers.[10] In contrast, the fall in expected real wages occurs in nearly *every* household, and since the substitution effect is relatively strong for married women, it is not surprising that studies have consistently found the discouraged-worker effect to be large and dominant.[11] Other things equal, *the labor force tends to shrink during recessions and grow during periods of economic recovery.*

HIDDEN UNEMPLOYMENT   The dominance of the discouraged-worker effect creates what some call the *hidden* unemployed—people who would like to work but believe jobs are so scarce that looking for work is of no use. Because they are

---

[10]Julie Berry Cullen and Jonathan Gruber, "Does Unemployment Insurance Crowd Out Spousal Labor Supply?" *Journal of Labor Economics* 18 (July 2000): 546–572; and Melvin Stephens Jr., "Worker Displacement and the Added Worker Effect," *Journal of Labor Economics* 20 (July 2002): 504–537.

[11]For recent studies, see Luca Benati, "Some Empirical Evidence on the 'Discouraged Worker' Effect," *Economics Letters* 70 (March 2001): 387–395; and Paul Bingley and Ian Walker, "Household Unemployment and the Labour Supply of Married Women," *Economica* 68 (May 2001): 157–185.

not looking for work, they are not counted as unemployed in government statistics. Focusing on the period from February 2001 to February 2002, when the overall official unemployment rate rose from 4.2 percent to 5.5 percent, can give some indication of the size of hidden unemployment.

In February 2001, an average of 5.9 million people (4.2 percent of the labor force) were counted as unemployed. In addition, 289,000 people indicated that they wanted work but were not seeking it because they believed jobs were unavailable to them; this group constituted 0.4 percent of those adults not in the labor force. By February 2002, some 7.9 million people (5.5 percent of the labor force) were officially counted as unemployed, but there were 371,000 others among the group not seeking work because they believed jobs were unavailable. Coincident with reduced job opportunities, the number of "discouraged workers" had grown to 0.5 percent of those adults not in the labor force. If discouraged workers were counted as unemployed members of the labor force, the unemployment rate would have been 4.5 percent in February 2001 and 6.1 percent by February 2002; thus, while the official unemployment rate went up 1.3 percentage points, the rate that includes discouraged workers went up 1.6 percentage points.[12]

Life-Cycle Aspects of Labor Supply

Because market productivity (wages) and household productivity vary over the life cycle, people vary the hours they supply to the labor market over their lives. In the early adult years, relatively fewer hours are devoted to work than in later years, and more time is devoted to schooling. In the very late years, people fully or partially retire, though at varying ages. In the middle years (say, 25 to 50), most males are in the labor force continuously, but for married women, labor force participation rates rise with age. While the issue of schooling is dealt with in chapter 9, expanding the model of household production discussed in this chapter to include life-cycle considerations can enrich our understanding of labor supply behavior in several areas, three of which are discussed below.

The Labor Force Participation Patterns of Married Women

When one examines married women's labor force participation rates by using cross-sectional data—data on women of different ages at a point in time—it appears that married women have falling labor force participation during their 20s and rising participation rates from ages 30 to 50. However, a study that followed separate birth cohorts of women (women born in the same years) found that cross-sectional data

---

[12]To say that including discouraged workers would change the published unemployment rate does not imply that it *should* be done. For a summary of the arguments for and against counting discouraged workers as unemployed, see the final report of the National Commission on Employment and Unemployment Statistics, *Counting the Labor Force* (Washington, D.C.: NCEUS, 1979), 44–49.

FIGURE 7.4

Household Productivity Can Change
over the Life Cycle

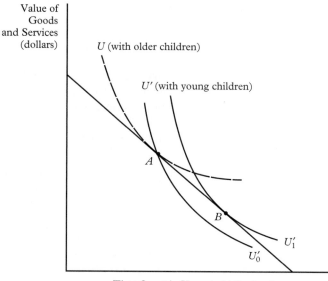

may be misleading if we want to describe the participation patterns of the "typical" married woman over her life cycle. Following cohorts of married women throughout each decade of the life cycle suggests that labor force participation rates rise in each decade of life, with the increases after age 30 typically being much greater than those from ages 20 to 30.[13] Can household production theory help to explain these more steeply rising participation rates after age 30?

The basic premise of the household production model is that people are productive in two places: in the home and in a "market" job. Their decisions about whether to seek market work and for how many hours are a function of their *relative* productivities in both places.

Home productivity of at least one parent is relatively higher when young children are present, and it probably falls as children become older (see Example 7.3). Higher household productivity can be represented by a steeper tilt to the utility isoquants, as shown by the U' curves in Figure 7.4. The U' "family" of isoquants implies that the parent who is the primary caregiver (historically the mother) will have a tangency point near B with relatively less time in market work and more time at home. As children grow older, the isoquants take on a flatter slope, as shown by the dashed curve U in Figure 7.4 (to see the flatter slope, compare the slopes of U and U' at a common point, A). The flatter slope of the dashed isoquant results

---

[13]Claudia Goldin, *Understanding the Gender Gap* (New York: Oxford University Press, 1990), 21–26. A study by David Shapiro and Frank L. Mott, "Long-Term Employment and Earnings of Women in Relation to Employment Behavior Surrounding First Birth," *Journal of Human Resources* 29 (Spring 1994): 248–275, found that women most "attached" to the labor force returned to work almost immediately after childbirth. It is among those less attached that we observe the rising labor force participation rates as children age.

EXAMPLE 7.3

The Value of a Homemaker's Time

The services performed by homemakers are not sold in the marketplace, but this does not imply they are not valuable. For purposes of settling claims involving the permanent injury or wrongful death of a homemaker, and often in cases in which property must be divided upon divorce, it is important to place a value on homemakers' services. There are three approaches that can be taken.

Market-Price Approach. One method is to measure how much a homemaker's services (cooking, child care, recordkeeping, etc.) would cost if they were to be individually purchased in the marketplace. The problem with this approach is that in cases in which the services are available but not purchased, the family must believe such services are not worth their cost; for these households, the value assigned by the market-price approach overstates the value of the homemaker's services.

Opportunity-Cost Approach. A second method is to estimate what the homemaker would have been able to earn, after taxes, if she (or he) had worked for pay. Of course, some homemakers do not work at all, which implies they value the services they provide at home at more than their potential market earnings. Using the forgone wage to place a value on each hour of household work thus results in an underestimate of the value of a homemaker's services.

Self-Employment Approach. A third method is to treat homemakers as self-employed individuals who can either increase hours at home if their marginal household productivity (MHP) exceeds their market wage (W) or reduce hours at home if W exceeds MHP. If MHP exceeds W even when hours of paid

work are zero, the homemaker works full-time at home; if W exceeds MHP even when working full-time for pay, the person works full-time outside the home. If a person is at home part of the time and also works part-time for pay, we can infer that MHP and W must be equal. It is from part-time workers, then, that we obtain estimates of marginal household productivities, and from these estimates it is possible to derive a relationship between hours at home and the total value of household services.

Estimated Values. The first two approaches above, while less theoretically satisfactory, are computationally more feasible. Studies that estimate time spent on various household services from diary data have estimated the value of household services under both the market-price and opportunity-cost approaches. The estimated yearly values for full-time homemakers are as follows (year 2003 dollars):

	Market Price	Opportunity Cost
With children age 2–5	$27,736	$24,632
Youngest child age 6–14	24,960	21,259
No children	20,133	19,997

Data from: William H. Gauger and Kathryn E. Walker, *The Dollar Value of Household Work* (Ithaca, N.Y.: College of Human Ecology, 1979); W. Keith Bryant, Cathleen D. Zick, and Hyoshin Kim, *Household Work: What's It Worth and Why?* (Ithaca, N.Y.: Cornell Cooperative Extension, 1992); and Carmel Ullman Chiswick, "The Value of a Housewife's Time," *Journal of Human Resources* 16 (Summer 1982): 412–425.

in a tangency point to the left of point *B*, implying reduced time at home by the primary caregiver and more time in market work.

The Substitution Effect and When to Work over a Lifetime

Just as joint decisions about market and household work involve comparing market and home productivities of the two partners, deciding *when* to work over the course of one's life involves comparing market and home productivities *over time*. The basic idea here is that people will tend to perform the most market work when their earning capacity is high relative to home productivity. Conversely, they will engage in household production when their earning capacity is relatively low.

Suppose a sales representative working on a commission basis knows that her potential income is around $60,000 in a certain year, but that July's income potential will be twice that of November's. Would it be rational for her to schedule her vacation (a time-intensive activity) in November? The answer depends on her market productivity relative to her household productivity for the two months. Obviously her market productivity (her wage rate) is higher in July than November, which means that the opportunity costs of a vacation are greater in July. However, if she has children who are free to vacation only in July, she may decide that her household productivity (in terms of utility) is so much greater in July than November that the benefits of vacationing in July outweigh the costs. If she does not have children of school age, the utility generated by a November vacation may be sufficiently close to that of a July vacation that the smaller opportunity costs make a November vacation preferable.

Similar decisions can be made over longer periods of time, even one's entire life. As chapter 9 will show, market productivity (reflected in the wage) starts low in the young adult years, rises rapidly with age, then levels off and even falls in the later years, as shown in panel (a) of Figure 7.5. This general pattern occurs within each of the broad educational groupings of workers, although the details of the wage trajectories differ. With an *expected* path of wages over their lives, workers can generate rough predictions of two variables critical to labor supply decisions: lifetime wealth and the costs of leisure or household time they will face at various ages. Thus, if home productivity is more or less constant as they age, workers who make labor supply decisions by taking expected lifetime wealth into account will react to *expected* (life-cycle) wage increases by unambiguously increasing their labor supply. Such wage increases raise the cost of leisure and household time but do not

FIGURE 7.5

Life-Cycle Allocation of Time

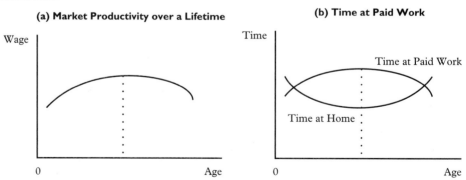

increase expected lifetime wealth; these wage increases, then, are accompanied only by a substitution effect.

Introducing life-cycle considerations into labor supply theory yields a prediction that the profiles of time spent at, and away from, market work will resemble those shown in panel (b) of Figure 7.5; that is, workers will spend more time at paid work activities in their (relatively high-wage) middle years. Similarly, life-cycle considerations suggest that the consumption of very time-intensive leisure activities will occur primarily in one's early and late years. (That travelers abroad are predominantly young adults and the elderly is clearly related to the fact that, for these groups, opportunity costs of time are lower.)

If workers make labor supply decisions with the life cycle in mind, they will react differently to expected and unexpected wage changes. Expected wage changes will generate only a substitution effect, because estimates of lifetime wealth will remain unchanged. *Unexpected* wage changes, however, will cause them to revise their estimates of lifetime wealth, and these changes will be accompanied by both substitution and income effects. Empirical tests of the life-cycle model of labor supply are relatively recent; to date, they suggest that life-cycle considerations are at best of modest importance in the labor supply decisions of most workers.[14]

The Choice of Retirement Age

A multiyear perspective is also required to more fully model workers' retirement decisions, because *yearly* retirement benefits, expected *lifetime* benefits, and lifetime earnings are all influenced by the date of retirement. Yearly retirement benefits are received by retirees in the form of pension payments, usually in monthly installments; the size of these benefits are directly or indirectly related to a retiree's past earnings per year and the number of years he or she worked. The total value of these promised yearly benefits over the expected lifetime of the retiree is what we mean by "expected lifetime benefits." This value is obviously affected by the size of the yearly benefits and the age (and remaining life expectancy) of the retiree, but finding the value involves more than simply adding up the yearly benefits.

Summing yearly benefits over several future years must take account of the fact that, over time, current sums of money can grow "automatically" with interest. For example, if the interest rate is 10 percent per year, an employer promising to pay a worker $1,000 *this* year has undertaken a greater expense (and is thus offering something of greater value) than one who promises to pay a worker $2,000 *in 10 years*. In the former case, the employer needs to have $1,000 on hand right now, whereas in the latter case, the employer needs to set aside only $772 now (at 10 percent interest, $772 will grow into $2,000 in 10 years). Economists therefore say that $772 is the "present value" of the promised $2,000 in 10 years (at a 10 percent interest rate).

[14]For a recent paper with references to earlier work in this area, see John C. Ham and Kevin T. Reilly, "Testing Intertemporal Substitution, Implicit Contracts, and Hours Restriction Models of the Labor Market Using Micro Data," *American Economic Review* 92 (September 2002): 905–927.

We will discuss how to calculate present values in chapter 9; for now, all you need to know is that the present value of "remaining lifetime retirement benefits" is a calculated sum intended to reflect the commitment of current funds needed to guarantee the promised future yearly benefits. Similarly, the present value of remaining lifetime earnings is the appropriate summation of future yearly earnings, and it represents the sum of money a person would have to possess *today* to guarantee the expected earnings stream in the future.

The purpose of this section is to explore some of the economic factors that affect the age of retirement. For the sake of illustration, we discuss the retirement incentives facing a 62-year-old male who has earned, and can continue to earn, $32,700 per year as shown in Table 7.2. To further simplify our discussion, we assume this man has no pension other than that provided by Social Security and that, for him, retirement means the cessation of all paid work.

The retirement incentives facing this worker are related to three basic factors: (a) the present value of income available to him over his remaining life expectancy if he retires at age 62; (b) the *change* in this sum if retirement is delayed; and (c) preferences regarding household time and the goods one can buy with money. As we will show below, in terms of the labor supply analyses in this chapter and chapter 6, factor (a) is analogous to nonlabor income, and factor (b) is analogous to the wage rate.

GRAPHING THE BUDGET CONSTRAINT   Table 7.2 summarizes the present value now (at age 62) of pension and earned income available to our hypothetical worker at each possible retirement age, up to age 70. If he retires at age 62, the present value of income over his remaining life expectancy is $149,422. If he delays retirement until age 63, the present value of his remaining lifetime income rises by $33,403, to

TABLE 7.2

Assumed Social Security Benefits and Earnings for a Hypothetical Male, Age 62 (yearly wage = \$32,700; interest rate = 2%; life expectancy = 17 years)

Age of Retirement	Yearly Soc. Sec. Benefit	Present Value[a] of Remaining Lifetime:		
		Earnings	Soc. Sec. Benefits	Total
62	$10,455	$ 0	$149,422	$149,422
63	11,326	32,059	150,766	182,825
64	12,197	63,489	150,637	214,126
65	13,068	94,303	149,080	243,383
66	13,852	124,513	145,226	269,739
67	14,636	154,130	140,190	294,320
68	15,420	183,167	134,007	317,174
69	16,204	211,634	126,713	338,347
70	16,988	239,543	118,345	357,888

[a] Present values calculated as of age 62. All dollar values are as of the current year.

$182,825. Note from the second and third columns that delaying retirement from age 62 to 63 increases the present value of both his lifetime earnings *and* Social Security benefits. Delays after age 63, however, are implicitly penalized by reductions in lifetime Social Security benefits; yearly pension benefits rise, but not by enough to offset the reduced number of years such benefits will be received. For example, despite causing a $784 increase in yearly pension benefits, the present value of Social Security benefits falls by $3,854 if he delays retirement from age 65 to 66.

The data in the last column of Table 7.2 are presented graphically in Figure 7.6 as budget constraint *ABJ*. Segment *AB* represents the present value of lifetime income if our worker retires at age 62 and, as such, represents nonlabor income. The slope of segment *BC* represents the $33,403 increase in lifetime income (to $182,825) if retirement is delayed to age 63, and the slopes of the other segments running from points *B* to *J* similarly reflect the increases in discounted lifetime income associated with delaying retirement by a year. These slopes, therefore, represent the yearly *net wage*. The slight concavity of *BJ* reflects the successively smaller increments to lifetime income from delaying retirement after age 63.

FIGURE 7.6

Choice of Optimum Retirement Age for Hypothetical Worker (based on data in Table 7.2)

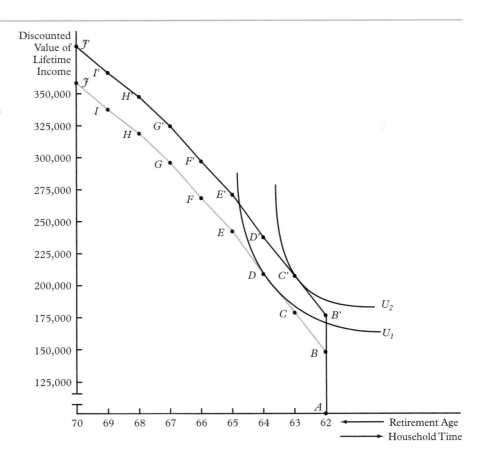

CHANGES IN THE CONSTRAINT   Given preferences summarized by curve U_1, the optimum age of retirement for our hypothetical worker is age 64. How would his optimum age of retirement change if Social Security benefits were increased?[15] The answer depends on how the increases are structured. If the benefit increases were such that a fixed amount was unexpectedly added to lifetime benefits at each retirement age, the constraint facing our 62-year-old male would shift up (and out) to $AB'J'$. The slopes along the segments between B' and J' would remain parallel to those along BJ; thus, there would be an income effect with no substitution effect (that is, no change in the yearly net wage). The optimum age of retirement would be unambiguously reduced, as shown in Figure 7.6.

Alternatively, if Social Security benefits were to be increased by removing the implicit penalties for delaying retirement, so that the segments between B and the vertical axis became more steeply sloped, both an income effect and a substitution effect would be present. Greater lifetime wealth would move our hypothetical worker in the direction of earlier retirement, but a higher net wage from working an extra year would push toward delay. As noted in chapter 6, however, we expect the substitution effect to dominate in labor force *participation* decisions, so if retirement is defined as withdrawal from the labor force, then we would expect a higher net yearly wage to result in delayed retirement.[16]

Our graphical model of the retirement decision emphasizes that this decision is a function of both preferences for household time and the budget constraint facing an individual over his or her remaining lifetime. Changes in Social Security benefits, of course, alter the budget constraint, but there are two other factors that have had important effects on older (especially male) workers' lifetime budget constraints in recent years. First, as we will discuss in chapter 14, the labor demand for men with modest educational backgrounds has fallen over the last two decades or so, with the result that the real wages of such workers have been reduced. This development, by itself, tends to flatten the budget constraint and induce earlier withdrawal from labor force participation.[17]

Second, perhaps because of the fall in labor demand noted above and employers' related desire to induce older workers to leave, the present value of *private* pen-

---

[15]The analysis in this section borrows heavily from Olivia S. Mitchell and Gary S. Fields, "The Effects of Pensions and Earnings on Retirement: A Review Essay," *Research in Labor Economics*, vol. 5, ed. Ronald Ehrenberg (Greenwich, Conn.: JAI Press, 1982), 115–155.

[16]For recent empirical studies on retirement, see Andrew A. Samwick, "New Evidence on Pensions, Social Security, and the Timing of Retirement," *Journal of Public Economics* 70 (November 1998): 207–236; Patricia M. Anderson, Alan L. Gustman, and Thomas L. Steinmeier, "Trends in Male Labor Force Participation and Retirement: Some Evidence on the Role of Pensions and Social Security in the 1970s and 1980s," *Journal of Labor Economics* 17 (October 1999): 757–783; Richard Disney and Sarah Smith, "The Labour Supply Effect of the Abolition of the Earnings Rule for Older Workers in the United Kingdom," *Economic Journal* 112 (March 2002): 136–152; and Jonathan Gruber and David A. Wise, eds., *Social Security Programs and Retirement Around the World: Micro-estimation*, NBER Conference Report Series (Chicago: University of Chicago Press, 2004).

[17]Franco Peracchi and Finis Welch, "Trends in the Labor Force Transitions of Older Men and Women," *Journal of Labor Economics* 12 (April 1994): 210–242.

sion benefits associated with early retirement changed after 1975.[18] In particular, the present value of benefits typically associated with *early* retirement was raised relative to that of retiring at the normal age of (usually) 65, which, in terms of Figure 7.6, lengthened segment *AB* while it flattened the slope of *BJ*. The combination of these effects can be confidently predicted to lower the age of retirement.

Policy Application: Child Care and Labor Supply

For many families, a critical element of what we have called household production is the supervision and nurture of children. Most parents are concerned about providing their children with quality care, whether this care is produced mostly in the household or is purchased to a great extent outside the home. Society at large also has a stake in the quality of care parents provide for their children. There are many forms such programs take, from tax credits for child-care services purchased by working parents to governmental subsidies for day care, school lunches, and health care. The purpose of this section is to consider the labor market implications of programs to support the care of children.

Child-Care Subsidies

Roughly 40 percent of American families pay for child care, and on average, their costs represent 7 percent of family income—although the percentages are higher for those with lower incomes.[19] Child-care costs obviously rise with the hours of care, but part of these costs appear to be fixed: one study found that child-care costs per hour of work were three times greater for women who worked fewer than 10 hours per week than for those who worked more.[20] In the last decade or so, however, federal spending on child-care subsidies has tripled, and the purpose of this section is to analyze the effects of these greater subsidies on the labor supply of parents.

REDUCING THE FIXED COSTS OF CARE Suppose for a moment that child-care costs are purely fixed, so that without a subsidy, working parents must pay a certain amount per day no matter how many hours their children are in care. Figures 7.7 and 7.8 illustrate how a subsidy that covers the entire cost of child care affects the labor supply incentives of a mother who has daily unearned income equal to *ab*.

---

[18]Edward P. Lazear, "Pensions as Severance Pay," in *Financial Aspects of the United States Pension System*, ed. Zvi Bodie and John B. Shoven, National Bureau of Economic Research Project Report (Chicago: University of Chicago Press, 1983), 57–90; and Richard Ippolito, "Toward Explaining Earlier Retirement after 1970," *Industrial and Labor Relations Review* 43 (July 1990): 556–569.

[19]Patricia M. Anderson and Phillip B. Levine, "Child Care and Mothers' Employment Decisions," in *Finding Jobs: Work and Welfare Reform*, ed. David E. Card and Rebecca M. Blank (New York: Russell Sage Foundation, 2000), 426.

[20]David C. Ribar, "A Structural Model of Child Care and the Labor Supply of Married Women," *Journal of Labor Economics* 13 (July 1995): 558–597.

FIGURE 7.7

Labor Supply and Fixed Child-
Care Costs: A Parent Initially Out
of the Labor Force

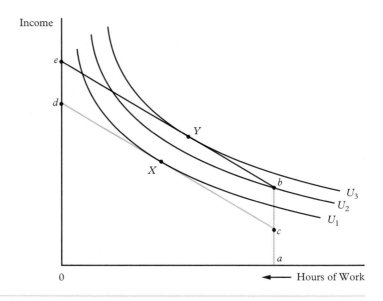

Consider first the case of a mother who is not now working (Figure 7.7). If she decides to work, she must choose from points along the line *cd*, with the distance *bc* representing the fixed costs of child care. The slope of *cd*, of course, represents her wage rate. Given her preferences and the constraint depicted in Figure 7.7, this woman receives more utility from not working (at point *b*) than she would from working (point *X*). If the fixed cost were reduced to zero by a child-care subsidy, so her constraint were now *abe*, her utility would be maximized at point *Y* on curve U_3, and she would now find it beneficial to work. *Thus, child-care subsidies that reduce or remove the fixed cost of child care will encourage work among those previously out of the labor force.* (Such subsidies do not guarantee that all of those out of the labor force would now join it, because some people will have such steep indifference curves that work will still not be utility-maximizing.)

Now consider the case, represented in Figure 7.8, of a woman who is already working when the subsidy is adopted. Before the subsidy, her utility was maximized at point X' on indifference curve U_1', a point at which H_1' hours are worked. When the subsidy generates the constraint *abe*, her utility now will be maximized at point Y' (on U_2'), and she will reduce her hours of work to H_2'. *Thus, for those already working, removing the fixed cost of child care has an income effect that pushes them toward fewer hours of work.* (Note, however, that the woman depicted in Figure 7.8 remains in the labor force.)

REDUCING THE HOURLY COSTS OF CARE   Now let us take a case in which the costs of child care are purely hourly and have no fixed component. If such costs, say, are $3 per hour, they simply reduce the hourly take-home wage rate of a working parent by $3. If a government subsidy were to reduce the child-care costs to zero, the parent would experience an increase in the take-home wage, and the labor supply effects would be those of a wage increase. For those already working, the subsidy would create an income effect and a substitution effect that work in oppo-

FIGURE 7.8

Labor Supply and Fixed Child-Care
Costs: A Parent Initially Working
for Pay

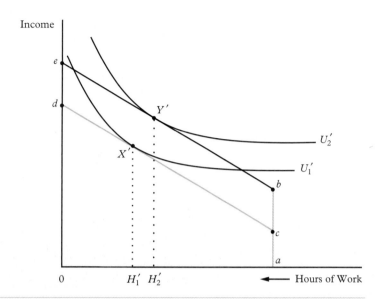

site directions on the desired hours of work. For those not in the labor force, the
increased take-home wage would make it more likely they would join the labor
force (the substitution effect dominates in participation decisions).

OBSERVED RESPONSES TO CHILD-CARE SUBSIDIES   Our analysis above suggests that child-care subsidies, which in actuality reduce *both* the fixed and the hourly
cost of care, would have a theoretically ambiguous effect on the hours of work among
those already in the labor force. The effect on labor force participation, however, is
theoretically clear: child-care subsidies should increase the labor force participation
rates among parents, especially mothers. Empirical studies of the relationship
between child-care costs and labor force participation are consistent with this latter
prediction: when costs go down, labor force participation goes up. Further, it appears
that the greatest increases are among those with the lowest incomes.[21]

Child Support Assurance

The vast majority of children who live in poor households have an absent parent.
The federal government has taken several steps to ensure, for families receiving welfare, that absent parents contribute adequately to their children's upbringing.
Greater efforts to collect child support payments are restricted in their effectiveness by the lack of resources among some absent parents, deliberate noncompliance
by others, and the lack of court-awarded child support obligations in many more
cases of divorce. To enhance the resources of single-parent families, some have

---

[21]See Anderson and Levine, "Child Care and Mothers' Employment Decisions," for a summary of empirical work on how the cost of child care affects mothers' decisions to work. For a more recent publication, see Rachel Connelly and Jean Kimmel, "The Effect of Child Care Costs on the Employment and
Welfare Recipiency of Single Mothers," *Southern Economic Journal* 69 (January 2003): 498–519.

FIGURE 7.9

Budget Constraints Facing a Single
Parent before and after Child Support
Assurance Program Adopted

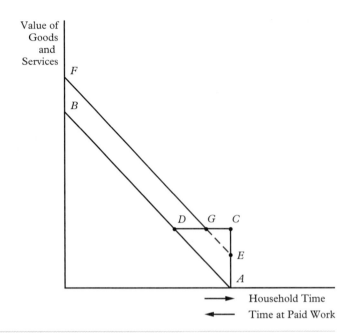

proposed the creation of child support assurance programs. The essential feature of these programs is a guaranteed child support benefit that would be paid by the government to the custodial parent in the event the absent parent does not make payments. If the absent parent makes only a portion of the required support payment, the government would make up the remainder.[22]

A critical question to ask about such a program is how it would affect the labor supply of custodial parents. The answer provided by economic theory is not completely straightforward.

Consider a single mother who has two options for supporting herself and her children. One option is to work outside the home with no support from the absent father or from the welfare system. In Figure 7.9, we assume that the budget constraint provided by this option can be graphed as *AB*, which has a slope that represents her wage rate. The mother's other option is to apply for welfare benefits, which we assume would guarantee her an income of *AC*. Recall from chapter 6 that welfare payments typically are calculated by subtracting from a family's "needed" level of income (*AC*) its actual income from other sources, including earnings. Thus, the welfare constraint is *ACDB*, and it can be seen that segment *CD* is reflective of a take-home wage rate equal to zero.

If the mother's utility isoquants are steeply sloped (meaning, of course, that she is less able or less willing to substitute for her time at home), her utility is maximized

---

[22]Irwin Garfinkel, Philip K. Robins, Pat Wong, and Daniel R. Meyer, "The Wisconsin Child Support Assurance System: Estimated Effects on Poverty, Labor Supply, Caseloads, and Costs," *Journal of Human Resources* 25 (Winter 1990): 1–31.

at point *C*; she applies for welfare and does not work for pay. If her utility isoquants are relatively flat, her utility will be maximized along segment *DB*, and in this case she works for pay and does not rely on welfare benefits to supplement her income.

Suppose, now, that a child support assurance program is adopted that guarantees support payments of *AE* to the mother, regardless of her income. If she works, the effect of the new program would be to add the amount *AE* (= *BF*) to her earnings. If she does not work and remains on welfare, her *welfare* benefits are reduced by *AE*; thus, her child support benefits *plus* her welfare benefits continue to equal *AC*. After the child support assurance program is implemented, then, her budget constraint is *ACGF*.

How will the new child support programs affect the mother's time in the household and her hours of paid work? There are three possibilities. First, some mothers will have isoquants so steeply sloped that they will remain out of the labor force and spend all their time in the household (they will remain at point *C* in Figure 7.9). These mothers would receive child support payments of *AE* and welfare benefits equal to *EC*.

Second, for those who worked for pay before and were therefore along segment *DB*, the new program produces a pure income effect. These mothers will continue to work for pay, but their utility is now maximized along *GF* and they can be expected to reduce their desired hours of work outside the home.

Third, some women, like the one whose isoquants (U_1 and U_2) are shown in Figure 7.10, will move from being on welfare to seeking paid work; for these women, the supply of labor to market work increases. These women formerly maximized utility at point *C*, but the new possibility of working *and* still being able

FIGURE 7.10

A Single Parent Who Joins the Labor Force after Child Support Assurance Program Adopted

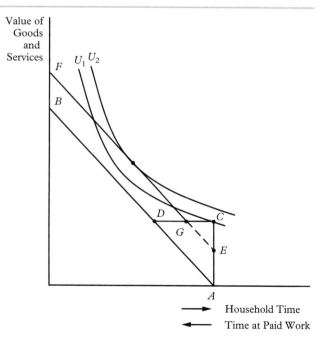

EMPIRICAL STUDY

The Effects of Wage Increases on Labor Supply (and Sleep): Time-Use Diary Data and Sample Selection Bias

We have seen that the expected effects of a wage increase on labor supply are theoretically ambiguous; if the substitution effect dominates, the effect will be to increase desired hours of work, but if the income effect dominates, desired hours will decrease. How labor supply would be affected by wage increases associated with, say, income-tax rate reductions is therefore a question that must be answered empirically—and the research in this area must contend with problems of measuring both hours of work and the wage rate.

Hours of work in studies of labor supply are typically measured through household surveys, which ask workers how many hours they worked "last week." The answers given by workers to this question are somewhat suspect. While those who are paid by the hour have reason to keep careful track of their weekly work hours, salaried workers do not, and many are therefore inclined to give the easy answer of "40." Indeed, when work hours derived from these household surveys are compared to work hours derived from *diary* studies (which are more expensive to collect, because they ask workers in detail about how they used time in the past 24 hours), we find substantial differences. For example, while data from household surveys imply that, for men, weekly hours at work fell by 2.7 percent from 1965 to 1981, diary studies suggest the decline was in fact 13.5 percent.[a]

Measuring wage rates is problematic on two accounts. First, the hourly "wage" for salaried workers is conventionally calculated by dividing their "earnings last week" by their own estimate of how many hours they worked. If they overstate their hours of work, their calculated wage is then understated—and the lower calculated wage is thus associated negatively (and spuriously) with the overstated hours of work. Understating their work hours creates the opposite bias.

Second, those who are not working do not have an observable wage rate. Should we just drop them from the sample, and focus our analysis on those for whom a wage is observed? We cannot simply exclude those not in the labor force from our study of labor supply. Theory suggests that potential workers compare their wage offers to their reservation wages, and if offers lie below the reservation wage, they decide not to work. The statistical methods we use to analyze data rely on their being randomly generated, and dropping those who are not working (either because they have unusually high reservation wages or unusually low wage rates) would make the sample nonrandom by introducing the element of what economists call "sample selection bias."

If those not in the labor force must be in our analysis, what is the appropriate wage to use for them? Surely, they could earn *something* if they worked, so their potential wage is not zero—it simply is not observed. Because we do not directly observe reservation wages or wage offers, we must use statistical methods to *impute* a wage for those not in the labor force. Fortunately, techniques for dealing with this imputation problem have been developed, and one is illustrated by the study to be described.

An interesting use of diary-derived data can be seen in a study that analyzed how wages affect sleep, nonmarket (leisure plus household work) time, and labor supply. The diary data address the accuracy problems noted above in estimating hours of work (the dependent variable when analyzing labor supply). *Wages* for the employed were conventionally measured and statistically related to their personal characteristics, such as education, union status, and place of residence; this statistical relationship was then used to *predict* wages for everyone in the sample, including those not in the labor force.

When the researchers used regression techniques to relate hours of work to predicted wages, they found that increased wages *reduced* the labor supply of men—but so slightly that the effect was essentially zero. Thus, for men, the results imply that the income effect and substitution effect are essentially of equal strength and cancel each other out. For women, the substitution effect dominated, with a 10 percent increase in wages being associated with a 2 percent *increase* in hours of work. (Interestingly, higher wages were associated with men's spending *more* time in nonmarket activities—presumably leisure—while they led to women's spending less time in such activities, probably because they did less household work. Higher wages led to less sleep for both men and women, but these effects were small.)

[a]F. Thomas Juster and Frank P. Stafford, "The Allocation of Time: Empirical Findings, Behavioral Models, and Problems of Measurement," *Journal of Economic Literature* 29 (June 1991): 494.
Source: Jeff E. Biddle and Daniel S. Hamermesh, "Sleep and the Allocation of Time," *Journal of Political Economy* 98, no. 5, pt. 1 (October 1990): 922–943.

to receive an income subsidy now places their utility-maximizing hours of paid work along segment *GF*.

On balance, then, the hypothetical child support assurance program discussed above can be expected to *increase the labor force participation rate* among single mothers (and thus reduce the numbers on welfare), while *reducing the desired hours of paid work* among those who take jobs. Studies that analyze the labor market effects of child support payments (from absent fathers) have found that the labor supply responses among single mothers are consistent with theoretical expectations.[23]

[23]John W. Graham and Andrea H. Beller, "The Effect of Child Support Payments on the Labor Supply of Female Family Heads," *Journal of Human Resources* 24 (Fall 1989): 664–688; and Wei-Yin Hu, "Child Support, Welfare Dependency, and Women's Labor Supply," *Journal of Human Resources* 34 (Winter 1999): 71–103.

Review Questions

1. Suppose that 5 percent unemployment is defined as "full employment" and currently unemployment is 7 percent. Suppose further that we have the following information:

Unemployment Rate	Labor Force	Unemployment	Employment
5 percent	6,000	300	5,700
7 percent	5,600	392	5,208

   a. What is the amount of "hidden" unemployment when the unemployment rate is 7 percent?

   b. If the population is 10,000, what change occurs in the participation rate as a result of the marginal change in the unemployment rate?

   c. What is the economic significance of hidden unemployment? Should measured and hidden unemployment be added to obtain a "total unemployment" figure?

2. A study of the labor force participation rates of women in the post–World War II period noted:

   > Over the long run women have joined the paid labor force because of a series of changes affecting the nature of work. Primary among these was the rise of the clerical and professional sectors, the increased education of women, labor-saving advances in households, declining fertility rates, and increased urbanization.

   Relate each of these factors to the household production model of labor supply outlined in chapter 7.

3. In a debate in the 1976 U.S. presidential campaign, candidate Jimmy Carter argued, "While it is true that much of the recent rise in employment is due to the entrance of married women and teenagers into the labor force, this influx of people into the labor force is itself a sign of economic decay. The reason these people are now seeking work is because the primary breadwinner in the family is out of work and extra workers are needed to maintain the family income." Comment.

4. Is the following statement true, false, or uncertain? Why? "If a married woman's husband gets a raise, she tends to work less, but if *she* gets a raise, she tends to work more."

5. Suppose day-care centers charge working parents for each hour their children spend at the centers (no fixed costs of care). Suppose, too, that the federal government passes subsidy legislation so that the hourly cost per child now borne by the parents is cut in half. Would this policy cause an increase in the labor supply of parents with small children?

6. Assume that a state government currently provides no child-care subsidies to working single parents, but that it now wants to adopt a plan that will encourage labor force participation among single parents. Suppose that child-care costs are hourly, and suppose the government adopts a child-care subsidy that pays $3 per hour for each hour the parent works, up to 8 hours per day. Draw a current budget constraint (net of child-care costs), for an assumed single mother and then draw in the new constraint. Discuss the likely effects on labor force participation and hours of work.

7. Suppose that, as the ratio of the working population to the retired population continues to fall, the voters approve a change in the way Social Security benefits are calculated—a way that effectively reduces every retired person's benefits by half. This

change affects all those in the population, no matter what their age or current retirement status, and it is accompanied by a 50 percent reduction in payroll taxes. What would be the labor supply effects on those workers who are very close to the typical age of retirement (62 to 65)? What would be the labor supply effects on those workers just beginning their careers (workers in their 20s, for example)?

8. A state government wants to provide incentives for single parents to enter the labor market and become employed. It is considering a policy of paying single parents of children under age 18 $20 per day if the parent works at least 6 hours a day, 5 days a week. Draw an assumed current daily budget constraint for a single parent, and then draw in the constraint that would be created by the $20 subsidy. Discuss the likely effects on (a) labor force participation and (b) hours of work.

9. Teenagers under age 18 in New York State are prohibited from working more than 8 hours a day, except if they work as golf caddies, babysitters, or farmworkers. Consider a 16-year-old whose primary household work in the summer is studying for college entrance exams and practicing a musical instrument, but who also has two options for paid work. She can work for $6 per hour with a catering service (limited to 8 hours per day), or work for $5 per hour as a babysitter (with no limitations on hours worked).

a. First, draw the daily budget constraints for each of her paid-work options (assume she can work either for the catering service or as a babysitter, but cannot do both).

b. Next, analyze the possible labor supply decisions this 16-year-old can make, making special reference to the effects of the state law restricting most paid work to 8 hours a day.

Selected Readings

Becker, Gary. "A Theory of the Allocation of Time." *Economic Journal* 75 (September 1965): 493–517.

Fields, Gary S., and Olivia S. Mitchell. *Retirement, Pensions, and Social Security.* Cambridge, Mass.: MIT Press, 1984.

Ghez, Gilbert R., and Gary S. Becker. *The Allocation of Time and Goods over the Life Cycle,* chap. 3. New York: Columbia University Press, 1975.

Gronau, Reuben. "The Measurement of Output of the Nonmarket Sector: The Evaluation of Housewives' Time." In *The Measurement of Economic and Social Performance,* ed. Milton Moss, 163–189. New York: National Bureau of Economic Research, 1973.

Layard, Richard, and Jacob Mincer, eds. *Journal of Labor Economics* 3, no. 1, pt. 2 (January 1985).

"Special Issue on Child Care." *Journal of Human Resources* 27 (Winter 1992).

CHAPTER 8

Compensating Wage Differentials and Labor Markets

Chapters 6 and 7 analyzed workers' decisions about *whether to seek employment* and *how long to work*. Chapters 8 and 9 will analyze workers' decisions about the industry, occupation, or firm in which they will work. This chapter will emphasize the influence on job choice of such daily, *recurring* job characteristics as the work environment, the risk of injury, and the generosity of employee benefits. The following chapter will analyze the effects of required educational *investments* on occupational choice.

Job Matching: The Role of Worker Preferences and Information

One of the major functions of the labor market is to provide the signals and the mechanisms by which workers seeking to maximize their utility can be matched to employers trying to maximize profits. Matching is a formidable task, because workers have varying skills and preferences and because employers offer jobs that differ in requirements and working environment. The process of finding the worker–employer pairings that are best for each is truly one of trial and error, and whether the process is woefully deficient or reasonably satisfactory is an important policy issue that can be analyzed using economic theory in its normative mode.

The assumption that workers are attempting to maximize utility implies that they are interested in both the pecuniary and the nonpecuniary aspects of their jobs. On the one hand, we expect that higher compensation levels in a job (holding job tasks constant) would attract more workers to it. On the other hand, it is clear that pay is not all that matters; occupational tasks and how workers' preferences mesh with those tasks are critical elements in the matching process. The focus of this chapter is on how the labor market accommodates worker preferences.

If all jobs in a labor market were *exactly alike* and located in the *same place*, an individual's decision about where to seek work would be a simple matter of choosing the job with the highest compensation. Any differences in the pay offered by employers would cause movement by workers from low- to high-paying firms. If there were no barriers inhibiting this movement, as discussed in chapter 5, the market would force offers of all employers into equality.

All jobs are not the same, however. Some jobs are in clean, modern spaces, and others are in noisy, dusty, or dangerous environments. Some permit the employee discretion over the hours or the pace of work, while others allow less flexibility. Some employers offer more generous employee-benefit packages than others, and different *places* of employment involve different commuting distances and neighborhood characteristics. We discuss below the ways that differences in job characteristics influence individual choice and observable market outcomes.

Individual Choice and Its Outcomes

Suppose several unskilled workers have received offers from two employers. Employer X pays $8 per hour and offers clean, safe working conditions. Employer Y also pays $8 per hour but offers employment in a dirty, noisy factory. Which employer would the workers choose? Most would undoubtedly choose employer X, because the pay is the same while the job is performed under more agreeable conditions.

Clearly, however, $8 is not an equilibrium wage in both firms.[1] Because firm X finds it easy to attract applicants at $8, it will hold the line on any future wage increases. Firm Y, however, must clean up the plant, pay higher wages, or do both if it wants to fill its vacancies. Assuming it decides not to alter working conditions, it must pay a wage *above* $8 to be competitive in the labor market. The *extra* wage it must pay to attract workers is called a *compensating wage differential* because the higher wage is paid to compensate workers for the undesirable working conditions. If such a differential did not exist, firm Y could not attract the unskilled workers that firm X can obtain.

---

[1]A few people may be indifferent to noise and dirt in the workplace. We assume here that these people are so rare, or firm Y's demand for workers is so large, that Y cannot fill all its vacancies with just those who are totally insensitive to dirt and noise.

AN EQUILIBRIUM DIFFERENTIAL   Suppose that firm Y raises its wage offer to $8.50 while the offer from X remains at $8. Will this 50-cent-per-hour differential—an extra $1,000 per year—attract *all* the workers in our group to firm Y? If it did attract them all, firm X would have an incentive to raise its wages and firm Y might want to lower its offers a bit; the 50-cent differential in this case would *not* be an equilibrium differential.

More than likely, however, the higher wage in firm Y would attract only *some* of the group to firm Y. Some people are not bothered much by dirt and noise, and they may decide to take the extra pay and put up with the poorer working conditions. Those who are very sensitive to noise or dust may decide that they would rather be paid less than expose themselves to such working conditions. If both firms could obtain the quantity and quality of workers they wanted, the 50-cent differential *would* be an equilibrium differential, in the sense that there would be no forces causing the differential to change.

The desire of workers to avoid unpleasantness or risk, then, should force employers offering unpleasant or risky jobs to pay higher wages than they would otherwise have to pay. This wage differential serves two related, socially desirable ends. First, it serves a *social* need by giving people an incentive to voluntarily do dirty, dangerous, or unpleasant work. Second, at an *individual* level, it serves as a reward to workers who accept unpleasant jobs by paying them more than comparable workers in more pleasant jobs.

THE ALLOCATION OF LABOR   A number of jobs are unavoidably nasty or would be very costly to make safe and pleasant (coal mining, deep-sea diving, and police work are examples). There are essentially two ways to recruit the necessary labor for such jobs. One is to compel people to do these jobs (the military draft is the most obvious contemporary example of forced labor). The second way is to induce people to do the jobs voluntarily.

Most modern societies rely mainly on incentives, compensating wage differentials, to recruit labor to unpleasant jobs voluntarily. Workers will mine coal, bolt steel beams together 50 stories off the ground, or agree to work at night because, compared to alternative jobs for which they could qualify, these jobs pay well. Night work, for example, can be stressful because it disrupts normal patterns of sleep and family interactions; however, employers often find it efficient to keep their plants and machines in operation around the clock. The result is that nonunion employees working night shifts are paid about 4 percent more than they would receive if they worked during the day.[2]

COMPENSATION FOR WORKERS   Compensating wage differentials also serve as *individual* rewards by paying those who accept bad or arduous working conditions more than they would otherwise receive. In a parallel fashion, those who opt for more

---

[2]Peter F. Kostiuk, "Compensating Differentials for Shift Work," *Journal of Political Economy* 98, no. 5, pt. 1 (October 1990): 1054–1075. Compensating wage differentials of almost 12 percent have been estimated for registered nurses who work at night; see Edward J. Schumacher and Barry T. Hirsch, "Compensating Differentials and Unmeasured Ability in the Labor Market for Nurses: Why Do Hospitals Pay More?" *Industrial and Labor Relations Review* 50 (July 1997): 557–579.

pleasant conditions have to "buy" them by accepting lower pay. For example, if a person takes the $8-per-hour job with firm X, he or she is giving up the $8.50-per-hour job with less pleasant conditions in firm Y. The better conditions are being bought, in a very real sense, for 50 cents per hour.

Thus, compensating wage differentials become the prices at which good working conditions can be purchased by, or bad ones sold by, workers. Contrary to what is commonly asserted, a monetary value *can* often be attached to events or conditions whose effects are primarily psychological in nature. Compensating wage differentials provide the key to the valuation of these nonpecuniary aspects of employment.

For example, how much do workers value a work schedule that permits them to enjoy leisure activities and sleep at the usual times? If we know that night-shift workers earn 4 percent—or about $1,000 per year for a typical worker—more than they otherwise would earn, the reasoning needed to answer this question is straightforward. Those who have difficulty sleeping during the day, or whose favorite leisure activities require the companionship of family or friends, are not likely to be attracted to night work for only $1,000 extra per year; they are quite willing to forgo a $1,000 earnings premium to obtain a normal work schedule. Others, however, are less bothered by the unusual sleep and leisure patterns, and they are willing to work at night for the $1,000 premium. While some of these latter workers would be willing to give up a normal work schedule for *less* than $1,000, others find the decision to work at night a close call at the going wage differential. If the differential were to marginally fall, a few working at night would change their minds and refuse to continue, while if the differential rose a bit above $1,000, a few more could be recruited to night work. Thus, the $1,000 yearly premium represents what those *at the margin* (the ones closest to changing their minds) are willing to pay for a normal work schedule.[3]

Assumptions and Predictions

We have seen how a simple theory of job choice by individuals leads to the *prediction* that compensating wage differentials will be associated with various job characteristics. Positive differentials (higher wages) will accompany "bad" characteristics, while negative differentials (lower wages) will be associated with "good" ones. However, it is very important to understand that this prediction can *only* be made *holding other things equal*.

Our prediction about the existence of compensating wage differentials grows out of the reasonable assumption that if an informed worker has a choice between a job with "good" working conditions and a job of equal pay with "bad" working conditions, he or she will choose the "good" job. If the employee is an unskilled laborer, he or she may be choosing between an unpleasant job spreading hot asphalt

---

[3]Daniel Hamermesh, "The Timing of Work over Time," *Economic Journal* 109 (January 1999): 37–66, finds evidence that as people become more wealthy, they increasingly want to avoid working at night.

or a more comfortable job in an air-conditioned warehouse. In either case, he or she is going to receive something close to the wage rate unskilled workers typically receive. However, our theory would predict that this worker would receive *more* from the asphalt-spreading job than from the warehouse job.

Thus, the predicted outcome of our theory of job choice is *not* simply that employees working under "bad" conditions receive more than those working under "good" conditions. The prediction is that, *holding worker characteristics constant*, employees in bad working conditions receive higher wages than those working under more pleasant conditions. The characteristics that must be held constant include all the other things that influence wages: skill level, age, experience, race, gender, union status, region of the country, and so forth. Three assumptions have been used to arrive at this prediction.

ASSUMPTION 1: UTILITY MAXIMIZATION   Our first assumption is that workers seek to maximize their *utility,* not their income. Compensating wage differentials will arise only if some people do *not* choose the highest-paying job offered, preferring instead a lower-paying but more pleasant job. This behavior allows those employers offering lower-paying, pleasant jobs to be competitive. Wages do not equalize in this case. Rather, the *net advantages*—the overall utility from the pay and the psychic aspects of the job—tend to equalize for the marginal worker.

ASSUMPTION 2: WORKER INFORMATION   The second assumption implicit in our analysis is that workers are aware of the job characteristics of potential importance to them. Whether they know about them before they take the job or find out about them soon after taking it is not too important. In either case, a company offering a "bad" job with no compensating wage differential would have trouble recruiting or retaining workers, trouble that would eventually force it to raise its wage.

It is quite likely, of course, that workers would quickly learn of danger, noise, rigid work discipline, job insecurity, and other obvious bad working conditions. It is equally likely that they would *not* know the *precise* probability of being laid off, say, or of being injured on the job. However, even with respect to these probabilities, their own direct observations or word-of-mouth reports from other employees could give them enough information to evaluate the situation with some accuracy. For example, the proportions of employees considering their work dangerous have been shown to be closely related to the actual injury rates published by the government for the industries in which they work.[4] This finding illustrates that, while workers probably cannot state the precise probability of being injured, they do form accurate judgments about the relative risks of several jobs.

---

[4]W. Kip Viscusi, "Labor Market Valuations of Life and Limb: Empirical Evidence and Policy Implications," *Public Policy* 26 (Summer 1978): 359–386. W. Kip Viscusi and Michael J. Moore, "Worker Learning and Compensating Differentials," *Industrial and Labor Relations Review* 45 (October 1991): 80–96, suggest that the accuracy of risk perceptions rises with job tenure. For an analysis of how well people estimate the risk of death, see Daniel K. Benjamin and William R. Dougan, "Individuals' Estimates of the Risk of Death: Part II—New Evidence," *Journal of Risk and Uncertainty* 22 (January 2001): 35–57.

Where predictions may disappoint us, however, is with respect to *very* obscure characteristics. For example, while we now know that asbestos dust is highly damaging to worker health, this fact was not widely known 50 years ago. One reason information on asbestos dangers in plants was so long in being generated is that it takes more than 20 years for asbestos-related disease to develop. Cause and effect were thus obscured from workers and researchers alike, creating a situation in which job choices were made in ignorance of this risk. Compensating wage differentials for this danger thus could not possibly have arisen at that time. Our predictions about compensating wage differentials, then, hold only for job characteristics that workers know about.

ASSUMPTION 3: WORKER MOBILITY   The final assumption implicit in our theory is that workers have a range of job offers from which to choose. Without a range of offers, workers would not be able to select the combination of job characteristics they desire or avoid the ones to which they do not wish exposure. A compensating wage differential for risk of injury, for example, simply could not arise if workers were able to obtain only dangerous jobs. It is the act of choosing safe jobs over dangerous ones that forces employers offering dangerous work to raise wages.

One manner in which this choice can occur is for each job applicant to receive several job offers from which to choose. However, another way in which choice could be exercised is for workers to be (at least potentially) highly mobile. In other words, workers with few concurrent offers could take jobs and continue their search for work if they thought an improvement could be made. Thus, even with few offers at any *one* time, workers could conceivably have relatively wide choice over a *period* of time, which would eventually allow them to select jobs that maximized their utility.

How mobile are workers? As of January 2004, about 16 percent of all American workers who were 25 years of age or older had been with their employers for a *year or less*. For some, finding a new employer was necessary because they were fired or laid off by their prior employer, but roughly 2 percent of workers in the United States *voluntarily* quit their jobs in any given *month*—and roughly 40 percent of those went to jobs paying lower wages (possibly because of more attractive working conditions or benefits).[5]

Empirical Tests for Compensating Wage Differentials

The prediction that there are compensating wage differentials for undesirable job characteristics is over two hundred years old. Adam Smith, in his *Wealth of Nations*, published in 1776, proposed five "principal circumstances which…make up for a small pecuniary gain in some employments, and counterbalance a great one in oth-

---

[5]U.S. Department of Labor, Bureau of Labor Statistics, "Employee Tenure Summary," news release USDL 04-1829 (http://www.bls.gov/news.release/tenure.nr0.htm), September 21, 2004, Table 3; U.S. Department of Labor, Bureau of Labor Statistics, "Job Openings and Labor Turnover Survey" (http://www.bls.gov/jlt/), September 29, 2004; Peter Rupert, "Wage and Employer Changes over the Life Cycle," *Economic Commentary*, Federal Reserve Bank of Cleveland (April 15, 2004).

ers." One of these, the *constancy of employment*, is discussed in the appendix to this chapter. Another two will be discussed in other chapters: the *difficulty of learning the job* (chapter 9) and the *probability of success* (chapter 11). Our discussion in this chapter, while it could draw on any of Smith's "principal circumstances" to illustrate the concept of compensating wage differentials, will focus on his assertion that *"the wages of labour vary with the ease or hardship, the cleanliness or dirtiness, the honourableness or dishonourableness of the employment."*[6]

There are two difficulties in actually estimating compensating wage differentials. First, we must be able to create data sets that allow us to match, at the level of individual workers, their relevant job characteristics with their personal characteristics (age, education, union status, and so forth) that also influence wages. Second, we must be able to specify in advance those job characteristics that are generally regarded as disagreeable (for example, not everyone may regard outdoor work or repetitive tasks as undesirable).

The most extensive testing for the existence of compensating wage differentials has been done with respect to the risks of injury or death on the job, primarily because higher levels of such risks are unambiguously "bad." These studies generally, but not always, support the prediction that wages will be higher whenever risks on the job are higher. Recent estimates of such compensating differentials for the United States suggest that wages tend to be around 1 percent higher for workers facing twice the average risk of job-related fatality than for those who face the average yearly level of risk (which is about 1 in 25,000).[7]

Many other studies of compensating wage differentials have been done, but because they are spread thinly across a variety of job characteristics, judging the strength of their support for the theory is problematic. Nonetheless, positive wage premiums have been related, holding other influences constant, to such disagreeable characteristics as night work,[8] an inflexible work schedule, having to stand a lot, and working in a noisy environment[9] (see Example 8.1 for less formal data on another "bad" working condition: working away from home). Similarly, wage rates appear higher, other things equal, when job security is lower; however, as discussed in the appendix to this chapter, the relationship between wages and the probability of layoff is complex.

----

[6]See Adam Smith, *Wealth of Nations* (New York: Modern Library, 1937), book 1, chap. 10. The fifth "principal circumstance" is "the small or great trust which be reposed in the workmen"; on this, see Joel Waldfogel, "The Effect of Criminal Conviction on Income and the 'Trust Reposed in the Workmen,'" *Journal of Human Resources* 29 (Winter 1994): 62–81.

[7]W. Kip Viscusi and Joseph E. Aldy, "The Value of a Statistical Life: A Critical Review of Market Estimates Throughout the World," *Journal of Risk and Uncertainty* 27 (August 2003): 5–76; and Dan A. Black and Thomas J. Kniesner, "On the Measurement of Job Risk in Hedonic Wage Models," *Journal of Risk and Uncertainty* 27 (December 2003): 205–220.

[8]Refer back to footnote 2 of this chapter.

[9]Christophe Daniel and Catherine Sofer, "Bargaining, Compensating Wage Differentials, and Dualism of the Labor Market: Theory and Evidence for France," *Journal of Labor Economics* 16 (July 1998): 546–575.

EXAMPLE 8.1

Working on the Railroad: Making a Bad Job Good

While compensating wage differentials are difficult to measure with precision, the theory in this chapter can often find general support in everyday discussions of job choice. This example is based on a newspaper article about the exclusive use of Navajos by the Santa Fe Railway to repair and replace its 9,000 miles of track between Los Angeles and Chicago.

The 220 Navajos were organized into two "steel gangs." Workers did what machines cannot: pull and sort old spikes, weld the rails together, and check the safety of the new rails. The grueling work was intrinsically unappealing: jobs lasted for only five to eight months per year; much of the work was done in sweltering desert heat; workers had to live away from their families and were housed in bunk cars with up to 16 other workers; and the remote locations rendered the off-hours boring and lonely.

Two hypotheses about jobs such as these can be derived from the theory in this chapter. These hypotheses are listed below, along with supporting quotations or facts from the newspaper article.

Hypothesis 1. Companies offering unappealing jobs find it difficult to recruit and retain employees. Workers who take these jobs are the ones for whom the conditions are least disagreeable.

> They had tried everyone. The Navajos were the only ones willing to be away from home, to do the work, and to do a good job.
> [A Santa Fe recruiter]

> Lonely? No, I never get lonely. There is nothing but Navajo here....We speak the same language and understand one another....It's a good job.
> [A steel gang worker with 16 years' experience]

Hypothesis 2. The jobs are made appealing to the target group of workers by raising wages well above those of their alternatives.

> I wish I could stay home all the time and be with my family. It's just not possible. Where am I going to find a job that pays $900 every two weeks?
> [A steel gang veteran of 11 years]

(Steel gang wages in the early 1990s ranged between $12 and $17 per hour, well above the national average of about $10 per hour for "handlers and laborers.")

Data from: Paula Moñarez, "Navajos Keep Rail Lines Safe," *Long Beach Independent Press-Telegram*, May 14, 1992, D1.

Hedonic Wage Theory and the Risk of Injury

We now turn to a graphic presentation of the theory of compensating wage differentials, which has become known as *hedonic* wage theory.[10] The graphic tools used permit additional insights into the theory and greatly clarify the normative analysis of important regulatory issues. In this section, we analyze the theory of compensating wage differentials for a *negative* job characteristic, the risk of injury, and apply the concepts to a normative analysis of governmental safety regulations.

---

[10]The philosophy of hedonism is usually associated with Jeremy Bentham, a philosopher of the late eighteenth century who believed people always behaved in ways that they thought would maximize their happiness. The analysis that follows is adapted primarily from Sherwin Rosen, "Hedonic Prices and Implicit Markets," *Journal of Political Economy* 82 (January/February 1974): 34–55.

Job injuries are an unfortunate characteristic of the workplace, and injury rates vary considerably across occupations and industries. For example, while we noted that the average yearly rate of fatal injury in the American workplace is about one in 25,000, the rates for construction workers and truck drivers are over six times higher. Roughly 3 percent of American workers are injured seriously enough each year that they lose at least a day of work, but even in just the manufacturing sector, these rates vary from 2 percent in chemical plants, for example, to over 6 percent in food processing.[11]

To simplify our analysis of compensating wage differentials for the risk of injury, we shall assume that compensating differentials for every *other* job characteristic have already been established. This assumption allows us to see more clearly the outcomes of the job selection process, and since the same analysis could be repeated for every other characteristic, our conclusions are not obscured by it. To obtain a complete understanding of the job selection process and the outcomes of that process, it is necessary, as always, to consider both the employer and the employee sides of the market.

Employee Considerations

Employees, it may safely be assumed, dislike the risk of being injured on the job. A worker who is offered a job for $8 per hour in a firm in which 3 percent of the workforce is injured each year would achieve a certain level of utility from that job. If the risk of injury were increased to 4 percent, holding other job characteristics constant, the job would have to pay a higher wage to produce the same level of utility (except in the unlikely event that the costs of wage loss, medical treatment, and suffering caused by the added injuries were *completely* covered by the firm or its insurance company after the fact).[12]

Other combinations of wage rates and risk levels could be devised that would yield the same utility as the $8/hour–3 percent risk offer. These combinations can be connected on a graph to form an indifference curve (for example, the curve U_2 in Figure 8.1). Unlike the indifference curves drawn in chapters 6 and 7, those in Figure 8.1 slope upward because risk of injury is a "bad" job characteristic, not a "good" (such as leisure). In other words, if risk increases, wages must rise if utility is to be held constant.

As in the previous chapters, there is one indifference curve for each possible level of utility. Because a higher wage at a given risk level will generate more utility, indifference curves lying to the northwest represent higher utility. Thus,

[11]U.S. Bureau of Labor Statistics, "National Census of Fatal Occupational Injuries in 2002," USDL-03-488, September 17, 2003; and U.S. Bureau of Labor Statistics, "Workplace Injuries and Illnesses in 2002," USDL-03-913, December 18, 2003.

[12]Compensating wage differentials provide for *ex ante*—"before the fact"—compensation related to injury risk. Workers can also be compensated (to keep utility constant) by *ex post*—or after-injury—payments for damages. Workers' compensation insurance provides for *ex post* payments, but these payments typically offer incomplete compensation for all the costs of injury.

FIGURE 8.1

A Family of Indifference Curves between Wages and Risk
of Injury

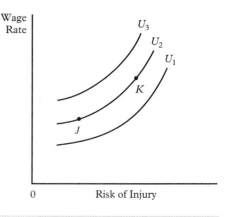

all points on curve U_3 in Figure 8.1 are preferred to those on U_2, and those on U_2 are preferred to the ones on U_1.[13] The fact that each indifference curve is convex (when viewed from below) reflects the normal assumption of diminishing marginal rates of substitution. At point K of curve U_2, the person receives a relatively high wage and faces a high level of risk. He or she will be willing to give up a lot in wages to achieve a given reduction in risk because risk levels are high enough to place one in imminent danger, and the consumption level of the goods that are bought with wages is already high. However, as risk levels and wage rates fall (to point J, say), the person becomes less willing to give up wages in return for the given reduction in risk; the danger is no longer imminent, and consumption of other goods is not as high.

People differ, of course, in their aversion to the risk of being injured. Those who are very sensitive to this risk will require large wage increases for any increase in risk, while those who are less sensitive will require smaller wage increases to hold utility constant. The more-sensitive workers will have indifference curves that are steeper at any level of risk, as illustrated in Figure 8.2. At risk level R_1, the slope at point C is steeper than at point D. Point C lies on the indifference curve of worker A, who is highly sensitive to risk, while point D lies on an indifference curve of a worker (B), who is less sensitive. Of course, each person has a whole family of indifference curves that are not shown in Figure 8.2, and each will attempt to achieve the highest level of utility possible.

Employer Considerations

Employers are faced with a wage/risk trade-off of their own that derives from three assumptions. First, it is presumably costly to reduce the risk of injury facing

---

[13]When a "bad" is on the horizontal axis (as in Figure 8.1) and a "good" on the vertical axis, people with more of the "good" and less of the "bad" are unambiguously better off, and this combination is achieved by moving in a northwest direction on the graph.

FIGURE 8.2

Representative Indifference Curves for Two Workers Who Differ in Their Aversion to Risk of Injury

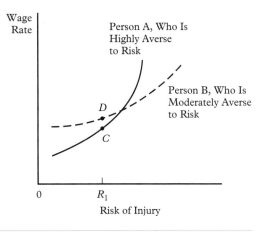

employees. Safety equipment must be placed on machines, production time must be sacrificed for safety training sessions, protective clothing must be furnished to workers, and so forth. Second, competitive pressures will presumably force many firms to operate at *zero profit* (that is, at a point at which all costs are covered and the rate of return on capital is about what it is for similar investments).[14] Third, all *other* job characteristics are presumably given or already determined. The consequence of these three assumptions is that, if a firm undertakes a program to reduce the risk of injury, it must reduce wages to remain competitive.

Thus, forces on the employer side of the market tend to cause low risk to be associated with low wages and high risk to be associated with high wages, *holding other things constant.* These "other things" may be employee benefits or other job characteristics; assuming they are given will not affect the validity of our analysis (even though it may seem at first unrealistic). The major point is that if a firm spends *more on safety,* it must spend *less on other things* if it is to remain competitive. The term *wages* can thus be thought of as shorthand for "terms of employment" in our theoretical analyses.

The employer trade-offs between wages and levels of injury risk can be graphed through the use of *isoprofit curves,* which show the various combinations of risk and wage levels that yield a given level of profits (*iso-* means "equal"). Thus, all the points along a given curve, such as those depicted in Figure 8.3, are wage/risk combinations that yield the *same* level of profits. Curves to the southeast represent higher profit levels because with all other items in the employment contract given, each risk level is associated with a *lower* wage level. Curves to the northwest represent, conversely, lower profit levels.

---

[14]If returns are permanently below normal, it would benefit the owners to close down the plant and invest their funds elsewhere. If returns are above normal, other investors will be attracted to the industry and profits will eventually be driven down by increased competition.

FIGURE 8.3

A Family of Isoprofit Curves for an Employer

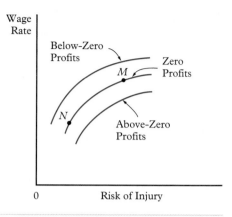

Note that the isoprofit curves in Figure 8.3 are concave (from below). This concavity is a graphic representation of our assumption that there are diminishing marginal returns to safety expenditures. Suppose, for example, that the firm is operating at point M in Figure 8.3, a point where the risk of injury is high. The first expenditures by the firm to reduce risk will have a relatively high return, because the firm will clearly choose to attack the safety problem by eliminating the most obvious and cheaply eliminated hazards. Because the risk (and accompanying injury cost) reductions are relatively large, the firm need not reduce wages by very much to keep profits constant. Thus, the isoprofit curve at point M is relatively flat. At point N, however, the curve is steeply sloped, indicating that wages will have to be reduced by quite a bit if the firm is to maintain its profits in the presence of a program to reduce risk. This large wage reduction is required because, at this point, further increases in safety are very costly.

We also assume that employers differ in the ease (cost) with which they can eliminate hazards. We have just indicated that the cost of reducing risk levels is reflected in the *slope* of the isoprofit curve. In firms where injuries are costly to reduce, large wage reductions will be required to keep profits constant in the face of a safety program; the isoprofit curve in this case will be steeply sloped. The isoprofit curve of one such firm is shown as the dashed curve YY' in Figure 8.4. The isoprofit curves of firms where injuries are easier to eliminate are flatter. Note that the solid curve XX' in Figure 8.4 is flatter at each level of risk than YY'; this is most easily seen at point R' and indicates that firm X can reduce risk more cheaply than firm Y.

The Matching of Employers and Employees

The aim of employees is to achieve the highest possible utility from their choice of a job. If they receive two offers at the same wage rate, they will choose the lower-risk job. If they receive two offers in which the risk levels are equal, they will accept the offer with the higher wage rate. More generally, they will choose the offer that falls on the highest, or most northwest, indifference curve.

FIGURE 8.4

The Zero-Profit Curves of Two Firms

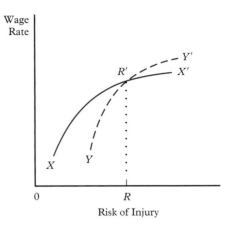

In obtaining jobs, employees are constrained by the offers they receive from employers. Employers, for their part, are constrained by two forces. On the one hand, they cannot make outrageously lucrative offers because they will be driven out of business by firms whose costs are lower. On the other hand, if their offered terms of employment are very low, they will be unable to attract employees (who will choose to work for other firms). These two forces compel firms in competitive markets to operate on their zero-profit isoprofit curves.

To better understand the offers firms make, refer to Figure 8.4, where two different firms are depicted. Firm X, the firm that can cheaply reduce injuries, can make higher wage offers at low levels of risk (left of point R') than can firm Y. Because it can produce safety more cheaply, it can pay higher wages at low levels of risk and still remain competitive. Any offers along segment XR' will be preferred by employees to those along YR' because, for given levels of risk, higher wages are paid.

At higher levels of risk, however, firm Y can outbid firm X for employees. Firm X does not save much money if it permits the risk level to rise above R, because risk reduction is so cheap. Because firm Y *does* save itself a lot by operating at levels of risk beyond R, it is willing to pay relatively high wages at high-risk levels. For employees, offers along $R'Y'$ will be preferable to those along $R'X'$, so those employees working at high-risk jobs will work for Y.

Graphing worker indifference curves and employer isoprofit curves together can show which workers choose which offers. Figure 8.5 contains the zero-profit curves of two employers (X and Y) and the indifference curves of two employees (A and B). Employee A maximizes utility (along A_2) by working for employer X at wage W_{AX} and risk level R_{AX}, while employee B maximizes utility by working for employer Y at wage W_{BY} and risk level R_{BY}.

Looking at A's choice more closely, we see that if he or she took the offer B accepted—W_{BY} and R_{BY}—the level of utility achieved would be A_1, which is less

FIGURE 8.5

Matching Employers and Employees

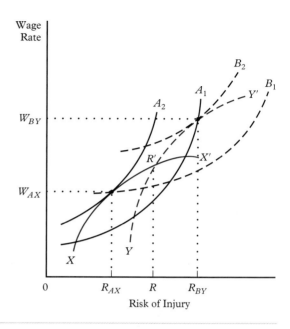

than A_2. Person A values safety very highly, and wage W_{BY} is just not high enough to compensate for the high level of risk. Person B, whose indifference curves are flatter (signifying he or she is less averse to risk), finds the offer of W_{BY} and R_{BY} on curve B_2 superior to the offer A accepts. Person B is simply not willing to take a cut in pay to W_{AX} in order to reduce risk from R_{BY} to R_{AX}, because that would place him or her on curve B_1.

The matching of A with firm X and B with firm Y is not accidental or random. Since X can "produce" safety more cheaply than Y, it is logical that X will be a low-risk producer who attracts employees, such as A, who value safety highly. Likewise, employer Y generates a lot of cost savings by operating at high-risk levels and can thus afford to pay high wages and still be competitive. Y attracts people such as B, who have a relatively strong preference for money wages and a relatively weak preference for safety. (For a study of how aversion to risk affects job choice, see Example 8.2.)

THE OFFER CURVE   The above job-matching process, of course, can be generalized beyond the case of two employees and two employers. To do this, it is helpful to note that in Figures 8.4 and 8.5, the only offers of jobs to workers with a chance of being accepted lie along *XR'Y'*. The curve *XR'Y'* can be called an *offer curve,* because only along *XR'Y'* will offers that employers can afford to make be potentially acceptable to employees. The concept of an offer curve is useful in generalizing our discussion beyond two firms, because a single offer curve can summarize the potentially acceptable offers any number of firms in a particular labor market can make.

EXAMPLE 8.2

Parenthood, Occupational Choice, and Risk

The theory of compensating wage differentials is built on the assumption that, among workers in a given labor market, those with the stronger aversions to risk will select themselves into safer (but lower-paying) jobs. It is difficult to test the implications of this assumption because measuring risk aversion is not generally possible. However, one study analyzed workers' choices when the relative strength of aversion to injury risk could be logically inferred.

It is well known that women are found in safer jobs than men. In the mid-1990s, for example, men made up 54 percent of all workers but constituted 92 percent of workers killed on the job! What is not so well known is that, among each gender group, there is an equally striking pattern—*men and women who are single parents choose to work in safer jobs.*

This study argues that workers who are raising children feel a greater need to avoid risk on the job because they have loved ones who depend on them, and of course this should be especially true for sin-

gle parents. Indeed, the study found that married women without children worked in jobs with a greater risk of death than married women with children, but that single mothers chose to work in even safer jobs.

It was found that, among men, those who were single parents worked in safer jobs than married men, but married men with children apparently did not behave much differently than those without. The study argues that, because married men are typically not in the role of caregiver to their children, they may believe they can take higher-paying, riskier jobs but adequately protect their children through buying life insurance. Married women, in contrast, do not find life insurance as effective in protecting children, because it provides only money, which cannot replace the care and nurturing that mothers give.

Source: Thomas DeLeire and Helen Levy, "Worker Sorting and the Risk of Death on the Job," *Journal of Labor Economics* 22 (October 2004): 925–953.

Consider, for example, Figure 8.6, which contains the zero-profit isoprofit curves of firms L through Q. We know from our discussions of Figures 8.4 and 8.5 that employees will accept offers along only the most northwest segments of this set of curves; to do otherwise would be to accept a lower wage at each level of risk. Thus, the potentially acceptable offers will be found along the darkened curve of Figure 8.6, which we shall call the offer curve. The more types of firms there are in a market, the smoother this offer curve will be; however, it will always slope upward because of our twin assumptions that risk is costly to reduce and that employees must be paid higher wages to keep their utility constant if risk is increased. In some of the examples that follow, the offer curve is used to summarize the feasible, potentially acceptable offers employers are making in a labor market, because using an offer curve saves our diagrams from becoming cluttered with the isoprofit curves of many employers.

MAJOR BEHAVIORAL INSIGHTS From the perspective of "positive economics," our hedonic model generates two major insights. The first is that wages rise with risk, other things equal. According to this prediction, there will be compensating wage differentials for job characteristics that are viewed as undesirable by workers whom

FIGURE 8.6

An Offer Curve

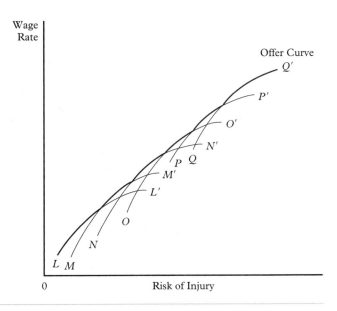

employers must attract (see Example 8.3). Second, workers with strong preferences for safety will tend to take jobs in firms where safety can be generated most cheaply. Workers who are not as averse to accepting risk will seek out and accept the higher-paying, higher-risk jobs offered by firms that find safety costly to "produce."[15] The second insight, then, is that the job-matching process—if it takes place under the conditions of knowledge and choice—is one in which firms and workers offer and accept jobs in a fashion that makes the most of their strengths and preferences.

Normative Analysis: Occupational Safety and Health Regulation

The hedonic analysis of wages in the context of job safety can be normatively applied to government regulation of workplace safety. In particular, we now have the conceptual tools to analyze such questions as the *need* for regulation and, if needed, what the *goals* of the regulation should be.

ARE WORKERS BENEFITED BY THE REDUCTION OF RISK?   In 1970, Congress passed the Occupational Safety and Health Act, which directed the U.S. Department of Labor to issue and enforce safety and health standards for all private employers. Safety standards are intended to reduce the risk of traumatic injury, while health standards address worker exposure to substances thought to cause

---

[15]There is evidence that workers with fewer concerns about off-the-job risk (smokers, for example) also choose higher-risk jobs; for an analysis of this issue, see W. Kip Viscusi and Joni Hersch, "Cigarette Smokers as Job Risk Takers," *Review of Economics and Statistics* 83 (May 2001): 269–280.

EXAMPLE 8.3

Compensating Wage Differentials in Nineteenth-Century Britain

English mill towns in the mid–1800s were often beset by violence and unhealthy living conditions. Infant deaths, a common indicator of health conditions, averaged over 200 per 1,000 live births in English towns, a rate well above those that typically prevail today in the poorest countries. Violence was also a common part of life, and corporal punishment was often used by factory supervisors against child laborers.

It is interesting, however, that the conditions varied from town to town and factory to factory. Infant mortality rates ranged from 110 to 344 per 1,000 live births in English towns in 1834, and not all factories used corporal punishment as a means of industrial discipline. These differences in conditions have led economic historians to wonder whether workers' *information* and *choices* back then were sufficient to generate compensating wage differentials for the more unpleasant or unhealthy sectors of employment.

More specifically, workers were leaving rural areas to work in towns during this era, and the towns and factories in which conditions were unhealthy would have been less attractive to potential migrants. If workers had reasonably good information on health conditions and could have obtained work in several places, they would have gravitated toward the more pleasant places. Factories in the more squalid towns, and those that used

corporal punishment, would have had to offer higher wages to compete for migrants.

While data from the 1800s are such that research results are probably only suggestive, two intriguing findings have emerged. First, it appears that once the cost of living and regional wage differences are accounted for, in areas where infant mortality rates were 10 percent greater than average, the unskilled wage was 2–3 percent higher than average. It also appears that boys who worked in factories where corporal punishment was used received wages some 16–18 percent higher than boys of the same age, experience, and literacy who worked in plants where violence was not used. (Because workers receive compensating wage differentials only if employers are willing to pay them, we must entertain the notion that the threat, and use, of corporal punishment raised productivity by 16–18 percent.)

Data from: Jeffrey G. Williamson, "Was the Industrial Revolution Worth It? Disamenities and Death in 19th-Century British Towns," *Explorations in Economic History* 19 (1982): 221–245; Clark Nardinelli, "Corporal Punishment and Children's Wages in Nineteenth Century Britain," *Explorations in Economic History* 19 (1982): 283–295. For an analysis of compensating differentials in the United States around 1900, see Price V. Fishback, "Operations of 'Unfettered' Labor Markets: Exit and Voice in American Labor Markets at the Turn of the Century," *Journal of Economic Literature* 36 (June 1998): 722–765.

disease. The stated goal of the act was to ensure the "highest degree of health and safety protection for the employee."

Despite the *ideal* that employees should face the minimum possible risk in the workplace, implementing this ideal as social *policy* is not necessarily in the best interests of workers. Our hedonic model can show that reducing risk in some circumstances will lower the workers' utility levels. Consider Figure 8.7.

Suppose a labor market is functioning about like our textbook models, in that workers are well informed about dangers inherent in any job and are mobile enough to avoid risks they do not wish to take. In these circumstances, wages will be positively related to risk (other things equal), and workers will sort themselves

FIGURE 8.7

The Effects of Government Regulation in a
Perfectly Functioning Labor Market

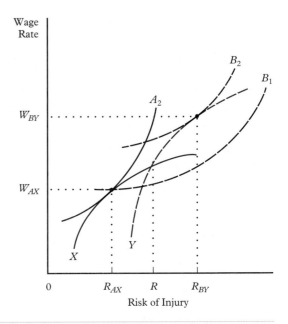

into jobs according to their preferences. This market can be modeled graphically in Figure 8.7, where, for simplicity's sake, we have assumed there are two kinds of workers and two kinds of firms. Person A, who is very averse to the risk of injury, works at wage W_{AX} and risk R_{AX} for employer X. Person B works for employer Y at wage W_{BY} and risk R_{BY}.

Now suppose the Occupational Safety and Health Administration (OSHA), the Department of Labor agency responsible for implementing the federal safety and health program, promulgates a standard that makes risk levels above R_{AX} illegal. The effects, although unintended and perhaps not immediately obvious, would be detrimental to employees such as B. Reducing risk is costly, and the best wage offer a worker can obtain at risk R_{AX} is W_{AX}. For B, however, wage W_{AX} and risk R_{AX} generate *less utility* than did Y's offer of W_{BY} and R_{BY}.

When the government mandates the reduction of risk in a market where workers are compensated for the risks they take, it penalizes workers such as B, who are not terribly sensitive to risk and appreciate the higher wages associated with higher risk. The critical issue, of course, is whether workers have the knowledge and choice necessary to generate compensating wage differentials. Many people believe that workers are uninformed and unable to comprehend different risk levels, or that they are immobile and thus do not choose risky jobs voluntarily. If this belief were true, government regulation *could* make workers better off. Indeed, while the evidence of a positive relationship between wages and risk of fatal injury should challenge the notion that information and mobility are *generally* insufficient to create compensating differentials, there are specific areas in which problems obviously exist. For example, the introduction each year of new workplace chemicals whose health effects on humans may be unknown for two or more decades (owing to the long gestation periods for most cancers and lung diseases) clearly presents substantial informational problems to affected labor market participants.

To say that worker utility *can* be reduced by government regulation does not, then, imply that it *will* be reduced. The outcome depends on how well the unregulated market functions and how careful the government is in setting its standards for risk reduction. The following section will analyze a government program implemented in a market that has *not* generated enough information about risk for employees to make informed job choices.

HOW STRICT SHOULD OSHA STANDARDS BE?   Consider a labor market, like that mentioned previously for asbestos workers, in which ignorance or worker immobility hinders labor market operation. Let us suppose also that the government becomes aware of the health hazard involved and wishes to set a standard regulating worker exposure to this hazard. How stringent should this standard be?

The crux of the problem in standard-setting is that reducing hazards is costly; the greater the reduction, the more it costs. While businesses bear these costs initially, they ultimately respond to them by cutting costs elsewhere and raising prices (to the extent that cutting costs is not possible). Since labor costs constitute the largest cost category for most businesses, it is natural for firms facing large government-mandated hazard reduction costs to hold the line on wage increases or to adopt policies that are the equivalent of reducing wages: speeding up production, being less lenient with absenteeism, reducing employee benefits, and so forth. It is also likely, particularly in view of any price increases (which, of course, tend to reduce product demand), that employment will be cut back. Some of the job loss will be in the form of permanent layoffs that force workers to find other jobs— jobs they presumably could have had before the layoff but chose not to accept. Some of the loss will be in the form of cutting down on hiring new employees who would have regarded the jobs as their best employment option.

Thus, whether in the form of smaller wage increases, more difficult working conditions, or inability to obtain or retain one's first choice in a job, the costs of compliance with health standards will fall on employees. A graphic example can be used to make an educated guess about whether worker utility will be enhanced or not as a result of the increased protection from risk mandated by an OSHA health standard.

Figure 8.8 depicts a worker who believes she has taken a low-risk job when in fact she is exposing herself to a hazard that has a relatively high probability of damaging her health in 20 years. She receives a wage of W_1 and *believes* she is at point J, where the risk level is R_1 and the utility level is U_1. Instead, she is in fact at point K, receiving W_1 for accepting (unknowingly) risk level R_2; she would thus experience lower utility (indifference curve U_0) if she knew the extent of the risk she was taking.

Suppose now that the government discovers that her job is highly hazardous. The government could simply inform the affected workers and let them move to

FIGURE 8.8

A Worker Accepting Unknown Risk

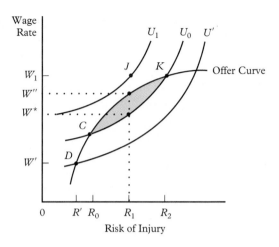

other work. However, if it has little confidence in the ability of workers to understand the information or to find other work, the government could pass a standard that limits employee exposure to this hazard. But what level of protection should this standard offer?

   If OSHA forced the risk level down to R', the best wage offer the worker in our example could obtain is W' (at point D on the offer curve). Point D, however, lies on indifference curve U', which represents a lower level of utility than she is in fact getting now (U_0). She would be worse off with the standard. On the other hand, if the government forced risk levels down to a level between R_0 and R_2, she would be better off because she would be able to reach an indifference curve above U_0 (within the shaded area of Figure 8.8). To better understand this last point, we will briefly explain the concepts underlying *benefit-cost analysis,* the technique economists recommend for estimating which government mandates will improve social welfare.

BENEFIT-COST ANALYSIS   The purpose of benefit-cost analysis in the labor market is to weigh the likely costs of a government regulation against the value that workers place on its expected benefits (as measured by what workers would be willing to pay for these benefits). In the terms of Figure 8.8, the per-worker *costs* of achieving reduced risk under the OSHA standard are reflected along the offer curve, which indicates the wage cuts that firms would have to make to keep profits constant. For example, if OSHA mandated that risk levels fall from R_2 to R_1, employer costs would require that wage offers fall to W''. The per-worker cost of this standard therefore would be ($W_1 - W''$).

   Conceptually, the *benefits* of the OSHA standard can be measured by the wage reductions that workers would be willing to take if they could get the reduced risk. In Figure 8.8, the worker depicted would be willing to take a wage as low as W^* if risk is cut to R_1, because at that wage and risk level, her utility is the same as it is now (recall she *is actually* at point K on curve U_0). Thus, the *most* she would be willing to pay for this risk reduction is ($W_1 - W^*$). If wages were forced below W^*, she would be worse off (on a lower indifference curve), and if wages were above W^*, she would be better off than she is now.

In the example graphed by Figure 8.8, a mandated risk level of R_1 would produce benefits that outweigh costs. That is, the amount that workers would be willing to pay ($W_1 - W^*$) would exceed the costs ($W_1 - W''$). If employers could get the wage down to W^*, they would be more profitable than they are now, and workers would have unchanged utility. If the wage were W'', workers would be better off and employers would have unchanged profits, while a wage between W^* and W'' would make both parties better off. All these possible options would be Pareto-improving (at least one party would be better off and neither would be worse off).

In Figure 8.8, mandated risk levels between R_0 and R_2 would produce benefits greater than costs. These risk levels could be accompanied by wage rates that place the parties in the shaded zone, which illustrates all the Pareto-improving possibilities. Risk levels below R_0 would impose costs on society that would be greater than the benefits.

Moving away from textbook graphs, how can we estimate, in a practical way, the wage reductions workers would be willing to bear in exchange for a reduction in risk? The answer lies in estimating compensating wage differentials in markets that appear to work. Suppose that workers are estimated to accept wage cuts of $700 per year for reductions in the yearly death rate of 1 in 10,000—which is an amount consistent with the most recent analyses of compensating wage differentials.[16] If so, workers apparently believe that, other things equal, they receive about $700 in benefits when the risk of death is reduced by this amount. While estimated values of this willingness to pay are no doubt imprecise, analyzing compensating wage differentials is probably the best way to make an educated guess about what values workers attach to risk reduction.

Even if the estimates of what workers are willing to pay for reduced risk are crude and subject to a degree of error, they can still be used to assess the wisdom of government regulations. If we believe workers are willing to pay in the neighborhood of $700 per year to obtain a 1-in-10,000 reduction in the yearly risk of being killed on the job, then safety or health standards imposed by the government that cost far more than that should be reconsidered. For example, in the 1980s, OSHA adopted three regulations whose per-worker costs for a 1-in-10,000 reduction in fatal risk ranged between $8,000 and $78,000,000![17] Even if we think our willingness-to-pay estimate of $700 is half (or a quarter) of the true willingness to pay for risk reduction, these safety and health standards appear to have mandated a level of risk reduction that reduced workers' utility, not enhanced it.

---

[16]Viscusi and Aldy, "The Value of a Statistical Life," 18.

[17]John Morrall III, "Saving Lives: A Review of the Record," *Journal of Risk and Uncertainty* 27 (December 2003): 221–237.

Hedonic Wage Theory and Employee Benefits

In Table 5.3, we saw that employee benefits are roughly 30 percent of total compensation for workers in larger firms. Over half of such benefits relate to pensions and medical insurance, both of which have grown in importance over the past 30 years and have attracted the attention of policy makers. In this section, we use hedonic theory to analyze the labor market effects of employee benefits.

Employee Preferences

The distinguishing feature of most employee benefits is that they compensate workers in a form *other* than currently spendable cash. In general, there are two broad categories of such benefits. First are *payments in kind*—that is, compensation in the form of such commodities as employer-provided insurance or paid vacation time.[18] The second general type of employee benefit is *deferred compensation,* compensation that is earned now but will be paid in the form of money later on. Employer contributions to employee pension plans make up the largest proportion of these benefits.

PAYMENTS IN KIND   It is a well-established tenet of economic theory that, *other things equal,* people would rather receive $X in cash than a commodity that costs $X. The reason is simple. With $X in cash, the person can choose to buy the particular commodity or choose instead to buy a variety of other things. Cash is thus the form of payment that gives the recipient the most discretion and the most options in maximizing utility.

As might be suspected, however, "other things" are not equal. Specifically, such in-kind payments as employer-provided health insurance offer employees a sizable tax advantage because, for the most part, they are not taxable under current income tax regulations. The absence of a tax on important in-kind payments is a factor that tends to offset their restrictive nature. A worker may prefer $1,000 in cash to $1,000 in some in-kind payment, but if his or her income tax and payroll-tax rates total 25 percent, the comparison is really between $750 in cash and $1,000 in the in-kind benefit.

DEFERRED COMPENSATION   Like payments in kind, deferred compensation schemes are restrictive but enjoy a tax advantage over current cash payments. In the case of pensions, for example, employers contribute currently to a pension fund, but employees do not obtain access to this fund until they retire. However, neither the pension fund *contributions* made on behalf of employees by employers nor the *interest* that compounds when these funds are invested is subject to the personal income tax. Only when the retirement benefits are received does the ex-worker pay taxes.

---

[18]A woman earning $15,000 per year for 2,000 hours of work can have her hourly wage increased from $7.50 to $8 by either a straightforward increase in current money payments or a reduction in her working hours to 1,875 with no reduction in yearly earnings. If she receives her raise in the form of paid vacation time, she is in fact being paid in the form of a commodity: leisure time.

FIGURE 8.9

An Indifference Curve between Wages and Employee Benefits

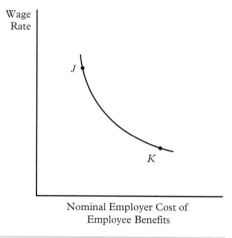

INDIFFERENCE CURVES   Two opposing forces are therefore at work in shaping workers' preferences for employee benefits. On the one hand, these benefits are accorded special tax treatment, a feature of no small significance when one considers that income and Social Security taxes come to well over 20 percent for most workers. On the other hand, benefits involve a loss of discretionary control over one's total compensation. The result is that if we graph worker preferences regarding cash compensation (the wage rate) and employee benefits, we would come up with indifference curves shaped generally like the one shown in Figure 8.9. When cash earnings are relatively high and employee benefits are small (point *J*), workers are willing to give up a lot in terms of cash earnings to obtain the tax advantages of employee benefits. However, once compensation is heavily weighted toward such benefits (point *K*), further increases in benefits reduce discretionary earnings so much that the tax advantages seem small; at point *K*, then, the indifference curve is flatter. Hence, indifference curves depicting preferences between cash earnings and employee benefits are shaped like those in chapters 6 and 7.[19]

Employer Preferences

Employers also have choices to make in the mix of cash compensation and employee benefits offered to their workers. Their preferences about this mix can be graphically summarized through the use of isoprofit curves.

ISOPROFIT CURVES WITH A UNITARY SLOPE   The best place to start our analysis of the trade-offs employers are willing to offer workers between cash compensation and employee benefits is to assume they are totally indifferent about whether to spend $X on wages or $X on benefits. Both options cost the same, so why would they prefer one option to the other?

[19]As noted in footnote 13, the indifference curves in the prior section were *upward*-sloping because a "bad," not a "good," was on the horizontal axis.

FIGURE 8.10

An Isoprofit Curve Showing the Wage/Benefit
Offers a Firm Might Be Willing to Make to Its
Employees: A Unitary Trade-Off

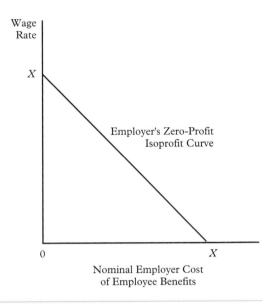

If firms were indifferent about the mix of cash and benefits paid to workers, their only concern would be with the *level* of compensation. If the market requires $X in total compensation to attract workers to a particular job, firms would be willing to pay $X in wages, $X in benefits, or adopt a mix of the two totaling $X in cost. These equally attractive options are summarized along the zero-profit isoprofit curve shown in Figure 8.10. Note that this curve is drawn with a slope of −1, indicating that to keep profits constant, every extra dollar the firm puts into the direct cost of employee benefits must be matched by payroll reductions of a dollar.

ISOPROFIT CURVES WITH A FLATTER SLOPE   The trade-offs that employers are willing to make between wages and employee benefits are not always one-for-one. Some benefits produce tax savings to employers when compared to paying workers in cash. For example, Social Security taxes that employers must pay are levied on their cash payroll, not on their employee benefits, so compensating workers with in-kind or deferred benefits instead of an equal amount of cash reduces their tax liabilities.

Moreover, offering benefits that are more valued by one group of prospective workers than another can be a clever way to save on the costs of screening applicants. The key here is to offer benefits that will attract applicants with certain characteristics the firm is searching for and will discourage applications from others. For example, deferred compensation will generally be more attractive to workers who are more future-oriented, and offering tuition assistance will be attractive only to those who place a value on continued education. Applicants who are present-oriented or do not expect to continue their schooling will be discouraged from even applying, thus sav-

FIGURE 8.11

Alternative Isoprofit Curves Showing the
Wage/Benefit Offers a Firm Might Be Willing to
Make to Its Employees: Nonunitary Trade-Offs

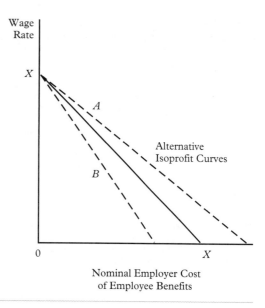

ing employers who offer these two benefits instead of paying higher wages the costs
of screening applicants they would not hire anyway.

When employee benefits have tax or other advantages to the firm, the isoprofit curve is flattened (see curve *A* in Figure 8.11). This flatter curve indicates that
benefits nominally costing $300, say, might save enough in other ways that only
a $280 decrease in wages would be needed to keep profits constant.

ISOPROFIT CURVES WITH A STEEPER SLOPE   Employee benefits can also
increase employer costs in other areas and thus end up being more expensive than
paying in cash. The value of life and health insurance provided by employers, for
example, is typically unaffected by the hours of work (as long as employees are
considered "full-time"). Increasing insurance benefits rather than wage rates, then,
will produce an *income effect* without a corresponding increase in the price of leisure.
Increasing compensation in this way will push workers in the direction of reduced
work hours, possibly through greater levels of absenteeism.[20] If employee benefits increase costs in other areas, the isoprofit curve will steepen (see curve *B* in Figure 8.11)—indicating that to keep profits constant, wages would have to drop by
more than $300 if benefits nominally costing $300 are offered.

[20]See Steven G. Allen, "Compensation, Safety, and Absenteeism: Evidence from the Paper Industry,"
Industrial and Labor Relations Review 34 (January 1981): 207–218, and also his "An Empirical Model of
Work Attendance," *Review of Economics and Statistics* 63 (February 1981): 77–87. For evidence on teacher
absenteeism, see Ronald G. Ehrenberg et al., "School District Leave Policies, Teacher Absenteeism,
and Student Achievement," *Journal of Human Resources* 26 (Winter 1991): 72–105.

EMPIRICAL STUDY

How Risky Are Estimates of Compensating Wage Differentials for Risk? The "Errors in Variables" Problem

Estimating the compensating wage differentials associated with the risk of fatal injury in the workplace requires the researcher to collect, from a sample of individuals, data on their wages and a variety of nonrisk factors that affect wages (including an indication of their occupation and industry). Measures of the risk of being killed at work are usually obtained from government reports, which tabulate this risk by occupation or industry; risks are then matched to each individual according to the occupation or industry indicated. The objective, of course, is to estimate (using multivariate regression techniques) the effect of risk on wages, after controlling for all other variables that affect wages. How confident can we be in the results obtained?

The two major sources of workplace-death statistics in the United States are the Bureau of Labor Statistics (BLS) and the National Institute for Occupational Safety and Health (NIOSH), but neither source is problem free. BLS surveys employers about workplace injuries (including fatal injuries), while NIOSH collects its fatality data from an examination of death certificates. It is often difficult, however, to judge how a fatality should be recorded. For example, roughly 25 percent of American fatalities at work occur in highway accidents, and another 12 percent result from homicides. Thus, it is not surprising that

the two sources do not agree exactly on whether a fatality was work related; in 1995, for example, BLS data placed the number of workplace fatalities at 6,275, while NIOSH counted 5,314.

A second problem in calculating risk faced by individual workers arises from the happy fact that being killed at work is a relatively rare event (roughly, 4 per 100,000 workers each year). Suppose, for example, we wanted to calculate risks for the 500 detailed occupational categories used by the U.S. Census within each of 200 narrowly defined industries. This would require 100,000 occupation-by-industry cells, and with roughly 5,500 deaths each year, most cells would show up as having zero risk. For this reason, fatal injury risk is reported at rather aggregated levels—either by industry *or* by occupation, but *not by both together*.

BLS reports risks at the *national* level for industries or occupations, but only for cells that have at least five deaths. Thus, industries or occupations with relatively small numbers of workers or low levels of risk are not represented in their data. NIOSH reports risk measures by *state*, but only for highly aggregated industries and occupations (about 20 of each). Matching risk levels to workers at aggregated levels forces us to assume that all workers in the relevant occupation or industry face the same risk. For example, using NIOSH data for occupations assumes that, within each state, police officers and dental assistants face the same risk (both are lumped together in the NIOSH sample as "service workers"). Alternatively, using BLS industry data forces us to assume that bookkeepers and lumberjacks in the logging industry (a narrowly defined industry in the BLS data) face identical risk.

Clearly, then, there are errors in attributing occupational or industry risk levels to individuals. Regression techniques assume that the *dependent* variable (in this case, the wage rate) is measured with error, but it assumes that the *independent* variables, such as risk of death, are not. When there is an "errors in variables" problem with a particular independent variable, the estimated effect of that variable on the dependent variable is biased toward zero—which, of course, reduces our confidence in the results. Because there is not much we can do about this problem, our best hope is that we obtain similar results no matter which risk measure is attached to individuals.

One study compared the different compensating wage differentials esti-mated by using four alternative risk measures: BLS risk by industry, BLS risk reported by occupation, NIOSH data by industry, and NIOSH data by occupation. In three of the four estimates, compensating differentials for added risk were significantly positive (as expected), although they varied in size—with the largest being over twice the size of the smallest. The fourth estimated wage differential was negative and therefore contrary to the predictions of theory. Unfortunately, then, empirical support for the existence of compensating wage differentials for the risk of being killed on the job, while suggestive, cannot be characterized as conclusive. More definitive estimates await ways to address the "errors in variables" problem by finding data that more accurately characterize the risks facing individual workers.

Source: Dan A. Black and Thomas J. Kniesner, "On the Measurement of Job Risk in Hedonic Wage Models," *Journal of Risk and Uncertainty* 27 (December 2003): 205-220. This article also conjectures that there may be nonrandom errors in risk variables, which could impart other biases to the estimated compensating wage differentials.

The Joint Determination of Wages and Benefits

The offer curve in a particular labor market can be obtained by connecting the relevant portions of each firm's zero-profit isoprofit curve. When all firms have isoprofit curves with a slope of −1, the offer curve is a straight line with a negative and unitary slope. One such offer curve is illustrated in Figure 8.12, and the only difference between this curve and the zero-profit isoprofit curve in Figure 8.10 is that the latter traced out *hypothetical* offers *one* firm could make, while this one traces out the *actual* offers made by *all* firms in this labor market. Of course, if firms have isoprofit curves whose slopes are different from −1, the offer curve will not look exactly like that depicted in Figure 8.12. Whatever its shape or the absolute value of its slope at any point, however, it will slope downward.

FIGURE 8.12

Market Determination of the Mix of Wages
and Benefits

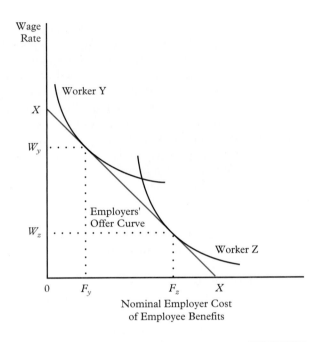

Employees, then, face a set of wage and employee-benefit offers that imply
the necessity for making trade-offs. Those employees (like worker Y in Figure 8.12)
who attach relatively great importance to the availability of currently spendable
cash will choose to accept offers in which total compensation is largely in the form
of wages. Employees who may be less worried about current cash income but more
interested in the tax advantages of benefits will accept offers in which employee
benefits form a higher proportion of total compensation (see the curve for worker
Z in Figure 8.12). Thus, employers will tailor their compensation packages to suit
the preferences of the workers they are trying to attract. If their employees tend
to be young or poor, for example, their compensation packages may be heavily
weighted toward wages and include relatively little in the way of pensions and
insurance. Alternatively, if they are trying to attract people in an area where family incomes are high and hence employee benefits offer relatively large tax savings,
firms may offer packages in which benefits constitute a large proportion of the total.

Figure 8.12 shows that workers receiving more generous benefits pay for them
by receiving lower wages, other things being equal. Further, if employer isoprofit
curves have a unitary slope, a benefit that costs the employer $1 to provide will cost
workers $1 in wages. In other words, economic theory suggests that workers pay
for their own benefits.

Actually observing the trade-off between wages and employee benefits is not
easy. Because firms that pay high wages usually also offer very good benefits packages, it often appears to the casual observer that wages and employee benefits

are *positively* related. Casual observation in this case is misleading, however, because it does not allow for the influences of *other factors,* such as the demands of the job and the quality of workers involved, that influence total compensation. The other factors are most conveniently controlled for statistically, and the few statistical studies on this subject tend to support the prediction of a negative relationship between wages and benefits.[21] The policy consequences of a negative wage/benefits trade-off are enormously important, because government legislation designed to impose or improve employee benefits might well be paid for by workers in the form of lower future wage increases.

Review Questions

1. Building the oil pipeline across Alaska required the use of many construction workers recruited from the continental United States who lived in dormitories and worked in an inhospitable climate. Discuss the creation of a compensating wage differential for these jobs using ordinary supply and demand concepts.

2. Statement 1: "Business executives are greedy profit maximizers, caring only for themselves." Statement 2: "It has been established that workers doing filthy, dangerous work receive higher wages, other things equal." Can both of these statements be generally true? Why?

3. "There are three methods of allocating labor across a spectrum of jobs that may differ substantially in working conditions. One is the use of force, one is the use of trickery, and one is the use of compensating wage differentials." Comment.

4. A recent article stated: "Workers in low-wage jobs lack the basic security, the health benefits, and the flexibility in their work lives that most American workers take for granted." Assuming this statement is true, do these facts contradict the theory of compensation wage differentials? Explain.

5. Is the following true, false, or uncertain: "Certain occupations, such as coal mining, are inherently dangerous to workers' health and safety. Therefore, unambiguously, the most appropriate government policy is the establishment and enforcement of rigid safety and health standards." Explain your answer.

6. Suppose Congress were to mandate that all employers had to offer their employees a life insurance policy worth at least $50,000 in the event of death. Use economic theory, both positively and normatively, to analyze the effects of this mandate on employee well-being.

7. The U.S. government passed a law in 1942 that prohibited garment makers from employing independent contractors working out of their homes. The reason was that those working at home made less money, and policy makers believed they were being exploited. Comment on the assertion that the difference in pay between factory

[21]Craig A. Olson, "Do Workers Accept Lower Wages in Exchange for Health Benefits?" *Journal of Labor Economics* 20, no. 2, pt. 2 (April 2002): S91–S114. See Edward Montgomery and Kathryn Shaw, "Pensions and Wage Premia," *Economic Inquiry* 35 (July 1997): 510–522, for a paper that references earlier work on compensating wage differentials for pensions.

workers and home workers doing the same tasks constitutes a measure of exploitation.

8. "The concept of compensating wage premiums for dangerous work does not apply to industries like the coal industry, where the union has forced all wages and other compensation items to be the same. Because all mines must pay the same wage, compensating differentials cannot exist." Is this statement correct? (Assume wages and other forms of pay must be equal for dangerous and nondangerous work and consider the implications for individual labor supply behavior.)

9. In 1991, Germany proposed that the European Community countries collectively agree that no one be allowed to work on Sundays (exceptions could be made for Muslims, Jews, and other religious groups celebrating the Sabbath on a day other than Sunday). Use economic theory both *positively* and *normatively* to assess, as completely as you can, the effects of prohibiting work on Sundays.

Problems

1. A researcher estimates the following wage equation for underwater construction workers, $W_i = 10 + .5D_i$ where W = the wage in dollars per hour and D = the depth underwater at which workers work, in meters. Based on this information, draw the offer curve and possible indifference curves for two workers, A and B: A works at a depth of 3 meters and B works at 5 meters. At their current wages and depths, what is the trade-off (keeping utility constant) between hourly wages and a 1-meter change in depth that each worker is willing to make? Which worker has a greater willingness to pay for reduced depth at 3 meters of depth?

2. Consider the conditions of work in perfume factories. In New York perfume factories, workers dislike the smell of perfume, while in California plants, workers appreciate the smell of perfume, provided that the level does not climb above S^*. (If it rises above S^*, they start to dislike it.) Suppose that there is no cost for firms to reduce or eliminate the smell of perfume in perfume factories, and assume that the workers have an alternative wage, W^*.

Draw a diagram using isoprofit and indifference curves that depicts the situation. (The New York and California isoprofit curves are the same, but their indifference curves differ.) What level of perfume smell is there in the New York factories? In the California factories? Is there a wage differential between the California and New York workers?

3. (Appendix). Thomas's utility function is $U = \sqrt{Y}$, where Y = annual income. He has two job offers. One is in an industry in which there are no layoffs and the annual pay is $40,000. In the other industry, there is uncertainty about layoffs. Half the years are bad years and layoffs push Thomas's annual pay down to $22,500. The other years are good years. How much must Thomas earn in the good years in this job to compensate him for the high risk of layoffs?

Selected Readings

Duncan, Greg, and Bertil Holmlund. "Was Adam Smith Right After All? Another Test of the Theory of Compensating Wage Differentials." *Journal of Labor Economics* 1 (October 1983): 366–379.

Fishback, Price V. "Operations of 'Unfettered' Labor Markets: Exit and Voice in American Labor Markets at the Turn of the Century." *Journal of Economic Literature* 36 (June 1998): 722–765.

Rosen, Sherwin. "Hedonic Prices and Implicit Markets." *Journal of Political Economy* 82 (January–February 1974): 34–55.

——. "The Theory of Equalizing Differences." In *Handbook of Labor Economics*, ed. Orley Ashenfelter and Richard Layard, 641–692. New York: North-Holland, 1986.

Smith, Robert S. "Compensating Wage Differentials and Public Policy: A Review." *Industrial and Labor Relations Review* 32 (April 1979): 339–352.

Viscusi, W. Kip and Joseph E. Aldy. "The Value of a Statistical Life: A Critical Review of Market Estimates Throughout the World." *Journal of Risk and Uncertainty* 27 (August 2003): 5–76.

Viscusi, W. Kip. "The Value of Risks to Life and Health." *Journal of Economic Literature* 31 (December 1993): 1912–1946.

Compensating Wage Differentials and Layoffs

As mentioned in the chapter text, one of the circumstances identified by Adam Smith under which compensating wage differentials would arise relates to the "constancy or inconstancy of employment." While there is evidence, as we shall see, to support this prediction, the relationship of wages to layoff probabilities is by no means as simple as Smith thought. In particular, there are three issues relevant to the analysis, all of which we shall discuss briefly.[1]

Unconstrained Choice of Work Hours

Suppose that, in the spirit of chapters 6 and 7, employees are free to choose their hours of work in a labor market that offers an infinite choice of work hours. Given the wage a particular worker can command and his or her nonwage income, the utility-maximizing choice of working hours would be selected. For the person depicted in Figure 8A.1, the utility-maximizing choice of work hours is H^*, given his or her offered wage rate (W^*) and level of nonwage income (assumed here to be zero).

If H^* is thought of in terms of yearly work hours, it is easy to understand that a worker may *prefer* a job involving layoff! Suppose H^* is 1,500 hours per year, or essentially three-quarters of the typical "full-time" job of 2,000 hours. One could work 6 hours a day, 5 days a week, for 50 weeks a year, or one could work 8 hours a day, 5 days a week, for 9 months and agree to be laid off for 3 months. Which alternative holds more appeal to any given individual depends on his or her preferences with respect to large blocks of leisure or household time, but it is clear that many people value such large blocks. Teachers, for example, typically work full-time during a 9-month school year, and then some of them vacation during the sum-

---

[1]The analysis in this appendix draws heavily on John M. Abowd and Orley Ashenfelter, "Anticipated Unemployment, Temporary Layoffs, and Compensating Wage Differentials," in *Studies in Labor Markets*, ed. Sherwin Rosen (Chicago: University of Chicago Press, 1981), 141–170.

FIGURE 8A.1

Choice of Hours of
Work

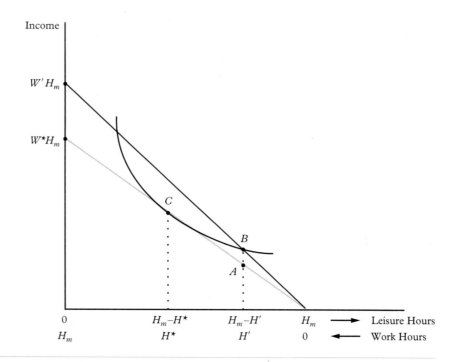

mer. Many other jobs, from the construction trades to work in canning factories, involve predictable seasonal layoffs, and workers in these jobs may have chosen them because they value the leisure or household production time accompanying the layoffs.

Putting the point differently, the theory of compensating wage differentials suggests they will be positive only when a job characteristic is regarded as bad by the marginal worker. Predictable blocks of leisure or household time accompanying seasonal layoffs may not be regarded as bad by the marginal worker. In fact, workers in some markets may see layoffs as a mechanism through which they can best achieve their desired yearly hours of work.

Constrained Hours of Work

Suppose that the worker depicted in Figure 8A.1 is offered a choice between a job offering wage W^* and hours H^*, and one offering fewer hours than desired because of a predictable layoff each year that reduces hours of work to H'. Clearly, if the wage for the latter job remains at W^*, the worker's utility will be reduced by taking the job offering H' hours because he or she will be on an indifference curve passing through point A. The job offering W^* and H^* is thus clearly preferred.

However, suppose that H' is offered at a wage of W', where W' exceeds W^* by enough so that point B can be reached. Point B, where the wage is W' and hours of work are H', is on the *same* indifference curve as point C (the utility-maximizing point when W^* is the offered wage). Point B is not a point of utility maximization[2] at a wage offer of W', but if the worker is offered an unconstrained choice of hours at wage rate W^*, or a wage of W' where working hours are *constrained* to equal H', he or she would be indifferent between the two job offers.

In the above example, $(W' - W^*)$ is the compensating wage differential that would have to arise for the worker to consider a job where hours of work were constrained to lie below those otherwise desired. Many people view layoffs as an event that prevents workers from working the number of hours they would otherwise desire to work. If this is the case, and if these layoffs are predictable and known with certainty, such as layoffs accompanying model changeovers in the auto industry, then compensating wage differentials associated with the predictable, certain layoff rate would arise in a well-functioning labor market (that is, one where workers are informed and mobile).[3]

The Effects of Uncertain Layoffs

In the above section, we assumed that layoffs were predictable and known with certainty. In most cases, however, they are not. While we might expect layoff rates to be higher in some industries than in others, they are in fact often subject to considerable random fluctuation *within* industries over the years. This *uncertainty* of layoffs is itself another aspect of affected jobs that is usually thought to be a negative feature and for which a compensating wage differential might arise.

Suppose that utility is measurable and is a function only of income, so that it can be graphed against income (Y), as in Figure 8A.2.[4] Suppose also that the person depicted is offered a job for which a wage of W' and yearly hours of H' are known *with certainty*. The utility associated with these H' hours, $U(H')$, is a function of his or her income at H' hours of work: $W'H'$ (again assuming no nonwage income).

Now suppose there is another job paying W' in which the *average* hours of work per year are H' but half of the time H_h is worked and half of the time H_l is

---

[2]It is not a point of tangency; that is, at a wage of W', the worker depicted in Figure 8A.1 would prefer to work more than H' hours if he or she were free to choose work hours. We have assumed in the discussion that the choice is constrained so that hours cannot exceed H'.

[3]A similar argument can be used to predict that workers will receive compensating wage differentials if they are forced to work longer hours than they would otherwise prefer. For the argument and evidence in support of it, see Ronald G. Ehrenberg and Paul L. Schumann, "Compensating Wage Differentials for Mandatory Overtime," *Economic Inquiry* 22 (December 1984).

[4]Although economists typically work with *ordinal* utility functions, which specify the relative ranking of alternatives without assigning each alternative a numerical value of utility, the analysis of choice under uncertainty requires the use of *cardinal* utility functions (ones in which each alternative is assigned a specific numerical value of utility).

FIGURE 8A.2

The Choice between H' Hours with Certainty and H' Hours on Average

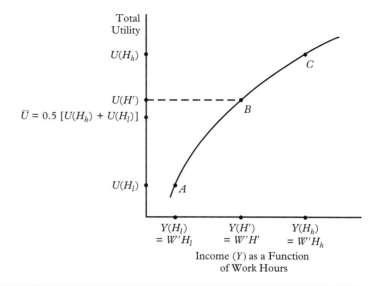

worked. Although we have assumed that $0.5\,H_h + 0.5\,H_l = H'$, so that over the years the person averages H' hours of work, it turns out that with the concave utility function we have drawn, the person's average utility is *below* $U(H')$. To understand this, we must look closely at Figure 8A.2.

When the person's working hours are H_h, which is half the time, he or she earns $W'H_h$, and this income yields a utility of $U(H_h)$. Thus, half the time, the worker will be at point C enjoying utility level $U(H_h)$. The other half of the time, however, the person will be working H_l hours, earning $W'H_l$ in income, and be at point A enjoying utility of $U(H_l)$. His or her average utility is thus $\bar{U}$, which is $\bar{U} = 0.5\,U(H_h) + 0.5\,U(H_l)$. Note that $\bar{U}$, which is midway between $U(H_h)$ and $U(H_l)$ in our example, lies *below* $U(H')$—the utility derived from a job paying W' and employing the person for H' hours *with certainty* every year.

Why is $\bar{U} < U(H')$ even though H' hours are worked on *average* in both cases? The answer lies in the concavity of the utility function, which economists define as exhibiting *risk aversion*. Moving from $Y(H')$ to $Y(H_h)$ covers the same absolute distance on the horizontal axis as moving from $Y(H')$ to $Y(H_l)$, but the changes in *utility* are not the same in magnitude. In particular, moving from $Y(H')$ to $Y(H_h)$ (points B to C) in the good years adds *less* to utility than moving from $Y(H')$ to $Y(H_l)$ (points B to A) in the bad years takes away. Put differently, the concavity of the total utility curve in Figure 8A.2 implies diminishing marginal utility of income. Thus, in the unlucky years, when hours are below H', there is a relatively big drop in utility (as compared to the utility associated with H' hours), while in the lucky years, the added income increases utility by a relatively small amount.

The upshot of this discussion is that when workers are averse to risk—that is, when their utility functions are concave so that they in essence place a larger value on negative changes from a given level of income than they do on positive changes of equal dollar magnitude—they would prefer a job paying W' and offering H' hours with certainty to one paying W' and offering H' hours only on average. Thus, to compensate them for the loss in utility associated with *risk aversion*, they would require a wage above W' for the job offering H' hours only on average.

The Observed Wage/Layoff Relationship

The discussion above centered on worker preferences regarding layoffs. For compensating wage differentials to arise, of course, employers must be willing to pay them. That is, employers must profit from being able to lay off workers, and if we are to observe firms pursuing a high-wage/high-layoff strategy, their gains from layoff must exceed their costs of higher wages.

The discussion above also neglected unemployment insurance (UI) payments to laid-off workers. This topic is discussed in some detail in chapter 15. Here we need note only that if UI payments fully compensate laid-off workers for their lost utility, compensating wage differentials will not arise. Compensating wage differentials will arise only if UI payments do not fully compensate laid-off workers.

One study that looked very carefully at the relationship between wages and layoffs suggests that the compensating wage differential for an average probability of layoff is around 4 percent of wages, with over 80 percent of this differential related to the aversion to risk associated with the variability (uncertainty) in layoff rates facing workers over time. Workers in the high-layoff industries of automobile manufacturing and construction received estimated compensating wage differentials ranging over the early 1970s from 6 to 14 percent and 6 to 11 percent, respectively.[5] A study of farm workers around 1990 found that those who risked unemployment by working seasonally were paid from 9 to 12 percent more per hour than those who held permanent jobs in farming.[6]

---

[5]These estimates are from the Abowd and Ashenfelter article in footnote 1 of this appendix. Similar evidence can be found in Elisabeth Magnani, "Product Market Volatility and the Adjustment of Earnings to Risk," *Industrial Relations* 41 (April 2002): 304–328. For those interested in how UI benefits affect wages, see David A. Anderson, "Compensating Wage Differentials and the Optimal Provision of Unemployment Insurance," *Southern Economic Journal* 60 (January 1994): 644–656.

[6]Enrico Moretti, "Do Wages Compensate for Risk of Unemployment? Parametric and Semiparametric Evidence from Seasonal Jobs," *Journal of Risk and Uncertainty* 20 (January 2000): 45–66.

CHAPTER 9

Investments in Human Capital: Education and Training

Many labor supply choices require a substantial initial *investment* on the part of the worker. Recall that investments, by definition, entail an initial cost that one hopes to recoup over some period of time. Thus, for many labor supply decisions, *current* wages and working conditions are not the only deciding factors. Modeling these decisions requires developing a framework that incorporates investment behavior and a *lifetime* perspective.

Workers undertake three major kinds of labor market investments: education and training, migration, and search for new jobs. All three investments involve an initial cost, and all three are made in the hope and expectation that the investment will pay off well into the future. To emphasize the essential similarity of these investments to other kinds of investments, economists refer to them as investments in *human capital,* a term that conceptualizes workers as embodying a set of skills that can be "rented out" to employers. The knowledge and skills a worker has—which come from education and

EXAMPLE 9.1

War and Human Capital

We can illustrate the relative importance of physical and human capital by noting some interesting facts about severely war-damaged cities. The atomic attack on Hiroshima destroyed 70 percent of its buildings and killed about 30 percent of the population. Survivors fled the city in the aftermath of the bombing, but within three months, two-thirds of the city's surviving population had returned. Because the air-burst bomb left the city's underground utility networks intact, power was restored to surviving areas in one day. Through railway service began again in two days, and telephone service was restarted in a week. Plants responsible for three-quarters of the city's industrial production (many were located on the outskirts of the city and were undamaged) could have begun normal operations within 30 days.

In Hamburg, Germany, a city of around 1.5 million in the summer of 1943, Allied bombing raids over a 10-day period in July and August destroyed about half of the buildings in the city and killed about 3 percent of the city's population. Although there was considerable damage to the water supply system, electricity and gas service were adequate within a few days after the last attack, and within four days, the telegraph system was again operating. The central bank was reopened and business had begun to function normally after one week, and postal service was resumed within 12 days of the attack. The Strategic Bombing Survey reported that within five months, Hamburg had recovered up to 80 percent of its former productivity.

The speed and success of recovery from these disasters has prompted one economist to offer the following two observations:

> (1) the fraction of the community's real wealth represented by visible material capital is small relative to the fraction represented by the accumulated knowledge and talents of the population, and (2) there are enormous reserves of energy and effort in the population not drawn upon in ordinary times but which can be utilized under special circumstances such as those prevailing in the aftermath of disaster.

Data from: Jack Hirshleifer, *Economic Behavior in Adversity* (Chicago: University of Chicago Press, 1987), 12–14, 78–79.

training, including the learning that experience yields—generate a certain *stock* of productive capital. The *value* of this productive capital is derived from how much these skills can earn in the labor market. Job search and migration are activities that increase the value of one's human capital by increasing the price (wage) received for a given stock of skills.

Society's total wealth is a combination of human and nonhuman capital. Human capital includes accumulated investments in such activities as education, job training, and migration, whereas nonhuman capital includes society's stock of natural resources, buildings, and machinery. Total per capita wealth in North America, for example, was around $405,000 in 1994, 76 percent of which ($308,000) was in the form of human capital. Indeed, in worldwide regions outside the resource-rich Middle East, over 60 percent of estimated national wealth in 1994 was derived from investments in human capital.[1] (Example 9.1 illustrates the overall importance of human capital in another way.)

[1]World Bank, *Expanding the Measure of Wealth: Indicators of Environmentally Sustainable Development* (Washington, D.C.: World Bank, 1997), Table 3.3. The wealth estimates for 1994 are expressed in dollars as of the year 2003.

Investment in the knowledge and skills of workers takes place in three stages. First, in early childhood, the acquisition of human capital is largely determined by the decisions of others. Parental resources and guidance, plus our cultural environment and early schooling experiences, help to influence basic language and mathematical skills, attitudes toward learning, and general health and life expectancy (which themselves affect the ability to work). Second, teenagers and young adults go through a stage in which they acquire knowledge and skills as full-time students in a high school, college, or vocational training program. Finally, after entering the labor market, workers' additions to their human capital generally take place on a part-time basis, through on-the-job training, night school, or participation in relatively short, formal training programs. In this chapter, we focus on the latter two stages.

One of the challenges of any behavioral theory is to explain why people faced with what appears to be the same environment make different choices. We will see in this chapter that individuals' decisions about investing in human capital are affected by the ease and speed with which they learn, their aspirations and expectations about the future, and their access to financial resources.

Human Capital Investments: The Basic Model

Like any other investment, an investment in human capital entails costs that are borne in the near term with the expectation that benefits will accrue in the future. Generally speaking, we can divide the *costs* of adding to human capital into three categories:

1. *Out-of-pocket* or *direct* expenses, including tuition costs and expenditures on books and other supplies.
2. *Forgone earnings* that arise because during the investment period it is usually impossible to work, at least not full-time.
3. *Psychic losses* that occur because learning is often difficult and tedious.

In the case of educational and training investments by workers, the expected *returns* are in the form of higher future earnings, increased job satisfaction over their lifetime, and a greater appreciation of nonmarket activities and interests. Even if we could quantify all the future benefits, summing them over the relevant years is not a straightforward procedure because of the *delay* involved in receiving these investment returns.

The Concept of Present Value

When an investment decision is made, the investor commits to a *current* outlay of expenses in return for a stream of expected *future* benefits. Investment returns are clearly subject to an element of risk (because no one can predict the future with certainty), but they are also *delayed* in the sense that they typically flow in over what may be a very long period. The investor needs to compare the value of the current investment outlays with the current value of expected returns, but in so doing must take into account effects of the delay in returns. We explain how this is done below.

Suppose a woman is offered $100 now or $100 in a year. Would she be equally attracted to these two alternatives? No, because if she received the money now, she could either spend (and enjoy) it now, or she could invest the $100 and earn interest over the next year. If the interest rate were 5 percent, say, $100 now could grow into $105 in a year's time. Thus, $100 received *now* is worth more than $100 to be received in a year.

With an interest rate of 5 percent, it would take an offer of $105 to be received in a year to match the value of getting $100 now. Because $100 now could be grown into $105 at the end of a year, these two offers have equivalent value. Another way of putting this equivalence is to say that, with a 5 percent interest rate, the future value in a year (B_1) of $100 now is $105. This calculation can be shown algebraically by recognizing that after a year, the woman could have her principal (B_0) of $100 plus interest $(r = .05)$ on that principal:

$$B_1 = B_0 + B_0(r) = B_0(1 + r) = 100(1.05) = 105 \qquad (9.1)$$

We also can say that the "present value" (B_0) of $105 to be received *in a year* is (at a 5 percent interest rate) $100. Because $B_1 = B_0(1 + r)$, it is also true that

$$B_0 = \frac{B_1}{(1+r)} = \frac{105}{1.05} = 100 \qquad (9.2)$$

Thus, receiving $105 in one year is equivalent to receiving $100 in the present and investing it at 5 percent for one year. The procedure for taking a future value and transforming it into its present-value equivalent is called *discounting*. If the future return is only a year away, we discount (divide) it by the factor $(1 + r)$ to calculate its present-value equivalent.

What if the return is two years away? If we were to take a present sum of B_0 and invest it, after one year, it would equal $B_1 = B_0(1 + r)$. At the end of that first year, we could take our new asset (B_1) and invest it for another year at interest rate r. At the end of two years, then, we would have the sum B_2:

$$B_2 = B_1 + B_1(r) = B_1(1 + r) \qquad (9.3)$$

Substituting equation (9.1) into equation (9.3) yields the following:

$$B_2 = B_0(1 + r) + B_0(1 + r)(r) = B_0(1 + r)(1 + r) = B_0(1 + r)^2 \qquad (9.4)$$

(Equation 9.4 illustrates the law of compound interest, because in the second period, interest is earned on both the original principal and the interest earned in the first period.)

Now if $B_2 = B_0(1 + r)^2$, it is also true that

$$B_0 = \frac{B_2}{(1+r)^2} \tag{9.5}$$

To find the present value of a benefit to be received in two years, then, requires that we discount the future benefit by $(1 + r)^2$. If the benefit were to be received in three years, we can use the logic underlying equations (9.3) and (9.4) to calculate that the discount factor would be $(1 + r)^3$. Benefits in four years would be discounted to their present values by dividing by $(1 + r)^4$, and so forth. Clearly, the discount factors rise exponentially, reflecting that current funds can earn compound interest if left invested at interest rate r.

If a human capital investment yields returns of B_1 in the first year, B_2 in the second, and so forth for T years, the sum of these benefits has a present value that is calculated as follows:

$$\text{Present Value} = \frac{B_1}{1+r} + \frac{B_2}{(1+r)^2} + \frac{B_3}{(1+r)^3} + \cdots + \frac{B_T}{(1+r)^T} \tag{9.6}$$

where the interest rate (or discount rate) is r. As long as r is positive, benefits into the future will be progressively discounted. For example, if $r = 0.06$, benefits payable in 30 years would receive a weight that is only 17 percent of the weight placed on benefits payable immediately ($1.06^{30} = 5.74; 1/5.74 = 0.17$). The smaller r is, the greater the weight placed on future benefits; for example, if $r = 0.02$, a benefit payable in 30 years would receive a weight that is 55 percent of the weight given to an immediate benefit.

Modeling the Human Capital Investment Decision

Our model of human capital investment assumes that people are utility maximizers and take a lifetime perspective when making choices about education and training. They are therefore assumed to compare the near-term investment costs (C) with the present value of expected future benefits when making a decision, say, about additional schooling. Investment in additional schooling is attractive if the present value of future benefits exceeds costs:

$$\frac{B_1}{1+r} + \frac{B_2}{(1+r)^2} + \cdots + \frac{B_T}{(1+r)^T} > C \tag{9.7}$$

Utility maximization, of course, requires that people continue to make additional human capital investments as long as condition (9.7) is met, and that they stop only when the benefits of additional investment are equal to or less than the additional costs.

There are two ways we can measure whether the criterion in (9.7) is met. Using the *present-value method*, we can specify a value for the discount rate, *r*, and then determine how the present value of benefits compares to costs. Alternatively, we can adopt the *internal rate of return method*, which asks, "How large could the discount rate be and still render the investment profitable?" Clearly, if the benefits are so large that even a very high discount rate would render investment profitable, then the project is worthwhile. In practice, we calculate this internal rate of return by setting the present value of benefits equal to costs, solving for *r*, and then comparing *r* to the rate of return on other investments.

Some basic implications of the model embedded in expression (9.7) are illustrated graphically in Figure 9.1, which depicts human capital decisions in terms of marginal costs and marginal benefits (focus for now on the black lines in the figure). The marginal costs, *MC*, of each additional unit of human capital (the tuition, supplies, forgone earnings, and psychic costs of an additional year of schooling, say) are assumed to be constant. The present value of the marginal benefits, *MB*, is shown as declining, because each added year of schooling means fewer years over which benefits can be collected. The utility-maximizing amount of human capital (*HC**) for any individual is shown as that amount for which *MC* = *MB*.

Those who find learning to be especially arduous will implicitly attach a higher marginal psychic cost to acquiring human capital. As shown by the blue

FIGURE 9.1

The Optimum Acquisition of Human Capital

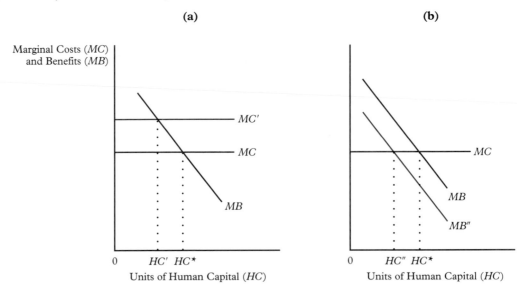

line, *MC′*, in Figure 9.1a, individuals with higher marginal costs will acquire lower levels of human capital (compare *HC′* with *HC**). Similarly, those who expect smaller future benefits from additional human capital investments (the blue line, *MB″*, in Figure 9.1b) will acquire less human capital.

This straightforward theory yields some interesting insights about the behavior and earnings of workers. Many of these insights can be discovered by analyzing the decision confronting young adults about whether to invest full-time in college after leaving high school.

The Demand for a College Education

The demand for a college education, as measured by the percentage of graduating high school seniors who enroll in college, is surprisingly variable. For males, enrollment rates went from 55.2 percent in 1970, down to 46.7 percent in 1980, and back up to 59.7 percent by 2001. The comparable enrollment rates for women started lower, at 48.5 percent in 1970, and rose slowly during the 1970s, quickly during the 1980s, and again more slowly during the 1990s—reaching 63.6 percent in 2001. Why have enrollment rates followed these patterns?

Weighing the Costs and Benefits of College

Clearly, people attend college when they believe they will be better off by so doing. For some, at least part of the benefits may be short-term—they like the courses or the lifestyle of a student—and to this extent, college is at least partially a *consumption* good. The consumption benefits of college, however, are unlikely to change much over the course of a decade, so changes in college attendance rates over relatively short periods of time probably reflect changes in marginal costs or benefits associated with the *investment* aspects of college attendance.

A person considering college has, in some broad sense, a choice between two streams of earnings over his or her lifetime. Stream A begins immediately but does not rise very high; it is the earnings stream of a high school graduate. Stream B (the college graduate) has a negative income for the first four years (owing to college tuition costs), followed by a period when the salary may be less than the high school graduate makes, but then it takes off and rises above stream A. Both streams are illustrated in Figure 9.2. (Why these streams are differentially *curved* will be discussed later in this chapter.) The streams shown in the figure are stylized so that we can emphasize some basic points. Actual earnings streams will be shown in Figures 9.3 and 9.4.

Obviously, the earnings of the college graduate would have to rise above those of the high school graduate to induce someone to invest in a college education (unless, of course, the consumption-related returns were large). The gross benefits, the difference in earnings between the two streams, must total much

FIGURE 9.2

Alternative Earnings
Streams

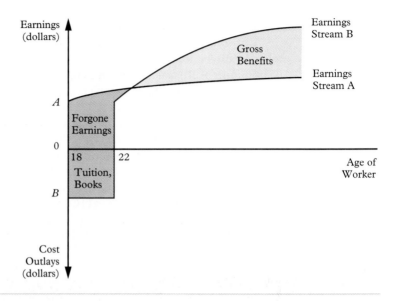

more than the costs because such returns are in the future and are therefore discounted. For example, suppose it costs $25,000 per year to obtain a four-year
college education and the real interest rate (the nominal rate less the rate of inflation) is 2 percent. The after-tax returns—if they were the same each year—must
be $3,652 in constant-dollar terms (that is, after taking away the effects of infla-
tion) each year for 40 years in order to justify the investment on purely monetary grounds. These returns must be $3,652 because $100,000 invested at a 2
percent interest rate can provide a payment (of interest and principal) totaling
$3,652 a year for 40 years.[2]

Predictions of the Theory

In deciding whether to attend college, no doubt few students make the very precise calculations suggested in expression (9.7). Nevertheless, if they make less formal estimates that take into account the same factors, we can make four predictions
concerning the demand for college education:

1. Present-oriented people are less likely to go to college than forward-look-
    ing people (other things equal).

---

[2]This calculation is made using the annuity formula:

$$Y = X \frac{1-[1/(1+r)^n]}{r}$$

where Y = the total investment ($100,000 in our example), X = the yearly payment ($3,652), r = the rate
of interest (0.02), and n = the number of years (40). In this example, we treat the costs of a college
education as being incurred all in one year rather than being spread out over four, a simplification
that does not alter the magnitude of required returns much at all.

2. Most college students will be young.
3. College attendance will decrease if the costs of college rise (other things equal).
4. College attendance will increase if the gap between the earnings of college graduates and high school graduates widens (again, other things equal).

PRESENT-ORIENTEDNESS   Though we all discount the future somewhat with respect to the present, psychologists use the term *present-oriented* to describe people who do not weight future events or outcomes very heavily. In terms of expressions (9.6) and (9.7), a present-oriented person is one who uses a very high discount rate (r).

Suppose we were to calculate investment returns using the *present-value method*. If r is large, the present value of benefits associated with college will be lower than if r is smaller. Thus, a present-oriented person would impute smaller benefits to college attendance than one who is less present-oriented, and those who are present-oriented would be less likely to attend college. Using the *internal rate of return method* for evaluating the soundness of a college education, we would arrive at the same result. If a college education earns an 8 percent rate of return but the individuals in question are so present-oriented that they would insist on a 25 percent rate of return before investing, they would likewise decide not to attend.

The prediction that present-oriented people are less likely to attend college than forward-looking ones is difficult to substantiate because the rates of discount that people use in making investment decisions can rarely be quantified.[3] However, the model does suggest that people who have a high propensity to invest in education will also engage in other forward-looking behavior. Certain medical statistics tend to support this prediction.

In the United States there is a strong statistical correlation between education and health status.[4] People with more years of schooling have lower mortality rates, fewer symptoms of disease (such as high blood pressure, high cholesterol levels, abnormal X-rays), and a greater tendency to report themselves to be in good health. This effect of education on health is independent of income, which appears to have no effect of its own on health status except at the lowest poverty levels. Is this correlation between education and health a result of better use of medical resources by the well-educated? It appears not. Better-educated people undergoing surgery choose the same doctors, enter the hospital at the same stage of disease, and have the same length of stay as less-educated people of equal income.

What *may* cause this correlation is a more forward-looking attitude among those who have obtained more education. People with lower discount rates will be more

---

[3] A recent study infers personal discount rates from the choices of separation-pay options made by members of the military being separated for budget reasons. It finds that those officers with graduate degrees had lower discount rates than officers without, and that college-educated officers had lower discount rates than enlisted personnel (who generally do not have college educations). See John T. Warner and Saul Pleeter, "The Personal Discount Rate: Evidence from Military Downsizing Programs," *American Economic Review* 91 (March 2001): 33–53.

[4] The analysis of the correlation between education and health status is taken from Victor Fuchs, "The Economics of Health in a Post-Industrial Society," *Public Interest* (Summer 1979): 3–20.

likely to attend college, and they will *also* be more likely to adopt forward-looking habits of health. They may choose healthier diets, be more aware of health risks, and make more use of preventive medicine. This explanation for the correlation between education and health is not the only plausible one, but it receives some direct support from American data on cigarette smoking.[5] From 1966 to 1987, the proportion of male college graduates who smoked fell by 50 percent, while it was unchanged among male high school dropouts. It is unlikely that the less-educated group was uninformed of smoking dangers; it is more likely that they were less willing to give up a present source of pleasure for a distant benefit. Thus, we have at least some evidence that people who invest in education also engage in *other* forward-looking behavior.

AGE   Given similar *yearly* benefits of going to college, young people have a larger present value of *total* benefits than older workers simply because they have a longer remaining work life ahead of them. In terms of expression (9.7), T is greater for younger people than for older ones. We would therefore expect younger people to have a greater propensity than older people to obtain a college education or engage in other forms of training activity. This prediction is parallel to the predictions in chapter 5 about which workers employers will decide to invest in when they make decisions about hiring or specific training.

COSTS   A third prediction of our model is that human capital investments are more likely when costs are lower. The major monetary costs of college attendance are forgone earnings and the direct costs of tuition, books, and fees. (Food and lodging are not always opportunity costs of going to college because some of these costs would have to be incurred in any event.) Thus, if forgone earnings or tuition costs fall, other things equal, we would expect a rise in college enrollments.[6]

The costs of college attendance are an additional reason older people are less likely to attend than younger ones. As workers age, their greater experience and maturity result in higher wages and therefore greater opportunity costs of college attendance. Interestingly, as suggested by Example 9.2, however, college attendance by military veterans (who are older than the typical college student) has been responsive to the educational subsidies for which they are eligible.[7]

---

[5]It could be, for example, that healthy people, with longer life spans, are more likely to invest in human capital because they expect to experience a longer payback period. Alternatively, we could argue that the higher incomes of college graduates later in life mean they have more to lose from illness than do noncollege graduates. Data on smoking are from U.S. Department of Health and Human Services, Public Health Service, *Smoking Tobacco and Health,* DHHS publication no. (CDC)87-8397, October 1989, 5.

[6]Susan M. Dynarski, "Does Aid Matter? Measuring the Effect of Student Aid on College Attendance and Completion," *American Economic Review* 93 (March 2003): 279–288; and Katharine G. Abraham and Melissa A. Clark, "Financial Aid and Students' College Decisions: Evidence from the District of Columbia's Tuition Assistance Grant Program," National Bureau of Economic Research Working Paper no. 10112, November 2003. See Orley Ashelfelter and Cecilia Rouse, "Income, Schooling, and Ability: Evidence from a New Sample of Identical Twins," *Quarterly Journal of Economics* 113 (February 1998): 253–284, for evidence that lower costs of schooling among abler students drive them to obtain more schooling.

[7]Also see Joshua D. Angrist, "The Effect of Veterans' Benefits on Education and Earnings," *Industrial and Labor Relations Review* 46 (July 1993): 637–652.

EXAMPLE 9.2

Did the G.I. Bill Increase Educational Attainment for Returning World War II Vets?

Veterans returning from service in World War II were eligible to receive unprecedented federal support through the G.I. Bill if they chose to attend college. Benefits under the G.I. Bill substantially subsidized the costs of a college education, covering the tuition charged by almost all private and public universities and providing monthly stipends ranging from roughly 50 to 70 percent of the median income in the United States at the time. After the war, many veterans enrolled in college—and total college enrollments jumped by more than 50 percent from their pre-war levels. Over 2.2 million veterans attended college under the bill, accounting for about 70 percent of the male student body at the peak of the bill's usage. Because of these effects, Senator Ralph Yarborough called the World War II G.I. Bill "one of the most beneficial, far-reaching programs ever instituted in American life."

Did the G.I. Bill really have a big effect, or did it merely subsidize returning veterans who would have gone to college anyway? A recent article helps to answer this question by comparing the college atten-dance of male veterans with otherwise similar indi-viduals. It finds that among high school graduates, World War II veterans completed an average of about 0.3 more years of college than did nonveter-ans, and that they had a 6 percentage-point greater college completion rate. Similar estimates were obtained when comparing those eligible for war ser-vice and G.I. Bill subsidies with those born too late to serve in the war.

The conclusions of this study are that the responses of veterans to the G.I. Bill's subsidies were quite similar to the contemporary responses of stu-dents to changes in tuition costs. In both cases, a 10 percent reduction in the cost to students of attending college resulted in a 4 or 5 percent increase in college attendance and completion.

Data from: John Bound and Sarah Turner, "Going to War and Going to College: Did the G.I. Bill Increase Educa-tional Attainment for Returning Veterans?" *Journal of Labor Economics* 20 (October 2002): 784–815; and Keith W. Olson, *The G.I. Bill, the Veterans, and the Colleges* (Lexington: University Press of Kentucky, 1974).

The subject of cost raises an interesting question: just who is most *responsive* to cost considerations? Economic theory postulates that, in any set of market trans-actions, some people are *at the margin*—meaning that they are close to the point of not transacting. Who are those for whom the decision to attend college is a close call? Our theoretical considerations suggest that, facing given monetary costs and post-college earnings, students with lower achievement levels (for whom learn-ing is more difficult) or higher discount rates are more likely to be at the margin. Interestingly, studies looking at how the cost advantage of a hometown college affects college-attendance decisions find that the effects are largest for those who would be otherwise least likely to attend.[8]

EARNINGS DIFFERENTIALS   The fourth prediction of human capital theory is that the demand for education is positively related to the increases in lifetime earnings that

[8]C. A. Anderson, M. J. Bowman, and B. Tinto, *Where Colleges Are and Who Attends* (New York: McGraw-Hill, 1972); and David Card, "Using Geographic Variation in College Proximity to Estimate the Return to Schooling," in *Aspects of Labour Market Behavior: Essays in Honour of John Vanderkamp*, ed. L. N. Christofides, E. K. Grant, and R. Swindinsky (Toronto: University of Toronto Press, 1995).

TABLE 9.1

Changes in College Enrollments and the College/High School Earnings Differential, by Gender, 1970–2001

Year	College Enrollment Rates of New High School Graduates		Ratios of Mean Earnings of College to High School Graduates, Ages 25–34, Prior Year[a]	
	Male	Female	Male	Female
1970	55.2%	48.5%	1.38	1.42
1980	46.7	51.8	1.19	1.29
1990	57.8	62.0	1.48	1.59
2001	59.7	63.6	1.77	1.70

[a]For year-round, full-time workers. Data for the first two years are for personal income, not earnings; however, in the years for which both income and earnings are available, the ratios are essentially equal.

Sources: U.S. Department of Education, *Digest of Education Statistics 2002* (January 2003), Table 184; U.S. Bureau of the Census, *Money Income of Families and Persons in the United States,* Current Population Reports P-60, no. 66 (Table 41), no. 129 (Table 53), no. 174 (Table 29); and U.S. Bureau of the Census, *Detailed Person Income (P60 Package): March, 2001*, Tables PINC-03: 96, PINC-03: 166, http://ferret.bls.census.gov/macro/032001/perinc/new03_000.htm.

a college education allows. Strictly speaking, it is the benefits one *expects* to receive that are critical to this decision, and the expected benefits for any individual are rather uncertain. Future earnings can never be perfectly foretold, and in addition, many students are uncertain about their later occupational choice.[9] As a first approximation, however, it is reasonable to conjecture that the *average* returns received by recent college graduates have an important influence on students' decisions.

Dramatic changes in the average monetary returns to a college education over the past three decades are at least partially, if not largely, responsible for the changes in college enrollment rates noted earlier. It can be seen from the first and third columns of Table 9.1, for example, that the decline in male enrollment rates during the 1970s was correlated with a decline in the college/high school earnings differential, while the higher enrollment rates after 1980 were associated with larger earnings differentials.

The second and fourth columns of Table 9.1 document changes in enrollment rates and earnings differentials for women. Unlike enrollment rates for men,

[9]For a study that incorporates uncertainty into the formal model of choice, see Joseph G. Altonji, "The Demand for and Return to Education When Education Outcomes Are Uncertain," *Journal of Labor Economics* 10 (January 1993): 48–83. For studies on the accuracy of students' knowledge about the salaries in various fields, or at various ages, see Julian R. Betts, "What Do Students Know about Wages? Evidence from a Survey of Undergraduates," and Jeff Dominitz and Charles F. Manski, "Eliciting Student Expectations of the Returns to Schooling," both in *Journal of Human Resources* 31 (Winter 1996): 1–56.

those for women rose throughout the three decades; however, it is notable that they rose most in the 1980s, when the college/high school earnings differential rose most sharply. Why did enrollment rates among women increase in the 1970s when the earnings differential fell? It is quite plausible that, despite the reduced earnings differential, the expected returns to education for women actually rose because of increases in their intended labor force attachment and hours of work outside the home (both of which increase in the period over which the earnings differential will be received).[10]

It is important to recognize that human capital investments, like other investments, entail uncertainty. While it is helpful for individuals to know the *average* earnings differentials between college and high school graduates, they must also assess their *own* probabilities of success in specific fields requiring a college degree. If, for example, the average returns to college are rising, but there is a growing spread between the earnings of the most successful college graduates and the least successful ones, individuals who believe they are likely to be in the latter group may be deterred from making an investment in college. Recent studies have pointed to the importance of friends, ethnic affiliation, and neighborhoods in the human capital decisions of individuals, even after controlling for the effects of parental income or education. The educational and occupational choices of friends and acquaintances appear to have a significant effect on an individual's human capital decisions, perhaps because the presence of role models helps to reduce the uncertainty that inevitably surrounds estimates of future success in specific areas.[11]

Market Responses to Changes in College Attendance

Like other market prices, the returns to college attendance are determined by the forces of both employer demand and employee supply. If more high school students decide to attend college when presented with higher returns to such an investment, market forces are put into play that will tend to lower these returns in the future. Increased numbers of college graduates put downward pressure on the wages observed in labor markets for these graduates, other things equal, while a fall in the number of high school graduates will tend to raise wages in markets for less-educated workers.

---

[10]For evidence that women with "traditional" views of their economic roles receive lower rates of return on, and invest less in, human capital, see Francis Vella, "Gender Roles and Human Capital Investment: The Relationship between Traditional Attitudes and Female Labour Market Performance," *Economica* 61 (May 1994): 191–211. For an interesting analysis of historical trends in female college attendance, see Claudia Goldin, "Career and Family: College Women Look to the Past," in *Gender and Family Issues in the Workplace,* ed. Francine D. Blau and Ronald G. Ehrenberg (New York: Russell Sage Foundation, 1997): 20–58.

[11]For recent papers on the issues discussed in this paragraph, see Kerwin Kofi Charles and Ming-Ching Luoh, "Gender Differences in Completed Schooling," *Review of Economics and Statistics* 85 (August 2003): 559–577; and Ira N. Gang and Klaus F. Zimmermann, "Is Child Like Parent? Educational Attainment and Ethnic Origin," *Journal of Human Resources* 35 (Summer 2000): 550–569.

Thus, adding to uncertainties about expected payoffs to an investment in college is the fact that current returns may be an unreliable estimate of future returns. A high return now might motivate an individual to opt for college, but it will also cause many *others* to do likewise. An influx of college graduates in four years could put downward pressure on returns at that time, which reminds us that all investments—even human capital ones—involve outlays now and uncertain returns in the future. (For an analysis of how the labor market might respond when workers behave as if the returns observed currently will persist into the future, see Appendix 9A.)

Education, Earnings, and Post-schooling Investments in Human Capital

The preceding section used human capital theory to analyze the decision to undertake a formal educational program (college) on a full-time basis. We now turn to an analysis of workers' decisions to acquire training at work. The presence of on-the-job training is difficult for the economist to directly observe; much of it is informal and not publicly recorded. We can, however, use human capital theory and certain patterns in workers' lifetime earnings to draw inferences about their demand for this type of training.

Figures 9.3 and 9.4 graph the 2003 earnings of men and women of various ages with different levels of education. These figures reveal four notable characteristics:

1. Average earnings of full-time workers rise with the level of education.
2. The most rapid increase in earnings occurs early, thus giving a concave shape to the age/earnings profiles of both men and women.
3. Age/earnings profiles tend to fan out, so that education-related earnings differences later in workers' lives are greater than those early on.
4. The age/earnings profiles of men tend to be more concave and to fan out more than those for women.

Can human capital theory help explain the above empirical regularities?

Average Earnings and Educational Level

Our *investment* model of educational choice implies that earnings rise with the level of education, for if they did not, the incentives for students to invest in more education would disappear. It is thus not too surprising to see in Figures 9.3 and 9.4 that the average earnings of more-educated workers exceed those of less-educated workers.

Remember, however, that *earnings* are influenced by both wage rates and hours of work. Data on *wage rates* are probably most relevant when we look at

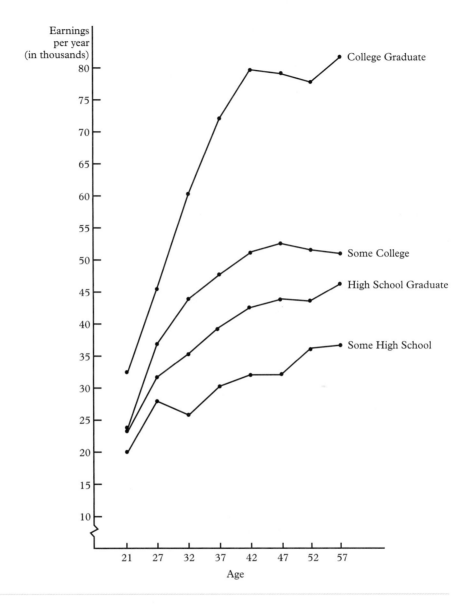

FIGURE 9.3

Money Earnings
(Mean) for Full-
Time, Year-Round
Male Workers, 2003

Source: See footnote 12.

the returns to an educational investment, because they indicate pay per unit of time at work. Wage data, however, are less widely available than earnings data. A crude, but readily available, way to control for working hours when using earnings data is to focus on full-time, year-round workers—which we do in Figures 9.3 and 9.4. More careful statistical analyses, however, which control for hours of work and factors other than education that can increase wage rates, come to the same conclusion suggested by Figures 9.3 and 9.4: namely, that more education is associated

FIGURE 9.4

Money Earnings (Mean) for Full-Time, Year-Round Female Workers, 2003

Source: See footnote 12.

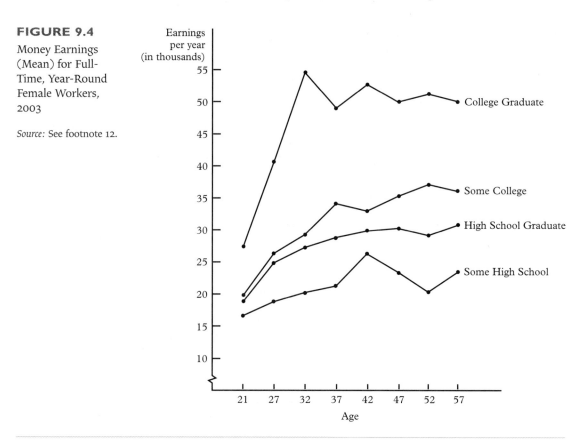

with higher pay. (A more rigorous theoretical analysis of the association between education and pay can be found in Appendix 9B, which presents the analysis in the context of hedonic wage theory.)

On-the-Job Training and the Concavity of Age/Earnings Profiles

The age/earnings profiles in Figures 9.3 and 9.4 typically rise steeply early on, then tend to flatten.[12] In fact, the early increases are so steep relative to those later on that

[12]Data in these figures are from the U.S. Bureau of the Census Web site: http://ferret.bls.census.gov/macro/032004/perinc/new04_010.htm (for males), and http://ferret.bls.census.gov/macro/032004/perinc/new04_019.htm (for females). These data match average earnings with age and education in a given year and do not follow individuals through time. For a paper using longitudinal data on *individuals*, see Richard W. Johnson and David Neumark, "Wage Declines and Older Men," *Review of Economics and Statistics* 78 (November 1996): 740–748; for a paper that follows *cohorts* of individuals through time, see David Card and Thomas Lemieux, "Can Falling Supply Explain the Rising Return to College for Younger Men? A Cohort-Based Approach," *Quarterly Journal of Economics* 116 (May 2001): 705–746.

a study of men's wage rates found that two-thirds of their *career* wage growth occurred in their first 10 years of work![13] While in the next two chapters we will encounter other potential explanations for why earnings rise in this way with age, human capital theory explains the concavity of these profiles in terms of *on-the-job training*.[14]

TRAINING DECLINES WITH AGE   Training on the job can occur through learning by doing (skills improving with practice), through formal training programs at or away from the workplace, or by informally working under the tutelage of a more experienced worker. All forms entail reduced productivity among trainees during the learning process, and both formal and informal training also involve a commitment of time by those who serve as trainers or mentors. Training costs are either shared by workers and the employer, as with specific training, or are borne mostly by the employee (in the case of general training).

From the perspective of workers, training depresses wages during the learning period but allows them to rise with enhanced productivity afterwards. Thus, workers who opt for jobs that require a training investment are willing to accept lower wages in the short run to get higher pay later on. As with other human capital investments, returns are generally larger when the post-investment period is longer, so we would expect workers' investments in on-the-job training to be greatest at younger ages and to fall gradually as they grow older.

Figure 9.5 graphically depicts the life-cycle implications of human capital theory as it applies to on-the-job training. The individual depicted has completed full-time schooling and is able to earn E_s at age A_0. Without further training, if the knowledge and skills the worker possesses do not depreciate over time, earnings would remain at E_s over the life cycle. If the worker chooses to invest in on-the-job training, his or her future earnings potential can be enhanced, as shown by the (dashed) curve E_p in the figure. Investment in on-the-job training, however, has the near-term consequence that actual earnings are below potential; thus, in terms of Figure 9.5, actual earnings (E_a) lie below E_p as long as the worker is investing. In fact, the gap between E_p and E_a equals the worker's investment costs.

Figure 9.5 is drawn to reflect the theoretical implication, noted above, that human capital investments decline with age. With each succeeding year, actual earnings become closer to potential earnings; further, because workers become less willing to invest in human capital as they age, the yearly *increases* in potential earnings become smaller and smaller. Thus, curve E_p takes on a concave shape, quickly rising above E_s but flattening later in the life cycle. Curve E_a (which is what we observe in Figures 9.3 and 9.4) takes on its concave shape for the same reasons.

---

[13]Kevin M. Murphy and Finis Welch, "Empirical Age-Earnings Profiles," *Journal of Labor Economics* 8 (April 1990): 202–229.

[14]For discussions of the relative importance of the human capital explanation for rising age/earnings profiles, see Ann P. Bartel, "Training, Wage Growth, and Job Performance: Evidence from a Company Database," *Journal of Labor Economics* 13 (July 1995): 401–425; Charles Brown, "Empirical Evidence on Private Training," in *Research in Labor Economics*, vol. 11, ed. Lauri J. Bassi and David L. Crawford (Greenwich, Conn.: JAI Press, 1990), 97–114; and Jacob Mincer, "The Production of Human Capital and the Life Cycle of Earnings: Variations on a Theme," *Journal of Labor Economics* 15, no. 1, pt. 2 (January 1997): S26–S47.

FIGURE 9.5

Investment in On-the-Job Training over the
Life Cycle

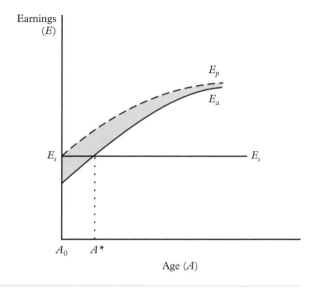

THE "OVERTAKING" AGE   For those who invest in on-the-job training, actual earnings start below E_s, approach it near age A^*, and continue to rise above it afterwards. Age A^* is called the *overtaking age,* and it is the age at which workers with the same level of schooling have equivalent earnings regardless of whether they have invested in on-the-job training. The concept of an overtaking age has an interesting empirical implication.

We can observe educational levels workers possess, but we cannot observe workers' E_p or the time they have spent in on-the-job training. Thus, when we use statistical methods to analyze earnings differences across individuals, the correlation between earnings and education will be strongest at A^*, where $E_a = E_s$. Why? The correlation between schooling and earnings is weakened both before and after A^* by the presence of on-the-job training, which we cannot measure and for which we cannot therefore statistically control. Interestingly, we find that educational and earnings levels correlate most strongly at about 10 years after labor market entry.[15] This finding offers support for the human capital explanation of age/earnings profiles based on job training.

The Fanning Out of Age/Earnings Profiles

Earnings differences across workers with different educational backgrounds tend to become more pronounced as they age. This phenomenon is also consistent with what human capital theory would predict.

---

[15]See Jacob Mincer, *Schooling, Experience, and Earnings* (New York: Columbia University Press for National Bureau of Economic Research, 1974), 57. For other evidence consistent with the human capital model summarized in Figure 9.5, see David Neumark and Paul Taubman, "Why Do Wage Profiles Slope Upward? Tests of the General Human Capital Model," *Journal of Labor Economics* 13 (October 1995): 736–761.

Investments in human capital tend to be more likely when the expected earnings differentials are greater, when the initial investment costs are lower, and when the investor has either a longer time to recoup the returns or a lower discount rate. The same can be said of people who have the ability to learn more quickly. The ability to learn rapidly shortens the training period, and fast learners probably also experience lower psychic costs (lower levels of frustration) during training.

Thus, people who have the ability to learn quickly are those most likely to seek out, and be presented by employers with, training opportunities. But who are these fast learners? They are most likely the people who, because of their abilities, were best able to reap benefits from formal schooling! Thus, human capital theory leads us to expect that workers who invested more in schooling will also invest more in post-schooling job training.[16]

The tendency of the better-educated workers to invest more in job training explains why their age/earnings profiles start low, rise quickly, and keep rising after the profiles of their less-educated counterparts have leveled off. Their earnings rise more quickly because they are investing more heavily in job training, and they rise for a longer time for the same reason. In other words, people with the ability to learn quickly select the ultimately high-paying jobs where much learning is required and thus put their abilities to greatest advantage.

Women and the Acquisition of Human Capital

A comparison of Figures 9.3 and 9.4 discloses immediately that the earnings of women who work full-time year-round are lower than for men of equivalent age and education, and that women's earnings within each educational group rise less steeply with age. The purpose of this section is to analyze these differences in the context of human capital theory (a more complete analysis of male/female wage differentials is presented in chapter 12).

A major difference in the incentives of men and women to make human capital investments has historically been in the length of work life over which the costs of a human capital investment can be recouped. Chapters 6 and 7 clearly showed how rapidly working for pay has increased among women in recent decades, and this fact obviously should have made human capital investments more lucrative for women. Nevertheless, Table 9.2 shows it is still the case that, on average, women can be expected to work (for pay) fewer years than men. In addition, Table 9.2 indicates that within the occupations shown—all of which require the acquisition of skills—women average fewer hours of work per week than do men.

To the extent that there is a shorter expected work life for women than for men, it is caused primarily by the role women have historically played in child-rearing

---

[16]For studies showing that on-the-job training is positively correlated with both educational level and ability, see Joseph G. Altonji and James R. Spletzer, "Worker Characteristics, Job Characteristics, and the Receipt of On-the-Job Training," *Industrial and Labor Relations Review* 45 (October 1991): 58–79; and Joseph Hight, "Younger Worker Participation in Post-School Education and Training," *Monthly Labor Review* 121 (June 1998): 14–21.

TABLE 9.2

Average Work Life and Hours of Work, by Gender

Remaining Expected Years of Paid Work at Age 25[a]:	Male	Female
High school graduates	33.4 (years)	27.3 (years)
Some college	34.5	29.5
College graduates	35.8	31.7

Average Weekly Hours of Paid Work for Those Working Full-Time in 2002:		
Executive, administrative, managerial workers	46.8 (hours)	42.7 (hours)
Professional specialty workers	45.1	41.6
Technicians and related support workers	42.7	40.7
Sales workers	46.0	41.4
Precision production, craft, and repair workers	42.7	41.0

[a]Data relate to nondisabled individuals in 1994.

Sources: Anthony M. Gamboa, "The New Worklife Expectancy Tables," Vocational Econometrics, Louisville, Kentucky (1995); U.S. Bureau of Labor Statistics, *Employment and Earnings* 50 (January 2003), Table 23.

and household production. This traditional role, while undergoing significant change, has caused many women to drop out of the labor market for a period of time in their childbearing years. Thus, female workers often have not had the continuity of experience that their male counterparts accumulate. If this historical experience causes younger women who are making important human capital decisions to expect a discontinuity in their own labor force participation, they might understandably avoid occupations or fields of study in which their skills depreciate during the period out of the labor market.[17] Moreover, historical experience could cause employers to avoid

---

[17]For a discussion of the wage losses facing women who interrupt their labor force attachment at childbirth, see Shelly Lundberg and Elaina Rose, "Parenthood and the Earnings of Married Men and Women," *Labour Economics* 7 (November 2000): 689–710; and Jane Waldfogel, "Understanding the 'Family Gap' in Pay for Women with Children," *Journal of Economic Perspectives* 12 (Winter 1998): 137–156. Losses were also suffered by men who involuntarily withdrew from their careers by being drafted into military service during the Vietnam War; see Joshua D. Angrist, "Lifetime Earnings and the Vietnam Era Draft Lottery: Evidence from Social Security Administrative Records," *American Economic Review* 80 (June 1990): 313–336.

hiring women for jobs requiring much on-the-job training—a practice that itself will reduce the returns women can expect from a human capital investment. Human capital theory, however, *also* predicts that recent changes in the labor force participation of women, especially married women of childbearing age, are causing dramatic changes in the acquisition of schooling and training by women. We turn now to a discussion of recent changes in these two areas.

WOMEN AND JOB TRAINING   There is little doubt that women receive less on-the-job training than men, although the gap is probably narrowing. One survey of employer-provided training found that, during a six-month period in 1995, women reported receiving 41.5 hours of both formal and informal training, while men received 47.6 hours; differences were mainly in the area of informal training.[18] To the extent that on-the-job training causes age/earnings profiles to be concave, an explanation for the flatter age/earnings profiles of women may be rooted in their lower levels of such training.

This human capital explanation for the flatter age/earnings profiles among women does not directly address whether the lower levels of job training emanate from the employer or the employee side of the market, but both possibilities are theoretically plausible. If employers expect women workers to have shorter work lives, they are less likely to provide training to them. Alternatively, if women themselves expect shorter work lives, they will be less inclined to seek out jobs requiring high levels of training. Finally, if women expect employers to bar them from occupations requiring a lot of training or experience, incentives to enter these occupations will be diminished.[19]

While human capital theory predicts that the traditional role of women in child-rearing will lead to reduced incentives for training investments, it also suggests that as this role changes, the incentives for women to acquire training will change. We should thus expect to observe a growing concavity in women's age/earnings profiles over the past decades, and Figure 9.6 indicates that this expectation is generally supported.

The darker lines in Figure 9.6 are the 2003 profiles for college and high school graduates that appeared in Figure 9.4. The lighter lines indicate the comparable profiles for 1977 (adjusted to 2003 dollars using the Consumer Price Index). A visual comparison reveals that the earnings profiles for both high school and college graduates have become steeper for women in their 20s and 30s, especially among the college educated. This faster earnings growth among women at the early stages of their careers suggests that they may be receiving more on-the-job training than they did two decades ago.

---

[18]H. Frazis, M. Gittleman, M. Horrigan, and M. Joyce, "Results from the 1995 Survey of Employer-Provided Training," *Monthly Labor Review* 121 (June 1998): 3–13.

[19]For a recent article on women's pay expectations and resulting outcomes, see Peter F. Orazem, James D. Werbel, and James C. McElroy, "Market Expectations, Job Search, and Gender Differences in Starting Pay," *Journal of Labor Research* 24 (Spring 2003): 307–321.

FIGURE 9.6

The Increased
Concavity of
Women's Age/
Earnings Profiles

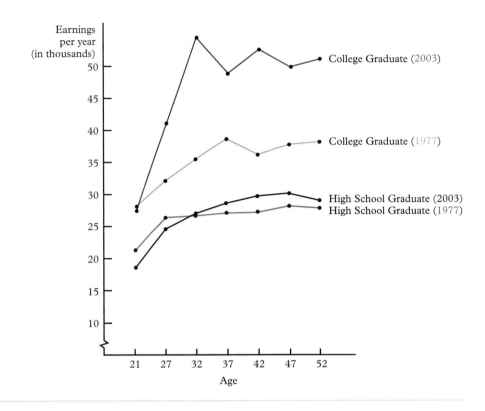

WOMEN AND FORMAL SCHOOLING   As Table 9.1 suggested, there have been dramatic changes in the level of formal education received by women in recent years. Their fields of study have also changed markedly. These changes undoubtedly reflect the increased returns to human capital investments arising from women's increased attachment to the labor force and longer expected work lives. Table 9.3 outlines some of the magnitudes of these changes.

Women, who traditionally were less likely than men to graduate from college, now represent well over half of both bachelor's and master's graduates. There also have been dramatic shifts in the fields in which women major, most notably in the areas of business (graduate and undergraduate), law, and medicine—where women have gone from under 10 percent of all majors to 40 percent or more. While still underrepresented in computer science and engineering, women have posted gains in these areas as well.[20] What the data in Table 9.3 suggest is that women's expected labor force attachment has grown so fast that investing in technical degrees has become more attractive over the last three decades.

[20]A study that measures gender changes in undergraduate majors differently, however, concludes that, aside from business majors, changes since the 1970s have not been dramatic. See Sarah E. Turner and William G. Bowen, "Choice of Major: The Changing (Unchanging) Gender Gap," *Industrial and Labor Relations Review* 52 (January 1999): 289–313.

TABLE 9.3

Percentages of Women among College and University Graduates,
by Degree and Field of Study, 1971 and 2001

Percentage of Women among:	Bachelor's Degree		Master's Degree	
	1971	2001	1971	2001
Total	43.4%	57.3%	40.1%	58.5%
Business majors	9.1	49.6	3.9	40.7
Computer science majors	13.6	27.7	10.3	33.9
Education majors	74.5	76.7	56.2	76.6
Engineering majors	0.8	19.9	1.1	21.2
English majors	66.7	68.4	61.0	67.9
Health professionals	77.1	83.8	55.9	77.4
First professional degree[a]			6.3	46.2

[a]Degrees in this category are largely doctor's degrees in law, medicine, and dentistry.

Sources: U.S. National Center for Education Statistics, *Digest of Education Statistics 1993* (1993), Tables 235, 269, 271–273, 275, 278; *Digest of Education Statistics 2002* (2003), Tables 265, 268, 274.

Is Education a Good Investment?

The question whether more education would be a good investment is one that concerns both individuals and government policy makers. Individuals ask, "Will I increase my monetary and psychic income enough to justify the costs of additional education?" Governments must decide if the expected social benefits of enhanced productivity outweigh the opportunity costs of investing more social resources in the educational sector. We pointed out earlier that these questions can be answered using either the *present-value* method (an illustration of which is in Example 9.3) or the *internal rate of return* method. The latter is primarily used in the subsections that follow.

Is Education a Good Investment for Individuals?

Individuals about to make an investment in a college education are typically committing themselves to costs of at least $18,000 per year. Is there evidence that this investment pays off for the typical student? Several studies have tried to answer this question by calculating the internal rates of return to educational investments. While the methods and data used vary, these studies normally estimate benefits by calculating earnings differentials at each age from age/earnings profiles such as those in Figures 9.3 and 9.4. (*Earnings* are usually used to measure benefits because higher wages and more stable jobs are both payoffs to more education.) All such studies have analyzed only the monetary, not the psychic, costs of and returns on educational investments.

EXAMPLE 9.3

Valuing a Human Asset: The Case of the Divorcing Doctor

State divorce laws typically provide for the assets acquired during marriage to be divided in some equitable fashion. Among the assets to be divided is often the value of human capital investments made by either spouse during marriage. How these acquired human capital values are estimated can be illustrated by the following example.

Dr. Doe married right after he had acquired a license to practice as a general practitioner. Instead of opening a general (family) practice, however, Dr. Doe undertook specialized training to become a surgeon. During his training (residency) period, the income of Dr. Doe and his wife was much lower than it would have been had he been working as a general practitioner. Thus both spouses were investing, albeit to different degrees, in Dr. Doe's human capital.

Shortly after his residency was completed and he had acquired board certification as a general surgeon, Dr. Doe and his wife decided to divorce. She sued him for an equitable division of the asset value of his certification as a general surgeon. How can this asset value be estimated?

The asset value of Dr. Doe's certificate as a general surgeon is the present value of his estimated *increase in lifetime earnings* this certificate made pos-

sible. The most reasonable estimate of his increase in yearly earnings is calculated by subtracting from what the typical general surgeon earns the average earnings of general practitioners (which is an estimate of what Dr. Doe could have earned in the absence of his training as a surgeon).

In 2002, the median earnings of general surgeons were $255,000 and those of general practitioners were $150,000. Thus, assuming Dr. Doe is an "average" doctor, obtaining his certificate as a surgeon increased his earnings capacity by $105,000 per year in 2002 dollars.[a] Assuming a remaining work life of 25 years and a real interest rate (which takes account of what inflation will do to the earnings differential) of 2 percent, the present value of the asset Dr. Doe acquired as the result of his surgical training comes to $2,049,000. (It would then be up to the court to divide this asset equitably between the two divorcing spouses.)

---

[a]Earnings data are from the U.S. Department of Labor, Bureau of Labor Statistics, *Occupational Outlook Handbook: 2004–05 Edition* Web site: http://www.bls.gov/oco/ocos074.htm. The formula used to calculate present value is the one given in footnote 2 of this chapter, where $X = \$105{,}000$, $r = 0.02$, and $n = 25$.

The rates of return to education typically estimated for the average American worker fall into the range of 5–12 percent (after adjusting for inflation), although they may vary across individuals with such factors as parental background, school quality, and even the level of education (as will be seen later in Example 9.4).[21] These findings are interesting because most other investments generate returns in the same range. Thus, it appears, at least at first glance, that an investment in education is about as good as an investment in stocks, bonds, or real estate. This conclusion must be qualified, however, by recognizing that there are potential biases in the estimated rates of return to education. These biases, which are of unknown size, work in opposite directions.

THE UPWARD BIAS   The typical estimates of the rate of return on further schooling may overstate the gain an individual student could obtain by investing in

---

[21]See David Card, "The Causal Effect of Education on Earnings," in *Handbook of Labor Economics*, ed. Orley Ashenfelter and David Card (New York: Elsevier, 1999), 1802–1863, for a comprehensive review of estimates of the rates of return to educational investments.

education because they do not distinguish between the contribution that *ability* makes to higher earnings and the contribution made by *schooling*.[22] The problem is that (a) people who are smarter, harder-working, and more dynamic are likely to obtain more schooling, and (b) such people might be more productive, and hence earn higher-than-average wages, even if they did not complete more years of schooling than others. When measures of true ability are not observed or accounted for, the studies attribute *all* the earnings differentials associated with college to college itself and none to ability, even though *some* of the added earnings college graduates typically receive may have been received by an equally able high school graduate who did not attend college.

Recent studies that attempt to control for *ability bias* in estimating rates of return to schooling have utilized several strategies. Some have estimated the separate effects of schooling and aptitude-test scores on earnings. Others have estimated how much the earnings of people are affected when a random event, not ability, affects their level of schooling. Still others analyze differences among family members, who have the same family background, and even among identical twins, who share the same inherited characteristics. These studies generally conclude that the problem of ability bias in conventional estimates is small.[23]

THE DOWNWARD BIAS   There are three reasons to believe that conventionally estimated rates of return to educational investments may be downward biased. First, some benefits of college attendance are not necessarily reflected in higher productivity, but rather in an increased ability to understand and appreciate the behavioral, historical, and philosophical foundations of human existence. Second, most rate-of-return studies fail to include employee benefits; they measure money earnings, not total compensation. Because employee benefits as a percentage of total compensation tend to rise as money earnings rise, ignoring benefits tends to create a downward bias in the estimation of rates of return to education.

Third, some of the job-related rewards of college are captured in the form of psychic or nonmonetary benefits. Jobs in the executive or professional occupations are probably more interesting and pleasant than the more routine jobs typically available to people with less education. While executive and professional jobs do pay more than others, the total benefits of these jobs may be understated when only earnings differences are analyzed.

SELECTION BIAS   A third source of bias in the standard estimates of rates of return on education arises from the *selectivity* problem. Briefly put, a person who decides to go to college and become a manager, rather than terminate schooling

---

[22]An investment in education should also raise wages more than *overall* wealth—which (recalling chapters 6 and 7) should cause hours of work to rise. Thus, some of the increased earnings from more education could be associated with reduced leisure, which would constitute another source of upward bias. This point is made by C. M. Lindsay, "Measuring Human Capital Returns," *Journal of Political Economy* 79 (November/December 1971): 1195–1215.

[23]See Card, "The Causal Effect of Education on Earnings," for a comprehensive review of studies that attempt to correct for ability bias. Also see Reuben Gronau, "Zvi Griliches' Contribution to the Theory of Human Capital," National Bureau of Economic Research Working Paper no. 10081, November 2003.

with high school and become a mechanic, may do so in part because he or she has very little mechanical aptitude; thus, becoming a mechanic might yield this person *less* income than is earned by those who actually become mechanics. Likewise, those who become mechanics rather than go to college and become managers might not have aptitudes that would allow them to earn much as managers.

To understand the potential selectivity biases in the conventionally calculated returns to a college education, keep in mind that the returns to a college education are usually based on differences between the actual earnings of college and high school graduates. For people who graduated from college, the rate-of-return calculation thus assumes that, in the absence of a college education, their earnings would have been equal to those of the average high school graduate. If, instead, their earnings would have been *less* than those of the high school graduate, the conventional calculation *understates* their gains from a college investment.

Does the conventionally calculated rate of return to college indicate the yield mechanics would have obtained had they gone to college to become managers? It does not, because this calculation assumes that they would have been able to earn as much as the average manager. Thus, while the conventional calculations underestimate the returns for those who actually go to college, they overestimate the returns that would have been received by those who decided not to go.

Fortunately, the selectivity bias in estimated rates of return to schooling appears to be small.[24] Nevertheless, raising the selectivity issue does serve to remind us that the principle of comparative advantage is potentially important in making choices about schooling and occupations.

Is Education a Good Social Investment?

The issue of education as a social investment has been of heightened interest in the United States during the past decade, especially because of three related developments. First, product markets have become more global, increasing the elasticity of both product and labor demand. As a result, American workers are now facing more competition from workers in other countries. Second, the growing availability of high-technology capital has created new products and production systems that may require workers to have greater cognitive skills and to be more adaptable, efficient learners.[25] Third, American elementary and secondary school students

---

[24]The discussion in this subsection is based on Robert J. Willis and Sherwin Rosen, "Education and Self-Selection," *Journal of Political Economy* 87 (October 1979): S7–S36. For discussion of how selectivity based on discount rate affects the measured rates of return to education, see David Card, "Estimating the Return to Schooling: Progress on Some Persistent Econometric Problems," *Econometrica* 69 (September 2001): 1127–1160.

[25]For recent studies on the earnings of those with greater cognitive skills, see Richard J. Murnane, John B. Willett, and Frank Levy, "The Growing Importance of Cognitive Skills in Wage Determination," *Review of Economics and Statistics* 77 (May 1995): 251–266; and John Cawley, James Heckman, and Edward Vytlacil, "Understanding the Role of Cognitive Ability in Accounting for the Recent Rise in the Economic Return to Education," in *Meritocracy and Economic Inequality*, ed. Kenneth Arrow, Samuel Bowles, and Steven Durlauf (Princeton, N.J.: Princeton University Press, 2000).

TABLE 9.4

International Comparisons of Schooling

Country	Expenditures per Pupil, Secondary Level (in U.S. $)	% of Those, Ages 25–44, Who Have Completed	
		Secondary School	University
France	6,214	75%	15%
Germany	5,779	88	14
Japan	5,971	94	24
United Kingdom	4,844	63	17
United States	7,397	88	28

Source: National Center for Education Statistics, *The Condition of Education 2001* (NCES 2001-072), 52, 178; and National Center for Education Statistics, http://nces.ed.gov/programs/coe/2004/section6/indicator36.asp, Table 36-1. Expenditure data are for the year 2000, and degree completion data are for 1997–1998.

have scored poorly relative to students elsewhere in language proficiency, scientific knowledge, and (especially) mathematical skills.[26]

The combination of these three developments has caused concern about the productivity of America's future workforce, relative to workers elsewhere, and has led to a series of questions about our educational system. Are we devoting enough resources to educating our current and future workforce? Should the resources we devote to education be reallocated in some way? Should we demand more of students in elementary and secondary schools?

THE SOCIAL COST   As Table 9.4 indicates, the United States devotes at least as many resources to elementary and secondary education as do other developed countries. In terms of dollars per student, the United States ranks first among the five countries shown, and in terms of the percentages of the population completing secondary school, it ranks in the upper middle. Moreover, the percentage of the population completing college is higher than in every comparison country. Thus, with about 7 percent of its gross domestic product devoted to the direct costs of formal education (elementary, secondary, and college), and with forgone earnings (especially of college students) adding another 3 or 4 percent, the United States devotes a substantial fraction of its available resources to formal schooling.[27] Whether this huge social investment pays off and whether its returns can be enhanced are important questions. In beginning to answer them, we must try to understand how education and productivity are related.

[26]National Center for Education Statistics, *The Condition of Education 1998* (NCES 98-013, October 1998), 76; http://nces.ed.gov/programs/coe/2002/section2/indicator13.asp; and http://nces.ed.gov/surveys/pisa/.

[27]The forgone earnings of high school and college students have been estimated to equal 60 percent of the *direct* cost outlays at those schooling levels. See Theodore Schultz, *The Economic Value of Education* (New York: Columbia University Press, 1963).

THE SOCIAL BENEFIT   The view that increased educational investments increase worker productivity is a natural outgrowth of the observation that such investments enhance the earnings of individuals who undertake them. However, this view that the educational investment is what *causes* productivity to rise is not the only possible interpretation for the positive relationship between earnings and schooling. Another interpretation is that the educational system provides society with a screening device that sorts people by their (predetermined) ability. As discussed below, this alternative view, in its extreme form, sees the educational system as a means of *finding out* who is productive, not of enhancing worker productivity.

THE SIGNALING MODEL   An employer seeking to hire workers is never completely sure of the actual productivity of any applicant, and in many cases, the employer may remain unsure long after an employee is hired. What an employer *can* observe are certain indicators that firms believe to be correlated with productivity: age, experience, education, and other personal characteristics. Some indicators, such as age, are immutable. Others, such as formal education, can be *acquired* by workers. Indicators that can be acquired by individuals can be called *signals;* our analysis here will focus on the signaling aspect of formal education.

Let us suppose that firms wanting to hire new employees for particular jobs know that there are two groups of applicants that exist in roughly equal proportions. One group has a productivity of 2, let us say, and the other has a productivity of 1. Further, suppose that these productivity levels cannot be changed by education and that employers cannot readily distinguish which applicants are from which group. If they were unable to make such distinctions, firms would be forced to assume that all applicants are "average"; that is, they would have to assume that each had a productivity of 1.5 (and would offer them wages of up to 1.5).

While workers in this simple example would be receiving what they were worth on *average,* any firm that could devise a way to distinguish between the two groups (at little or no cost) could enhance its profits. When wages equal 1.5, workers with productivities equal to 1 are receiving more than they are worth. If these applicants could be discovered and either rejected or placed into lower-paying jobs, the firm could obviously increase its profits. It turns out that using educational attainment as a hiring standard can increase profits even if education does not enhance productivity. We can illustrate this with a simple example.

AN ILLUSTRATION OF SIGNALING   To illustrate the use of educational signaling, suppose that employers come to believe that applicants with at least e^* years of education beyond high school are the ones with productivity 2, and that those with less than e^* are in the lower-productivity group. With this belief, workers with less than e^* years would be rejected for any job paying a wage above 1, while those with at least e^* would find that competition among employers drives their wages up to 2. This simple wage structure is illustrated in Figure 9.7.[28] If additional

---

[28]This analysis is based on Michael Spence, "Job Market Signaling," *Quarterly Journal of Economics* 87 (August 1973): 205–221.

FIGURE 9.7

The Benefits to Workers of Educational Signaling

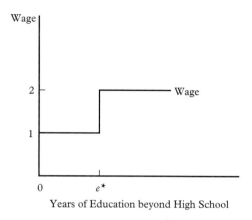

schooling does not enhance productivity, can requiring the signal of e^* really distinguish between the two groups of applicants? The answer is yes *if the costs to the worker of acquiring the added schooling are negatively related to his or her on-the-job productivity.*

If workers with at least e^* years of education beyond high school can obtain a wage of 2, while those with less can earn a wage of only 1, all workers would want to acquire the signal of e^* if it were costless for them to do so. As we argued earlier, however, schooling costs are both large and different for different individuals. In particular, the psychic costs of education are probably inversely related to ability: those who learn easily can acquire the educational signal (of e^* in this case) more cheaply than others. *If*—and this is critical—those who have *lower* costs of acquiring education are *also* more productive on the job, then requiring educational signals can be useful for employers.

To understand the role of educational costs in signaling, refer to Figure 9.8, in which the reward structure from Figure 9.7 is expressed in terms of the present value of lifetime earnings (at a wage of 1, their discounted lifetime earnings sum to PVE_1, while at a wage of 2, they sum to PVE_2). Now assume that each year of education costs C for those with less productivity and $C/2$ for those with greater productivity.

Workers will choose the level of schooling at which the difference between their discounted lifetime earnings and their total educational costs is maximized. For those with yearly educational costs of C, the difference between lifetime earnings and total educational costs is maximized at zero years of education beyond high school. For these workers, the net benefit of an additional e^* years (distance BD) is less than the net benefit of zero additional years (distance $A0$). For them, the benefits of acquiring the signal of e^* years is not worth the added costs.

For those whose costs are $C/2$, it can be seen that the net benefits of investing in e^* (distance BF) exceed the net benefits of other schooling choices. Therefore, only those with costs of $C/2$—the workers with productivities of 2—find it advantageous

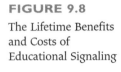

FIGURE 9.8

The Lifetime Benefits and Costs of Educational Signaling

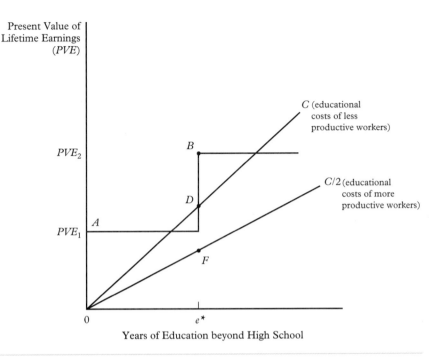

to acquire *e** years of schooling. In this example, then, schooling attainment signals productivity.

SOME CAUTIONS ABOUT SIGNALING   Our simple example demonstrated how education could have value even if it did not directly enhance worker productivity. It is necessary to stress, though, that for education to have signaling value in this case, on-the-job productivity and the costs of education must be *negatively* related. If the higher costs reflected along line *C* were associated with lower cognitive ability or a distaste for learning, then it is conceivable that these costs could be indicative of lower productivity. If, however, those with costs along *C* have higher costs only because of lower family wealth (and therefore smaller contributions from others toward their schooling costs), then they may be no less productive on the job than those along line *C*/2. In this latter case, signaling would fail, because it would only indicate those with low family wealth, not lower productivity.

Even when educational signaling is a useful way to predict future productivity, there is an *optimum* signal beyond which society would not find it desirable to go. Suppose, for example, that employers now requiring *e** years for entry into jobs paying a wage of 2 were to raise their hiring standards to *e′* years, as shown in Figure 9.9. Those with educational costs along *C* would still find it in their best interests to remain at zero years of schooling beyond high school, and those with costs along *C*/2 would find it profitable to invest in the required signal of *e′*

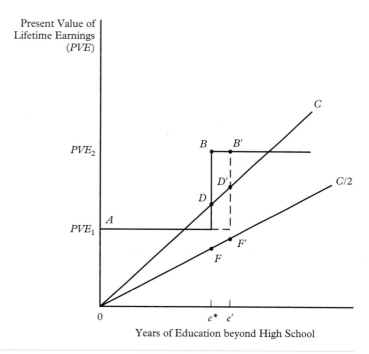

FIGURE 9.9

Requiring a Greater Signal
May Have Costs without
Benefits

(because distance $B'F'$ is greater than $A0$). Requiring more schooling of those who are selected for high-wage jobs, however, is more costly for those workers (and thus for society as a whole). While the new required signal would distinguish between the two groups of workers, it would do so at increased (and unnecessary) costs to individuals, which cannot be socially optimal.

It clearly can be beneficial for individuals to invest in educational signals, but if schooling *only* has signaling value, is it a worthy investment for society to make? If the only purpose of schools is to provide signals, why encourage investments in the expansion or qualitative upgrading of schooling? If 50 years ago being a high school graduate signaled above-average intelligence and work discipline, why incur the enormous costs of expanding college attendance only to find out that now these qualities are signaled by having a bachelor's degree? The issue is of even more importance in less-developed countries, where mistakes in allocating extremely scarce capital resources could be disastrous (see Example 9.4). Before attempting to decide if schooling has social value when all it produces are signals, let's first turn to the more basic question of whether we can figure out if schooling enhances, or merely signals, human capital.

SIGNALING OR HUMAN CAPITAL?   Direct evidence on the role schooling plays in society is difficult to obtain. Advocates of the signaling viewpoint, for example, might point to the higher rates of return for college graduates than for college

EXAMPLE 9.4

The Socially Optimal Level of Educational Investment

In addition to asking whether schooling is a good social investment, we could also ask, "What is the socially optimal *level* of schooling?" The general principle guiding our answer to this question is that society should increase or reduce its educational investments until the marginal rate of return (to society) equals the marginal rate of return on other forms of capital investment (investment in physical capital, for example).

The rationale for the above principle is that if society has some funds it wants to invest, it will desire to invest them in projects yielding the highest rates of return. If an investment in physical capital yields a 20 percent rate of return and the same funds invested in schooling yield (all things considered) only a 10 percent return, society will clearly prefer to invest in physical capital. As long as the two rates of return differ, society could be made better off by reducing its investments in low-yield projects and increasing them in those with higher rates of return.

The text has discussed many of the difficulties and biases inherent in estimating rates of return to school-

ing. However, the general principle of equating the rates of social return on all forms of investments is still a useful one to consider. It suggests, for example, that capital-poor countries should invest in additional schooling only if the returns are very high—higher, in all probability, than the rates of return required for optimality in more-capital-rich countries.

Indeed, the rates of return to both secondary schooling and higher education appear to be generally higher in less-developed countries than in developed countries. One review estimated that the rate of return on secondary schooling investment was 10 percent for a developed country (on average), while for a less-developed country, it was 13 to 16 percent. Comparable rates of return on investments in higher education were 9.5 percent and 11 percent, respectively.

Data from: George Psacharopoulos and Harry Anthony Patrinos, "Returns to Investment in Education: A Further Update," World Bank Policy Research Working Paper no. 2881, September 2002, Table 3.

dropouts as evidence that schooling is a signaling device.[29] They argue that what is learned in school is proportional to the time spent there and that an added bonus (rate of return) just for a diploma is proof of the signaling hypothesis. Advocates of the view that schooling enhances human capital would counter that those who graduate after four years have learned more than four times what the freshman dropout has learned. They argue that dropouts are more likely to be poorer students—the ones who overestimated their returns on schooling and quit when they discovered their mistake. Thus, their relatively low rate of return is associated not with their dropping out but with their *reason* for dropping out.

To take another example, proponents of the human capital view could argue that the fact that earnings differentials between college and high school gradu-

[29]Dropouts naturally have lower earnings than graduates, but because they have also invested less, it is not clear that their *rates of return* should be lower. For further discussion and evidence, see David A. Jaeger and Marianne E. Page, "Degrees Matter: New Evidence on Sheepskin Effects in the Returns to Education," *Review of Economics and Statistics* 78 (November 1996): 733–740. Thomas J. Kane and Cecilia Elena Rouse, "Comment on W. Norton Grubb: 'The Varied Economic Returns to Postsecondary Education: New Evidence from the Class of 1972,'" *Journal of Human Resources* 30 1 (Winter 1995): 205–221, calls into question the benefits of graduation independent of the number of *credits* taken.

ates grow with age supports their view. If schooling were just a signaling device, employers would rely on it *initially,* but as they accumulated direct information from experience with their employees, schooling would play a smaller role in determining earnings. Signaling advocates could counter that continued growth in earnings differentials only illustrates that educational attainment was a *successful* signaling device.[30]

SCHOOL QUALITY   Given the difficulty of generating predictions of labor market outcomes that can directly distinguish the signaling from the human capital hypothesis, you may wonder if there are other ways to resolve the debate. A research strategy with some potential grows out of issues related to school quality.

As mentioned earlier, concerns have been raised about the cognitive achievement of American students. If schooling performs primarily a signaling function, by helping to *discover* people's cognitive abilities, we would not necessarily look to the educational system to remedy the problem of low cognitive achievement. However, if schooling can enhance the kinds of skills that pay off in the labor market, then increased investment in the quality of the nation's schools could be warranted.

Proponents of the signaling and human capital views of education can agree that people of higher cognitive ability are likely to be more productive; where they disagree is on whether better schools can enhance worker productivity by improving cognitive skills. Advocates of the signaling viewpoint cite a substantial literature suggesting it is difficult to demonstrate a relationship between schooling expenditures and student performance on *tests of cognitive skill.*[31] Advocates of the human capital view, however, find support in studies of *earnings* and school quality. These studies generally indicate that students attending higher-quality schools (that is, ones with greater resources per student) have higher subsequent earnings, other things equal.[32]

Clearly, assessments of the social returns to schooling that examine the role of school quality have so far yielded somewhat ambiguous results. Better schools

---

[30]Attempts to distinguish between the two views include Joseph Altonji, "The Effects of High School Curriculum on Education and Labor Market Outcomes," *Journal of Human Resources* 30 (Summer 1995): 409–438; Andrew Weiss, "Human Capital vs. Signaling Explanations of Wages," *Journal of Economic Perspectives* 9 (Fall 1995): 133–154; Wim Groot and Hessel Oosterbeek, "Earnings Effects of Different Components of Schooling: Human Capital versus Screening," *Review of Economics and Statistics* 76 (May 1994): 317–321; and Kelly Bedard, "Human Capital versus Signaling Models: University Access and High School Dropouts," *Journal of Political Economy* 109 (August 2001): 749–775.

[31]Eric A. Hanushek and Dennis D. Kimko, "Schooling, Labor Force Quality, and the Growth of Nations," *American Economic Review* 90 (December 2000): 1184–1208. For a dissenting view, see Alan B. Krueger and Diane M. Whitmore, "The Effect of Attending a Small Class in the Early Grades on College-Test Taking and Middle School Test Results: Evidence from Project STAR," *Economic Journal* 111 (January 2001): 1–28.

[32]For citations to the literature analyzing links between school resources and student outcomes, see George A. Akerlof and Rachel E. Kranton, "Identity and Schooling: Some Lessons for the Economics of Education," *Journal of Economic Literature* 40 (December 2002): 1167–1201. This article attempts to identify sociological factors that might help resolve the disparate results obtained in economic analyses that relate schooling resources to educational results.

may enhance labor market earnings, but evidence that they enhance measured cognitive abilities is relatively weak. One possibility, of course, is that better schools enhance productivity by teaching useful problem-solving skills or better work habits—characteristics that may be valued in the labor market but not captured especially well by standardized tests of cognitive achievement. Another possibility, however, is that better schools give students better information about their own interests and abilities, thus helping them to make more successful career choices. Some important questions, then, remain unanswered.

DOES THE DEBATE MATTER?   In the end, perhaps the debate between advocates of the signaling and human capital views of schooling is not terribly important. The fact is that schooling investments offer *individuals* monetary rates of return that are comparable to those received from other forms of investment. For individuals to recoup their human capital investment costs requires willingness on the part of employers to pay higher wages to people with more schooling; and for employers to be willing to do this, schools must be providing a service that they could not perform more cheaply themselves.

For example, we argued earlier that to profit from an investment of $100,000 in a college education, college graduates must be paid at least $3,652 more per year than they would have received otherwise. Naturally, this requires that they find employers who are willing to pay them the higher yearly wage. If college merely helps *reveal* who is more productive, employers who believe they could find this out for less than a yearly cost of $3,652 per worker would clearly have incentives to adopt their own methods of screening workers.

The fact that employers continue to emphasize (and pay for) educational requirements in the establishment of hiring standards suggests one of two things. Either more education *does* enhance worker productivity, or it is a *less expensive* screening tool than any other that firms could use. In either case, the fact that employers are willing to pay a high price for an educated workforce seems to suggest that education produces social benefits.[33]

Is Public Sector Training a Good Social Investment?

Policy makers should also ask whether government job training programs can be justified based on their returns. During the past four decades, the federal government has funded a variety of these programs that primarily targeted disadvantaged men, women, and youth. Some programs have served trainees who applied voluntarily, and others have been mandatory programs for public assistance recipients (who stood to lose benefits if they did not enroll). Some of these programs have provided relatively inexpensive help in searching for work, while others have

---

[33]Kevin Lang, "Does the Human Capital/Educational Sorting Debate Matter for Development Policy?" *American Economic Review* 84 (March 1994): 353–358, comes to a similar conclusion through a more formal argument.

directly provided work experience or (in the case of the Job Corps) comprehensive services associated with living away from home. Over these decades, however, roughly half of those enrolled received classroom training at vocational schools or community colleges, and another 15 percent received in-plant training. The per-student costs of these latter two types of programs have been in the range of $3,700 to $7,500 (in 2003 dollars).[34]

Evaluating these programs requires comparing their costs with an estimate of the present value of their benefits, which are measured by calculating the increase in wages made possible by the training program. Calculating the benefits involves estimating what trainees would have earned in the absence of training, and there are several thorny issues the researcher must successfully confront. Nevertheless, summaries of credible studies done to date have concluded that adult women are the only group among the disadvantaged that clearly benefit from these training programs; adult men and youth show no consistent earnings increases across studies. The average increase in earnings for women in training programs is roughly $1,600 per year.[35] Were these increases large enough to justify program costs?

The programs had direct costs of $3,700 to $7,500 per trainee, but they also had opportunity costs in the form of forgone output. The typical trainee was in her program for 16 weeks, and while many of the trainees had been on welfare prior to training, the opportunity costs of their time surely were not zero. Recall from chapter 7 that a person can be productive in the home as well as the workplace. If we place a value on time at home equal to $21,000 per year (see Example 7.3 in chapter 7), spending one-third of a year in training had opportunity costs of roughly $7,000. Thus, the total costs of training were probably in the range of $10,000 to $15,000 per woman.

If benefits of $1,600 per year were received annually for 20 years after training, and if the appropriate discount rate is 2 percent, the present value of benefits comes to $26,300. Benefits of this magnitude are clearly in excess of costs. Indeed, the present value of benefits for voluntary training would still be in excess of $15,000 even if the yearly earnings increases lasted for just more than 10 years.[36]

---

[34]Robert J. LaLonde, "The Promise of Public Sector–Sponsored Training Programs," *Journal of Economic Perspectives* 9 (Spring 1995): 149–168, gives a brief history of federally sponsored training programs and summarizes several issues relevant to evaluating their efficacy.

[35]David H. Greenberg, Charles Michalopoulos, and Philip K. Robins, "A Meta-Analysis of Government-Sponsored Training Programs," *Industrial and Labor Relations Review* 57 (October 2003): 31–53.

[36]Paul Lengermann, "How Long Do the Benefits of Training Last? Evidence of Long Term Effects Across Current and Previous Employers," *Research in Labor Economics* 18 (1999): 439–461, found that the gains from formal and company training last at least nine years. For a discussion of the social returns to investments by the Job Corps, see Alan B. Krueger, "Economic Scene: A Study Backs Up What George Forman Already Said, the Job Corps Works," *New York Times*, March 30, 2000, C2. For reference to studies of vocational education, see Paul Ryan, "The School-to-Work Transition: A Cross-National Perspective," *Journal of Economic Literature* 29 (March 2001): 34–92.

EMPIRICAL STUDY

Estimating the Returns to Education Using a Sample of Twins: Coping with the Problem of Unobserved Differences in Ability

Researchers doing empirical studies must always be aware of how their results are affected by the problem of *omitted variables*. It is rare that we have access to data on all relevant independent variables, and the regression techniques described in Appendix 1A contain an error term that explicitly assumes the variables we have do not fully explain all the variation in a given dependent variable. If an omitted variable is not correlated with any observed independent variable, there is no bias imparted to the estimates of how the independent variables affect the dependent variable. However, if an omitted variable is correlated with a particular observed one, the estimated effect of the observed variable will be biased. The *omitted variables bias,* and one solution to it, can be illustrated by the problem of estimating the returns to schooling when researchers do not have data on innate learning ability (which is very difficult to observe).

The returns to education are conventionally estimated by using multivariate regression techniques to analyze, for a cross-section of workers, how much earnings are increased by an additional year of schooling—after controlling for other observed factors that influence earnings. However, if people with higher innate capacities for learning (higher *ability*) are the very ones who pursue more education, then estimates of the returns to schooling will also include any labor-mar-

ket rewards for *ability* unless researchers are able to measure innate learning ability. Put differently, if education and ability levels are positively correlated but we do not observe data on innate ability, our estimates of the effects of schooling will be biased upward (we discussed this earlier as *ability bias*). Lacking a way to control for learning ability, then, makes it problematic to estimate how much more a typical person (with a given ability level) would earn if he or she invested in another year of schooling. Can we find a way to correct for ability bias, and if so, can we estimate how large that bias is?

A clever way to avoid the problems of ability bias is to use a sample of identical twins, because such twins have precisely the same genetic material and thus the same native abilities. With the same ability and family background, identical twins should have the same incentives for educational investments; however, random factors (marriage, divorce, career interests) can intervene and cause twins to have different schooling levels. By statistically analyzing, for several sets of twins, how the earnings differences between each twin in a pair are affected by differences in their years of schooling, we can estimate the returns to schooling in a way that is free of ability bias.

One careful study analyzed 340 pairs of identical twins who attended the annual Twinsburg Twins Festival in Twinsburg, Ohio, during the summers of

1991–1993. By looking at differences in earnings and education within each of the 340 pairs, the authors estimated that the returns to schooling were about 9 percent. In contrast, when they estimated the returns to schooling in the conventional way (not controlling for ability), the estimated rate of return was 10 percent. They thus conclude that failure to control for ability imparts only a small upward bias to the conventional estimates of the rate of return to schooling.

Source: Orley Ashenfelter and Cecilia Rouse, "Income, Schooling, and Ability: Evidence from a New Sample of Identical Twins," *Quarterly Journal of Economics* 113 (February 1998): 253–284.

Review Questions

1. Women receive lower wages, on average, than men of equal age. What concepts of human capital help to explain this phenomenon? Explain. Why does the discrepancy between earnings for men and women grow with age?

2. "The vigorous pursuit by a society of tax policies that tend to equalize wages across skill groups will frustrate the goal of optimum resource allocation." Comment.

3. A few years ago, a prominent medical college inadvertently accepted more applicants than it could accommodate in its first-year class. Not wanting to arbitrarily delay the entrance date of the students admitted, it offered them one year of free tuition if they would delay their medical studies by one year. Discuss the factors entering into a student's assessment of whether he or she should take this offer.

4. When Plant X closed, Employer Y (which offers no training to its workers) hired many of X's employees after they had completed a lengthy, full-time retraining program offered by a local agency. The city's Equal Opportunity Commission noticed that the workers Employer Y hired from X were predominantly young, and it launched an age-discrimination investigation. During this investigation, Employer Y claimed that it hired *all* of the applicants from X who had successfully completed the retraining program, without regard to age. From what you know of human capital theory, does Y's claim sound credible? Explain.

5. Why do those who argue that more education "signals" greater ability believe that the most able people will obtain the most education?

6. A study shows that, for American high school dropouts, obtaining a General Equivalency Degree (GED) by part-time study after high school has very little payoff. It also shows, however, that for immigrants who did not complete high school in their native countries, obtaining a GED has a relatively large payoff. Can signaling theory be used to explain these results?

7. In many countries, higher education is heavily subsidized by the government (that is, university students do not bear the full cost of their college education). While there may be good reasons for heavily subsidizing university education, there are also some dangers in it. Using human capital theory, explain what these dangers are.

8. Many crimes against property (burglary, for example) can be thought of as acts that have immediate gains but run the risk of long-run costs. If imprisoned, the criminal loses income from both criminal and noncriminal activities. Using the framework for occupational choice in the long run, analyze what kinds of people are most likely to engage in criminal activities. What can society do to reduce crime?

Problems

1. Becky works in sales but is considering quitting work for two years to earn an MBA. Her current job pays $40,000 per year (after taxes), but she could earn $55,000 per year (after taxes) if she had a master's degree in business administration. Tuition is $10,000 per year and the cost of an apartment near campus is equal to the $10,000 per year she is currently paying. Becky's discount rate is 6 percent per year. She just turned 48 and plans to retire when she turns 60, whether or not she gets her MBA. Based on this information, should she go to school to earn her MBA? Explain carefully.

2. (Appendix). Suppose that the supply curve for optometrists is given by $L_S = -6 + 0.6W$, while the demand curve is given by $L_D = 50 - W$, where W = annual earnings in thousands of dollars per year and L = thousands of optometrists.

   a. Find the equilibrium wage and employment levels.

   b. Now suppose that the demand for optometrists increases and the new demand curve is $L'_D = 66 - W$. Assume that this market is subject to cobwebs because it takes about three years to produce people who specialize in optometry. While this adjustment is taking place, the short-run supply of optometrists is fixed. Calculate the wage and employment levels in each of the first three rounds and find the new long-run equilibrium. Draw a graph to show these events.

Selected Readings

Becker, Gary. *Human Capital*. New York: National Bureau of Economic Research, 1975.

Borjas, George J. "Earnings Determination: A Survey of the Neoclassical Approach." In *Three Worlds of Labor Economics*, ed. Garth Mangum and Peter Philips. Armonk, N.Y.: M. E. Sharpe, 1988.

Card, David. "The Causal Effect of Education on Earnings." In *Handbook of Labor Economics*, ed. Orley Ashenfelter and David Card. New York: Elsevier, 1999.

Clotfelter, Charles T., Ronald G. Ehrenberg, Malcolm Getz, and John Siegfried. *Economic Challenges in Higher Education*. Chicago: University of Chicago Press, 1991.

Freeman, Richard B. *The Overeducated American*. New York: Academic Press, 1976.

Friendlander, Daniel, David H. Greenberg, and Philip K. Robins. "Evaluating Government Training Programs for the Economically Disadvantaged." *Journal of Economic Literature* 35 (December 1997): 1809–1855.

Krueger, Alan B., and Mikael Lindahl. "Education for Growth: Why and for Whom?" *Journal of Economic Literature* 39 (December 2001): 1101–1136.

Mincer, Jacob. *Schooling, Experience, and Earnings*. New York: National Bureau of Economic Research, 1974.

Schultz, Theodore. *The Economic Value of Education*. New York: Columbia University Press, 1963.

Spence, Michael. "Job Market Signaling." *Quarterly Journal of Economics* 87 (August 1973): 355–374.

A "Cobweb" Model of Labor Market Adjustment

The adjustment of college enrollments to changes in the returns to education is not always smooth or rapid, particularly in special fields, such as engineering and law, that are highly technical. The problem is that if engineering wages (say) were to go up suddenly in a given year, the supply of graduate engineers would not be affected until three or four years later (owing to the time it takes to learn the field). Likewise, if engineering wages were to fall, those students enrolled in an engineering curriculum would understandably be reluctant to immediately leave the field. They have already invested a lot of time and effort and may prefer to take their chances in engineering rather than devote more time and money to learning a new field.

The failure of supply to respond immediately to changed market conditions can cause *boom-and-bust cycles* in the market for highly technical workers. If educational planners in government or the private sector are unaware of these cycles, they may seek to stimulate or reduce enrollments at times when they should be doing exactly the opposite, as illustrated below.

An Example of "Cobweb" Adjustments

Suppose the market for engineers is in equilibrium, where the wage is W_0 and the number of engineers is N_0 (see Figure 9A.1). Let us now assume that the demand curve for engineers shifts from D_0 to D_1. Initially, this increase in the demand for engineers does *not* induce the supply of engineers to increase beyond N_0, because it takes a long time to become an engineer once one has decided to do so. Thus, while the increased demand for engineers causes more people to decide to enter the field, the number available for employment *at the moment* is N_0. These N_0 engineers, therefore, can *currently* obtain a wage of W_1 (in effect, there is a vertical supply curve, at N_0, for a few years until the supply of engineering graduates is increased).

FIGURE 9A.1

The Labor Market for Engineers

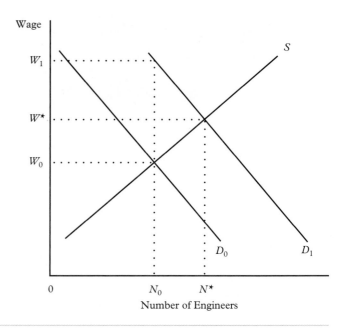

Now W_1, the *current* engineering wage, is above W^*, the new *long-run* equilibrium wage caused by the intersection of D_1 and S. The market, however, is unaware of W^*, observing only W_1. If people are myopic and assume W_1 is the new equilibrium wage, N_1 people will enter the engineering field (see Figure 9A.2). When these N_1 all graduate, there will be a *surplus* of engineers (remember that W_1 is *above* long-run equilibrium).

With the supply of engineers now temporarily fixed at N_1, the wage will fall to W_2. This fall will cause students and workers to shift *out* of engineering, but that effect will not be fully felt for a few years. In the meantime, note that W_2 is below long-run equilibrium (still at W^*). Thus, when supply *does* adjust, it will adjust too much—all the way to N_2. Now there will be another shortage of engineers, because after supply adjusts to N_2, demand exceeds supply at a wage rate of W_2. This causes wages to rise to W_3, and the cycle repeats itself. Over time, the swings become smaller, and eventually equilibrium is reached. Because the adjustment path in Figure 9A.2 looks somewhat like a cobweb, the adjustment process described above is sometimes called a *cobweb model*.

Worker Expectations of Future Wages

Critical to cobweb models is the assumption that workers form myopic expectations about the future behavior of wages. In our example, they first assume that W_1

FIGURE 9A.2

The Labor Market for
Engineers: A Cobweb Model

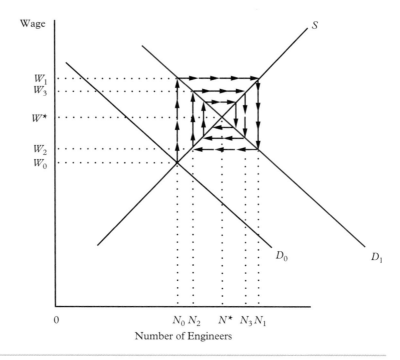

will prevail in the future and ignore the possibility that the occupational choice
decisions of others will, in four years, drive the wage below W_1. Just how workers (and other economic actors, such as investors and taxpayers) form expectations
about future wage (price) levels is very important to the understanding of many
key issues affecting the labor market.[1]

Adaptive Expectations

The simplest and most naive way to predict future wage levels is to assume that
what is observed today is what will be observed in the future; this naive assumption, as noted above, underlies the cobweb model. A more sophisticated way to
form predictions about the future is with an *adaptive expectations* approach. Adaptive expectations are formed by setting future expected wages equal to a weighted
average of current and past wages. While more weight may be given to current than

---

[1]Also critical to cobweb models is that the demand curve be flatter than the supply curve; if it is not, the
cobweb *explodes* when demand shifts and an equilibrium wage is never reached. An exploding cobweb model is an example from economics of the phenomenon of *chaos*. For a general introduction to
this fascinating topic, see James Gleick, *Chaos* (New York: Penguin Books, 1987). For an article on chaos
theory in the economic literature, see William J. Baumol and Jess Benhabib, "Chaos: Significance, Mechanism, and Economic Applications," *Journal of Economic Perspectives* 3 (Winter 1989): 77–106.

past wages in forecasting future wage levels, changes in those levels prior to the current period are not ignored; thus, it is likely that wage expectations formed adaptively do not alternatively overshoot and undershoot the equilibrium wage *by as much* as those formed using the naive approach. If, however, adaptive expectations also lead workers to first overpredict and then underpredict the equilibrium wage, cobweblike behavior of wages and labor supply will still be observed (although the fluctuations will be of a smaller magnitude if the predictions are closer to the mark than those made naively).

Rational Expectations

The most sophisticated way to predict future market outcomes is to use a full-blown model of the labor market. Those who believe in the *rational expectations* method of forming predictions about future wages assume that workers do have such a model in their heads, at least implicitly. Thus, they will realize that a marked increase in the earnings of engineers (say) is likely to be temporary, because supply will expand and eventually bring the returns to an investment in engineering skills in line with those for other occupations. Put differently, the rational expectations model assumes workers behave as if they have taken (and mastered!) a good course in labor economics and that they will not be fooled into over- or underpredicting future wage levels.

Clearly, how people form expectations is an important empirical issue. In the case of engineers, lawyers, and dentists, periodic fluctuations in supply that characterize the cobweb model have been found.[2] Whether these fluctuations are the result of naive expectations or not, the lesson to be learned from cobweb models should not be lost on government policy makers. If the government chooses to take an active role in dealing with labor shortages and surpluses, it must be aware that, because supply adjustments are slow in highly technical markets, wages in those markets tend to *over*adjust. In other words, to the extent possible, governmental predictions and market interventions should be based on rational expectations. For example, at the initial stages of a shortage, when wages are rising toward W_1 (in our example), the government should be pointing out that W_1 is likely to be *above* the long-run equilibrium. If instead it attempts to meet the current shortage by *subsidizing* study in that field, it will be encouraging an even greater *surplus* later on. The moral of the story is that a complete knowledge of how markets adjust to changes in demand or supply is necessary before we can be sure that government intervention will do more good than harm.

---

[2]See Richard B. Freeman, "A Cobweb Model of the Supply and Starting Salary of New Engineers," *Industrial and Labor Relations Review* 29 (January 1976): 236–246; and Michael G. Finn and Joe G. Baker, "Future Jobs in Natural Science and Engineering: Shortage or Surplus?" *Monthly Labor Review* 116 (February 1993): 54–61. Gary Zarkin, "Occupational Choice: An Application to the Market for Public School Teachers," *Quarterly Journal of Economics* 100 (May 1985): 409–446, and Peter Orazem and J. Peter Mattila, "Human Capital, Uncertain Wage Distributions, and Occupational and Educational Choices," *International Economic Review* 32 (February 1991): 103–122, use rational expectations models of occupational choice.

A Hedonic Model of Earnings and Educational Level

C hapter 9 employed human capital theory to explore the demand for education and the relationship between education and pay. This appendix uses the hedonic theory of wages (introduced in chapter 8) to more formally explore the factors underlying the positive association between wage and educational levels. Thus, it treats the higher pay associated with a higher education level as a compensating wage differential.

Unless education is acquired purely for purposes of consumption, people will not undertake an investment in education or training without the expectation that, by so doing, they can improve their stream of lifetime earnings or psychic rewards. In order to obtain these higher benefits, however, *employers* must be willing to pay for them. Therefore, it is necessary to examine both sides of the market to fully understand the prediction made over 200 years ago by Adam Smith that wages rise with the "difficulty and expense" of learning the job.[1]

Supply (Worker) Side

Consider a group of people who have chosen selling as a desired career. These salespersons-to-be have a choice of how much education or training to invest in, given their career objectives. In making this choice, they will have to weigh the returns against the costs. Crucial to this decision is how the *actual* returns compare with the returns each would *require* in order to invest.

Figure 9B.1 shows the indifference curves between yearly earnings and education for two workers, A and B. To induce A or B to acquire X years of education would require the assurance of earning W_x after beginning work. However, to induce A to increase his or her education beyond X years (holding utility constant) would require a larger salary increase than B would require. A's greater

---

[1]See Adam Smith, *Wealth of Nations,* book 1, chap. 10. The five "principal circumstances" listed by Smith as affecting wages were first discussed in this text in chapter 8.

FIGURE 9B.1

Indifference Curves for Two Different Workers

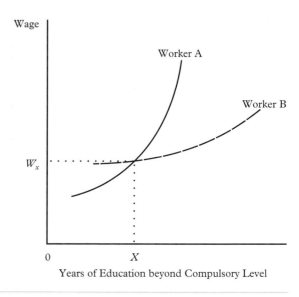

aversion to making educational investments could be explained in several ways. Person A could be older than B, thus having higher forgone earnings and fewer years over which to recoup investment costs. Person A could be more present-oriented and thus more inclined to discount future benefits heavily, or could have less ability in classroom learning or a greater dislike of schooling. Finally, A may find it more difficult to finance additional schooling. Whatever the reason, this analysis points up the important fact that people differ in their propensity to invest in schooling.

Demand (Employer) Side

On the demand side of the market, employers must consider whether they are willing to pay higher wages for better-educated workers. If they are, they must also decide how much to pay for each additional year. Figure 9B.2 illustrates employers' choices about the wage/education relationship. Employers Y and Z are *both* willing to pay more for better-educated sales personnel (to continue our example) because they have found that better-educated workers are more productive.[2] Thus, they can achieve the same profit level by paying either lower wages for less-educated workers or higher wages for more-educated workers. Their isoprofit curves are thus upward-sloping (see chapter 8 for a description of isoprofit curves).

---

[2]Whether schooling causes workers to be more productive or simply reflects—or *signals*—higher productivity is not important at this point.

FIGURE 9B.2

Isoprofit Curves for Two Different Firms

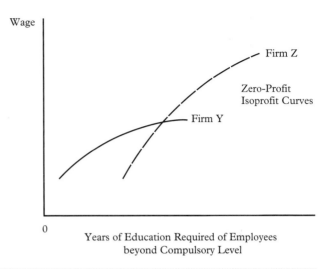

The isoprofit curves in Figure 9B.2 have three important characteristics:

1. For each firm, the curves are concave; that is, they get flatter as education increases. This concavity results from the assumption that, at some point, the added benefits to the employer of an additional year of employee schooling begin to decline. In other words, we assume that schooling is subject to diminishing marginal productivity.
2. The isoprofit curves are the *zero-profit curves*. Neither firm can pay higher wages for each level of education than those indicated on the curves; if they did so, their profits would be negative and they would cease operations.
3. The added benefits from an extra year of schooling are smaller in firm Y than in firm Z, causing Y to have a flatter isoprofit curve. Firm Y, for example, may be a discount department store in which "selling" is largely a matter of working a cash register. While better-educated people may be more productive, they are not *too* much more valuable than less-educated people; hence, firm Y is not willing to pay them much more. Firm Z, on the other hand, may sell technical instruments for which a knowledge of physics and of customer engineering problems is needed. In firm Z, additional education adds a relatively large increment to worker productivity.

Market Determination of the Education/Wage Relationship

Putting both sides of the market for educated workers together, it is clear that the education/wage relationship will be positive, as indicated in Figure 9B.3. Worker

FIGURE 9B.3

The Education/Wage Relationship

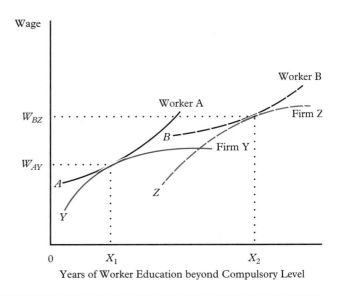

A will work for Y, receiving a wage equal to W_{AY} and obtaining X_1 years of education. The reason for this matching is simple. Firm Z cannot pay higher wages (for each level of education) than those shown on the isoprofit curve in Figure 9B.3, for the reasons noted above. Clearly, then, worker A could never derive as much utility from Z as he or she could from Y; working for firm Z would involve a loss of utility to worker A. For similar reasons, worker B will accept work with firm Z, obtain X_2 years of schooling, and receive higher pay (W_{BZ}).

When examined from an overall social perspective, the positive wage/education relationship is the result of a very sensible sorting of workers and employers performed by the labor market. Workers with the greatest aversion to investing in education (A) will work for firms where education adds least to employee productivity (Y). People with the least aversion to educational investment (B) are hired by those firms most willing to pay for an educated workforce (Z).

Given the assertion by the critics of the human capital view of education that education adds nothing to worker productivity, it is interesting to consider the implications of an unwillingness by employers to pay higher wages to workers with more education. If employers were unwilling to pay higher wages for more-educated workers, no education-related differentials would exist and employer isoprofit curves would be horizontal. Without a positive education/wage relationship, employees would have no incentive to invest in an education (see Figure 9B.4). The fact that educational wage differentials exist and that workers respond to them when making schooling decisions suggests that, for some reason or other, employers *are* willing to pay higher wages to more-educated workers.

FIGURE 9B.4

Unwillingness of a Firm to Pay for More
Education of Employees

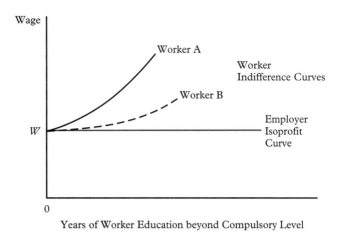

Years of Worker Education beyond Compulsory Level

CHAPTER 10

Worker Mobility: Migration, Immigration, and Turnover

Worker mobility plays a critical role in market economies. Because the job of any market is to promote voluntary exchange, society relies on the free movement of workers among employers to allocate labor in a way that achieves maximum satisfaction for both workers and consumers. The flow (either actual or threatened) of workers from lower-paying to higher-paying jobs, for example, is what forces firms that are paying below-equilibrium wages to increase their wage offers. The existence of compensating wage differentials, to take another example, also depends on the ability of informed workers to exercise choice among employment opportunities in the search for enhanced utility.

Mobility, however, is costly. Workers must take time to seek out information on other jobs, and for at least some workers, job search is most efficient if they quit their current job first (to look for work in a new geographic area, for example). Severing ties with the current employer means leaving friends and familiar surroundings, and it may mean giving up valuable employee benefits or the inside track on future promotions. Once a new job is found, workers may well face *monetary*, and will almost certainly face *psychic*, costs of moving to new surroundings. In short, workers who move to new employers bear costs in the near term so that utility can be enhanced later on. Therefore, the human capital model introduced in chapter 9 can be used to analyze mobility investments by workers.

The Determinants of Worker Mobility

The human capital model views mobility as an investment in which costs are borne in some early period in order to obtain returns over a longer period of time. If the present value of the benefits associated with mobility exceeds the costs, both monetary and psychic, we assume that people will decide to change jobs or move, or both. If the discounted stream of benefits is not as large as the costs, then people will decide against such a change.

What determines the present value of the net benefits of mobility—that is, the benefits minus the costs—determines the mobility decision. These factors can be better identified by writing out the formula to use if we were to precisely calculate these net benefits:

$$\text{Present Value of Net Benefits} = \sum_{t=1}^{T} \frac{B_{jt} - B_{ot}}{(1+r)^t} - C \qquad (10.1)$$

where:

B_{jt} = the utility derived from the new job (j) in the year t
B_{ot} = the utility derived from the old job (o) in the year t
T = the length of time (in years) one expects to work at job j
r = the rate of discount
C = the utility lost in the move itself (direct and psychic costs)
Σ = a summation—in this case the summation of the yearly discounted net benefits over a period running from year 1 to year T

Clearly, the present value of the net benefits of mobility will be larger the greater is the utility derived from the new job, the less happy one is in the job of origin, the smaller are the immediate costs associated with the change, and the longer one expects to be in the new job or live in the new area (that is, the greater T is). These observations lead to some clear-cut predictions about which groups in society will be most mobile and about the *patterns* of mobility we would expect to observe.

TABLE 10.1

Immigrants as a Percentage of the Labor Force, Selected Countries, 2000

Country	Immigrants as a Percentage of Labor Force
Australia	24.5
Canada	19.2[a]
France	6.0
Germany	8.8
Italy	3.6
Japan	0.2
Sweden	5.0
United Kingdom	4.4
United States	12.4

[a]Data are for 1996.

Source: Organisation for Economic Co-operation and Development, *Trends in International Migration,* Annual Report 2002 (OECD, 2003), Table A.2.3.

Geographic Mobility

Mobility of workers among countries, and among regions within a country, is an important fact of economic life. Roughly 140 million people in the world live in a country different from the one in which they were born, and Table 10.1 indicates that for the world's larger economies, immigrants typically constitute from 5 to 20 percent of the labor force. One study indicated that of the people who migrated to another country from 1975 to 1980, two-thirds went to the United States, Canada, or Australia.[1]

Within the United States during 2003, over 4 million workers—3.1 percent of all those employed—moved out of state, and 40 percent of those moved to a different *region* (the South experienced the largest net influx, while the Northeast had the largest net outflow).[2] Roughly one-third of those moving among states stay with their current employers, but taking account of those whose move is motivated by economic factors *and* who change employers, about half of all interstate moves are precipitated by a change in employment.[3] This emphasis on job change suggests that human capital theory can help us understand which workers are most

---

[1]Rachel M. Friedberg and Jennifer Hunt, "The Impact of Immigrants on Host Country Wages, Employment, and Growth," *Journal of Economic Perspectives* 9 (Spring 1995): 23–44.

[2]U.S. Bureau of the Census, *Geographic Mobility: 2003* (P20-549), http://www.census.gov; then go to "subjects" and "migration," Table 7.

[3]Ann P. Bartel, "The Migration Decision: What Role Does Job-Mobility Play?" *American Economic Review* 69 (December 1979): 775–786. See also Larry Schroeder, "Interrelatedness of Occupational and Geographical Labor Mobility," *Industrial and Labor Relations Review* 29 (April 1976): 405–411.

likely to undertake investments in geographic mobility and the directions in which mobility flows will take place.

The Direction of Migratory Flows

Human capital theory predicts that migration will flow from areas of relatively poor earnings possibilities to places where opportunities are better. Studies of migratory flows support this prediction. In general, the results of such studies suggest that the *pull* of good opportunities in the areas of destination are stronger than the *push* of poor opportunities in the areas of origin. In other words, while people are more attracted to places where earnings are expected to be better, they do not necessarily come from areas where opportunities are poorest.

The most consistent finding in these detailed studies is that people are attracted to areas where the real earnings of full-time workers are highest. Studies find no consistent relationship, however, between unemployment and in-migration, perhaps because the number of people moving with a job already in hand is three times as large as the number moving *to look* for work. If one already has a job in a particular field, the area's unemployment rate is irrelevant.[4]

Most studies have found that, contrary to what we might expect, the characteristics of the place of origin do not appear to have much net influence on migration. While those in the poorest places have the greatest *incentives* to move, the very poorest areas also tend to have people with lower levels of wealth, education, and skills—the very people who seem least *willing* (or able) to move. To understand this phenomenon, we must turn from the issue of *where* people go to a discussion of *who* is most likely to move. (In addition, there is the issue of *when* people move. See Example 10.1, which pulls together the issues of who, where, and when in analyzing one of the most momentous internal migrations in the history of the United States—the Great Migration of blacks from the South to the North in the first half of the twentieth century.)

Personal Characteristics of Movers

Migration is highly selective in the sense that it is not an activity in which all people are equally likely to be engaged. To be specific, mobility is much higher among the young and the better-educated, as human capital theory would suggest.

AGE   Age is the single most important factor in determining who migrates. The peak years for mobility are the ages 20–24; in the United States, 12 percent of this age group migrates across county or state lines each year. By age 32, this rate of migration is roughly 8 percent, and by age 47, it is only 4 percent.

---

[4]The level of *new hires* in an area appears to explain migration flows much better than the unemployment rate; see Gary Fields, "Place to Place Migration: Some New Evidence," *Review of Economics and Statistics* 61 (February 1979): 21–32. Robert H. Topel, "Local Labor Markets," *Journal of Political Economy* 94, no. 3, pt. 2 (June 1986): S111–S143, contains an analysis of how permanent and transitory shifts in an area's demand affect migration and wages.

EXAMPLE 10.1

The Great Migration: Southern Blacks Move North

Our model predicts that workers will move whenever the present value of the net benefits of migration is positive. After the Civil War and emancipation, a huge wage gap opened up between the South and the North, with northern wages often twice as high as those in the South. Yet black migration out of the South was very low—only 68,000 during the 1870s.

During World War I, however, the Great Migration began, and over half a million blacks moved out of the South in the 1910s. Black migration during the 1920s was almost twice this high, and it exceeded 1.5 million during the 1940s, so that by 1950, over 20 percent of southern-born blacks had left the region.

Why did this migration take so long to get going? One important factor was low education levels, which made obtaining information about outside opportunities very difficult. In 1880, more than 75 percent of African Americans over age 10 were illiterate, but this figure fell to about 20 percent by 1930. One study finds that in 1900, literate adult black males were three times more likely to have migrated than those who were illiterate. In 1940, blacks who had attended high school were twice as likely to have migrated than those with zero to four years of schooling. However, rising literacy alone cannot explain the sudden burst of migration.

The outbreak of World War I seems to have triggered the migration in two ways. First, it caused labor demand in northern industry to soar. Second, it brought the collapse of immigration inflows from abroad. Before World War I, growing northern industries had relied heavily on immigrants from Europe as a source of labor. With the immigration flood slowing to a trickle, employers began to hire black workers—even sending agents to recruit in the South. Job opportunities for blacks in the North finally opened up and many responded by moving.

A study using census data from 1870 to 1950 finds that, as expected, northern states in which wages were highest attracted more black migrants, as did those in which manufacturing growth was more rapid. Reduced European immigration seems to have spurred black migration, and it is estimated that if European immigration had been completely restricted at the turn of the century, the Great Migration would have started much sooner.

Data from: William J. Collins, "When the Tide Turned: Immigration and the Delay of the Great Black Migration," *Journal of Economic History* 57 (September 1997), 607–632; Robert A. Margo, *Race and Schooling in the South, 1880–1950* (Chicago: University of Chicago Press, 1990).

There are two explanations for the fact that migration is an activity primarily for the young. First, the younger one is, the longer the period over which benefits from an investment can be obtained, and the larger the present value of these benefits.

Second, a large part of the costs of migration is psychic, the losses associated with giving up friends, community ties, and the benefits of knowing one's way around. As we grow older, our ties to the community become stronger and the losses associated with leaving loom larger.

EDUCATION   While age is probably the best predictor of who will move, education is the single best indicator of who will move *within* an age group. As can be seen from Table 10.2, which presents U.S. migration rates for people ages 30–34, more education does make one more likely to move between states.

TABLE 10.2

U.S. Migration Rates for People Age 30–34, by Educational Level, 2003 (in percentages)

Educational Level (in Years)	Moving between Counties within States	Moving out of State
9–11	3.4	4.9
12	3.5	3.6
13–15	3.9	3.7
16	3.7	5.3
17 or more	3.2	6.5

Source: U.S. Bureau of the Census, *Geographical Mobility 2003* (P20-549), http://www.census.gov, then go to "subjects" and "migration," Table 5.

One cost of migration is that of ascertaining *where* opportunities are and *how good* they are likely to be. If one's occupation has a national labor market, as is the case for many college graduates, it is relatively easy to find out about opportunities in distant places. Jobs are advertised in national newspapers, recruiters from all over visit college campuses, and employment agencies make nationwide searches.

However, if the relevant labor market for one's job is localized, it is difficult to find out where opportunities might be better. For a janitor in Beaumont, Texas, finding out about employment opportunities in the north-central region, say, is difficult and may require quitting Beaumont and moving north to mount an effective search.

The Role of Distance

Human capital theory clearly predicts that as migration costs rise, the flow of migrants will fall. The costs of moving increase with distance for two reasons. First, acquiring trustworthy *information* on opportunities elsewhere is easier when employment prospects are closer to home. Second, the time and money cost of a move and for trips back to see friends and relatives, and hence the psychic costs of the move, rise with distance. Thus, we would clearly expect to find that people are more likely to move short distances than long distances. Indeed, of the approximately 4 million employed Americans who moved out of state in 2003, 60 percent moved within the same region, 30 percent moved to a different region within the United States, and 10 percent moved to another country.[5]

Interestingly, lack of education appears to be a bigger deterrent to long-distance migration than does age (other influences held constant), a fact that can shed some light on whether information costs or psychic costs are the primary deterrent. As suggested by our arguments in the previous subsection, the age deterrent is closely related to psychic costs, while educational level and ease of access

---

[5]U.S. Bureau of the Census, *Geographical Mobility: 2003* (P20-549), http://www.census.gov; then go to "subjects" and "migration," Table 7.

EXAMPLE 10.2

Migration and One's Time Horizon

Economic theory suggests that those with longer time horizons are more likely to make human capital investments. Can we see evidence of this theoretical implication in the horizons of people who are most likely to migrate? A recent paper explores the possibility that people who give greater weight to the welfare of their children and grandchildren have a higher propensity to bear the considerable costs of immigration.

Before 1989, the Soviet Union made it difficult, though not impossible, for Jews to emigrate. Applying for emigration involved heavy fees; moreover, the applicant's property was often confiscated and his or her right to work was often suspended. However, after the collapse of the Soviet Union in 1989, these hassles were eliminated. The monetary benefits of migrating were approximately the same before and after 1989, but the costs fell considerably.

How did migrants from the earlier period—who were willing to bear the very high costs—differ from those who emigrated only when the costs were reduced? The study finds evidence that Jewish women who migrated to Israel during the earlier period brought with them larger families (on average, 0.4 to 0.8 more children) than otherwise similar migrants in the later period. This suggests that the benefits of migration to children were a decisive factor in the decision to migrate during the pre-1989 period.

Likewise, a survey of women age 51 to 61 shows that grandmothers who have immigrated to the United States spend over 200 more hours per year with their grandchildren than American-born grandmothers. They are also more likely to report that they consider it important to leave an inheritance (rather than spending all their wealth on themselves).

Thus, there is evidence consistent with the theoretical implication that those who invest in immigration have longer time horizons (in the sense of putting greater weight on the welfare of their children and grandchildren) than those who do not.

Data from: Eli Berman and Zaur Rzakhanov, "Fertility, Migration and Altruism," National Bureau of Economic Research working paper no. 7545 (February 2000).

to information are closely linked. The apparently larger deterrent of educational level suggests that information costs may have more influence than psychic costs on the relationship between migration and distance.[6]

The Earnings Distribution in Sending Countries and International Migration

To this point, our examples of factors that influence geographic mobility have related to domestic migration, but the influences of age, access to information, the potential gains in earnings, and distance are all relevant to international migration as well. Additionally, because immigrants are self-selected and the costs of immigration are so high, personal discount rates (or orientation toward the future) are critical and likely to be very different for immigrants and nonmigrants—as illustrated by Example 10. 2.

[6]Aba Schwartz, "Interpreting the Effect of Distance on Migration," *Journal of Political Economy* 81 (September/October 1973): 1153–1167.

One aspect of the potential gains from migration that is uniquely important when analyzing international flows of labor is the distribution of earnings in the *sending* as compared with the *receiving* country. The relative distribution of earnings can help us predict which skill groups within a sending country are most likely to emigrate.

Some countries have a more compressed (equal) earnings distribution than is found in the United States. In these countries, the average earnings differential between skilled and unskilled workers is smaller, implying that the returns to human capital investments are lower than in the United States. Skilled and professional workers from these countries (northern European countries are most notable in this regard) have the most to gain from emigration to the United States. Unskilled workers in countries with more equality of earnings are well paid compared with unskilled workers here and thus have less incentive to move. Immigrants to the United States from these countries, therefore, tend to be more skilled than the average worker who does not emigrate.

In countries with a less equal distribution of earnings than is found in the United States, skilled workers do relatively well, but there are large potential gains to the unskilled from emigrating to the United States. These unskilled workers may be blocked from making human capital investments within their own countries (and thus from taking advantage of the high returns to such investments that are implied by the large earnings differentials). Instead, their human capital investment may take the form of emigrating and seeking work in the United States. Less-developed countries tend to have relatively unequal earnings distributions, so it is to be expected that immigrants from these countries (and especially Mexico, which is closest) will be disproportionately unskilled.[7]

The Returns to International and Domestic Migration

We have seen that migrants generally move to places that allow them greater earnings opportunities. How great these earnings increases are for individual migrants depends on the reasons and preparation for the move.

INTERNAL MIGRATION FOR ECONOMIC REASONS   The largest earnings increase from migration can be expected among those whose move is motivated by a better job offer and who have obtained this offer through a job-search process undertaken before quitting their prior jobs. A study of men and women in their 20s who were in this category found that, for moves in the 1979–1985 period, earnings increased 14–18 percent more than earnings of nonmigrants. Even those who quit voluntarily and migrated for economic reasons *without* a prior job search earned 6–9 percent more than if they had stayed put.[8] The returns for women and men who migrated for economic reasons were very similar.

---

[7]For a more thorough discussion of this issue, see George J. Borjas, *Friends or Strangers* (New York: Basic Books, 1990), especially chaps. 1 and 7.

[8]Kristen Keith and Abagail McWilliams, "The Returns to Mobility and Job Search by Gender," *Industrial and Labor Relations Review* 52 (April 1999): 460–477.

FAMILY MIGRATION   Most of us live in families, and if there is more than one employed person in a family, the decision to migrate is likely to have different earnings effects on the members. You will recall from chapter 7 that there is more than one plausible model for how those who live together actually make joint labor supply decisions, but with migration, a decision to move might well be made if the *family as a whole* experiences a net increase in total earnings. Total family earnings, of course, could be increased even if one partner's earnings were to fall as a result of the move, as long as the other partner experienced relatively large gains. Considering family migration decisions raises the issue of *tied movers*—those who agree to move for family reasons, not necessarily because the move improves their own earnings.

Among those in their 20s who migrated in the 1979–1985 period, quitting jobs and moving for *family* reasons caused earnings to decrease by an average of 10–15 percent—although searching for a new job before moving apparently held wage losses to zero.[9] Clearly, migrating as a tied mover can be costly to an individual. Women move more often than men for family reasons, but as more complete college or graduate school and enter careers, their willingness to move for family reasons may fall. The growing preference among college-educated couples for living in large urban areas, where both people have access to many alternative job opportunities without moving, reflects the costs of migrating as a tied mover.[10]

RETURNS TO IMMIGRATION   Comparing the earnings of *international* immigrants with what they would have earned had they not emigrated is generally not feasible, owing to a lack of data on earnings in the home country.[11] Thus, studies of the returns to immigration have focused on comparisons with the earnings of native-born workers in the host country. Most of the research has been done on the United States. Figure 10.1 displays, for men, the path of immigrants' earnings relative to those of native-born Americans with similar amounts of labor market experience. The relative earnings paths displayed are based on longitudinal data for three groups of immigrants: those arriving in the United States in the 1960s, in the 1970s, and from 1980 through 1994.

We can observe three sets of facts about the relative earnings of immigrants from Figure 10.1. First, immigrants earn substantially less than their native-born counterparts when they first arrive in the United States. Second, each succeeding cohort of immigrants has done less well upon entry than its predecessor. Third, the *relative* earnings of immigrants rise over time, which means that their earnings

---

[9]Keith and McWilliams, "The Returns to Mobility and Job Search by Gender."

[10] Dora L. Costa and Matthew E. Kahn, "Power Couples: Changes in the Locational Choice of the College Educated, 1940–1990," *Quarterly Journal of Economics* 115 (November 2000): 1287–1315.

[11]Barry R. Chiswick, *Illegal Aliens: Their Employment and Employers* (Kalamazoo, Mich.: W. E. Upjohn Institute for Employment Research, 1988), mentions two studies that compared the earnings or living standards of Mexican immigrants with the conditions under which they lived before they left. In one study it was found that living conditions, as indexed by the availability of running water and electricity, rose substantially. The other study reported that the earnings of Mexican apple harvesters in Oregon, even after deducting the costs of migration, were triple what they would have been in Mexico.

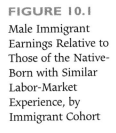

FIGURE 10.1

Male Immigrant Earnings Relative to Those of the Native-Born with Similar Labor-Market Experience, by Immigrant Cohort

Source: Adapted from Darren Lubotsky, "Chutes or Ladders? A Longitudinal Analysis of Immigrant Earnings," Working Paper no. 445, Industrial Relations Section, Princeton University, August 2000, Figure 6.

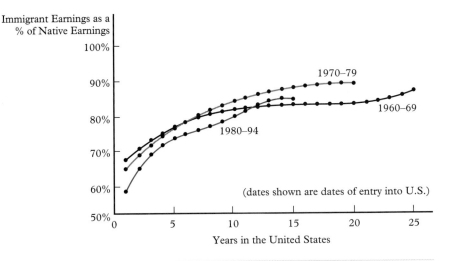

rise faster than those of natives, especially in the first 10 years after immigration. Thus, while immigrants start work in the United States with earnings that average only 60 percent of the native-born earnings level, 15 years later, their relative earnings have climbed to roughly 80 percent.

IMMIGRANTS' INITIAL EARNINGS   That immigrants initially earn substantially less than natives is hardly surprising. Even after controlling for the effects of education (the typical immigrant is less educated than the typical native), immigrants earn less owing to their difficulties with English, their unfamiliarity with American employment opportunities, and their lack of an American work history (and employers' consequent uncertainties about their productivity).

The fall in the initial earnings of successive immigrant groups relative to U.S. natives has been widely studied in recent years. It appears to reflect the fact that immigrants to the United States are coming increasingly from countries with relatively low levels of educational attainment, and they are therefore arriving in America with less and less human capital.[12]

IMMIGRANTS EARNINGS GROWTH   Earnings of immigrants rise relatively quickly, which no doubt reflects their high rates of investment in human capital after arrival. After entry, immigrants typically invest in themselves by acquiring work experience and improved proficiency in English, and these investments raise the wages they can command. For example, one study found that English fluency raises immigrant earnings by an average of 17 percent in the United States, 12 percent in Canada, and 9 percent in Australia. Of course, not all immigrants have

---

[12]George Borjas, "The Economics of Immigration," *Journal of Economic Literature* 32 (December 1994): 1667–1717; and George Borjas, *Heaven's Door: Immigration Policy and the American Economy* (Princeton, N.J.: Princeton University Press, 1999).

the same incentives to become proficient in English. Those who live in enclaves where business is conducted in their native tongue may have reduced incentives to learn English, while those who are not able to return to their native countries (for example, political refugees) have greater incentives to invest time and money in mastering English.[13]

RETURN MIGRATION   It is important to understand that the data underlying Figure 10.1 are from immigrants who remained working in the United States for at least 15 years after first entry. They are the ones for whom the investment in immigration was successful enough that they remained. Many of those for whom immigration does not yield the expected returns decide to return to their country of origin; indeed, about 20 percent of all moves are back to one's place of origin.[14] One study found that those who are most likely to return are the ones who were *closest to the margin* (expected the least net gains) when they first decided to come.[15] Return migration highlights another important fact: immigration, like other human capital investments, entails risk—and not all such investments work out as hoped.

Policy Application: Restricting Immigration

Nowhere are the analytical tools of the economist more important than in the area of immigration policy; the lives affected by immigration policy number in the millions each year. After a brief outline of the history of U.S. immigration policy, this section will analyze in detail the consequences of illegal immigration, a phenomenon currently attracting widespread attention.

U.S. Immigration History

The United States is a rich country whose wealth and high standard of living make it an attractive place for immigrants from nearly all parts of the world. For the first 140 years of its history as an independent country, the United States followed a policy of essentially unrestricted immigration (the only major immigration restrictions

---

[13]Barry R. Chiswick and Paul W. Miller, "The Endogeneity between Language and Earnings: International Analyses," *Journal of Labor Economics* 13 (April 1995): 246–288; Barry R. Chiswick and Paul W. Miller, "Language Skills and Earnings among Legalized Aliens," *Journal of Population Economics* 12 (February 1999): 63–91; and Kalena E. Cortes, "Are Refugees Different from Economic Immigrants? Some Empirical Evidence on the Heterogeneity of Immigrant Groups in the United States," *Review of Economics and Statistics* 86 (May 2004): 465–480.

[14]John Vanderkamp, "Migration Flows, Their Determinants and the Effects of Return Migration," *Journal of Political Economy* 79 (September/October 1971): 1012–1031; Fernando A. Ramos, "Outmigration and Return Migration of Puerto Ricans," in *Immigration and the Work Force*, ed. George J. Borjas and Richard B. Freeman (Chicago: University of Chicago Press, 1992); and Borjas, "The Economics of Immigration," 1691–1692.

[15]George J. Borjas and Bernt Bratsberg, "Who Leaves? The Outmigration of the Foreign-Born," *Review of Economics and Statistics* 78 (February 1996): 165–176.

TABLE 10.3

Officially Recorded Immigration: 1901 to 2003

Period	Number (in thousands)	Annual Rate (per thousand of U.S. population)	Year	Number (in thousands)	Annual Rate (per thousand of U.S. population)
1901–1910	8,795	10.4	1990[a]	1,536	6.1
1911–1920	5,736	5.7	1991[a]	1,827	7.3
1921–1930	4,107	3.5	1992[a]	974	3.8
1931–1940	528	0.4	1993[a]	904	3.5
1941–1950	1,035	0.7	1994[a]	804	3.1
1951–1960	2,515	1.5	1995	593	2.3
1961–1970	3,322	1.7	1996	916	3.5
1971–1980	4,389	2.0	1997	798	2.8
1981–1990	7,338	3.1	1998	660	2.4
1991–2000	9,095	3.4	1999	646	2.3
			2000	850	3.0
			2001	1,064	3.7
			2002	1,064	3.7
			2003	706	2.4

[a] Includes illegal immigrants granted amnesty under the Immigration Reform and Control Act of 1986.

Source: U.S. Immigration and Naturalization Service, *2003 Yearbook of Immigration Statistics,* Table 1.

were placed on Asians and on convicts). The flow of immigrants was especially large after 1840, when U.S. industrialization and political and economic upheavals in Europe made immigration an attractive investment for millions. Officially recorded immigration peaked in the first decade of the twentieth century, when the *yearly* flow of immigrants was more than 1 percent of the population (see Table 10.3).

RESTRICTIONS   In 1921, Congress adopted the Quota Law, which set annual quotas on immigration on the basis of nationality. These quotas had the effect of reducing immigration from eastern and southern Europe. This act was followed by other laws in 1924 and 1929 that further restricted immigration from southeastern Europe. These various revisions in immigration policy were motivated, in part, by widespread concern over the alleged adverse effect on native employment of the arrival of unskilled immigrants from eastern and southern Europe.

In 1965, the passage of the Immigration and Nationality Act abolished the quota system based on national origin that so heavily favored northern and western Europeans. Under this law, as amended in 1990, overall immigration is formally restricted to 675,000 people per year, with 480,000 spots reserved for family-reunification purposes (although there are no limits placed on immigration of immediate relatives),

140,000 reserved mostly for immigrants with exceptional skills who are coming for employment purposes, and 55,000 for "diversity" immigrants (from countries that have not recently provided many immigrants to the United States). Political refugees, who must meet certain criteria relating to persecution in their home countries, are admitted without numerical limit. The fact that immigration to the United States is a very worthwhile investment for many more people than can legally come, however, has created incentives for people to live in the country illegally.

ILLEGAL IMMIGRANTS   Illegal immigration can be divided into two categories of roughly equal size: immigrants who enter legally but overstay or violate the provisions of their visas, and those who enter the country illegally. Roughly 30 million people enter the United States each year under nonimmigrant visas, usually as students or visitors. Once here, the foreigner can look for work, although it is illegal to work at a job under a student's or visitor's visa. If the student or visitor is offered a job, he or she can apply for an "adjustment of status" to legally become a permanent resident, although the chances for approval as an employment-based immigrant are slim for the ordinary worker.

Many immigrants enter the country without a visa. Immigrants from the Caribbean often enter through Puerto Rico, whose residents are U.S. citizens and thus are allowed free entry to the mainland. Others walk across the Mexican border. Still others are smuggled into the United States or use false documents to get through entry stations. For obvious reasons, it is difficult to establish the number of illegal immigrants who have come to the United States; however, the flow of illegals is believed to be 350,000 per year, and the total number residing in the United States in 2000 was estimated at 7 million.[16]

By the 1980s, illegal immigration had become a very prominent policy issue. The secretary of labor estimated in late 1979 that if only *half* of the jobs held by illegal immigrants were given to U.S. citizens, the unemployment rate would drop from 6 percent to 3.7 percent. Similar beliefs led Congress to pass the Immigration Reform and Control Act of 1986, which imposed penalties on *employers* who knowingly hire illegal immigrants (previously, the only penalty for illegal employment was deportation of the illegal worker). The sanctions against employers included fines ranging from $250 to $10,000 per illegal worker, with penalties escalating throughout that range for repeated offenses. Jail terms were prescribed for "pattern and practice" offenders.

The policies people advocate are based on their beliefs about the consequences of immigration for employers, consumers, taxpayers, and workers of various skill levels and ethnicities. Nearly everyone with an opinion on this subject has an economic model implicitly or explicitly in mind when addressing these consequences; the purpose of this section is to make these economic models explicit and to evaluate them.

---

[16]U.S. Immigration and Naturalization Service, "Estimates of the Unauthorized Immigrant Population Residing in the United States: 1990–2000" (January 2003), U.S. Citizenship and Immigration Services, http://uscis.gov/graphics/shared/aboutus/statistics/Illegals.htm.

FIGURE 10.2

Demand and Supply of Rough Laborers

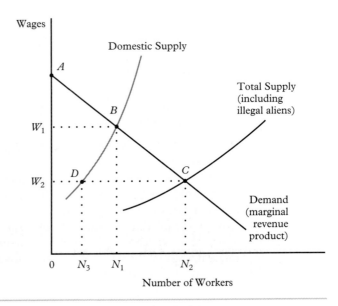

Naive Views of Immigration

There are two opposing views of illegal immigration that can be considered naive. One view is that every employed illegal immigrant deprives a citizen or legal resident of a job. For example, a Department of Labor official told a House committee studying immigration: "I think it is logical to conclude that if they are actually employed, they are taking a job away from one of our American citizens."[17] According to this view, if x illegal immigrants are deported and others kept out, the number of unemployed Americans would decline by x.

At the opposite end of the policy spectrum is the equally naive argument that the illegals perform jobs no American citizen would do: "You couldn't conduct a hotel in New York, you couldn't conduct a restaurant in New York...if you didn't have rough laborers. We haven't got the rough laborers anymore....Where are we going to get the people to do that rough work?"[18]

Both arguments are simplistic because they ignore the slopes of the demand and supply curves. Consider, for example, the labor market for the job of "rough laborer"—any job most American citizens find distasteful. Without illegal immigrants, the restricted supply of Americans to this market would imply a relatively high wage (W_1 in Figure 10.2). N_1 citizens would be employed. If illegal aliens entered the market, the supply curve would shift outward and perhaps flatten (implying that immigrants were more responsive to wage increases for rough laborers than citizens were). The influx of illegals would drive the wage down to W_2, but employment would increase to N_2.

---

[17]Elliott Abrams and Franklin S. Abrams, "Immigration Policy—Who Gets In and Why?" *Public Interest* 38 (Winter 1975): 25.

[18]Abrams and Abrams, 26.

FIGURE 10.3

Demand and Supply of Rough Laborers
with a Minimum Wage

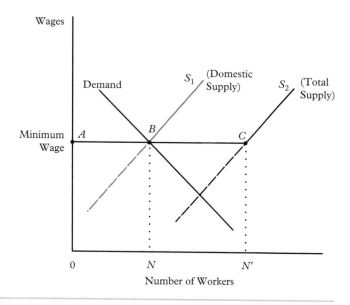

Are Americans unwilling to do the work of rough laborers? Clearly, at the market wage of W_2, many more immigrants are willing to work at the job than U.S. citizens are. Only N_3 citizens would want these jobs at this low wage, while the remaining supply ($N_2 - N_3$) is made up entirely of immigrants. If there were no immigrants, however, N_1 Americans would be employed at wage W_1 as rough laborers. Wages would be higher, as would the prices of the goods or services produced with this labor, but the job would get done. The only shortage of American citizens is at the low wage of W_2; at W_1, there is no shortage (review chapter 2 for a discussion of labor shortages).

Would deporting those illegal immigrants working as rough laborers create the same number of jobs for U.S. citizens? The answer is clearly no. If the $N_2 - N_3$ immigrants working as laborers at wage W_2 were deported and all other illegal immigrants were kept from the market, the number of Americans employed as laborers would rise from N_3 to N_1 and their wages would rise from W_2 to W_1 (Figure 10.2). $N_2 - N_1$ jobs would be destroyed by the rising wage rate associated with deportation. Thus, while deportation would increase the employment and wage levels of Americans in the market for laborers, it would certainly not increase employment on a one-for-one basis.

There is, however, one condition in which deportation *would* create jobs for American citizens on a one-for-one basis: when the federal minimum wage law creates a surplus of labor. Suppose, for example, that the supply of American laborers is represented by ABS_1 in Figure 10.3 and the total supply is represented by ACS_2. Because an artificially high wage has created a surplus, only N of the N' workers willing to work at the minimum wage can actually find employment. If some of them are illegal immigrants, deporting them—coupled with successful efforts to deny other immigrants access to these jobs—would create jobs for a comparable number of Americans. However, the demand curve would have to intersect the domestic supply curve (ABS_1) at or to the left of point B to prevent the wage level from rising (and thus destroying jobs) after deportation.

The analyses above ignore the possibility that if low-wage immigrant labor is prevented from coming to the jobs, employers may transfer the jobs to countries with abundant supplies of low-wage labor. Thus, it may well be the case that unskilled American workers are in competition with foreign unskilled workers anyway, whether those workers are employed in the United States or elsewhere. However, not all unskilled jobs can be moved abroad, because not all outputs can be imported (most unskilled services, for example, must be performed at the place of consumption); therefore, our analyses will continue to focus on situations in which the "export" of unskilled jobs is infeasible or very costly.

An Analysis of the Gainers and Losers

The claim that immigration is harmful to American workers is often based on a single-market analysis like that contained in Figure 10.2, where only the effects on the market for rough labor are examined. As far as it goes, the argument is plausible. When immigration increases the supply of rough laborers, both the wages and the employment levels of American citizens working as laborers are reduced. The total wage bill paid to American laborers falls from $W_1 0 N_1 B$ in Figure 10.2 to $W_2 0 N_3 D$. Some American workers leave the market in response to the reduced wage, and those who stay earn less. Even if the immigration of unskilled labor were to adversely affect domestic laborers, however, it would be a mistake to conclude that it is necessarily harmful to Americans as a *whole*.

CONSUMERS   Immigration of "cheap labor" clearly benefits consumers using the output of this labor. As wages are reduced and employment increases, the goods and services produced by this labor are increased in quantity and reduced in price.

EMPLOYERS   Employers of rough labor (to continue our example) are obviously benefited, at least in the short run. In Figure 10.2, profits are increased from $W_1 AB$ to $W_2 AC$. This rise in profitability will have two major effects. By raising the returns to capital, it will serve as a signal for investors to increase investments in plant and equipment. Increased profits will also induce more people to become employers. The increases in capital and the number of employers will eventually drive profits down to their normal level, but in the end, the country's stock of capital is increased and opportunities are created for some workers to become owners.

SCALE AND SUBSTITUTION EFFECTS   Our analysis of the market for laborers assumed that the influx of immigrants had no effect on the demand curve (which was held fixed in Figure 10.2). This is probably not a bad assumption when looking at just one market, because the fraction of earnings immigrant laborers spend on the goods and services produced by rough labor may be small. However, immigrants do increase the population of consumers in the United States, thereby

FIGURE 10.4

Market for All Labor Except Unskilled

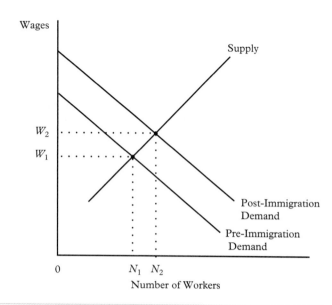

increasing the demand for mechanics, bus drivers, retail clerks, teachers, construction workers, and so forth (see Figure 10.4). Thus, workers who are not close substitutes for unskilled immigrant labor may benefit from immigration because of the increase in consumer demand.

Recall from chapter 3 that if the demand for skilled workers increases when the wage of unskilled labor falls, the two grades of labor are *gross complements*. Assuming skilled and unskilled labor are substitutes in the production process, the only way they could be gross complements is if the *scale effect* of a decline in the unskilled wage dominated the substitution effect. In the case of immigration, we may suppose the scale effect to be very large, because as the working population rises, aggregate demand is increased. While theoretical analysis cannot *prove* that the demand for skilled workers is increased by the immigration of unskilled labor if the two grades of labor are substitutes in the production process, it can offer the above observation that an increase in demand for skilled workers remains a distinct possibility. Of course, any type of labor that is *complementary* with unskilled labor in the production process—supervisory workers, for example—can expect to gain from an influx of unskilled immigrants.

Most studies that attempt to actually measure the strength of substitution and scale effects use local labor markets as units of observation. Comparisons can be made of native wage and employment levels in the same area before and after an increase in immigration (as in Example 10.3), or comparisons can be made for a given year among areas with very different immigrant populations. While there is some evidence that low-skilled immigrants are substitutes in production for natives with less than a high school education, these studies generally find very small effects of immigration on the wages and employment levels of resident workers.[19]

Do the Overall Gains from Immigration Exceed the Losses?

So far, we have used economic theory to analyze the likely effects of immigration on various groups of natives, including consumers, owners, and skilled and unskilled workers. Theory suggests that some of these groups should be clear-cut gainers; among these are owners, consumers, and workers who are complements in production with immigrants. Native workers whose labor is highly substitutable in production with immigrant labor are the most likely losers from immigration, while the gains or losses for other groups of native workers are theoretically unpredictable owing to potentially offsetting influences of the substitution and scale effects. Further, the estimated effects on native workers appear to be quite small, although the actual effects still must be classified as uncertain.

In this subsection, we use economic theory to analyze a slightly different question: "What does economic theory say about the *overall* effects of immigration on the host country?" Put in the context of the *normative* criteria presented in chapter 1, this subsection asks: "If there are both gainers and losers from immigration among natives in the host country, is it likely that the gainers would be able to compensate the losers and still feel better off?" The answer to this question will be yes if immigration increases the aggregate disposable income of natives.

WHAT DO IMMIGRANTS ADD?   Immigrants are both consumers and producers, so whether their influx makes those already residing in the host country richer or poorer, in the aggregate, depends on how much the immigrants *add* to overall production as compared with how much they *consume*. Let us take a simple example of elderly immigrants allowed into the country to reunite with their adult children. If these immigrants do not work, and if they are dependent on their children or on American taxpayers for their consumption, then clearly the overall per capita disposable income among natives must fall. (This fall, of course, could well be

---

[19]For summaries of earlier work, see Friedberg and Hunt, "The Impact of Immigrants on Host Country Wages, Employment, and Growth"; and James P. Smith and Barry Edmonston, eds., *The New Americans: Economic, Demographic, and Fiscal Effects of Immigration* (Washington, D.C.: National Academy Press, 1997). More recent articles are David Card, "Immigrant Inflows, Native Outflows, and the Local Labor Market Impacts of Higher Immigration," *Journal of Labor Economics* 19 (January 2001): 22–64; Gordon H. Hanson, Raymond Robertson, and Antonio Spilimbergo, "Does Border Enforcement Protect U.S. Workers from Illegal Immigration?" *Review of Economics and Statistics* 84 (February 2002): 73–92; George J. Borjas, "The Labor Demand Curve Is Downward-Sloping: Reexamining the Impact of Immigration on the Labor Market," *Quarterly Journal of Economics* 118 (November 2003): 1335–1374; and Robert W. Fairlie and Bruce D. Meyer, "The Effect of Immigration on Native Self-Employment," *Journal of Labor Economics* 21 (July 2003): 619–650. The latter study is particularly interesting because, in addition to the usual focus on labor supply changes associated with immigration, its theoretical section also analyzes the effects of changes in product demand.

EXAMPLE 10.3

The Mariel Boatlift and Its Effects on Miami's Wage and Unemployment Rates

Between May and September of 1980, some 125,000 Cubans were allowed to emigrate to Miami from the port of Mariel in Cuba. These immigrants, half of whom permanently settled in Miami, increased Miami's overall labor force by 7 percent in under half a year. Because two-thirds of "the Mariels" had not completed high school, and because unskilled workers made up about 30 percent of Miami's workforce, it is likely that the number of *unskilled* workers in Miami increased by 16 percent or more during this short period! Such a marked and rapid increase in labor market size is highly unusual, but it provides an interesting "natural experiment" on the consequences of immigration for a host area.

If immigration has negative effects on wages in the receiving areas, we would expect to observe that the wages of Miami's unskilled workers fell relative to the wages of its skilled workers *and* relative to the wages of unskilled workers in otherwise comparable cities. Neither relative decline occurred; in fact, the wages of unskilled black workers in Miami actually rose relative to wages of unskilled blacks in four comparison cities (Atlanta, Los Angeles, Houston, and Tampa). Similarly, the unemployment rate among low-skilled blacks in Miami improved, on average, relative to that in other cities during the five years following the boatlift. Among Hispanic workers, there was an increase in Miami's unemployment rate relative to that in the other cities in 1981, but from 1982 to 1985, the Hispanic unemployment rate in Miami fell faster than in the comparison cities.

What accounts for the absence of adverse pressures on the wages and unemployment rates of unskilled workers in the Miami area? First, concurrent rightward shifts in the demand curve for labor probably tended to offset the rightward shifts in labor supply curves.

Second, it also appears that some residents left Miami in response to the influx of immigrants and that other potential migrants went elsewhere; the rate of Miami's population growth after 1980 slowed considerably relative to that of the rest of Florida, so that by 1986, its population was roughly equal to what it was projected to be by 1986 *before* the boatlift. For locational adjustments of residents and potential inmigrants to underlie the lack of wage and unemployment effects, these adjustments would have to have been very rapid. Their presence reinforces the theoretical prediction, made earlier in this chapter, that migration flows are sensitive to economic conditions in both sending and receiving areas.

Data from: David Card, "The Impact of the Mariel Boatlift on the Miami Labor Market," *Industrial and Labor Relations Review* 43 (January 1990): 245–257. For similar studies, see Jennifer Hunt, "The Impact of the 1962 Repatriates from Algeria on the French Labor Market," *Industrial and Labor Relations Review* 45 (April 1992): 556–572; William Carrington and Pedro De Lima, "The Impact of the 1970s Repatriates from Africa on the Portuguese Labor Market," *Industrial and Labor Relations Review* 49 (January 1996): 330–347; and Rachel M. Friedberg, "The Impact of Mass Migration on the Israeli Labor Market," *Quarterly Journal of Economics* 116 (November 2001): 1373–1408.

offset by the increased utility of the reunited families, in which case it would be a price the host country might be willing to pay.)

If immigrants *work* after their arrival, our profit-maximizing models of employer behavior suggest that they are paid no more than the value of their marginal product. Thus, if they rely only on their own earnings to finance their consumption, immigrants who work do not reduce the per capita disposable income of natives in the host country. Moreover, if immigrant earnings are not equal to the *full* value of the output they add to the host country, then the total disposable income of natives will increase.

IMMIGRANTS AND PUBLIC SUBSIDIES   Most host countries (including the United States) have government programs that may distribute benefits to immigrants. If the taxes paid by immigrants are sufficient to cover the benefits they receive from such programs, then the presence of these immigrants does not threaten the per capita disposable income of natives. Indeed, some government programs, such as national defense, are true "public goods" (whose costs are not increased by immigration), and any taxes paid by immigrants help natives defray the expenses of these programs. However, if immigrants are relatively high users of government support services, and if the taxes they pay do not cover the value of their benefits, then it is possible that the fiscal burden of immigration could be large enough to reduce the aggregate income of natives.

Given the apparent declining skills of recent immigrant cohorts, and given that many government programs (public health, welfare, and unemployment insurance, for example) are aimed at subsidizing the poor, there is growing concern that recent immigration to the United States may be harmful to natives. One study found that recent (legal) immigrants are relatively high users of welfare programs (including food stamps and medical and housing subsidies), although another found that they are much less likely than natives to become institutionalized for crime or mental disorders.[20]

A study of the net fiscal effects of recent legal immigration suggests that these effects—measured over the lifetimes of the immigrants and their descendants—are *positive*. That is, immigrants and their descendants typically pay more in taxes than they receive in government benefits, with the present value of the surplus averaging $80,000 per immigrant. The study estimates that net fiscal effects are more likely to be positive if immigrants come as *young adult workers* and if they are *better educated*. For example, immigrants with more than a high school education are estimated to have a positive net fiscal effect averaging $198,000, while those with a high school education average a positive effect of $51,000. For legal immigrants with less than a high school education, the net fiscal effects are estimated to be a *negative* $13,000.[21]

ILLEGAL IMMIGRATION   Illegal immigration has been the major focus of immigration policy in recent years, so it is interesting to consider how it, in particular, is

[20]George Borjas and Lynette Hilton, "Immigration and the Welfare State: Immigrant Participation in Means-Tested Entitlement Programs," *Quarterly Journal of Economics* 111 (May 1996): 575–604; and Kristin F. Butcher and Anne Morrison Piehl, "Recent Immigrants: Unexpected Implications for Crime and Incarceration," *Industrial and Labor Relations Review* 51 (July 1998): 654–679. A paper that questions whether recent immigrants are in fact less skilled than those in prior immigrant cohorts is Kristin F. Butcher and John DiNardo, "The Immigrant and Native-Born Wage Distributions: Evidence from the United States Censuses," *Industrial and Labor Relations Review* 56 (October 2002): 97–121.

[21]Smith and Edmonston, *The New Americans,* 334. Somewhat similar findings are reported in Ronald Lee and Timothy Miller, "Immigration, Social Security, and Broader Fiscal Impacts," *American Economic Review* 90 (May 2000): 350–354.

likely to affect the overall disposable incomes of American citizens (and other legal residents). While the exact answer is unknown, three considerations suggest that *illegal immigration may be more likely to increase native incomes than legal immigration!*

First, illegal immigrants come mainly to work, not for purposes of family reunification.[22] Therefore, they clearly add to the production of domestic goods and services. Second, while they tend to be poor, they are ineligible for many programs (welfare, food stamps, Social Security, unemployment insurance) that transfer resources to low-income citizens. Third, despite their wish to hide from the government, immigrants cannot avoid paying most taxes (especially payroll, sales, and property taxes); indeed, one study indicated that 75 percent of illegal immigrants had income taxes withheld but that relatively few filed for a refund.[23]

Thus, we cannot rule out the possibility that, despite governmental efforts to prohibit it, the "transaction" of illegal immigration is—to use the normative terminology of chapter 1—Pareto-improving. That is, the immigrants themselves clearly gain (otherwise they would go back home), while as a group, natives may well not lose! The issue is clearly an empirical one, and the net effects of illegal immigration probably deserve more study before the country decides to allocate more resources to stopping it.

Employee Turnover

While this chapter has focused so far on the underlying causes and consequences of geographic mobility, it is important to remember that the mobility of employees among employers (also known as "turnover" or "separations") can take place *without* a change of residence. We noted in chapter 5 that employees generally find it costly to search for alternative job offers, and in this section, we use the principles of our human capital model to highlight certain *patterns* in employee turnover.

Growing from our discussions in chapters 8 and 9, we would expect that individuals differ in their personal discount rates and in the psychic costs they attach to quitting one employer to find another. These differences imply that some workers are much more likely than others to move among employers, even if those in both groups face the same set of wage offers. Indeed, one study found that almost half of all turnover over a three-year period involved the 13 percent of workers who had three or more separations during the period.[24] Despite

---

[22]Attempted illegal immigration from Mexico is estimated to be extremely sensitive to changes in Mexico's real wage rate; see Gordon Hanson and Antonio Spilimbergo, "Illegal Immigration, Border Enforcement, and Relative Wages: Evidence from Apprehensions at the U.S.–Mexico Border," *American Economic Review* 89 (December 1999): 1337–1357.

[23]Gregory DeFreitas, *Inequality at Work: Hispanics in the U.S. Labor Force* (New York: Oxford University Press, 1991), 228. The same study showed minimal use of public services by illegal immigrants.

[24]Patricia M. Anderson and Bruce D. Meyer, "The Extent and Consequences of Job Turnover," *Brookings Papers on Economic Activity: Microeconomics* (1994): 177–248.

individual idiosyncrasies, however, there are clearly *systematic* factors that influence the patterns of job mobility.

Wage Effects

Human capital theory predicts that, *other things equal,* a given worker will have a greater probability of quitting a low-wage job than a higher-paying one. That is, workers employed at lower wages than they could obtain elsewhere are the most likely to quit. Indeed, a very strong and consistent finding in virtually all studies of worker quit behavior is that, holding worker characteristics constant, employees in industries with lower wages have higher quit rates. At the level of individual workers, research indicates that those who change employers have more to gain from a job change than those who stay and that, indeed, their wage growth after changing is faster than it would have been had they stayed.[25]

Effects of Employer Size

From Table 10.4, it can be seen that *quit rates tend to decline as firm size increases.* One explanation for this phenomenon is that large firms offer more possibilities for transfers and promotions. Another, however, builds on the fact that large firms generally pay higher wages.[26] This explanation asserts that large firms tend to have highly mechanized production processes, where the output of one work team is highly dependent on that of production groups preceding it in the production chain. Larger firms, it is argued, have greater needs for dependable and steady workers because employees who shirk their duties can impose great costs on a highly interdependent production process. Large firms, then, establish "internal labor markets" for the reasons suggested in chapter 5; that is, they hire workers at entry-level jobs and carefully observe such hard-to-screen attributes as reliability, motivation, and attention to detail. Once having invested time and effort in selecting the best workers for its operation, a large firm finds it costly for such workers to quit. Thus, large firms pay high wages to reduce the probability of quitting because they have substantial firm-specific screening investments in their workers.[27]

---

[25]Donald O. Parsons, "Models of Labor Market Turnover: A Theoretical and Empirical Survey," in *Research in Labor Economics,* vol. 1, ed. Ronald Ehrenberg (Greenwich, Conn.: JAI Press, 1977), 185–223; Michael G. Abbott and Charles M. Beach, "Wage Changes and Job Changes of Canadian Women: Evidence from the 1986–87 Labour Market Activity Survey," *Journal of Human Resources* 29 (Spring 1994): 429–460; Christopher J. Flinn, "Wages and Job Mobility of Young Workers," *Journal of Political Economy* 94, no. 3, pt. 2 (June 1986): S88–S110; and Monica Galizzi and Kevin Lang, "Relative Wages, Wage Growth, and Quit Behavior," *Journal of Labor Economics* 16 (April 1998): 367–391.

[26]Walter Oi, "The Fixed Employment Costs of Specialized Labor," in *The Measurement of Labor Cost,* ed. Jack E. Triplett (Chicago: University of Chicago Press, 1983).

[27]This argument is developed more fully and elegantly in Walter Oi, "Low Wages and Small Firms," in *Research in Labor Economics,* vol. 12, ed. Ronald Ehrenberg (Greenwich, Conn.: JAI Press, 1991).

TABLE 10.4

Monthly Quit Rates per 100 Workers by Firm Size, Selected Industries (1977–1981 averages)

Industry	Number of Employees			
	<250	250–499	500–999	1,000 and Over
All manufacturing	3.28	3.12	2.40	1.50
Food and kindred products	3.46	4.11	3.95	2.28
Fabricated metal products	3.33	2.64	2.12	1.20
Electrical machinery	3.81	3.12	2.47	1.60
Transportation equipment	3.90	2.78	2.21	1.41

Source: Walter Oi, "The Durability of Worker-Firm Attachments," report to the U.S. Department of Labor, Office of the Assistant Secretary for Policy, Evaluation, and Research, March 25, 1983, Table 1.

Gender Differences

It has been widely observed that women workers have higher quit rates, and therefore shorter job tenures, than men. To a large degree, this higher quit rate probably reflects lower levels of firm-specific human capital investments. We argued in chapter 9 that the interrupted careers of "traditional" women workers rendered many forms of human capital investment less beneficial than would otherwise be the case, and lower levels of firm-specific training could account for lower wages, lower job tenures, and higher quit rates.[28] In fact, once the lower wages and shorter careers of women are controlled for, there appears to be no difference between the sexes in the propensity to quit a job, especially among those with more than a high school education.[29]

Cyclical Effects

Another implication of human capital theory is that workers will have a higher probability of quitting when it is relatively easy for them to obtain a better job quickly. Thus, when labor markets are *tight* (jobs are more plentiful relative to job seekers), one would expect the quit rate to be higher than when labor markets are *loose* (few jobs are available and many workers are being laid off). This prediction is confirmed in studies of time-series data. Quit rates tend to rise when the labor

---

[28]Jacob Mincer and Boyan Jovanovic, "Labor Mobility and Wages," in *Studies in Labor Markets,* ed. Sherwin Rosen (Chicago: University of Chicago Press, 1981).

[29]Anne Beeson Royalty, "Job-to-Job and Job-to-Nonemployment Turnover by Gender and Education Level," *Journal of Labor Economics* 16 (April 1998): 392–443; and Anders Frederiksen, "Explaining Individual Job Separations in a Segregated Labor Market," Working Paper no. 490, Industrial Relations Section, Princeton University, August 2004.

FIGURE 10.5

The Quit Rate and Labor Market Tightness

market is tight and fall when it is loose. One measure of tightness is the unemployment rate; the negative relationship between the quit rate and unemployment can be readily seen in Figure 10.5.

Employer Location

Economic theory predicts that when the costs of quitting a job are relatively low, mobility is more likely. Industries with high concentrations of employment in urban areas, where a worker's change of employer does not necessarily require investing in a change of residence, appear to have higher rates of turnover (holding wage rates and employee age constant) than industries concentrated in nonmetropolitan areas.[30]

International Comparisons

It is also possible that the costs of job changing vary internationally. Indeed, Table 10.5 indicates that, on average, American workers have been with their current employers fewer years than workers in most other developed economies, particularly those in Europe and Japan. We do not know why Americans are more mobile

[30]Parsons, "Models of Labor Market Turnover"; and Farrell E. Bloch, "Labor Turnover in U.S. Manufacturing Industries," *Journal of Human Resources* 14 (Spring 1979): 236–246.

TABLE 10.5

Average Job Tenure, Selected Countries, 1995

Country	Average Tenure (in Years) with Current Employer	
	Men	Women
Australia	7.1	5.5
Canada	8.8	6.9
France	11.0	10.3
Germany	10.6	8.5
Japan	12.9	7.9
Netherlands	9.9	6.9
United Kingdom	8.9	6.7
United States	7.9	6.8

Source: Organisation for Economic Co-operation and Development, *Employment Outlook: July 1997* (OECD: 1997), Table 5.6.

than most others, but one possibility is that they receive lower levels of company training, which could be both a cause and an effect of shorter expected job tenure. Another possibility, however, is that the costs of mobility are lower in the United States (despite the fact that Japan and Europe are more densely populated and hence more urban). What would create these lower costs?

Some argue that housing policies in Europe and Japan increase the costs of residential, and therefore *job,* mobility. Germany, the United Kingdom, and Japan, for example, have had controls on the rent *increases* that landlords can charge to existing renters while tending to allow them freedom to negotiate any mutually agreeable rent on their *initial* lease with the renter. Thus, it is argued that renters who moved typically faced very large rent increases in these countries. Similarly, subsidized housing is much more common in these countries than in the United States, but since it is limited relative to the demand for it, those German, British, or Japanese workers fortunate enough to live in subsidized units have been reluctant (it is argued) to give them up. The empirical evidence on the implications of housing policy for job mobility, however, is both limited and mixed.[31]

We could also hypothesize that the United States, Australia, and Canada, all of which exhibit shorter job tenures than most European countries and Japan, are large, sparsely populated countries that historically have attracted people willing

[31]See Patrick Minford, Paul Ashton, and Michael Peel, "The Effects of Housing Distortions on Unemployment," *Oxford Economic Papers* 40 (June 1988): 322–345; and Axel Borsch-Supan, "Housing Market Regulations and Housing Market Performance in the United States, Germany, and Japan," in *Social Protection versus Economic Flexibility: Is There a Trade-Off?* ed. Rebecca M. Blank (Chicago: University of Chicago Press, 1994), 119–156.

EMPIRICAL STUDY

Do Political Refugees Invest More in Human Capital than Economic Immigrants? The Use of Synthetic Cohorts

Individuals who immigrate presumably do so because they believe they will improve their well-being. For some, the decision is motivated primarily by economic considerations, and the timing of the move is both voluntary and planned; this group can be labeled "economic immigrants." Others may be forced to flee their country of origin for political reasons (often on short notice), and these individuals can often qualify for "refugee" status in the country of destination.

Because refugees have done less advance planning, we might expect that they earn less than comparably skilled economic immigrants immediately upon arrival in their new country. Unlike economic immigrants, however, who can return to their country of origin if the move does not work out, refugees cannot safely return. We might thus suppose that, after arrival, refugees also have a greater incentive to invest in human capital (including the mastery of English) and in becoming citizens. Thus, we would expect that their earnings would rise faster than those of economic immigrants.

Ideally, in testing to see whether refugees invest more in human capital and have more rapid earnings growth than economic immigrants, we would like to have data that follow individual immigrants through time. Panel data are very expensive to collect, however, because individuals must be located and interviewed at multiple times. While not a perfect substitute, an alternative to panel data is the use of *synthetic cohorts*.

For example, one study sampled the earnings, educational level, and proficiency in English—as reported in the 1980 Census of Population—among the cohort of immigrants who came to the United States between 1975 and 1980. The study then sampled, again for those who immigrated in 1975–1980, data on the same variables from the 1990 Census. Because the workers in the 1980 sample are not necessarily the same as those in the 1990 sample (owing to randomized sampling and the possibility that some of those sampled in 1980 had died or had left the United States by 1990), we are not actually obtaining 1990 data on exactly the same group we observed in 1980; for this reason, the 1990 cohort can be called "synthetic" (an artificial representation of the earlier cohort).

If the sampling from both census years is random, and all departures from the sample between 1980 and 1990 were randomly determined, the results from this comparison should produce the same results, on average, as we would obtain if we were following the same individuals from 1980 to 1990. *The problem with this use of synthetic cohorts is that the economic immigrants who leave are likely to be those who were least successful here;* thus, the measured earnings gain for the group of economic immigrants from 1980 to 1990 will be biased upward (only those who are relatively successful stay on long enough to be counted in the 1990 data). If economic immigrants with the smallest earnings growth can leave, while refugees cannot, comparisons of the 1980–1990 earnings growth will be biased against finding evidence supportive of the hypothesis that refugees will exhibit *greater* earnings growth.

Despite the bias discussed above, the study found that, while the earnings of refugees were 6 percent lower than those of economic immigrants in 1980, they were 20 percent greater by 1990. Moreover, refugees were more likely to be enrolled in school programs in 1980, a higher proportion of them achieved proficiency in English during the 1980s, and more had attained citizenship between 1980 and 1990. These data appear to be consistent with the hypothesis that refugees have greater incentives to invest in human capital than economic immigrants, presumably because they cannot return to their country of origin.

Source: Kalena E. Cortes, "Are Refugees Different from Economic Immigrants? Some Empirical Evidence on the Heterogeneity of Immigrant Groups in the United States," *Review of Economics and Statistics* 86 (May 2004): 465–480.

to immigrate from abroad or resettle internally over long distances. In a country of movers, moving may not be seen by either worker or employer as unusual or especially costly.[32]

Is More Mobility Better?

On the one hand, mobility is socially useful, because it promotes both individual well-being and the quality of job matches. In chapter 8, we pointed out, for example, that mobility (or at least the *threat* of mobility) was essential to the creation of compensating wage differentials. Moreover, the greater the number of workers and employers in the market at any given time, the more flexibility an economy has in making job matches that best adapt to a changing environment. Indeed, when focusing on this aspect of job mobility, economists have long worried whether economies have *enough* mobility. A case in point is the concern

---

[32]One study, for example, found no evidence that American employers stigmatized employees who frequently changed jobs; see Kristen Keith, "Reputation, Voluntary Mobility, and Wages," *Review of Economics and Statistics* 75 (August 1993): 559–563.

whether employers have created "job lock" by adopting pension plans and health insurance policies that are not portable if the employee leaves the firm.[33]

On the other hand, however, lower mobility costs (and thus greater mobility) among workers also weaken the incentives of both employers and employees to invest in specific training or information particular to a job match. Failure to make these investments, it can be argued, reduces the productive potential of employees. Further, as we saw in chapter 5, mobility costs can also introduce elements of monopsony into the labor market.

Review Questions

1. The licensing of such occupations as nurses and doctors in the United States requires people in those occupations to pass a test administered by the state in which they seek to work. Saying that "every time a health care worker moves, some bureaucrat tells him he can't work," a national newspaper argued that the United States could reduce health care costs if it removed state-to-state licensing barriers.
   a. From the perspective of positive economics, what are the labor market effects of having states, rather than the federal government, license professionals?
   b. Who would gain and who would lose from federalization of occupational licensing?

2. One way for the government to facilitate economic growth is for it to pay workers in depressed areas to move to regions where jobs are more plentiful. What would be the labor market effects of such a policy?

3. A television program examining the issue of Mexican immigration stated that most economists believe immigration is a benefit to the United States.
   a. State the chain of reasoning underlying this view.
   b. From a normative perspective, is the key issue wage effects on native workers or subsidies of immigrants by the host country? Why?

4. Suppose the United States increases the penalties for illegal immigration to include long jail sentences for illegal *workers*. Analyze the effects of this increased penalty on the wages and employment levels of *all* affected groups of workers.

5. Other things equal, firms usually prefer their workers to have low quit rates. However, from a social perspective, quit rates can be too low. Why do businesses prefer low quit rates, and what are the social disadvantages of having such rates be "too low"?

6. The last two decades in the United States have been characterized by a very wide gap between the wages of those with more

[33]See Stuart Dorsey, "Pension Portability and Labor Market Efficiency: A Survey of the Literature," *Industrial and Labor Relations Review* 48 (January 1995): 276–292; Kevin T. Stroupe, Eleanor D. Kinney, and Thomas J. Kniesner, "Chronic Illness and Health Insurance-Related Job Lock," *Journal of Policy Analysis and Management* 20 (Summer 2001): 525–544; Donna B. Gilleskie and Byron F. Lutz, "The Impact of Employer-Provided Health Insurance on Dynamic Employment Transitions," *Journal of Human Resources* 37 (Winter 2002): 129–162; and Mark C. Berger, Dan A. Black, and Frank A. Scott, "Is There Job Lock? Evidence from the Pre-HIPAA Era," *Southern Economic Journal* 70 (April 2004): 953–976.

education and those with less. Suppose that workers eventually adjust to this gap by investing more in education, with the result that the wages of less-skilled workers rise faster than those of the more-skilled (so that the wage gap between the two falls). How would a decline in the wage gap between the skilled and the unskilled affect immigration to the United States?

7. It has been said, "The fact that quit rates in Japan are lower than in the United States suggests that Japanese workers are inherently more loyal to their employers than are American workers." Evaluate this assertion that where quit rates are lower, workers have stronger preferences for loyalty.

8. Two oil-rich Middle East countries compete with each other for the services of immigrants from India and Pakistan who perform menial jobs that local workers are unwilling to perform. Country A does not allow women to work, drive, or go out of the house without a chaperone. Country B has no such restrictions. Would you expect the wages that these two countries pay for otherwise comparable *male* immigrants to be roughly equal? Explain your answer.

Problems

1. Rose lives in a poor country where she earns $5,000 per year. She has the opportunity to move to a rich country as a temporary worker for five years. Doing the same work, she'll earn $35,000 per year in the rich country. The cost of moving is $2,000, and it would cost her $10,000 more per year to live in the rich country. Rose's discount rate is 10 percent. Rose decides not to move because she will be separated from her friends and family. Estimate the psychic costs of Rose's move.

2. Suppose that the demand for rough laborers is $L_D = 100 - 10W$, where W = wage in dollars per hour and L = number of workers. If immigration increases the number of rough laborers hired from 50 to 60, by how much will the short-run profits of employers in this market change?

Selected Readings

Abowd, John M., and Richard B. Freeman, eds. *Immigration, Trade, and the Labor Market.* Chicago: University of Chicago Press, 1991.

Borjas, George. "The Economics of Immigration." *Journal of Economic Literature* 32 (December 1994): 1667–1717.

———. *Friends or Strangers.* New York: Basic Books, 1990.

———. *International Differences in the Labor Market Performance of Immigrants.* Kalamazoo, Mich.: W. E. Upjohn Institute for Employment Research, 1988.

Borjas, George J., ed. *Issues in the Economics of Immigration.* Chicago: University of Chicago Press, 2000.

Borjas, George J., and Richard B. Freeman, eds. *Immigrants and the Work Force.* Chicago: University of Chicago Press, 1992.

Chiswick, Barry. *Illegal Aliens: Their Employment and Employers.* Kalamazoo, Mich.:

W. E. Upjohn Institute for Employment Research, 1988.

——. "Illegal Immigration and Immigration Control." *Journal of Economic Perspectives* 2 (Summer 1988): 101–115.

Hamermesh, Daniel S., and Frank D. Bean, eds. *Help or Hindrance? The Economic Implications of Immigration for African Americans.* New York: Russell Sage Foundation, 1998.

Parsons, Donald O. "Models of Labor Market Turnover: A Theoretical and Empirical Survey." In *Research in Labor Economics,* vol. 1, ed. Ronald Ehrenberg, 185–223. Greenwich, Conn.: JAI Press, 1977.

Smith, James P., and Barry Edmonston, eds. *The New Americans: Economic, Demographic, and Fiscal Effects of Immigration.* Washington, D.C.: National Academy Press, 1997.

CHAPTER 11

Pay and Productivity: Wage Determination within the Firm

In the simplest model of the demand for labor (presented in chapters 3 and 4), employers had few managerial decisions to make; they simply *found* the marginal productivity schedules and market wages of various kinds of labor and hired the profit-maximizing amount of each kind. In a model like this, there was no need for employers to design a compensation policy.

Most employers, however, appear to give considerable attention to their compensation policies, and some of the reasons have already been explored. For example, employers offering specific training (see chapter 5) have a zone into which the wage can feasibly fall, and they must balance the costs of raising the wages of their specifically trained workers against the savings generated from a higher probability of retaining these workers. Likewise, when the compensation package is expanded to include such items as employee benefits or job safety (see chapter 8), employers must decide on the mix of

EXAMPLE 11.1

The Wide Range of Possible Productivities: The Case of the Factory That Could Not Cut Output

In 1987, a manufacturer of airguns ("BB guns") in New York State found that its sales were lagging behind production. Wanting to cut production by about 20 percent without engaging in widespread layoffs, the company decided to temporarily cut back from a five-day to a four-day workweek. To its amazement, the company found that, despite this 20 percent reduction in working hours, production levels were not reduced—its workers produced as many airguns in four days as they previously had in five!

Central to the problem of achieving its desired output reduction was that the company paid its workers on the basis of the number of items they produced. Faced with the prospect of a temporary cut in their earnings, its workers reduced time on breaks and increased their pace of work sufficiently to maintain their previous levels of output (and earnings). The company was therefore forced to institute artificial caps on employee production; when these individual output quotas had been met, the worker was not allowed to produce more.

The inability to cut output, despite cutting back on hours of work, suggests how wide the range of possible worker productivity can be in some operations. Clearly, then, careful attention by management to the motivation and morale of employees can have important consequences, both privately and socially.

wages and other valued items in the compensation package. We have also seen that under certain conditions, employers will behave monopsonistically, in which case they *set* their wages rather than take them as given.

This chapter will explore in more detail the complex relationship between compensation and productivity. Briefly put, employers must make managerial decisions rooted in the following practical realities:

1. Workers differ from each other in work habits that greatly affect productivity but are often difficult (costly) to observe before, and sometimes even after, hiring takes place;
2. The productivity of a given worker with a given level of human capital can vary considerably over time or in different environments, depending on his or her level of motivation (see Example 11.1);
3. Worker productivity over a given period of time is a function of innate ability, the level of effort, and the environment (the weather, general business conditions, or the actions of other employees);
4. Being highly productive is usually not just a matter of slavishly following orders, but rather of *taking the initiative* to help advance the employer's objectives.[1]

---

[1]For a stimulating article from which much of the ensuing discussion draws, see Herbert A. Simon, "Organizations and Markets," *Journal of Economic Perspectives* 5 (Spring 1991): 24–44. For more formal treatment of contracts and incentives, refer to James M. Malcomson, "Contracts, Hold-Up and Labor Markets," *Journal of Economic Literature* 35 (December 1997): 1916–1957, and Canice Prendergast, "The Provision of Incentives in Firms," *Journal of Economic Literature* 37 (March 1999): 7–63.

Employers, then, must choose management strategies and compensation policies to obtain the right (that is, profit-maximizing) kind of employees and offer them the optimum incentives for production. In doing so, they must weigh the costs of various policies against the benefits. The focus of this chapter is on the role of firms' compensation policies in optimizing worker productivity.

Motivating Workers: An Overview of the Fundamentals

Employers and workers each have their own objectives and concerns, and the incentives imbedded in the employment relationship are critical to aligning these separate interests. We first present an overview of the key features of this relationship before moving on in later sections to analyses of various compensation schemes that employers can adopt to induce high productivity among their workers.

The Employment Contract

The employment relationship can be thought of as a contract between the employer (the "principal") and the employee (the "agent"). The employee is hired to help advance the employer's objectives in return for receiving wages and other benefits. Often there are understandings or implied promises that if employees work hard and perform well, they will be promoted to higher-paying jobs as their careers progress.

FORMAL CONTRACTS   The agreement by an employee to perform tasks for an employer in return for current and future pay can be thought of as a contract. A *formal* contract, such as one signed by a bank and a homeowner for the repayment of a loan, lays out quite explicitly all that each party promises to do and what will happen if either party fails to perform as promised. Once signed, a formal contract cannot be abrogated by either party without penalty. Disputes over performance can be referred to courts of law or other third parties for resolution.

IMPLICIT CONTRACTS   Unlike formal contracts, most employment contracts are *incomplete* and *implicit.* They are usually incomplete in the sense that rarely are all the specific tasks that may be required of employees spelled out in advance. Doing so would limit the flexibility of employers in responding to changing conditions, and it would also require that employers and employees renegotiate their employment contract when each new situation arises—which would be costly to both parties.

Employment contracts are also implicit in the sense that they are normally a set of informal understandings that are too vague to be legally enforceable. For example, just what has an employee promised to do when she has agreed to "work hard," and how can it be proved she has failed to do so? Specifically, what has a firm promised to do when it has promised to "promote deserving employees as opportunities arise"? Further, employees can almost always quit a job at will, and employers often have great latitude in firing employees; hence, the employment contract is one that usually can be abrogated by one party or the other without legal penalty.[2]

The severe limits on legal enforceability make it essential that implicit contracts be *self-enforcing.* We turn now to a discussion of the difficulties that must be surmounted in making employment contracts self-enforcing.

Coping with Information Asymmetries

It is often advantageous for one or both parties to cheat by reneging on their promises in one way or other. Opportunities for cheating are enhanced when information is *asymmetric*—that is, when one party knows more than the other about its intentions or performance under the contract. For example, suppose an insurance company promises a newly hired insurance adjuster that she will receive a big raise in four years if she "does a good job." The company may later try to refuse her the raise she deserves by falsely claiming her work was not good enough. Alternatively, the adjuster, who works out of the office and away from supervisory oversight most of the time, may have incentives to "take it easy" by doing cursory or overly generous estimates of client losses. How can these forms of cheating be avoided?

Of course, sanctions against cheating are embedded in the formal agreements made by employers and employees. Employers who break the provisions of agreements they have signed with their unions can be sued or legally subjected to a strike, for example, but this requires that cheating actually be *proved.* How can we reduce the chances of being cheated when contracts are informal and the threat of formal punishment is absent?

DISCOURAGING CHEATING: SIGNALING   One way to avoid being cheated is to transact with the "right kind" of person, and to do this, we must find a way to induce the other party to reveal—or *signal*—the truth about its actual characteristics or intentions. Suppose, for example, that an employer wants to hire employees who are willing to defer current gratification for long-term gain (that is, it wants employees who do not highly discount the future). Simply asking applicants if they are willing to delay gratification might not evoke honest answers. There are ways, however, an employer could cause applicants to signal their preferences indirectly.

As pointed out in chapter 8, the employer could offer its applicants relatively low current wages and a large pension benefit upon retirement. Potential applicants with relatively high discount rates would find this pay package less

---

[2]The doctrine of *employment-at-will,* under which employers (and employees) have the right to terminate an employment relationship at any time, has historically prevailed in the United States. Those not subject to this doctrine in the United States have included unionized workers with contract provisions governing discharges, tenured teachers, and workers under some civil service systems. A number of state courts also have adopted public policy and/or implicit contract exceptions to the doctrine. For a discussion of these issues, see Ronald Ehrenberg, "Workers' Rights: Rethinking Protective Labor Legislation," in *Rethinking Employment Policy,* ed. Lee Bawden and Felicity Skidmore (Washington, D.C.: Urban Institute Press, 1989).

attractive than applicants with low discount rates, and they would be discouraged from either applying for the job or accepting an offer if it were tendered.

Another way this firm could induce applicants to signal something about their true discount rate is to require a college degree or some other training investment as a hiring standard. As noted in chapter 9, people with high discount rates are less likely to make investments of any kind, so the firm's hiring standard should discourage those with high discount rates from seeking offers.

The essence of signaling, then, is the voluntary revelation of truth in *behavior*, not just statements. Many of the compensation policies discussed in the remainder of this chapter are at least partially aimed at eliciting truthful signals from job applicants or employees.[3]

DISCOURAGING CHEATING: SELF-ENFORCEMENT Even the "right kind" of people often have incentives to underperform on their promises. Economists have come to call this type of cheating *opportunistic behavior*, and it occurs not because people intend from the outset to be dishonest but because they generally try to advance their own interests by adjusting their behavior to unfolding opportunities. Thus, the challenge is to adopt compensation policies that more or less automatically induce both parties to adhere to their promises.[4]

The key to a self-enforcing agreement is that losses are imposed on the cheater that do not depend on proving a contract violation has occurred. In the labor market, the usual punishment for cheating on agreements is that the victim severs the employment relationship; consequently, self-enforcement requires that *both employer and employee derive more gains from honest continuation of the existing employment relationship than from severing it*. If workers are receiving more from the existing relationship than they expect to receive elsewhere, they will automatically lose if they shirk their duties and are fired. If employers profit more from keeping their existing workers than from investing in replacements, they will suffer by reneging on promises and having workers quit.

CREATING A SURPLUS Incentives for both parties to live up to an implicit agreement are strongest when workers are getting paid more than they could get in alternative employment, yet less than the value of their marginal product to the firm. The gap between their marginal revenue product to the firm and their alternative wage represents a *surplus* that can be divided between employer and employee. This surplus must be *shared* if the implicit contract is to be self-enforcing, because if one party receives the entire surplus, the other party has nothing to lose by terminating the employment relationship. A graphic representation of the division

---

[3]For a formal model that uses educational attainment as a signal for innate ability (which is difficult for an employer to observe directly), refer back to chapter 9. For a thorough review of signaling theory, see John G. Riley, "Silver Signals: Twenty-Five Years of Screening and Signaling," *Journal of Economic Literature* 39 (June 2001): 432–478.

[4]See H. Lorne Carmichael, "Self-Enforcing Contracts, Shirking, and Life Cycle Incentives," *Journal of Economic Perspectives* 3 (Fall 1989): 65–84, for a more complete discussion of the importance of self-enforcement to implicit contracting.

FIGURE 11.1

Two Alternative Divisions
of the Surplus

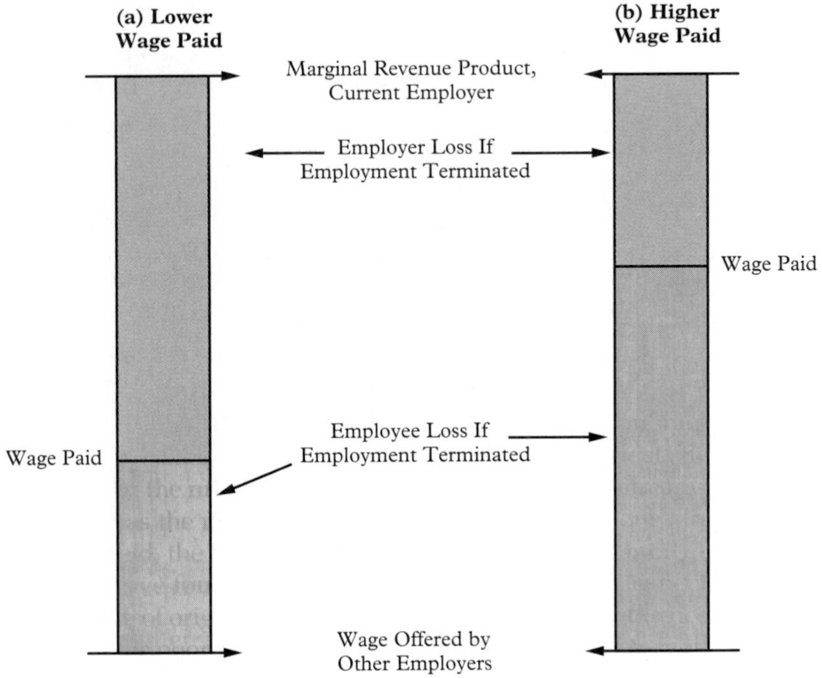

(a) Lower
Wage Paid

(b) Higher
Wage Paid

Marginal Revenue Product,
Current Employer

Employer Loss If
Employment Terminated

Wage Paid

Wage Paid

Employee Loss If
Employment Terminated

Wage Offered by
Other Employers

of a surplus is given in Figure 11.1, where we see that attempts by one party to increase its share of the surplus will reduce the other party's losses from terminating the employment relationship.

Surpluses are usually associated with some earlier investment by the employer. In chapter 5, we saw that investments by the firm in specific training or in the hiring/evaluation process enabled workers' productivity and wages to exceed their alternatives. Firms can also create a surplus by investing in their *reputations*. For example, an employer that is well known for keeping its promises about future promotions or raises can attract workers of higher productivity at lower cost than can employers with poor reputations. (A firm with a poor reputation for performing on its promises must pay a compensating wage differential to attract workers of given quality away from employers with good reputations.) Because the good reputation increases productivity relative to the wage paid, a surplus is created that can be divided between the firm and its workers.

Motivating Workers

Beyond the issue of enforceability, employment contracts address the employer's need to motivate workers. Workers can be viewed as utility maximizers, and "putting forth their best efforts" may entail working hard when they are sick or distracted by personal problems, or it may involve a work pace that they find taxing. Employees can be assumed to do what they feel is in their own interests unless induced to do otherwise by the employer's system of rewards. How can we create rewards that give employees incentives to work toward goals of their employers?

PAY FOR PERFORMANCE   The most obvious way to motivate workers is to pay them based on their individual output. Linking pay to output creates the presumption of strong incentives for productivity, but there are two general problems that incentive pay schemes must confront.[5] One problem is that using output-based pay has both benefits and costs to an employer, and both are affected by the extent to which a worker's output is influenced by forces outside his or her control. Jane, for example, may be willing to put forth 10 percent more effort if she can be sure her output (and pay) will rise by 10 percent. If machine breakdowns are so common, however, that she can only count on a 5 percent increase, she may decide that the extra 10 percent of effort is not worth it. From the employer's perspective, then, output-based pay might provide only weak incentives if Jane's effort and the resulting output are not closely linked.

From Jane's perspective, a weak link between output and her own effort also puts her earnings at risk of variations that she cannot control—and she may be unwilling to take a job with such a pay scheme unless it pays a compensating wage differential. Thus, unless a worker's output and effort are very closely associated, output-based pay may have small benefits to the employer and yet come at added cost.[6]

The second problem facing pay-for-performance plans is the need to pick an output measure that coincides with the employer's ultimate objective. Quantitative aspects of output (such as the number of complaints handled by a clerk in the customer service department) are easier to measure than the qualitative aspects of friendliness or helpfulness—and yet the qualitative aspects are critical to building a loyal customer base. As we will see, imperfectly designed performance measures can backfire by inducing employees to allocate their effort toward what is being measured and away from other important aspects of their jobs.[7]

TIME-BASED PAY WITH SUPERVISION   An alternative pay scheme is to compensate workers for the time they work. This reduces the risk of having Jane's pay—to continue our example—vary on a weekly basis, but guaranteeing her a wage without reference to her actual output creates a problem of *moral hazard:* why should she work hard if that effort is not rewarded? (See Example 11.2 for

---

[5]This subsection draws heavily on David E. Sappington, "Incentives in Principal–Agent Relationships," *Journal of Economic Perspectives* 5 (Spring 1991): 45–66, and George P. Baker, "Incentive Contracts and Performance Measurement," *Journal of Political Economy* 100 (June 1992): 598–614.

[6]For a more thorough discussion of this issue, see Canice Prendergast, "What Trade-off of Risk and Incentives?" *American Economic Review* 90 (May 2000): 421–425.

[7]A recent analysis of the two sets of incentive issues discussed in this section can be found in George Baker, "Distortion and Risk in Optimal Incentive Contracts," *Journal of Human Resources* 37 (Fall 2002): 728–751.

EXAMPLE 11.2

Calorie Consumption and the Type of Pay

We noted in the text that time-based pay raises the question of *moral hazard*; that is, because workers are paid regardless of their output, they may not put forth their best efforts. An interesting examination of this question comes from Bukidon in the Philippines, where it is common for workers to hold several different farming jobs during a year. In some of these jobs, they are paid by the hour, and in some, they are paid directly for their output. Therefore, we are able to observe how hard the same individual works under the two different types of pay system.

A recent study discovered clear-cut evidence that the workers put forth much less effort in these phys-ically demanding jobs when paid by the hour rather than for their output. Measuring effort expended by both weight change and calorie consumption, the study found that workers consumed *23 percent fewer calories* and *gained more weight per calorie consumed* when they were paid by the hour. Both facts suggest that less physical effort was put forth when workers were paid by the hour than when they were paid for their output.

Data from: Andrew D. Foster and Mark R. Rosenzweig, "A Test for Moral Hazard in the Labor Market: Contractual Arrangements, Effort, and Health," *Review of Economics and Statistics* 76 (May 1994): 213–227.

a comparison of actual work effort under output- and time-based pay.) The danger that workers might only "put in their time" means that employers must closely monitor their behavior.

The problem with close supervision is that it is costly. Tasks in almost any workplace are divided so that the economies afforded by specialization are possible, and workers must continually adjust to changing situations within their areas of responsibility. Extremely close supervision would require supervisors to have the same information, at the same time, on the situations facing all their subordinates, in which case they might as well make all the decisions themselves! In short, detailed supervision can destroy the advantages of specialization.

Motivating the Individual in a Group

If workers seek to maximize utility by increasing their *own* consumption of valued goods, then focusing on the link between each individual's pay and performance is sufficient in developing company policy. However, the concern for one's standing in a group is often a factor that also affects a worker's utility. The importance of the *group* in motivating *individuals* presents both problems and opportunities for the employer.

ISSUES OF FAIRNESS People's concern about their treatment *relative to others* in their reference group means that *fairness* is an issue that pervades the employment relationship. A worker who obtains a 7 percent wage increase during a year in which both price and wage increases average 4 percent might be quite happy until he finds out that a colleague working in the same job for the same employer received a 10 percent increase. Workers who feel unfairly treated may quit, reduce their effort level, steal from the employer, or even sabotage output in order to "settle the score."[8] Unfortunately for employers, however, the fairness of identical policy decisions often can be perceived differently depending on their context.

For example, a sample of people was asked to consider the case of two small companies that were not growing as planned and therefore had a need to cut costs. Each paid workers $10 per hour, but Employer A paid that in salary and Employer B paid $9 in salary and $1 in the form of a bonus. Most respondents said it would be unfair for A to cut wages by 10 percent, but they thought it fair if B were to eliminate its bonus.[9] Apparently, pay framed as "salary" connotes a greater entitlement than pay framed as "bonus."

Consider a second example from the same survey. A majority of respondents thought it would be unfair for a successful house painter to cut wages from $9 to $7 if he discovered that reliable help could be hired for less. However, they felt that if he quit painting and went into landscaping (where wages were lower), paying a $7 wage would be justified. Clearly, the employer is included among the reference groups used by workers in judging fairness, and the *context* of an employer's decision matters as much as its content!

GROUP LOYALTY   Besides concern for their own levels of consumption and their relative treatment within the group, employees are also typically concerned with the status or well-being of the entire group. While there are always temptations to "free ride" in a group by taking it easy and enjoying the benefits of others' hard work, most people are willing to make at least some sacrifices for their team, school, work group, community, or country.[10] Because the essence of "doing a good job" so frequently means taking the initiative in many small ways to advance the organization's interests, employers with highly productive workers almost universally pay attention to policies that foster organizational loyalty. While many of the steps employers can take to nurture this loyalty go beyond the boundaries of economics, some compensation schemes we will analyze relate pay to *group* performance quite directly.

---

[8]Interviews with managers often suggest that the perception of fairness is an important motivational tool; see, for example, Alan S. Blinder and Don H. Choi, "A Shred of Evidence on Theories of Wage Stickiness," *Quarterly Journal of Economics* 105 (November 1990): 1003–1015. Also see David I. Levine, "Fairness, Markets, and the Ability to Pay: Evidence from Compensation Executives," *American Economic Review* 83 (December 1993): 1241–1259; and Daniel S. Nagin, James B. Rebitzer, Seth Sanders, and Lowell J. Taylor, "Monitoring, Motivation, and Management: The Determinants of Opportunistic Behavior in a Field Experiment," *American Economic Review* 92 (September 2002): 850–873.

[9]Daniel Kahneman, Jack L. Knetsch, and Richard Thaler, "Fairness as a Constraint on Profit-Seeking: Entitlements in the Market," *American Economic Review* 76 (September 1986): 728–741.

[10]One study found that workers were over 5 percent more productive during World War II, and over 9 percent more productive in industries directly related to the war effort; see Mark Bils and Yongsung Chang, "Wages and the Allocation of Hours and Effort," National Bureau of Economic Research working paper no. 7309, August 1999. For other considerations of altruistic behavior among workers, see Simon, "Organizations and Markets," 34–38; and Julio J. Rotemberg, "Human Relations in the Workplace," *Journal of Political Economy* 102 (August 1994): 684–717. For an analysis of peer pressure in compensation schemes, see John M. Barron and Kathy Paulson Gjerde, "Peer Pressure in an Agency Relationship," *Journal of Labor Economics* 15 (April 1997): 234–254.

Compensation Plans: Overview and Guide to the Rest of the Chapter

Along with the employer's hiring standards, supervisory policies, and general managerial philosophy, its compensation plan greatly affects the incentives of employees to put forth effort. While a detailed discussion of many managerial policies is outside the scope of this text, the incentives created by compensation schemes fall squarely within the purview of modern labor economics. In what follows, therefore, we use economic concepts to analyze the major characteristics of compensation plans.

Three elements broadly characterize an employer's compensation scheme: the *basis* on which pay is calculated, the *level* of pay in relation to pay for comparable workers elsewhere, and—for employers with internal labor markets—the *sequencing* of pay over workers' careers. The remainder of the chapter is devoted to analyses of these elements.

Productivity and the Basis of Yearly Pay

Workers can be paid for their time, their output, or some hybrid of the two. Most in the United States are paid for their time, and we must ask why output-based pay is not more widely used. Because compensation plans must satisfy both the employer and the employee, we organize our analysis around the considerations relevant to each side of the labor market.

Employee Preferences

Piece-rate pay, under which workers earn a certain amount for each item produced, is the most common form of individually based incentive pay for production workers. Another system linking earnings to individuals' output is payment by *commission,* under which workers (usually salespeople) receive a fraction of the value of the items they sell. *Gainsharing* plans, which have grown in popularity recently, are *group*-incentive plans that at least partially tie earnings to gains in group productivity, reductions in cost, increases in product quality, or other measures of group success. *Profit-sharing* and *bonus* plans attempt to relate workers' pay to the profits of their firm or subdivision; this form of pay also rewards work groups rather than individuals. Under all these systems, workers are paid at least somewhat proportionately to their output or to the degree their employer prospers.

VARIABILITY OF PAY   If employees were told that their average earnings over the years under a time-based payment system would be equal to their earnings under an output-based pay plan, they would probably prefer to be paid on a *time* basis. Why? Earnings under output-based pay plans clearly vary with whatever measure of output serves as the basis for pay. As mentioned earlier, many things that affect individual or group output depend on the external environment, not just on the level of energy or commitment the individual worker brings to the job. The number of items an individual produces in a given day is affected by the age and condition of machinery, interrupted flows of supplies owing to strikes or snowstorms, and the worker's own illness or injury. Commissions earned by salespeople are clearly affected by the overall demand for the product being sold, and this demand can fluctuate for a number of reasons well beyond the control of the individual salesperson. Earnings that are dependent on some measure of *group* output will also vary with the level of effort expended by others in the group.

The possible variations in earnings under output-based pay are thought to be unappealing to workers because of their presumed *risk aversion* (that is, workers' preference for earnings certainty, even if it means somewhat lower pay). Most workers have monthly financial obligations for rent, food, insurance, utilities, and so forth. If several low-income pay periods are strung together, they might have difficulty in meeting these obligations, even if several high-income pay periods were to follow.

Because of their anxiety about periods of lower-than-usual output, employees prefer the certainty of time-based pay, other things (including the *average* level of earnings) equal. To induce risk-averse employees to accept output-based pay, employers would have to pay a compensating wage differential.

WORKER SORTING   Worker risk aversion aside, it is interesting to consider *which* workers will be attracted to piece-rate or commission pay schemes. Because time-based plans pay the same, at least in the short run, to high and low producers alike, workers who gain most from piece rates or commissions are those whose levels of motivation or ability are above average. Thus, employees who choose to work under compensation plans that reward individual productivity signal that they believe themselves to be above-average producers. For example, when an American company that installs glass in automobiles went from time-based pay to piece rates in the mid-1990s, the individual output of *incumbent employees who stayed with the firm* rose by 22 percent. However, because changing to piece rates allowed the company to attract and retain the fastest workers, the *overall* increase in worker productivity was in the neighborhood of 44 percent![11]

PAY COMPARISONS   There are three reasons to expect that workers paid for their output might earn more than those paid for their time: incentive pay motivates employees to work harder, it attracts the most productive workers, and it involves risk that may call forth a compensating wage differential. One study of pay in some apparel industries found that workers paid a piece rate earned about 14 percent more than workers paid by the hour. The study estimated that about one-third of this disparity was a compensating differential, with the remainder being related to the incentive and sorting effects.[12]

Employer Considerations

The willingness of employers to pay a premium to induce employees to accept piece rates depends on the costs and benefits to employers of incentive pay schemes. If

---

[11]Edward P. Lazear, "Performance Pay and Productivity," *American Economic Review* 90 (December 2000): 1346–1361.

[12]Eric Seiler, "Piece Rate vs. Time Rate: The Effect of Incentives on Earnings," *Review of Economics and Statistics* 66 (August 1984): 363–376. For a more recent study of the topic, see Daniel Parent, "Methods of Pay and Earnings: A Longitudinal Analysis," *Industrial and Labor Relations Review* 53 (October 1999): 71–86.

workers are paid with piece rates or commissions, it is they who bear the consequences of low productivity, as noted above; thus, employers can afford to spend less time screening and supervising workers. If workers are paid on a *time* basis, the *employer* accepts the risk of variations in their productivity; when workers are exceptionally productive, profits increase and, when they are less productive, profits decline. Employers, however, may be less anxious about these variations than employees are. They typically have more assets and can thus weather the lean periods more comfortably than individual workers can. Employers also usually have several employees, and the chances are that not all will suffer the same swings in productivity at the same time (unless there is a morale problem in the firm). Thus, employers may not be as willing to pay for income certainty as workers are.

The other major employer consideration in deciding on the basis for pay concerns the incentives for employee effort. The considerations related to three major types of incentive plans in use are discussed below.

PAY FOR OUTPUT: INDIVIDUAL INCENTIVES   From the employer's perspective, the big advantage of individually based output pay is that it induces employees to adopt a set of work goals that are directly related to output. Indeed, as with the increased output of incumbent workers at the automobile glass installer, mentioned earlier, the estimated increases in an individual's productivity associated with switching from time-base pay to piece rates in the forestry industry have been in the range of 20 percent.[13] There are disadvantages, however.

First, the need to link output-based pay to some measure that can be objectively observed means that workers might be induced to allocate their efforts away from aspects of their performance that are not being measured. If they get paid only for the quantity of items they individually produce or sell, they may have minimal regard for quality, safety procedures, or the performance or professional development of others on their work team.[14] These problems can create a need for costly quality-control supervision unless workers can be induced to monitor quality themselves. Self-monitoring of quality is only easily induced when a particular item or service can be traced to the worker responsible. For example, the auto glass installer mentioned earlier requires workers who have installed a windshield improperly (which usually results in its breaking) to pay for the replacement glass and then to re-install it on their own time.

A second problem is that workers may be induced to work so quickly that machines and tools are damaged through lack of proper maintenance or use. While this problem is mitigated to the extent that production downtime can cause the

---

[13]Bruce Shearer, "Piece Rates, Fixed Wages and Incentives: Evidence from a Field Experiment," *Review of Economic Studies* 71 (April 2004): 513–534. Increasing piece rates also increases effort; see M. Ryan Haley, "The Response of Worker Effort to Piece Rates: Evidence from the Midwest Logging Industry," *Journal of Human Resources* 38 (Fall 2003): 881–890.

[14]Robert Gibbons, "Incentives in Organizations," *Journal of Economic Perspectives* 12 (Fall 1998): 115–132, provides a summary of this issue, with extensive citations to the literature. For a discussion of "gaming" induced by piece rates (that is, engaging in behaviors that increase the *measure* upon which pay is based, while not actually increasing output), see Pascal Courty and Gerald Marschke, "An Empirical Investigation of Gaming Responses to Explicit Performance Incentives," *Journal of Labor Economics* 22 (January 2004): 23–56.

worker's earnings to drop, it is of enough concern to employers that they frequently require piece-rate workers to provide their *own* machines or tools.

How can firms create pay schemes with the proper incentives when the overall value of individual output is difficult to measure? In the remainder of this section, we explore two options. One is payment based on some measure of *group* output, and the other bases pay at least partly on the *subjective* judgments of supervisors.

PAY FOR OUTPUT: GROUP INCENTIVES   When individual output is difficult to monitor, when individual incentive plans are detrimental to output quality, or when output is generated by teams of interdependent workers, firms sometimes adopt group incentive pay schemes to more closely align the interests of employer and employee.[15] These plans may tie at least a portion of pay to some component of profits (group productivity, product quality, cost reductions), or they may directly link pay with the firm's overall profit level. In still other cases, workers might *own* the firm and split the profits among themselves.[16]

One drawback to group incentives is that groups are composed of individuals, and it is at the individual level that decisions about shirking are ultimately made. A person who works very hard to increase group output or the firm's profits winds up splitting the fruits of his or her labor with all the others, who may not have put out extra effort. Thus, *free-rider* opportunities give workers incentives to cheat on their fellow employees by shirking.[17] (Another downside of group incentives occurs when they attract the wrong sort of workers, and the good workers leave. One extreme case is discussed in Example 11.3.)

In very small groups, cheating may be easy to detect, and peer pressure can be effectively used to eliminate it. When the group of workers receiving incentive pay is large, however, employers may have to devote managerial resources to building organizational loyalties if shirking is to be discouraged. Interestingly, despite free-rider problems, studies have found that there is a positive correlation between profit sharing and organizational output.[18]

---

[15]Barton H. Hamilton, Jack A. Nickerson, and Hideo Owan, "Team Incentives and Worker Heterogeneity: An Empirical Analysis of the Impact of Teams on Productivity and Participation," *Journal of Political Economy* 111 (June 2003): 465–497.

[16]For a review of the literature on productivity in worker-owned or worker-managed firms, see James B. Rebitzer, "Radical Political Economy and the Economics of Labor Markets," *Journal of Economic Literature* 31 (September 1993): 1405–1409; and Michael A. Conte and Jan Svejnar, "The Performance Effects of Employee Ownership Plans," in *Paying for Productivity,* ed. Alan S. Blinder (Washington, D.C.: Brookings Institution, 1990), 142–181.

[17]For a more in-depth analysis of this problem, see Haig R. Nalbantian, "Incentive Contracts in Perspective," in *Incentives, Cooperation, and Risk Sharing,* ed. Haig R. Nalbantian (Totowa, N.J.: Rowman and Littlefield, 1987), and Eugene Kandel and Edward Lazear, "Peer Pressure and Partnerships," *Journal of Political Economy* 100 (August 1992): 801–817.

[18]Martin Weitzman and Douglas Kruse, "Profit Sharing and Productivity," in *Paying for Productivity,* ed. Alan S. Blinder (Washington, D.C.: Brookings Institution, 1990). For reference to the extent and effect of profit sharing in several countries, see OECD, *Employment Outlook, July 1995* (Paris: Organisation for Economic Co-operation and Development, July 1995), chap. 4; and Sandeep Bhargava, "Profit Sharing and the Financial Performance of Companies: Evidence from U.K. Panel Data," *Economic Journal* 104 (September 1994): 1044–1056.

EXAMPLE 11.3

Poor Group Incentives Doom the Shakers

The Shakers were an unusual religious sect. They required strict celibacy and practiced communal ownership of property, with all members sharing the group's income equally—receiving the average product. They arrived in the United States in 1774 and numbered around 4,000 by 1850, but their membership dwindled thereafter. Their decline is generally attributed to their failure to reproduce and to their declining religious fervor, but economic historian John Murray argues that their group compensation plan was another important reason for their demise.

Those members with a higher-than-average marginal productivity would receive less than the value of their output—and usually less than they could make elsewhere. Thus, high-productivity members had an incentive to quit. Conversely, outsiders with a low marginal productivity had an incentive to join, receiving more than the value of their output and more than they could elsewhere.

Murray proxies marginal productivity by literacy. When the Shaker communes were established in Ohio and Kentucky, their members were full of religious zeal, which may have initially overcome the incentive problems. These members had a literacy rate of almost 100 percent, far above that of the surrounding population. By the time of the Civil War, however, illiterates were joining the group in significant numbers, and the sect's literacy rates fell below the rates in the surrounding areas. Likewise, Murray finds that literate members were 30 to 40 percent more likely to quit the community (becoming "apostates") than were illiterate members.

Contemporaries began to question the sincerity of the new entrants: they were "bread and butter Shakers," intent on free-riding on their more productive brothers and sisters. Many had been unable or unwilling to provide for themselves in the world outside the commune. Eventually, the changing composition of the Shaker communities caused a crisis in the communes: the average product of the group fell, and the group was wracked by diminishing enthusiasm, internal stress, and declining membership.

Data from: John E. Murray, "Human Capital in Religious Communes: Literacy and Selection of Nineteenth Century Shakers," *Explorations in Economic History* 32 (April 1995): 217–235.

GROUP INCENTIVES AND EXECUTIVE PAY   Compensation for top executives provides an interesting example of the potential and the problems of basing pay on group results. Executives run a company but do not own it, and like other employees, they want to advance their own interests.[19] How can companies align the interests of these key players with those of the owners (shareholders)?

Because firms are trying to maximize profits, we might consider basing executive pay on the firm's profits. But over what time period should profits be measured? Basing this year's pay on current-year profits might create the same adverse incentives discussed earlier with piece rates. A focus on current-year profits could induce executives to pursue only short-run strategies (or accounting tricks), which run counter to the firm's long-run interests, in the hopes they can "take the money

---

[19]As noted in chapter 3's discussion of the demand for labor under monopoly, executives can buy some peace and quiet on the job by forgoing profit maximization, when possible. For an example, see Marianne Bertrand and Sendhil Mullainathan, "Is There Discretion in Wage Setting? A Test Using Takeover Legislation," *RAND Journal of Economics* 30 (Autumn 1999): 535–554.

and run" to another corporation before the long-run consequences of their decisions are fully observed.

The strongest way to align the interests of corporate executives and company owners may be to pay them with company stock or the options to buy it. This seemingly rewards top executives for efforts that increase company wealth and punishes them for actions that reduce it. However, because stock prices are also influenced by overall investor "bullishness," executives paid with stock are rewarded for luck as well as effort—and they may elect to reduce effort and take a free ride when stock prices are rising in general.[20] Beyond reducing incentives, economy-wide fluctuations in stock prices also cause executives' pay to vary because of things beyond their control, which may force firms to pay them a compensating differential for the added riskiness of their pay.

In practice, the compensation of chief executive officers (CEOs) in the United States has become increasingly responsive to shareholder value. In 1984, 17 percent of CEO pay was in the form of stock or stock options, while in 1996, the comparable figure was 23 percent.[21] (The remainder of CEO pay was in the form of salary, benefits, and bonuses based on current-year profits.) One study found that, in 1994, if the value of a firm's stock rose by 10 percent, the typical CEO's wealth rose by $1.25 million.[22] Companies in industries with higher volatility in sales—and thus for whom pay based on profits or share values exposes CEO incomes to greater variations beyond their control—rely more on salary payments, and less on company performance, to attract top executives.

It appears that paying CEOs with stock or stock options does work. Generally speaking, those firms with executive compensation plans more heavily weighted toward stock or stock options have tended to enjoy greater increases in corporate wealth. There is some evidence, however, that tying pay to stock-market values might make CEOs excessively worried about fluctuations in their own income, causing them to shy away from risky projects even when the projects appear profitable.[23]

Recent scandals involving CEOs have raised another concern about aligning their incentives with those of stockholders. The issue is whether CEOs use their close relationship with members of their board of directors (many of whom have been with the company a long time) to negotiate compensation packages that are excessive. More precisely, do they use their "insider" relationship with those who set their pay to receive compensation that is greater than is consistent with maximizing shareholder value? While researchers differ in their answers to this

---

[20]Marianne Bertrand and Sendhil Mullainathan, "Are CEOs Rewarded for Luck? The Ones without Principals Are," *Quarterly Journal of Economics* 116 (August 2001): 901–932. For a general review of the incentive issues associated with stock options, see Brian J. Hall and Kevin J. Murphy, "The Trouble with Stock Options," *Journal of Economic Perspectives* 17 (Summer 2003): 49–70.

[21]For a review of executive-pay issues, see John M. Abowd and David S. Kaplan, "Executive Compensation: Six Questions That Need Answering," *Journal of Economic Perspectives* 13 (Fall 1999): 145–168.

[22]Brian J. Hall and Jeffrey B. Liebman, "Are CEOs Really Paid Like Bureaucrats?" *Quarterly Journal of Economics* 113 (August 1998): 653–691.

[23]Abowd and Kaplan, "Executive Compensation," 158–159.

question, most agree that collusion between CEOs and directors is a potential problem, and that greater use of "outside" directors or the presence of well-informed stockholders (institutional investors, say) is a critical ingredient in aligning incentives.[24]

PAY FOR TIME, WITH MERIT INCREASES   Given employee risk aversion and the problem of devising appropriate measurable outcomes for individual- and group-incentive plans, most employers opt for some form of time-based pay. While satisfying employees' desires for pay stability, time pay creates an incentive problem because compensation and output are not directly linked. Employers often try to cope with this problem through the use of *merit-pay* plans, which award larger pay increases to workers whose supervisors rate them as the better performers.

On the one hand, basing pay on supervisory ratings has the potential to create superior incentives for workers, because these ratings can take account of the more subjective aspects of performance (friendliness, being a team player) that may be critical to the welfare of the employer. On the other hand, merit-based pay still faces two incentive problems similar to those with output-based pay.

If supervisors are told to base their ratings on worker contributions toward *actual* output, merit pay runs up against the (by now familiar) problem that individual effort and output may not correlate well, owing to forces beyond the control of workers. For this reason, supervisors are often asked to rate their subordinates *relative* to each other, on the theory that all face the same external forces of snowstorms, machine breakdowns, and so forth.

The problem of relative rankings for merit-pay purposes is that the *effort* induced among employees may not be consistent with the employer's interests. For example, one way to enhance one's *relative* status is to sabotage the work of others. Finding pages torn out of library books on reserve shortly before major examinations is not unknown at colleges or universities, where grading is often based on relative performance. Somewhat less sinister than sabotage, but equally inconsistent with employer interests, is noncooperation; one study has shown that the stronger the rewards based on relative performance, the less likely employees are to share their equipment and tools with fellow workers.[25]

Because relative performance ratings usually have a subjective component, another kind of counterproductive effort may take place: *politicking*.[26] Workers may

[24]Lucian Arye Bebchuk and Jesse M. Fried, "Executive Compensation as an Agency Problem," *Journal of Economic Perspectives* 17 (Summer 2003): 71–92; Hall and Murphy, "The Trouble with Stock Options."

[25]Robert Drago and Gerald T. Garvey, "Incentives for Helping on the Job: Theory and Evidence," *Journal of Labor Economics* 16 (January 1998): 1–25.

[26]Paul Milgrom, "Employment Contracts, Influence Activities, and Efficient Organization Design," *Journal of Political Economy* 96 (February 1988): 42–60; and Canice Prendergast, "A Theory of 'Yes Men,'" *American Economic Review* 83 (September 1993): 757–770. For a theoretical analysis incorporating the important element of trust between workers and supervisors, see George Baker, Robert Gibbons, and Kevin J. Murphy, "Subjective Performance Measures in Optimal Incentive Contracts," *Quarterly Journal of Economics* 109 (November 1994): 1125–1156.

spend valuable work time "marketing" their services or otherwise ingratiating themselves with their supervisors. Thus, efforts are directed away from productivity itself to generate what is, at best, the *appearance* of productivity.[27]

Productivity and the Level of Pay

Given difficulties created for both employers and employees by pay-for-performance plans (including merit pay), employers are often driven to search for other monetary incentives that can be used to motivate their workers. In this section, we discuss motivational issues related to the *level* of pay.

Why Higher Pay Might Increase Worker Productivity

Paying higher wages is thought to increase worker productivity for several reasons. One involves the *type* of worker the firm can attract; the others are related to the productivity that can be elicited from *given* workers.

ATTRACTING BETTER WORKERS   Higher wages can attract better employees by enlarging the firm's applicant pool. A larger pool means that the firm can be more selective, skimming the cream off the top to employ only the most experienced, dependable, or highly motivated applicants.[28]

BUILDING EMPLOYEE COMMITMENT   The reasons higher wages are thought to generate greater productivity from given workers all relate to the commitment to the firm they build. The higher the wages are relative to what workers could receive elsewhere, the less likely it is that the workers will quit; knowing this, employers are more likely to offer training and more likely to demand longer hours and a faster pace of work from their workers. Employees, on their part, realize that even though supervision may not be detailed enough to detect shirking with certainty, if they are caught cheating on their promises to work hard and are fired as a result, the loss of a job paying above-market wages is costly both now and over their remaining work life.

PERCEPTIONS OF EQUITY   A related reason higher wages might generate more productivity from given employees arises from their concern about being treated fairly. Workers who believe they are being treated fairly are likely to put forth effort,

---

[27]While we discuss individually the tools that can be used to motivate workers—incentive pay, supervision, stock ownership, or profit sharing, for example—they should all be seen as part of a firm's *system* for motivating its workers. For example, see Casey Ichniowski and Kathryn Shaw, "Beyond Incentive Pay: Insiders' Estimates of the Value of Complementary Human Resource Management Practices," *Journal of Economic Perspectives* 17 (Winter 2003): 155–180.

[28]Stephen G. Bronars and Melissa Famulari, "Wage, Tenure, and Wage Growth Variation within and across Establishments," *Journal of Labor Economics* 15 (April 1997): 285–317.

while those who think their treatment is unfair may "get even" by withholding effort or even engaging in sabotage.[29]

One comparison workers make in judging their treatment is the extent to which they see the employer as profiting from their services. It is often considered unfair if a highly profitable employer is ungenerous in sharing its good fortune with its workers, even if the wages it pays already are relatively high. Likewise, workers who are asked to sacrifice leisure and put forth extraordinary effort on the job are likely to expect the firm to make an extraordinary financial sacrifice (that is, the offer of high pay) to them in return.[30]

Employees also judge the fairness of their pay by comparing it with what they could obtain elsewhere. Raising compensation above the level that workers can earn elsewhere, of course, has both benefits and costs to the employer, as we discuss in the following section.

Efficiency Wages

While initial increases in pay may well serve to increase productivity and therefore the profits of the firm, after a point, the costs to the employer of further increases will exceed the benefits. The above-market pay level at which the marginal revenues to the employer from a further pay increase equal the marginal costs is the level that will maximize profits; this has become known as the *efficiency wage* (see Example 11.4).[31]

The payment of efficiency wages has a wide set of implications that, in recent years, have begun to be explored by economists. For example, the persistence of unemployment is thought by some to result from the widespread payment of above-market wages (see chapter 15).[32] Further, persistently different wage rates

---

[29]This assertion is based on what psychologists call equity theory. For works by economists that employ this theory, see George A. Akerlof and Janet Yellen, "The Fair Wage–Effort Hypothesis and Unemployment," *Quarterly Journal of Economics* 105 (May 1990): 255–283; and Robert M. Solow, *The Labor Market as a Social Institution* (Cambridge, Mass.: Basil Blackwell, 1990).

[30]For a study indicating a link between profits and wages, see Andrew K. G. Hildreth and Andrew J. Oswald, "Rent-Sharing and Wages: Evidence from Company and Establishment Panels," *Journal of Labor Economics* 15 (April 1997): 318–337.

[31]It should be clear that the efficiency wage refers to all forms of compensation, not just cash wages. Lawrence Katz, "Efficiency Wage Theories: A Partial Evaluation," in *NBER Macroeconomics Annual, 1986*, ed. Stanley Fischer (Cambridge, Mass.: MIT Press, 1986); Joseph E. Stiglitz, "The Causes and Consequences of the Dependence of Quality on Price," *Journal of Economic Literature* 25 (March 1987): 1–48; and Kevin M. Murphy and Robert H. Topel, "Efficiency Wages Reconsidered: Theory and Evidence," in *Advances in Theory and Measurement of Unemployment*, ed. Yoram Weiss and Gideon Fishelson (London: Macmillan, 1990), offer detailed analyses of efficiency-wage theories.

[32]Janet Yellen, "Efficiency Wage Models of Unemployment," *American Economic Review* 74 (May 1984): 200–208; and Andrew Weiss, *Efficiency Wages: Models of Unemployment, Layoffs, and Wage Dispersion* (Princeton, N.J.: Princeton University Press, 1990).

EXAMPLE 11.4

Did Henry Ford Pay Efficiency Wages?

The 1908–1914 period saw the introduction of "scientific management" and assembly-line production processes at the Ford Motor Company. The change in production methods led to a change in the occupational composition of Ford's workforce, and by 1914, most of its workers were relatively unskilled and foreign born. Although these changes proved extremely profitable, worker dissatisfaction was high. In 1913, turnover rates reached 370 percent (370 workers had to be hired each year to keep every 100 positions filled), which was high even by the standards of the Detroit automobile industry at the time. Similarly, absenteeism typically averaged 10 percent a day. However, while Henry Ford was obviously having difficulty retaining and eliciting effort from workers, he had little difficulty finding replacements: there were always long lines of applicants at the factory gates. Hence, Ford's daily wage in 1913 of about $2.50 was at least at the competitive level.

In January 1914, Ford instituted a $5-a-day wage; this doubling of pay was granted only to workers who had been employed at the company for at least six months. At roughly the same time, residency in the Detroit area for at least six months was made a hiring standard for new job applicants. Since the company was limiting the potential applicant flow and was apparently not screening job applicants any more carefully after the pay increase, it appears the motivation for this extraordinary increase in wages was not to increase the quality of new hires.

It is clear, however, that the increase *did* affect the behavior of existing employees. Between March 1913 and March 1914, the quit rate of Ford employees fell by 87 percent and discharges fell by 90 percent. Similarly, the absentee rate was reduced by a factor of 75 percent during the October 1913 to October 1914 period. Morale and productivity increased and the company continued to be profitable.

There is some evidence that at least initially, however, Ford's productivity gains were less than the wage increase. Historians have pointed to the noneconomic factors that influenced Ford's decision, including his paternalistic desire to teach his workers good living habits. (For workers to receive these increases, investigators from Ford first had to certify that they did not pursue lifestyles that included behavior like excessive gambling or drinking.) While the wage increase thus probably did not lead to a wage level that maximized the company's profits (a smaller increase probably would have done that), the policy did have a substantial positive effect on worker turnover, effort, morale, and productivity.

Data from: Daniel Raff and Lawrence Summers, "Did Henry Ford Pay Efficiency Wages?" *Journal of Labor Economics* 5 (October 1987): S57–S86.

paid to qualitatively similar workers in different industries are the hypothesized result of efficiency-wage considerations.[33]

For our purposes here, however, the most important implications of efficiency wages relate to their effects on productivity, and two types of empirical studies are of interest. One set of studies *infers* the effects of efficiency wages on produc-

---

[33]Richard Thaler, "Anomalies: Interindustry Wage Differentials," *Journal of Economic Perspectives* 3 (Spring 1989): 181–193; Surendra Gera and Gilles Grenier, "Interindustry Wage Differentials and Efficiency Wages: Some Canadian Evidence," *Canadian Journal of Economics* 27 (February 1994): 81–100; and Paul Chen and Per-Anders Edin, "Efficiency Wages and Industry Wage Differentials: A Comparison Across Methods of Pay," *Review of Economics and Statistics* 84 (November 2002): 617–631.

tivity from the types of firms that pay these wages. That is, if some firms raise wages above the market level for profit-maximizing purposes, we ought to observe that those who do are the ones that (a) stand to gain the most from enhancing worker reliability (perhaps because they have a lot invested in expensive equipment), or (b) find it most difficult to properly motivate their workers through output-based pay or supervision.[34] The other kind of study directly relates the effects of efficiency wages to measures of productivity, rates of disciplinary dismissals, or changes in the employer's product market share.[35] The studies so far are limited in number, but they are generally supportive of efficiency-wage theory.

Note that the payment of wages above what workers could earn elsewhere makes sense only because workers expect to have long-term employment relationships with firms. If workers switched jobs every period, they would face no incentive to reduce shirking when a firm paid above-market wages, because firing someone who is going to quit anyway is not an effective penalty; as a result, firms would have no incentive to pursue an efficiency-wage policy. Thus, efficiency wages are likely to arise only in situations where structured internal labor markets exist. The existence of internal labor markets, however, raises *other* possibilities for using pay to motivate workers, and it is to these possibilities that we now turn.

Productivity and the Sequencing of Pay

Employers with internal labor markets have options for motivating workers that grow out of their employees' expected *careers* with the organization. Applicants to, and employees of, employers with internal labor markets are concerned with the present value of *career* compensation. This "lifetime" perspective increases employers' options for developing compensation policies, because both the pay levels at each step in one's career and the swiftness of promotion to given steps can be varied by the firm while still living within the constraint of having to offer an attractive present value of career compensation. In this section, we analyze several possibilities for sequencing pay over workers' careers that are thought to provide incentives for greater productivity.

---

[34]Alan B. Krueger, "Ownership, Agency and Wages: An Examination of Franchising in the Fast Food Industry," *Quarterly Journal of Economics* 106 (February 1991): 75–101; Erica L. Groshen and Alan B. Krueger, "The Structure of Supervision and Pay in Hospitals," *Industrial and Labor Relations Review* 43 (February 1990): 134S–146S; Carl M. Campbell III, "Do Firms Pay Efficiency Wages? Evidence with Data at the Firm Level," *Journal of Labor Economics* 11 (July 1993): 442–470; and Bradley T. Ewing and James E. Payne, "The Trade-Off Between Supervision and Wages: Evidence of Efficiency Wages from the NLSY," *Southern Economic Journal* 66 (October 1999): 424–432.

[35]Peter Cappelli and Keith Chauvin, "An Interplant Test of the Efficiency Wage Hypothesis," *Quarterly Journal of Economics* 106 (August 1991): 769–787; and Jozef Konings and Patrick P. Walsh, "Evidence of Efficiency Wage Payments in U.K. Firm Level Panel Data," *Economic Journal* 104 (May 1994): 542–555.

Underpayment Followed by Overpayment

It may be beneficial to both employer and employee to arrange workers' pay over time so that employees are "underpaid" early in their careers and "overpaid" later on.[36] This sequencing of pay, it can be argued, will increase worker productivity and enable firms to pay *higher* present values of compensation than otherwise, for reasons related both to worker sorting and to work incentives. An understanding of these reasons takes us back to the problem of avoiding cheating on an implicit contract in the presence of asymmetric information.

WORKER SORTING   Pay plans that delay at least a part of employees' compensation to a time later in their careers have an important signaling component. They will appeal most (and perhaps only) to those workers who intend to stay with the employer a long time and work hard enough to avoid being fired before collecting their delayed pay. In the absence of being able to predict which workers intend to stick around and work diligently, an employer might find an underpay-now, overpay-later compensation plan attractive because of the type of workers likely to sort themselves into their applicant pool.[37]

WORK INCENTIVES   A company that pays poorly to begin with but well later on increases the incentives of its employees to work industriously. Once in the job, an employee has incentives to work diligently in order to qualify for the later over-payment. The employer need not devote as many resources to supervision each year as would otherwise be the case, because the firm has several years in which to identify shirkers and withhold from them the delayed reward. Because all employees work harder than they otherwise would, compensation within the firm tends to be higher also.

CONSTRAINTS   One feasible compensation-sequencing scheme would pay workers *less* than their marginal product early in their careers and *more* than their marginal product later on. This scheme, however, must satisfy two constraints. First, the present value of the earnings streams offered to employees must be at least equal to alternative streams offered to workers in the labor market; if not, the firm cannot attract the workers it wants.

Second, the scheme must also satisfy the equilibrium conditions that the firm maximizes profits and does not earn supernormal profits. If profits are not maximized, the firm's existence is threatened; if firms make supernormal profits,

---

[36]Our discussion here draws on Edward Lazear, "Why Is There Mandatory Retirement?" *Journal of Political Economy* 87 (December 1979): 1261–1284. For a review of issues raised in this and succeeding sections, see H. Lorne Carmichael, "Self-Enforcing Contracts, Shirking, and Life Cycle Incentives."

[37]The lower turnover rate among workers who have been promised larger pensions upon retirement is apparently mostly the result of self-selection, not the threat of lost pension wealth; see Steven G. Allen, Robert L. Clark, and Ann A. McDermed, "Pensions, Bonding, and Lifetime Jobs," *Journal of Human Resources* 28 (Summer 1993): 463–481.

FIGURE 11.2

A Compensation Sequencing Scheme to
Increase Worker Motivation

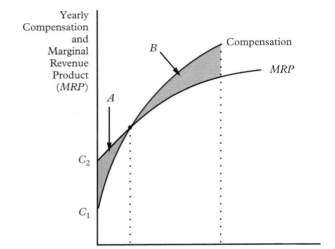

new firms will be induced to enter the market. Thus, in neither case would equilibrium exist.

These two conditions will be met if hiring is done until the present value of one's career-long marginal product equals the present value of one's career earnings stream. (This career-long condition is the multiyear analogue of the single-year profit-maximization conditions discussed in chapter 3.) Thus, for firms choosing the "underpayment-now, overpayment-later" compensation scheme to be competitive in both the labor and the product markets, the present value of the yearly amounts by which marginal revenue product (*MRP*) *exceeds* compensation early on must equal the present value of the later amounts by which *MRP falls short* of pay.

GRAPHICAL ANALYSIS   The above compensation plan is diagrammed in Figure 11.2. We assume that *MRP* rises over a worker's career but that in the first t^* years of employment, compensation remains below *MRP*. At some point in the worker's career with the firm—year t^* in the diagram—compensation begins to exceed *MRP*. From t^* until retirement in year r is the period during which diligent employees are rewarded by receiving compensation in excess of what they could receive elsewhere (namely, their *MRP*). For the firm to be competitive in both the labor and the product markets, the *present value* of area A in the diagram must equal the *present value* of area B. (Area B is larger than area A in Figure 11.2 because sums received further in the future are subjected to heavier discounting when present values are calculated.)

RISKS   To be sure, there are risks to both parties in making this kind of agreement. On the one hand, employees agreeing to this compensation scheme take a chance that they may be fired without cause or that their employer may go bankrupt before they have collected their reward in the years beyond t^*. It is easy to see that employers will have some incentives to renege, since older workers are being paid a wage that exceeds their immediate value (at the margin) to the firm.

On the other hand, employers who do not wish to fire older people face the risk that these "overpaid" employees will stay on the job longer than is necessary to collect their reward—that is, stay on longer than time r in Figure 11.2. Knowing that their current wage is greater than the wage they can get elsewhere, since it reflects payment for more than current output, older employees will have incentives to keep working longer than is profitable for the firm.

EMPLOYEE SAFEGUARDS   Some safeguards for employees can be built into the employment contract when this type of pay sequencing is utilized. Employers can guarantee seniority rights for older workers, under which workers with the shortest durations of employment with the firm are laid off first if the firm cuts back its workforce. Without these seniority rights, firms might be tempted to lay off older workers, whose wages are greater than MRP, and keep the younger ones, who are paid less than MRP at this point in their careers.

Employees can also be protected later in their careers by obtaining part of their overpayment in the form of vested pension rights. Once vested (within five years of service, under federal law), employees covered by pension plans have rights to a benefit upon retirement even if they are separated from their employer before retirement age.

Ultimately, however, the best protection older workers have may be the employer's need to recruit *younger* workers. If a certain employer gains a reputation for firing older workers despite an implicit agreement not to do so, that employer will have trouble recruiting new employees. However, if the company is in permanent decline, if it faces an unusually adverse market, or if information on its employment policies is not easily available, incentives to renege on its promises could be very strong.

EMPLOYER SAFEGUARDS   Before 1978, many employers had mandatory retirement ages for their employees, so that they could enforce retirement at point r, for example. However, amendments to the Age Discrimination in Employment Act in 1978 and 1986 precluded mandatory retirement for most workers. Age-discrimination legislation also makes it very difficult for employers to reduce the wages of workers who stay past point r. Thus, employers with underpay-overpay plans are now faced with greater difficulties in getting employees to retire.

One action employers with these plans have taken is to offer large inducements for workers to retire at a certain age. For example, a study of pension plans in 190 of the largest companies in the United States (employing about one-quarter of all workers) found that it is common for the present value of pension benefits, summed over the expected lifetime of the retirees, to decline as retirement is postponed. This study discovered that for workers with typical earnings and years of service, the present value of pension benefits was over 25 percent greater if retirement occurred five years before, rather than at, normal retirement age.[38]

---

[38]Edward Lazear, "Pensions as Severance Pay," in *Financial Aspects of the United States Pension System*, ed. Zvi Bodie and John Shoven (Chicago: University of Chicago Press, 1983).

WHO ADOPTS DELAYED COMPENSATION?   One implication of the under-payment-overpayment compensation scheme is that it is more likely to exist for jobs in which close supervision of workers is not feasible. Indeed, a study that separated jobs into those that were conducive to close supervision and those that were not found that jobs in the latter category were more likely to have relatively high wages for older workers, and (in the past, at least) mandatory retirement rules.[39]

Promotion Tournaments

Another form of worker motivation within the context of internal labor markets might best be called a *promotion tournament*. Tournaments have three central features: who will win is uncertain, the winner is selected based on *relative* performance (that is, performance compared with that of the other "contestants"), and the rewards are concentrated in the hands of the winner so that there is a big difference between winning and losing. Not all promotions within firms satisfy this definition of a tournament, largely because the rewards are relatively small and the winners are easy to predict. For example, one study found that promotions were typically associated with increased wage growth of 2 to 3 percent, and those who received their first promotion most quickly tended to be promoted most quickly later on as well.[40]

Promotions to very senior leadership positions, however, often take place through a process that fits the description of a tournament.[41] The fortunate vice presidents who are promoted above their rivals to CEO in America's largest corporations, for example, can expect to receive an addition to lifetime income that is in excess of $4 million.[42] The magnitude of this payoff suggests it is a prize offered at the end of a tournament; after all, if one vice president were actually that much more productive than all the others, he or she would have been promoted (or the others fired) long ago! What determines a tournament's strength of incentives, and what are the problems that promotion tournaments must address?

INCENTIVES FOR EFFORT   In any tournament, athletic or otherwise, the contestants must decide how much effort to devote to winning. In tennis, for example,

[39]Robert Hutchens, "A Test of Lazear's Theory of Delayed Payment Contracts," *Journal of Labor Economics* 5, no. 4, pt. 2 (October 1987): S153–S170. For a consideration of how age-discrimination laws affect delayed-payment pay plans, see David Neumark and Wendy A. Stock, "Age Discrimination Laws and Labor Market Efficiency," *Journal of Political Economy* 107 (October 1999): 1081–1125.

[40]George Baker and Bengt Holmstrom, "Internal Labor Markets: Too Many Theories, Too Few Facts," *American Economic Review* 85 (May 1995): 255–259.

[41]Michael L. Bognanno, "Corporate Tournaments," *Journal of Labor Economics* 19 (April 2001): 290–315. The growth of tournaments in a variety of economic sectors, and the social disadvantages of huge gains tied to what may be small relative differences in productivity, are accessibly analyzed in Robert H. Frank and Philip J. Cook, *The Winner-Take-All Society* (New York: Free Press, 1995).

[42]Bognanno, "Corporate Tournaments," 299 (adjusted for inflation).

a player must decide how much to risk injury by diving or straining for a ball that is difficult to reach. In the corporate world, parents need to consider whether working another week of nights at the office (on a project, say) is worth sacrificing the time with their children. We can hypothesize that contestants will decide to expend the extra effort if the marginal benefits they expect to gain exceed the added risk, inconvenience, or disutility.

The marginal benefit that the extra effort produces is a function of two things: the *increased probability of winning* and the value (including prestige) of the *winner's prize*. The extent to which one's chances of winning are improved depends on the now familiar issue of how closely effort is linked to output. If winning is largely a matter of luck, for example, spending extra effort may have little effect on the outcome.[43]

The value of the winner's prize, of course, depends on the *disparity* between what the winner and losers receive. Tournaments designed to elicit effort that entails great personal sacrifice, or that have so many contestants that extra effort improves one's chances only to a small degree, require a large prize to create incentives.

Tournaments also enhance output because of their sorting value. People who have confidence in their own abilities and a willingness to sacrifice now for a shot at the prize are much more likely to enter a tournament than others. Thus, employees self-select into (or out of) promotion tournaments, and by so doing they signal things about themselves that employers might otherwise find difficult to judge.

PROBLEMS   One problem with tournaments is that, as with merit pay based on relative performance, contestants may allocate effort away from increasing their own output and toward reducing the output of their rivals. Sabotage benefits them but not their employer. Another incentive problem is that, once the tournaments are over and the winners and losers have been identified, the winners may rest on their laurels and the losers may no longer have incentives to work hard—which means that the employer will have to use other means to maintain their effort (see Example 11.5).

Organizations running promotion tournaments also have to be concerned about how to treat the losers. A large disparity in earnings produces large incentives during tournament play, but it also means that the losers do relatively badly. If a firm is perceived as treating losers callously, it will have problems attracting contestants in the first place (after all, most contestants lose). Thus, the firm has to specify a disparity that is large enough to provide incentives but small enough to provide contestants!

Promotion-related incentive plans face additional problems, however, when employees find it feasible to seek careers outside their current organization and are able to send at least some signals of their productivity to other potential employers. We turn now to an analysis of situations in which the career concerns of employees might orient their efforts toward seeking employment elsewhere.

---

[43]For a paper that analyzes the criteria firms set for winning a tournament in the context of (a) stimulating effort among executives while (b) discouraging them from undertaking programs that place the firm at excessive risk, see Hans K. Hvide, "Tournament Rewards and Risk Taking," *Journal of Labor Economics* 20 (October 2002): 877–898.

EXAMPLE 11.5

Demanding Employers, Overworked Employees, and Neglected Families

Salaried workers often put in very long hours at work, frequently on short notice, or are expected to travel or even relocate their families at the wishes of their employers. Many believe they are required to enthusiastically respond to the unanticipated needs of their employers without the employers feeling a reciprocal obligation to support them when needs arise at home. Is this imbalance the result of powerful employers exploiting helpless workers? Maybe, but the considerations of this chapter suggest an alternative explanation: perhaps these workers are receiving efficiency wages or have chosen to compete in promotion tournaments.

There are two reasons employees who receive efficiency wages or are in tournaments work so hard. One reason is that their employers have the *ability* to make heavy demands, and the other is that their employers have an *incentive* to be demanding.

Their employers have the *ability* to demand long hours on short notice, say, because the employees receive a reward for remaining with the firm. Workers who quit a firm that offers efficiency wages face the prospect of another job at a lower wage, and those who quit a tournament obviously forfeit their chances of winning.

Incentives for the employers to be demanding stem from their need to distinguish applicants who are inherently work oriented from those who are not. Firms offering *tournaments* need to attract those who are inherently work oriented, because they do not want either the winners or the losers to slack off after the competition is over and the winner is announced. Firms paying *efficiency wages* must be careful to employ only those who will become worth their above-market wages with relatively little supervisory effort. The problem is how to identify those who are truly work oriented, either at the time of application or shortly thereafter.

All applicants will claim to be hard workers, of course, and even those who have strong preferences for leisure can pretend to be work oriented for a time after hire. Employers therefore need to elicit a signal from their applicants or employees about their true work orientation, and one way to do this is to announce to all applicants that long hours and uncompromising loyalty are expected. The expectations obviously must be reasonable enough that the firms can generate applicants, but in terms of our signaling discussion in chapter 9, the announced work requirements must be demanding enough to discourage pretenders from applying for, or accepting, employment with these firms.

Unfortunately, however, while employers offering efficiency wages and promotion tournaments will strive to make themselves unattractive to those with relatively strong preferences for leisure, they will also make themselves unattractive to anyone with significant *household* responsibilities!

Source: James B. Rebitzer and Lowell J. Taylor, "Do Labor Markets Provide Enough Short-Hour Jobs? An Analysis of Work Hours and Work Incentives," *Economic Inquiry* 33 (April 1995): 257–273; and Melvin W. Reder, "On Labor's Bargaining Disadvantage," in *Labor Economics and Industrial Relations: Markets and Institutions*, ed. Clark Kerr and Paul D. Staudohar (Cambridge, Mass.: Harvard University Press, 1994), 237–256.

Career Concerns and Productivity

Employees often define themselves more as members of a profession or field than as members of a particular organization. As such, they may be as motivated to impress *other* employers (in the hopes of receiving future offers) as they are their own. What are the implications of these "career concerns"?

THE DISTORTION OF EFFORT   Other employers can observe objective measures of performance more easily than subjective measures ("quality," for example). As a result, employees with career concerns have an incentive to allocate their efforts toward measurable areas of performance and deemphasize areas that other employers cannot observe. As discussed earlier, executives looking for opportunities elsewhere have incentives to pursue strategies that yield short-run profits (which are highly visible) even if doing so harms the long-term interests of their current employer.[44]

PIECE RATES AND EFFORT   While job possibilities with other employers can distort workers' allocations of their effort, they can also solve yet another problem with piece-rate pay. In a world in which products and technologies are constantly changing, piece rates must be continually reset. In establishing a piece rate, the employer makes a guess about how long it takes to complete the task and calibrates the piece rate so that the average hourly earnings of its workers are attractive enough to recruit and retain a workforce.

Management, however, can never know for sure just how long it takes to complete a task, given a reasonably high level of effort by production workers. Moreover, as noted earlier, workers have incentives to "go slow" in trial runs so that management will overestimate the time it takes to complete the task and set a relatively high piece rate. If workers know that the estimated time for task completion is too high, they may deliberately work slowly out of fear that the firm will later reduce the piece rate if it finds out the truth.

Employees who are mobile across firms, however, will be less concerned about their *current* employer's future actions. They are more likely to decide to work at top speed, so that other employers are sufficiently impressed to hire them in the future. Where workers' pay is at least partially based on a piece rate, then, career concerns can be helpful in eliciting maximum effort from one's employees.

THE SEQUENCING OF EFFORT   For employees who are concerned about future promotions, whether with their current employer or elsewhere, there are usually two general incentives for high productivity: one's current pay and the chances of future promotion. When career (that is, promotion) concerns are strong, employers may not need much in the way of current pay-for-performance incentives to motivate their employees. As career concerns weaken, firms may need to adopt more current incentives to maintain worker effort.[45]

---

[44]When workers' current employers can observe their true productive characteristics better than outsiders can, outsiders (that is, other employers) wanting to make "talent raids" may reasonably infer who are the most valuable employees from observing who is promoted. Thus, promotion itself sends information to other employers, which may help the employee who is promoted but harm his or her current employer. Several papers have addressed this issue, among which are Dan Bernhardt, "Strategic Promotion and Compensation," *Review of Economic Studies* 62 (April 1995): 315–339; and Derek Laing, "Involuntary Layoffs in a Model with Asymmetric Information Concerning Worker Ability," *Review of Economic Studies* 61 (April 1994): 375–392.

[45]Robert Gibbons and Kevin J. Murphy, "Optimal Incentive Contracts in the Presence of Career Concerns: Theory and Evidence," *Journal of Political Economy* 100 (June 1992): 468–505.

Workers are more likely to be motivated by career concerns, and less by pay for current performance, when they are inexperienced. Paying them for current performance runs into the problem that output is a function of ability, effort, and luck—and when workers are young, their abilities are unknown to themselves and their employers. Relating pay to the performance of inexperienced workers may not increase their incentives much because, with ability unknown, the connection between effort and output is unclear. The incentive to work hard is strong for those with career concerns, however, because they realize that employers are observing them to estimate their abilities and their willingness to put forth effort.

Moreover, the inability of employers (especially outside employers) to closely monitor workers' efforts can, in the presence of career concerns, lead to *more* effort. Employees realize that future promotions depend in part on employers' beliefs about their *ability*. Because some of their efforts can be hidden, inexperienced workers have incentives to put in extra, hidden effort in an attempt to mislead employers about their ability. For example, an employee expected to work 50 hours a week may put in an extra 20 hours at home to boost performance in an attempt to raise employers' perceptions of his or her ability.

As one's career progresses, however, ability becomes known with more certainty and the career-based incentives for extraordinary effort decline. Fortunately, as noted above, the case for performance-based current pay also becomes stronger. Indeed, one study found that older CEOs were paid more on the basis of current performance than were younger CEOs.[46]

Applications of the Theory: Explaining Two Puzzles

The conceptual issues outlined in this chapter can help to shed light on two compensation questions that puzzle labor economists: why pay increases with seniority, and why larger employers pay higher wages. In both cases, multiple theoretical or data-related reasons can be called upon to explain the empirical phenomenon; some of these were presented in this chapter and some were introduced earlier. This section briefly summarizes these reasons and, where relevant, reviews the results of empirical studies to evaluate which ones seem most relevant.

Why Do Earnings Increase with Job Tenure?

Earnings rise with age and general labor market experience, as we saw in chapter 9; however, *within* age groups, wages additionally rise as *tenure* with one's employer increases. Why does the length of time with one's employer matter? There are three sets of explanations for why wage increases should be associated with job tenure, holding age (or general labor market experience) constant.[47]

The simplest assumption is that workers are paid wages equal to their marginal revenue product at all times—see panel (a) in Figure 11.3—so that wages and

---

[46]Gibbons and Murphy, "Optimal Incentive Contracts in the Presence of Career Concerns."

[47]A review of this puzzle and the early empirical work on it can be found in Robert Hutchens, "Seniority, Wages, and Productivity: A Turbulent Decade," *Journal of Economic Perspectives* 3 (Fall 1989): 49–64.

FIGURE 11.3

Alternative Explanations for the Effect of Job Tenure on Wages

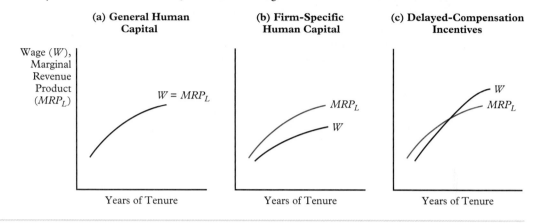

| (a) General Human Capital | (b) Firm-Specific Human Capital | (c) Delayed-Compensation Incentives |

productivity rise together as length of time with an employer increases. Clearly, if general training, which is useful to a number of potential employers, is taking place, wages will rise with *age*—but our question is why they *additionally* rise as tenure with an employer rises. A reason explored in chapter 5 is related to the *matches* between the job and the worker. With many potential employers for any given worker, and with the costs entailed in any job search, it is very unlikely that all workers will quickly find the job that puts their skills to the highest-value (and therefore best-paying) use. Some will get lucky early on, of course, and the lucky ones will tend to stay with their employers and cease further searching. Those who are not so lucky will continue searching for better jobs (and pay) and will therefore have shorter job tenures. Thus, it can be argued that longer tenure and higher wages both reflect the same phenomenon: better (more productive) matches between the job and the worker.

The second explanation asserts that *firm-specific* investments are jointly undertaken by workers and their employers (see chapter 5). The joint investment creates a surplus that is *shared* by the worker and the firm; therefore, workers generally receive wage increases that are *less* than the increase in their productivity. As illustrated in panel (b) of Figure 11.3, with firm-specific investments, wages are below— and rise more slowly than—marginal revenue productivity.

Finally, this chapter has offered yet a third explanation for rising wage profiles: they may be part of a delayed-compensation incentive system designed to attract and motivate workers who have long-term attachments to their employers. Under this third explanation, which is depicted in panel (c), wages rise *faster* than marginal revenue productivity and ultimately rise above it.[48]

---

[48]A variant of this third explanation is that employers offer rising wage profiles because employees *prefer* them. It is argued in Robert H. Frank and Robert M. Hutchens, "Wages, Seniority, and the Demand for Rising Consumption Profiles," *Journal of Economic Behavior and Organization* 21 (August 1993): 251–276, that employees' utility is in part a function of their wage *increases* (not only their wage level). Therefore, to be competitive in the labor market, employers are induced to offer them wage profiles that start lower and rise faster than they otherwise would.

Economists have been interested in devising empirical analyses that distinguish among these competing theories, but directly measuring *productivity* is not generally feasible.[49] Therefore, most studies have identified workers for whom theory suggests that one or another of the above explanations is very likely (or unlikely), and then compares their wage profiles with those of other workers. Support for an explanation can be inferred if the relative wage profiles display their predicted patterns. For example, delayed-compensation plans are unnecessary if the output of a worker is easily monitored or if the worker is self-employed or paid a piece rate. If we can find evidence that wages for these workers rise *more slowly than average*, it would lend support for the existence of delayed-payment schemes.[50] Likewise, if tenure profiles are steepest during periods when workers are most likely to be receiving training, support for the human capital explanations could be inferred.[51] To date, the best of the explanations for rising tenure profiles has by no means been discovered—and, of course, it may be that each correctly provides a *partial* explanation for the increase of earnings with job tenure.

Why Do Large Firms Pay More?

Roughly one-fourth of all American private sector employees work in firms with fewer than 20 workers, while another one-fifth work in firms with more than 500. Workers in the latter group, however, are much better paid; it has been estimated that they earn 12 percent more than those with the same measured human capital characteristics who work in the smallest firms. It also is the case that wages rise faster with experience in the largest firms.[52]

---

[49]For a study that did have productivity data, see Judith K. Hellerstein and David Neumark, "Are Earnings Profiles Steeper Than Productivity Profiles? Evidence from Israeli Firm-Level Data," *Journal of Human Resources* 30 (Winter 1995): 89–112.

[50]Edward P. Lazear and Robert L. Moore, "Incentives, Productivity, and Labor Contracts," *Quarterly Journal of Economics* 99 (May 1984): 275–296; and Robert Hutchens, "A Test of Lazear's Theory of Delayed Payment Contracts."

[51]James N. Brown, "Why Do Wages Increase with Tenure?" *American Economic Review* 79 (December 1989): 971–991. For somewhat similar studies, see Sheldon E. Haber and Robert S. Goldfarb, "Does Salaried Status Affect Human Capital Accumulation?" *Industrial and Labor Relations Review* 48 (January 1995): 322–337; David Neumark and Paul Taubman, "Why Do Wage Profiles Slope Upward? Tests of the General Human Capital Model," *Journal of Labor Economics* 13 (October 1995): 736–761; and Erling Barth, "Firm-Specific Seniority and Wages," *Journal of Labor Economics* 15, no. 3, pt. 1 (July 1997): 495–506.

[52]Papers that summarize the literature on this topic are Walter Y. Oi, "Employment Relations in Dual Labor Markets ('It's Nice Work If You Can Get It')," *Journal of Labor Economics* 8 (January 1990): S124–S149; James E. Pearce, "Tenure, Unions, and the Relationship between Employer Size and Wages," *Journal of Labor Economics* 8 (April 1990): 251–269; Jan Zabojnik and Dan Bernhardt, "Corporate Tournaments, Human Capital Acquisition, and the Firm Size-Wage Relation," *Review of Economic Studies* 68 (July 2001): 693–716; and Mahmood Arai, "Wages, Profits, and Capital Intensity: Evidence from Matched Worker-Firm Data," *Journal of Labor Economics* 21 (July 2003): 593–618.

The explanations that have been offered for why larger firms pay higher wages are rooted in claims that they *need better workers* and/or that they have better *opportunities* to make their workers more productive.[53] One potential explanation, for example, is that there are economies of scale in job training; larger firms are therefore more likely to offer it and, of course, have greater need to attract workers willing to undertake it.[54]

A second possible explanation is that large firms more often use highly interdependent production processes, which require that workers be exceptionally dependable and disciplined (one shirking worker can reduce the output of an entire team). Workers in a highly interdependent production environment are more regimented and have less ability to act independently, and their higher wages can be seen as a compensating wage differential for the unattractiveness of a job requiring rigid discipline.

A third hypothesis is that larger firms find job vacancies more costly. They tend to be more capital-intensive and, as noted above, have more interdependent production processes. Therefore, an unfilled job or an unexpected quit could more severely disrupt production in larger firms and, by idling much of its labor and capital, impose huge costs on the firm. In an effort to reduce quits and ensure that vacancies can be filled quickly, larger firms thus decide to pay higher wages—even when the work environment is not unattractive and efficiency wages are otherwise unnecessary (because other work incentives exist).[55]

A fourth hypothesis argues that workers in larger firms are more productive because larger firms have more options for allocating workers to various tasks and machines efficiently. They have enough capital, labor, and customers, so the argument goes, that their workers experience less idleness and the most productive workers can be paired with the newest and most productive machines.[56]

The remaining hypotheses are rooted in concepts discussed in this chapter. One is that large firms make available to workers many steps in a career ladder, so that long-term attachments between worker and employer are more attractive than in smaller firms. As has been noted in this chapter, employers whose workers are seeking long-term attachments have more options for using pay to motivate

[53]For studies that try to distinguish between the two factors, see Rudolf Winter-Ebmer and Josef Zweimuller, "Firm-Size Differentials in Switzerland: Evidence from Job Changers," *American Economic Review* 89 (May 1999): 89–93; and John M. Abowd and Francis Kramarz, "Inter-Industry and Firm-Size Wage Differentials: New Evidence from Linked Employer-Employee Data," Cornell University, School of Industrial and Labor Relations Institute for Labor Market Policies, July 2000.

[54]Kevin T. Reilly, "Human Capital and Information: The Employer Size-Wage Effect," *Journal of Human Resources* 30 (Winter 1995): 1–18; and Dan A. Black, Brett J. Noel, and Zheng Wang, "On-the-Job Training, Establishment Size, and Firm Size: Evidence for Economies of Scale in the Production of Human Capital," *Southern Economic Journal* 66 (July 1999): 82–100.

[55]For some evidence along the lines of this argument, see James B. Rebitzer and Lowell J. Taylor, "Efficiency Wages and Employment Rents: The Employer Size-Wage Effect in the Job Market for Lawyers," *Journal of Labor Economics* 13 (October 1995): 678–708.

[56]Todd L. Idson and Walter Y. Oi, "Workers Are More Productive in Large Firms," *American Economic Review* 89 (May 1999): 104–107.

EMPIRICAL STUDY

Are Workers Willing to Pay for Fairness? Using Laboratory Experiments to Study Economic Behavior

When discussing the problems of motivating individuals in a group, we noted that opinion surveys of both workers and human-resource managers suggest that perceptions of *fairness* will affect the productivity of employees. Can we obtain independent evidence on whether workers derive utility just from their *own* earnings and the consumption such earnings permit, or whether their *earnings relative to those of others* also affect their utility? Putting the question differently, do workers care only about their absolute level of earnings, or does their concern for fairness cause them also to care about how their earnings level compares with that of others?

If fairness is something workers value, economic theory predicts that they should be willing to pay a price to obtain it. Finding natural experiments that test this prediction is difficult, so some economists have turned to laboratory experiments as a way to gain insights into what motivates people.

Consider the following game conducted with 112 economics and business students at the University of Wisconsin, Madison. The students were anonymously paired (they never found out with whom they were paired). One was designated the "proposer" and the other the "responder." The objective of the game was to divide up to $12. The proposer indicated how each dollar was to be divided, and the responder then chose how many dollars (zero to 12) were to be divided.

If the proposer indicated, for example, that he or she would keep 75 percent of all dollars divided, the responder could walk away with at most $3—by proposing to split the whole $12. In this case, the proposer would receive $9. If responders cared only about their own gains and not about rewards to others, they would not choose to shrink the pool. However, if responders cared so much about their relative payoffs that they were willing to give up some gains to retaliate against what they considered unfair treatment by the proposer, they could do so by shrinking the pool. For example, if a responder thought the 75/25 split was unfair, he or she might shrink the pool to $8, in which case the responder would walk away with $2 and the proposer would receive only $6. In this case, we would observe responders giving up $1 for the utility gained by inflicting $3 of loss on the proposer.

The results of the above laboratory experiment indicated that about half of the responders accepted whatever split was proposed and did not choose to shrink the pool. That is, roughly half were concerned only about their own, absolute payments.

Among the roughly half who were concerned enough about fairness to pay something to retaliate, how much were they willing to pay? The average proposal was for the responder to receive about 40 cents of each dollar split, and with proposals of a 60/40 split, those who were willing to retaliate shrunk the pool by about $3. With a pool now shrunk by $3, these responders indicated that they were willing to give up $1.20 (0.4 × $3) to inflict a loss of $1.80 (0.6 × $3) on the proposer.

While we might question whether the players chosen for the game and the amounts of money at risk accurately portray preferences of real workers in real jobs, laboratory experiments such as this one do offer a major advantage over opinion surveys. The players are not merely responding hypothetically to questions; rather, they are engaging in *actual behavior that has a consequential (monetary) outcome.* In recent years, laboratory experiments have become an accepted tool for gaining insight into economic behavior when it is difficult or infeasible to generate behavioral data from real markets.

Source: James Andreoni, Marco Castillo, and Ragan Petrie, "What Do Bargainers' Preferences Look Like? Experiments with a Convex Ultimatum Game," *American Economic Review* 93 (June 2003): 672–685. Also see Morris Altman, "The Nobel Prize in Behavioral and Experimental Economics: A Contextual and Critical Appraisal of the Contributions of Daniel Kahneman and Vernon Smith," *Journal of Political Economy* 16 (January 2004): 3–41.

productivity. Efficiency wages are a more effective motivator when there is an expected long-term attachment, because workers' losses from being terminated rise with both their wage level *and* the length of their future expected tenure. Deferred-compensation schemes and promotion tournaments obviously can be used *only* in the context of long-term attachment.

While large firms have more opportunities for adopting efficiency wages, deferred-compensation plans, or promotion tournaments, they may also have a greater need to adopt one or more of these schemes. Owing to sheer size, it is argued, they find it more difficult to monitor their employees and thus must turn to other methods to motivate high levels of effort. One study concluded that the firm-size effect is more related to the presence of efficiency wages than to compensating wage differentials for a demanding work environment.[57]

[57]David Fairris and Lee J. Alston, "Wages and the Intensity of Labor Effort: Efficiency Wages Versus Compensating Payments," *Southern Economic Journal* 61 (July 1994): 149–160. An extensive review of papers on both the "monitoring" and the "compensating differentials" explanations can be found in Rebitzer, "Radical Political Economy and the Economics of Labor Markets," 1417–1419.

Review Questions

1. Explain the underlying principle and the necessary conditions for implicit contracts in the labor market to be self-enforcing.

2. The earnings of piece-rate workers usually exceed those of hourly paid workers performing the same tasks. Theory suggests three reasons why. What are they?

3. Suppose that as employment shifts out of manufacturing to the service sector, a higher proportion of workers are employed in small firms. What effect would this growth of employment in small firms have on the types of compensation schemes used to stimulate productivity?

4. Suppose two soft-drink bottling companies employ drivers whose job it is to deliver cases of drinks to stores, restaurants, and businesses. One company pays its drivers an hourly wage, and the other pays them by the number of cases delivered each day (which can be affected by efforts of drivers to visit and sell to new customers). Which company is more likely to experience higher rates of traffic accidents among its drivers? Why?

5. "The way to get power over workers is to underpay them." Comment.

6. Some real estate brokers split the commission revenues generated by each sale with the responsible agent. Others, however, require their agents to pay *them* (the brokers) money up front, and then allow the agents to keep the *entire* commission from each sale they make. Which agents would you predict to have the larger volume of sales, those who split all commissions with their employer or those who pay an upfront fee to their employer and then keep the entire commission? Explain.

7. In recent years, many plants have closed, forcing thousands of workers out of their jobs and into new ones. Studies of wage loss suffered by these displaced workers find that, *among groups of workers with exactly the same skills and types of training,* workers who had been with the firm for many years and were in the 55–64 age range had greater wage losses than those in the 25–34 age range. How might a compensation scheme designed to enhance worker motivation lead to this result?

8. A recent magazine article on Japan's economic problems stated: "As the post-war baby-boomers reach their 50s, Japan's lifetime-employers are carrying the cost of paying their senior workers more than they are worth." Is this comment consistent with economic theory? Explain.

Problems

1. Suppose that the market wage is $5 per hour, but Charlie will work harder if his employer pays him a higher wage. The relationship between Charlie's wage and MRP_L is given in the table below. What is the efficient wage for Charlie?

Wage ($/hour)	MRP_L ($/hour)
$4	$6.00
$5	$8.00
$6	$9.50
$7	$10.25
$8	$11.00
$9	$11.50
$10	$12.00
$11	$12.25
$12	$12.50
$13	$12.75

2. A firm is considering adopting a plan in which the company pays employees less than their MRP_L early in their careers and more than their MRP_L late in their careers. For a typical worker at the firm, $MRP_L = 10 + 0.1T$, where T = the number of years that the worker has been employed at the firm and MRP_L is measured in dollars per hour. The worker's wage per hour is $W = 8 + 0.2T$. Assume that this wage is high enough to attract workers from alternative jobs, that the discount rate for the firm is zero, and that the expected tenure of a typical worker is 35 years. If workers retire after 35 years, will this plan be profitable for the firm? Explain. For how many years will the firm underpay its workers?

Selected Readings

Akerlof, George A., and Janet L. Yellen, eds. *Efficiency Wage Models of the Labor Market*. New York: Cambridge University Press, 1986.

Carmichael, H. Lorne. "Self-Enforcing Contracts, Shirking, and Life Cycle Incentives." *Journal of Economic Perspectives* 3 (Fall 1989): 65–84.

Frank, Robert H., and Philip J. Cook. *The Winner-Take-All Society*. New York: Free Press, 1995.

Gibbons, Robert. "Incentives in Organizations." *Journal of Economic Perspectives* 12 (Fall 1998): 115–132.

Lazear, Edward P. "Compensation, Productivity, and the New Economics of Personnel." In *Research Frontiers in Industrial Relations*, ed. David Lewin, Olivia S. Mitchell, and Peter D. Sherer. Madison, Wis.: Industrial Relations Research Association, 1992.

Sappington, David E. "Incentives in Principal–Agent Relationships." *Journal of Economic Perspectives* 5 (Spring 1991): 45–66.

Simon, Herbert A. "Organizations and Markets." *Journal of Economic Perspectives* 5 (Spring 1991): 24–44.

CHAPTER 12

Gender, Race, and Ethnicity in the Labor Market

The American labor force has gone through a period of remarkable demographic change in recent decades. Some forces for change have been rooted in the different expectations of women regarding the balance between household and market work. Other forces for change have arisen from immigration, both legal and illegal, and from different birthrates among racial/ethnic groups. The result has been a pronounced and continuing change in the mix of groups in the labor force.

Table 12.1 contains both changes occurring from 1982 to 2002 and projections that are foreseeable by the year 2012. White workers, who were about 81 percent of the labor force in 1982, constituted only 71 percent by 2002, and their share is projected to fall to 65 percent by 2012. The share of women in the labor force is steadily rising, as is the share of African Americans, while the shares of Asian Americans and Hispanics are rising so quickly that they are expected to more than double from 1982 to 2012.

TABLE 12.1

Shares of the Civilian Labor Force for Major Demographic Groups: 1982, 1992, 2002, 2012

	Year			
	1982	**1992**	**2002**	**2012 (projected)**
White (non-Hispanic)	81.3%	77.1%	71.3%	65.5%
Women (all races)	43.3	45.4	46.5	47.5
Blacks (both genders)	10.3	11.1	11.4	12.2
Asians and Native Americans (both genders)[a]	2.5	4.0	4.1	5.5
Hispanics (all races, both genders)	6.1	8.9	12.4	14.7

[a]Includes Alaskan Natives and Pacific Islanders.

Source: Mitra Toossi, "Labor Force Projections to 2012: The Graying of the U.S. Workforce," *Monthly Labor Review* 127 (February 2004): 37–57, Table 1.

With the exception of Asian Americans, the groups in the labor force that are growing most rapidly are those whose members earn substantially less, on average, than white males for full-time work. A glance at Figure 12.1 suggests that, as of 2003, none of the non-Asian groups with rapid growth rates averaged more than 67 percent of white male earnings for full-time work; the full-time earnings of black and Hispanic women averaged 55 percent or less. In contrast, Asian American men had average earnings for full-time work that were 96 percent of those for white men.

The growing numerical significance of demographic groups whose members are relatively poorly paid has heightened interest in understanding the sources of earnings differences across groups. The purpose of this chapter is to analyze such differences, with special attention to the topic of discrimination.

FIGURE 12.1

Mean Earnings as a Percentage of White Male Earnings, Various Demographic Groups, Full-Time Workers over 24 Years Old, 2003

Source: Data in this figure are from U.S. Bureau of the Census, http://ferret.bls.census.gov/macro/032004/perinc/new03_000.htm, Tables 139, 141, 143, 144, 265, 267, 269, 270.

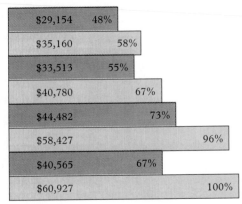

Hispanic Females	$29,154	48%
Hispanic Males	$35,160	58%
Black Females	$33,513	55%
Black Males	$40,780	67%
Asian Females	$44,482	73%
Asian Males	$58,427	96%
White Females	$40,565	67%
White Males	$60,927	100%

Measured and Unmeasured Sources of Earnings Differences

This section focuses on explaining the earnings differentials for three of the larger (and partially overlapping) groups whose members have been targeted by government policy as potential victims of employment discrimination: women, blacks, and Hispanics. The focus is on these groups because data and studies are more readily available for them than for groups defined by such characteristics as physical limitation or sexual preference.[1] We analyze *earnings* rather than *total compensation* (which would be preferable) for the practical reason that data on the value of employee benefits are not generally available by demographic group.

Earnings Differences by Gender

Combining all races, women over the age of 15 who worked full-time earned an average of around 67 percent of what males earned in the year 2000. This percentage was the same as in 1990, but was above the 58 percent observed in 1970 and 1980.[2] Understanding the sources of this difference is critical to a determination of what policies, if any, might be needed to address the gap in pay.[3]

AGE AND EDUCATION   The first step in analyzing earnings differentials is to think of potential *sources* of difference, many of which can be measured. We know from chapter 9 that two important and measurable factors that influence earnings are education and age (which is correlated with potential labor market experience). While the most recent cohorts of women have levels of schooling at least equal to those of men, the same cannot be said of older cohorts. Moreover, we also know that the age/earnings profiles for women are flatter than the ones for men. Therefore, we would expect that controlling for age and education would account for at least some of the female/male differences in earnings.

The data in Table 12.2, which categorizes women and men by age and education, suggest that, as expected, female/male earnings ratios tend to fall with age. Even for the youngest cohort of women in the table, however, these ratios are so

---

[1]For papers on these two topics, see Thomas DeLeire, "Changes in Wage Discrimination Against People with Disabilities: 1984–93," *Journal of Human Resources* 36 (Winter 2001): 144–158; Dan A. Black, Hoda R. Makar, Seth G. Sanders, and Michael J. Taylor, "The Earnings Effects of Sexual Orientation," *Industrial and Labor Relations Review* 56 (April 2003): 449–469; and John M. Blandford, "The Nexus of Sexual Orientation and Gender in the Determination of Earnings," *Industrial and Labor Relations Review* 56 (July 2003): 622–642.

[2]Data can be found at U.S. Bureau of the Census, http://www.census.gov/hhes/income/histinc/p37.html.

[3]As noted, the pay differences presented and analyzed in this chapter relate to wages and earnings, not to measures of total compensation (which would include employee benefits). There is some indication that women are less likely than comparable men to have pension, health insurance, or disability benefits; see Janet Currie, "Gender Gaps in Benefits Coverage," in *The Human Resource Management Handbook*, ed. David Lewin, Daniel Mitchell, and Mahmood Zaidi (Greenwich, Conn.: JAI Press, 1997), chap. 23.

TABLE 12.2

Female Earnings as a Percentage of Male Earnings, by Age and Education, Full-Time Workers, 2003

Age	High School Graduate	Bachelor's Degree	Master's Degree
25–34	78%	89%	71%
35–44	71	67	66
45–54	68	65	72
55–64	69	60	63

Source: Data in this table are from U.S. Bureau of the Census, http://ferret.bls.census.gov/macro/032004/ perinc/new03_000.htm, Tables 172, 190, 208, 226, 298, 316, 334, 352.

low (0.89 is the highest) that we must look elsewhere for a complete explanation of the female/male earnings difference.

OCCUPATION   A measurable factor that could help explain female/male earnings ratios is occupation. As can be seen in Table 12.3, women tend to be overrepresented in low-paying occupations and underrepresented in high-paying ones; thus, at least some of the difference between the average pay of women and men

TABLE 12.3

Female/Male Earnings Ratios and Percentages of Female Jobholders, Full-Time Wage and Salary Workers, by Selected High- and Low-Paying Occupations, 2003

	Percentage Female in Occupation	Female-to-Male Earnings Ratio
High-Paying[a]		
Chief executives	23	0.80
Computer systems managers	30	0.91
Lawyers	32	0.91
Pharmacists	47	0.92
Low-Paying[a]		
Cashiers	75	0.93
Cooks	39	0.91
Food preparation	50	0.93
Hand packers, packagers	62	1.01

[a] "High-paying" occupations are those in which women earned more than $1,200 per week in 2003; "low-paying" ones are those in which men earned less than $350 per week. Occupations in which so few of either gender were employed that earnings data were not published are omitted.

Source: U.S. Bureau of Labor Statistics, http://www.bls.gov/cps/cpsaat39.pdf.

is the result of different occupational distributions. Moreover, Table 12.3 also suggests that even in the *same* occupations, women earn less than men. Since the higher-paying occupations selected for inclusion in Table 12.3 generally require specialized college or postgraduate education, it can be reasonably assumed that women and men entering them share a "career" orientation—yet even for these occupations in 2003, the female/male earnings ratios lay in the range of 0.80 to 0.92.

HOURS AND EXPERIENCE   Within occupations, earnings are affected by one's hours of work and years of experience. We saw in chapter 9 that women average fewer hours of market work per week than do men in the same occupation. Putting aside the effects of part-time employment by focusing on those working full-time, Table 9.2 indicated that women in given occupations average 5 to 10 percent fewer hours per week than do men. Because salaried workers presumably receive a compensating wage differential for longer hours of work, some of the earnings differentials in Table 12.3 could be associated with fewer hours of work among women.

Analyses suggest that, within occupations, women typically have less (and sometimes, interrupted) work experience and are less likely to be promoted.[4] One study of lawyers who graduated from the same law school at the same time, for example, found that women earned about 7 percent less than men initially, but after 15 years, they earned 40 percent less.[5] Some of this difference at 15 years was associated with fewer current hours of work, and some was associated with less accumulated experience (women in the sample had fewer total months of experience, and more months of *part-time* work, than did their male counterparts). Given the primary role women have typically played in child-rearing, the authors attributed much of this "experience gap" to child care. Indeed, another study reports that in 1991, among all women working at age 30, those who were mothers earned 23 percent less than 30-year-old men, while those who were not mothers earned 10 percent less.[6]

UNEXPLAINED DIFFRENCES   Clearly, controlling for occupation, education, age, experience, and hours of work probably goes a long way toward explaining earnings differentials by gender, and other measurable variables added to this list could explain some of the rest. It is possible, however, that some differences would

---

[4]Edward P. Lazear and Sherwin Rosen, "Male-Female Wage Differentials in Job Ladders," *Journal of Labor Economics* 8 (January 1990): S106–S123; Erica L. Groshen, "The Structure of the Female/Male Wage Differential: Is It Who You Are, What You Do, or Where You Work?" *Journal of Human Resources* 26 (Summer 1991): 457–472; and Stephen J. Spurr and Glenn J. Sueyoshi, "Turnover and Promotion of Lawyers: An Inquiry into Gender Differences," *Journal of Human Resources* 29 (Summer 1994): 813–842.

[5]Robert G. Wood, Mary E. Corcoran, and Paul N. Courant, "Pay Differences among the Highly Paid: The Male-Female Earnings Gap in Lawyers' Salaries," *Journal of Labor Economics* 11 (July 1993): 417–441.

[6]Jane Waldfogel, "Understanding the 'Family Gap' in Pay for Women with Children," *Journal of Economic Perspectives* 12 (Winter 1998): 137–156. For a more recent paper on this topic, see Nabanita Datta Gupta and Nina Smith, "Children and Career Interruptions: The Family Gap in Denmark," *Economica* 69 (November 2002): 609–629.

EXAMPLE 12.1

Bias in the Selection of Musicians by Symphony Orchestras

Symphony orchestras contain about 100 musicians who must audition in front of a selection committee consisting of the conductor and some orchestra members. Prior to 1970, nearly all orchestras had auditions in which the identity of each candidate was known by the committee. This process favored males—particularly those who were students of a select group of teachers—with the result that only 10 percent of newly hired orchestra members were women. By the 1990s, some 35 percent of new hires were women. What can account for this change?

While it is likely true that the relative pool of female musicians rose during this period, another significant change occurred. Throughout the 1970s and 1980s, most orchestras adopted a selection process that concealed behind a screen those auditioning from the selection committee, so that the identity and sex of the candidates could not be discovered. The fact that orchestras adopted these "blind" procedures at different times allows us to estimate the separate effects of these procedures, and one careful study found that about one-third of the 25 percentage-point increase in the hiring of women could be traced to blind auditioning. Put differently, the findings suggest that if the sex of a candidate were known to selection committees, the percentage of women hired would lower by about 8 percentage points (27 percent instead of 35 percent).

Source: Claudia Goldin and Cecilia Rouse, "Orchestrating Impartiality: The Impact of 'Blind' Auditions on Female Musicians," *American Economic Review* 90 (September 2000): 715-741.

remain unexplained even if all measurable factors were included in our analysis. If so, there are two possible interpretations. One is that these remaining differences are the result of characteristics affecting productivity that might differ by gender but *cannot be observed* by the researcher (for example, the relative priorities individual men and women assign to market and household activities, if the two conflict). Alternatively, the unexplained differential could be interpreted as resulting from *discriminatory treatment* in the labor market. (See Example 12.1 for an illustration of discriminatory behavior against women in symphony orchestras.)

DEFINING DISCRIMINATION   Labor market discrimination is said to exist if individual workers who have *identical productive characteristics* are treated differently because of the demographic groups to which they belong. Put differently, the average wage differentials we observe between demographic groups result from (a) differences in the productive characteristics with which the groups *enter* the labor market (often called *pre-market differences*), and (b) differences in the way the groups are treated by actors *within* the labor market. Differential treatment within the labor market is what we refer to as *labor market discrimination*.

Gender discrimination in the labor market is alleged to take two prominent forms. First, employers are sometimes suspected of paying women less than men with the same experience and working under the same conditions in the same occupations; this is labeled *wage discrimination*. Second, women with the same education and productive potential are seen as shunted into lower-paying occupations

Measured and Unmeasured Sources of Earnings Differences

or levels of responsibility by employers who reserve the higher-paying jobs for men. This latter form of discrimination has been called *occupational discrimination*.

WAGE DISCRIMINATION   Basic to the concept of labor market discrimination is that workers' wages are a function of both their *productive characteristics* (their human capital, the size of the firm for which they work, and so on) and the *price* each characteristic commands in the labor market. Thus, economic theory suggests that the wages of women and men might differ because of differences in their levels of job experience, for example, or they might differ because men and women are compensated differently for each added year of experience. *Wage discrimination is said to be present when the prices paid by employers for given productive characteristics are systematically different for different demographic groups.* In other words, if men and women (or minorities and nonminorities) with equal productive characteristics are paid unequally, even in the same occupations, then wage discrimination exists.

OCCUPATIONAL DISCRIMINATION   Critical to a worker's human capital are the occupational preparation and skills acquired through schooling, job training, or experience. Women and men have very different occupational distributions, but proving occupational *segregation* is a lot easier than proving occupational *discrimination*.

Occupational segregation can be said to exist when the distribution of occupations within one demographic group is very different from the distribution in another. With respect to gender, occupational segregation is reflected in there being female-dominated occupations and male-dominated ones.

If occupational choices are directly limited, or if they are influenced by lower payoffs to given human capital characteristics, then occupational segregation certainly reflects labor market discrimination. If these choices reflect different preferences, however, or different household responsibilities (particularly related to child care), then two arguments can be made. One is that there is no particular problem, that occupational preferences—including those toward household work—form naturally from one's life experiences and should be respected in a market economy. The other view is that these preferences are the result of *pre-market* discrimination—differential treatment by parents, schools, and society at large that points girls toward lower-paying (including household) pursuits long before they reach adulthood and enter the labor market.

We now turn to issues of measuring occupational segregation and wage discrimination. In both cases, we discuss the available measures and then briefly discuss the extent to which they can be said to accurately reflect discriminatory treatment.

MEASUREMENT: OCCUPATIONAL SEGREGATION   As was seen in Table 12.3, women and men are not equally represented in the various occupations. While dramatic changes have occurred in recent decades, women are still underrepresented in higher-paying jobs and overrepresented in the lower-paying ones. Various measures are used to summarize the inequality of gender representation across detailed occupational categories, all of which are based on comparing the existing distribution of men and women in occupations with the distribution that would exist if assignment to occupations were random with respect to gender.[7]

One measure is the *index of dissimilarity.* Assuming workers of one gender remain in their jobs, this index indicates the percentage of the other gender that would have to change occupations for the two genders to have equal occupational distributions. If all occupations were completely segregated, the index would equal 100, while if men and women were equally distributed across occupations, it would equal zero. Analyses of gender-related employment patterns in 470 narrowly defined occupations suggest that the index of dissimiliarity has declined from 68 in 1970, to 59 in 1980, to 53 in 1990.[8] A study using somewhat different occupational groupings indicated that the decline in occupational segregation continued throughout the 1990s, but that the pace slowed and the index fell by only a percentage point or two.[9]

Despite a decline in occupational segregation, studies generally find that its effects on women's wages are substantial. It is typically estimated that if American women with given educational attainment and experience levels were in the same occupations and industries as their male counterparts, their wages would rise by as much as 3–10 percent.[10] These effects of occupational segregation on the earnings of women are more pronounced than in many European countries. The reason, pointed out in Example 12.2, is that the wage differentials (for both men and women) between high- and low-paying occupations are relatively larger in the United States, so the penalty for being in a low-wage job is generally greater than in Europe.

As noted previously, however, not all gender segregation is the result of labor market discrimination; at least some may be the result of either preferences formed before labor market entry or choices made later, in the context of family decision making, for example. As yet, no measure has been devised to estimate that portion of occupational segregation that can be attributed to unequal treatment by employers.

The decline in observable occupational segregation, and our inability to measure the role of preferences in that segregation, should not imply that discrimination is no longer an issue. Even within narrowly defined occupations, men and women are often segregated across employers.[11] For example, it is common for restaurants to employ only waiters or only waitresses, but not both. Further, wait-

---

[7]Dale Boisso, Kathy Hayes, Joseph Hirschberg, and Jacques Silber, "Occupational Segregation in the Multidimensional Case: Decomposition and Tests of Significance," *Journal of Econometrics* 61 (March 1994): 161–171; and Martin Watts, "Divergent Trends in Gender Segregation by Occupation in the United States: 1970–92," *Journal of Post-Keynesian Economics* 17 (Spring 1995): 357–379.

[8]Francine D. Blau, "Trends in the Well-Being of American Women, 1970–1995," *Journal of Economic Literature* 36 (March 1998): 132.

[9]Francine D. Blau, Marianne A. Ferber, and Anne E. Winkler, *The Economics of Women, Men, and Work,* 4th ed. (Upper Saddle River, N.J.: Prentice-Hall, 2001), 141.

[10]Blau, Ferber, and Winkler, *The Economics of Women, Men, and Work,* 206; Marjorie L. Baldwin, Richard J. Butler, and William G. Johnson, "A Hierarchical Theory of Occupational Segregation and Wage Discrimination," *Economic Inquiry* 39 (January 2001): 94–110; and June O'Neill, "The Gender Gap in Wages circa 2000," *American Economic Review* 93 (May 2003): 309–314.

[11]William J. Carrington and Kenneth R. Troske, "Sex Segregation in U.S. Manufacturing," *Industrial and Labor Relations Review* 51 (April 1998): 445–464.

EXAMPLE 12.2

The Gender Earnings Gap across Countries

How do gender wage differentials in the United States compare with those in other developed countries? The ratios, listed below, of women's average weekly earnings to those of men indicate that women in the United States did relatively poorly as of the mid-1990s:

France	0.90
Australia	0.87
Sweden	0.84
Italy	0.83
Germany	0.76
United States	0.76
Switzerland	0.75
United Kingdom	0.75
Canada	0.70

The irony of the relatively low wage ratio in the United States is that women's productive character-

istics are closer to those of men in the United States than in any other of the countries. Further, American women are less occupationally segregated, and American legislation concerning equal employment opportunity generally predated laws elsewhere.

The cause of this relatively large gender gap seems to be the wider pay differentials between high- and low-paid workers in the United States. It appears that wage differentials within and across occupations in the United States are larger than in other countries, so that *all* groups of workers with less experience or in lower-paid occupations are relatively worse off here than in other countries.

Data from: Francine D. Blau and Lawrence M. Kahn, "Gender Differences in Pay," *Journal of Economic Perspectives* 14 (Fall 2000): 75–99.

---

resses earn only 87 percent of what waiters earn, and a hiring audit of Philadelphia restaurants suggests that discrimination might play a role. In 1994, two matched pairs of men and women (with equivalent résumés) applied for jobs in 65 restaurants, and it was found that the high-priced restaurants, where earnings are higher, were much less likely to interview and extend an offer to the female applicant.[12]

MEASUREMENT: WAGE DISCRIMINATION   We pointed out earlier that average earnings can differ between women and men either because of pre-market differences in average levels of productive characteristics or because of differences in what women and men are paid for possessing each characteristic. Ideally, wage discrimination could be identified and measured in the following four-step process.[13]

   1. We would collect data, for men and women separately, on *all* human capital and other characteristics that are theoretically relevant to the

---

[12]David Neumark, "Sex Discrimination in Restaurant Hiring: An Audit Study," *Quarterly Journal of Economics* 111 (August 1996): 915–941.

[13]This procedure was first described in Ronald Oaxaca, "Male-Female Wage Differentials in Urban Labor Markets," *International Economic Review* 14 (October 1973): 693–709. For refinements, see Ronald L. Oaxaca and Michael R. Ransom, "On Discrimination and the Decomposition of Wage Differentials," *Journal of Econometrics* 61 (March 1994): 5–21; and Moon-Kak Kim and Solomon W. Polachek, "Panel Estimates of Male-Female Earnings Functions," *Journal of Human Resources* 29 (Spring 1994): 406–428.

determination of earnings. Based on discussions in earlier chapters, the characteristics of age, education and training, experience, tenure with current employer, hours of work, firm size, region, intensity of work effort, industry, and the job's duties, location, and working conditions come readily to mind.

2. We would then estimate (statistically) how each of these characteristics contributes to the earnings of women. That is, we would use statistical techniques to estimate the payoffs to women associated with each characteristic. (The basic statistical technique used is called *regression analysis*, and it allows us to estimate how changes in a productive characteristic affect earnings, holding other productive characteristics constant. A computer must be used to make these estimates when, as in the case at hand, there are *several* relevant productive characteristics to be jointly analyzed. However, the general idea behind this technique is graphically illustrated in Appendix 12A, using the simple example of estimating how wages are affected by changes in a single composite measure of job "difficulty.")

3. Having measured levels of the productive characteristics typically possessed by men and women (step 1), and having estimated how changes in each productive characteristic affect the earnings of women (step 2), we would next estimate how much women *would* earn *if* their productive characteristics were exactly the same as those of men. This would be done by applying the payoffs *women* receive for each productive characteristic to the average level of those characteristics possessed by *men*.

4. Finally, we would compare the *hypothetical* average earnings level calculated for women (in step 3) with the *actual* average earnings of men. This latter comparison would yield an estimate of wage discrimination, because it reflects the effects of the different prices for productive characteristics paid to men and women. (In the absence of discrimination, women and men who have identical productive characteristics should have identical earnings.)

CAN WE INFER WAGE DISCRIMINATION?   There are two problems with this "ideal" measure of wage discrimination. First, as explained above, isolating the effects of labor market discrimination requires us to separately categorize the effects of pre-market *differences in productive characteristics* on overall wage differentials. The residual part of the wage gap that cannot be explained by different levels of productive characteristics—and instead is categorized as different *payoffs* to these characteristics—is what can be ascribed to labor market discrimination. Pre-market differences are the result of choices (primarily about investments in human capital and occupation) that individuals make, and these choices often vary across demographic groups. *A question that is difficult to answer is the extent to which these pre-market choices are themselves affected by discrimination in the labor market.*

Occupational choice is a case in point. For example, when making choices about occupational preparation, are women able to freely exercise their occupational preferences, or do they avoid occupations for which they believe their entry will be made very difficult by discrimination in the labor market? On the one hand, if we assume women are able to freely choose their occupations, then gender-related occupational differences reflect preferences, and *occupation* becomes one of the pre-market variables for which we would want to control when trying to isolate the effects of labor market discrimination. On the other hand, if women's occupational choices are constrained by discriminatory behavior in the labor market, then we would not want to include occupation among the pre-market control variables—because the effects of occupational choice on the gender wage differential reflect labor market discrimination, not the exercise of pre-market preferences.[14]

Thus, the first problem with our procedure for measuring wage discrimination is that, because the labor market payoffs to productive characteristics can affect pre-market choices about them, the distinction between these two categories is not clear-cut. If we include among the pre-market controls a variable whose level is affected by labor market discrimination, we may *understate* the effects of such discrimination (by putting of these effects in the "pre-market" category).

The second problem is that frequently we do not have data on all the pre-market variables that affect wages, and in this case, the above procedure may *overstate* the extent of labor market discrimination. For example, because of greater household responsibilities, women may be more likely than men to seek work close to home, may be less available for work outside normal business hours, or may more often be the parent on call if a child becomes ill at school. These choices reduce the earnings of women, and variables reflecting them should be included in the list of pre-market variables used in step 2 above, but because we lack data on them, their effects show up (in step 4) as reduced payoffs to the human capital variables we do observe. Thus, if we believe that the omitted pre-market variables are ones that reduce women's wages, *we cannot conclude that all of the unexplained residual is caused by labor market discrimination* (because some of the residual will be derived from the effects on women's wages of the omitted characteristics).

ANALYZING WAGE DIFFERENCES These measurement problems notwithstanding, it is interesting to follow the four-step procedure outlined above and see what the earnings gap between women and men would be if observed productive characteristics were equalized. A study using 1998 data estimated that, while women in the sample earned about 80 percent as much as men, if their productive characteristics (including occupation) had been equalized, they would have earned about 91 percent as much.[15]

A similar analysis of data for the year 2000, but which focused just on 35- to 43-year-olds, found that women's earnings would have risen from 78 percent of

---

[14]One attempt to measure the effects of current labor market discrimination on subsequent human capital accumulation is reported in David Neumark and Michele McLennan, "Sex Discrimination and Women's Labor Market Outcomes," *Journal of Human Resources* 30 (Fall 1995): 713–740.

[15]Francine D. Blau and Lawrence M. Kahn, "The US Gender Pay Gap in the 1990s: Slowing Convergence," National Bureau of Economic Research Working Paper No. 10853 (October 2004).

men's to between 91 and 98 percent if they had the same human capital character-istics, worked for the same types of employers, and had the same occupational dis-tribution as men.[16] Differences in labor market experience explained the largest part of the observed gender gap in earnings, while differences in the occupational dis-tribution contributed roughly 3 percentage points to the original 22 percent gap. Thus, labor market discrimination could account for as much as 2 to 9 percentage points of the gap if occupational choice is assumed to reflect preferences, or from roughly 5 to 12 points if occupational choices for women are assumed to be constrained.

The observed productive characteristic that contributes most to the wage gap between women and men in the same occupation is labor market *experience.* Women typically have *less* work experience than men of comparable age, education, and occupation; further, an extra year of total experience also appears to have a *lower payoff* to women. Economists have increasingly recognized the need to go beyond measuring total years of experience to analyze the effects on wages of the *frequency* and *timing* of periods when women (and men) are out of the labor force.[17] There is also evidence that it is experience as a *full-time* worker that is crucial for both men and women.[18] Thus, in the absence of data on the frequency and timing of nonwork spells (data not normally available to the researcher), at least some of the lower pay-off to work experience for women may be the result of an unmeasured produc-tive characteristic.

Earnings Differences between Black and White Americans

We saw in Figure 12.1 that black males who worked full-time in 2003 earned just 67 percent as much as white males; black females earned just 55 percent as much. These racially related earnings gaps were narrowed in the 1970s, but have not become much smaller since then.[19]

The earnings of full-time workers, however, do not tell the whole story of the economic disparities between black and white Americans. There is no major

---

[16]O'Neill, "The Gender Gap in Wages circa 2000." The estimated range of effects (from 91 to 98 per-cent) is produced by slightly different estimating procedures.

[17]Julie L. Hotchkiss and M. Melinda Pitts, "At What Level of Labor-Market Intermittency Are Women Penalized?" *American Economic Review* 93 (May 2003): 233–237.

[18]A study by Francine D. Blau and Lawrence M. Kahn, "Swimming Upstream: Trends in the Gender Wage Differential in the 1980s," *Journal of Labor Economics* 15, no. 1, pt. 1 (January 1997): 1–42, finds that women's returns to *full-time* experience were lower than men's in 1979 but similar by 1988. For a study with similiar implications, see Audra J. Bowlus, "A Search Interpretation of Male-Female Wage Differentials," *Journal of Labor Economics* 15 (October 1997): 625–657. T. D. Stanley and Stephen B. Jarrell, "Gender Wage Discrimination Bias? A Meta-Regression Analysis," *Journal of Human Resources* 32 (Fall 1998): 947–973, summarizes and references several studies of gender wage discrimination.

[19]For recent analyses of these earnings gaps, see Chinhui Juhn, "Labor Market Dropouts and Trends in the Wages of Black and White Men," *Industrial and Labor Relations Review* 56 (July 2003): 643–662; and Derek Neal, "The Measured Black-White Wage Gap Among Women Is Too Small," *Journal of Polit-ical Economy* 112, no. 1, pt. 2 (February 2004): S1–S28.

difference in the fraction of adult male employees in the two groups who work part-time, and there is a *lower* percentage of employed black women (17 percent) than white women (27 percent) who work part-time. There are significant disparities, however, in the *employment-to-population ratios* (the ratios of employed adults to the entire population of adults in a particular demographic group). It can be seen in the first two columns of Table 12.4 that, as compared with the white population, a lower percentage of the black population is employed. The differences are particularly striking for males. We begin our analysis of black/white disparities by first considering these differences in the employment ratios.

DIFFERENCES IN EMPLOYMENT RATIOS   The employment ratio for a given demographic group is completely determined by the percentage of the group seeking employment (the labor force participation rate) and the percentage of those seeking employment who find it. Because the latter is equal to 100 percent minus the group's unemployment rate, the employment ratio can be expressed as a function of two widely published rates: the group's labor force participation rate and its unemployment rate.

TABLE 12.4

Employment Ratios, Labor Force Participation Rates, and Unemployment Rates, by Race and Gender,[a] 1970–2003

	Employment Ratio		Labor Force Participation Rate		Unemployment Rate	
	Men					
Year	Blacks	Whites	Blacks	Whites	Blacks	Whites
1970	71.9%	77.8%	77.6%	81.0%	7.3%	4.0%
1980	62.5	74.0	72.1	78.8	13.3	6.1
1990	61.8	73.2	70.1	76.9	11.8	4.8
2000	63.4	72.9	69.0	75.4	8.1	3.4
2003	59.5	70.1	67.3	74.2	11.6	5.6
	Women					
1970	44.9	40.3	49.5	42.6	9.3	5.4
1980	46.6	48.1	53.6	51.4	13.1	6.5
1990	51.5	54.8	57.8	57.5	10.8	4.6
2000	58.7	57.7	63.2	59.8	7.2	3.6
2003	55.6	56.3	61.9	59.2	10.2	4.8

[a]For 1970 and 1980, data on blacks include other racial minorities. Data in all years are for persons age 16 or older.

Sources: U.S. Bureau of Labor Statistics, *Employment and Earnings* 17 (January 1971), Table A-1; 28 (January 1981), Table A-3; 38 (January 1991), Table 3; 48 (January 2001), Table 3; 51 (January 2004), Table 3.

Table 12.4 contains data on labor force participation rates and unemployment rates by race and gender. Looking first at labor force participation, we see that black women have had *higher* labor force participation rates than white women over the 1970 to 2003 period. Among men, however, the picture is much different. Black men have had consistently lower participation rates than white men, and while both groups of men experienced reductions in labor force participation rates from 1970 to 2003, the reductions were greater for blacks.

The declining labor force participation rates of men are not just the result of earlier labor force withdrawal among older men or more postsecondary schooling by the young (although as we saw in chapter 6, both phenomena have played a role). The participation rates even of men age 35 to 44 have dropped for both blacks and whites, with these reductions being more or less confined to those with a high school education or less. The wages of poorly educated workers—especially men—have fallen in recent years, and many of these men apparently have become "discouraged workers" and have dropped out of the labor force. It appears that at least some of the larger declines in labor force participation among black males are a consequence of their lower average levels of education.[20]

Table 12.4 also suggests that the higher unemployment rates of blacks are a cause of their lower employment-to-population ratios. In 1970, the unemployment rates of black men and women were about 1.8 times higher than those of whites, but since 1980, unemployment rates among blacks have been over *twice* as high. These patterns are *not* just a function of differences in education, age, experience, or region of residence; the black unemployment rate has been roughly double the rate for whites in *every* group.[21]

The relative constancy of the black/white *ratio* of unemployment rates suggests that this ratio is not affected much by the business cycle. It would be erroneous to conclude from this constancy, however, that recessions have equal proportionate effects on black and white employment; in fact, the constant ratio means that black workers suffer *disproportionately* in a recession.

Suppose, for example, that the white unemployment rate were 5 percent and the black unemployment rate were 10 percent; these rates imply, of course, that 95 percent of the white labor force and 90 percent of the black labor force are employed. Suppose now that a recession occurs, and that the white and black unemployment rates rise to 8 and 16 percent, respectively. Among whites, the employment rate falls from 95 to 92 percent, which implies that a bit over 3 percent of whites who had jobs lost them (3/95 = 0.032). Among blacks, however, the employment rate falls from 90 to 84 percent, indicating that almost 7 percent of

[20]See Amitabh Chandra, "Labor-Market Dropouts and the Racial Wage Gap: 1940–1990," *American Economic Review* 90 (May 2000): 333–338; and John Bound and Richard B. Freeman, "What Went Wrong? The Erosion of Relative Earnings and Employment of Young Black Men in the 1980s," *Quarterly Journal of Economics* 107 (February 1992): 202–232.

[21]For an analysis of the growth in the unemployment ratio, see Robert W. Fairlie and William A. Sundstrom, "The Emergence, Persistence, and Recent Widening of the Racial Unemployment Gap," *Industrial and Labor Relations Review* 52 (January 1999): 252–270.

employed blacks lost their jobs (6/90 = 0.067). The greater sensitivity of black employment to aggregate economic activity has led many observers to conclude that blacks are the last hired and first fired.

OCCUPATIONAL SEGREGATION AND WAGE DISCRIMINATION Among black workers who are employed, analyses similar to those for women can be made to measure the extent of occupational segregation and the degree to which measurable productive characteristics explain the black/white gap in earnings. Occupational segregation appears to be less prevalent by race than by gender. Recent studies that calculated indices of occupational dissimilarity by both race and gender found that the indices comparing black and white occupational distributions had values roughly *half* the size of indices comparing male/female occupational distributions. While racial occupational dissimilarities are smaller and have fallen faster over time than gender-related ones, economists continue to study what role, if any, discrimination plays in generating occupational differences by race.[22]

Turning to the issue of *wage discrimination*, researchers have attempted to determine what factors are most responsible for the large gap that exists between blacks and whites. Analyses that use conventional data on education, experience, age, hours of work, region, occupation, industry, and firm size conclude that these easily measured factors account for much, but clearly not all, of the observed earnings gap between black and white men. One study, for example, estimated that if black men had the same conventionally measured productive characteristics (including occupation) as white men, they would receive earnings 89 percent of those received by whites.[23] As in the case of gender earnings differentials, however, one is left with the question of whether the remaining 11 percent differential reflects current wage discrimination or unmeasured productive characteristics.

One normally unmeasured productive characteristic that plays a key role in explaining black/white wage differentials is cognitive achievement, as measured by scores on the Armed Forces Qualification Test (AFQT). Black Americans have lower AFQT scores, on average, which is associated with poorer-quality schooling and the influences of poverty on home and neighborhood characteristics. Studies that are able to include AFQT scores among their measures of productive characteristics have been limited to young people, but they generally estimate that differences in cognitive achievement alone explain most of the overall

---

[22]Andrew M. Gill, "Incorporating the Cause of Occupational Differences in Studies of Racial Wage Differentials," *Journal of Human Resources* 29 (Winter 1994): 20–41. For a study of racial segregation across firms, see William J. Carrington and Kenneth R. Troske, "Interfirm Segregation and the Black/White Wage Gap," *Journal of Labor Economics* 16 (April 1998): 231–260.

[23]Francine D. Blau and Lawrence M. Kahn, "Race and Gender Pay Differentials," in *Research Frontiers in Industrial Relations and Human Resources,* ed. David Lewin, Olivia S. Mitchell, and Peter D. Sherer (Madison, Wis.: Industrial Relations Research Association, 1992), 381–416. Similar estimates have been found in other, including more recent, studies; see Joseph G. Altonji and Rebecca M. Blank, "Race and Gender in the Labor Market," in *Handbook of Labor Economics,* ed. Orley Ashenfelter and David Card (New York: Elsevier, 1999): 3143–3259.

black/white earnings gap.[24] Typically, these analyses conclude that if AFQT scores and other productive characteristics were equalized, the wages of young black Americans would fall somewhere in the range of 8 percent less to 8 percent more than those of comparable whites.

The effects of differences in cognitive achievement levels are clearly serious. Gaps between black and white Americans in schooling attainment and measured school quality (expenditures per pupil, for example) have narrowed considerably in recent decades, although the effects of these gains have been masked by increased relative wages of workers with the highest levels of educational attainment. Differences in AFQT scores remain substantial, however, and the uncertain ability of additional schooling resources to influence cognitive achievement (see chapter 9) raises questions about how public policies can now help to equalize achievement scores.[25]

While there is evidence of important pre-market differences between blacks and whites, on average, most studies do not find that these differences explain the *entire* wage gap that exists. Further, there is ample direct evidence (from hiring audits and government complaints) that labor market discrimination exists.[26] Moreover, as long as black unemployment rates are twice those of whites, blacks will continue to fall short of whites, on average, in terms of job experience and the tenure-related benefits of on-the-job training.[27]

Earnings Differences by Ethnicity

Increased immigration has sparked a renewed interest in the relative earnings of various ancestral groups in the United States, most especially because the earnings differences are so pronounced. Table 12.5 contains earnings data from a study of men using data from the 1990 *Census of Population*. The first column displays full-time earnings of men from selected ancestral groups relative to the U.S. average, and from it we can note the relatively high earnings of men whose ancestry was

---

[24]Derek A. Neal and William R. Johnson, "The Role of Premarket Factors in Black-White Wage Differences," *Journal of Political Economy* 104 (October 1996): 869–895. For a lively discussion of what the estimated AFQT effects mean, see two articles in the *Journal of Economic Perspectives* 12 (Spring 1998): William A. Darity Jr. and Patrick L. Mason, "Evidence on Discrimination in Employment: Codes of Color, Codes of Gender," 63–90, and James J. Heckman, "Detecting Discrimination," 101–116.

[25]Recent studies that address this issue (and raise the possibility that the presence of labor market discrimination can reduce the incentives of African American youth to allocate effort to school achievement) are Pedro Carneiro, James J. Heckman, and Dimitriy V. Masterov, "Labor Market Discrimination and Racial Differences in Premarket Factors," National Bureau of Economic Research Working Paper no. 10068 (November 2003); and Glenn Loury, *The Anatomy of Racial Inequality* (Cambridge, Mass.: Harvard University Press, 2002).

[26]Marianne Bertrand and Sendhil Mullainathan, "Are Emily and Greg More Employable Than Lakisha and Jamal? A Field Experiment on Labor Market Discrimination," *American Economic Review* 94 (September 2004): 991–1013.

[27]Edwin A. Sexton and Reed Neil Olsen, "The Returns to On-the-Job Training: Are They the Same for Blacks and Whites?" *Southern Economic Journal* 61 (October 1994): 328–342.

TABLE 12.5

Male Earnings Differences, by Ancestry, 1990

Ancestral Group	Earnings as a Percentage of U.S. Average	Estimated Earnings as a Percentage of U.S. Average if Productive Characteristics of Group Were Average
U.S. total	100	100
Mexican	71	95
Puerto Rican	87	98
Cuban	90	102
Chinese	99	95
Japanese	133	115
Native American	85	95
English	113	102
Italian	121	109
Russian	157	118

Source: William Darity Jr., David Guilkey, and William Winfrey, "Ethnicity, Race and Earnings," *Economics Letters* 47 (1995): 401–408.

Russian, Italian, or Japanese. Conversely, men whose ancestry is Native American, Mexican, or Puerto Rican had especially low earnings.

Drawing upon our discussion of earnings differences across gender and race, we must ask to what extent these differences resulted from different levels of productive (or pre-market) characteristics. Educational attainment, for example, across ethnic groups is widely divergent. Men of Japanese, Chinese, and Russian ancestry had average levels of college attainment roughly twice the national average of 1.6 years in 1990, while men from Puerto Rican and Mexican backgrounds had average levels that were under half the national average. The second column in Table 12.5 presents estimates of what earnings in each group would have been if observed productive characteristics, including education and fluency in English, were equalized across all groups. The results suggest that if observed productive characteristics were equalized, men of Japanese or Russian ancestry would have earned 15–18 percent more than average, while those of Mexican, Chinese, or Native American ancestry would have earned roughly 5 percent less.[28]

Because of social concern about labor market discrimination, it is natural to focus on groups whose earnings appear to be low, given their productive characteristics.

[28]An analysis of wage differences in rural America estimates that equalizing the productive characteristics of Native Americans would result in their earning 3 to 7 percent less than rural whites. See Jean Kimmel, "Rural Wages and Returns to Education: Differences between Whites, Blacks, and American Indians," *Economics of Education Review* 16 (February 1997): 81–96. Similar findings come from a study of native groups in Canada; see Peter George and Peter Kuhn, "The Size and Structure of Native–White Wage Differentials in Canada," *Canadian Journal of Economics* 27 (February 1994): 20–42.

In recent years, however, there has also been interest in the diversity of earnings across white ethnic groups, for which discrimination is of less concern. Of particular interest is whether there are unmeasured qualitative differences in education or background across ethnic groups. Indeed, recent studies have found evidence that there are important intergenerational transfers of "ethnic human capital," some of which is manifest in divergent rates of return to education.[29]

Research interest in ancestral groups that are suspected victims of labor market discrimination have centered on "Hispanics," a categorization including people from such diverse backgrounds as Mexican, Puerto Rican, Cuban, and Central and South American. While these groups share a common linguistic heritage, one can infer from Table 12.5 that they have somewhat different earnings and human capital levels.

The influx of Spanish-speaking immigrants into the United States has resulted in the growth of a group of workers characterized by its youth, low levels of education, inexperience in the American labor market, and relatively low levels of proficiency in English. Motivated in part by concerns about discrimination, recent research on earnings differences between Hispanics and non-Hispanic whites has focused on the effects of English-language proficiency on earnings. Language proficiency is not measured in the data sets normally used to analyze earnings, yet it clearly affects productivity in just about any job; hence, if measures of it are omitted from the analysis, we cannot conclude anything about the presence or absence of discrimination against immigrant groups.

The handful of studies (including the one underlying the data in Table 12.5) that have had access to data on language proficiency estimate that equalizing all productive characteristics, including language proficiency, would bring the earnings of Hispanics up to within 3 to 6 percent of those received by non-Hispanic whites. One study, however, found that the effects on earnings of either unmeasured productive characteristics or labor market discrimination are far larger for black than for non-black Hispanics.[30]

Theories of Market Discrimination

We cannot rule out the presence of discrimination against women and minorities in the labor market. Before designing policies to end discrimination, however, we must understand the *sources* and *mechanisms* causing it. The goal of this section is to lay out and evaluate the different theories of discrimination proposed by economists.

[29]George J. Borjas, "Ethnic Capital and Intergenerational Mobility," *Quarterly Journal of Economics* 107 (February 1992): 123–150; and Barry R. Chiswick, "The Skills and Economic Status of American Jewry: Trends over the Last Half-Century," *Journal of Labor Economics* 11, no. 1, pt. 1 (January 1993): 229–242.

[30]William Darity Jr., David Guilkey, and William Winfrey, "Ethnicity, Race, and Earnings," *Economics Letters* 47 (1995): 401–498. For other studies that include language proficiency, see Hoyt Bleakley and Aimee Chin, "Language Skills and Earnings: Evidence from Childhood Immigrants," *Review of Economics and Statistics* 86 (May 2004): 481–496.

Three general sources of labor market discrimination have been hypothesized, and each source suggests an associated model of how discrimination is implemented and what its consequences are. The first source of discrimination is *personal prejudice*, wherein employers, fellow employees, or customers dislike associating with workers of a given race or sex.[31] The second general source is *statistical prejudgment*, whereby employers project onto individuals certain perceived *group* characteristics. Finally, there are models based on the presence of *noncompetitive* forces in the labor market. While all the models generate useful, suggestive insights, we will see that none has been convincingly established as superior.

Personal Prejudice Models: Employer Discrimination

The models based on personal prejudice assume that either employers, customers, or employees have prejudicial tastes; that is, they have preferences for not associating with members of certain demographic groups. Suppose first that white male *employers* are prejudiced against women and minorities but (for simplicity's sake) that customers and fellow employees are not. Further, assume for the purposes of this model that the women and minorities in question have the same productive characteristics as white males. (This assumption directs our focus to labor market discrimination by putting aside pre-market differences.)

If employers have a decided preference for hiring white males in high-paying jobs despite the availability of equally qualified women and minorities, they will act *as if* the latter were less productive than the former. By virtue of our assumption that the women and minorities involved are equally productive in every way, the devaluing of their productivity by employers is purely subjective and is a manifestation of personal prejudice. The more prejudiced an employer is, the more actual productivity will be discounted.

Suppose that *MRP* stands for the actual marginal revenue productivity of all workers in a particular labor market and d represents the extent to which this productivity is subjectively devalued for minorities and women. In this case, market equilibrium for white males is reached when their wage (W_M) equals *MRP*:

$$MRP = W_M \qquad (12.1)$$

For the women and minorities, however, equilibrium is achieved only when their wage (W_F) equals their *subjective* value to firms:

$$MRP - d = W_F \qquad (12.2)$$

or

$$MRP = W_F + d \qquad (12.2a)$$

---

[31]The models of personal prejudice are based on Gary S. Becker, *The Economics of Discrimination*, 2nd ed. (Chicago: University of Chicago Press, 1971).

Since the actual marginal revenue productivities are equal by assumption, equations (12.1) and (12.2a) are equal to each other, and we can easily see that W_F must be less than W_M:

$$W_M = W_F + d \tag{12.3}$$

or

$$W_F = W_M - d \tag{12.3a}$$

What this says algebraically has a very simple economic logic: if the actual productivity of women and minorities is devalued by employers, workers in these groups must offer their services at lower wages than white males to compete for jobs.

PROFITS UNDER EMPLOYER DISCRIMINATION   This model of employer discrimination has two major implications, as illustrated by Figure 12.2, which is a graphic representation of equation (12.2a). The first concerns profits. A discriminatory employer faced with a market wage rate of W_F for women and minorities will hire N_0, for at that point $MRP = W_F + d$. *Profit-maximizing* employers, however, will hire N_1; that is, they will hire until $MRP = W_F$. The effects on profits can be readily seen in Figure 12.2 if we remember that the area under the MRP curve represents total revenues of the firm. Subtracting the area representing the wage bill of the discriminatory employer ($0EFN_0$) yields profits for these employers equal to the area $AEFB$. Profits for a profit-maximizing (nondiscriminatory) employer, however, are AEG. These latter employers hire women and minorities to the point where their marginal product equals their wage, while the discriminators end their

FIGURE 12.2

Equilibrium Employment of Women or Minorities in Firms That Discriminate

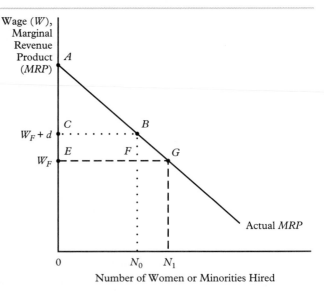

FIGURE 12.3

Market Demand for Women or Minorities
as a Function of Relative Wages

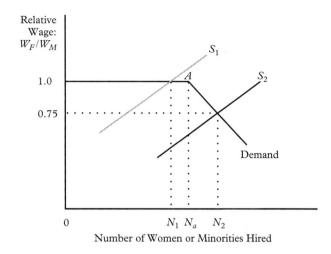

hiring short of that point. Discriminators thus give up profits in order to indulge
their prejudices.

PAY GAPS UNDER EMPLOYER DISCRIMINATION   The second implication of
our employer discrimination model concerns the size of the gap between W_M and
W_F. The determinants of this gap can best be understood by moving to an analysis of the *market* demand curve for women or minorities. In Figure 12.3, the market's demand for women or minorities is expressed in terms of their wage rate
relative to the wage for white males. The figure assumes that there are a number
of nondiscriminatory employers who will hire up to N_a women or minorities at a
relative wage of unity (that is, at $W_F = W_M$). For those employers with discriminatory preferences, W_F must fall below W_M to induce them to hire women or
minorities. These employers are assumed to differ in their preferences, with some
willing to hire women or minorities at small wage differentials and others requiring larger ones. Thus, the market's relative demand curve is assumed to bend
downward at point A, reflecting the fact that to employ more than N_a of women
or minorities would require a fall in W_F relative to W_M.

   If the supply of women or minorities is relatively small (supply curve S_1 in
Figure 12.3), then such workers will all be hired by nondiscriminatory employers
and there will be no wage differential. If the number of women or minorities seeking jobs is relatively large (see supply curve S_2), then some discriminatory employers will have to be induced to hire women or minorities, driving W_F down below
W_M. In Figure 12.3, combining supply curve S_2 with the demand curve drives the
relative wage down to 0.75.

   Besides changes in the labor supply curves of women or minorities, there are
two other factors that can cause the market differential between W_F and W_M to
change. First, given the supply curve, if the number of nondiscriminators were to
increase, as shown in Figure 12.4, the wage differential would decrease. The increase

FIGURE 12.4

Effects on Relative Wages of an Increased
Number of Nondiscriminatory Employers

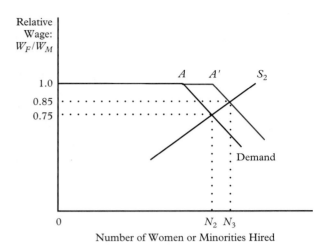

in the nondiscriminators shows up graphically in the figure as an extension of the horizontal segment of the demand curve to A', and the relative wage is driven up (to 0.85 in the figure). Behaviorally, the influx of nondiscriminators absorbs more of the supply than before, leaving fewer minorities or women who must find employment with discriminatory employers. Moreover, the few who must still find work with discriminatory employers are able to bypass the worst discriminators and can go to work for those with smaller preferences for discrimination.

Second, the same rise in W_F relative to W_M could occur if the number of prejudiced employers stayed the same but their discriminatory preferences were reduced. Such reduction would show up graphically as a flattening of the downward-sloping part of the market's relative demand curve, shown in Figure 12.5. The

FIGURE 12.5

Effects on Relative Wages of a Decline in
the Discriminatory Preferences of
Employers

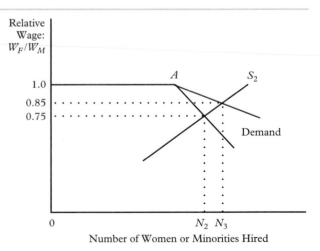

changes hypothesized in this figure cause W_F to rise relative to W_M, because the inducement required by each discriminatory employer to hire women or minorities is now smaller.

WHICH EMPLOYERS CAN AFFORD TO DISCRIMINATE?   The employer discrimination model implies that discriminators maximize *utility* (satisfying their prejudicial preferences) instead of *profits*. This practice should immediately raise the question of how they survive. Since profit-maximizing (nondiscriminatory) firms would normally make more money from a given set of assets than would discriminators, we should observe nondiscriminatory firms buying out others and gradually taking over the market. In short, if competitive forces were at work in the product market, firms that discriminate would be punished and discrimination could not persist unless their owners were willing to accept below-market rates of return.

Theory suggests, then, that employer discrimination is most likely to persist when owners or managers do not have to maximize profits in order to stay in business. The opportunity to indulge in discriminatory preferences is especially strong among monopolies that face government regulation, because the costs of this wasteful practice make profits look smaller to regulatory bodies.

Studies of both the banking and trucking industries provide evidence consistent with the greater presence of race and gender discrimination among regulated monopolies. Both industries were historically regulated in ways that limited competition, both were deregulated in recent decades, and in both cases, race and gender wage differentials were considerably narrowed by greater product-market competition.[32]

Personal Prejudice Models: Customer Discrimination

A second personal-prejudice model stresses *customer* prejudice as a source of discrimination. Customers may prefer to be served by white males in some situations and by minorities or women in others. If their preferences for white males extend to jobs requiring major responsibility, such as physician or airline pilot, then occupational segregation that works to the disadvantage of women and minorities will occur. If women or minorities are to find employment in these jobs, they must either accept *lower wages* or be *more qualified* than the average white male, because their value to the firm is lower than that of *equally qualified* white males owing to customers' prejudices.

One of the implications of customer discrimination is that it will lead to segregation in the occupations with high customer contact. Firms that cater to discriminatory customers will hire only the preferred group of workers, pay higher

---

[32]Sandra E. Black and Philip E. Strahan, "The Division of Spoils: Rent-Sharing and Discrimination in a Regulated Industry," *American Economic Review* 91 (September 2001): 814–831; and James Peoples Jr. and Wayne K. Talley, "Black-White Earnings Differentials: Privatization versus Deregulation," *American Economic Review* 91 (May 2001): 164–168. For a related study, see Judith K. Hellerstein, David Neumark, and Kenneth R. Troske, "Market Forces and Sex Discrimination," *Journal of Human Resources* 37 (Spring 2002): 353–380.

wages, and charge higher prices than firms that employ workers from disfavored groups and that serve nondiscriminatory customers. To continue their discriminatory ways, then, customers must be willing to pay the added costs.

Empirical studies have found evidence consistent with customer discrimination. For example, the racial composition of a firm's customers is reflected in the racial composition of its employees, especially in jobs with high customer contact.[33] Similarly, a recent study of television viewership for professional basketball games in the United States found that ratings rose, other things equal, when there was greater participation by white players. Because a team's revenues are affected by its television viewership, the latter finding implies that customer discrimination causes white players to have higher marginal revenue product—and higher pay—than black players with comparable skills.[34]

Personal Prejudice Models: Employee Discrimination

A third source of discrimination based on personal prejudice might be found on the supply side of the market, where white male workers may avoid situations in which they will have to interact with minorities or women in ways they consider distasteful. For example, they may resist taking orders from a woman or sharing responsibility with a minority member.

If white male workers, for example, have discriminatory preferences, they will tend to quit or avoid employers who hire and promote on a nondiscriminatory basis. Employers who wish to employ workers in a nondiscriminatory fashion, therefore, would have to pay white males a wage premium (a compensating wage differential) to keep them.

If employers were nondiscriminatory, however, why would they pay a premium to keep white males when they could hire equally qualified and less expensive women or minorities? One answer is that white males constitute a large fraction of the labor force, so it is difficult to imagine producing without them. Moreover, the pressure for women and minorities to be employed outside of "traditional" occupations is relatively recent, so white males hired under one set of implicit promises relating to future promotion possibilities now must adjust to a new set of competitors for positions within the firm. Firms realize that changing their practices involves reneging on past promises, so they may seek to accommodate the preferences for discrimination among their workers. Put differently, employee discrimination may be costly to employers, but so is getting rid of it.

One way to accommodate employee discrimination is to hire on a segregated basis. While it is usually not economically feasible to completely segregate a plant, it *is* possible to segregate workers by job title. Thus, both the employee and the customer models of discrimination can help to explain the finding of one study that

---

[33]Harry J. Holzer and Keith R. Ihlanfeldt, "Customer Discrimination and Employment Outcomes for Minority Workers," *Quarterly Journal of Economics* 113 (August 1998): 835–867. The evidence in Neumark, "Sex Discrimination in Restaurant Hiring," also suggests the existence of customer discrimination.

[34]Mark T. Kanazawa and Jonas P. Funk, "Racial Discrimination in Professional Basketball: Evidence from Nielsen Ratings," *Economic Inquiry* 39 (October 2001): 599–608.

EXAMPLE 12.3

Fear and Lathing in the Michigan Furniture Industry

In the late nineteenth century, America attracted several hundreds of thousands of immigrants every year. Ethnicity was very important, as people divided along ethnic lines into separate neighborhoods, churches, trade unions, and social clubs. This flood of immigrants encouraged a growing tide of nativism during the late 1800s. The most recognizable face of this nativism was hostility by the American-born toward Catholics and the new immigrant groups from southern and eastern Europe. In addition, many of the newcomers distrusted and disliked one another, carrying over animosities from the old country.

How did these ethnic sensibilities play out in the labor market? Data from the Michigan furniture industry in 1889 allow us a remarkable view, as they include the wages of workers and measures of their human capital, plus information on the ethnicity of co-workers and supervisors.

During this period, the supervisors or foremen had tremendous latitude in hiring and setting the wages of those who worked under them. If *employers* were the source of discrimination, then we would expect a worker to earn more when supervisors were from the same ethnic group and less when they were not. If fellow *employees* were the source of discrimi-

nation, we would expect a compensating wage differential to arise, with workers receiving higher pay to offset the disamenity of working with members of other ethnic groups, and lower pay when working only with members of their own ethnic group.

Both of these indications of discrimination occurred in the Michigan furniture industry, but employee-based discrimination appears to have been much more important. Working with foremen from one's own ethnic group was associated with earning wages about 2 percent higher.

However, the ethnicity of co-workers had a fairly large effect: workers who were the only member of their ethnic group in the workplace earned about 11 percent *more* than those whose ethnic group made up about one-quarter of the labor force. Those working in a factory where over 90 percent of co-workers were from their own ethnic group earned about 9 percent *less*. Thus, a worker could pay a big price for avoiding—and could reap big rewards from working with—workers from the other ethnic groups.

Data from: David Buffum and Robert Whaples, "Fear and Lathing in the Michigan Furniture Industry: Employee-Based Discrimination a Century Ago," *Economic Inquiry* 33 (April 1995): 234–252.

employers usually hire only women or only men into any single job title—even if *other* employers hire members of the opposite sex into that job title.[35]

The most direct test for the presence of employee discrimination comes from a study that found young white males earned more in *racially integrated* workplaces than if they worked in segregated environments. Further, recent work suggests that the lack of women in top executive jobs may be related to distaste among men for working under female bosses.[36] (Example 12.3 provides an interesting historical example of employee discrimination.)

---

[35]Groshen, "The Structure of the Female/Male Wage Differential."

[36]James F. Ragan Jr. and Carol Horton Tremblay, "Testing for Employee Discrimination by Race and Sex," *Journal of Human Resources* 23 (Winter 1988): 123–137; Baldwin, Butler, and Johnson, "A Hierarchical Theory of Occupational Segregation and Wage Discrimination"; and Marianne Bertrand and Kevin F. Hallock, "The Gender Gap in Top Corporate Jobs," *Industrial and Labor Relations Review* 55 (October 2001): 3–21.

FIGURE 12.6

The Screening
Problem

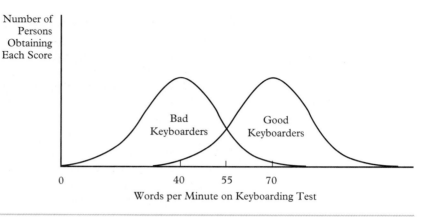

Number of
Persons
Obtaining
Each Score

Bad
Keyboarders

Good
Keyboarders

0   40   55   70

Words per Minute on Keyboarding Test

Statistical Discrimination

We discussed in chapter 5 the need for employers to acquire information on their job applicants in one way or another, all of which entail some cost. Obviously, the firm will evaluate the *personal* characteristics of its applicants, but in seeking to guess their potential productivity, it may also utilize information on the average characteristics of the groups to which they belong. If group characteristics are factored into the hiring decision, *statistical discrimination* can result (at least in the short run) even in the absence of personal prejudice.[37]

Statistical discrimination can be viewed as a part of the *screening problem* which arises when observable personal characteristics that are correlated with productivity are not perfect predictors. By way of example, suppose two grades of workers apply for a secretarial job: those who can type 70 words per minute (wpm) over the long haul and those who can type 40 wpm. These actual productivities are unknown to the employer, however. What the employer can observe are the results of a five-minute keyboarding test whose results reflect skill but also are affected by test-taking abilities and luck.

Figure 12.6 shows the test-score distributions for both groups of workers. Those who can actually type 70 wpm score 70 on average, but half score less. Likewise, half of the other group score better than 40 on the test. If an applicant scores 55, say, the employer does not know if the applicant is a good (70 wpm) or a bad (40 wpm) keyboarder. If those scoring 55 are automatically rejected, the firm will be rejecting some good workers, and if it accepts those scoring 55, some bad workers will be hired.

Suppose the employer, in an effort to avoid the above dilemma, does some research and finds out that applicants from a particular training school are specifically coached to perform well on five-minute keyboarding tests. Thus, applicants who can actually type X words per minute over a normal day will tend to score

---

[37]For references to the literature on this topic, see Joseph G. Altonji and Charles R. Pierret, "Employer Learning and Statistical Discrimination," *Quarterly Journal of Economics* 116 (February 2001): 313–350.

higher than X wpm on a five-minute test. Recognizing that students from this school will have average test scores above their long-run productivity, the firm might decide to reject all applicants from this school who score 55 or below (on the grounds that, for most, the test score overestimates their ability).

The general lesson of this example is that firms can legitimately use both *individual* data (test scores, educational attainment, experience) and *group* data in making hiring decisions when the former are not perfect predictors of productivity. However, this use of group data can give rise to market discrimination because people with the same *measured productive characteristics* (test scores, education, etc.) will be treated differently depending on *group* affiliation. The use by employers of race and sex in evaluating job applicants could lead them to prefer white males over other groups. While it is obvious that this preference could be rooted in prejudice, it is also possible that it is based on nonmalicious grounds (for example, the fact that women work fewer hours on average than men). However, if statistical discrimination does not derive from prejudice, then employers will show evidence of "learning" (relying less on group affiliation) as more accurate information on individuals becomes available.[38]

Noncompetitive Models of Discrimination

The discriminatory models discussed so far have traced out the wage and employment implications of personal prejudices or informational problems for labor markets in which firms were assumed to be wage takers. The rather diverse models to which we now turn are all based on the assumption that individual firms have some degree of influence over the wages they pay, either through *collusion* or through some source of *monopsonistic* power.

CROWDING   The existence and extent of occupational segregation, especially by gender, have caused some to argue that it is the result of a deliberate *crowding* policy intended to lower wages in certain occupations. Graphically, the "crowding hypothesis" is very simple and can be easily seen in Figure 12.7. Panel (a) illustrates a market in which supply is small relative to demand and the wage (W_H) is thus relatively high. Panel (b) depicts a market in which crowding causes supply to be large relative to demand, resulting in a wage (W_L) that is comparatively low.

While the effects of crowding are easily seen, the phenomenon of crowding itself is less easily explained. If men and women were equally productive in a given job or set of jobs, for example, one would think that the lower wages of women

---

[38]Altonji and Pierret, "Employer Learning and Statistical Discrimination," finds evidence of this learning—and little evidence of statistical wage discrimination based on race. For a recent study with similar conclusions, see Nick Feltovich and Chris Papageorgiou, "An Experimental Study of Statistical Discrimination by Employers," *Southern Economic Journal* 70 (April 2004): 837–849. Other recent studies on statistical discrimination include Wallace Hendricks, Lawrence DeBrock, and Roger Koenker, "Uncertainty, Hiring, and Subsequent Performance: The NFL Draft," *Journal of Labor Economics* 21, special issue (October 2003): 857–886; and John A. List, "The Nature and Extent of Discrimination in the Marketplace: Evidence from the Field," *Quarterly Journal of Economics* 119 (February 2004): 49–89.

FIGURE 12.7

Labor Market
Crowding

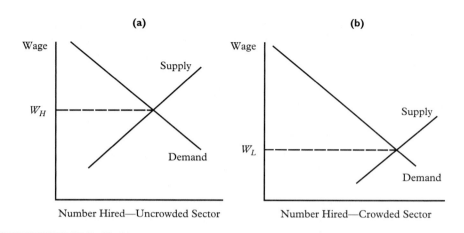

caused by their being artificially crowded into certain jobs would make it attractive for firms now employing only men to replace them with less-expensive women workers; this profit-maximizing behavior should eventually eliminate any wage differential. The failure of crowding, or occupational segregation, to disappear suggests the presence of noncompeting groups (and therefore barriers to employee mobility), but we are still left with trying to explain why such groups exist in the first place. Over the past 70 years, various possible explanations have been put forth: the establishment of some jobs as "male" and others as "female" through social custom, differences in aptitude that are either innate or acquired, and different supply curves of men and women to monopsonistic employers (discussed later). None of these explanations is complete in the sense of getting at the ultimate source of discrimination, but it is undeniable that the more female-dominated an occupation is, the lower its wages are, even after controlling for the human capital of the workers in it.[39]

DUAL LABOR MARKETS   A variant of the crowding hypothesis with more recent origins is the view that the labor market is divided into two noncompeting sectors: a *primary* and a *secondary* sector. Jobs in the primary sector offer relatively high wages, stable employment, good working conditions, and opportunities for advancement. Secondary-sector jobs, however, tend to be low-wage, unstable, dead-end jobs with poor working conditions; the returns to education and experience are thought to be close to zero in this sector. Workers (primarily minorities and women) relegated to the secondary sector are tagged as unstable, undesirable workers and are thought to have little hope of acquiring primary-sector jobs.

[39]See Elaine Sorenson, "The Crowding Hypothesis and Comparable Worth," *Journal of Human Resources* 25 (Winter 1990): 55–89. An excellent history of crowding theories is provided in Janice F. Madden, *The Economics of Sex Discrimination* (Lexington, Mass.: Lexington Books, 1973), 30–36. Also see Barry T. Hirsch and Edward J. Schumacher, "Labor Earnings, Discrimination, and the Racial Composition of Jobs," *Journal of Human Resources* 27 (Fall 1992): 602–628.

The dual labor market description of discrimination does not really explain why noncompeting sectors arose or why women and minorities were confined to the secondary sector. Some view the dual labor market as arising out of employer collusion (see the section below on collusive behavior), and others see it as rooted in the factors that lead to internal labor markets and efficiency wages.[40] Whatever the cause, there is evidence that two distinct sectors of the labor market exist—one in which education and experience are associated with higher wages and one in which they are not.[41]

Such evidence in favor of the dual labor market hypothesis offers an explanation of why discrimination can persist. It calls into question the levels of competition and mobility that exist and suggests that the initial existence of noncompeting race/sex groups will be self-perpetuating. In short, the dual labor market hypothesis is consistent with any of the models of discrimination analyzed above; what it does suggest is that if any of these theories *are* applicable, we cannot count on natural market forces to eliminate the discrimination that results.

SEARCH-RELATED MONOPSONY   The crowding and dual labor market explanations for discrimination are grounded in the assumption that workers are "assigned" to occupational groups from which mobility to other groups is severely restricted; how or why assignments are made is not entirely clear. A third model of restricted mobility is built around the presence of job search costs for employees.[42] This model combines a monopsonistic model of firm behavior (discussed in chapter 5) with the phenomenon of prejudice.

Suppose that some, but not all, employers refuse to hire minorities or women owing to their own prejudices, those of their customers, or those of their employees. Suppose further that, in contrast, no employers rule out the hiring of white males. Minorities and women looking for jobs do not readily know who will refuse them out of hand, so they have to search longer and harder than do white men to generate the same number of job offers. As we saw in chapter 5, employee job search costs cause firms' labor supply curves to slope upward, and the monopsonistic outcomes that follow become more pronounced when these search costs are greater.

Figure 12.8 graphically illustrates the implications of a situation in which two groups of workers have the same productivity (that is, they both have a marginal revenue product of labor equal to MRP_L^*), but one group has higher search costs

---

[40]See, for example, Jeremy Bulow and Lawrence Summers, "A Theory of Dual Labor Markets with Application to Industrial Policy, Discrimination, and Keynesian Unemployment," *Journal of Labor Economics* 4 (July 1986): 376–414; Claudia Goldin, "Monitoring Costs and Occupational Segregation by Sex: A Historical Analysis," *Journal of Labor Economics* 4 (January 1986): 1–27; and James Rebitzer, "Radical Political Economy and the Economics of Labor Markets," *Journal of Economic Literature* 31 (September 1993): 1417.

[41]William Dickens and Kevin Lang, "A Test of Dual Labor Market Theory," *American Economic Review* 75 (September 1985): 792–805.

[42]For a more rigorous discussion of this model, see Dan H. Black, "Discrimination in an Equilibrium Search Model," *Journal of Labor Economics* 13 (April 1995): 309–334.

FIGURE 12.8

Search-Related Monopsony and Wage Discrimination

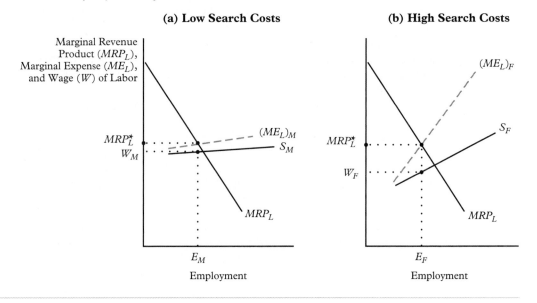

than the other. Panel (a) depicts the supply and the marginal revenue product of labor curves for the group (white males, presumably) with relatively low search costs. The labor supply curve of this group to their employers (S_M) is relatively flat, which also means that the associated *marginal* expense of labor curve ($ME_L)_M$ is relatively flat. Profit-maximizing employers will hire E_M workers from this group and pay them a wage of W_M, which is only slightly below MRP_L^*.

Panel (b) illustrates the relevant curves for a group (minorities or women) with higher search costs created by the existence of prejudice. These workers are assumed to have exactly the same marginal revenue product of labor, but their higher search costs imply a more steeply sloped labor supply curve (S_F), a more steeply sloped marginal expense of labor curve ($ME_L)_F$, and a greater divergence between marginal revenue product and the wage rate. E_F workers in this group are hired, and they are paid a wage of W_F. Comparing panels (a) and (b), it is readily seen that despite having the same marginal productivity, workers with higher search costs are paid lower wages (that is, $W_F < W_M$). At a practical level, if members of both groups are hired by a given firm, those with higher search costs may be placed into lower job titles.

Our discussion of search-related monopsony invites two comments. First, we introduced the monopsony model in chapter 5 as a potential explanation for the small and uncertain responses of employment to *mandated* wage increases under minimum wage laws. The monopsony model has also been invoked to explain the lack of employment declines associated with mandated wage increases for women under the United Kingdom's Equal Pay Act of 1970.[43]

Second, if prejudice increases the job search costs for women and minorities so that members of these groups are less likely to search for alternative offers of employment, their job matches will be of lower quality than the job matches for white men. Individual women and minority-group members, then, would be less likely to find the employers who can best utilize their talents. Thus, even within narrowly defined occupational groups, minorities and women would tend to be less productive and receive less pay than white men, owing to poorer-quality matches.

COLLUSIVE BEHAVIOR   Some theories are grounded in an assumption that employers collude with each other to subjugate minorities or women, thus creating a situation in which monopsonistic wages can be forced on the subjugated group. One of the more explicit collusive theories of discrimination argues that prejudice and the conflicts it creates are inherent in a capitalist society because they serve the interests of owners.[44] Workers divided by race or gender are harder to organize and, if they *are* unionized, are less cohesive in their demands. Hence, it is argued that owners of capital gain, while *all* workers—but particularly minorities and women—lose from discrimination.

If discrimination is created or at least perpetuated by capitalists, however, how do we account for its existence in pre-capitalist or socialist societies? Further, it may be true that if all white employers conspire to keep women and minorities in low-wage, low-status jobs, they can all reap monopoly profits. However, if employers A through Y adhere to the agreement, employer Z will always have incentives to *break* the agreement. Z can hire women or minorities cheaply because of the agreement among *other* employers not to hire them, and Z can enhance profits by hiring these otherwise equally productive workers to fill jobs that A through Y are staffing with high-priced white males. Since every other employer has the same incentives as Z, the conspiracy will tend to break down unless cheaters can be disciplined in some way. The collusive-behavior model does not tell us how the conspiracy is maintained and coordinated among the millions of U.S. employers.

A Final Word on the Theories of Discrimination

It would appear that all models of discrimination agree on one thing: any persistence of labor market discrimination is the result of forces that are either noncompetitive or very slow to adjust to competitive forces. While no one model yet can be demonstrated to be superior to the others in explaining the facts, the various theories and the facts they seek to explain suggest that government intervention might

---

[43]Alan Manning, "The Equal Pay Act as an Experiment to Test Theories of the Labour Market," *Economica* 63 (May 1996): 191–212.

[44]Michael Reich, "The Economics of Racism," in *Problems in Political Economy: An Urban Perspective,* ed. David M. Gordon (Lexington, Mass.: D. C. Heath, 1971), 107–113.

be useful in eliminating the noncompetitive (or sluggish) influences. In analyzing these governmental programs, it will be helpful to keep in mind that discriminatory pressures can come from a variety of sources and that discrimination is not necessarily profitable for those who engage in it.

Federal Programs to End Discrimination

Broadly speaking, the government has taken two somewhat conflicting approaches to combat the causes or effects of discrimination. One approach is to mandate *nondiscrimination,* which implies that race, ethnicity, or sex should play no role in hiring, promoting, or compensating workers. The other approach can be characterized as *affirmative action,* in which employers are required to be conscious of race, ethnicity, and gender in their personnel decisions and take steps to ensure that "protected" groups are not under-represented.

Equal Pay Act of 1963

Before the 1960s, sex discrimination was officially sanctioned by laws that limited women's total weekly hours of work and prohibited them from working at night, lifting heavy objects, and working during pregnancy. Not all states placed all these restrictions on women, but the effect of these laws was to limit the access of women to many jobs. These laws were overturned by the Equal Pay Act of 1963, which also outlawed separate pay scales for men and women using similar skills and performing work under the same conditions.

The act was seriously deficient as an antidiscrimination tool, however, because it said nothing about equal opportunity in hiring and promotions. This flaw can be easily understood by a quick review of our theories of discrimination. If there is prejudice against women from whatever source, employers will treat female employees as less productive or more costly to hire than equally productive males. The market response is for female wages to fall below male wages, because otherwise women cannot hope to be able to successfully compete with men in obtaining jobs. The Equal Pay Act took a step toward the elimination of wage differentials, but in so doing, it tended to suppress a market mechanism that helped women obtain greater access to jobs.[45] The act failed to acknowledge that if labor market discrimination is to be eliminated, legislation must require *both* equal pay *and* equal opportunities in hiring and promotions for people of comparable productivity.

Title VII of the Civil Rights Act

Some defects in the Equal Pay Act of 1963 were corrected the next year. Title VII of the Civil Rights Act of 1964 made it unlawful for any employer "to refuse to hire

---

[45]Some critics of the Equal Pay Act of 1963 argued that its motivation was to help men compete with lower-paid women. See Nancy Barrett, "Women in the Job Market: Occupations, Earnings, and Career Opportunities," in *The Subtle Revolution,* ed. Ralph E. Smith (Washington, D.C.: Urban Institute, 1979), 55.

or to discharge any individual, or otherwise to discriminate against any individual with respect to his compensation, terms, condition, or privileges of employment, because of such individual's race, color, religion, sex or national origin." Title VII applies to all employers in interstate commerce with at least 15 employees and is enforced by the Equal Employment Opportunity Commission (EEOC), which has the authority to mediate complaints, encourage lawsuits by private parties or the U.S. attorney general, or bring suits itself against employers. To enhance the force of the law, the courts permitted individual plaintiffs to expand their suits into *class actions* in which the potential discriminatory impact of an organization's employment practices on an entire group of workers is assessed.

Over the years, the federal courts have fashioned two standards of discrimination that may be applied when discriminatory employment practices are alleged—*disparate treatment* and *disparate impact*. Disparate treatment occurs under Title VII if individuals are treated differently because of their race, sex, color, religion, or national origin, and if it can be shown that there was an intent to discriminate. The difficulty raised by this standard is that policies that appear to be neutral in the sense that they ignore race, gender, etc., may nevertheless perpetuate the effects of past discrimination. For example, word-of-mouth recruiting (a seemingly neutral policy) in a plant with a largely white workforce would be suspect under Title VII even if the selection of new employees from among the applicants was done on a nondiscriminatory basis.

The concern with addressing the present effects of past discrimination led to the *disparate impact standard*. Under this approach, it is the result, not the motivation, that matters. Policies that appear to be neutral but lead to different effects by race, gender, etc., are prohibited under Title VII unless they can be related to job performance.[46] As a result, plaintiffs, employers, and the courts have become interested in how closely the race or gender composition of those selected for employment, promotion, training, or termination accords with the race or gender composition of the pool of workers available for selection.

Enforcing Title VII using the disparate impact standard has raised several issues regarding hiring, promotion, and pay decisions. One is defining who should be considered in a firm's potential hiring pool; for example, should prospective applicants residing quite far from the workplace be given the same weight as those who live in nearby neighborhoods? Another is statistical: what constitutes convincing (significant) evidence of under-representation? Two other issues relate to how employers award seniority to workers and how to judge "equal pay" when occupations are segregated.

SENIORITY   Many firms use seniority as a consideration in allocating promotion opportunities. Moreover, employees are frequently laid off in order of reverse seniority, the least-senior first, in a recession. Seniority can be calculated either as tenure within the *plant* or as time served within a *department* of the plant; in both cases, such systems have worked against minorities and women who have been hired or promoted to nontraditional jobs as a result of Title VII or some other

---

[46]*Griggs v. Duke Power Company* 401 U.S. 424 (1971).

antidiscrimination program. The most egregious cases occurred under departmental seniority systems when, during a business downturn, women or minorities who recently had been promoted to new departments were laid off ahead of those who had less plant seniority! The argument that the effects of seniority systems lock in past discrimination led to much litigation, but departmental seniority systems are still permitted,[47] and laying off more-senior white employees instead of recently hired minorities to preserve racial balance has been ruled unconstitutional.[48]

COMPARABLE WORTH: IN THEORY   Many contend that achieving "equal pay for equal work" would be a rather hollow victory, since occupations are so segregated by gender that men and women rarely do "equal work." As a result, some have come to support the goal of equal pay for jobs of "comparable worth." Proponents of comparable worth can point to the fact that the "male" occupation of maintaining *machines* (general maintenance mechanic) pays $15 per hour, for example, while the "female" job of maintaining *children* (child-care worker) pays $8.50. Why, they might ask, should those who take care of human beings be paid less than those who take care of machines?

When asked why mechanics are paid more than child-care workers, economists answer in terms of market forces: for some reason, the supply of mechanics must be smaller relative to the demand for them than the supply of child-care workers. Perhaps this reason has to do with working conditions, or perhaps it is more difficult to learn and keep abreast of the skills required of a mechanic, or perhaps occupational crowding increases the supply of child-care workers. Whatever the reason, it is argued, wages are the price of labor—and prices play such a critical *practical* role in the allocation of resources that they are best left unregulated.

Thus, in fighting discrimination, most economists would advise modifying the demand or supply behaviors that *cause* unequal outcomes rather than treating the *symptoms* by regulating wages. If the wages of child-care workers were to be raised above their market-clearing level, to take the case at hand, a surplus would be created in that labor market. Above-market wages would mean fewer jobs and more unemployed applicants—hardly the outcome envisioned by those wanting to end discrimination. (A lengthy analysis of these unintended side effects is given in Example 12.4, in the context of equalizing the pay of university professors across the various disciplines.)

COMPARABLE WORTH: IN PRACTICE   Comparable worth policies have generally relied on job-rating schemes often used by employers with internal labor markets to determine or justify pay differentials associated with various job titles or promotion steps. The process involves assigning points to each job according to the knowledge and problem-solving abilities required, its level of accountabil-

---

[47]*International Brotherhood of Teamsters* v. *United States* 431 U.S. 324, 14 FEP 1514 (1977).

[48]*Franks* v. *Bowman Transportation* 424 U.S. 747, 12 FEP Cases 549 (1976); *Fire Fighters Local 1784* v. *Stotts*, U.S. S. Ct. no. 82–206, June 12, 1984; and *Wygant* v. *Jackson Board of Education*, U.S. S. Ct. no. 84–1340, May 19, 1986.

ity, the physical conditions of work, and perhaps other characteristics. Jobs with equal point values would receive equal pay and, of course, jobs assigned higher point values would receive higher pay (Appendix 12A provides an example). The process by which points are awarded to each job is obviously critical, and both sides of the comparable-worth issue see it as a problem. Opponents claim that job ratings can be used to unjustifiably raise the pay in targeted jobs above market levels, while proponents argue that the job ratings now used within firms unfairly lower the value of women's jobs.[49]

The relatively few cases in which comparable-worth policies have been used to address unequal pay in the United Kingdom and the United States have required equalization only *within the boundaries of a single employer.* In contrast to the United Kingdom, however, where cases involving both public and private employers have come before the tribunals specially created to hear comparable-worth complaints,[50] the major push for comparable worth in the United States has come in the state and local government sector.

To date, the estimated effects of implementing comparable worth in the United States and the United Kingdom have been neither as positive as its proponents had hoped nor as dire as its critics had portended. The effects on male/female wage differentials appear small,[51] as do any negative effects on female employment.[52]

The Federal Contract Compliance Program

In 1965, the U.S. Office of Federal Contract Compliance Programs (OFCCP) was established to monitor the hiring and promotion practices of federal contractors (firms supplying goods or services to the federal government). OFCCP requires contractors above a certain size to analyze the extent of their underutilization of women and minorities and to propose a plan to remedy any such underutilization. Such a plan is called an *affirmative action plan.* Contractors submitting unacceptable plans or failing to meet their goals are threatened with cancellation of their contracts and their eligibility for future contracts, although these drastic steps are rarely taken.

---

[49]See Donald J. Treiman and Heidi L. Hartmann, eds., *Women, Work and Wages: Equal Pay for Jobs of Equal Value* (Washington, D.C.: National Academy Press, 1981); and Steven E. Rhoads, *Incomparable Worth* (Cambridge: Cambridge University Press, 1993), 160–165.

[50]Rhoads, *Incomparable Worth,* 148–160.

[51]See, for example, Peter E. Orazem, J. Peter Mattila, and Sherry K. Welkum, "Comparable Worth and Factor Point Pay Analysis in State Government," *Industrial Relations* 31 (Winter 1992): 195–215; Mark R. Killingsworth, *The Economics of Comparable Worth* (Kalamazoo, Mich.: W. E. Upjohn Institute for Employment Research, 1990); and Rhoads, *Incomparable Worth,* 166.

[52]See, for example, Killingsworth, *The Economics of Comparable Worth;* Shulamit Kahn, "Economic Implications of Public Sector Comparable Worth: The Case of San Jose, California," *Industrial Relations* 31 (Spring 1992): 270–291; Ronald G. Ehrenberg and Robert S. Smith, "Comparable Worth Wage Adjustments and Female Employment in the State and Local Sector," *Journal of Labor Economics* 5 (January 1987): 43–62; and Manning, "The Equal Pay Act as an Experiment to Test Theories of the Labor Market."

EXAMPLE 12.4

Comparable Worth and the University

Some of the difficulties involved with the concept of *comparable worth* can be illustrated by an example in which gender does not even enter. Consider the labor market for university professors in the fields of computer science and English, and suppose that initially, the demand and supply curves for both are given by D_{0C} and S_{0C}, and D_{0E} and S_{0E}, respectively. As the figure indicates, in this circumstance, the same wage (W_0) will prevail in both markets, and N_{0C} computer science professors and N_{0E} English professors will be hired. Suppose also that in some objective sense, the quality of the two groups of professors is equal.

Presumably this is a situation that advocates of comparable worth would applaud. Both types of professors require the same amount of training, represented by a Ph.D., and both are required to engage in the same activities, teaching and research. Unless we are willing to assign different values to the teaching and research produced in different academic fields, we must conclude that the jobs are truly comparable. Hence, if the two groups are equal in quality, equal wages would be justified according to the concept of comparable worth.

Suppose now, however, that the demand for computer science professors rises to D_{1C} as a result of the increasing numbers of students who want to take computer science courses. Suppose at the same time the demand for English professors falls to D_{1E} because fewer students want to take elective courses

in English. At the old equilibrium wage rate, there is now an excess demand for computer science professors of $N_{1C} - N_{0C}$ and an excess supply of English professors of $N_{0E} - N_{1E}$.

How can universities respond? One possibility is to let the market work; the wage of computer science professors will rise to W_{1C} and that of English professors will fall to W_{1E}. Employment of the former will rise to N_{2C} while employment of the latter will become N_{2E}.

Another possibility is to keep the wages of the two groups of professors equal at the old wage rate of W_0. Universities could respond to the excess demand for computer scientists and the excess supply of English professors by lowering hiring standards for the former and raising them for the latter. Since the average quality of English professors would then exceed the average quality of computer scientists, the wage paid per "quality-unit" would now be higher for the computer scientists. Hence, true comparable worth—equal pay for *equal-quality* workers performing comparable jobs—would not be achieved. Moreover, employment and course offerings in this situation would not change to meet changing student demands.

Alternatively, some advocates of comparable worth might argue that universities should respond by raising the wages of *all* professors to W_{1C}. While this would eliminate the shortage of computer science professors, it would exacerbate the excess supply of English professors, raising it to $N_{4E} - N_{3E}$.

Affirmative action planning is intended to commit firms to a schedule for rapidly overcoming unequal career opportunities afforded women and minorities. Such planning affects both *hiring* and *promotion* practices, and like requirements under the disparate impact standard, the contract compliance program requires covered employers to take race, ethnicity, and gender into account when developing personnel policies.

Those who favor affirmative action point out that even if nondiscrimination in personnel actions were to be scrupulously followed, it still would not be an expeditious way to overcome the adverse effects of past discrimination. For example,

EXAMPLE 12.4

Comparable Worth and the University (*continued*)

Universities would respond by reducing the employment of English professors to N_{3E} (and reducing course offerings). Moreover, the excess supply again would permit universities to raise hiring standards for English professors, so again average quality would rise. As a result, once more the wage per quality-unit of English professors would be less than that of computer science professors, and again true comparable worth would not be achieved.

The message we can take away from this example is that it is difficult to "trick the market." In the face of changing relative demand conditions, either wage differentials for the two types of professors must be allowed to arise or quality differentials will arise. In neither case, however, can comparable worth be achieved. Put another way, the value of a job cannot be determined independently of market conditions.

The Market for Computer Science and English Professors

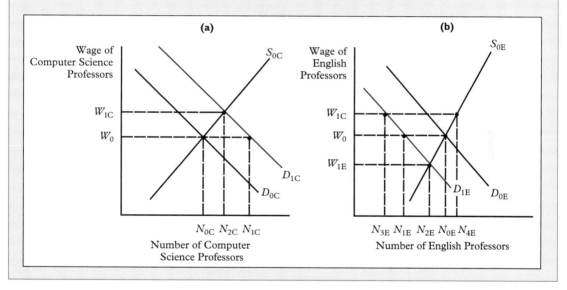

consider the data in Table 12.6 for a hypothetical firm that has just agreed to follow a policy of nondiscrimination in hiring. Black workers represent 12 percent of the firm's hiring pool, but right now, they are only 6.25 percent of the firm's 1,600-person workforce. The firm is not growing, so the only hiring opportunities come when workers quit, which they do at a rate of 20 percent each year. Because of these limited hiring opportunities, and because 20 percent of black workers hired subsequently leave each year, the table illustrates that nondiscrimination in hiring would not achieve proportionate representation even in 10 years (and progress would be slower with a lower quit rate).

TABLE 12.6

Change in the Racial Composition of a 1,600-Person Job Group with Nondiscriminatory Hiring from a Pool That Is 12% Black (20% yearly turnover rate)

				Year			
	0	**1**	**2**	**3**	**4**	**5**	**10**
Number of blacks							
Loss		20	24	26	29	31	36
New hires		38	38	38	38	38	38
Net gain		18	14	12	11	7	2
Cumulative level	100	118	132	144	155	162	181
Percent black	6.25	7.37	8.25	9.00	9.69	10.12	11.31

Besides the argument that affirmative action represents *reverse* discrimination (against white males), the potential effects of the contract compliance program have been questioned on two other grounds. First, if under-represented groups are to be given preference in hiring, will firms be required to hire less-qualified workers? Second, because the program covers only federal contractors, will qualified minorities and women just be shifted from the noncovered to the covered sector, with no overall gain in employment? These questions lead us to a review of the effects that antidiscrimination programs have had in the United States.

Effectiveness of Federal Antidiscrimination Programs

A comprehensive review of federal affirmative action programs concluded that they have redistributed employment opportunities among federal contractors (who generally pay more than noncontractors) toward blacks and women, although the extent of this redistribution does not seem to have been very large. It also appears that, with respect to women, there is no evidence that affirmative action was associated with lower levels of human capital or job performance. Weaker labor market credentials were found among minorities hired, but there is scant evidence that job performance levels were lower.[53] Can we conclude that the improvements for minorities and women in this one sector have translated to improvements overall? This question has been most extensively addressed with respect to African Americans.

The ratio of black to white incomes has risen since 1960, and it is natural to ask, is this rise a result of government efforts, or were other forces working to accomplish this result? Three other forces are commonly cited. First, an improvement in the *educational attainment* of black workers relative to that of whites dur-

[53]Harry Holzer and David Neumark, "Assessing Affirmative Action," *Journal of Economic Literature* 38 (September 2000): 483–568. For a study of an apparently successful program aimed at improving opportunities for black workers among defense contractors during World War II, see William J. Collins, "Race, Roosevelt, and Wartime Production: Fair Employment in World War II Labor Markets," *American Economic Review* 91 (March 2001): 272–286.

ing this period is thought to have played an important role in raising the ratio of black to white earnings; in fact, one study estimated that increased educational attainment accounts for 20–25 percent of the post-1960 gain in the earnings ratio.[54] Second, there is evidence that the *quality* of schooling improved more after 1960 for blacks than for whites, and one study has estimated that from 15 to 20 percent of the increased earnings ratio can be attributed to enhanced school quality.[55] Finally, it has been argued that because the relatively large reduction in labor-force participation rates among blacks was centered in the least-educated group of workers, the average earnings of those who remained employed were thereby increased, giving the *appearance* of overall improvement. Roughly 10 to 20 percent of the improved earnings ratio has been attributed to this last factor.[56]

Taking the upper estimates of the three sources of earnings increases cited above, at least a third of the improvement in the black/white earnings ratio for men remains to be explained. Is it possible that federal efforts to reduce discrimination in the labor market were responsible? One review of the literature and the evidence on this issue concluded that, overall, federal efforts were successful in raising earnings levels of African Americans.[57]

One important fact about black economic progress is that there was a discontinuous jump in the black/white earnings ratio between 1960 and 1975. This sudden improvement coincided with the onset of federal antidiscrimination programs, and it cannot be explained by the rather continuous increases taking place in such other factors as schooling quality or attainment. A second important fact is that the greatest gains in the black/white earnings ratio during the 1960–1975 period were in the South, where segregation was most blatant and where federal antidiscrimination efforts were greatest.

The conclusion that federal antidiscrimination efforts were at least partially successful in raising the relative earnings of blacks must be acknowledged as somewhat surprising, because studies of individual programs (such as the contract compliance program) have estimated rather meager results. The paradox of overall improvement resulting from programs that appear to have been individually weak

---

[54]James P. Smith and Finis R. Welch, "Black Economic Progress after Myrdal," *Journal of Economic Literature* 27 (June 1989): 519–564.

[55]David Card and Alan B. Krueger, "School Quality and Black-White Relative Earnings: A Direct Assessment," *Quarterly Journal of Economics* 107 (February 1992): 151–200.

[56]John J. Donohue III and James Heckman, "Continuous versus Episodic Change: The Impact of Civil Rights Policy on the Economic Status of Blacks," *Journal of Economic Literature* 29 (December 1991): 1603–1643.

[57]Donohue and Heckman, "Continuous versus Episodic Change." For a thumbnail sketch of this comprehensive review, see James Heckman, "Accounting for the Economic Progress of Black Americans," in *New Approaches to Economic and Social Analyses of Discrimination,* ed. Richard R. Cornwall and Phanindra V. Wunnava (New York: Praeger, 1991), 331–337. A paper by Kenneth Y. Chay, "The Impact of Federal Civil Rights Policy on Black Economic Progress: Evidence from the Equal Employment Opportunity Act of 1972," *Industrial and Labor Relations Review* 51 (July 1998): 608–632, supports the view that federal efforts helped to reduce the black/white pay gap.

EMPIRICAL STUDY

Can We Catch Discriminators in the Act? The Use of Field Experiments in Identifying Labor Market Discrimination

As we saw earlier in this chapter, the statistical methods economists employ to measure labor market discrimination against, say, African Americans, essentially break the observed black/white wage differential into two parts: the part that can be explained by differences in *measurable* productive characteristics, and the residual associated with the payoffs to those characteristics. While some may assert that the residual reflects discrimination, others will point to this residual as attributable (in whole or in part) to productive characteristics that could not be measured. In the legal terms introduced toward the end of this chapter, statistical analyses are useful in identifying *disparate impact,* but they are not usually conclusive in this regard. Further, they fall short of proving *disparate treatment* because they focus on results, not on the behaviors that produced them. Can we find ways to actually catch discriminators in the act?

One method used to observe discrimination is to conduct an *audit*—or field experiment—in which employers (if the focus is on the labor market) with advertised job openings are approached by auditors of different races posing as applicants. Each "applicant" is paired with an auditor of a different race, and both are given fictional work histories and educational backgrounds that are carefully constructed to be equivalent in terms of job qualifications. Discrimination can be inferred if auditors who are black, say, are systematically treated worse than whites.

Constructing convincing audits is challenging, because if the auditors know the purpose of the study, they may behave during interviews in ways that induce employers to respond in the way they believe the researchers expect. Sending auditors to interview for jobs is also very time consuming and expensive, so large samples are usually not feasible. It is also challenging to match auditors in terms of size and appearance and train them to present themselves in the same way at interviews.

One recent study, however, circumvented these problems with audits by sending some 5,000 résumés to firms in Boston and Chicago that advertised a total of 1,300 job openings. The researchers then analyzed how likely each résumé was to elicit a callback. The résumés were paired to achieve equivalence, and the names assigned were used to suggest race: Lakisha Washington and Jamal Jones, for example, were among the names used as indicators of African American applicants, while names such as Emily Walsh and

Greg Baker were used to suggest that the applicant was white. If the résumés with African American–sounding names elicited significantly fewer invitations for the applicant to come in for an interview, we could conclude that race discrimination occurred.

The findings were remarkable. Job applicants with white-sounding names needed to send 10 résumés to receive one callback, while those whose names sounded African American needed to send 15 résumés to receive one callback. This 50 percent gap was statistically significant, and it grew larger as the quality of résumés rose (that is, in jobs with greater skill demands, the racial differen-

tial was even larger). If these fictitious résumés indicated the applicants lived in a wealthier or more-educated neighborhood, callback probabilities increased for both blacks and whites, but the size of the racial differential remained constant. While newspaper ads represent only one hiring channel, and the audit ended at the callback stage (rather than going through to job offers), this study demonstrates that racial discrimination persists in the labor market to this day.

Source: Marianne Bertrand and Sendhil Mullainathan, "Are Emily and Greg More Employable than Lakisha and Jamal? A Field Experiment on Labor Market Discrimination," *American Economic Review* 94 (September 2004): 991–1013.

may be resolved by noting that each program was part of a comprehensive set of programs—largely aimed at the South—to dismantle all forms of racial segregation, register blacks to vote, and provide legal remedies for victims of discrimination. In the words of one analyst:

> There is evidence that southern employers were eager to employ blacks if they were given the proper excuse. This produced a strong leverage effect for the new laws....An entire pattern of racial exclusion was challenged. This helps to explain how an apparent straw (the Equal Employment Opportunity Commission and the Office of Federal Contract Compliance) could have broken the back of southern employment discrimination. They were only the tip of a federal iceberg launched against the South.[58]

While optimism about the effects of federal antidiscrimination programs in the 1960s and 1970s is warranted, it is not clear that such programs were successful after 1980, when the market for less-educated workers turned poor. It might be possible to argue that the earnings of blacks after 1980 would have been even *lower* were it not for federal efforts, but the evidence so far is that once the most blatant forms of discrimination were attacked, the effects of federal efforts have weakened.[59]

---

[58]Heckman, "Accounting for the Economic Progress of Black Americans," 336.

[59]Donohue and Heckman, "Continuous versus Episodic Change," 1640. Harry J. Holzer, "Why Do Small Establishments Hire Fewer Blacks Than Large Ones?" *Journal of Human Resources* 32 (Fall 1998): 896–914, documents that small firms lag behind larger ones in the hiring of blacks. While the source of this lag is unknown, the lag does indicate a sector in which further gains might be possible.

Review Questions

1. Chinese and Japanese Americans have average earnings that are equal to, or above, those of white Americans. Does this fact imply that they are not victims of labor market discrimination?

2. "In recent years, the wage gap between skilled and unskilled workers in the United States has grown. This growth means that measured labor market discrimination against unskilled Mexican immigrants is also growing." Comment on whether the second part of this statement is implied by the first part.

3. An Associated Press article quoted a report saying that male high school teachers were paid more than female high school teachers. Assuming this is true, what information would you require before judging this to be evidence of wage discrimination?

4. Will government-mandated requirements to hire qualified minorities (at nondiscriminatory wages) in the same proportions they are found in the relevant labor force reduce the profits of firms that formerly engaged in employer discrimination? Fully explain your answer.

5. Suppose that the United States were to adopt, on a permanent basis, a wage subsidy to be paid to employers who hire black, disadvantaged workers (those with relatively little education and few marketable skills). Analyze the potential effectiveness of this subsidy in overcoming (a) labor market discrimination against blacks, and (b) pre-market differences between blacks and whites in the long run.

6. You are involved in an investigation of charges that a large university in a small town is discriminating against female employees. You find that the salaries for professors in the nearly all-female School of Social Work are 20 percent below average salaries paid to those of comparable rank elsewhere in the university. Is this university exhibiting behavior associated with *employer* discrimination? Explain.

7. Suppose a city pays its building inspectors (all male) $16 an hour and its public health nurses (all female) $10 an hour. Suppose that the city council passes a comparable-worth law that in effect requires the wages of public health nurses to be equal to the wages of building inspectors. Evaluate the assertion that this comparable-worth policy would primarily benefit high-quality nurses and low-quality building inspectors.

8. In the 1920s, South Africa passed laws that effectively prohibited black Africans from working in jobs that required high degrees of skill; skilled jobs were reserved for whites. Analyze the consequences of this law for black and white South African workers.

9. Assume that women live longer than men, on the average. Suppose an employer hires men and women, pays them the same wage for the same job, and contributes an equal amount per person toward a pension. However, the promised monthly pension after retirement is smaller for women than for men because the pension funds for them have to last longer. According to a decision by the Supreme Court, the above employer would be guilty of discrimination because of the unequal monthly pension benefits after retirement.

   a. Comment on the Court's implicit definition of discrimination. Is it consistent with the definition normally used by economists? Why or why not?

   b. Analyze the economic effects of this decision on men and women.

Problems

1. Calculate the Index of Dissimilarity for males and females, given the information below.

Occupation	Males	Females
A	40	20
B	40	25
C	20	25
Total	100	70

2. Suppose that $MRP_L = 20 - 0.5L$ for left-handed workers, where L = the number of left-handed workers and MRP_L is measured in dollars per hour. The going wage for left-handed workers is $10 per hour, but employer A discriminates against these workers and has a discrimination coefficient, D, of $2 per hour. Graph the MRP_L curve and show how many left-handed workers employer A hires. How much profit has employer A lost by discriminating?

3. Suppose that (similar to Figure 12.3 in the text) the market demand for female workers depends on the relative wage of females to males, W_F/W_M, in the following manner. $W_F/W_M = 1.1 - 0.0001N_F$ if the number of female workers is less than 1,000, where N_F is the number of female workers hired in the market; $W_F/W_M = 1$ if the number of female workers is between 1,001 and 5,000; $W_F/W_M = 1.5 - 0.0001N_F$ if the number of female workers is above 5,000. Graph this demand curve and calculate the relative wage of female workers when the number hired is 200, 2,000, and 7,000. When does discrimination harm female workers in this market?

4. (Appendix). In the market for delivery truck drivers, $L_S = -45 + 5W$ and $L_D = 180 - 10W$, where L = number of workers and W = wage in dollars per hour. In the market for librarians, $L_S = -15 + 5W$ and $L_D = 190 - 10W$. Find the equilibrium wage and employment level in each occupation, and explain what will happen if a comparable-worth law mandates that the librarians' wage be increased to equal the delivery truck drivers' wage. Use a graph.

Selected Readings

Aigner, Dennis J., and Glen G. Cain. "Statistical Theories of Discrimination in Labor Markets." *Industrial and Labor Relations Review* 30 (January 1977): 175–187.

Altonji, Joseph G., and Rebecca M. Blank. "Race and Gender in the Labor Market." In *Handbook of Labor Economics,* ed. Orley Ashenfelter and David Card. New York: Elsevier, 1999.

Becker, Gary. *The Economics of Discrimination.* 2d ed. Chicago: University of Chicago Press, 1971.

Blau, Francine D., Marianne A. Ferber, and Anne E. Winkler. *The Economics of Women, Men, and Work.* 4th ed. Upper Saddle River, N.J.: Prentice-Hall, 2001.

Blau, Francine D., and Lawrence M. Kahn. "Gender Differences in Pay." *Journal of Economic Perspectives* 14 (Fall 2000): 75–99.

Cain, Glen G. "The Challenge of Segmented Labor Market Theories to Orthodox Theory: A Survey." *Journal of Economic Literature* 14 (December 1976): 1215–1257.

Cornwall, Richard R., and Phanindra V. Wunnava, eds. *New Approaches to Economic and Social Analyses of Discrimination.* New York: Praeger, 1991.

Donohue, John H., III, and James Heckman. "Continuous versus Episodic Change: The Impact of Civil Rights Policy on the Economic Status of Blacks." *Journal of Economic Literature* 24 (December 1991): 1603–1643.

Goldin, Claudia. *Understanding the Gender Gap: An Economic History of American Women.* New York: Oxford University Press, 1990.

Holzer, Harry, and David Neumark. "Assessing Affirmative Action." *Journal of Economic Literature* 38 (September 2000): 483–568.

Killingsworth, Mark R. *The Economics of Comparable Worth.* Kalamazoo, Mich.: W. E. Upjohn Institute for Employment Research, 1990.

Smith, James P., and Finis R. Welch. "Black Economic Progress after Myrdal." *Journal of Economic Literature* 27 (June 1989): 519–564.

Estimating Comparable-Worth Earnings Gaps: An Application of Regression Analysis

Although many economists have difficulty with the notion that the worth of a job can be established independently of market factors, formal job evaluation methods have existed for a long time. The state of Minnesota is one of the few states that began to implement comparable-worth pay adjustments for their employees based on such an evaluation method. How might we use data from job evaluations to estimate whether discriminatory wage differentials exist?[1]

Minnesota, in conjunction with Hay Associates, a prominent national compensation consulting company, began an evaluation of state government jobs in 1979. Initially evaluated were 188 positions in which at least 10 workers were employed and which could be classified as either *male* (at least 70 percent male incumbents) or *female* (at least 70 percent female incumbents) positions. Each position was evaluated by trained job evaluators and awarded a specified number of "Hay Points" for each of four job characteristics or factors: required know-how, problem solving, accountability, and working conditions. The scores for each factor were then added to obtain a total Hay Point, or job evaluation, score for each job. These scores varied across the 188 job titles from below 100 to over 800 points.

Given these job evaluation scores, the next step is to ask what the relationship is between the salary (S_i) each male job pays and its total Hay Point (HP_i) score. Each dot in Figure 12A.1 represents a male job, and this figure plots the monthly salary for each job against its total Hay Point score. On average, it is clear that jobs with higher scores receive higher pay.

Although these points obviously do not all lie on a single straight line, it is natural to ask what straight line fits the data best. An infinite number of lines can be drawn through these points, and some precise criterion must be used to decide which line fits best. As discussed in Appendix 1A, the procedure typically used by statisticians and economists is to choose that line for which the sum (across data points) of the squared vertical distances between the line and the individual data

---

[1]For a more complete discussion of the Minnesota job evaluation and comparable-worth study, see *Pay Equity and Public Employment* (St. Paul, Minn.: Council on the Economic Status of Women, March 1982).

FIGURE 12A.1

Estimated Male
Comparable-Worth
Salary Equation

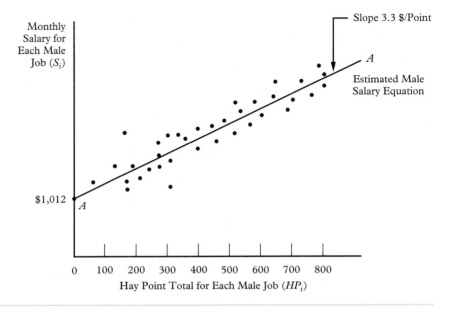

points is minimized. The line estimated from the data using this method—the *method of least squares*—has a number of desirable statistical properties.[2]

Application of this method to data for the *male* occupations contained in the Minnesota data yielded the estimated line:[3]

$$S_i = 1012 + 3.3\ HP_i \tag{12A.1}$$

So, for example, if male job *i* were rated at 200 Hay Points, we would predict that the monthly salary associated with job *i* would be $1,012 + (3.3)(200), or $1,672. This estimated male salary equation is drawn in Figure 12A.1 as line *AA*.

Now, if the value of a job could be determined solely by reference to its job evaluation score, one would expect that, in the absence of wage discrimination against women, male and female jobs rated equal in terms of total Hay Point scores would pay equal salaries (at least on average). Put another way, the same salary equation used to predict salaries of male jobs could be used to provide predictions of salaries for female jobs, and any inaccuracies in the prediction would be completely random. Hence, a test of whether female jobs are discriminated against is to see if the salaries they pay are systematically less than the salaries one would predict they would pay, given their Hay Point scores and the salary equation for male jobs.

Figure 12A.2 illustrates how this is done. Here each dot represents a salary/Hay Point combination for a female job. Superimposed on this scatter of points is the estimated male job salary equation, *AA*, from Figure 12A.1. The fact

---

[2]See Appendix 1A.

[3]These estimates are obtained in Ronald Ehrenberg and Robert Smith, "Comparable Worth in the Public Sector," in *Public Sector Payrolls*, ed. David Wise (Chicago: University of Chicago Press, 1987).

FIGURE 12A.2

Using the Estimated
Male Comparable-
Worth Salary
Equation to
Estimate the Extent
of Underpayment in
Female Jobs

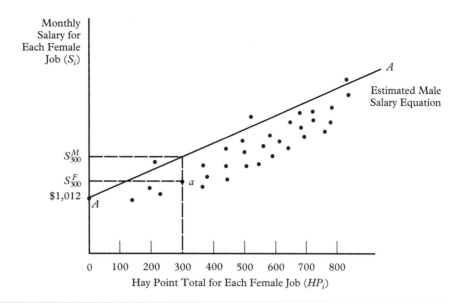

that the vast majority of the data points in Figure 12A.2 lie below the male salary line suggests that female jobs tend to be underpaid relative to male jobs with the same number of Hay Points. For example, the female job that is rated at 300 Hay Points (point a) is paid a salary of S_{300}^F. However, according to the estimated male salary line, if that job were a male job, it would be paid S_{300}^M. The difference in percentage terms between S_{300}^M and S_{300}^F is an estimate of the comparable-worth earnings gap—the extent of underpayment—for the female job. Indeed, calculations suggest that the average (across all the female occupations) comparable-worth earnings gap in the Minnesota data was over 16 percent.[4]

This brief presentation has glossed over a number of complications that must be addressed before such estimates can be considered estimates of wage discrimination against female jobs.[5] These include issues relating to the reliability and/or potential sex bias in the evaluation methods, whether salaries and Hay Point scores may be related in a nonlinear fashion, whether the *composition* of any given total Hay Point score (across the four sets of job characteristics) affects salaries, and whether variables other than the job evaluation scores can legitimately affect salaries. Nonetheless, it should give the reader a sense of how comparable-worth wage gap estimates are computed.

[4]See Ehrenberg and Smith, "Comparable Worth in the Public Sector." Analogous estimates for four other states are presented there and in Elaine Sorensen, "Implementing Comparable Worth: A Survey of Recent Job Evaluation Studies," *American Economic Review* 76 (May 1986): 364–367.

[5]For a more complete discussion of these issues and empirical studies relating to comparable worth, see Ehrenberg and Smith, "Comparable Worth in the Public Sector"; M. Anne Hill and Mark R. Killingsworth, eds., *Comparable Worth: Analyses and Evidence* (Ithaca, N.Y.: ILR Press, 1989); Robert T. Michael, Heidi L. Hartmann, and Brigid O'Farrell, eds., *Pay Equity: Empirical Inquiries* (Washington, D.C. : National Academy Press, 1989); and Killingsworth, *The Economics of Comparable Worth*.

CHAPTER 13

Unions and the Labor Market

O ur analysis of the workings of labor markets has, for the most part, omitted any mention of the role of labor unions and collective bargaining. Because many people have strong and conflicting opinions about the role of unions in our society, it is often difficult to remain objective when discussing them. Some people view labor unions as forms of monopolies that, while benefiting their own members, impose substantial costs on other members of society. In contrast, others view unions as *the* major means by which working persons have improved their economic status and as important forces behind much social legislation.

The purpose of this chapter is to analyze the goals, major activities, and overall effects of unions in the context of economic theory. We begin with some general descriptive material on unions internationally, with a more comprehensive description of unions in the United States, and then move to a fundamental theoretical question: what are the economic forces on the demand side of the market that constrain unions in their desire to improve the welfare of their members? With these constraints in mind, we devote the last half of the chapter to analyzing the primary activities of the collective bargaining process and to discussing empirical evidence on how unions affect wages, employment, labor productivity, and profits.

Union Structure and Membership

Labor unions are organizations of workers whose primary objectives are to improve the pecuniary and nonpecuniary conditions of employment among their members. Unions can be classified into two types: an *industrial* union represents most or all of the workers in an industry or firm regardless of their occupations, and a *craft* union represents workers in a single occupational group. Examples of industrial unions are the unions representing automobile workers, bituminous-coal miners, and rubber workers; craft unions include those representing the various building trades, printers, and dockworkers.

Unions bargain with employers over various aspects of the employment contract, including pay and employee benefits; conditions of work; policies regarding hiring, overtime, job assignment, promotion, and layoff; and the means by which grievances between workers and management are to be resolved. Bargaining can occur at different levels.

At one end of the spectrum, bargaining can be highly *centralized*, with representatives of entire industries sitting at the bargaining table to decide on contracts that bind multiple employers. At the *decentralized* end of the spectrum, bargaining can take place between a union and a single company—or even between the workers and management at a single plant within a company. In the middle are multiemployer agreements reached at the local level between a union and several employers; an example of such agreements would be the ones typically signed between construction craft unions (plumbers, say) and the construction contractors that operate in a given metropolitan area.

As large collective organizations, unions also represent a *political* force in democratic countries. Often, unions will use the political process in the attempt to gain benefits they could not as easily win through collective bargaining. In some countries (Great Britain, for example), unions have their own political party. In others, such as the United States, unions are not affiliated with any single political party; rather, they act as lobbyists for various bills and policies at the federal, state, and local levels of government.

International Comparisons of Unionism

Table 13.1 displays two measures of unionization in several countries. One measure is the percentage of workers who are members of unions, and the other is the percentage of workers in each country whose conditions of employment are covered by a collective bargaining agreement. Two characteristics of this table stand

TABLE 13.1

Union Membership and Bargaining Coverage, Selected Countries, 2004

Country	Union Membership as a Percentage of Workers	Percentage of Workers Covered by a Collective Bargaining Agreement
Austria	37	98
France	10	93
Sweden	81	93
Australia	25	83
Italy	35	83
Netherlands	23	83
Germany	25	68
Switzerland	18	43
United Kingdom	31	33
Canada	28	32
Japan	22	18
United States	13	14

Source: Organisation for Economic Co-operation and Development, http://www.oecd.org; search under "union density, 2004."

out. First, the United States and Japan are notable in the relatively small percentages of their workers who are covered by collectively bargained agreements. Collective bargaining in these countries and Canada takes place at the level of firms and plants, and provisions of the resulting agreements rarely extend beyond the membership of the unions that signed them. Second, in Australia and most European countries, collective bargaining coverage is extended to a very high fraction of workers who are not members of unions. In Austria, for example, collective bargaining is highly centralized, in that agreements are national in their scope, and in most of continental Europe, the parties at the bargaining table represent entire sectors of the economy. The correlation between the coverage and the centralization of bargaining is far from perfect, however; Australia has less-centralized bargaining than Switzerland, for example, yet a higher fraction of its workers are covered by collective bargaining agreements. Clearly, the historical and legal contexts within which unions operate in each country are critical to an understanding of the differing levels of membership.

These different legal contexts across countries also mean that union membership levels and union power are not easily correlated. In Sweden, for example, where almost everyone is in a union, some unions are much weaker in bargaining power than others. In Germany, to take another example, both union and nonunion workers are represented on workplace councils, which decide at the plant level on various personnel issues that in other countries are addressed by local collective bargaining agreements. Finally, government tribunals have played an important role in the Australian system of wage determination, with collective bargaining used to negotiate supplements to the governmental wage awards.[1]

Much of the empirical work on unions has been done on the United States, where bargaining is decentralized and, as we have seen, the majority of workers are nonunion. While the study of unions in one country does not easily generalize to others, given the different legal and historical environments, this empirical work may be of growing interest elsewhere owing to what may be a trend toward a greater decentralization of bargaining in most developed economies during the last decade or two.[2] No matter how well (or poorly) studies of U.S. unions generalize, however, their results must still be understood within the context of American institutions. We therefore turn to a brief history of the legal structure within which American unions have operated.

The Legal Structure of Unions in the United States

Public attitudes and federal legislation have not always been favorably disposed toward labor unions and the collective bargaining process in the United States. For example, during the early part of the twentieth century, employers were often able to claim that unions acted like monopolies in the labor market and hence were illegal under existing antitrust laws. Such employers were often able to get court orders or injunctions that prohibited union activity and aided them in stopping union organization drives. Given this environment, it is not surprising that the fraction of the labor force who were union members stood at less than 7 percent in 1930. Since that date, however, legislation has changed the environment in which American unions operate.

NATIONAL LABOR RELATIONS ACT   The National Labor Relations Act (NLRA) of 1935 required employers to bargain with unions that represented the majority of their employees and made it illegal for employers to interfere with their employees' right to organize collectively.[3] The National Labor Relations Board (NLRB) was established by the NLRA and given power both to conduct *certification elections* to see which union, if any, employees wanted to represent them, and to investigate claims that employers were either violating election rules or refusing to bar-

---

[1]Harry Katz, "The Decentralization of Collective Bargaining: A Literature Review and Comparative Analysis," *Industrial and Labor Relations Review* 47 (October 1993): 3–22; and Richard B. Freeman, "American Exceptionalism in the Labor Market: Union–Nonunion Differentials in the United States and Other Countries," in *Labor Economics and Industrial Relations: Market and Institutions,* ed. Clark Kerr and Paul D. Staudohar (Cambridge, Mass.: Harvard University Press, 1994), 272–299.

[2]Katz, "The Decentralization of Collective Bargaining." Michael Wallerstein, Miriam Golden, and Peter Lange, "Unions, Employers' Associations, and Wage-Setting Institutions in Northern and Central Europe, 1950–1992," *Industrial and Labor Relations Review* 50 (April 1997): 379–401, presents evidence for Austria, Germany, Belgium, the Netherlands, and Scandinavia suggesting that a general process of decentralization has not occurred in those countries.

[3]Actually, the NLRA was much less pro-labor than our brief discussion indicates; the NLRA also gave the NLRB power to investigate employers' claims that their employees, or unions, were violating provisions of the act.

gain with elected unions. In the event violations were found, the NLRB was given further power to order violators to "cease and desist."

TAFT-HARTLEY ACT   After World War II, the pendulum shifted decidedly in an antiunion direction. The Labor-Management Relations Act of 1947 (better known as the Taft-Hartley Act) restricted some aspects of union activity and permitted workers to vote in elections that could decertify a union from representing them in collective bargaining. Perhaps its most famous provision is Section 14B, which permits individual states to pass *right-to-work laws*. These laws prohibit the requirement that a person become a union member as a condition of employment. Twenty-two states, located primarily in the South, Southwest, and Plains areas, have passed such laws.

LANDRUM-GRIFFIN ACT   In 1959, Congress passed the Labor-Management Reporting and Disclosure Act (the Landrum-Griffin Act). This law, which was designed to protect the rights of union members in relation to their leaders, contained provisions that increased union democracy. As argued below, such provisions may well have had the side effect of increasing the level of strike activity in the economy.

GOVERNMENT UNIONS   The laws that have been discussed to this point relate only to the private sector, where unionism in the United States first flourished. Indeed, prior to the 1960s, public sector workers were prohibited from organizing. In 1962, however, President Kennedy signed Executive Order 10988, which gave federal workers the right to organize and bargain over working conditions, but not wages.[4] The influence of federal unions on wages, then, operates primarily through the political pressure they can exert on the President to recommend, or on Congress to approve, pay increases.

Beginning with Wisconsin in 1959, a number of states have extended to employees of state and local governments (including teachers) the rights to organize and collectively bargain. Generally speaking, public sector unions are barred from going on strike, so that laws permitting their right to bargain were accompanied by provisions for some form of binding arbitration (through which neutral parties would ultimately decide on disputes that could not be voluntarily resolved).[5]

UNION MEMBERSHIP   Union membership as a fraction of all American workers peaked in the years following World War II at about one-third. Since then, the percentage of all workers who are union members has dropped continuously, except among government workers. Figure 13.1 graphs the trends in union membership starting in 1973, when the membership percentages in the private and public sectors (and hence, overall) were about 24 percent. As of 2002, membership among

---

[4]There were some major exceptions—namely, postal workers and employees of federal government authorities, such as the Tennessee Valley Authority. In each of these cases, the prices of the products or services produced (mail delivery, hydroelectric power) can be raised to cover the cost of the contract settlement. In other federal agencies, salaries are paid out of general revenues.

[5]See Richard B. Freeman, "Unionism Comes to the Public Sector," *Journal of Economic Literature* 24 (March 1986): 41–86, for a more complete discussion of the evolution of legislation governing bargaining in the public sector.

FIGURE 13.1

Union Membership as a Percentage of All Workers, by Sector,
United States, 1973–2002

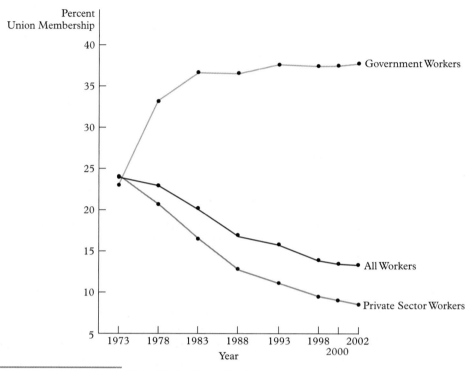

Source: Barry T. Hirsch and David A. Macpherson, *Union Membership and Earnings Data Book 2003* (Washington, D.C.: Bureau of National Affairs, 2003), Table 1.

private sector workers has fallen to 8.6 percent, membership among government workers has risen to 37.8 percent, and the overall rate of membership now stands at 13.3 percent.

Unionized workers in the United States are members of "local" unions, organized at the level of the plant, the employer, or (especially for construction unions) the metropolitan area. We have noted that in the United States, bargaining is relatively decentralized, so it is local unions that bear the brunt of negotiations. These locals, however, are usually members of larger "national" or "international" (usually meaning they include Canadian workers) unions, which provide help and advice to the locals with their organization drives and, later, their negotiations. If bargaining is being done at the industry level, or with one firm at the national level, it is representatives of the national or international union who sit at the bargaining table.

In turn, most of the nationals and internationals (and therefore some three-quarters of all union members) are affiliated with the AFL-CIO, which stands for

TABLE 13.2

Percentage of U.S. Wage and Salary Workers Who Are Union Members, by Selected Characteristics, 2003

Men	14.3
Women	11.4
African American	16.5
Hispanic	10.7
White	11.4
By Industry	
Mining	9.1
Construction	16.0
Manufacturing	13.5
Transportation, Public Utilities	26.2
Wholesale, Retail Trade	6.2
Finance, Insurance	1.6

Source: U.S. Bureau of Labor Statistics, http://www.bls.gov/opub/ted/2004/jan/wk3/art03.htm, and http://www.bls/gov/news.release/union2.t03.htm.

the American Federation of Labor and Congress of Industrial Organizations. The AFL-CIO is not a union but rather an association of unions organized both nationally and at the state level. Its main functions are to provide a unified political voice for its diverse member unions, to recommend and coordinate membership initiatives among its affiliates, and to provide research and information to its members. It does not directly negotiate with employers.

Table 13.2 provides another way of looking at union membership in the United States. From this table, we can see that men are more likely to be unionized than women, and that African American workers have higher rates of unionization than other groups. The highest rates of unionization by industry are found in transportation and public utilities, construction, and manufacturing.

Constraints on the Achievement of Union Objectives

The founder of the American Federation of Labor, Samuel Gompers, was once asked what unions wanted. His answer was quite simple: "More." Hardly anyone who has studied union behavior believes unions' objectives are quite that simple, but it is self-evident that unions want to advance the welfare of their members in one way or another. Some of their objectives are *procedural*; they want to give workers some voice in the way employers manage the workplace, especially in the handling of various personnel issues such as job assignment, the allocation of overtime, the handling of worker discipline and grievances, and the establishment of joint labor–management safety committees and work teams. Procedural objectives are not always costly to the employer, who (especially with modern management techniques) may want a mechanism through which employee participation in management decisions can be achieved.[6] Other procedural objectives, however, put constraints on managerial prerogatives that, while difficult to quantify, are often seen by employers as costly.

Wanting "more" is usually associated with the union goal of increasing the *compensation* levels of its members. The most visible element of compensation is the wage rate, but bargaining in the United States also occurs over such employee benefits as pensions, health insurance, and vacations. (In many other developed countries, these benefits are mandated by the government and therefore are not subject to collective bargaining.) The attempts to achieve "more," of course, take place in the context of *constraints*. Employers are on the other side of the bargaining table, and they must make agreements that permit them to operate successfully both with their workers *and* within their product markets. Increased compensation for their workers will give them incentives to *substitute* capital for labor, and to the extent that their costs of production rise, there also will be pressures to reduce the *scale* of operations. In short, unions must ultimately reckon with the downward-sloping demand curve for labor. As a result, both the position and the elasticity of this curve become fundamental market constraints on the ability of unions to accomplish their objectives.

To see this, ignore employee benefits and working conditions for the moment and consider Figure 13.2, which shows two demand curves, D_e^0 and D_i^0, which intersect at an initial wage W_0 and employment level E_0. Suppose a union seeks to raise the wage rate of its members to W_1. To do so would cause employment to fall to E_e^1 if the union faced the relatively elastic demand curve D_e^0, or to E_i^1 if it faced the relatively inelastic demand curve D_i^0. Other things equal, the more elastic the demand curve for labor is, the greater will be the reduction in employment associated with any given increase in wages.

Suppose now that the demand curve D_i^0 shifts out to D_i^1 while the negotiations are under way, owing perhaps to growing demand for the final product. If the union succeeds in raising its members' wages to W_1, there will be no absolute decrease in employment in this case. Rather, the union will have only slowed the rate of growth of employment to E_i^2 instead of E_i^3. More generally, other things equal, the more rapidly the labor demand curve is shifting out (in), the smaller (larger) will be the reduction *in employment* or the reduction *in the rate of growth of employment* associated with any given increase in wages. Hence, unions' ability to raise their members' wages will be strongest in rapidly growing industries with inelastic labor demand curves. Conversely, unions will be weakest in industries in which the wage elasticity of demand is highly elastic and in which the demand curve for labor is shifting in.

[6]See William N. Cooke, "Employee Participation Programs, Group-Based Incentives, and Company Performance: A Union–Nonunion Comparison," *Industrial and Labor Relations Review* 47 (July 1994): 594–609.

FIGURE 13.2

Effects of Demand Growth and the Wage Elasticity of Demand on the Market Constraints Faced by Unions

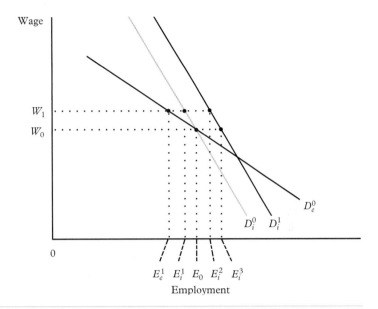

We now turn to two alternative models of how unions and employers behave in their agreements about wages and benefits, given the market constraints they face. Each of the models analyzes the interaction of—and trade-offs between—wages and employment.

The Monopoly-Union Model

The simplest model of the union–employer relationship has been called one of *monopoly unionism,* whereby the union sets the price of labor and the employer responds by adjusting employment to maximize profits, given the new wage rate with which it is confronted. This model is formally illustrated by Figure 13.3, which shows the labor demand curve, D, facing workers as a simple function of the wage rate (for simplicity, we abstract from other elements in the compensation package).

In Figure 13.3, we assume that the union values both the wages and the employment levels of its members and that it can aggregate its members' preferences so that we can meaningfully speak of a union utility function that depends on these two variables. This utility function is summarized by the family of indifference curves U_0, U_1, U_2, U_3. Each curve represents a locus of employment/wage combinations about which the union is indifferent. The indifference curves are negatively sloped, because to maintain a given utility level, the union must be compensated for a decline in one variable (employment or wages) by an increase in the other. They exhibit the property of diminishing marginal rates of substitution (they are convex to the origin) because we assume the loss of employment that unions are willing to tolerate in return for a given wage increase grows smaller

FIGURE 13.3

Union Maximizes Utility
Subject to the Constraint of
the Labor Demand Curve

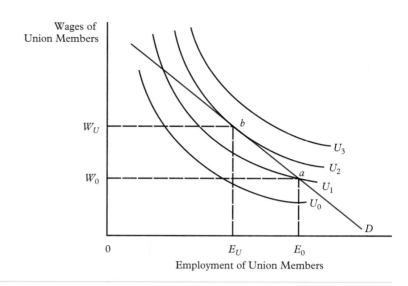

as employment falls. Finally, higher indifference curves represent higher levels of union utility.

Suppose that, in the absence of a union, market forces would cause the wage to be W_0 and employment to be E_0 (point a in Figure 13.3). How does collective bargaining affect this solution? One possibility is that the union and the employer will agree on a higher wage rate and then, given the wage rate, the employer will determine the number of union members to employ. Given a bargained wage rate, the employer will maximize profits and determine employment from its labor demand curve. Since the union presumably knows this, its goal is to choose the wage that maximizes its utility subject to the constraint that the resultant wage/employment combination will lie on the demand curve.

In terms of Figure 13.3, the union will seek to move to point b, where indifference curve U_2 is just tangent to the labor demand curve. At this point, wages would be W_U and employment E_U. Given the constraint posed by the labor demand curve, point b represents the highest level of utility the union can attain.

The Efficient-Contracts Model

An interesting feature of the simple monopoly-union model is that it is not *efficient*. Instead of having unions set the wage and then having employers determine employment, both parties could be better off if they agreed to jointly determine wages and employment. Put succinctly in terms of Figure 13.3, there is a whole set of wage/employment combinations that at least one of the parties would prefer and that would leave the other no worse off; these combinations have been called *efficient contracts*. (While the term *efficient* recalls our discussion of *Pareto*

FIGURE 13.4

Employer Isoprofit Curves

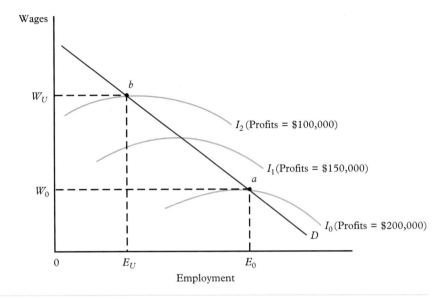

efficiency in chapter 1, it is being used more narrowly here. Pareto efficiency refers to *social* welfare, and a transaction is said to be Pareto-improving if *society* is made better off—that is, some gain and no one else loses. *Efficiency* in the current context denotes only that the welfare of the two parties can be improved; it does not imply that society, as a whole, gains. Indeed, we will see in the next subsection that, in general, these efficient contracts lead to a socially wasteful use of labor.)

THE FORMAL MODEL To begin our analysis, we must recall from chapter 3 that the labor demand curve is defined by the employer's choosing an employment level that maximizes profits at each wage rate. In Figure 13.3, for example, if we start at point *a* on the demand curve with the wage at W_0 and employment at E_0, profits would fall if the employer were to either expand or contract employment. Thus, if employment were to be changed from E_0, a lower wage rate would have to be paid to keep profits from falling. The larger the deviation of employment from E_0, the lower wages would have to be to keep profits constant.

We can formalize this by reintroducing the concept of *isoprofit curves,* first discussed in chapter 8. Here an isoprofit curve is a locus of wage/employment combinations along which an employer's profits are unchanged. Figure 13.4 shows three isoprofit curves for the employer whose labor demand curve is *D*. As discussed above, each curve reaches a maximum at its intersection with the demand curve; as we move along a given isoprofit curve in either direction away from the demand curve, wages must fall to keep profits constant. A higher isoprofit curve represents a lower level of employer profits because the wage associated with each level of employment is greater along the higher curve. So, for example, the employer would prefer any point on I_0, which includes the original

FIGURE 13.5

The Contract Curve—The Locus
of Efficient Contracts

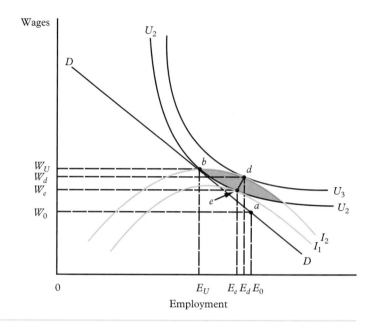

wage/employment combination (point a), to any point on I_2, which includes the monopoly-union wage/employment solution (point b).

Figure 13.5 superimposes the family of employer isoprofit curves from Figure 13.4 onto the family of union indifference curves from Figure 13.3 and illustrates why the monopoly-union solution, point b, is not an *efficient contract*. Suppose, rather than locating at point b, the parties negotiated a contract that called for them to locate at point d, where the wage rate (W_d) would be lower but employment of union members (E_d) higher. At point d, the union would be better off, since it would now be on a higher indifference curve, U_3, while the firm would be no worse off, since it still would be on isoprofit curve I_2.

Similarly, suppose that rather than negotiating a contract to wind up at b, the parties agreed to a contract that called for them to locate at point e, with a wage rate of W_e and an employment level of E_e. Compared with the monopoly-union solution (point b), the union is equally well off, since it remains on indifference curve U_2, but now the firm is better off because it has been able to reach isoprofit curve I_1. Because I_1 lies below I_2, it represents a higher level of profits.

In fact, there is a whole set of contracts that both parties will find at least as good as point b; these are represented by the shaded area in Figure 13.5. Among this set, the ones that are efficient contracts—contracts in which no party can be made better off without hurting the other—are the ones in which employer isoprofit curves are just tangent to union indifference curves, such as at points d and e. Indeed, there is a whole locus of such points, and they are represented in the figure by the curve *ed*. Each point on *ed* represents a tangency of a union indifference curve and an employer isoprofit curve; these are points at which the employer and the union are equally willing to substitute wages for employment at the margin (so that no more mutually beneficial trades of wages for employment are possible).

All of the points on *ed*, which is often called the *contract curve* (or locus of efficient contracts), will leave both parties at least as well off as at point *b*, and at least one party better off. However, the parties are not indifferent to where along *ed* the settlement is reached. Obviously the union would prefer to be close to *d* and the employer close to *e*. Where on the contract curve a settlement actually occurs in this model depends upon the bargaining power of the parties.[7]

THE CONTRACT CURVE   Two points need to be made about the contract curve. First, as shown in Figure 13.5, it lies off and to the right of the firm's labor demand curve. This implies that the firm is using more labor at any given wage rate than it would if it had unilateral control over employment, and it implies that the collective bargaining agreement will contain clauses that create (more precisely, ratify the use of) excess labor in the plant. For example, there may be clauses pertaining to minimum crew sizes or to rigid rules governing which workers must do specific tasks; some agreements may even have no-layoff clauses for certain workers. While the employer may be better off with these clauses, because it can induce the union to agree to a lower wage, its failure to minimize costs is socially wasteful (society could increase its aggregate output if labor were reallocated and used more productively).

Second, it is not necessary that the slope of the contract curve be up and to the right, as shown in Figure 13.5. Depending on the shapes of the union's indifference curves and the firm's isoprofit curves, the contract curve could slope up and to the left or even be vertical.

An interesting special case involving a vertical contract curve is created when the curve is *vertical at the original (preunion) level of employment.* In this case, the firm agrees to maintain employment at the level that *maximizes profits*, given the *market* wage rate. The union and firm in effect bargain over how these profits are split; every dollar gained by the union is a dollar lost by the employer, and there are no changes in output or employment. If the union succeeds in raising wages above their original (market) level, however, it is reasonable to ask how the firm could afford to pay higher wages, maintain its original employment level, and still operate successfully in the product market. The answer must be that it is in a *noncompetitive* product market and is therefore receiving profits in excess of those required for it to remain in business; a reduction in these excess profits might make management unhappy, but it does not cause the employer to change

---

[7]For an attempt to model how bargaining power affects the nature of contract settlements, see Jan Svejnar, "Bargaining Power, Fear of Disagreement, and Wage Settlements: Theory and Empirical Evidence from U.S. Industry," *Econometrica* 54 (September 1986): 1055–1078.

its behavior.[8] Further implications of a vertical contract curve are discussed in the final section of this chapter, in which the social gains or losses of unionization are considered.

ARE CONTRACTS REALLY EFFICIENT?   How realistic is the efficient-contracts model as a description of the wage-determination process in unionized workplaces in the United States? The most obvious way to answer this question would be to look at the language of collective bargaining agreements to see if there is evidence of joint agreement on employment levels. Many contracts covering public school teachers specify maximum class sizes or minimum teacher/student ratios, and a few private sector contracts include no-layoff provisions for certain core workers, but the world is too uncertain for an employer to explicitly guarantee a certain *level* of employment.

Contracts, however, often contain language that perpetuates the use of excess labor. Many require that duties cannot be performed "out of job title," so that a custodian, for example, could not paint a scuffed wall (a painter would be required), or an off-stage actress could not perform any of the duties of a lighting technician. These rigidities in job assignment clearly are designed to protect jobs even though the level of employment is not explicitly determined in the contract.

There are also *indirect* tests of the efficient-contracts model. This model and the monopoly-union model yield different implications about how wages and employment will vary in response to changes in variables that affect either the demand for labor or union preferences. A number of studies have analyzed these implications, and it is fair to say that at the moment, there is evidence that both supports and goes against the efficient-contracts model.[9]

The Activities and Tools of Collective Bargaining

Having analyzed the general constraints facing unions as they seek to accomplish their goals, we turn now to an economic analysis of several activities that affect their power. We begin with a simple model of union *membership* and use it to help understand the decline in membership faced by U.S. unions in recent decades. Next, we briefly discuss the ways in which unions use the *political* process in an attempt to alter the market constraints they face. Finally, we analyze the ultimate threats—of calling a *strike* or having an unresolved dispute decided by third-party *arbitration*—that unions can carefully use in the collective bargaining process.

---

[8]Brian E. Becker, "Union Rents as a Source of Takeover Gains among Target Shareholders," *Industrial and Labor Relations Review* 49 (October 1995): 3–19. An empirical test for a vertical contract curve can be found in John M. Abowd, "The Effect of Wage Bargains on the Stock Market Value of the Firm," *American Economic Review* 79 (September 1989): 774–800.

[9]Walter J. Wessels, "Do Unions Contract for Added Employment?" *Industrial and Labor Relations Review* 45 (October 1991): 181–193, cites previous literature. John Pencavel, *Labor Markets under Trade Unionism* (Cambridge, Mass.: Basil Blackwell, 1991), chap. 4, presents an analysis of the results on this topic, most especially of the evidence for a vertical contract curve.

FIGURE 13.6

The Demand for and Supply of Unionization

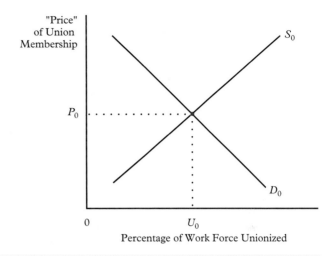

Union Membership: An Analysis of Demand and Supply

A simple model of the demand for and supply of union activity can be used to explain the forces that influence union membership.[10] On the demand side, employees' desire to be union members will be a function of the *price* of union membership; this price includes initiation fees, monthly dues, the value of the time an individual is expected to spend on union activities, and so on. Other things equal, the higher the price, the lower the fraction of employees that will want to be union members, as represented by the demand curve D_0 in Figure 13.6.

It is costly to represent workers in collective bargaining negotiations and to supervise the administration of union contracts. Therefore, it is reasonable to conclude that, other things equal, the willingness of unions to supply their services is an upward-sloping function of the price of union membership, as represented by the supply curve S_0 in Figure 13.6. The intersection of these demand and supply curves yields an equilibrium percentage of the workforce that is unionized (U_0) and an equilibrium price of union services (P_0).

What are the forces that determine the *positions* of the demand and supply curves? Anything that causes either the demand curve *or* the supply curve to shift to the right will increase the level of unionization in the economy, other things equal. Conversely, if either of these curves shifts to the left, other things equal, the level of unionization will fall. Identifying the factors that shift these curves would enable us to explain *changes* in the level of unionization in the economy over time.

---

[10]This model is based on the approach found in Orley Ashenfelter and John Pencavel, "American Trade Union Growth, 1900–1960," *Quarterly Journal of Economics* 83 (August 1969): 434–448; and John Pencavel, "The Demand for Union Services: An Exercise," *Industrial and Labor Relations Review* 24 (January 1971): 180–191.

On the demand side, it is likely that individuals' demand for union membership is positively related to their perceptions of the *net benefits* from being union members. For example, the larger the wage gain they think unions will win for them, the further to the right the demand curve will be. Another factor is *tastes;* if individuals' tastes for union membership increase, perhaps because of changes in social attitudes, the demand curve will also shift to the right.

On the supply side, anything that changes the *costs* of union organizing activities will affect the supply curve. Introduction of labor legislation that makes it easier for unions to win representation elections will shift the supply curve to the right. Changes in the composition of employment that make it more difficult to organize the workforce will shift the curve to the left and reduce the level of unionization.[11]

The decline in unionization rates that has taken place in the United States since the mid-1950s is hypothesized to be at least partially explained by five factors related to the demand for, or supply of, union services: demographic changes in the labor force, a shifting industrial mix, a heavier mix of employment in states in which the environment is not particularly favorable for unions, increased competitive pressures, and increased employer resistance to union organizing efforts.[12]

DEMOGRAPHIC CHANGES   The fraction of the labor force that is female has increased substantially (see chapter 6), and women historically have tended not to join unions. The benefits from union membership are a function of individuals' expected tenure with firms; seniority provisions, job security provisions, and retirement benefits are not worth much to individuals who expect to be employed at a firm for only a short while. *In the past,* women tended to have shorter expected job tenure than men and to have more intermittent labor force participation. Given the *growing* labor force attachment of women, however, demographic changes are an unlikely explanation for the decline in union membership.[13]

CHANGING INDUSTRIAL MIX   A second possible factor in the decline of union membership is the shift in the industrial composition of employment, first discussed in chapter 2. The fraction of workers in government, the most heavily unionized sector in the United States, has held more or less constant since the mid-1970s, while there has been a substantial decline in the employment shares of the most heavily union-

---

[11]Rebecca S. Demsetz, "Voting Behavior in Union Representation Elections: The Influence of Skill Homogeneity and Skill Group Size," *Industrial and Labor Relations Review* 47 (October 1993): 99–113, finds that plants with more homogeneously skilled workers are more supportive of unions, other things equal.

[12]For a discussion of the factors underlying the rise and fall of unionization rates in the United States, see the essays by Edward P. Lazear, Richard B. Freeman, and Melvin W. Reder in *Journal of Economic Perspectives* 2 (Spring 1988): 59–110. For quantitative estimates of the extent to which the factors discussed in this section are responsible for the decline in unionization, see Henry Farber, "The Decline of Unionization in the United States: What Can Be Learned from Recent Experience?" *Journal of Labor Economics* 8, no. 1, pt. 2 (January 1990): S75–S105; and Henry Farber and Alan Krueger, "Union Membership in the United States: The Decline Continues," in *Employee Representation: Alternatives and Future Decisions,* ed. Bruce Kaufman and Morris Kleiner (Madison, Wis.: Industrial Relations Research Association, 1993).

[13]Farber and Krueger, "Union Membership in the United States: The Decline Continues," argue that demographic changes have played almost no role in the decline.

ized industries in the *private* sector (see Table 13.2): manufacturing, mining, construction, transportation, and public utilities. Employment has increased most notably in wholesale and retail trade; in finance, insurance, and real estate; and in the service industries—all of which are the least-unionized sectors of the economy.

Why do the latter industries tend not to be unionized? These industries tend to be highly competitive, with high price elasticities of product demand and therefore high wage elasticities of labor demand, which limit unions' abilities to increase wages without suffering substantial employment declines. For this reason, the net benefits individuals perceive from union membership may be lower in these industries, and an increase in their importance in the economy would shift the demand for union services to the left in Figure 13.6, thereby reducing the percentage of the workforce that is unionized.

These industries also tend to be populated by small establishments. The demand for unionization is thought to be lower for employees who work in small firms, because they often feel less alienated from their supervisors. Similarly, since it is more costly to try to organize 1,000 workers spread over 100 firms than it is to organize 1,000 workers at one plant, it is often thought that the supply of union services would shift left as the share of employment going to small firms increased. Both of these factors tend to suggest (in terms of Figure 13.6) that unionization will decline as the share of employment in small establishments increases, providing another reason the shift in industrial distribution of employment may have affected the extent of unionization.

REGIONAL SHIFTS IN EMPLOYMENT   A third factor that may have contributed to the decline in union strength is the movement in population and employment that has occurred since 1955 from the industrial Northeast and Midwest to the South and West. As noted earlier, the South and Southwest are heavily represented among the 22 states that have right-to-work laws. Such laws raise the costs of expanding union membership, because individuals who accept employment with a firm cannot be compelled to become union members as a condition of employment. In terms of Figure 13.6, these laws shift the supply curve of union services to the left, thereby reducing the level of unionization. Between 1955 and 2000, the proportion of employees working in right-to-work states increased from 24 to over 38 percent. This shifting geographic distribution of the workforce, coupled with the existence of these laws, undoubtedly tended to depress union membership.

It is not at all obvious, however, that the decline in unionization occasioned by the move to the South and West can be attributed to right-to-work laws per se. The extent of unionization in right-to-work states tended to be lower than that in other states even before the passage of the laws. These laws may only reflect attitudes toward unions that already exist in these communities.[14]

---

[14]For a recent study that cites earlier literature on the effects of right-to-work laws, see Steven E. Abraham and Paula B. Voos, "Right-to-Work Laws: New Evidence from the Stock Market," *Southern Economic Journal* 67 (October 2000): 345–362.

EXAMPLE 13.1

The Effects of Deregulation on Trucking and Airlines

Before the late 1970s, the heavily unionized trucking and airline industries were regulated by the United States government, which restricted the entry of potential competitors and granted existing carriers a degree of monopoly power. From 1978 to 1980, however, these restrictions were largely removed. The resulting increase in product market competition increased the price elasticity of product demand and, of course, the wage elasticity of labor demand in those industries—thus reducing the power of unions to raise wages.

These changes reduced the desirability of being unionized, and indeed, both industries experienced sharp declines in unionized employment. In the airline industry, for example, the employment of union mechanics had fallen 15–20 percent by 1983. In trucking, the rate of unionization throughout the industry fell from 88 percent to 65 percent by 1990.

Data from: David Card, "The Impact of Deregulation on the Employment and Wages of Airline Mechanics," *Industrial and Labor Relations Review* 39 (July 1986): 527–538; and Michael H. Belzer, *Sweatshops on Wheels: Winners and Losers in Trucking Deregulation* (New York: Oxford University Press, 2000).

COMPETITIVE PRESSURES   A fourth factor is increased foreign competition in manufacturing and the deregulation of the airline, trucking, and telephone industries (see Example 13.1). In these industries, which tended to be highly unionized, increased product market competition has served to increase the price elasticities of product demand, and hence the wage elasticities of labor demand. To the extent that union members' wages did not fall substantially in the face of increased product market competition, unionized employment within these industries could have been expected to fall. Indeed, the share of unionized employment in these previously heavily unionized industries has fallen substantially in the past two decades as competition from both foreign firms and new, nonunion employers in the deregulated industries has increased.[15]

By making labor demand curves more elastic, increased competitive pressures reduce the benefits to workers of collective action, hence shifting the demand curve for union membership to the left. Moreover, increased product market competition may well call forth *employer* responses that affect workers' demand for unions. For example, if firms find that foreign competition has intensified, they may seek to relocate in areas where workers are less likely to unionize; similarly, they may seek to employ workers in demographic groups whose demands for union membership are relatively low. Increased competition may also cause employers to resist union organizing efforts more vigorously, which could well increase the costs of such efforts and shift the supply curve of union services to the left.

---

[15]Evidence that the effects of foreign competition are felt primarily in union members' employment levels, not in their wages, is found in John Abowd and Thomas Lemieux, "The Effects of International Trade on Union Wages and Employment: Evidence from the U.S. and Canada," in *Immigration, Trade, and the Labor Market*, ed. John Abowd and Richard Freeman (Chicago: University of Chicago Press, 1991).

TABLE 13.3

Union Representation Elections and Unfair Labor Practice Complaints Issued by NLRB, 1970–2003

Year	Representation Elections		NLRB Complaints against Employers	
	Number	Percent Won by Union	Number	Ratio: Complaints to Elections
1970	8,074	55.2	1,474	0.183
1975	8,577	48.2	2,335	0.272
1980	8,198	45.7	5,164	0.630
1985	4,614	42.4	2,840	0.616
1990	4,210	46.7	3,182	0.756
1993	3,586	47.6	3,576	0.997
1996	3,277	44.8	2,919	0.891
1999	3,585	50.5	2,036	0.568
2003	2,937	53.8	1,767	0.601

Source: Annual Report of the National Labor Relations Board, Appendix Tables 3A, 13 (various years).

EMPLOYER RESISTANCE   U.S. employers can, and often do, play an active role in opposing union organizing campaigns, using both legal and illegal means. For example, under the National Labor Relations Act, it is legal for employers to present arguments to employees detailing why they think it is in the workers' best interests to vote against a union and for employers to hire consultants to advise them how to best conduct a campaign to prevent a union from winning an election. However, it is illegal for an employer to threaten to withhold planned wage increases if the union wins the election or for a firm to discriminate against employees involved in the organizing effort. If a union believes an employer is involved in illegal activities during a campaign, it can file an unfair labor practices charge with the National Labor Relations Board that, if sustained, can lead the NLRB to issue a formal complaint.

Table 13.3 chronicles, from 1970 to 2003, the number of union representation elections, the percent won by the union, and the number of unfair labor practice complaints filed by the NLRB against employers. While not all unfair practices occur during representation elections, the ratio of such complaints to the number of elections held gives us at least some idea of the intensity of employer resistance. This ratio rose steeply in the 1970s and 1980s, peaked in 1993 (at a ratio over five times greater than it had been two decades earlier), and then fell back to 1980–1985 levels during the next decade.

Why did employers offer increased resistance to unions after 1980? Some argue that employers were more disposed, on purely ideological grounds, to maintain union-free workplaces. Others suggest, however, that the change in employer behavior was the result of an increase in the costs that employers expected to face if the unions won. During the 1970s and early 1980s, wages of unionized workers grew more rapidly than the wages of nonunion workers just as competition from foreign producers increased sharply. Thus, the perceived economic benefits to nonunion employers of keeping their workplaces nonunion increased. This factor, it is argued, encouraged them to increasingly and aggressively combat union election campaigns, through both legal and illegal means.[16]

Union Actions to Alter the Labor Demand Curve

Many actions that unions take are direct attempts to relax the market constraints they face: either to increase the demand for union labor or to reduce the wage elasticity of demand for their members' services. Many of these attempts have *not* occurred through the collective bargaining process per se. Rather, they have occurred through union support for legislation that at least indirectly achieved union goals and through direct public relations campaigns to increase the demand for products produced by union members.

SHIFTING PRODUCT DEMAND   To shift the demand for the final product, unions have lobbied for import quotas, which restrict the quantities of foreign-made goods that can be imported into the United States, and for *domestic content* legislation, which requires goods from abroad to have a certain percentage of American-made components. Unions have also lobbied strongly against legislation, such as the North American Free Trade Act, that reduces tariffs on imported goods. Some unions have sought to directly influence people's tastes for the products they produce, urging consumers to "Buy American" or "Look for the union label."

RESTRICTING SUBSTITUTION: LEGISLATION   Unions have also sought, by means of legislation, to pursue strategies that increase the costs of other inputs that are potential substitutes for union members. Construction unions, for example, have often persuaded states to require that nonunion contractors working on public projects pay the "prevailing wage" (usually the union wage in that area); further, labor unions have been among the primary supporters of higher minimum wages.[17] While such support may be motivated by a concern for the welfare of low-wage workers, increases in the mandated wage also raise the relative costs to

---

[16]William T. Dickens, "The Effect of Company Campaigns on Certification Elections: Law and Reality Once Again," *Industrial and Labor Relations Review* 36 (July 1983): 560–575; Robert Flanagan, *Labor Relations and the Litigation Explosion* (Washington, D.C.: Brookings Institution, 1987); and Farber, "The Decline in Unionization in the United States."

[17]See Daniel P. Kessler and Lawrence F. Katz, "Prevailing Wage Laws and Construction Labor Markets," *Industrial and Labor Relations Review* 54 (January 2001): 259–274. For evidence that union support for minimum wage legislation is often transformed into pro-minimum wage votes by members of Congress, see James Cox and Ronald Oaxaca, "The Determinants of Minimum Wage Levels and Coverage in State Minimum Wage Laws," in *The Economics of Legal Minimum Wages*, ed. Simon Rottenberg (Washington, D.C.: American Enterprise Institute for Public Policy Research, 1981).

employers of hiring nonunion workers, thereby both increasing the costs of the products they produce and reducing employers' incentives to substitute them for higher-paid union workers.

Another example of how unions can influence the demand for union labor is their position on immigration policy. The AFL-CIO has been quite explicit, both historically and in recent years, about its concern that immigrants depress wages as they are substituted for unionized American workers. With respect to the problem of illegal immigration in the early 1980s, the AFL-CIO asserted that

> while the nation should continue its compassionate and humane immigration policy, it is apparent that large numbers of illegal immigrants are being exploited by employers, thus threatening hard-won wages and working conditions. U.S. immigration policy should foster reunification of families and provide haven for refugees from persecution, while taking a realistic view of the job opportunities and the needs of U.S. workers.[18]

It is not surprising, then, that unions have historically supported legislation restricting immigration.

RESTRICTING SUBSTITUTION: BARGAINING   Union attempts to restrict the substitution of other inputs for union labor typically occur by means of the collective bargaining process. In the past, some unions, notably those in the airline, railroad, and printing industries, sought and won guarantees of minimum crew sizes (for example, at least three pilots were required to fly certain jet aircrafts). Such *staffing requirements* prevented employers from substituting capital for labor.[19] Other unions have won contract provisions that prohibit employers from *subcontracting* for some or all of the services they provide. For example, a union representing a company's janitorial employees may win a contract provision preventing the firm from hiring external firms to provide it with janitorial services. Such provisions may limit the substitution of nonunion for union workers.

Craft unions often negotiate specific contract provisions that restrict the functions that members of each individual craft can perform, thereby limiting the substitution of one type of union labor for another. They also limit the substitution of unskilled union labor for skilled union labor by establishing rules about the maximum number of *apprentice* workers that can be employed relative to the experienced *journeymen* workers. Apprenticeship rules also limit the supply of skilled workers to a craft, which is another way to limit substitution for current union members.

---

[18]*The AFL-CIO Platform Proposals: Presented to the Democratic and Republican National Conventions 1980* (Washington, D.C.: AFL-CIO, 1980), 14.

[19]In cases in which these requirements call for the employment of workers whose functions are redundant—for example, fire stokers in diesel-operated railroad engines—*featherbedding* is said to take place. For an economic analysis of this phenomenon, see George Johnson, "Work Rules, Featherbedding and Pareto Optimal Union Management Bargaining," *Journal of Labor Economics* 8, no. 1, pt. 2 (January 1990): S237–S259.

Bargaining and the Threat of Strikes

How do unions persuade employers to agree to changes that reduce the wage elasticity of demand or shift the demand curve for union labor to the right? Given the elasticity and position of demand curves, how are unions able to bargain for, and win, real wage increases when in most cases an increase in the price of an input reduces a firm's profits?

In some cases, a union and an employer may agree to a settlement in which real wages are increased in return for the union's agreeing to certain work-rule changes that will result in increased productivity. If such an agreement is explicit and is tied to the resulting change in productivity, the process is often referred to as *productivity bargaining*. More typically, however, unions are able to win management concessions at the bargaining table because of the unions' ability to impose costs on management. These costs typically take the form of work slowdowns and strikes. A *strike* is an attempt to deny the firm the labor services of all union members.

Strikes, for all the publicity generated when they occur, are relatively rare—and becoming ever rarer—in the United States. In 1970, for example, there were 381 work stoppages in the United States involving 1,000 or more workers, and these strikes caused a loss of about one-fourth of one percent of all work hours in the economy. By way of contrast, in 1997 (a year of comparable economic activity, as measured by the unemployment rate), there were 29 strikes involving 1,000 or more workers, and these caused a one-hundredth of one percent loss of overall work hours.[20] Despite their infrequency, the *threat* of a strike hangs over virtually every bargaining situation in the private sector, and therefore models of the bargaining process and its outcomes must address this threat.

A SIMPLE MODEL OF STRIKES AND BARGAINING   The first, and also simplest, model of strikes in the bargaining process was developed by Sir John Hicks.[21] Suppose that management and labor are bargaining over only one issue: the size of the wage increase to be granted. How would the percentage increase that the union demands and the increase that the employer is willing to grant vary with the expected duration of a strike? Hicks analyzed this question with a diagram like the one shown in Figure 13.7, in which $\dot{W}$ is the percentage wage increase over which labor and management are bargaining.

On the employer side, the firm's highest pre-strike wage offer is assumed to be $\dot{W}_f$. If that offer is rejected and a strike ensues, the employer may be able to service its customers for a relatively short period of time through accumulated inventories or the use of nonstriking employees (including managers) in production jobs. As a strike progresses, however, the costs of lost business or dissatisfied customers mount; indeed, recent papers suggest that productivity and product

---

[20]*World Almanac and Book of Facts, 1999* (Mahwah, N.J.: World Almanac Books, 1999), 145, 152.

[21]John R. Hicks, *The Theory of Wages,* 2nd ed. (New York: St. Martin's Press, 1966), 136–157.

FIGURE 13.7

Hicks's Bargaining Model and Expected
Strike Length

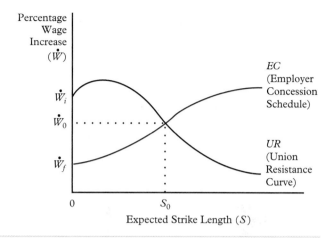

Percentage Wage Increase ($\dot{W}$)

$\dot{W}_i$

$\dot{W}_0$

$\dot{W}_f$

EC
(Employer
Concession
Schedule)

UR
(Union
Resistance
Curve)

0   S_0

Expected Strike Length (S)

quality can suffer quite markedly during periods of labor strife.[22] Faced with these losses, the employer can be expected to increase its wage offer in an effort to end the strike. The expected willingness of employers to increase their wage offers as a strike lengthens is depicted by the upward-sloping *employer concession schedule, EC,* in Figure 13.7.

The union is assumed initially willing to accept some wage increase ($\dot{W}_i$) without a strike, but after a strike begins, worker attitudes may harden, and the union may actually increase its wage demands early on. After some point in the strike, however, the loss of income workers are suffering begins to color their attitudes, and the union will begin to reduce its wage demands. This reduction is indicated by the *union resistance curve, UR,* in Figure 13.7, which eventually becomes downward-sloping.

As the strike proceeds, we expect the union's demands to decrease and the employer's offer to increase, until at strike duration S_0 the two will coincide. At this point, a settlement is reached on a wage increase of $\dot{W}_0$ and the strike is expected to end. This simple model has several implications.

IMPLICATIONS OF THE MODEL First, holding the *EC* schedule constant, anything that shifts the *UR* schedule upward (that is, increases union resistance to management) will both lengthen the expected strike duration and raise the wage increase that can be expected. This heightened resistance may be manifest in either a higher "no-strike" wage demand (an increase in $\dot{W}_i$) or a flatter slope to the *UR* curve, which would indicate that the union is less willing to modify its wage

[22]Alan B. Krueger and Alexandre Mas, "Strikes, Scabs and Tread Separations: Labor Strife and the Production of Defective Bridgestone/Firestone Tires," *Journal of Political Economy* 112 (April 2004): 253–289; and Morris M. Kleiner, Jonathan S. Leonard, and Adam M. Pilarski, "How Industrial Relations Affects Plant Performance: The Case of Commercial Aircraft Manufacturing," *Industrial and Labor Relations Review* 55 (January 2002): 195–218.

demands as the strike proceeds.[23] Union resistance can be expected to increase, for example, if the unemployment rate is so low that strikers can easily obtain temporary jobs or if strikers are able to collect some form of unemployment benefits (either from the government or from the union). Indeed, we do find that strikes are both more likely and of longer duration in periods of relative prosperity; the availability to strikers of unemployment benefits similarly affects strike activity.[24]

A second implication of the simple Hicks model is that anything strengthening the resistance of employers will lower the *EC* curve, thereby lengthening expected strike duration and reducing the expected wage settlement. Thus, firms will be more likely to resist—and less likely to raise their wage offers very much as the strike progresses—if they are less profitable, face an elastic product demand curve, can stockpile product inventories in advance of a strike, or can easily hire replacement workers (see Example 13.2).[25]

A final implication is that strikes appear to be unnecessarily wasteful. Had the expected settlement of $\dot{W}_0$ been reached *without* a strike, or with a *shorter* strike, both sides would have been spared some losses. When strikes are likely to be very costly to both parties, the two might agree in advance to certain *bargaining protocols* that will help avert future strikes. For example, the parties might agree to start bargaining well in advance of a contract's expiration date, to limit the number of contract items they will discuss, or to submit the dispute to binding arbitration if they fail to reach agreement on their own. Indeed, there is some evidence that strikes are less frequent, and shorter, when the *joint costs* of any strike are likely to be greater.[26]

If strikes are costly, and if they can be averted in advance, why do they occur at all? Some argue that, to enhance their bargaining positions and retain the credibility of the *threat* of a strike, unions have to periodically use the strike weapon;

[23]For evidence on the hypothesized downward slope to the *UR* curve, see Sheena McConnell, "Strikes, Wages, and Private Information," *American Economic Review* 79 (September 1989): 801–815; and David Card, "Strikes and Wages: A Test of an Asymmetric Information Model," *Quarterly Journal of Economics* 105 (August 1990): 625–659.

[24]Orley Ashenfelter and George Johnson, "Bargaining Theory, Trade Unions, and Industrial Strike Activity," *American Economic Review* 59 (March 1969): 35–49; Susan B. Vroman, "A Longitudinal Analysis of Strike Activity in U.S. Manufacturing: 1957–1984," *American Economic Review* 79 (September 1989): 816–826; Peter C. Cramton and Joseph S. Tracy, "The Determinants of U.S. Labor Disputes," *Journal of Labor Economics* 12 (April 1994): 180–209; and Robert Hutchens, David Lipsky, and Robert Stern, "Unemployment Insurance and Strikes," *Journal of Labor Research* 13 (Fall 1992): 337–354. For similar evidence on strikes and the business cycle in Canada and Great Britian, see Alan Harrison and Mark Stewart, "Is Strike Behavior Cyclical?" *Journal of Labor Economics* 12 (October 1994): 524–553; and A. P. Dickerson, "The Cyclicality of British Strike Frequency," *Oxford Bulletin of Economics and Statistics* 56 (August 1994): 285–303.

[25]Melvin W. Reder and George R. Neumann, "Conflict and Contract: The Case of Strikes," *Journal of Political Economy* 88 (October 1980): 867–886; John F. Schnell and Cynthia L. Gramm, "The Empirical Relations between Employers' Striker Replacement Strategies and Strike Duration," *Industrial and Labor Relations Review* 47 (January 1994): 189–206; and Peter Cramton, Morley Gunderson, and Joseph Tracy, "The Effect of Collective Bargaining Legislation on Strikes and Wages," *Review of Economics and Statistics* 81 (August 1999): 475–487.

[26]Barry Sopher, "Bargaining and the Joint-Cost Theory of Strikes: An Experimental Study," *Journal of Labor Economics* 8, no. 1, pt. 1 (January 1990): 48–74.

EXAMPLE 13.2

Permanent Replacement of Strikers

The collective bargaining laws of most nations permit a company whose workforce is on strike to hire *temporary* replacement workers to keep the business operating. The United States is one of the few nations that permit firms to hire *permanent* replacement workers. That is, workers on strike in the United States are at risk of permanently losing their jobs.

Although the right of companies to hire permanent replacements dates back to a 1938 Supreme Court decision, only since the early 1980s are large companies doing so, or seriously threatening to do so. In 1981, for example, the Reagan administration "broke" the air traffic controllers' union by permanently replacing striking controllers. Subsequently a number of large companies, including Eastern Airlines and Greyhound, permanently replaced striking workers. One study estimated that the increased threat of using permanent replacements reduced strikes in the 1980s by about 8 percent.

Why did large companies begin using permanent replacement workers in the 1980s when they had typically failed to do so during the previous four decades? Some attributed it to increasingly anti-union attitudes on the part of the federal government, a declining number of high-wage union jobs, and high unemployment—which led many workers to apply for permanent replacement positions, even at the risk of being ostracized as "scabs" by fellow workers. Still others attributed it to the pressures of international competition, which increased employers' needs to cut costs.

Does the increased use of permanent replacements, which reduced union bargaining power, portend the end of unions in the United States? The answer is probably no. While employers may derive benefits from the use of permanent replacements, they also face costs. The costs are particularly high when new employees must be carefully screened and training needs to be extensive. There is also likely to be friction between replacements and any union workers brought back after the strike, and the commitment of workers to the employer may suffer in the long run.

Source: Peter Cramton and Joseph Tracy, "The Use of Replacement Workers in Union Contract Negotiations: The U.S. Experience, 1980–1989," *Journal of Labor Economics* 16 (October 1998): 667–701.

that is, a strike may be designed to influence *future* negotiations. Strikes also may be useful devices by which the internal solidarity of a union can be enhanced against the common adversary—the employer. More fundamentally, however, strikes are thought to occur because the information that both sides have about each other's goals and intentions to resist may be imperfect.

STRIKES AND ASYMMETRIC INFORMATION   Most recent economic models of strike activity in the United States are based on the assumption of information asymmetry. Workers may want to share in the firm's profits, for example, but they will doubt management's willingness to be completely truthful about current and expected profit levels. The reason is not difficult to understand: management knows more about the firm's profitability than does labor, and if it can convince workers that the enterprise is not very profitable, the union can be expected to moderate its wage demands.

Knowing management's informational advantages and its incentives to understate profitability, the union may try to elicit a signal from management about the true level of profits. A strike would be one such signal. If the firm is lying, and profits are greater than stated, the firm may be unwilling to put up a fight (management may figure that, since giving in is financially feasible, it is better off avoiding the costs of a strike). If, however, the firm is telling the truth about its low level of profits, giving in may not be feasible; taking a strike, then, sends a signal that the firm believes labor's demands are far enough above what it can feasibly pay that they must be strongly resisted.

An implication of the asymmetric-information model of strike activity is that greater uncertainty about an employer's willingness and ability to pay for wage increases should raise both the probability that a strike will occur and the duration of the strike. It does appear that the more variable a firm's profitability is over time, other things equal, the greater this uncertainty will be and the greater will be the expected incidence and duration of strike activity.[27] If the parties realize this, however, they may avert a strike by establishing a reputation for revealing their true positions rather quickly.

UNION LEADERS AND THE UNION MEMBERS   One barrier to elimination of the misunderstandings caused by asymmetric information is that there are really *three* major parties to a negotiation, not just two. On the employee side of the negotiations are two groups: union *leaders* and the *rank-and-file* union members, who rely on their leaders for information.[28] The rank and file may understandably suspect their leaders of withholding information from them so that their negotiations are less stressful; put differently, the rank and file may suspect their leaders will sell them out. Conversely, the leadership may be unsure just how strongly their members feel about certain demands being made of management. Thus, there are also information asymmetries (and hence possibilities for misunderstandings) within the *employee* side of the negotiating table.

Union leaders have much better information than rank-and-file union members about the employer's true financial position. If the offered settlement is smaller than the membership wants, union leaders face two options.

On the one hand, they can return to their members, try to convince them of the employer's true financial picture, and recommend that management's offer be accepted. The danger is that the members may vote down the recommendation, accuse the leaders of selling out to management, and ultimately vote them out of office.

On the other hand, union leaders can return to their members and recommend that the members go out on strike. This recommendation will allow them to appear to be strong, militant leaders, even though the leaders themselves know

---

[27]Joseph Tracy, "An Empirical Test of an Asymmetric Information Model of Strikes," *Journal of Labor Economics* 5 (April 1987): 149–173, and "An Investigation into the Determinants of U.S. Strike Activity," *American Economic Review* 76 (June 1986): 423–436. For other evidence supporting the asymmetric information model, see Peter Kuhn and Wulong Gu, "Learning in Sequential Wage Negotiations: Theory and Evidence," *Journal of Labor Economics* 17 (January 1999): 109–140.

[28]The model described here was put forth by Ashenfelter and Johnson, "Bargaining Theory, Trade Unions, and Industrial Strike Activity."

that the strike probably will not lead to a larger settlement. After a strike of some duration, however, in accordance with the notion of the union resistance curve in Figure 13.7, union members will begin to moderate their wage demands, and ultimately a settlement for which the union leaders will receive credit will be reached.

Because the latter strategy is the one that is more likely to maintain the union's strength *and* keep the leaders in office, it is the strategy leaders may opt for even though it is clearly not in their members' best interests in the short run (the members have to bear the costs of the strike). Interestingly, strike activity rose markedly right after passage of the Landrum-Griffin Act in 1959, possibly because this act increased union democracy—thereby giving the wishes of the rank and file greater weight in the bargaining process.[29]

Bargaining in the Public Sector: The Threat of Arbitration

Although some states have granted to selected public sector employees the right to strike in one form or another, most have continued historic prohibitions against strikes by state and local government workers. When strikes are forbidden, however, laws often provide for third parties to enter the dispute-resolution process if bargaining between the parties comes to an impasse. The first step in this process is typically some form of *mediation,* in which a neutral third party attempts to facilitate a settlement by listening to each party separately, making suggestions on how each might modify its position to have more appeal to the other, and doing anything else possible to bring the parties to a voluntary settlement.

If a mediator is unable to bring the parties to a settlement, the dispute-resolution process sometimes calls for the next step to be *fact-finding,* in which a neutral party, after listening to both sides and gathering information, writes a report that proposes a settlement. The report is not binding on either party, but it may be considered by each to be a forecast of the settlement that binding arbitration would impose if the impasse were to continue.

If noncoercive methods fail to bring a voluntary settlement, *arbitration* becomes the final step of the dispute-resolution process. A single arbitrator may hear the case, or the case may be heard by a panel, usually consisting of one representative from labor, one from management, and one "neutral." Whether the parties *choose* to go to arbitration to settle their dispute, or whether by law they *must* go to arbitration, once the arbitration report is issued, the parties are bound by its contents. Arbitration associated with the bargaining process is called *interest arbitration* (to distinguish it from the *grievance*-arbitration process so widely used in resolving contract-administration disputes during the life of a contract).

FORMS OF ARBITRATION   Interest arbitration can take two forms. With *conventional arbitration,* the arbitrators are free to decide on any wage settlement of their choosing. They listen to both sides make their case and then render their own decision. Some have suspected that under this conventional procedure, arbitrators tend to split the

---

[29]Ashenfelter and Johnson, "Bargaining Theory, Trade Unions, and Industrial Strike Activity."

difference between the two parties, thereby encouraging the parties to take extreme positions (in the hope of dragging the arbitrator toward their true goal).

Some jurisdictions have chosen to adopt *final-offer arbitration*, in which the arbitrator is constrained to choose the final, prearbitration offer either of the union or of management; no other option is possible for the arbitrator. Final-offer arbitration, it was theorized, would induce the parties to make more reasonable final offers to each other, because by so doing, they would increase the chances of their offer being the one accepted by the arbitrator.

THE CONTRACT ZONE   No matter what form arbitration may take, going to arbitration is a risk for both parties because neither knows how the arbitrator will decide. A party wins the gamble only if the arbitrator reaches a more favorable wage decision than it could get through voluntary agreement. Thus, in deciding whether to continue bargaining—or, instead, take a rigid position and let the dispute go to arbitration—a party needs to develop expectations of various possible arbitrator decisions. By calculating the likelihood of each possible outcome *and* the utility associated with it, the party can develop a set of voluntary agreements it would prefer over taking its chances with arbitration. If the preferred decision sets of the two parties happen to overlap, there is a *contract zone* of possible voluntary agreements that *both* parties will prefer to the gamble of arbitration. If there is no overlap, the parties cannot agree voluntarily and the dispute will definitely go to arbitration.

A party's preferences for negotiation over gambling on arbitration are increased by greater aversion to risk and greater uncertainty about how the arbitrator might decide. If the parties become increasingly averse to losing, or if they become increasingly unable to predict what arguments or facts an arbitrator will find persuasive, then the set of negotiated outcomes they prefer to the arbitration gamble will widen. (Appendix 13A presents a more formal model underlying this conclusion.)

While logic dictates that a bargaining situation with *no* contract zone will produce no voluntary agreement, it is not obvious that a wider contract zone will make reaching a voluntary agreement more likely.[30] A wider contract zone opens up more feasible outcomes to the two parties, so one might think that the chances of voluntary agreement are enhanced, but it also gives the parties more to argue about. To take an extreme example, if there were only one wage increase that both parties preferred to arbitration, then perhaps agreement would be reached more quickly and with more certainty than if there were several possible outcomes to be thoroughly debated.

PERSUADING THE ARBITRATOR   Although going to arbitration is clearly risky, the parties are not helpless in their abilities to influence the arbitrator's decision. If they are going to final-offer arbitration, they can improve their chances of win-

---

[30]Vincent Crawford, "Arbitration and Conflict Resolution in Labor–Management Bargaining," *American Economic Review* 71 (May 1981): 205–210.

ning by developing a final, prearbitration offer that the arbitrator is likely to regard as reasonable. The influence they exert in final-offer arbitration, then, amounts to guessing what the arbitrator thinks the outcome should be and then crafting an offer that approaches it. (Obviously, the union will approach it from *above* and management will approach it from *below,* as each tries to drag the arbitrator in its direction.)

If the parties are going to conventional arbitration, it is less certain how their offers can influence the arbitrator's decision. Some people might reason that the arbitrator will decide on a wage increase that lies between those of the two parties, or in the extreme, simply split the difference. If so, the parties might then be tempted to make final offers that are far from where they eventually expect to end up.

It might be more reasonable to believe, however, that arbitrators initially have their own views of a proper settlement, which can then be modified by listening to the arguments and positions of each party. Their own beliefs of what constitutes a reasonable outcome are not easily changed, and if a party's position (offer) is far from the outcome they consider appropriate, little weight will be given to it.[31] This latter view of how arbitrators behave implies that the parties can gain influence only by making offers that are close to what they think the arbitrator will decide. If both parties make the same (correct) guess about the arbitrator's preferred outcome, their final offers will bracket the arbitrator's decision. To outsiders it will look as though the arbitrator followed a simple, split-the-difference rule, but what really happened was that the parties strategically placed their offers around the arbitrator's expected position.[32]

EFFECTS OF ARBITRATION   If arbitrators have their own strongly held views on the appropriate outcome in a particular case, and if the parties position their offers around what they expect to be the arbitrator's preferred outcome, then whatever form of arbitration is used, the behavior of the parties and the arbitrator should be more or less the same. Indeed, one study of police officers' contracts in a state where either form could be used found the wage outcomes chosen by the arbitrators were very similar in each.[33] But how do arbitrated settlements compare with negotiated ones?

It is not surprising that negotiated wage settlements are comparable with arbitrated settlements in states requiring that disputed settlements go to arbitration, because all negotiations in those states take place under the threat of arbitration. What is somewhat surprising, however, is that another study of police contracts

---

[31]For experimental evidence in support of this view of arbitrator behavior, see Henry S. Farber and Max H. Bazerman, "The General Basis of Arbitrator Behavior: An Empirical Analysis of Conventional and Final-Offer Arbitration," *Econometrica* 54 (July 1986): 819–844.

[32]Henry S. Farber, "Splitting-the-Difference in Interest Arbitration," *Industrial and Labor Relations Review* 35 (October 1981): 70–77.

[33]Orley Ashenfelter and David Bloom, "Models of Arbitrator Behavior: Theory and Evidence," *American Economic Review* 74 (March 1984): 111–124.

found wages in states requiring arbitration of disputed settlements are more or less the same as those in states *without* that requirement.[34] Thus, it may well be that the effects of arbitration on wage levels are actually quite small.

The Effects of Unions

Economists have long been interested in the effects of unions on wages, and recently attention has also been given to their effects on total compensation (including employee benefits), employment levels, hours of work, productivity, and profits. In this section, we review the theory and the evidence on these effects.

The Theory of Union Wage Effects

Suppose we had data on the wage rates paid to two groups of workers identical in every respect except that one group was unionized and the other was not. Let W_u denote the wage paid to union members and W_n the wage paid to nonunion workers. If the difference between the two could be attributed solely to the presence of unions, then the *relative wage advantage* (R) that unions would have achieved for their members would be given, in percentage terms, by

$$R = (W_u - W_n)/W_n \tag{13.1}$$

This relative wage advantage does *not* represent the absolute amount, in percentage terms, by which unions would have increased the wages of their members, because unions both directly and indirectly affect *nonunion* wage rates also. Moreover, we cannot say for sure whether estimates of R will overstate or understate the absolute effect of unions on their members' real wage levels. To illustrate the difficulties in interpreting union-nonunion wage differentials, we begin with the simple model of the labor market depicted in Figure 13.8.

Figure 13.8 represents two sectors of the labor market, both of which hire similar workers. Panel (a) is the union sector and panel (b) is the nonunion sector. Suppose *initially* that both sectors are nonunion and that mobility between them is costless. Workers will therefore move between the two sectors until wages are equal in both. With demand curves D_u and D_n, workers will move between sectors until the supply curves are S_u^0 and S_n^0, respectively. The common equilibrium wage will be W_0, and employment will be E_u^0 and E_n^0, respectively, in the two sectors. Once one sector becomes unionized, and its wage rises to W_u^1, what happens to wages in the other sector depends on the responses of employees who are not

---

[34]Orley Ashenfelter and Dean Hyslop, "Measuring the Effect of Arbitration on Wage Levels: The Case of Police Officers," *Industrial and Labor Relations Review* 54 (January 2001): 316–328.

FIGURE 13.8

Spillover Effects of
Unions on Wages
and Employment

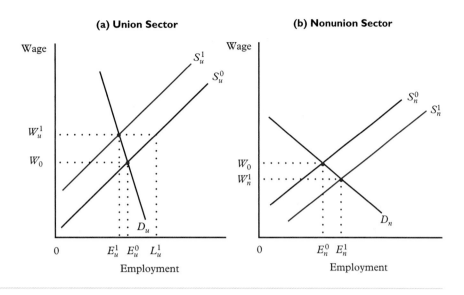

In the subsections below, we discuss four possible reactions.[35]

employed in the union sector. In the subsections below, we discuss four possible reactions.[35]

SPILLOVER EFFECTS   If the union succeeds in raising wages in the union sector to W_u^1, this increase will cause employment to decline to E_u^1 workers, resulting in $L_u^1 - E_u^1$ unemployed workers in that sector. If all the unemployed workers *spill over* into the nonunion sector, the supply curves in the two sectors will shift to S_u^1 and S_n^1, respectively. Unemployment will be eliminated in the union sector; in the nonunion sector, however, an excess supply of labor will exist at the old market-clearing wage, W_0. As a result, downward pressure will be exerted on the wage rate in the nonunion sector until the labor market in that sector clears at a *lower* wage (W_n^1) and a higher employment level (E_n^1).

In the context of this model, the union has succeeded in raising the wages of its members who kept their jobs. However, it has done so by shifting some of its members to lower-wage jobs in the nonunion sector and, because of this spillover effect, by actually lowering the wage rate paid to individuals initially

---

[35]Much of the discussion in this section is based on the pioneering work of H. G. Lewis, *Unionism and Relative Wages in the United States* (Chicago: University of Chicago Press, 1963). In Figure 13.8, our analysis employs a two-sector model with labor supply curves to each sector. Remember that a labor supply curve to one sector is drawn holding the wages in other sectors ("alternative wages") constant; whenever the wage in one sector changes, the labor supply curve to the other sector may shift. We *sometimes* ignore this complexity below to keep our exposition as simple as possible and to highlight the various behaviors that might occur in either sector in response to unionization.

employed in the nonunion sector. As a result, the observed union *relative wage advantage* (R_1), computed as

$$R_1 = (W_u^1 - W_n^1)/W_n^1 \qquad (13.2)$$

will tend to be greater than the true *absolute* effect of the union on its members' real wage. This true absolute effect (A), stated in percentage terms, is defined as

$$A = (W_u^1 - W_0)/W_0 \qquad (13.3)$$

Because W_n^1 is lower than W_0, R_1 is greater than A.

THREAT EFFECTS   Another possible response by nonunion employees is to want a union to represent them as well. Nonunion employers, fearing that a union would increase labor costs and place limits on managerial prerogatives, might seek to buy off their employees by offering them above-market wages.[36] Because there are costs to workers (as noted earlier) of union membership, some wage less than W_u^1 but higher than W_0 would presumably be sufficient to assure employers that the majority of their employees would not vote for a union (assuming that the employees are happy with their nonwage conditions of employment).

The implications of such *threat effects*—nonunion wage increases resulting from the threat of union entry—are traced in Figure 13.9. The increase in wage in the union sector, and resulting decline in employment there, is again assumed to cause the supply of workers to the nonunion sector to shift to S_n^1. In response to the threat of union entry, however, nonunion employers are assumed to *increase* their employees' wages to W_n^*, which lies between W_0 and W_u^1. This wage increase causes nonunion employment to decline to E_n^*; at the higher wage, nonunion employers demand fewer workers. Moreover, since the nonunion wage is now not free to be bid down, an excess supply of labor, $L_n^* - E_n^*$, exists, resulting in unemployment. Finally, because the nonunion wage is now higher than the original wage, the observed union relative wage advantage

$$R_2 = (W_u^1 - W_n^*)/W_n^* \qquad (13.4)$$

is smaller than the absolute effect of unions on their members' real wages.

WAIT UNEMPLOYMENT   Do workers who lose (or do not have) a union job necessarily leave the union sector and take jobs in the nonunion sector? Even with reduced employment in the union sector, job vacancies occur as a result of retirements, deaths, and voluntary turnover. Some of those who do not have union jobs will find it attractive to search for work in the union sector, and their search might be more effective if they are not simultaneously employed elsewhere. Workers who reject lower-

---

[36]For a recent theoretical and empirical treatment of threat effects, see Henry S. Farber, "Nonunion Wage Rates and the Threat of Unionization," National Bureau of Economic Research Working Paper no. 9705 (May 2003).

FIGURE 13.9

Threat Effects of Unions on Wages and
Employment in Nonunion Sector

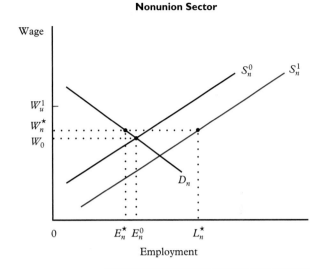

paying nonunion jobs so that they can search for higher-paying union ones create
the phenomenon of *wait unemployment* (they are waiting for union jobs to open up).[37]

The main behavior behind the wait-unemployment response is that workers will move from one sector to another if the latter offers higher *expected* wages.
Expected wages in a sector are equal to the sector's wage rate multiplied by the
probability of obtaining a job in that sector. Thus, even if one were always able to
find a job in the nonunion sector, rejecting employment there might be beneficial
if there were a reasonable chance (even if it were less than 100 percent) of obtaining a higher-paying union job. The importance of the resultant wait unemployment
for our current discussion is that not everyone who loses a job in the union sector will spill over into the nonunion sector; in fact, it is even theoretically possible that some workers originally in the nonunion sector would quit their jobs to
take a chance on finding work in the union sector.

The presence of wait unemployment in the union sector will reduce the
spillover of workers to the nonunion sector, thus moderating downward pressure
on nonunion wages. Moreover, if enough nonunion workers decide to search for
union jobs, the labor supply curve to the nonunion sector could even shift to the
left. In this case, unionization in one sector could cause wages in the nonunion sector to rise, just as with the threat effect (in fact, a "threat" here is being carried
out: workers are leaving the nonunion employers to search for union jobs).

SHIFTS IN LABOR DEMAND   Finally, recall that we discussed earlier the activities unions undertake to alter the demand for their members' labor services. In

---

[37]See Jacob Mincer, "Unemployment Effects of Minimum Wages," *Journal of Political Economy* 84 no. 4,
pt. 2 (August 1976): S87–S104. Although Mincer discusses minimum wage effects, union-imposed wages
can be analyzed analogously.

some cases, these activities involve attempts to shift the product demand curve facing unionized firms (and hence their labor demand curve) to the right. If unions were successful in their efforts to increase product demand in the unionized sector, perhaps at the expense of the nonunion sector, the rightward shift in the union-sector labor demand curve—and the associated leftward shift in the labor demand curve in the nonunion sector—would again serve to lower wages in the nonunion sector below what they were originally.[38]

Evidence of Union Wage Effects

Because the presence of unions can influence both the union and the nonunion wage rate, it is not possible to observe the wage that would have existed in the absence of unions (W_0). Hence, estimates of a union's effects on the absolute level (A) of its members' real wages—see equation (13.3)—cannot be obtained. Care must be taken not to mistake the relative wage effects we can observe (equations 13.2 and 13.4) for the absolute effects.

Economists have expended considerable effort to estimate the extent to which unions have raised the wages of their members relative to the wages of comparable nonunion workers in the private sector. These studies have tended to use data on large samples of individuals and sought to estimate how much more union members get paid than nonunion workers, after controlling for any differences between the two groups in other factors that might be expected to influence wages. Most of the work has been done on the United States, where levels of unionization are so modest that it is relatively easy to find comparable nonunion workers.

Because the studies of union-nonunion wage differences have used various data sets and statistical methodologies, there is no single estimate of the gap upon which all researchers agree. Enough work has been done on the topic, however, for certain patterns to emerge.

1. The union relative wage advantage in the United States appears to fall into the range of *10 to 20 percent*. That is, our best estimate is that American union workers receive wages that are some 10 to 20 percent higher than those of comparable nonunion workers.[39]

---

[38]Our discussion of these four responses has assumed a partial equilibrium model. Once one considers a general equilibrium framework and allows capital to move between sectors, even more possibilities may exist. On this point, see Harry Johnson and Peter Mieszkowski, "The Effects of Unionization on the Distribution of Income: A General Equilibrium Approach," *Quarterly Journal of Economics* 84 (November 1969): 539–561.

[39]For surveys of these estimates, see Richard Freeman and James Medoff, *What Do Unions Do?* (New York: Basic Books, 1984); H. Gregg Lewis, *Union Relative Wage Effects: A Survey* (Chicago: University of Chicago Press, 1986); Barry T. Hirsch and John T. Addison, *The Economic Analysis of Unions: New Approaches and Evidence* (Boston: Allen and Unwin, 1986); and Pencavel, *Labor Markets under Trade Unionism*. For articles with citations to recent studies, see Stephen Raphael, "Estimating the Union Earnings Effect Using a Sample of Displaced Workers," *Industrial and Labor Relations Review* 53 (April 2000): 503–521; Bernt Bratsberg and James F. Ragan Jr., "Changes in the Union Wage Premium by Industry," *Industrial and Labor Relations Review* 56 (October 2002): 65–83; and Barry T. Hirsch, "Reconsidering Union Wage Effects: Surveying New Evidence on an Old Topic," *Journal of Labor Research* 25 (Spring 2004): 233–266.

2. The *private sector* union wage advantage in the United States is larger than that in the *public* sector. For example, one study that used the same data and the same statistical methodology for both sectors estimated that the private sector wage gap was roughly 19 percent in the early 1990s, while in the public sector over the same period, it was in the 10 to 12 percent range.[40]

3. The union relative wage advantage in the United States is larger than it is in most other countries for which comparable estimates are available. For example, a recent study found the following union-nonunion wage gaps during the late 1990s: United States, 18 percent; Australia, 12 percent; United Kingdom, 10 percent; Canada, 8 percent; Germany, 4 percent; and France, 3 percent.[41]

4. Unions everywhere tend to reduce the dispersion of earnings among workers, especially men. They raise the wages of less-skilled workers relative to higher-skilled workers within the union sector, thereby reducing the payoff to human-capital investments. They standardize wages within and across firms in the same industry, and they reduce the earnings gaps between production and office workers.[42] They also reduce the wage gap between white and black workers in the United States.[43]

5. The union relative wage advantage in the United States, at least in the last two decades, has tended to grow larger during recessionary periods.[44] While evidence prior to the 1980s is mixed, the wage changes of union members have been less sensitive to business conditions than the wages of nonunion workers in recent years.

6. Although the findings do not yet fit a pattern, researchers have attempted to discover whether greater levels of unionization tend to increase or decrease wages in the *nonunion* sector. These studies have tried to see whether the spillover or the threat effect dominates among nonunion employers. The evidence so far is ambiguous. One study found, for example, that threat effects dominated within *cities* (that is, in more highly unionized cities, the wages of nonunion workers were higher). It also

---

[40]Barry T. Hirsch and David A. Macpherson, *Union Membership and Earnings Data Book: Compilations from the Current Population Survey* (Washington, D.C.: Bureau of National Affairs, 2002), 19–20.

[41]David Blanchflower and Alex Bryson, "Changes over Time in Union Relative Wage Effects in the U.K. and the U.S. Revisited," National Bureau of Economic Research Working Paper no. 9395 (December 2002).

[42]Lawrence M. Kahn, "Wage Inequality, Collective Bargaining and Relative Employment 1985–94: Evidence from 15 OECD Countries," *Review of Economics and Statistics* 82 (November 2000): 564–579; and David Card, Thomas Lemieux, and W. Craig Riddell, "Unionization and Wage Inequality: A Comparative Study of the U.S., the U.K., and Canada," National Bureau of Economic Research Working Paper no. 9473 (February 2003).

[43]James Peoples Jr., "Monopolistic Market Structure, Unionization, and Racial Wage Differentials," *Review of Economics and Statistics* 76 (February 1994): 207–211; and Richard Freeman and James Medoff, *What Do Unions Do?* chap. 5.

[44]Darren Grant, "A Comparison of the Cyclical Behavior of Union and Nonunion Wages in the United States," *Journal of Human Resources* 36 (Winter 2001): 31–57.

found, however, that the spillover effect dominated within *industries* (in more highly unionized industries, nonunion wages tended to be lower). These contradictory results mirror those of earlier studies.[45]

Evidence of Union Total Compensation Effects

Estimates of the extent to which the wages of union workers exceed the wages of otherwise comparable nonunion workers may prove misleading for two reasons. First, such estimates ignore the fact that wages are only part of the compensation package. It has often been argued that *employee benefits*, such as paid holidays, vacation pay, sick leave, and retirement benefits, will be higher in firms that are unionized than in nonunion firms. The argument states that, because tastes for the various benefits differ across individuals and because there is no easy way to communicate the preferences of the average employee to the employer in a nonunion firm, nonunion firms tend to pay a higher fraction of total compensation in the form of money wages. Empirical evidence tends to support this contention; employee benefits and the share of compensation that goes to benefits do appear to be higher in union than in nonunion firms. Further, studies also suggest that unionization increases the probability that workers apply for employer-financed government benefits for which they are eligible.[46] Ignoring benefits may therefore *understate* the true union-nonunion total compensation differential.

Second, ignoring *conditions of employment* may cause one to *overstate* the effect of unions on their members' overall welfare levels compared with those of nonunion workers. For example, studies have shown that for blue-collar workers, unionized firms tend to have more-structured work settings, more-hazardous jobs, less-flexible hours of work, faster work paces, lower worker job satisfaction, and less employee control over the assignment of overtime hours than do nonunion firms.[47] This situation may arise because production settings that call for more interdependence among workers and the need for rigid work requirements by employers also

---

[45]See David Neumark and Michael L. Wachter, "Union Effects on Nonunion Wages: Evidence from Panel Data on Industries and Cities," *Industrial and Labor Relations Review* 49 (October 1995): 20–38.

[46]Barry T. Hirsch, David A. Macpherson, and J. Michael Dumond, "Workers' Compensation Recipiency in Union and Nonunion Workplaces," *Industrial and Labor Relations Review* 50 (January 1997): 213–236; John W. Budd and Brian P. McCall, "The Effects of Unions on the Receipt of Unemployment Insurance Benefits," *Industrial and Labor Relations Review* 51 (April 1997): 478–492; and Thomas C. Buchmuller, John DiNardo, and Robert G. Valletta, "Union Effects on Health Insurance Provision and Coverage in the United States," *Industrial and Labor Relations Review* 55 (July 2002): 610–627.

[47]Greg Duncan and Frank Stafford, "Do Union Members Receive Compensating Wage Differentials?" *American Economic Review* 70 (June 1980): 355–371; Keith A. Bender and Peter J. Sloane, "Job Satisfaction, Trade Unions, and Exit-Voice Revisited," *Industrial and Labor Relations Review* 51 (January 1998): 222–240; and John S. Heywood, W. S. Siebert, and Xiangdong Wei, "Worker Sorting and Job Satisfaction: The Case of Union and Government Jobs," *Industrial and Labor Relations Review* 55 (July 2002): 595–609.

give rise to unions. While unions often strive to affect these working conditions, they do not always succeed. Part of the estimated union-nonunion earnings differential thus may be a premium paid to union workers to compensate them for these unfavorable working conditions. One study estimates that two-fifths of the estimated union-nonunion earnings differential reflects such compensation, suggesting that the observed earnings differential may overstate the true differential in overall levels of worker well-being.[48]

The Effects of Unions on Employment

If unions raise the wages and employee benefits of their members, and if they impose constraints on managerial prerogatives, economic theory suggests their presence will have a negative effect on employment. In recent years, several studies have investigated this theoretical prediction, and the results suggest that unions do reduce employment growth. A study of plants in California during the late 1970s, for example, estimated that employment grew some 2 to 4 percentage points more slowly per year in union than in nonunion firms; in fact, the growth rates were so different that about 60 percent of the decline in California's unionization rate was attributed to slower employment growth in union jobs.[49] Other studies have found similar employment effects for the United States as a whole, as well as for Canada and the United Kingdom.[50] Finally, even when employment is not much changed in the face of unionization, the total yearly hours of work might still fall.[51]

The Effects of Unions on Productivity and Profits

There are two views on how unions affect labor productivity (output per worker). One is that unions *increase* worker productivity, given the firm's level of capital,

---

[48]Duncan and Stafford, "Do Union Members Receive Compensating Wage Differentials?"

[49]Jonathan S. Leonard, "Unions and Employment Growth," *Industrial Relations* 31 (Winter 1992): 80–94.

[50]Timothy Dunne and David A. Macpherson, "Unionism and Gross Employment Flows," *Southern Economic Journal* 60 (January 1994): 727–738; Stephen G. Bronars, Donald R. Deere, and Joseph Tracy, "The Effects of Unions on Firm Behavior: An Empirical Analysis Using Firm-Level Data," *Industrial Relations* 33 (October 1994): 426–451; Robert G. Valletta, "Union Effects on Municipal Employment and Wages: A Longitudinal Approach," *Journal of Labor Economics* 11 (July 1993): 545–574; Richard J. Long, "The Impact of Unionization on Employment Growth of Canadian Companies," *Industrial and Labor Relations Review* 46 (July 1993): 691–703; David G. Blanchflower, Neil Millward, and Andrew J. Oswald, "Unions and Employment Behaviour," *Economic Journal* 101 (July 1991): 815–834; Kahn, "Wage Inequality, Collective Bargaining and Relative Employment 1985–94"; and Giuseppe Bertola, Francine D. Blau, and Lawrence M. Kahn, "Labor Market Institutions and Demographic Employment Patterns," National Bureau of Economic Research Working Paper no. 9043 (July 2002).

[51]William M. Boal and John Pencavel, "The Effects of Labor Unions on Employment, Wages, and Days of Operation: Coal Mining in West Virginia," *Quarterly Journal of Economics* 109 (February 1994): 267–298.

by providing a "voice" mechanism through which workers' suggestions and preferences can be communicated to management.[52] With a direct means for expressing their ideas or concerns, workers may have enhanced motivation levels and be less likely to quit. With lower quit rates, firms have more incentives to invest in training, which should also raise worker productivity.

The other view on how unions affect worker productivity stresses the limits they place on managerial prerogatives, especially with respect to using cost-minimizing levels of the labor input. We argued earlier that if unions care about the employment, as well as the wages, of their members, they will put pressure on management to agree to staffing requirements, restrictions on work out of job title, cumbersome methods through which the disciplining of nonproductive workers must take place, and other policies that increase labor costs per unit of output.

Empirical analyses of union productivity effects have yielded conflicting results. The effects of unions on workers' output apparently depend very much on the quality of the relationship between labor and management in each particular collective bargaining setting.[53]

If unions raise wages but do not clearly raise worker productivity, then we might expect them to reduce firms' profits. Some studies directly analyze unionization and profit levels, holding other things constant; these rather consistently estimate that profits in unionized firms are lower, both in the United States and in the United Kingdom.[54] Another way of studying unions' effects on profits, however, is to make use of evidence that the stock market quickly and accurately reflects changes in a firm's profitability. The stock-price studies that have been done to date also find evidence consistent with the hypothesis that unionization reduces the profitability of employers.[55] Example 13.3 considers the effects of right-to-work legislation on expected profits, as reflected in stock prices.

---

[52]For a more complete statement of this argument, see Freeman and Medoff, *What Do Unions Do?* Note that there is another, more mechanical way in which unions can raise worker productivity. We have seen that unions raise wages, and theory suggests that the response by profit-maximizing employers will be to reduce employment and substitute capital for labor. Thus, as firms move up and to the left along their marginal product of labor curves, the marginal product of labor rises in response to the wage increase.

[53]David G. Blanchflower and Richard B. Freeman, "Unionism in the U.S. and Other OECD Countries," *Industrial Relations* 31 (Winter 1992): 56–79; Sandra Black and Lisa Lynch, "How to Compete: The Impact of Workplace Practices and Information Technology on Productivity," *Review of Economics and Statistics* 83 (August 2001): 434–445; and Michael Ash and Jean Ann Seago, "The Effect of Registered Nurses' Unions on Heart-Attack Mortality," *Industrial and Labor Relations Review* 57 (April 2004): 422–442.

[54]Bronars, Deere, and Tracy, "The Effects of Unions on Firm Behavior"; Blanchflower and Freeman, "Unionism in the U.S. and Other OECD Countries"; Barry T. Hirsch, "Unionization and Economic Performance: Evidence on Productivity, Profits, Investment, and Growth," in *Unions and Right-to-Work Laws*, ed. Fazil Mihlar (Vancouver: Fraser Institute, 1997), 35–70; and Richard B. Freeman and Morris M. Kleiner, "Do Unions Make Enterprises Insolvent?" *Industrial and Labor Relations Review* 52 (July 1999): 510–527.

[55]Richard S. Ruback and Martin B. Zimmerman, "Unionization and Profitability: Evidence from the Capital Market," *Journal of Political Economy* 92 (December 1984): 1134–1157; Becker, "Union Rents as a Source of Takeover Gains among Target Shareholders"; and Abraham and Voos, "Right-to-Work Laws: New Evidence from the Stock Market."

EXAMPLE 13.3

Do Right-to-Work Laws Matter?

Many observers argue that state right-to-work laws are mostly symbolic. These observers contend that such laws are passed in states where workers are less attracted to unions anyway, and thus that they merely *reflect*—rather than *cause*—union weakness in those states. Others believe that the laws do affect union power, reducing the probability of organizing, shrinking membership in previously organized units, and tipping the bargaining scales in favor of employers.

A recent study distinguished between these two interpretations by examining how investors responded when right-to-work laws were passed in Louisiana (1976) and Idaho (1985–1986). The study matched firms in both states to similar firms operating elsewhere and compared movements in their stock prices. An investor's valuation of a company's stock depends on expectations about the company's future profits. Thus if the passage of a right-to-work law is expected to increase profits of a firm operating in the state, investors will bid up the price for which a share of the firm sells in the stock market. If the law is purely symbolic, investors won't expect any change in profits and stock prices won't change.

The study found that as news favorable to the passage of these right-to-work bills came out of the states' legislatures, courts, and governors' offices, stock prices of in-state companies rose. The cumulative effect of passing these laws was to increase the stock market value of Louisiana firms by 2.2 to 4.5 percent and Idaho firms by 2.4 to 9.5 percent. While right-to-work laws may have some symbolic value, investors—who must put their money on the line—have concluded that right-to-work laws are good for firms and boost their expected profits.

Data from: Steven E. Abraham and Paula B. Voos, "Right-to-Work Laws: New Evidence from the Stock Market," *Southern Economic Journal* 67 (October 2000): 345–362.

Normative Analyses of Unions

We have seen throughout this text that economic theory can be used in both its *positive* and its *normative* modes. The analyses of union effects in this section so far have been of a positive nature, in that we have summarized both theory and evidence on how unions affect various labor market outcomes. We turn now to a normative question that often underlies discussions of unions and the government policies that affect them: do unions enhance or reduce social welfare? As one might expect, opinions differ.

POTENTIAL REDUCTIONS IN SOCIAL WELFARE   We saw in chapter 1 that the role of any market, including the labor market, is to facilitate mutually beneficial transactions by providing a mechanism for voluntary exchange. The ultimate goal of this exchange is to arrive at an allocation of goods and services that generates as much utility as possible, given a society's resources, for the individuals in that society. If a market has facilitated *all* such transactions, then it can be said to have arrived at a point of Pareto efficiency. A requirement for the existence of Pareto efficiency is that all productive resources, including labor, be used in a way that generates maximum utility for society (this includes the utility of the workers as well as that of the consumers who purchase the goods or services they produce).

Arguments that unions reduce social welfare stem generally from the proposition that they represent the interests of only their members, not of others.[56] One argument points to the production lost (the labor resources wasted) when workers go on strike. A second argument is similar: when labor and management agree to restrictive work rules (as noted in our discussion of the efficient-contracts model), the use of excess workers in the production process creates wastage—and therefore social loss—in the use of labor. A third argument is more subtle, however.

Simple reasoning suggests that for Pareto efficiency to be achieved, resources that have the same *potential* productivity must have the same *actual* productivity. Consider, for example, a group of workers who are equally skilled, experienced, and motivated. If some of these workers are in jobs that produce $15 worth of goods or services per hour, while others in the group are in jobs that produce only $10, the value of society's output could be enhanced by the voluntary movement of members from the latter subset of jobs into the higher-productivity jobs. Reducing the number of workers in the $10 jobs would serve to raise the marginal productivity of those who remain in those jobs, while increasing the number of workers in the $15 jobs would put downward pressure on the wage (and marginal productivity) in that sector. As long as the marginal productivities of workers in the skill group continue to differ, however, the value of society's output could be increased still further by having members of the lower-paid subset move into the higher-paying jobs. Only when the marginal productivities are equal, and all Pareto-improving moves by workers have been completed, can it be said that Pareto efficiency is achieved.

The third argument that unions reduce social welfare, then, rests on two propositions. The first is that unions create wage (and therefore productivity) differentials among equivalent workers by raising wages in the union sector above those in the nonunion sector. The second proposition is that the higher and inflexible union wage reduces employment in the high-paid sector and prevents workers in lower-paying jobs from moving into the higher-productivity sector, with the result that society's output is lower than it would be otherwise. Some economists have attempted to estimate these losses, and their estimates have generally been small—in the range of 0.2 to 0.4 percent of national output.[57]

POTENTIAL INCREASES IN SOCIAL WELFARE   Arguments that unions reduce social welfare lose some of their force if, in the absence of unions, labor or product markets are not as competitive as assumed by standard economic theory. Suppose, for example, that the cost of mobility is so great that workers do not freely move to preferable jobs. Compensating wage differentials may fail to correctly guide the allocation of workers across jobs that have varying levels of unpleasant (or pleasant) characteristics. If so, too many workers may end up in dangerous or

---

[56]Assar Lindbeck and Dennis J. Snower, "Insiders versus Outsiders," *Journal of Economic Perspectives* 15 (Winter 2001): 165–188.

[57]Freeman and Medoff, *What Do Unions Do?* 57.

otherwise unpleasant jobs, which they would gladly leave (even for a lower-pay-ing one) if they had the chance.

With respect to working conditions, there are two general means by which employer behavior can be influenced. The mechanism relied upon by the market, with its individual transactions, is one of *exit and entry*. If a worker is unhappy with certain conditions of employment, he or she is free to leave; if enough workers do so, the employer will be forced to alter the offending condition or else increase wages enough to induce the workers it has to remain. An alternative to the exit mechanism is the mechanism of *voice:* workers can vocalize their concerns and hope that the employer will respond.

The voicing of requests by *individuals* is potentially very costly. First, many workplace conditions (such as lighting, scheduling, safety precautions) are exam-ples of "public goods" within the plant. All workers are benefited by any improve-ments, whether or not they contributed to the campaign to secure them. Therefore, the possibility of free riders inhibits individuals (acting alone) from bearing the costs of a campaign to change workplace conditions. Second, because the employer may respond to complaints by firing "troublemakers," an individual worker who uses the voice mechanism without some form of job protection must be prepared to suffer the costs of exit.

Those who hold the view that unions improve social welfare argue that, in the face of high mobility costs, unions offer workers the mechanism of *collective* voice in the establishment of their working conditions. They solve the free-rider problem and relieve their members of the risks and burdens associated with indi-vidual voice. Further, collective bargaining agreements almost always establish a grievance procedure through which certain employee complaints can be formally addressed by a neutral third party. In short, unions provide mechanisms of col-lective voice that substitute for an expensive-to-use exit mechanism in the deter-mination of the workplace conditions that affect workers' utility. They therefore promote Pareto-improving transactions that otherwise would not have been induced because of the high costs of employee mobility.

Other arguments that unions enhance (or at least do not reduce) social welfare also rest on market conditions that call into question key assumptions underlying the standard economic model of employer behavior. For example, one possibility (mentioned earlier in this chapter) is that unionized employers have substantial monopoly power in their product markets, which yields them excess profits. If the efficient-contracts model of bargaining holds, and if the asso-ciated contract curve is vertical, then employment remains equal to its preunion-ization level, and the union and the employer end up simply splitting the employer's excess profits. Income is transferred from owners to workers, but because total output is unaffected, there would be no social losses associated with higher union wages.

Another argument is that employers are not as knowledgeable about how to maximize profits as standard economic theory assumes. Because management finds it costly to search for better (or less costly) ways to produce, so the argument

EMPIRICAL STUDY

What Is the Gap between Union and Nonunion Pay? The Importance of Replication in Producing Credible Estimates

The question of whether unions raise the wages of their members relative to the wages of nonunion workers has been of enduring interest to labor economists ever since the 1940s. There have been hundreds of studies on this topic, using a variety of data sources and statistical techniques, and these studies (at least those up through the early 1980s) were scrutinized and compared by H. Gregg Lewis, whom many regard as the father of modern labor economics. Lewis produced two books, some 20 years apart, on the subject of union-nonunion wage differentials—and his painstaking concern with methodological details of the research projects he synthesized serve as a standard to be emulated among empirically oriented social scientists.

Lewis spent most of his career at the University of Chicago, where he was a significant advisor to almost 90 doctoral students and a teacher to many more—many of whom went on to become leaders in the field of labor economics. Lewis published very few books or articles, however, because his insistence on checking and cross-checking data, replicating results of prior studies, looking for biases in estimating equations, and reconciling results with prior estimates ruled out quick publication. His first book on union-nonunion wage differentials, published in 1963, was an exhaustive survey of 20 earlier studies on the subject. This survey involved detailed checks for transcription or arithmetic errors in the data analyzed, the replication of estimates to make sure that the results were accurately reported, and his *reestimation* of results when he believed the original estimates were faulty or when newer data had been made available. The result of this work was his conclusion that in 1957–1958, union wages exceeded nonunion wages by 10–15 percent, assuming other factors affecting wages were held constant.

Lewis published his second book on the topic in 1986. This book analyzed the findings of some 200 studies that had been done in the preceding two decades, during which the advent of the computer and large data sets allowed more sophisticated analyses of union-nonunion wage differentials in various industries and regions and among different demographic groups. These studies used regression analysis to determine whether those in unions received higher wages, holding other productive characteristics constant. Lewis was concerned about biases in the estimates of the union differential if union membership is not randomly determined (the issue of *selection bias* or *unobserved heterogeneity*), if important variables were either omitted (the *omitted variables* problem) from the estimating equation or mismeasured (the *errors in variables* problem), and if certain groups of people were excluded from the samples. He devoted whole chapters to investigations and estimates of these biases.

In analyzing the estimates of *overall* union pay differentials within the United States, Lewis sought in his second book to reconcile the different estimates of some 117 studies. He adjusted each estimate for the biases his analyses found that were introduced by such factors as nonrandom data sampling; the omission of nonmanufacturing workers, minorities, or young employees from the sample; the failure to control for industry or occupation in the regression equation; and the omission of employee benefits from the pay variable. His painstaking analyses resulted in the conclusion that, on average, union workers received roughly 15 percent higher pay than otherwise equivalent nonunion workers in the 1967–1979 period. While this result was remarkably consistent with his earlier conclusions, Lewis was careful to point out that he regarded his 15 percent estimate as an upper-bound approximation of the true wage differential.

One prominent labor economist characterized the legacy of H. Gregg Lewis in this way: "Lewis influenced the way a generation of labor economists did empirical work. He was a conscience against the quick and dirty and shoddy....[His books] never lose sight that the goal of social science is to measure purported effects of economic institutions or changes in markets nor of the limitations nonexperimental data place on meeting the goal."[a]

---

[a]Richard Freeman, "H. G. Lewis and the Study of Union Wage Effects," *Journal of Labor Economics* 12 (January 1994): 144, 147.

Sources: H. G. Lewis, *Unionism and Relative Wages in the United States: An Empirical Inquiry* (Chicago: University of Chicago Press, 1963); and H. Gregg Lewis, *Union Relative Wage Effects: A Survey* (Chicago: University of Chicago Press, 1986).

---

goes, we cannot be sure that it will always use labor in the most productive ways possible. (Clearly, this argument rests on the implicit assumption that entry into the product market is difficult enough that inefficient producers are not necessarily punished by competitive forces.) When unions organize and raise the wages of their members, firms may be shocked into the search for better ways to produce. Moreover, by establishing formal channels of communication between workers and management, unionization at least *potentially* provides a mechanism through which employers and employees can more effectively communicate about workplace processes.[58]

---

[58]For a fuller development of this argument, see Freeman and Medoff, *What Do Unions Do?* 15.

Review Questions

1. Suppose that a proposal for tax reductions associated with the purchase of capital equipment is up for debate. Suppose, too, that union leaders are called upon to comment on the proposal from the perspective of how it will affect the welfare of their members as workers (not consumers). Will they all agree on the effects of the proposal? Explain your answer.

2. Some collective bargaining agreements contain "union standards" clauses that prohibit the employer from farming out work normally done in the plant to other firms that pay less than the union wage.
   a. What is the union's rationale for seeking a union standards clause?
   b. Under what conditions will a union standards clause most likely be sought by a labor union?

3. The Jones Act mandates that at least 50 percent of all U.S. government-financed cargo must be transported in U.S.-owned ships and that any U.S. ship leaving a U.S. port must have at least 90 percent of its crew composed of U.S. citizens. What would you expect the impact of this act to be on the demand for labor in the shipping industry and the ability of unions to push up the wages of U.S. seafarers?

4. It has been observed that unions in the capital-intensive steel industry were able to negotiate higher-than-average wage increases during the very period in which steel output in the United States was declining. Using economic theory, how can this pattern be explained?

5. In Germany, temporary layoffs and dismissals on short notice are often illegal. A dismissal is illegal if it is "socially unjusti-

fied," and it is considered "socially unjustified" if the worker could be employed in a different position or establishment of the firm, even one requiring retraining. Workers illegally dismissed may sue their employers. What are the likely consequences of this German law for the ability of German unions to raise wages?

6. American unions often try to win public support for boycotting goods made in less-developed countries by workers who work very long hours at low pay in unhealthy conditions.
   a. If successful, will these efforts unambiguously help the targeted foreign workers receive better pay? Explain fully.
   b. Will these efforts unambiguously help the union's American workers? Explain fully.

7. A publication of the AFL-CIO stated: "There is accumulating evidence that unionized workers are more productive than nonunion workers and that unionization raises productivity in an establishment. This suggests that employers and American society generally should take a much more positive approach to unionism and collective bargaining." Comment on this quotation.

8. A certain country has very centralized collective bargaining, under which wage bargains are applied nationally. This country is thinking about adopting a bargaining structure that is more decentralized, so that wage bargains will be made at the individual plant or firm level. How would you expect decentralization to affect wages and employment? Explain your answer.

Problems

1. Suppose that the employer concession schedule is $W = 1 + .02S$ and the union resistance curve is $W = 5 + .02S - .01S^2$, where W = percentage wage increase and S = expected strike length in days. Using Hicks's simplest model, determine the length of the strike and the percentage wage increase.

2. The Brain Surgeons' Brotherhood faces an own-wage elasticity of demand for their labor that equals –0.1. The Dog Catchers' International faces an own-wage elasticity of demand for their labor that equals –3.0. Suppose that leaders in both unions push for a 20 percent wage increase but have no power to set employment levels directly. Why might members of the Dog Catchers' International be more wary of the targeted wage increase?

3. Suppose that unionized workers in the retail sales industry earn $10 per hour and that nonunionized workers in the industry earn $8 per hour. What can be said about the relative wage advantage of unionized workers and the absolute effect of the union on its members' real wage?

Selected Readings

Atherton, Wallace. *Theory of Union Bargaining Goals*. Princeton, N.J.: Princeton University Press, 1973.

Freeman, Richard B., and James L. Medoff. *What Do Unions Do?* New York: Basic Books, 1984.

Hirsch, Barry T., and John T. Addison. *The Economic Analysis of Unions: New Approaches and Evidence*. Boston: Allen and Unwin, 1986.

Kerr, Clark, and Paul D. Staudohar, eds. *Labor Economics and Industrial Relations: Markets and Institutions*. Cambridge, Mass.: Harvard University Press, 1994.

Lewis, H. Gregg. *Union Relative Wage Effects: A Survey*. Chicago: University of Chicago Press, 1986.

Pencavel, John. *Labor Markets under Trade Unionism*. Cambridge, Mass.: Basil Blackwell, 1991.

Arbitration and the Bargaining Contract Zone

W hat incentive do the parties to collective bargaining negotiations have to settle their negotiations on their own rather than go to arbitration and have an outside party impose a settlement? The answer may well be that the uncertainty about an arbitrator's likely decision imposes costs on both parties that give them an incentive to come to an agreement on their own. This appendix provides a simple model that illustrates this proposition; it highlights the roles of both *uncertainty* about an arbitrator's likely decision and the parties' *attitudes toward risk* in determining whether a negotiation will wind up in arbitration.[1]

Consider a simple two-party bargaining problem in which the parties, A and B, are negotiating over how to split a "pie" of fixed size. Each party's utility function depends only on the share of the pie that it receives. Figure 13A.1 plots the utility function for party A. When A's share of the pie is zero, A's utility (U_A) is assumed to be zero, and as A's share (S_A) increases, A's utility increases. Crucially, this utility function is also assumed to exhibit the property of *diminishing marginal utility*; equal increments in S_A lead to progressively smaller increments in U_A. As we shall show below, this is equivalent to assuming that the party is *risk averse*, which means that the party would prefer the certainty of having a given share of the pie to an uncertain outcome that, on average, would yield the same share.[2]

Now suppose party A believes that, on average, the arbitrator would award it one-half of the pie if the negotiations went to arbitration. If it knew with certainty that the arbitrator would do this, party A's utility from going to arbitration would be $U_A(1/2)$, at point *a* in Figure 13A.1. Suppose, however, that party A is uncertain about the arbitrator's decision and instead believes the arbitrator will assign it one-quarter of the pie with probability one-half, or three-quarters of the pie also with probability one-half. Utility in these two states is given by $U_A(1/4)$, point *b*, and $U_A(3/4)$, point *c*, respectively. Although, on average, party A expects to be awarded one-half of the pie, its average or *expected* utility in this case is $0.5U_A(1/4) + 0.5U_A(3/4)$, which,

---

[1]The discussion here is a simplified version of some of the material found in Henry S. Farber and Harry C. Katz, "Interest Arbitration, Outcomes, and the Incentive to Bargain," *Industrial and Labor Relations Review* 33 (October 1979): 55–63.

[2]Refer to Appendix 8A, especially note 4, for an introduction to this use of cardinal utility functions.

FIGURE 13A.1

Utility Function for a Risk-Averse Party: Uncertainty about Arbitrator's Decision Leads to a Contract Zone

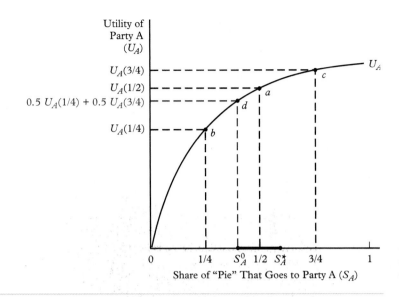

as Figure 13A.1 indicates (see point d), is less than $U_A(1/2)$. This reflects the fact that party A is risk averse, preferring a certain outcome (point a) to an uncertain outcome (point d) that yields the same expected share.

Note that if party A were awarded the share S_A^0 with certainty, it would receive the same utility level it receives under the uncertain situation, where it expects, with equal probability, the arbitrator to award it either one-quarter or three-quarters of the pie. Indeed, it would prefer any *certain* share above S_A^0 to bearing the cost of the uncertainty associated with having to face the arbitrator's decision. The set of contracts it potentially would voluntarily agree to, then, is the set S_A such that

$$S_A^0 \leq S_A \leq 1; S_A^0 < 1/2 \tag{13A.1}$$

Suppose party B is similarly risk averse and has identical expectations about what the arbitrator's decision will look like. It should be obvious, using the same logic as above, that the set of contracts, S_B, that party B potentially would voluntarily agree to is given by a similar expression:

$$S_B^0 \leq S_B \leq 1; S_B^0 < 1/2 \tag{13A.2}$$

Now, any share that party B voluntarily agrees to receive implies that what B is willing to give party A is 1 minus that share. Since the *minimum* share B would agree to receive, S_B^0, is less than one-half, it follows that the *maximum* share B would voluntarily agree to give A in negotiations, S_A^* (which equals $1 - S_B^0$), is greater than one-half. Party B potentially would be willing to voluntarily agree to any settlement that gives party A a share of less than S_A^*.

FIGURE 13A.2

Increased Uncertainty about
Arbitrator's Decision Increases
Size of the Contract Zone

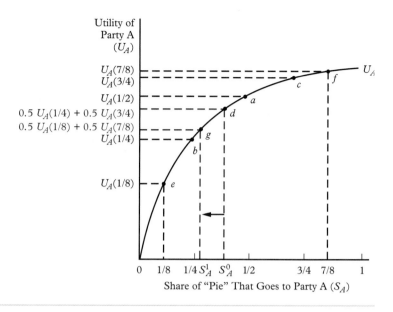

Referring to Figure 13A.1, observe that party A would be willing to voluntarily agree to contracts that offer it at least S_A^0, while party B would be willing to agree to contracts that give party A S_A^* or less. Hence, the set of contracts that *both* parties would find preferable to going to arbitration (and thus *potentially* would voluntarily agree to) is given by all the shares for A (S_A) that lie between these two extremes:

$$S_A^0 \le S_A \le S_A^* \tag{13A.3}$$

This set of potential voluntary solutions to the bargaining problem is indicated by the bold-line segment on the horizontal axis of Figure 13A.1 and is called the *contract zone*. As long as both parties are risk averse and are uncertain what the arbitrator will do, a contract zone will exist.

The extent of the parties' *uncertainty* about the arbitrator's decision and the extent of their *risk aversion* are important determinants of the size of the contract zone. To see this, first suppose that party A continues to expect that, on average, the arbitrator will assign it one-half of the pie, but now believes that this will occur by receiving shares of one-eighth and seven-eighths with equal probability. Figure 13A.2 indicates its utility in each of these states (points e and f) and shows that, while its expected share is still one-half, the greater uncertainty—or "spread" of possible outcomes—has led to a reduction in its expected utility (compare points d and g). Indeed, now party A would be as happy to receive the share S_A^1 with certainty as it would to face the risks associated with going to arbitration. Since S_A^1 is less than S_A^0, the size of the contract zone has increased. Hence, increased uncertainty about the arbitrator's decision leads to a larger contract zone.

FIGURE 13A.3

Utility Function for a Risk-
Neutral Party: Contract
Zone Is Reduced to a Single
Point

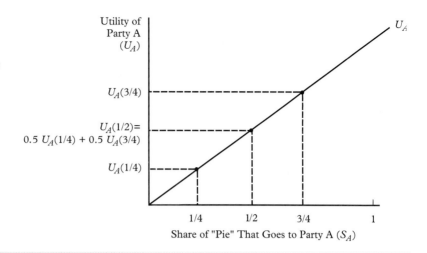

Next, consider Figure 13A.3, where we have drawn a utility function for a *risk-neutral* party. A risk-neutral party has a linear utility function because its utility depends only on its expected share, not the uncertainty associated with the outcome. So, for example, in Figure 13A.3, party A gets the same utility from having a share of one-half with certainty as it does from facing an arbitrated outcome in which there is equal probability that the arbitrator will award it either a share of one-quarter or a share of three-quarters. As a result, faced with the possibility of going to arbitration, there is no share less than one-half that party A would voluntarily agree to settle for prior to arbitration. If party B had similar expectations about the arbitrator's behavior and was similarly risk neutral, it also would refuse to settle for any share of less than one-half, which on average is what it expects to win from the arbitrator. Hence, the contract zone would reduce to one point, the point where both parties receive a share of one-half. The only voluntary agreement the parties will reach is what they expect to receive on average if they go to arbitration. (This illustrates how the arbitration process per se may influence the nature of negotiated settlements.)

More generally, one can show that as a party's risk aversion increases (the utility function becomes more curved), the size of the contract zone will increase. Hence, increases in either the parties' risk aversion or their uncertainty about the arbitrator's decision will increase the size of the contract zone.

Larger contract zones mean that there are more potential settlements that *both* parties would prefer to an arbitrated settlement, and some people have argued that this increased menu of choices increases the probability that the parties would settle on their own prior to going to arbitration.[3] An immediate implication of

---

[3]Farber and Katz, "Interest Arbitration, Outcomes, and the Incentive to Bargain."

this argument is that, if one believes it is preferable for the parties to settle on their own, the arbitration system should be structured so that the arbitrator's behavior does *not* become completely predictable. As we discussed in the text, however, others argue that a *smaller* contract zone implies the parties have less to argue about, and that therefore *smaller* zones lead to more rapid voluntary settlements.

CHAPTER 14

Inequality in Earnings

Workers as individuals, and society as a whole, are concerned with both the *level* and the *dispersion* of income in the economy. The level of income obviously determines the consumption of goods and services that individuals find it possible to enjoy. Concerns about the distribution of income stem from the importance that we, as individuals, place on our relative standing in society, and the importance that our society, as a collective, places on equity.

For purposes of assessing issues of poverty and relative consumption opportunities, the distribution of *family incomes* is of interest. An examination of family incomes, however, involves an analysis of unearned as well as earned income; thus, it must incorporate discussions of inheritance, investment returns, welfare transfers, and tax policies. It must also deal with family size and how families are defined, formed, and dissolved. Many of these topics are beyond the scope of a labor economics text.

FIGURE 14.1

Earnings Distribution with Perfect Equality

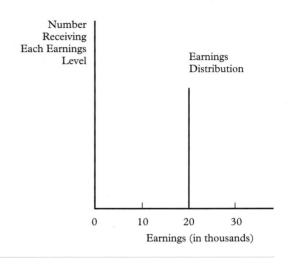

Consistent with our examination of the labor market, the focus of this chapter is on the distribution of *earnings*. While clearly only part of overall income, earnings are a reflection of marginal productivity; the investment in (and returns to) education, training, and migration activities; and the access to opportunities. This chapter begins with a discussion of how to conceptualize and measure the equality or inequality of earnings.

Measuring Inequality

To understand certain basic concepts related to the distribution of earnings,[1] it is helpful to think in graphic terms. Consider a simple plotting of the number of people receiving each given level of earnings. If everyone had the same earnings, say $20,000 per year, there would be no dispersion. The graph of the earnings distribution would look like Figure 14.1.

If there were disparities in the earnings people received, these disparities could be relatively large or relatively small. If the average level of earnings were $20,000 and virtually all people received earnings very close to the average, the *dispersion* of earnings would be small. If the average were $20,000, but some made much more and some much less, the dispersion of earnings would be large. Fig-

---

[1]Ideally, the focus would be on total compensation, so that the analyses would include employee benefits. As a practical matter, however, data on the *value* of employee benefits are not widely available in a form that permits an examination of their *distribution* either over time or across individuals. Including private pensions with earnings apparently affects measures of inequality only slightly in the United States, except in the union sector (where pensions are more unequally distributed than earnings). See Mary Ellen Benedict and Kathryn Shaw, "The Impact of Pension Benefits on the Distribution of Earned Income," *Industrial and Labor Relations Review* 48 (July 1995): 740–757.

FIGURE 14.2

Distributions of Earnings with Different
Degrees of Dispersion

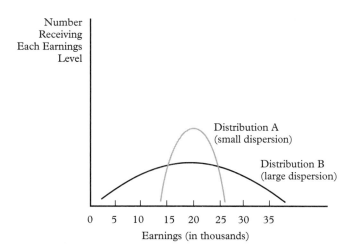

Number
Receiving
Each Earnings
Level

Distribution A
(small dispersion)

Distribution B
(large dispersion)

0   5   10   15   20   25   30   35

Earnings (in thousands)

ure 14.2 illustrates two hypothetical earnings distributions. While both distributions are centered on the same average level ($20,000), distribution A exhibits smaller dispersion than distribution B. Earnings in B are more widely dispersed and thus exhibit *a greater degree of inequality.*[2]

Graphs can help illustrate the concepts of dispersion, but they are a clumsy tool for *measuring* inequality. Various quantitative indicators of earnings inequality can be devised, and they all vary in ease of computation, ease of comprehension, and how accurately they represent the socially relevant dimensions of inequality.

The most obvious measure of inequality is the *variance* of the distribution. Variance is a common measure of dispersion, calculated as follows:

$$\text{Variance} = \frac{\sum_i (E_i - \overline{E})^2}{n} \tag{14.1}$$

where E_i represents the earnings of person i in the population, n represents the number of people in the population, $\overline{E}$ is the mean level of earnings in the population, and the symbol $\sum$ indicates that we are summing over all persons in the

---

[2]A summary of various inequality measures can be found in Frank Levy and Richard J. Murnane, "U.S. Earnings Levels and Earnings Inequality: A Review of Recent Trends and Proposed Explanations," *Journal of Economic Literature* 30 (September 1991): 1333–1381. It is also interesting to inquire whether the distribution of earnings is *symmetric* or not. If a distribution is symmetric, as in Figure 14.2, then as many people earn $X less than average as earn $X more than average. If not, we say it is *skewed*, meaning that one part of the distribution is bunched together and the other part is relatively dispersed. For example, many less-developed countries do not have a sizable middle class. Such countries have a huge number of very poor families and a tiny minority of very wealthy families (the distribution of income is highly skewed to the right).

population. One problem with using the variance, however, is that it tends to rise as earnings grow larger. For example, if all earnings in the population were to double, so that the ratio of each person's earnings to the mean (or to the earnings of anyone else, for that matter) remained constant, the variance would quadruple. Variance is thus a better measure of the absolute than of the *relative* dispersion of earnings.

An alternative to the variance is the *coefficient of variation:* the square root of the variance (called the *standard deviation*) divided by the mean. If all earnings were to double, the coefficient of variation, unlike the variance, would remain unchanged. Because we must have access to the underlying data on each individual's earnings to calculate the coefficient of variation, however, it is impractical to construct it from published data. Unless the coefficient of variation is itself *published,* or unless the researcher has access to the *entire* data set, other more readily constructed measures must be found.

The most widely used measures of earnings inequality start with ranking the population by earnings level and establishing into which percentile a given level of earnings falls. For example, in 2003, men over the age of 25 with earnings of $37,288 were at the *median* (50th percentile), meaning that half of all men earned less and half earned more. Men with earnings of $18,808 were at the 20th percentile (20 percent earned less, 80 percent earned more), while those with earnings of $62,635 were at the 80th percentile.

Having determined the earnings levels associated with each percentile, we can either compare the earnings *levels* associated with given percentiles or compare the *share* of total earnings received by each. Comparing shares of total *income* received by the top and bottom fifth (or "quintiles") of families in the population is a widely used measure of *income* inequality. Using this measure we find, for example, that in 2002, households in the top fifth of the income distribution received 49.7 percent of all income, while those in the bottom fifth received 3.5 percent.[3]

Unfortunately, information on *shares* received by each segment of the distribution is not as readily available for individual *earnings* as it is for family income. Comparing the earnings *level* associated with each percentile is readily feasible, however. A commonly used measure of this sort is the ratio of earnings at, say, the 80th percentile to earnings at the 20th. Ratios such as this are intended to indicate how far apart the two ends of the earnings distribution are, and as a measure of dispersion, they are easily understood and readily computed.

How useful is it to know that in 2003, for example, men at the 80th percentile of the earnings distribution earned 3.33 times more than men at the 20th? In truth, the ratio in a given year is not very enlightening unless it is *compared* with something. One natural comparison is with ratios for prior years. An increase in these

---

[3]U.S. Bureau of the Census, *Income in the United States: 2002,* Series P-60, no. 221 (September 2003), Table A-3. A more sophisticated measure would take into account the shares of income received by each of the five quintiles, and a way to quantify the deviation from strict equality (when the income share of each quintile is 20 percent) is discussed in the appendix to this chapter.

ratios over time, for example, would indicate that the earnings distribution was becoming stretched, so that the distance between the two ends was growing and earnings were becoming more unequally distributed.

As a rough measure of increasing distance between the two ends of the earnings distribution, the ratio of earnings at the 80th and 20th percentiles is satisfactory; however, this simple ratio is by no means a complete description of inequality. Its focus on earnings at two arbitrarily chosen points in the distribution ignores what is happening on either side of the chosen percentiles. For example, if earnings at the 5th percentile fell and those at the 20th percentile rose, while all other earnings remained constant, the above ratio would decline even though the very lowest end of the distribution had moved down. Likewise, if earnings at the 20th and 80th percentiles were to remain the same, but earnings in between were to become much more similar, this step toward greater overall earnings equality would not be captured by the simple 80:20 ratio.

These drawbacks notwithstanding, we present in the next section descriptive data on changes in earnings inequality based on comparisons of earnings *levels* at the 80th and 20th percentiles of the distribution. While crude, these measures indicate that earnings became more unequal after 1980.

Earnings Inequality Since 1980: Some Descriptive Data

Table 14.1 displays, for men and women separately, the recent trends in the ratio of earnings at the 80th percentile to those at the 20th. Among men, earnings inequality grew from 1975 to 2003, with the 80:20 ratio increasing by 29 percent. This growth in inequality apparently took place in the context of generally stagnant real earnings at the 80th percentile and significantly falling real earnings at the 20th percentile.[4]

For women, the picture is very different in three ways. First, real earnings generally *rose* at both points in the female earnings distribution throughout the 1980s and 1990s. Second, the 80:20 ratio for women fluctuated modestly from 1975 to 2003. Third, earnings at the 20th percentile are so low that they are unlikely to be received by women who are working full-time (in 2003, roughly one-third of women worked less than full time); therefore, the 80:20 ratio for women is not a reliable indicator of what has happened to their *wages* at these two points in the earnings distribution. Indeed, once we turn to an analysis of earnings among full-time workers, we will see that similar trends in inequality prevail for both men and women.

---

[4]Recall from the discussion of Table 2.2 in chapter 2 that the Consumer Price Index, which we use in Table 14.1 to adjust all earnings figures to 2003 dollars, may overstate inflation by about one percentage point per year. If that is the case, then the real earnings of men at the 80th percentile *grew* (by some 26 percent) over the 28 years from 1975 to 2003, while those for men at the 20th percentile fell by 2 percent. The major point made in Table 14.1, however, is that the 80:20 ratio has grown for men over this period, and it is important to realize that the *ratios* in any given year are not affected by assumptions about inflation (because the same inflationary adjustments are made to both the numerator and the denominator of the ratio).

TABLE 14.1

The Dispersion of Earnings by Gender, Ages 25 and Over, 1975–2003 (expressed in 2003 dollars)

	Earnings at		
	80th Percentile (a)	20th Percentile (b)	Ratio: (a) ÷ (b)
Men			
1975	$64,781	$25,062	2.58
1980	64,535	23,012	2.80
1990	61,473	18,087	3.40
2003	62,635	18,808	3.33
Women			
1975	33,184	7,528	4.41
1980	33,703	8,300	4.06
1990	38,448	8,366	4.60
2003	44,801	10,926	4.10

Sources: U.S. Bureau of the Census, *Money Incomes of Households, Families, and Persons in the United States,* Series P-60: no. 105 (1975), Table 49; no. 132 (1980), Table 54; no. 174 (1990), Table 29; and U. S. Bureau of the Census, http://ferret.bls.census.gov/macro/032004/perinc/new03_000.htm, Tables 127 and 253 (2003).

Mathematically, earnings inequality could grow in two ways from one year to another. First, inequality could grow by moving people originally in the middle of the distribution to either end. For example, if middle-class jobs were disappearing and being replaced by highly technical jobs at one end of the distribution and by totally unskilled jobs at the other, then the earnings distribution would become more stretched. Second, the earnings of individuals originally at the upper end of the distribution might grow faster (or fall more slowly!) than the earnings of individuals originally in the lower tail. This rise in relative earnings could be caused by increases in relative wages or by relative changes in the hours of work. The different possible dimensions of change from 1975 through the early years of the twenty-first century are explored below.

The Occupational Distribution

One possible cause of growing earnings inequality is the destruction of middle-income jobs and their replacement by both higher- and lower-paying occupations. Table 14.2 presents data, for men and women separately, on the occupational distribution in 1983 and again in 1990 and 2002 (unfortunately, changes in occupational definitions occurred in 1983, so earlier data are noncomparable). More

TABLE 14.2

Changes in the Occupational Distributions of Men and Women, 1983–2002

	Median Weekly Earnings, 1983	Percent of Workforce in Occupation		
		1983	1990	2002
Men				
Highest-Paying Occupations		24.5	25.8	30.2
Executive, managerial, administrative	$530	12.8	13.8	16.0
Professional specialty	$506	11.7	12.0	14.2
Lowest-Paying Occupations		21.1	20.8	17.6
Machine operators, assemblers, inspectors	$319	7.9	7.5	5.8
Handlers, cleaners, helpers, laborers	$251	6.1	6.2	5.2
Service, except private household and protective workers	$217	7.1	7.1	6.6
All Other Occupations		54.4	53.4	52.2
Total		100.0	100.0	100.0
Women				
Highest-Paying Occupations		21.9	26.2	35.3
Executive, managerial, administrative	$339	7.9	11.1	15.6
Professional specialty	$367	14.0	15.1	19.7
Lowest-Paying Occupations		36.5	34.9	30.3
Sales occupations	$204	12.8	13.1	11.5
Machine operators, assemblers, inspectors	$202	7.4	6.0	3.6
Service, except private household and protective workers	$176	16.3	15.8	15.2
All Other Occupations		41.6	38.9	34.4
Total		100.0	100.0	100.0

Sources: U.S. Bureau of Labor Statistics, *Employment and Earnings* 31 (January 1984), Table 21; 38 (January 1991), Table 21; 50 (January 2003) Table 9. Earnings data from U.S. Bureau of the Census, *Statistical Abstract of the United States 1991* (Washington, D.C.: U.S. Government Printing Office, 1991), Table 678.

specifically, Table 14.2 charts changes in the percentages of all workers who were in the highest-paying and lowest-paying occupational groups over those years.

Among men, executive and professional jobs increased as a percentage of the total, from 24.5 percent in 1983 to 30.2 percent in 2002, while the percentage of those in the lowest-paying occupations fell from 21.1 percent to 17.6 percent. The shifts in the occupational distribution were similar for women, with the rising percentage of those in the highest-skilled occupations being accompanied by a falling percentage of those at the bottom. All told, the increasing percentages of workers in the most-skilled jobs were accompanied but not completely offset by a fall in the percentage of those at the lower end, with the result that the percentage of those in the middle did shrink. Thus, changes in the occupational distribution may have contributed to some extent to growing inequality, but the major influences probably lie elsewhere.

Changes in Relative Wages

A second possible dimension of growing inequality is the increased disparity of earnings among those who remained in high- and low-paying jobs. This disparity could result from either an increase in the disparity of wage rates or an increased disparity in hours worked. We first analyze changes in earnings among *full-time, full-year* workers, because eliminating part-time workers from the data represents a simple way to at least crudely control for hours of work, and it serves the purpose of moving the analysis from earnings to *wage rates.* In the subsection that follows, we look separately at changes in hours worked among full-time workers and at changes in part-time employment.

We know from chapter 9 that, within age groups, those with four or more years of college tend to have the highest wages or salaries. Within educational groups, pay tends to be highest among older workers. Thus, patterns that could be associated with growing inequality are a rising payoff to a college education or a rising payoff to age or experience.

Table 14.3 summarizes some aspects of change in the returns to education and experience from 1975 to 2003. The top panel focuses on the returns to a four-year college education for full-time, year-round workers in mid-career (ages 35–44). The data clearly show, as did slightly different data in chapter 9, that the salaries of college graduates rose relative to those of high school graduates after 1980.

The growing disparity in earnings among men appears to have occurred in two stages. During the 1980s, the real earnings for college graduates were generally stagnant, while they were falling for high school graduates. After 1990, the real wages for college-educated men rose while those of high school graduates remained more or less constant. For women, the real earnings of college graduates rose throughout the period and those of high school graduates were level. For both sexes, however, the rising returns to college grew markedly in both the 1980s and after 1990, although the increase in the last decade was at a somewhat slower pace.

The bottom panel in Table 14.3 summarizes changes in the returns to experience among full-time workers. In this panel, we display the mean earnings of 45- to 54-year-olds relative to those of 25- to 34-year-olds. These returns have remained roughly stable for both educational groups and both sexes, with not much in the way of any trend. Clearly, returns to experience have not been a major contributor to growing inequality.

TABLE 14.3

Returns to Education and Experience among Full-Time, Year-Round
Workers, Selected Ages, 1975–2003 (expressed in 2003 dollars)

A. Returns to Education

	Mean Earnings Men, Ages 35–44			Mean Earnings Women, Ages 35–44		
	College Grads (a)	High School Grads (b)	Ratio: (a) ÷ (b) (c)	College Grads (d)	High School Grads (e)	Ratio: (d) ÷ (e) (f)
1975	72,303	47,856	1.51	36,096	26,573	1.36
1980	64,442	45,731	1.41	35,711	26,213	1.36
1990	66,706	40,708	1.64	44,512	27,985	1.59
2003	75,812	40,885	1.85	51,027	28,975	1.76

B. Returns to Experience
(Mean Earnings, Ages 45–54) ÷ (Mean Earnings, Ages 25–34)

	Men		Women	
	College Grads	High School Grads	College Grads	High School Grads
1975	1.54	1.24	1.15	1.06
1980	1.59	1.22	1.10	1.03
1990	1.43	1.28	1.07	1.17
2003	1.47	1.30	1.07	1.14

Sources: U.S. Bureau of the Census, *Money Income of Households, Families, and Persons in the United States,* Series P-60: no. 105 (1975), Table 48; no. 132 (1980), Table 52; no. 174 (1990), Table 30; and U. S. Bureau of the Census, http://ferret.bls.census.gov/macro/032004/perinc/new03_000.htm, Tables 172, 190, 208, 298, 316, 344 (2003).

Relative Changes in Hours of Work

Do the changes in relative earnings noted in Table 14.3 really reflect changes in relative *wages* of full-time workers, or might they reflect changes in their *hours* of work? Table 14.4 charts changes from 1983 to 2000 in the hours of work for full-time workers in high-paying occupational groups, usually requiring a college education, and for those in low-paying, less-skilled groups. Hours of work generally rose slightly for all groups shown, with no indication that they rose more markedly for higher-paid than lower-paid workers.[5] Hence, changing work hours among those working full-time do not appear to have been a cause of rising earnings inequality.

─────────────

[5]For a study of the hours worked by those in high- and low-paid occupations, see Dora Costa, "The Wage and the Length of the Work Day: From the 1890s to 1991," *Journal of Labor Economics* 18 (January 2000): 156–181.

TABLE 14.4

Average Weekly Hours of Work by Occupation, for Full-Time, Year-Round Workers, 1983–2000

	1983	1985	1990	2000
Men				
Highest-Paying Occupations				
Executive, managerial, administrative	46.4	47.1	47.5	47.7
Professional specialty	45.2	45.6	46.2	45.8
Lowest-Paying Occupations				
Machine operators, assemblers, inspectors	42.0	42.7	43.0	43.1
Handlers, cleaners, helpers, laborers	41.1	41.5	41.9	41.3
Service, except private household and protective workers	42.1	42.5	42.6	42.3
Women				
Highest-Paying Occupations				
Executive, managerial, administrative	42.4	43.0	43.2	43.3
Professional specialty	41.3	41.6	41.8	42.1
Lowest-Paying Occupations				
Sales occupations	41.5	42.0	42.2	41.8
Machine operators, assemblers, inspectors	40.0	40.3	40.7	40.7
Service, except private household and protective workers	40.6	40.8	41.2	40.7

Source: U.S. Bureau of Labor Statistics, *Employment and Earnings* 31 (January 1984), Table 34; 33 (January 1986), Table 34; 38 (January 1991), Table 34; 48 (January 2001), Table 23.

While it seems clear that a major cause of growing earnings inequality after 1980 was an increased gap between the wages or salaries of more-educated and less-educated workers, another possibility is that lower-paid workers saw their full-time jobs converted to part-time, or that they experienced more spells of unemployment during a given year. In 1983, 60 percent of men with a high school education or less worked full-time, year-round; by 2003, 76 percent did so. Among women with a high school education or less, the percentage working full-time year-round rose from 47 to 62. Thus, the conversion of full-time jobs to part-time or part-year jobs among lower-paid workers was *not* a phenomenon during this period.

Growth of Earnings Dispersion within Human Capital Groups

While one factor in the growing diversity of earnings is the enlarged gap between the average pay of more-educated and less-educated workers, another possibility

TABLE 14.5

Ratio of Earnings at the 80th to 20th Percentiles for Males, by Age
and Education, 1980–2003

	1980	1990	2003
Male College Graduates			
Ages 25–34	2.27	2.49	2.78
35–44	2.47	2.52	2.57
45–54	2.62	2.93	3.14
Male High School Graduates			
Ages 25–34	2.47	2.78	2.49
35–44	2.48	2.85	2.69
45–54	2.45	2.75	2.41

Source: U.S. Bureau of the Census, *Money Incomes of Households, Families, and Persons in the United States,*
Series P-60: no. 132 (1980), Table 51; no. 174 (1990), Table 29; and U. S. Bureau of the Census, http://fer-
ret.bls.census.gov/macro/032004/perinc/new03_000.htm, Tables 163, 181, 199 (2003).

is that earnings *within* narrowly defined human capital groups became more
diverse. If, for example, the distribution of earnings within groups of workers with
the same age and education had become more stretched, the overall diversity of
earnings would have grown. A greater diversity of earnings among 45- to 54-year-
old college graduates, for example, could have raised earnings at the 80th percentile, while more diversity among younger workers with a high school degree or
less would be likely to have reduced earnings at the 20th percentile.

Perhaps the best way to judge, using published data, whether wages *within*
age/education categories became more unequal through the 1980s and 1990s is
to calculate the earnings ratios of those at the 80th to those at the 20th percentiles
for each category. Table 14.5 reports on the 80:20 earnings ratios only for homoge-
nously grouped men, because those for women are heavily influenced by the dominance of part-time earnings at the lower end of the earnings distribution. The
evidence for men suggests that the earnings of college graduates within each age
group grew more unequal throughout this period, while those of high school graduates became more unequal during the 1980s but have more or less returned to their
earlier levels since. Thus, it is possible that the growing earnings disparities among
older (more highly paid) college-educated men could have played a role in the
growth of earnings inequality more generally, by pulling up earnings at the 80th
percentile of the *overall* earnings distribution.[6]

---

[6]One author concludes that growing within-group inequality has played a rather significant role in
the rising disparity of earnings overall, and that it has been fueled to a significant degree by rising instability of individuals' earnings over time. See Peter Gottschalk, "Inequality, Income Growth, and Mobility: The Basic Facts," *Journal of Economic Perspectives* 11 (Spring 1997): 21–40.

Labor's Share of Total Income: "Raw" Labor vs. Human Capital

The labor force includes everyone from brain surgeons, who must invest highly in training and experience, to tomato pickers, who have little need for any skills beyond the ability to use their eyes, arms, and legs. We saw in chapter 1 that about 70 percent of national income goes to employees, and it is interesting to ask how much of this income is paid to workers because of their raw (untrained) abilities, and how much is paid to them for the human capital that they accumulate through education and experience.

One study attempted to answer this question by estimating the amount by which wages rose with each year of schooling and experience. It then used this relationship to predict the wages of a hypothetical worker with no work experience and no for-

mal education. It concluded that from 1959 to 1979, roughly 15 to 17 percent of employee earnings were associated with raw labor—implying, of course, that 83 to 85 percent of employee pay was a return on human capital investments. From 1979 to 1989, however, the payments for raw skill dropped to about 9 percent of total pay, and it had dropped to a bit over 6 percent by 1996. This study, therefore, supports the argument that the returns to human capital rose dramatically in the 1980s and 1990s, with an associated fall in the payments going to completely unskilled labor.

Data from: Alan Krueger, "Measuring Labor's Share," *American Economic Review, Papers and Proceedings* 89 (May 1999): 45–51.

Summarizing the Dimensions of Growing Inequality

We can conclude from our analyses in this section that the most important dimension of the growth in inequality after 1980 was the increased returns to a college education. These increases were observed among both women and men, and they were especially rapid in the 1980s. Although using a different approach, the study underlying Example 14.1 also supports the finding that the relative importance of human capital grew substantially after 1980.

Two other dimensions of the growth in inequality were identified by our analyses, but their quantitative significance appears to be smaller. First, the disparity of earnings *within* narrowly defined human capital groups generally rose, although primarily among the college educated. Second, changes in the occupational distribution for both men and women increased the share of high-paying jobs, but these increases came at the expense of jobs at both the middle *and* lower end of the earnings distribution.

The Underlying Causes of Growing Inequality

The major phenomenon we must explain is the widening gap between the wages of highly educated and less-educated workers, and our basic economic model suggests three possible causes. First, the *supply* of less-educated workers might have

FIGURE 14.3

Changes in Supply as the
Dominant Cause of Wage
Changes

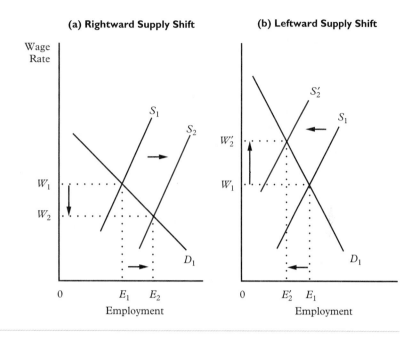

(a) Rightward Supply Shift

(b) Leftward Supply Shift

risen faster than the supply of college graduates, driving down the relative wages of less-skilled workers. Second, changes in *institutional* forces, such as the decline of unionism, might have reduced the wages of less-educated production workers relative to the more highly educated. Third, the *demand* for more-educated workers might have increased relative to the demand for less-educated workers. We discuss these possibilities below.

Changes in Supply

In reality, shifts in supply and demand curves, and even changes in the influence of institutions, occur both simultaneously and continually. Sophisticated statistical studies can often sort through the possible influences underlying a change and estimate the separate contributions of each. For the most part, however, the details of these studies are beyond the scope of this text; instead, our focus will be on identifying the *dominant* forces behind the growth of wage inequality in recent years.

For the market-clearing wage rate of a particular group of workers to be reduced primarily by a shift in supply, that shift must be rightward and therefore accompanied by an increase in employment (see panel a of Figure 14.3 for a graphic illustration). Conversely, if a leftward shift in the supply curve is the dominant cause of a wage increase, this wage increase will be accompanied by a decrease in the market-clearing level of employment (see panel b of Figure 14.3). Other things equal, the larger these shifts are, the larger will be the effects on the equilibrium wage.

TABLE 14.6

Employment Shares (within Gender) of College and High School
Graduates over the Age of 25, 1980–2003

	Share of Gender's Total Employment (%)		
	1980	1990	2003
Groups Whose Relative Earnings Rose			
A. Women with four years of college	11.1	15.0	21.1
B. Men with four years of college	13.0	15.3	20.7
Groups Whose Relative Earnings Fell			
C. Female high school graduates	45.3	41.7	29.9
D. Male high school graduates	35.9	37.0	30.3

Source: U.S. Bureau of the Census, *Money Income of Households, Families, and Individuals in the United States,* Series P-60: no. 132 (1980), Table 52; no. 174 (1990), Table 30; and U. S. Bureau of the Census, http://ferret.bls.census.gov/macro/032004/perinc/new03_000.htm, Tables 127, 253, 289, 325 (2003).

The major phenomenon we are trying to explain is the increasing gap between the wages of highly educated and less-educated workers. If *supply* shifts are primarily responsible, we should observe that the employment of less-educated workers *increased* relative to the employment of the college-educated workforce. Table 14.6 contains data indicating that supply shifts could *not* have been the primary cause. It is clear from comparing rows A and B, respectively, with rows C and D of the table that the groups with the larger wage increases also had larger *increases* in employment over the period! The shares of aggregate employment going to female and male college graduates rose, while the corresponding shares of employment going to high school graduates fell. Thus, shifts in supply cannot be the dominant explanation for the growing returns to education.[7]

To say that shifts in supply were not the *dominant* influence underlying the increased returns to education is not to say, of course, that they had no effect at all. We saw in chapter 10 that immigration to the United States rose during the period, and that it was especially heavy among unskilled, less-educated workers—the very groups whose relative earnings fell most during that period. One study has estimated that one-third of the decreased relative wages of high

[7]The generally small role played by *supply* shifts in generating recent wage inequality is also found in more sophisticated studies: Lawrence F. Katz and Kevin M. Murphy, "Changes in Relative Wages, 1963–1987: Supply and Demand Factors," *Quarterly Journal of Economics* 107 (February 1992): 35–78; John Bound and George Johnson, "Changes in the Structure of Wages in the 1980s: An Evaluation of Alternative Explanations," *American Economic Review* 82 (June 1992): 371–392; and John Bound and George Johnson, "What Are the Causes of Rising Wage Inequality in the United States?" *Federal Reserve Bank of New York Economic Policy Review* 1 (January 1995): 9–17.

school *dropouts* (a group that has done particularly poorly since 1980) was caused by immigration.[8] Because of immigration, then, the percentage of less-skilled workers in the labor force fell less than it would otherwise have fallen, and therefore the supply-related upward pressures on unskilled wages were probably smaller.

The analysis to this point has concentrated on *quantitative* shifts in labor supply. It is also possible that the *quality* of labor supplied changed in such a way that the gap between the wages of college and high school graduates grew in the 1980s and 1990s. We mentioned in chapter 9, for example, that there is a positive relationship between wage levels and performance on tests of cognitive achievement. Did changes in cognitive achievement scores play a major role in the growing wage dispersion after 1980?

For changes in labor quality to have widened the gap between the wages of college and high school graduates after 1980, the scores of high school graduates would have had to *fall* relative to those of college graduates during that period. Studies of this question are few in number, but they suggest that relative changes in labor quality, insofar as we can measure it, did not play a role in the growing disparity of wages, at least through 1990.[9]

Changes in Institutional Forces

We know from chapter 13 that the percentage of the labor force that is unionized fell during the 1980s. This decline was especially pronounced among less-educated workers in the private sector, the very group that had the highest union wage premiums. Thus fewer less-educated workers received the wage premiums union members have historically enjoyed, and correspondingly greater numbers earned lower, nonunion wages. Further, declining union influence also could have led to reduced wage premiums among those workers who remained unionized.

It can be argued, then, that the reduced role of unions in wage determination strengthened the importance of market forces. In the past, when unions took wage determination out of the market to a greater extent than they do now, the returns to education were relatively low in the union sector (it will be recalled from chapter 13 that unions have tended to compress wage differentials across skill groups). Now that market forces have greater influence in the determination of wages, it is natural to expect that the returns to education should have risen.

---

[8]See George J. Borjas, Richard B. Freeman, and Lawrence F. Katz, "On the Labor Market Effects of Immigration and Trade," in *Immigration and the Work Force*, ed. George J. Borjas and Richard B. Freeman (Chicago: University of Chicago Press, 1992), 213–244. For a more recent study that did not find that immigration of the unskilled influenced inequality much, see James J. Heckman, Lance Lochner, and Christopher Taber, "Explaining Rising Wage Inequality: Explorations with a Dynamic General Equilibrium Model of Labor Earnings and Heterogeneous Agents," *Review of Economic Dynamics* 1 (January 1998): 1–58.

[9]See John Bishop, "Is the Test Score Decline Responsible for the Productivity Growth Decline?" *American Economic Review* 79 (March 1989): 190.

There are two a priori reasons to doubt that the decline of labor unions has been a significant causal factor of the increased returns to education after 1980. First, as noted in chapter 13, the declining share of unionized workers in the United States is a phenomenon that started in the 1950s and has continued unabated throughout each decade—even in the 1970s, when the returns to education *fell* (see chapter 9). Second, women are less highly unionized than men (see chapter 13), and the fall in their rates of unionization have been considerably smaller, yet increases in the returns to education were as large among women as among men, or larger, after 1980.

Studies that have empirically investigated the contribution of declining unionization to overall wage inequality have concluded that, for men, perhaps 15 to 20 percent of the rise in inequality since the mid-1970s can be attributed to changes in unionization. The role of unionization in the growing earnings inequality among women, however, appears to have been negligible.[10]

Another institutional factor that has been considered as a possible explanation for the rising returns to education is the declining real level of the minimum wage since 1980. In 1981, the minimum wage was set at $3.35, or 45 percent of the average wage for nonsupervisory workers in the private sector. It was held constant throughout the 1980s (as nominal wages in the private sector grew) and raised in the 1990s, but as of 2003, the minimum wage of $5.15 was only 34 percent of the average private sector wage for production workers. While this decline could have reduced the relative wages of very poorly paid workers, it cannot have played a dominant role in the increased earnings gap between college and high school graduates, because few of the latter have earnings near the minimum. The declining value of the real minimum wage, however, has been estimated to have played some role in rising inequality.[11]

Changes in Demand

Because changes in labor supply and institutional forces did not play dominant roles in the growing wage dispersion after 1980, shifts in labor *demand* must have been at the root of growing wage inequality. Recalling our introductory discussions of labor demand in chapters 3 and 4, the demand for labor is a function of both *product* demand (which affects the *scale* of production) and decisions about the cost-minimizing *mix of capital and various kinds of labor* used to produce the profit-maximizing level of output.

---

[10]David Card, "The Effect of Unions on Wage Inequality in the U.S. Labor Market," *Industrial and Labor Relations Review* 54 (January 2001): 296–315; Nicole M. Fortin and Thomas Lemieux, "Institutional Changes and Rising Wage Inequality: Is There a Linkage?" *Journal of Economic Perspectives* 11 (Spring 1997): 75–96; Bound and Johnson, "Changes in the Structure of Wages."

[11]David S. Lee, "Wage Inequality in the United States During the 1980s: Rising Dispersion or Falling Minimum Wage? *Quarterly Journal of Economics* 114 (August 1999): 977–1023.

TABLE 14.7

The Distribution of Employment across Industries, 1983–2002

A. Percentages of Employment in Major Industries			
	1983	1990	2002
Manufacturing	19.8%	18.0%	13.2%
Trade (wholesale, retail)	21.0	20.6	20.6
Private services (business, health, personal, recreational, and social services)	21.6	25.3	28.6
Government	15.4	15.0	13.3
Others	22.2	21.1	24.3

B. Percentages of Employment by Selected Occupation, Major Industries						
	Managerial, Professional			Operators, Laborers, Service Workers		
	1983	1990	2002	1983	1990	2002
Manufacturing	17.7%	20.5%	26.2%	43.5%	42.1%	38.2%
Trade	9.8	10.5	11.8	31.7	31.3	32.6
Private services (except household) and government	41.0	42.5	48.1	26.9	25.8	24.3

Source: U.S. Bureau of Labor Statistics, *Employment and Earnings* 38 (January 1991), Tables, 23, 28; 31 (January 1984), Tables 25, 28; 50 (January 2003), Tables 17, 18.

PRODUCT DEMAND Over time, the demand for products produced in the United States shifts as incomes or preferences change, and as relative product prices increase or decrease. Moreover, developments in the international economy, from reductions in trade barriers to products newly produced abroad, also affect domestic demand. If the increased demand for college-trained workers relative to high school graduates were the result mainly of shifts in product demand, we would expect to observe a faster expansion of employment in industries that are heavily dependent on a highly educated workforce. The result would be an increased share of total employment among those industries that use the largest number of highly educated workers.

As shown in Table 14.7 (panel A), there were notable shifts in the distribution of employment across industries in the 1980s and 1990s. The largest gains came in the private service sector, especially in such business services as advertising, computer and data processing, accounting, management consulting, and temporary-help agencies. The largest relative declines were in manufacturing, where the rising gap between imports and exports during the period was most felt. The share of employment in both government and retail and wholesale trade fell slightly. Were these shifts a dominant force in changing the relative demand for highly educated workers?

Panel B of Table 14.7 suggests that the biggest loser of employment, manufacturing, uses relatively few highly educated workers (managers and professionals) and relatively more workers in jobs requiring less education. In contrast, the service sector, which grew the most, uses more highly educated workers and fewer less-educated ones. We might think, then, that shifts in employment *across* industries played a dominant role in causing the earnings gap between more-educated and less-educated workers to grow after 1980.

Most studies of product demand shifts and wage inequality have concentrated on the effects of international trade. As restrictions on such trade were liberalized, imports as a fraction of all purchases in the United States rose from 10 percent in 1980 to 13 percent in 2002.[12] The most rapid growth of imports was in durable manufactured goods, which are produced in the United States with the very workers whose relative earnings dropped most dramatically: less-educated men. The findings among economists who have analyzed the effects of trade on inequality are not unanimous, but the predominant conclusion is that the contributions of international trade to the changes in wage inequality after 1980 were rather small.[13]

CHANGING THE MIX OF PRODUCTIVE FACTORS   A change in the mix of productive factors, perhaps by substituting highly educated labor for less-educated labor, will be manifest primarily in *intra*-industry changes in the distribution of employment across occupations. Table 14.7, panel B, contains some data pertinent to these intra-industry changes. Comparing the distribution of high- and low-education jobs within each industry in 1983 and 2002 indicates that, *within* each major industry displayed, the number of managers and professionals grew relative to those in jobs requiring less education. These intra-industry percentage-point gains for highly educated workers, and the losses among those with less education, translate to large changes in the *numbers* demanded because they are applied to a base that equals *total* employment in each industry. (In contrast, the percentage changes in the cross-industry mix of employment highlighted in panel A imply smaller numerical changes in demand for skilled and unskilled workers

---

[12]U.S. President, *Economic Report of the President* (Washington, D.C.: U.S. Government Printing Office, 2004), Table B-1.

[13]A comprehensive review of various studies, by both labor economists and international trade specialists, is found in Gary Burtless, "International Trade and the Rise in Earnings Inequality," *Journal of Economic Literature* 33 (June 1995): 800–816. Similiar findings are contained in David H. Autor, Lawrence F. Katz, and Alan B. Krueger, "Computing Inequality: Have Computers Changed the Labor Market?" *Quarterly Journal of Economics* 113 (November 1998): 1169–1213; Eli Berman, John Bound, and Stephen Machin, "Implications of Skill-Biased Technological Change: International Evidence," *Quarterly Journal of Economics* 113 (November 1998): 1245–1279; and George E. Johnson, "Changes in Earnings Inequality: The Role of Demand Shifts," *Journal of Economic Perspectives* 11 (Spring 1997): 41–54.

because they are applied to a base that equals only the *change* in each industry's employment.[14])

The most plausible explanation for demand-side increases in the returns to education in the last two or three decades is an acceleration in technological change—in particular, technological advances that took advantage of, and raised the demand for, highly educated workers.[15] The introduction of new technology increased dramatically in the 1980s, as firms sought to become more competitive by adopting the use of advanced computers, robots, more-flexible manufacturing systems, and new office technologies. Conventional technological improvements, such as larger or faster machines, were adopted at a slower pace, with the result that in manufacturing, for example, the new high-tech capital rose from 9.5 percent of the total capital stock in 1976 to 25.7 percent in 1986. The percentage of all workers who used computers in their jobs, to take another example, rose from 25 to 37 percent from 1984 to 1989, and to 47 percent by 1993.[16]

As noted in chapter 4, technological change is equivalent to a decrease in the price of capital, and the effects on the demand for labor depend on the relative size of scale and substitution effects. If a category of labor is a complement in production with the capital whose price has been reduced, or if it is a substitute in production but a *gross* complement, then technological change will increase the demand for labor. If the category of labor is a gross substitute with capital, however, then technological change will reduce the demand for labor.

---

[14]To take a simple example, assume C = managerial/professional employment and that we want to explain the changes in this variable from 1983 to 1990; that is, we want to calculate $C_{90} - C_{83}$ in a certain industry. If E = total employment in the industry and k = the percentage of the total constituted by managers and professionals, then

$$C_{90} - C_{83} = E_{90}(k_{90}) - E_{83}(k_{83})$$

If $E_{90}(k_{83})$ is subtracted from the first term on the right-hand side and added to the second, the equation becomes

$$C_{90} - C_{83} = E_{90}(k_{90} - k_{83}) + k_{83}(E_{90} - E_{83})$$

Note that in the first expression on the right-hand side of the equation, the *intra*-industry changes in k are applied to total employment. Changes in C caused by growth or decline in the industry (the second expression) are based only on *changes* in employment; these latter changes form the basis for *inter*-industry effects. See Autor, Katz, and Krueger, "Computing Inequality: Have Computers Changed the Labor Market?" and Berman, Bound, and Machin, "Implications of Skill-Biased Technological Change: International Evidence," for articles concluding that the relative demand for skilled workers has shifted more *within* industries than *between* them. For a somewhat different view of growing wage inequality within industries, see the entire issue of *Industrial and Labor Relations Review* 54 (March 2001).

[15]See Daron Acemoglu, "Technical Change, Inequality, and the Labor Market," *Journal of Economic Literature* 40 (March 2002): 7–72, for a comprehensive summary of the literature on technical change and inequality.

[16]Ernst R. Berndt and Catherine J. Morrison, "High-Tech Capital Formation and Economic Performance in U.S. Manufacturing Industries: An Exploratory Analysis," *Journal of Econometrics* 65 (January 1995): 9–43; and Autor, Katz, and Krueger, "Computing Inequality: Have Computers Changed the Labor Market?" Table 4.

There are several reasons to suspect that the spread of high-tech capital, especially computers, played a key role in the changing relative demand for more-educated and less-educated workers in the 1980s and 1990s. First, it can be hypothesized that the relative demand for highly educated workers increases during periods of rapid technological innovation, because (as we argued in chapter 9) those who invest in education tend to be those who have the greatest comparative advantage at learning. Rapid change requires rapid learning, and it can be argued that the better-educated are more adaptable.

Second, we know from chapter 4 that, at least in recent decades, capital and skilled labor tend to be gross complements, while capital and less-skilled labor are more likely to be gross substitutes. If these general patterns apply specifically to high-tech capital, then the falling price of such capital, and its consequent spread, would have shifted the demand curve for skilled labor to the right and the demand curve for less-skilled labor to the left.

Third, it has been estimated that those industries with the largest increases in high-tech capital were those with both the highest proportions of college-educated workers and the largest shifts away from the use of less-educated production workers. Indeed, computer usage in 1993 was greater for the college-educated (70 percent) than for high school graduates (35 percent), and it was greater for women (53 percent) than men (41 percent).[17] One study, in fact, concludes that the greatest declines in the wages of less-educated men took place in regions that experienced the largest increases in the labor force participation rates of highly skilled women.[18]

Finally, it has been estimated that workers who used computers on their jobs in 1993 received some 20 percent more in wages than they otherwise would have received, a larger differential than in 1984.[19] Thus, it appears that the widespread adoption of high-tech capital, especially the personal computer, increased the demand for highly educated workers relative to those with less education.

GROWTH IN SUPPLY OF EDUCATED WORKERS   While a rightward shift in the demand for highly educated workers, which was associated with technological change, appears to have been a powerful force underlying growing inequality, this rightward shift could only have raised relative wages if shifts in supply failed to keep pace. As will be recalled from chapter 9, during the 1970s, when rates of return to college educations were low, there was a decline in the proportion of male high school graduates going to college. This decline slowed the growth of college graduates in the overall labor force during the 1980s, and even as the rate of return later rose rapidly, the supply response was relatively modest (the proportion of males enrolling in college actually fell a bit from 1985 to 1990 before rising in the 1990s).

---

[17]Autor, Katz, and Krueger, "Computing Inequality: Have Computers Changed the Labor Market?"

[18]Robert H. Topel, "Regional Trends in Wage Inequality," *American Economic Review* 84 (May 1994): 17–22. For a study finding that computer usage accounts for much of the increased substitution of high-skilled women for low-skilled men, see Bruce A. Weinberg, "Computer Use and the Demand for Female Workers," *Industrial and Labor Relations Review* 53 (January 2000): 290–308.

[19]Autor, Katz, and Krueger, "Computing Inequality: Have Computers Changed the Labor Market?"

EXAMPLE 14.2

Changes in the Premium to Education at the Beginning of the Twentieth Century

While the premium to education has recently risen and is currently relatively high, the premium appears to have been even higher at the beginning of the twentieth century. However, the premium did not stay high for too long because, despite increasing demand for educated workers, the *supply* increased at an even more rapid clip. In 1914, office workers, whose positions generally required a high school diploma, earned considerably more than less-educated manual workers. Female office workers earned 107 percent more than female production workers, while male office workers earned 70 percent more than male production workers. This premium fell rapidly during World War I and the early 1920s, so that by 1923, the high school premium was only 41 percent for females and merely 10 percent for males. These rates drifted just a little higher during the remainder of the 1920s and 1930s.

What makes these dramatically falling premiums for a high school degree so surprising is that changes in the economy were increasing the relative demand for these workers. New office machines (such as improved typewriters, adding machines, address machines, dictaphones, and mimeo machines) lowered the cost of information technology and increased the demand for a complementary factor of production: high school educated office workers. In the two decades after 1910, office employment's share of total employment in the United States rose by 47 percent.

Counteracting this demand shift, however, was an even more substantial shift in the supply of high school graduates, as high schools opened up to the masses throughout much of the country. Between 1910 and 1920, for example, high school enrollment rates climbed from 25 to 43 percent in New England and from 29 to 60 percent in the Pacific region. The internal combustion engine, paved roads, and consolidated school districts brought secondary education to rural areas for the first time during the 1920s. Within cities, schools moved away from offering only college preparatory courses and attracted more students. From 1910 to 1930, the share of the labor force made up of high school graduates increased by almost 130 percent.

Thus, relative growth in the demand for more-educated workers was similar in the early and late decades of the twentieth century, but changes in the premiums for education diverged. As emphasized throughout this text, demand *and* supply are important in understanding wages!

Data from: Claudia Goldin and Lawrence F. Katz, "The Decline of Non-Competing Groups: Changes in the Premium to Education, 1890-1940," National Bureau of Economic Research Working Paper no. 5202, August 1995.

Had the *supply* response to the increased demand for highly educated workers been larger, their wage growth would have been slower.[20]

We do not fully understand why the growth in the supply of college-educated workers was so slow in the United States, but it is an important part of the explanation of why inequality grew so much in the face of technological change. Indeed, in the early 1900s, important changes in office technology also increased the relative demand for better-educated workers, but during that period, wage premiums for those with more education actually *fell* (see Example 14.2).

---

[20]For a discussion of the supply response to increases in the returns to human capital investments, see David Card and Thomas Lemieux, "Can Falling Supply Explain the Rising Return to College for Younger Men? A Cohort-Based Analysis," *Quarterly Journal of Eocnomics* 116 (May 2001): 705–746; Chinhui Juhn, "Wage Inequality and Demand for Skill: Evidence from Five Decades," *Industrial and Labor Relations Review* 52 (April 1999): 424–443; and Robert H. Topel, "Factor Proportions and Relative Wages: The Supply-Side Determinants of Wage Inequality," *Journal of Economic Perspectives* 11 (Spring 1997): 55–74.

EMPIRICAL STUDY

Do Parents' Earnings Determine the Earnings of Their Children? The Use of Intergenerational Data in Studying Economic Mobility

While our analysis of earnings inequality has focused on the distribution of earnings at a point in time, another important aspect of inequality is the opportunity for children—especially in households at the bottom of the earnings distribution—to improve on the economic status of their parents. Put differently, a country with growing earnings inequality is likely to be more concerned about this trend if children appear to inherit the earnings inequality of their parents; the country might be less concerned if access to education and job opportunities are such that they offer significant chances for upward mobility.

Studying intergenerational mobility requires a data set with the unusual property that it contains earnings data on both parents and their adult children. When such data can be found, the heart of the statistical analysis is to measure the elasticity of the children's earnings with respect to the earnings of their parents. That is, if the parents' earnings were to rise by 10 percent, by what percentage do we expect their children's earnings to rise? An elasticity of unity implies a very rigid earnings distribution across generations, in that earnings differences across one generation are completely inherited by the next. An elasticity of zero would mean that there is no correlation between the earnings of parents and children, and that earnings status is not passed from one generation to another.

The above elasticities can be estimated using regression analysis, in which the dependent variable is the earnings of the child and the independent variables include earnings of the parent. Of course, earnings of both parent and child will vary year by year, owing to such transitory factors as unemployment, illness, family problems, and overall economic activity. Thus, we would like our measure of parental earnings to reflect their *permanent*—or long-run average—earnings level. If the data are such that only one or two years of parental earnings are available to researchers, the regression procedure will yield estimated elasticities that are biased toward zero by the *errors in variables* problem (discussed in the empirical study of chapter 8). This is a serious problem for studying intergenerational mobility, because an elasticity of zero implies substantial intergenerational mobility, and it may lead us to conclude that a society permits substantial upward mobility when in fact it does not.

Estimates of the elasticity of American sons' earnings with respect to those of their fathers offer a good example of this statistical problem. When just one year of the father's income is used, the estimated elasticity is in the range of 0.25 to 0.35. When a 5-year average of fathers' earnings is used, the estimated elasticity rises to roughly 0.40—and when the data permit a 16-year average to be used, the estimated elasticity is 0.60.

Thus, as data sets have been improved to permit more years of observations on the earnings of fathers, estimated elasticities have risen and economists have become more pessimistic about the extent of upward mobility in the United States. The most recent estimates imply that if the earnings gap between high- and low-earning men were currently 200 percent, the gap between the earnings of their sons 25 or 30 years from now would be about 120 percent if other factors affecting earnings were held constant.

Sources: Gary Solon, "Intergenerational Income Mobility in the United States," *American Economic Review* 82 (June 1992): 393-408; and Bhashkar Mazumder, "Analyzing Income Mobility over Generations," *Chicago Fed Letter,* issue 181 (Federal Reserve Bank of Chicago, September 2002), 1-4.

TECHNOLOGICAL CHANGE AND WITHIN-GROUP DISPERSION The increased disparity of earnings *within* narrowly defined age/education groups possibly could be attributed to the adoption of new technology as well. Technological change creates new workplace requirements, and not everyone within a given human capital group will have the same abilities to meet these requirements or the same eagerness to embrace and adapt to change. Thus, within groups of workers with the same observable qualifications, rapid change will create increased inequalities because of differences in productive characteristics that are difficult to observe (motivation to learn and adapt, ability to work as part of a team, and so forth).[21] Moreover, in a rapidly changing environment, some in any group will be more fortunate than others to have been at the right place at the right time—and as we saw earlier in Chapter 5, luck can create earnings differentials that persist within human capital groups when it is costly to change employers or occupations.

---

[21]This argument is more elegantly made in Acemoglu, "Technical Change, Inequality, and the Labor Market."

Review Questions

1. Analyze how increasing the investment tax credit given to firms that make expenditures on new capital affects the dispersion of earnings. (For a review of relevant concepts, see chapter 4.)

2. Assume that the "comparable worth" remedy for wage discrimination against women will require governmental and large private employers to increase the wages they pay to women in female-dominated jobs. The remedy will not apply to small firms. Given what you learned earlier about wages by firm size and in female-dominated jobs, analyze the effects of comparable worth on earnings inequality among women. (For a review of relevant concepts, see chapter 12.)

3. One of organized labor's primary objectives is legislation forbidding employers to replace workers who are on strike. If such legislation passes, what will be its effects on earnings inequality? (For a review of relevant concepts, see chapter 13.)

4. Proposals to tax health and other employee benefits, which are not now subject to the income tax, have been made in recent years. Assuming that more highly paid workers have higher employee benefits, analyze the effects on earnings inequality if these tax proposals are adopted. (For a review of relevant concepts, see chapter 8.)

5. "The labor supply responses to programs designed to help equalize *incomes* can either narrow or widen the dispersion of *earnings*." Comment on this statement in the context of an increase in the subsidy paid under a "negative income tax" program to those who do not work. Assume that this program creates an effective wage that is greater than zero but less than the market wage, and assume that this effective wage is unchanged by the increased subsidy to those who do not work. (For a review of relevant concepts, see chapter 6.)

6. Discuss the role of geographic mobility in decreasing or increasing the dispersion of earnings. (For a review of the relevant concepts, see chapter 10.)

7. Suppose a country's government is concerned about growing inequality of incomes and wants to undertake a program that will increase the total earnings of the unskilled. It is considering two alternative changes to its current payroll tax, which is levied on employers as a percentage of the first $50,000 of employee earnings:

   a. Extending employer payroll taxes to all earnings over $50,000 per year, and increasing the cost of capital by eliminating certain tax deductions related to plant and equipment;

   b. Reducing to zero employer payroll taxes on the first $20,000 of earnings but taxing employers on all employee earnings between $20,000 and $50,000 (there would be no taxes on earnings above $50,000).

   Analyze proposal a and proposal b separately (one, but not both, will be adopted). Which is more likely to accomplish the aim of increasing the earnings of the unskilled? Why?

Problems

1. (Appendix). Ten college seniors have accepted job offers for the year after they graduate. Their starting salaries are given below. Organize the data into quintiles and then, using these data, draw the Lorenz curve for this group. Finally, calculate the relevant Gini coefficient.

Becky	$42,000
Billy Bob	$20,000
Charlie	$31,000
Kasia	$24,000
Nina	$34,000
Raul	$37,000
Rose	$29,000
Thomas	$35,000
Willis	$60,000
Yukiko	$32,000

2. Suppose that the wage distribution for a small town is given below.

Sector	Number of Workers	Wage
A	50	$10 per hour
B	25	$5 per hour
C	25	$5 per hour

Assume a minimum wage law is passed that doesn't affect the market in high-wage sector A but boosts wages to $7 per hour in sector B, the covered sector, while reducing employment to 20. Displaced workers in sector B move into the uncovered sector, C, where wages fall to $4.50 per hour as employment grows to 30. Has wage inequality risen or fallen? Explain.

Selected Readings

Bound, John, and George Johnson. "Changes in the Structure of Wages in the 1980s: An Evaluation of Alternative Explanations." *American Economic Review* 82 (June 1992): 371–392.

Burtless, Gary, ed. *A Future of Lousy Jobs? The Changing Structure of U.S. Wages.* Washington, D.C.: Brookings Institution, 1990.

Freeman, Richard B., and Lawrence F. Katz, eds. *Differences and Changes in Wage Structures.* Chicago: University of Chicago Press, 1995.

Katz, Lawrence F., and Kevin M. Murphy. "Changes in Relative Wages, 1963–1987: Supply and Demand Factors." *Quarterly Journal of Economics* 107 (February 1992): 35–78.

Levy, Frank, and Richard J. Murnane. "U.S. Earnings Levels and Earnings Inequality: A Review of Recent Trends and Proposed Explanations." *Journal of Economic Literature* 30 (September 1992): 1333–1381.

Lorenz Curves and Gini Coefficients

The most commonly used measures of distributional inequality involve grouping the distribution into deciles or quintiles and comparing the earnings (or income) received by each. As we did in the main body of this chapter, we can compare the earnings levels at points high in the distribution (the 80th percentile, say) with points at the low end (the 20th percentile, for example). A richer and more fully descriptive measure, however, employs data on the *share* of total earnings or income received by those in each group.

Suppose that each household in the population has the same income. In this case of perfect equality, each fifth of the population receives a fifth of the total income. In graphic terms, this equality can be shown by the straight line *AB* in Figure 14A.1, which plots the cumulative share of income (vertical axis) received by each quintile and the ones below it (horizontal axis). Thus, the first quintile (with a 0.2 share, or 20 percent of all households) would receive a 0.2 share (20 percent) of total income, the first and second quintiles (four-tenths of the population) would receive four-tenths of total income, and so forth.

If the distribution of income is not perfectly equal, then the curve connecting the cumulative percentages of income received by the cumulated quintiles—the *Lorenz curve*—is convex and lies below the line of perfect equality. For example, in 2002, the lowest fifth of U.S. households received 3.5 percent of total income, the second fifth received 8.8 percent, the third fifth 14.8 percent, the next fifth 23.3 percent, and the highest fifth 49.7 percent. Plotting the cumulative data in Figure 14A.1 yields Lorenz curve *ACDEFB*. This curve displays the convexity we would expect from the clearly unequal distribution of household income in the United States.

Comparing the equality of two different income distributions results in unambiguous conclusions if one Lorenz curve lies completely inside the other (closer to the line of perfect equality). If, for example, we were interested in comparing the American income distributions of 1980 and 2002, we could observe that plotting the 1980 data results in a Lorenz curve, *AcdefB* in Figure 14A.1, that lies everywhere closer to the line of perfect equality than the one for 2002.

If two Lorenz curves cross, however, conclusions about which one represents greater equality are not possible. Comparing curves *A* and *B* in Figure 14A.2, for example, we can see that the distribution represented by *A* has a lower proportion of total income received by the poorest quintile than does the distribution

FIGURE 14A.1

Lorenz Curves for 1980 and 2002
Distributions of Income in the United
States

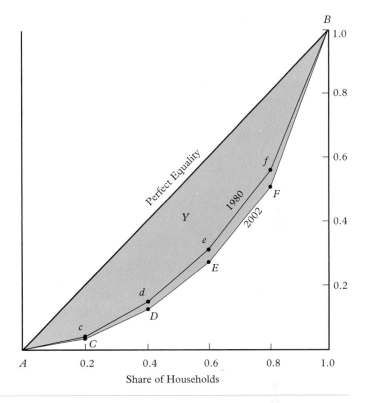

represented by curve B; however, the cumulative share of income received by the lowest two quintiles (taken together) is equal for A and B, and the cumulative proportions received by the bottom three and bottom four quintiles are higher for A than for B.

Another measure of inequality, which seems at first glance to yield unambiguous answers when various distributions are compared, is the *Gini coefficient:* the ratio of the area between the Lorenz curve and the line of perfect equality (for 2002, the shaded area labeled Y in Figure 14A.1) to the total area under the line of perfect equality. Obviously, with perfect equality, the Gini coefficient would equal zero.

One way to calculate the Gini coefficient is to split the area under the Lorenz curve into a series of triangles and rectangles, as shown in Figure 14A.3 (which repeats the Lorenz curve for 2002 shown in Figure 14A.1). Each triangle has a base equal to 0.2—the horizontal distance for each of the five quintiles—and a height equal to the percentage of income received by that quintile (the cumulative percentage less the percentages received by lower quintiles). Because the base of each triangle is the same and their heights sum to unity, the *sum* of the areas of each triangle is always equal to $0.5 \times 0.2 \times 1.0 = 0.1$ (one-half base times height).

FIGURE 14A.2

Lorenz Curves That Cross

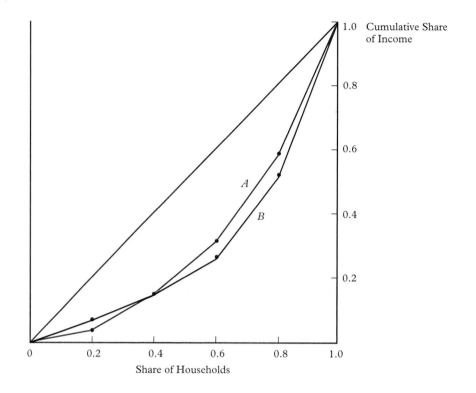

The rectangles in Figure 14A.3 all have one side equal to 0.2 and another equal to the cumulated percentages of total income received by the previous quintiles. Rectangle $Q_1CC'Q_2$, for example, has an area of $0.2 \times 0.035 = 0.007$, while $Q_2DD'Q_3$ has an area of $0.2 \times 0.123 = 0.0246$. Analogously, $Q_3EE'Q_4$ has an area of 0.0542 and $Q_4FF'Q_5$ an area of 0.1008; together, all four rectangles in Figure 14A.3 have an area that sums to 0.1866.

The area under the Lorenz curve in Figure 14A.3 is thus $0.1866 + 0.1 = 0.2866$. Given that the total area under the line of perfect equality is $0.5 \times 1 \times 1 = 0.5$, the Gini coefficient for 2002 is calculated as follows:

$$\text{Gini coefficient (1992)} = \frac{0.5 - 0.2866}{0.5} = 0.4268 \tag{14A.1}$$

For comparison purposes, the Gini coefficient for the income distribution in 1980 can be calculated as 0.3768—which, because it lies closer to zero than the Gini coefficient for 2002, is evidence of greater equality in 1980.

FIGURE 14A.3

Calculating the Gini
Coefficient for the
2002 Distribution of
Household Income

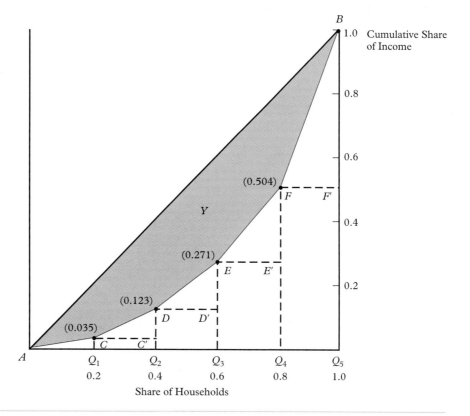

Unfortunately, the Gini coefficient will become smaller when the rich give up some of their income to the middle class as well as when they give up income in favor of the poor. Thus, the Gini coefficient may yield a "definitive" answer about comparative equality when none is warranted. As we saw in the case of Figure 14A.2, in which the Lorenz curves being compared cross, judging the relative equality of two distributions is not always susceptible of an unambiguous answer.

To this point in the appendix, we have analyzed the Lorenz curve and Gini coefficient in terms of *household income,* for the simple reason that published data permit these calculations. The underlying data on the *shares* of individual *earnings* are not published, but the Gini coefficients associated with earnings distributions were published on a comparable basis from 1967 to 1992. The Gini coefficients for the *earnings* distributions of both men and women who worked full-time year-round were relatively stagnant in the 1970s, but rose roughly 15 percent in the 1980s.[1]

---

[1]U.S. Bureau of the Census, *The Changing Shape of the Nation's Income Distribution, 1947–1998,* P-60: no. 204 (June 2000), 2–3.

Unemployment

As noted in chapter 2, the population can be divided into those people who are in the labor force (L) and those who are not (N). The labor force consists of those people who are employed (E) and those who are unemployed but would like to be employed (U). The concept of unemployment is somewhat ambiguous, since in theory virtually anyone would be willing to be employed in return for a generous enough compensation package. Economists tend to resolve this dilemma by defining unemployment in terms of an individual's willingness to be employed at some prevailing market wage. Government statistics take a more pragmatic approach, defining the unemployed as those who are on temporary layoff waiting to be recalled by their previous employer or those without a job who have actively searched for work in the previous month (of course, "actively" is not precisely defined).

Given these definitions, the unemployment rate (**u**) is measured as the ratio of the number of the unemployed to the number in the labor force:

$$\mathbf{u} = \frac{U}{L} \qquad\qquad (15.1)$$

Much attention is focused on how the national unemployment rate varies over time and how unemployment rates vary across geographic areas and age/race/gender/ethnic groups.

It is important, however, to understand the limitations of unemployment rate data. They *do* reflect the proportion of a group that, at a point in time, actively want to work but are not employed. For a number of reasons, however, they *do not* necessarily provide an accurate reflection of the economic hardship that members of a group are suffering. First, individuals who are not actively searching for work, including those who searched unsuccessfully and then gave up, are not counted among the unemployed (see chapter 7). Second, unemployment statistics tell us nothing about the earnings levels of those who are employed, including whether these exceed the poverty level. Third, a substantial fraction of the unemployed come from families in which other earners are present—for example, many unemployed are teenagers—and the unemployed often are not the primary source of their family's support. Fourth, a substantial fraction of the unemployed receive some income support while they are unemployed, in the form of either government unemployment compensation payments or private supplementary unemployment benefits.

Finally, while unemployment rate data give us information on the fraction of the *labor force* that are not working, they tell us little about the fraction of the *population* that are *employed*. Table 15.1 contains U.S. data on the aggregate unemployment rate,

TABLE 15.1

Civilian Labor Force Participation, Employment, and Unemployment Rates in the United States (in percentages)

Year	Labor Force Unemployment Rate (U/L)	Participation Rate (L/POP)	Employment Rate (E/POP)
1948	3.8	58.8	56.6
1958	6.8	59.5	55.4
1968	3.6	59.6	57.5
1991	6.7	66.0	61.6
2003	6.0	66.2	62.3

U = number of people unemployed.
L = number of people in the labor force.
E = number of people employed.
POP = total population over age 16.

Sources: U.S. Department of Labor, *Employment and Earnings* 48 (January 2001), Table 1; Bureau of Labor Statistics, *Monthly Labor Review* 127 (June 2004), Table 4.

the labor force participation rate, and the *employment rate*—the last being defined as employment divided by the adult population—for 2003 and for two pairs of earlier years over which roughly equal changes in the unemployment rate were experienced. From 1948 to 1958, for example, the unemployment rate rose from 3.8 to 6.8 percent, and the employment rate fell from 56.6 to 55.4 percent. In contrast, from 1968 to 1991, the unemployment rate rose by a similar magnitude, but the employment rate *rose* substantially! The reason for the opposite correlations between the unemployment and the employment rates for these two periods is that in the earlier period, labor force participation grew only slowly, while in the latter period, it was growing very rapidly.

Nonetheless, the unemployment rate remains a useful indicator of labor market conditions. This chapter will be concerned with the causes of unemployment and with how various government policies affect, in an either intended or unintended manner, the level of unemployment.

A Stock-Flow Model of the Labor Market

We begin with a simple conceptual model of a labor market that emphasizes the importance of considering the *flows* between labor market states (for example, the *movement* of people from employed to unemployed status) as well as the *number* of people in each labor market state (for example, the *number* of the unemployed). Knowledge of the determinants of these flows is crucial to any understanding of the causes of unemployment.

Data on the number of people who are employed, unemployed, and not in the labor force are provided each month from the national Current Population Survey (CPS). As Figure 15.1 indicates, in May 1993 (when the overall unemployment rate averaged 6.9 percent), there were 119.2 million employed, 8.9 million unemployed, and 65.2 million adults age 16 and over not in the labor force. The impression we get when tracing these data over short periods of time is that of relative stability; for example, it is highly unusual for the unemployment rate to change by more than a few tenths of a percentage point from one month to the next.

Taking month-to-month snapshots of the number of people who are employed, unemployed, or out of the labor market misses a considerable amount of movement into and out of these categories *during* the month. Figure 15.1 contains data on the flows of workers between the various categories during the one-month period April to May 1993, when the total number of workers unemployed was the same at the end as it was at the beginning. During this month, approximately 2.0 million unemployed individuals found employment (the flow denoted by *UE* in Figure 15.1), and 1.5 million of the unemployed dropped out of the labor force (the flow denoted by *UN*). These numbers represent the proportions 0.225 (P_{ue}) and 0.169 (P_{un}) of the stock of the unemployed, respectively; thus, we can conclude that approximately 40 percent of the individuals who were unemployed at the beginning of that month left unemployment by the next month. These individuals were replaced in the pool of unemployed by equivalent flows of individuals into unemployment from the stocks of employed individuals (the flow *EU*) and those not in the labor force (the flow

FIGURE 15.1

Labor Market Stocks and
Flows: May 1993

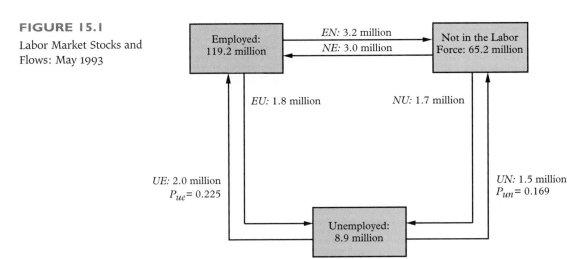

NU).[1] The flow *EU* consists of individuals who voluntarily left or involuntarily lost their last job, while the flow *NU* consists of people entering the labor force. The fact that the flows *into* unemployment equaled the flows *out of* unemployment meant that the number of unemployed workers remained constant from April to May.

Sources of Unemployment

When we think of the unemployed, the image of an individual laid off from his or her previous job often springs to mind. However, the view that such individuals constitute all of the unemployed is incorrect. Table 15.2 provides some data that bear on this point for years between 1970 and 2002, during which the unemployment rate varied considerably. In the typical year, roughly half of the unemployed were job losers. In each year, more than one-third of the unemployed came from out-of-labor-force status—that is, they were individuals who were either entering the labor force for the first time (*new entrants*) or individuals who had some previous employment experience and were reentering the labor force after a period of time out of the labor force (*reentrants*). Some of these reentrants, of course, will be job losers who dropped out of the labor force for a time. Finally, although the

---

[1]Joseph A. Ritter, "Measuring Labor Market Dynamics: Gross Flows of Workers and Jobs," *Review, Federal Reserve Bank of St. Louis* 75 (November/December 1993): 39–57. From the perspective of actual measurement, those who are classified as "unemployed" are distinguished from those considered "out of the labor force" only by self-reported information on job search. Thus, the empirical distinction between the two categories, as well as errors in recording movements between them, have attracted the attention of researchers. For an analysis of the former issue, see Füsun Gönsül, "New Evidence on Whether Unemployment and Out of the Labor Force Are Distinct States," *Journal of Human Resources* 27 (Spring 1992): 329–361. On the latter topic, see Paul Flaim and Carma Hogue, "Measuring Labor Force Flows: A Special Conference Examines the Problems," *Monthly Labor Review* (July 1985): 7–15.

TABLE 15.2

Sources of Unemployment, United States, Various Years

Year	Unemployment Rate	Percent of Unemployed Who Were:			
		Job Losers	Job Leavers	Reentrants	New Entrants
1970	4.9	44.3	13.4	30.0	12.3
1974	5.6	43.5	14.9	28.4	13.2
1978	6.1	41.6	14.1	30.0	14.3
1982	9.7	58.7	7.9	22.3	11.1
1986	6.9	48.9	12.3	26.2	12.5
1990	5.5	48.3	14.8	27.4	9.5
1994	6.1	47.7	9.4	34.8	7.6
1998	4.5	45.5	11.8	34.3	8.4
2002	5.8	55.0	10.3	28.3	6.4

Sources: U.S. Department of Labor, *1982 Employment and Training Report of the President* (Washington, D.C.: U.S. Government Printing Office, 1982), Table A-36; U.S. Department of Labor, *Monthly Labor Review*, various issues.

vast majority of individuals who quit their jobs obtain new jobs prior to quitting and never pass through unemployment status, in most years, 10–15 percent of the unemployed were voluntary job leavers.

Among those who lose their jobs, the duration and the consequences of unemployment depend on whether the layoff is temporary or permanent. Of the 0.6 percent of American workers who were laid off in the average month during the 1990s, a bit less than half were laid off temporarily and returned relatively quickly to their jobs (usually within three to six weeks). Those who were permanently discharged—whether for cause or because of plant closure or "downsizing"—were unemployed for over twice as long. Further, when they returned to work, it was typically at a much lower pay level.[2] Unfortunately, layoffs are now less likely to be temporary than in earlier decades, reflecting the permanent adjustments required by a business environment that is increasingly competitive.

Rates of Flow Affect Unemployment Levels

Although ultimately public concern focuses on the *level* of unemployment, to understand the determinants of this level, we must analyze the flows of individuals between

[2]See Hoyt Bleakley, Ann E. Ferris, and Jeffrey C. Fuhrer, "New Data on Worker Flows During Business Cycles," *New England Economic Review* (July-August 1999): 49–76. For more on the subject of permanent displacement, see Lori G. Kletzer, "Job Displacement," *Journal of Economic Perspectives* 12 (Winter 1998): 115–136; and Henry Farber, "Job Loss in the United States, 1981–2001," National Bureau of Economic Research Working Paper no. 9707, May 2003.

the various labor market states. A group's unemployment rate might be high because its members have difficulty finding jobs once unemployed, because they have difficulty (for voluntary or involuntary reasons) remaining employed once a job is found, or because they frequently enter and leave the labor force. The appropriate policy prescription to reduce the unemployment rate will depend on which one of these labor market flows is responsible for the high rate.

Somewhat more formally, we can show that if labor markets are roughly in balance, with the flows into and out of unemployment equal, the unemployment rate (**u**) for a group depends on the various labor market flows in the following manner:

$$\mathbf{u} = F(\overset{+}{P}_{en}, \bar{P}_{ne}, \bar{P}_{un}, \overset{+}{P}_{nu}, \overset{+}{P}_{eu}, \bar{P}_{ue}) \tag{15.2}$$

In this equation,

F means "a function of"
P_{en} = fraction of employed who leave the labor force
P_{ne} = fraction of those not in the labor force who enter the labor force and find employment
P_{un} = fraction of unemployed who leave the labor force
P_{nu} = fraction of those not in the labor force who enter the labor force and become unemployed
P_{eu} = fraction of employed who become unemployed
P_{ue} = fraction of unemployed who become employed

So, for example, if there were initially 100 employed individuals in a group and 15 of them became unemployed during a period, P_{eu} would equal 0.15.

A plus sign over a variable in equation (15.2) means that an increase in that variable will increase the unemployment rate, while a minus sign means that an increase in the variable will decrease the unemployment rate. The equation thus asserts that, other things equal, increases in the proportions of individuals who voluntarily or involuntarily leave their jobs and become unemployed (P_{eu}) or leave the labor force (P_{en}) will increase a group's unemployment rate, as will an increase in the proportion of the group that enters the labor force without first having a job lined up (P_{nu}). Similarly, the greater the proportion of individuals who leave unemployment status, either to become employed (P_{ue}) or to leave the labor force (P_{un}), the lower a group's unemployment rate will be. Finally, the greater the proportion of individuals who enter the labor force and immediately find jobs (P_{ne}), the lower a group's unemployment rate will be.[3]

---

[3]The specific functional form for equation (15.2) is found in Stephen T. Marston, "Employment Instability and High Unemployment Rates," *Brookings Papers on Economic Activity* 1976–1, 169–203. An intuitive understanding of why each of the results summarized in equation (15.2) holds can be obtained from the definition of the unemployment rate in equation (15.1). A movement from one labor market state to another may affect the numerator or the denominator, or both. For example, an increase in P_{en} does not affect the number of unemployed individuals directly, but it does reduce the size of the labor force. According to equation (15.1), this reduction leads to an increase in the unemployment rate.

Equation (15.2) and Figure 15.1 make clear that social concern over any given level of unemployment should focus on both the *incidence* of unemployment (or the fraction of people in a group who become unemployed) and the *duration* of spells of unemployment. Society is probably more concerned if small groups of individuals are unemployed for long periods of time than if many individuals rapidly pass through unemployment status. Until recently, it was widely believed that the bulk of measured unemployment could be attributed to the fact that many people were experiencing short spells of unemployment. However, evidence suggests that, while many people do flow quickly through the unemployed state, prolonged spells of unemployment for a relatively small number of individuals characterize those found in the *stock* of the unemployed at any given time.

The various theories of unemployment discussed in the following sections all essentially relate to the determination of one or more of the flows represented in equation (15.2). That is, they provide explanations of why the proportions of individuals who move between the various labor market states vary over time or across geographic areas, including countries. The types of unemployment we examine are frictional, structural, demand-deficient (cyclical), and seasonal.

Frictional Unemployment

Suppose a competitive labor market is in equilibrium in the sense that, at the prevailing market wage, the quantity of labor demanded just equals the quantity of labor supplied. Figure 15.2 shows such a labor market, in which the demand curve is D_0, the supply curve is S_0, employment is E_0, and the wage rate is W_0. Thus far, the text has treated this equilibrium situation as one of full employment and has implied that there is no unemployment associated with it. However, this implication is not completely correct. Even in a market-equilibrium or full-employment situation, there will still be some *frictional unemployment*, because some people will be between jobs.

As discussed in chapter 5, the labor market is characterized by frictions: information flows are imperfect, and it takes time and effort for unemployed workers and employers with job vacancies to find each other. Even if the size of the labor force is constant, in each period there will be new entrants to the labor market searching for employment while other employed or unemployed individuals are leaving the labor force. Some people will quit their jobs to search for other employment.[4] Moreover, random fluctuations in demand across firms will cause some firms to close or lay off workers at the same time that other firms are opening or expanding employment. Because information about the characteristics of those searching for work and the nature of the jobs opening up cannot instantly be known or evaluated, it takes time for job matches to be made between unemployed workers and potential

---

[4]For an analysis of the relative advantages of searching for work while employed and while unemployed, see Christian Belzil, "Relative Efficiencies and Comparative Advantages of Job Search," *Journal of Labor Economics* 14 (January 1996):154–173.

FIGURE 15.2

A Market with Full Employment Initially

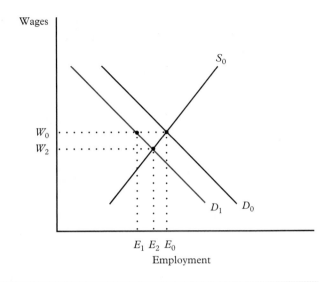

employers. Hence, even when, in the aggregate, the demand for labor equals the supply, frictional unemployment will still exist.

The Theory of Job Search

The level of frictional unemployment in an economy is determined by the flows of individuals into and out of the labor market and the speed with which unemployed individuals find (and accept) jobs. The factors that determine this speed are captured in an analysis of the job search process, to which we now turn.

A MODEL OF JOB SEARCH   Workers who want employment must search for job offers, and because information about job opportunities and workers' characteristics is imperfect, it will take time and effort for matches to be made between unemployed workers and potential employers. Other things equal, the lower the probability that unemployed workers will become employed in a period (that is, the lower P_{ue} is), the higher will be their expected duration of unemployment and the higher will be the unemployment rate. To understand what can affect P_{ue}, we develop a formal model of job search, based on the key assumption that wages are associated with the characteristics of jobs, not with the characteristics of the specific individuals who fill them.[5]

Suppose that employers differ in the set of minimum hiring standards they use. Hiring standards may include educational requirements, job training, work

[5]Our discussion here draws heavily on Dale T. Mortensen, "Job Search, the Duration of Unemployment, and the Phillips Curve," *American Economic Review* 60 (December 1970): 846–862. Also see Theresa Devine and Nicholas Kiefer, *Empirical Labor Economics: The Search Approach* (New York: Oxford University Press, 1990).

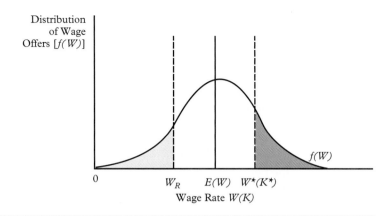

FIGURE 15.3

Choice of Reservation Wage in a Model of Job Search

experience, performance on hiring tests, and so forth. A very simple model of the hiring process assumes that this set of attributes can be summarized in a single variable, K, which denotes the minimum skill level a job requires. Associated with each job is a wage, $W(K)$—a wage that is assumed to be a function of the required skill level and not of the particular characteristics of the people hired. We also assume that the wage rate is an increasing function of the minimum required skill level and that two employers using the same standard will offer the same wage.

Because different employers have different hiring standards, our simple model implies that there will be a distribution of wage offers associated with job vacancies in the labor market. This distribution of wage offers is denoted by $f(W)$ in Figure 15.3. As we move to the right in the figure, the minimum skill level and offered wage on a job increase. Since $f(W)$ represents a probability distribution of wage offers, the area under the curve sums to 1 (that is, the distribution contains 100 percent of all wage offers in the market). Each wage offer (on the horizontal axis) is shown in relation to that offer's share in the distribution (on the vertical axis).

Now suppose a given unemployed individual has skill level K^*. Since no firm will hire a worker who does not meet its hiring standards, the maximum wage this individual could hope to receive is $W^*(K^*)$. An individual who knew which firms had a hiring standard of K^* would apply to those firms and, since the individual meets their hiring standards, would be hired at a wage of W^*.

Suppose, instead, that job market information is imperfect in the sense that, while an applicant knows the shape of the distribution of wage offers, $f(W)$, he or she does *not* know what each particular firm's wage offer or hiring standard will be. We can then conceptualize job search as a process in which the person randomly visits firms' employment offices. If the firm's hiring standard exceeds K^*, the person is rejected for the job, but if the hiring standard is K^* or less, the person is offered the job. While the individual might find it advantageous to accumulate a number of job offers and then accept the best, job seekers—especially those at the lower end of the skill ladder—are not always allowed such a luxury. Rather, they must instantly decide whether to accept a job offer, because otherwise the offer will be extended to a different applicant.

THE RESERVATION WAGE   How does an unemployed worker know whether to accept a particular job offer? One strategy is to decide on a *reservation wage* and then to accept only those offers above this level. The critical question then is: how is this reservation wage determined?

To answer this question, suppose W_R is the reservation wage chosen (in Figure 15.3) by a person who has skill level K^*. Now observe that this individual's job application will be rejected by any firm that offers a wage higher than $W^*(K^*)$; the person will not meet its minimum hiring standards. Similarly, the person will reject any job offers that call for a wage less than W_R. Hence, the probability that he or she will find an acceptable job in any period is simply the unshaded area under the curve between W_R and W^*. The higher this probability, the lower the expected duration of unemployment. Given that the person finds a job, his or her *expected* wage is simply the weighted average of the job offers in the W_R to W^* range. This average (or expected) wage is denoted by $E(W)$ in Figure 15.3.

If the individual were to choose a slightly higher reservation wage, his or her choice would have two effects. On the one hand, since the person would now reject more low-wage jobs, his or her expected wage (once employed) would increase. On the other hand, rejecting more job offers also decreases the probability of finding an acceptable job in any given period, thus increasing the expected duration of unemployment. Each unemployed individual will choose his or her reservation wage so that, at the margin, the expected costs of longer spells of unemployment just equal the expected benefits of higher post-unemployment wages.

IMPLICATIONS OF THE MODEL   This simple model and associated decision rule lead to a number of implications. First, as long as the reservation wage is not set equal to the lowest wage offered in the market, the probability of finding a job will be less than 1, and hence some unemployment can be expected to result. Search-related unemployment occurs when an individual does not necessarily accept the first job that is offered—a rational strategy in a world of imperfect information.

Second, since the reservation wage will always be chosen to be less than the wage commensurate with the individual's skill level, $W^*(K^*)$, virtually all individuals will be *underemployed* once they find a job (in the sense that their expected earnings will be less than W^*). This underemployment is a cost of imperfect information; better labor market information would improve the job-matching process.

Third, as noted in chapter 5, otherwise identical individuals will wind up receiving different wages. Two unemployed individuals with the same skill level could choose the same reservation wage and have the same *expected* post-unemployment wage. However, the wages they *actually* wind up with will depend on pure luck—the wage offer between W_R and W^* they happen to find. In a world of imperfect information, then, no economic model can explain all the variation in wages across individuals.

Fourth, anything that causes unemployed workers to intensify their job search (to knock on more doors per day) will reduce the duration of unemployment, other things equal. More efficient collection/dissemination of information on both jobs and applicants can increase the speed of the search process for all parties in the market; enhanced computerization among employment agencies is one example of an innovation that could reduce unemployment. You will recall from chapter 7, however, that even unemployed workers have alternative uses for their time (they can spend it in "household production"). Thus, the intensity of job search is also influenced by the value of their time in household production and the payoffs to job search that they expect; if the value of the former is high and the expected payoffs to the latter are low, unemployed workers may become discouraged and quit searching altogether—in which case they are counted as being "out of the labor force."

Finally, if the cost to an individual of being unemployed were to fall, the person should be led to increase his or her reservation wage (that is, the person would become more choosy about the offers deemed to be acceptable). A higher reservation wage, of course, would increase both the expected duration of unemployment and the expected post-unemployment wage rate. One important influence on the cost of being unemployed, and hence on the reservation wages of unemployed workers, is the presence and generosity of governmental unemployment insurance (UI) programs.

Effects of Unemployment Insurance Benefits

Virtually every advanced economy offers its workers who have lost jobs some form of unemployment compensation, although these systems vary widely in their structure and generosity.[6] In the United States, the unemployment insurance system is actually composed of individual state systems. Although the details of the individual systems differ, we can easily sketch the broad outlines of how they operate.

When U.S. workers become unemployed, their eligibility for unemployment insurance benefits is based on their previous labor market experience and reason for unemployment. With respect to their experience, each state requires unemployed individuals to demonstrate "permanent" attachment to the labor force, by meeting minimum earnings or weeks-worked tests during some base period, before they can be eligible for UI benefits. In all states, covered workers who are *laid off* and meet these labor market experience tests are eligible for UI benefits. In some states, workers who voluntarily quit their jobs are eligible for benefits in certain circumstances. Finally, new entrants or reentrants to the labor force and workers fired for cause are, in general, ineligible for benefits.

---

[6]Organisation for Economic Co-operation and Development, *Employment Outlook, July 1996* (Paris: OECD, 1996), 28–43, contains a description and comparison of unemployment insurance programs in various countries. A description of the characteristics of the American UI system is found in *Highlights of State Unemployment Compensation Laws* (Washington, D.C.: National Foundation for Unemployment Compensation and Workers' Compensation, 2001).

FIGURE 15.4

Weekly
Unemployment
Insurance Benefits as
a Function of
Previous Earnings

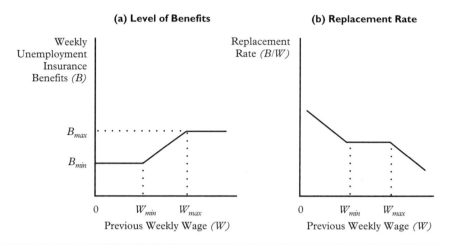

After a waiting period, which is one week in most states, an eligible worker can begin to collect UI benefits. The structure of benefits is illustrated in Figure 15.4, where it can be seen that benefits are related to an individual's previous earnings level. As shown in panel (a), all eligible unemployed workers are entitled to at least a minimum benefit level, B_{min}. After previous earnings rise above a critical level (W_{min}), benefits increase proportionately with earnings up to a maximum earnings level (W_{max}), past which benefits remain constant at B_{max}. A few states also have dependents' allowances for unemployed workers, although in some of these states, the dependents' allowance cannot increase an individual's weekly UI benefits above B_{max}.

An implication of such a benefit structure is that the ratio of an individual's UI benefits to previous earnings varies according to his or her past earnings (see panel b). This ratio is often called the *replacement rate*, the fraction of previous earnings that the UI benefits replace. Over the range between W_{min} and W_{max}, where the replacement rate is constant, most states aim to replace around 50 percent of an unemployed worker's previous earnings.

Once UI benefits begin, an unemployed individual's eligibility for continued benefits depends on his or her making continual "suitable efforts" to find employment; the definition of suitable efforts varies widely across states. In addition, there is a maximum duration of receipt of benefits that is of fixed length in some states (usually 26 weeks) and varies in other states with a worker's prior labor market experience (workers with "more permanent attachment" being eligible for more weeks of benefits). Congress has also passed legislation that allows states where the unemployment rate is high to extend the length of time unemployed workers can receive benefits; the typical extension is 13 weeks.

DO GENEROUS BENEFITS INCREASE UNEMPLOYMENT?   Our theory of job search outlined above leads to the expectation that, by reducing the costs associated with being unemployed, more generous UI benefits should cause an increase in the reservation wages of unemployed workers. Increased reservation wages will tend to reduce P_{ue} and P_{un}, which will lengthen the duration of unemployment. Longer durations, in turn, will increase the unemployment rate if other things remain equal.

Because the generosity of UI benefits varies widely across states, numerous studies have sought to empirically test the hypothesis that more-generous benefits serve to raise the unemployment rate beyond what it would otherwise be. Evidence from these studies suggests that higher UI replacement rates are indeed associated with longer durations of unemployment for recipients. Estimates differ, of course, on how responsive durations actually are to changes in the replacement rate, but one study estimated that if the United States had ended its UI program in 1976, the average duration of unemployment that year would have fallen from 4.3 to 2.8 months.[7] It is more realistic, of course, to consider how responsive durations are to more-modest changes in UI benefits, and most estimates imply that a 10 percentage-point increase in the replacement rate would increase the length of unemployment spells by about one week.[8] Studies of the effects of unemployment compensation in other countries also support the hypothesis that more-generous UI benefits tend to increase the unemployment rate.[9]

EFFECTS OF BENEFIT ELIGIBILITY   Aside from benefit levels, the mere *eligibility* of workers for unemployment compensation benefits has also been found to influence workers' job-search behavior. In the United States, for example, there is a huge jump in the probability of a worker taking a job during the week his or her eligibility for UI benefits ends.[10] Further evidence concerning the eligibility for UI benefits is seen in an analysis of the differences between the unemployment rate in Canada and the United States. In 1981, an unemployed Canadian worker was 3 times more likely to qualify for UI benefits than was an unemployed worker in

---

[7]James M. Poterba and Lawrence H. Summers, "Unemployment Benefits and Labor Market Transitions: A Multinomial Logit Model with Errors in Classification," *Review of Economics and Statistics* 77 (May 1995): 207–216.

[8]Anthony B. Atkinson and John Micklewright, "Unemployment Compensation and Labor Market Transitions: A Critical Review," *Journal of Economic Literature* 29 (December 1991): 1679–1727, and Gary Burtless, "Unemployment Insurance and Labor Supply: A Survey," in *Unemployment Insurance: The Second Half-Century*, ed. W. Lee Hansen and James Byers (Madison: University of Wisconsin Press, 1990), provide surveys of these studies. For a recent study, see Štěpán Jurajda and Frederick J. Tannery, "Unemployment Durations and Extended Unemployment Benefits in Local Labor Markets," *Industrial and Labor Relations Review* 56 (January 2003): 324–348.

[9]Jennifer Hunt, "The Effects of Unemployment Compensation on Unemployment Duration in Germany," *Journal of Labor Economics* 13 (January 1995): 88–120; and Kenneth Carling, Bertil Holmlund, and Altin Vejsiu, "Do Benefit Cuts Boost Job Finding? Swedish Evidence from the 1990s," *Economic Journal* 111 (October 2001): 766–790.

[10]Lawrence Katz and Bruce Meyer, "Unemployment Insurance, Recall Expectations and Unemployment Outcomes," *Quarterly Journal of Economics* 105 (November 1990): 993–1002. Orley Ashenfelter, David Ashmore, and Olivier Deschenes, "Do Unemployment Insurance Recipients Actively Seek Work? Randomized Trials in Four U.S. States," working paper no. 412, Industrial Relations Section, Princeton University, December 1998, reports findings that unemployment insurance recipients *do* search for work while receiving benefits; thus, taking a job just as benefits are about to end may be mostly a function of reducing one's reservation wage at that time.

the United States, and by the end of the 1980s, unemployed Canadians were 3.5 times more likely to be receiving benefits. Accompanying that change was a rise in the Canadian unemployment rate relative to that in the United States; in fact, one study concluded that the majority of the widening gap in unemployment between Canada and the United States was probably caused by differential eligibility for UI benefits.[11]

DO MORE GENEROUS BENEFITS IMPROVE JOB MATCHES?   Referring back to our theory of job search, the increased reservation wage accompanying more-generous UI benefits will tend to increase the duration of unemployment spells, but it should also raise the expected post-unemployment wage. Indeed, one purpose of unemployment compensation is precisely to permit workers to search for a suitable match. Unfortunately, there is only weak evidence that more-generous UI benefits do raise the quality of the subsequent job match.[12]

Structural Unemployment

Structural unemployment arises when there is a mismatch between the skills demanded and supplied in a given area or an imbalance between the supplies of and demands for workers across areas. *If* wages were completely flexible *and* if costs of occupational or geographic mobility were low, market adjustments would quickly eliminate this type of unemployment. In practice, however, these conditions may fail to hold, and structural unemployment may result.

Occupational and Regional Unemployment Rate Differences

A two-sector labor market model, represented by Figure 15.5, can be used to illustrate how structural unemployment can arise. For the moment, we shall assume the sectors refer to markets for occupational classes of workers; later we shall assume that they are two geographically separate labor markets.

OCCUPATIONAL IMBALANCES   Suppose that market A is the market for production workers in the automobile industry and market B is the market for skilled computer specialists, and suppose that initially both markets are in equilibrium. Given the demand and supply curves in both markets, (D_{0A}, S_{0A}) and (D_{0B}, S_{0B}), the equilibrium wage/employment combinations in the two sectors will be (W_{0A}, E_{0A})

[11]David Card and W. Craig Riddell, "Unemployment in Canada and the United States: A Further Analysis," in *Trade, Technology and Economics: Essays in Honour of Richard G. Lipsey,* ed. B. Curtis Eaton and Richard G. Harris (Cheltenham, U.K.: Edward Elgar Publishers, 1997).

[12]Christian Belzil, "Unemployment Insurance and Subsequent Job Duration: Job Matching versus Unobserved Heterogeneity," *Journal of Applied Econometrics* 16 (September–October 2001): 619–636; and Daniel H. Klepinger, Terry R. Johnson, and Jutta M. Joesch, "Effects of Unemployment Insurance Work-Search Requirements: The Maryland Experiment," *Industrial and Labor Relations Review* 56 (October 2002): 3–22.

FIGURE 15.5

Structural Unemployment
Due to Inflexible Wages
and Costs of Adjustment

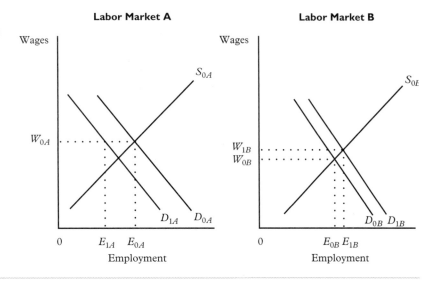

Labor Market A

Labor Market B

and (W_{0B}, E_{0B}), respectively. Because of differences in training costs and nonpecuniary conditions of employment, the wages need not be equal in the two sectors.

Now suppose that the demand for automobile workers falls to D_{1A} as a result of foreign import competition, while the demand for computer specialists rises to D_{1B} as a result of the increased use of computers. If real wages are inflexible downward in market A because of union contract provisions, social norms, or government legislation, employment of automobile workers will fall to E_{1A}. Employment and wages of computer specialists will rise to E_{1B} and W_{1B}, respectively. Unemployment of $E_{0A} - E_{1A}$ workers would be created in the short run.

If automobile employees could costlessly become computer specialists, these unemployed workers would quickly move to market B, where we assume wages are flexible, and eventually unemployment would be eliminated.[13] Structural unemployment arises, however, when costs of adjustment are sufficiently high to retard or even prevent such movements. The cost to displaced individuals, many in their fifties and sixties, may prove to be prohibitively expensive, given the limited time they have to collect returns. Moreover, it may be difficult for them to borrow funds to finance the necessary job training.

GEOGRAPHIC IMBALANCES Geographic imbalances can be analyzed in the same framework. Suppose we now assume that market A refers to a Snowbelt city and market B to a Sunbelt city, both employing the same type of labor. When

---

[13]Actually, this statement is not quite correct. As noted in chapter 13, when analyzing the effects of unions using a similar model, *wait unemployment* may arise. That is, as long as the wage rate in market A exceeds the wage rate in market B, and unemployed workers in market A expect that normal job turnover will eventually create job vacancies in A, it may be profitable for them to remain attached to market A and wait for a job offer in that sector.

demand falls in the Snowbelt and unemployment increases because wages are not completely flexible, these unemployed workers may continue to wait for jobs in their home city for at least three reasons. First, information flows are imperfect, so workers may be unaware of the availability of jobs hundreds of miles away. Second, the direct money costs of such a move, including moving costs and the transaction costs involved in buying and selling a home, are high. Third, the psychological costs of moving long distances are substantial because friends and neighbors and community support systems must be given up. As noted in chapter 10, such factors inhibit geographic migration, and migration tends to decline with age. These costs are sufficiently high that many workers who become unemployed as a result of plant shutdowns or permanent layoffs express no interest in searching for jobs outside their immediate geographic area.[14]

Structural factors can cause substantial differences in unemployment rates across states in a given year, but these differences usually do not persist indefinitely.[15] If a state's unemployment rate is higher than the national average, many unemployed workers will eventually leave the state and new entrants will tend to avoid moving there; both sets of decisions serve to reduce the unemployment rate. Conversely, states with unemployment rates lower than average will attract workers looking for jobs.

For example, in 1981, Indiana had an unemployment rate of 10.1 percent, while the national average was 7.6 percent. During the next decade, Indiana's labor force increased more slowly than average, and by 1991, its unemployment rate, at 5.9 percent, was almost one percentage point below the national average. Similarly, New Hampshire had an unemployment rate of 5 percent in 1981, but over the next decade, it experienced a labor force growth rate that was about three times the national average; by 1991, its unemployment rate was above average at 7.2 percent.

International Differences in Long-Term Unemployment

In terms of equation (15.2), structural unemployment exists when the unemployed have a small probability of finding work (P_{ue} is low) and their duration of unemployment is consequently long. We saw in chapter 2 that the percentage of the labor force unemployed for more than one year is much higher in most of Europe than in the United States, and it is natural to wonder what differences might be causal.

The flow of workers out of unemployment is accelerated when worker retraining is encouraged and when workers find it less costly to make geographical moves. It will also be accelerated when employers find it less costly to create new jobs—and thus create them at a faster pace. While the United States spends much less on

---

[14]For a recent study of inter-industry mobility among those likely to be permanently displaced, with references to other mobility studies related to this group, see Elisabetta Magnani, "Risk of Labor Displacement and Cross-Industry Labor Mobility," *Industrial and Labor Relations Review* 54 (April 2001): 593–610.

[15]See Olivier Jean Blanchard and Lawrence F. Katz, "Regional Evolutions," *Brookings Papers on Economic Activity*, 1992–1, 1–75.

government training programs than most of Europe,[16] it may compensate for this by having a relatively high rate of geographical mobility. The biggest difference, however, seems to be in the rates at which new jobs are created.

European countries typically have job-protection policies that are intended to reduce layoffs. Such policies, however, are thought to reduce the rate at which new jobs are created and thus increase the duration of unemployment. In France, for example, dismissals involving 10 workers or more require notification to the government, consultations with worker representatives, a relatively long waiting period, and severance pay. In contrast, the United States requires some employers to notify their workers in advance of large-scale layoffs, but these requirements are much less burdensome than in most of Europe.[17] These job-protection policies are of special interest when analyzing structural unemployment because they also make it more costly for an employer to *hire* workers (who may have to be laid off in the future). Indeed, a comparative study found that as the stringency of job-protection laws rose, so did the average duration of unemployment.[18]

Do Efficiency Wages Cause Structural Unemployment?

Suppose that employers are unable to completely monitor the performance of their employees and decide to pay above-market (*efficiency*) wages to reduce the incentives for workers to shirk their duties. As you will recall from chapter 11, efficiency wages are thought to increase worker productivity for two reasons.[19] First, by giving workers the gift of a generous wage, employers might expect that employees would reciprocate by giving them the gift of diligent work. Second, if an employee's effort is not diligent, the employee can be fired and faced with earning a lower wage or, as we argue below, with unemployment.

EFFICIENCY WAGES AFFECT UNEMPLOYMENT   If all employers were to follow the above strategy and offer wages higher than the market equilibrium wage, then clearly supply would exceed demand and unemployment would result. If only *some* firms paid efficiency wages, then there would be a high- and a low-wage sector. Workers employed at lower-paying firms could not obtain employment at a high-wage firm by offering to work at some wage between the low (market-clearing) and

---

[16]France, Germany, and Sweden, for example, spend roughly 0.30 to 0.45 percent of national income on government training programs for the unemployed, while the United States spends about a tenth of that (0.04 percent). See Organisation for Economic Co-operation and Development, *Employment Outlook: June 1999* (Paris: OECD, 1999), Table H.

[17]*OECD Employment Outlook: 2004*, Organisation for Economic Co-operation and Development (Paris: OECD, 2004), chap. 2.

[18]Olivier Blanchard and Pedro Portugal, "What Hides Behind an Unemployment Rate: Comparing Portuguese and U.S. Labor Markets," *American Economic Review* 91 (March 2001): 187–207.

[19]Our argument here draws on, and abstracts from many of the complications discussed in, the articles in George Akerlof and Janet Yellen, eds., *Efficiency Wage Models of the Labor Market* (Cambridge, Eng.: Cambridge University Press, 1986); and Andrew Weiss, *Efficiency Wages: Models of Unemployment, Layoffs and Wage Dispersion* (Princeton, N.J.: Princeton University Press, 1990).

the high (efficiency) wage levels, because the high-wage employers would want to maintain their wage advantage to discourage shirking. However, because jobs in the high-wage sector are preferable, and because such jobs will occasionally become available, some workers in the low-wage sector may quit their jobs, attach themselves to the high-wage sector, and wait for jobs to open up. That is, using reasoning similar to that used in chapter 13, where a high-wage sector was created by unions, *wait unemployment* will tend to arise in the presence of an efficiency-wage sector.[20]

UNEMPLOYMENT AFFECTS EFFICIENCY WAGES   The wage premium that efficiency-wage employers must pay to discourage shirking depends on the alternatives open to their employees. Other things equal, the higher the unemployment rate in an area, the poorer are the alternative employment opportunities for their workers and thus the less likely the workers are to risk losing their jobs by shirking. The employers, then, need not pay wage premiums that are as high. This leads to the prediction that, other factors held constant, there should be a negative association between average wage rates and unemployment rates across areas.

EFFICIENCY WAGES AND THE WAGE CURVE   The efficiency-wage explanation of structural unemployment receives indirect support from a remarkable empirical finding. An exhaustive study of data on wages and regional unemployment rates within 12 countries found that, after controlling for human capital characteristics of individual workers (some 3.5 million of them), there was a strong negative relationship between regional unemployment rates and real wages in all countries. That is, in regions within these countries with *higher* rates of unemployment, wage levels for otherwise comparable workers were *lower.* This negative relationship between the region's unemployment rate and its real wage level, seen in Figure 15.6, has been called the *wage curve.*

The wage curve is remarkable on three accounts. First, it seems to exist in every country for which enough data are available to estimate it. Second, the curves for each country are surprisingly similar; a 10 percent increase in a region's unem-

---

[20]Suppose that employees are *risk neutral* (that is, they do not lose utility if their earnings *fluctuate* over time around some mean value). In equilibrium, they would move from the low- to the high-wage sector and remain as unemployed job seekers as long as the expected wage from choosing to wait exceeds the expected wage of searching for work while employed in the low-wage sector. Put algebraically, a worker who is unemployed will wait for a high-wage job if

$$P_e W_e > P_0 W_e + (1 - P_0)W_0$$

where W_e and W_0 are the wages in the high- and low-wage sectors (respectively), P_e is the probability of finding a job paying W_e if one is unemployed, and P_0 is the probability of finding a high-wage job if one takes employment in the low-wage sector. Presumably P_e is greater than P_0 because individuals can search for work more intensively if they are not employed. The above inequality can be rewritten as

$$(P_e - P_0)W_e > W_0 (1 - P_0)$$

and, as we can see from this latter expression, whether one chooses wait unemployment depends on the increased probability of finding a high-wage job if unemployed ($P_e - P_0$) as well as on the difference between W_e and W_0.

FIGURE 15.6

The Wage Curve

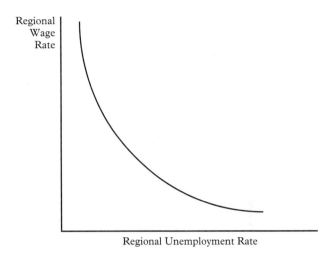

ployment rate is associated with wage levels that are lower by 0.4 to 1.9 percent in 11 of the 12 countries studied.[21]

Finally, the wage curve is remarkable because it is a finding in search of an explanation. Using a standard demand-and-supply-curve analysis, one would think that higher unemployment and *higher* wages would be associated with each other (in other words, there would be a positively sloped wage curve). Using this analysis, if wages were above market-clearing levels, supply would exceed demand, and the result would be workers who want jobs and cannot find them (unemployment); the higher that wages were above equilibrium, the more unemployment there would be. Thus, a downward-sloping relationship, such as depicted in Figure 15.6, is not what simple economic theory suggests.

Simple theory does suggest, of course, that when unemployment is relatively high, real wages will *fall.* The problem with this explanation for the wage curve is that the curve plots the relationship between unemployment and the wage *level,* not wage *changes;* thus, this implication of standard theory also fails to explain what we observe. If simple theory is not providing explanations for the wage curve, is there a more complex theory that does?

One reason we might observe a negatively sloped wage curve can be found in the efficiency-wage explanation of structural unemployment reviewed above. Suppose, for example, that one cause of long-term unemployment is the widespread payment of above-market wages by employers in an effort to reduce shirking among

[21]See David G. Blanchflower and Andrew J. Oswald, "An Introduction to the Wage Curve," *Journal of Economic Perspectives* 9 (Summer 1995): 153–167; David Card, "The Wage Curve: A Review," *Journal of Economic Literature* 33 (June 1995): 785–799; and Lutz Bellmann and Uwe Blien, "Wage Curve Analyses of Establishment Data from Western Germany," *Industrial and Labor Relations Review* 54 (July 2001): 851–863.

their employees. In regions where this and other causes happen to create higher levels of unemployment, the efficiency-wage premiums needed to reduce shirking would be lower—which would cause the negative association we observe between regional unemployment rates and wage levels.

Demand-Deficient (Cyclical) Unemployment

Frictional unemployment arises because labor markets are dynamic and information flows are imperfect; structural unemployment arises because of long-lasting imbalances in demand and supply. *Demand-deficient unemployment* is associated with fluctuations in business activity (the "business cycle"), and it occurs when a decline in aggregate demand in the output market causes the *aggregate* demand for labor to decline in the face of downward inflexibility in real wages.

Returning to our simple demand and supply model of Figure 15.2, suppose that a temporary decline in aggregate demand leads to a shift in the labor demand curve to D_1. If real wages are inflexible downward, employment will fall to E_1, and $E_0 - E_1$ additional workers will become unemployed. This employment decline occurs when firms temporarily lay off workers (increasing P_{eu}) and reduce the rate at which they replace those who quit or retire (decreasing P_{ne} and P_{ue}). That is, flows into unemployment increase while flows into employment decline.

Unemployment, however, is not the inevitable outcome of reduced aggregate demand. Employers, for example, could reduce the wages they pay to their workers. If the latter response occurred, employment would move to E_2 and real wages to W_2 in Figure 15.2. Although employment would be lower than its initial level, E_0, there would be no measured demand-deficient unemployment, because $E_0 - E_2$ workers would have dropped out of the labor force in response to this lower wage. We will analyze two features of the U.S. labor market thought to contribute to demand-deficient unemployment: (1) institutional and profit-maximizing reasons for rigid money wages, and (2) the way in which the U.S. unemployment compensation program is financed.

Downward Wage Rigidity

Stock and commodity prices fluctuate with demand and supply, and product market retailers have sales or offer discounts when demand is down, but do the wage rates paid to individual workers fall when the demand for labor shifts to the left? If such decreases are not very likely, what might be the reasons?

Wages, of course, can be measured in both nominal and real terms. *Nominal* wages (the money wages quoted to workers) may be rigid, yet the *real* wage (the nominal wage divided by an index of prices) can fall if prices are rising. It will come as no great surprise that the real wages received by individual workers quite commonly fall; all that needs to happen for real wages to fall is for the increase in nominal wages to be less than the increase in prices. One study that followed individuals in the United States from 1970 to 1991 found that when the unemployment rate went up by one percentage point, the average real hourly earnings among workers who did not change employers went down by about 0.5 percent. Hourly earnings reductions were greatest among those paid by piece rates or commissions, while those paid by salary were least likely to experience such reductions.[22]

Despite evidence of at least modest downward flexibility of real wages, it is also important to see how common cuts in workers' nominal wages are. If real wages fall only when prices rise, they may not be able to fall fast enough to prevent an increase in unemployment during business downturns. One study of workers who did not change employers found that nominal wages fell from one year to the next in 18 percent of the cases between the years 1976 and 1988; similar estimates come from a study using different employee-provided data, although this latter study extended into the early 1990s, when some 18 to 20 percent of hourly paid workers experienced nominal-wage cuts.[23] These studies, and another that used data obtained from employers,[24] suggest that nominal wages are not completely rigid in a downward direction. However, the studies also conclude that nominal wages are resistant to cuts, and as a result, employment adjustments during periods of downturn are larger and more common than they would be with complete nominal-wage flexibility.

Explanations for why employment levels are more likely to be reduced than nominal wages during business downturns must confront two questions: why do firms find it more profitable to reduce employment than wages, and why are workers who face unemployment not more willing to take wage cuts to save their jobs? The hypotheses concerning wage rigidity that have come to the forefront recently address both questions.

WAGE RIGIDITY AND UNIONS   According to one explanation for rigid money wages, employers are not free to unilaterally cut nominal wages because of the presence of unions. This cannot be a complete explanation for the United States, because less than 15 percent of American workers are represented by unions (see chapter 13), and unions could, in any case, agree to temporary wage cuts to save jobs instead of subjecting their members to layoffs. Why they fail to make such arrangements is instructive.

---

[22]Paul J. Devereux, "The Cyclicality of Real Wages within Employer-Employee Matches," *Industrial and Labor Relations Review* 54 (July 2001): 835–850.

[23]Shulamit Kahn, "Evidence of Nominal Wage Stickiness from Microdata," *American Economic Review* 87 (December 1997): 993–1008; and David Card and Dean Hyslop, "Does Inflation Grease the Wheels of the Labor Market?" in *Reducing Inflation: Motivation and Strategy*, ed. Christina D. Romer and David H. Romer (Cambridge, Mass.: National Bureau of Economic Research, 1997): 71–121. Also see Christopher Hanes and John A. James, "Wage Adjustment Under Low Inflation: Evidence from U.S. History," *American Economic Review* 93 (September 2003): 1414–1424; and Louis N. Christofides and Thanasis Stengos, "Wage Rigidity in Canadian Collective Bargaining Agreements," *Industrial and Labor Relations Review* 56 (April 2003): 429–448.

[24]Harry J. Holzer and Edward B. Montgomery, "Asymmetries and Rigidities in Wage Adjustments by Firms," *Review of Economics and Statistics* 75 (August 1993): 397–408.

A temporary wage reduction would reduce the earnings of all workers, while layoffs would affect, in most cases, only those workers most recently hired. Because these workers represent a minority of the union's membership in most instances, because union leaders are elected by majority rule, and because these leaders are most likely drawn from the ranks of the more experienced workers (who are often immune from layoff), unions tend to favor a policy of layoffs rather than one that reduces wages for all members.[25] A variant of this explanation is the *insider-outsider hypothesis,* which sees union members as *insiders* who have little or no concern for nonmembers or former members now on layoff (*outsiders*); these insiders gain from keeping their numbers small and may choose to negotiate wages that effectively prevent the recall or employment of outsiders.[26]

WAGE RIGIDITY AND SPECIFIC HUMAN CAPITAL   Layoffs do occur in *nonunion* firms, although perhaps less frequently than in unionized ones, so wage rigidity cannot be completely attributed to unionization. One possible explanation lies with employer investments in workers. In the presence of firm-specific human capital investments, for example, employers have incentives both to minimize voluntary turnover and to maximize their employees' work effort and productivity. Across-the-board temporary wage reductions would increase all employees' propensities to quit and could lead to reduced work effort on their part. In contrast, layoffs affect only the least-experienced workers, the workers in whom the firm has invested the smallest amount of resources. It is likely, then, that the firm will find the layoff strategy a more profitable alternative.[27]

WAGE RIGIDITY AND ASYMMETRIC INFORMATION   Employers with internal labor markets frequently promise, at least implicitly, a certain path of earnings to employees over their careers. As we saw in chapter 11, firms may pay relatively low salaries to new employees with the promise (expectation) that if they work diligently, these employees will be paid relatively high wages toward the end of their careers. The firm's promises are, of necessity, conditional on how well it is performing, but the firm has more accurate information on the true state of its demand than do its workers. If a firm asks its employees to take a wage cut in periods of low demand, the employees may believe that the employer is falsely stating that

---

[25]See James Medoff, "Layoffs and Alternatives under Trade Unions in United States Manufacturing," *American Economic Review* 69 (June 1979): 380–395, for evidence. This hypothesis suggests that unions are much more likely to bargain for wage reductions when projected layoffs exceed 50 percent of the union's membership. For evidence that this occurred in the early 1980s, see Robert J. Flanagan, "Wage Concessions and Long-Term Union Flexibility," *Brookings Papers on Economic Activity,* 1984–1, 183–216.

[26]Assar Lindbeck and Dennis J. Snower, "Insiders versus Outsiders," *Journal of Economic Perspectives* 15 (Winter 2001): 165–188.

[27]See Truman F. Bewley, *Why Wages Don't Fall during a Recession* (Cambridge, Mass.: Harvard University Press, 1999); and Weiss, *Efficiency Wages: Models of Unemployment, Layoffs and Wage Dispersion.* Wendy L. Rayack, "Fixed and Flexible Wages: Evidence from Panel Data," *Industrial and Labor Relations Review* 44 (January 1991): 288–298, presents empirical evidence that the sensitivity of wages to unemployment is confined largely to workers with short job tenure.

demand is low and, noting that the employer loses nothing by the wage cut, resist the request. If, instead, a firm temporarily lays off some of its workers, it loses the output these workers would have produced, and workers may therefore accept such an action as a signal that the firm is indeed in trouble (that is, wages exceed current marginal productivity). Put another way, the *asymmetry of information* between employers and employees may make layoffs the preferred policy.[28]

WAGE RIGIDITY AND RISK AVERSION   Firms with internal labor markets, and therefore long employer–employee job attachments, may be encouraged by the risk aversion of older employees to engage in seniority-based layoffs (last hired, first laid off) rather than wage cuts for all its workers. That is, the desire to have a constant income stream, rather than a fluctuating one with the same average value over time, is something for which older, more-experienced workers may be willing to pay.[29] Thus, if the risks of income fluctuation are confined to one's initial years of employment, the firm may be able to pay its experienced workers wages lower than otherwise would be required. Of course, during the initial period, workers will be subject to potential earnings variability and may demand higher wages then to compensate them for these risks. However, if the fraction of the workforce subject to layoffs is small, on average, employers' costs could be reduced by seniority-based layoffs.

WAGE RIGIDITY: WORKER STATUS AND SOCIAL NORMS   The explanations above pertain mainly to firms with internal labor markets, which can be roughly thought of as large employers. If these firms have rigid wages and lay off workers during a business downturn, why don't workers who are laid off take jobs with smaller employers? These smaller firms pay lower wages and have few of the reasons cited above to avoid reducing them further when aggregate demand falls; hence, increased employment in these jobs would lower the average nominal wage paid in the economy and help reduce unemployment. Some theorists believe that the failure of unemployed workers to flock to low-wage jobs derives from their sense of status (their relative standing in society). These economists postulate that individuals may prefer unemployment in a good job to employment in an inferior one, at least for a period longer than the typical recession.[30] It is this sense of *status* that prevents the expansion of jobs and the further reduction of wages in the low-wage sectors during recessionary periods.

---

[28]See, for example, Sanford Grossman, Oliver Hart, and Eric Maskin, "Unemployment with Observable Aggregate Shocks," *Journal of Political Economy* 91 (December 1983): 907–928; Sanford Grossman and Oliver Hart, "Implicit Contracts, Moral Hazard and Unemployment," *American Economic Review* 71 (May 1981): 301–307; and Costas Azariadis, "Employment with Asymmetric Information," *Quarterly Journal of Economics* 98 (Supplement, 1983): 157–172.

[29]This line of reasoning follows that in Costas Azariadis, "Implicit Contracts and Underemployment Equilibria," *Journal of Political Economy* 83 (December 1975): 1183–1202; and Martin Baily, "Wages and Employment under Uncertain Demand," *Review of Economic Studies* 41 (January 1974): 37–50.

[30]See Alan S. Blinder, "The Challenge of High Unemployment," *American Economic Review* 78 (May 1988): 1–15.

Some analysts have stressed, however, that prevailing market wages, even those paid by small, competitive firms, may be accepted as *social norms* that inhibit the unemployed from trying to undercut the wages of employed workers to find employment.[31] As explained below, that unemployed workers are apparently more willing to face unemployment than a reduced wage may have more to do with future considerations than with status.

Suppose there are many identical unemployed workers, each with the same *reservation wage* (which is influenced by the implicit monetary value each individual places on leisure time plus the unemployment benefits or other monetary payments each receives while unemployed). If each planned to remain in the labor force only for a single period, it would be rational to bid down wages in an effort to secure employment. As long as the wage ultimately received was greater than the workers' common reservation wage, unemployed workers would be better off working.

Suppose, however, that each unemployed worker planned to remain in the labor force for a number of periods. In this case, if workers offer to work for below the prevailing wage in the current period, they will reveal to employers that their common reservation wage is lower than originally thought, and employers might decide to permanently cut wages in future periods as well. In this case, individuals may be better off remaining unemployed until a job is ultimately found at the current wage. In fact, the individual's incentive not to undercut the current market wage is larger the greater the number of periods he or she plans to remain in the labor force and the greater the chance of finding work if the market wage is not undercut. Hence, this theory suggests that market wages are more likely to be inflexible in a downward direction when workers have more permanent attachment to the labor force and when increases in the unemployment rate are relatively small.

Financing U.S. Unemployment Compensation

The incentives for employers to engage in temporary layoffs are also affected by a key characteristic of the U.S. unemployment insurance (UI) system: *its methods of financing benefits.* As we will see, the way in which the government raises the funds to pay for UI benefits has a rather large effect on cyclical layoffs.

THE UI PAYROLL TAX   The benefits paid out by the UI system are financed by a payroll tax. Unlike the Social Security payroll tax, in almost all states, the UI tax is paid solely by employers.[32] The UI tax payment (T) that an employer must make for each employee is given by

$$T = tW \ \text{ if } W \le W_B \tag{15.3a}$$

and

$$T = tW_B \text{ if } W > W_B \tag{15.3b}$$

---

[31]See Robert M. Solow, *The Labor Market as an Institution* (Cambridge, Mass.: Basil Blackwell, 1990), chap. 2.

[32]Recall from our discussion in chapter 3 that this fact tells us nothing about who really bears the burden of the tax.

FIGURE 15.7

Imperfectly Experience-Rated
Unemployment Insurance Tax Rates

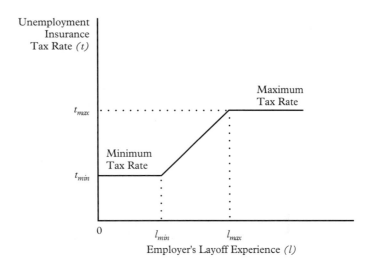

where t is the employer's UI tax rate, W is an employee's earnings during the calendar year, and W_B is the *taxable wage base* (the level of earnings after which no UI tax payments are required). In 2004, the taxable wage base ranged from $7,000 to $12,000 in about two-thirds of the states; thus, depending on the state, employers had to pay UI taxes on just the first $7,000 to $12,000 of each employee's earnings. The other one-third of the states had taxable wage bases that were higher.

The employer's UI tax rate is determined by general economic conditions in the state, the industry the employer is operating in, and the employer's *layoff experience*. The last term is defined differently in different states; the underlying notion is that since the UI system is an insurance system, employers who lay off workers frequently and make heavy demands on the system's resources should be assigned a higher UI tax rate. This practice is referred to as *experience rating*.

IMPERFECT EXPERIENCE RATING   Experience rating is typically *imperfect* in the sense that the marginal cost to an employer of laying off an additional worker (in terms of a higher UI tax rate) is often less than the added UI benefits the system must pay out to that worker. Imperfect experience rating is illustrated in Figure 15.7, which plots the relationship between an employer's UI tax rate and that firm's layoff experience. (We shall interpret *layoff experience* to mean the probability that employees in the firm will be on layoff. Clearly, this probability depends both on the frequency with which the firm lays off workers and the average duration of time until they are recalled to their positions.)

Each state has a minimum UI tax rate, and below this rate (t_{min} in Figure 15.7), the firm's UI tax rate cannot fall. After a firm's layoff experience reaches some critical value (l_{min}), the firm's UI tax rate rises with increased layoff experience over some range.[33] In each state, there is also a ceiling on the UI tax rate (t_{max}); after this

---

[33]In actuality, the UI tax rate changes discretely (as a step function) over the range l_{min} to l_{max}, not continuously as drawn in Figure 15.7. For expository convenience, we ignore this complication.

tax rate is reached, additional layoffs will not alter the firm's tax rate. The system is *imperfectly* experience-rated because for firms below l_{min} or above l_{max}, variations in their layoff rate have no effect on their UI tax rate.[34] Further, over the range in which the tax rate is increasing with layoff experience, the increase is not large enough in most states to make the employer's marginal cost of a layoff (in terms of the increased UI taxes the firm must pay) equal to the marginal UI benefits the laid-off employees receive.

DOES THE UI TAX ENCOURAGE LAYOFFS?   The key characteristic of the UI system that influences the desirability of temporary layoffs is the *imperfect experience rating* of the UI payroll tax. To understand the influence of this characteristic, suppose first that the UI system were constructed in such a way that its tax rates were perfectly experience rated. A firm laying off a worker would have to pay added UI taxes equal to the full UI benefit (50 percent of normal earnings) received by the worker, so it saves just half of the worker's wages by the layoff. Now suppose instead that the UI tax rate employers must pay is totally independent of their layoff experience (no experience rating). In this case, a firm saves a laid-off worker's *entire* wages because its UI taxes do not rise as a result of the layoff. Thus, compared with a UI system with perfect experience rating, it is easy to see that a system with incomplete experience rating will tend to enhance the attractiveness of layoffs to employers.

Empirical analyses of the effect of imperfect experience rating on employer behavior suggest that it is substantial. These studies have estimated that unemployment would fall by 10–33 percent if UI taxes in the United States were perfectly experience rated (so that employers laying off workers would have to pay the full cost of the added UI benefits).[35]

Seasonal Unemployment

Seasonal unemployment is similar to demand-deficient unemployment in that it is induced by fluctuations in the demand for labor. Here, however, the fluctuations can be regularly anticipated and follow a systematic pattern over the course of a year. For example, the demand for agricultural employees declines after the planting season and remains low until the harvest season. Similarly, the demand for pro-

---

[34]Such a system of UI financing leads to inter-industry subsidies, in which industries (such as banking) with virtually no layoffs still must pay the minimum tax, and these industries subsidize industries (such as construction) that have very high layoffs but pay only the maximum rate.

[35]Patricia M. Anderson and Bruce D. Meyer, "The Effects of the Unemployment Insurance Payroll Tax on Wages, Employment, Claims, and Denials," *Journal of Public Economics* 78 (October 2000): 81–106; and Robert H. Topel, "Financing Unemployment Insurance: History, Incentives, and Reform," in *Unemployment Insurance: The Second Half-Century*, ed. W. Lee Hansen and James F. Byers (Madison: University of Wisconsin Press, 1990), 108–135.

EXAMPLE 15.1

Unemployment Insurance and Seasonal Unemployment: A Historical Perspective

The current American unemployment insurance (UI) system was established during the Great Depression of the 1930s. At that time, labor economist John Commons urged that legislation include a penalty on firms with higher unemployment rates. He believed that employers had enough leeway to reduce seasonal and other layoffs substantially, and he thus championed a system that included incentives to avoid higher layoffs. Others were unconvinced that employers had much discretion over unemployment. But ultimately, the Commons plan was adopted in most states. It was rarely adopted outside the United States, however.

Evidence on seasonal unemployment seems to support Commons's contentions: over time, as the economy has diversified, seasonal unemployment has fallen, but it has fallen much more rapidly where employers are penalized for layoffs. A recent study shows that within the United States, seasonal fluctuations in employment have fallen the most in states where UI experience rating is highest. Even more striking is the comparison between the United States and Canada, which established an unemployment insurance system without *any* experience rating. Seasonality in the Canadian construction industry (an industry notorious for its seasonality) fell by half between 1929 and the 1947–1963 period, as construction practices improved and changed. However, in American states along the Canadian border, seasonality dropped by an even greater two-thirds!

Source: Katherine Baicker, Claudia Goldin, and Lawrence F. Katz, "A Distinctive System: Origins and Impact of U.S. Unemployment Compensation," in *The Defining Moment: The Great Depression and the American Economy in the Twentieth Century*, ed. Michael D. Bordo, Claudia Goldin, and Eugene N. White (Chicago: University of Chicago Press, 1998), 259.

duction workers falls in certain industries during the season of the year when plants are retooling to handle annual model changes.

The issue remains: why do employers respond to seasonal patterns of demand by laying off workers rather than reducing wage rates or hours of work? All the reasons cited for the existence of cyclical unemployment and temporary layoffs for cyclical reasons also pertain here. Indeed, one study has shown that the expansion (in the early 1970s) of the unemployment insurance system that led to the coverage of most agricultural employees was associated with a substantial increase in seasonal unemployment in agriculture. Studies of seasonal layoffs in nonagricultural industries also suggest that imperfect experience rating of the unemployment insurance tax significantly increases seasonal unemployment.[36] (See Example 15.1 for a longer-term perspective on unemployment insurance and seasonal unemployment.)

---

[36]Barry Chiswick, "The Effect of Unemployment Compensation on a Seasonal Industry: Agriculture," *Journal of Political Economy* 84 (June 1976): 591–602; Patricia M. Anderson, "Linear Adjustment Costs and Seasonal Labor Demand: Evidence from Retail Trade Firms," *Quarterly Journal of Economics* 108 (November 1993): 1015–1042; and David Card and Phillip B. Levine, "Unemployment Insurance Taxes and the Cyclical and Seasonal Properties of Unemployment," *Journal of Public Economics* 53 (January 1994): 1–29.

We may question why workers would accept jobs in industries in which they knew in advance they would be unemployed for a portion of the year. For some workers, the existence of UI benefits along with the knowledge that they will be rehired as a matter of course at the end of the slack-demand season may allow them to treat such periods as paid vacations. However, since UI benefits typically replace less than half of an unemployed worker's previous gross earnings and even smaller fractions for high-wage workers (see Figure 15.4), most workers will not find such a situation desirable. To attract workers to seasonal industries, firms will have to pay workers higher wages to compensate them for being periodically unemployed. One recent study, for example, found that agricultural workers in seasonal jobs earned about 10 percent more per hour than they would have earned in permanent farm jobs.[37]

The existence of wage differentials that compensate workers in high-unemployment industries for the risk of unemployment makes it difficult to evaluate whether this type of unemployment is voluntary or involuntary in nature. On the one hand, workers have voluntarily agreed to be employed in industries that offer higher wages *and* higher probabilities of unemployment. On the other hand, once on the job, employees usually prefer to remain employed rather than becoming unemployed. Such unemployment may be considered either voluntary or involuntary, then, depending on one's perspective.

When Do We Have Full Employment?

Governments constantly worry about the unemployment rate, because it is seen as a handy barometer of an economy's health. An unemployment rate that is deemed to be too high is seen as a national concern, because it implies that many people are unable to support themselves and that many of the country's workers are not contributing to national output. Often, governments will take steps to stimulate the demand for labor in one way or another when they believe unemployment to be excessive.

Governments also worry about unemployment being too low. An unusually low rate of unemployment is thought by many to reflect a situation in which there is excess demand in the labor market. If labor demand exceeds supply, wages will tend to rise, it is argued, and wage increases will lead to price inflation. In addition, excessively low unemployment rates may increase shirking among workers and reduce the pool of available talent on which new or expanding employers can draw.

[37]Enrico Moretti, "Do Wages Compensate for Risk of Unemployment? Parametric and Semiparametric Evidence from Seasonal Jobs," *Journal of Risk and Uncertainty* 20 (January 2000): 45–66. Also see Susan Averett, Howard Bodenhorn, and Justas Staisiunas, "Unemployment Risk and Compensating Differentials in Late-Nineteenth Century New Jersey Manufacturing," National Bureau of Economic Research Working Paper no. 9977, September 2003.

Defining the Natural Rate of Unemployment

If both too much and too little unemployment are undesirable, how much is just right? Put differently, what unemployment rate represents full employment? The *full-employment* (or *natural*) rate of unemployment is difficult to define precisely, and there are several alternative concepts from which to choose. One defines the natural rate of unemployment as that rate at which wage and price inflation are either stable or at acceptable levels. Another defines full employment as the rate of unemployment at which job vacancies equal the number of unemployed workers, and yet another defines it as the level of unemployment at which any increases in aggregate demand will cause no further reductions in unemployment. A variant of the latter defines the natural rate as the unemployment rate at which all unemployment is voluntary (frictional and perhaps seasonal). Finally, a recent definition of the natural rate is that rate at which the level of unemployment is unchanging and both the flows into unemployment and the duration of unemployment are normal.[38]

All the various definitions above try to define in a specific way a more general concept of full employment as the rate that prevails in "normal" times. If we assume that frictional and seasonal unemployment exist even in labor markets characterized by equilibrium (i.e., markets having neither excess demand nor excess supply), it is clear that the natural rate of unemployment is affected by such factors as voluntary turnover rates among employed workers, movements in and out of the labor force, and the length of time it takes for the unemployed to find acceptable jobs. These factors vary widely across demographic groups, so the natural rate during any period is strongly influenced by the demographic composition of the labor force.

Unemployment and Demographic Characteristics

Table 15.3 presents data on actual unemployment rates for various age/race/gender/ethnic groups in 2000, a year in which the overall unemployment rate was very low (4%). The patterns indicated in Table 15.3 for 2000 are similar to the patterns for other recent years: high unemployment rates for teens and young adults of each race/gender group relative to older adults in these groups; black unemployment rates roughly double white unemployment rates for most age/gender groups, with Hispanic-American unemployment rates tending to lie in between; and female unemployment rates roughly equal to, or lower than, male unemployment rates for each group except Hispanics and those of prime age. The high unemployment rates of black teenagers, which ranged between 21 and 29 percent in 2000, have been of particular concern to policy makers.

---

[38]James Tobin, "Inflation and Unemployment," *American Economic Review* 62 (March 1972): 1–18; and John Haltiwanger, "The Natural Rate of Unemployment," in *The New Palgrave,* ed. J. Eatwell, M. Milgate, and P. Newman (New York: Stockton Press, 1987), 610–612.

TABLE 15.3

Unemployment Rates in 2000 by Demographic Group

Age	White Male	White Female	Black Male	Black Female	Hispanic Male	Hispanic Female	All
16–17	15.2	12.5	28.6	25.7	22.5	22.9	
18–19	10.4	9.0	25.0	21.5	12.8	15.7	
20–24	5.9	5.8	16.7	13.5	6.5	8.9	
25–54	2.5	2.9	5.9	5.4	3.6	5.4	
55–64	2.4	2.4	2.7	3.3	4.1	5.1	
Total	3.4	3.6	8.1	7.2	4.9	6.7	4.0

"Hispanic" refers to those of Hispanic origin; depending on their race, these individuals are also included in both the white and black population group totals.

Source: U.S. Department of Labor, *Employment and Earnings* 48 (January 2001), Tables 3, 4.

Over recent decades, the demographic composition of the labor force has changed dramatically with the growth in labor force participation rates of females and substantial changes in the relative size of the teenage, black, and Hispanic populations. Between 1960 and 2000, the proportion of the labor force that was female grew from 33 to 47 percent. Similarly, between 1973 (when statistics were first collected) and 2000, the Hispanic-American labor force grew almost three times faster than average, going from 4.1 to 10.9 percent of the overall labor force. In contrast, while between 1960 and 1978 the proportion of teenagers in the labor force grew from 7.0 to 9.5 percent, by 2000, it had fallen to 5.9 percent.[39]

Demographic Change and the Natural Rate

Until quite recently, women tended to have higher unemployment rates than men. As a result, the increases in the relative labor force shares of women, Hispanics, and teenagers through 1978 were increases in the shares of groups that had relatively high unemployment rates; this led to an increase in the overall unemployment rate associated with any given level of labor market tightness. Indeed, one investigator concluded that demographic shifts in the composition of the labor force from the 1960s to the late 1970s probably raised the overall unemployment rate at least one percentage point for any given level of overall labor market tightness.[40]

[39]See U.S. Department of Labor, *Employment and Earnings* 48 (January 2001), Tables 1–5, and earlier years' issues. For an analysis of the racial gap in unemployment rates, see Robert W. Fairlie and William A. Sunderstrom, "The Emergence, Persistence, and Recent Widening of the Racial Unemployment Gap," *Industrial and Labor Relations Review* 52 (January 1999): 252–270.

[40]James Tobin, "Stabilization Policy Ten Years After," *Brookings Papers on Economic Activity*, 1980–1, 19–72.

Over the last two decades, however, demographic forces have probably worked to reduce the natural rate.[41] The share of teenagers in the labor force has declined. In addition, while the share of women in the labor force has continued to expand, female unemployment rates have fallen relative to male rates because much of U.S. employment growth has occurred in sectors, such as the service sector, that employ proportionately more females.

What Is the Natural Rate?

Economists' estimates of the natural rate have varied over time, going from something like 5.4 percent in the 1960s, to about 7 percent in the 1970s, to 6 or 6.5 percent in the 1980s. Recent work suggests that at the low rates of inflation experienced by the United States in the last decade, the natural rate might fall below 5 percent.[42] We must wonder, though, how useful estimates of the natural rate are for policy purposes if they keep changing; indeed, Milton Friedman, a Nobel-prizewinner in economics and a leader in the development of the natural-rate concept, disavows any attempts at forecasting it. He says, "I don't know what the natural rate is…and neither does anyone else."[43]

Is unemployment a serious problem? Certainly some level of frictional unemployment is unavoidable in a dynamic world fraught with imperfect information. Moreover, as we have seen, the parameters of the UI system encourage unemployment associated with both search, cyclical, or seasonal layoff. Nonetheless, when unemployment rises above its full-employment or natural level, resources are being wasted. Some 40 years ago, economist Arthur Okun pointed out that every one percentage-point decline in the aggregate unemployment rate was associated with a three percentage-point increase in the output the United States produces. More recent estimates suggest that the relationship is now more in the range of a two percentage-point increase in output.[44] Even this last number, however, suggests the great costs a society pays for excessively high rates of unemployment.

---

[41]Richard Krashevski, "What Is So Natural about High Unemployment?" *American Economic Review* 78 (May 1988): 289–293.

[42]George A. Akerlof, William T. Dickens, and George L. Perry, "Near-Rational Wage and Price Setting and the Long-Run Phillips Curve," *Brookings Papers on Economic Activity*, 2000–1, 1–44; and Laurence Ball and N. Gregory Mankiw, "The NAIRU in Theory and Practice," *Journal of Economic Perspectives* 16 (Fall 2002): 115–136.

[43]Amanda Bennett, "Business and Academia Clash over a Concept: 'Natural' Jobless Rate," *Wall Street Journal*, January 24, 1995, A8.

[44]Arthur Okun, "Potential GNP: Its Measurement and Significance," reprinted in *The Political Economy of Prosperity*, ed. Arthur Okun (Washington, D.C.: Brookings Institution, 1970); and Clifford L. F. Attfield and Brian Silverstone, "Okun's Coefficient: A Comment," *Review of Economics and Statistics* 79 (May 1997): 326–329.

EMPIRICAL STUDY

Do Reemployment Bonuses Reduce Unemployment? The Results of Social Experiments

In earlier chapters, we have emphasized that empirical research in the social sciences requires analyzing the behavior of a *treatment* group against that of a *comparison* (or *control*) group. Ideally, researchers would create controlled experiments in which otherwise identical subjects are randomly assigned to the two groups and a carefully crafted treatment is applied to one but not the other.

The predictions growing out of economic theory, however, typically apply to outcomes generated by the behavior of those *at the margin* within large groups of people, and they are most credibly tested under conditions where the behaviors observed have *real-world consequences*. Thus, controlled experiments are usually infeasible in economics because of the required sample size and expense involved. Such experiments are also morally objectionable in a wide variety of cases; it is inconceivable, for example, that we could test the theory of compensating differentials by deliberately exposing the treatment group to high risk. Outside of unusual cases (see the empirical studies summarized in chapters 11 and 12), economists must normally look for *natural experiments* caused by economic conditions or government policies that happen to affect similar workers differently.

One set of controlled social experiments that did take place was designed to

see if unemployment rates could be reduced by awarding cash bonuses to unemployed workers who found new jobs "quickly." The hope was that by offering these reemployment bonuses, the duration of unemployment—and therefore the unemployment rate—could be reduced.

Four states conducted such experiments in the mid- to late-1980s, and each assigned unemployment insurance (UI) recipients to the treatment and control groups randomly—by using the last two digits of their Social Security numbers. While details differed, recipients in the treatment group who took jobs in under 11 to 13 weeks—and who held them for at least four months—received cash bonuses averaging around $500 in most cases, but ranging as high as $1,600 in one state. The bonuses were not offered to members of the control group.

The analyses of these experiments estimated that those in the treatment group took jobs about one-half week faster, on average, than those in the control group. Put differently, the bonuses appeared to reduce the duration of unemployment by an average of about 3 percent, and most of the estimated effects in the four states were statistically significant. The experiments also found that, in the states that offered bonuses of differing sizes, larger bonuses did *not* produce estimated declines in duration that were statistically significant.

Can the modest estimated effects of these experiments be generalized to an environment in which all workers on UI would be given a reemployment bonus if they found a job quickly? The experiments were adopted on a temporary basis, and the UI recipients in the experiment neither expected them nor could be sure of being in the treatment group; therefore, whether they applied for UI was unaffected by the presence of a bonus. However, if the bonuses were to become a permanent part of the UI system and available to all UI recipients, the benefits paid to those with short spells of unemployment would be enhanced, and this might cause more people to engage in behaviors that make them eligible for UI benefits.

We cannot be very certain, then, that reemployment bonuses would reduce the unemployment rate, because even if they reduced the duration of unemployment, they might also increase the number who qualify for the UI program. This problem illustrates an unfortunate drawback of social experiments: of necessity, they are temporary, and the behavioral responses they generate are often not completely transferable to those we might observe if a program were permanently adopted.

Source: Bruce D. Meyer, "Lessons from the U. S. Unemployment Insurance Experiments," *Journal of Economic Literature* 33 (March 1995): 91–131.

Review Questions

1. A presidential hopeful is campaigning to raise unemployment compensation benefits and lower the unemployment rate. Comment on the compatibility of these goals.

2. Government officials find it useful to measure the nation's "economic health." The unemployment rate is currently used as a major indicator of the relative strength of labor supply and demand. Do you think the unemployment rate is a useful indicator of labor market tightness? Why?

3. Recent empirical evidence suggests that unemployed workers' reservation wages decline as their spells of unemployment lengthen. That is, the longer they have been unemployed, the lower their reservation wages become. Explain why this might be true.

4. Is the following assertion true, false, or uncertain? "Increasing the level of unemployment insurance benefits will prolong the average length of spells of unemployment. Hence, a policy of raising UI benefit levels is not socially desirable." Explain your answer.

5. In recent years, the federal government has introduced and then expanded a requirement that unemployment insurance beneficiaries pay income tax on their unemployment benefits. Explain what effect you would expect this taxation of UI benefits to have on the unemployment rate.

6. "With the growth of free trade, Mexican employers have sought to reduce union control over internal labor makets, and they have eliminated promotion by seniority, rules against subcontracting, and restrictions on the use of temporary workers—all in the name of greater

flexibility." Would you expect greater employer flexibility in hiring and assigning workers to increase or decrease unemployment in Mexico? Explain.

7. The "employment-at-will" doctrine is one that allows employers to discharge workers for any reason whatsoever. This doctrine has generally prevailed in the United States except where modified by union agreements or by laws preventing discrimination. Recent policies have begun to erode the employment-at-will doctrine by moving closer to the notion that one's job becomes a property right that the worker cannot be deprived of unless there is a compelling reason. If employers lose the right to discharge workers without "cause," what effects will this have on the unemployment rate?

8. One student of the labor market effects of free trade argues that the government should offer "wage insurance" to workers who lose a job because of free trade. Under this proposal, the government would replace a substantial portion of lost earnings if, upon reemployment, eligible workers find that their new job pays less than the one they lost. This wage insurance would be available for up to two years after the initial date of job loss. Would this wage insurance program reduce unemployment? Explain.

Problems

1. Suppose that at the beginning of the month, the number employed, E, equals 120 million; the number not in the labor force, N, equals 70 million; and the number unemployed, U, equals 10 million. During the course of the month, the flows indicated in the table below occurred.

EU	1.8 million
EN	3.0 million
UE	2.2 million
UN	1.7 million
NE	4.5 million
NU	1.3 million

Assuming that the population has not grown, calculate the unemployment and labor force participation rates at the beginning and end of the month.

2. Suppose that initially the Pennsylvania economy is in equilibrium with no unemployment: $L_S = -1,000,000 + 200W$ and $L_D = 19,000,000 - 300W$, where $W =$ annual wages and $L =$ number of workers. Then structural unemployment arises because the demand for labor falls in Pennsylvania but wages there are inflexible downward and no one moves out of state. If labor demand falls to $L_D = 18,000,000 - 300W$, how many workers will be unemployed in Pennsylvania? What will be its unemployment rate?

3. Suppose that the unemployment insurance system is structured so that $B_{min} = \$200$, $B_{max} = \$500$, and $B = .5W + 100$ in between, where $W =$ previous weekly wage and $B =$ weekly unemployment insurance benefits. Graph this benefit formula and calculate the benefits and replacement rate for workers whose previous weekly wages are $100, $500, and $2,000.

Selected Readings

Atkinson, Anthony, and John Micklewright. "Unemployment Compensation and Labor Market Transitions: A Critical Review." *Journal of Economic Literature* 29 (December 1991): 1679–1727.

Blanchflower, David G., and Andrew J. Oswald. *The Wage Curve.* Cambridge, Mass.: MIT Press, 1994.

Blank, Rebecca M., ed. *Social Protection versus Economic Flexibility: Is There a Trade-off?* Chicago: University of Chicago Press, 1994.

Freeman, Richard, and Harry Holzer, eds. *The Black Youth Unemployment Crisis.* Chicago: University of Chicago Press, 1986.

Lang, Kevin, and Jonathan Leonard, eds. *Unemployment and the Structure of Labor Markets.* New York: Basil Blackwell, 1987.

Meyer, Bruce D. "Lessons from the U.S. Unemployment Insurance Experiments." *Journal of Economic Literature* 33 (March 1995): 91–131.

Reducing Unemployment: Current Issues and Policy Options. Kansas City, Mo.: Federal Reserve Bank of Kansas City, 1994.

Rees, Albert. "An Essay on Youth Joblessness." *Journal of Economic Literature* 24 (June 1986): 613–628.

Answers to Odd-Numbered Review Questions and Problems

Chapter 1

Review Questions

1. The basic value premise underlying normative analysis is that if a given transaction is beneficial to the parties agreeing to it and hurts no one else, then accomplishing that transaction is said to be "good." This criterion implies, of course, that anyone harmed by a transaction must be compensated for that harm (a condition tantamount to saying that all parties to a transaction must voluntarily agree to it). The labor market will reach a point of optimality when all mutually beneficial transactions have been accomplished. If there are mutually beneficial transactions remaining unconsummated, the labor market will not be at a point of optimality.

   One condition preventing the accomplishment of a mutually beneficial transaction would be ignorance. A party to a transaction may voluntarily agree to it because he or she is uninformed about some adverse effect of that transaction. Likewise, a party to a potential transaction may fail to enter into the transaction because he or she is uninformed about a benefit of the transaction. Informed individuals may fail to consummate a transaction, however, because of underlying transaction barriers. These may arise because of government prohibitions against certain kinds of transactions, imperfections in the market's ability to bring buyers and sellers together, or the nonexistence of a market where one could potentially exist.

3. Although a draft and a voluntary system of labor recruitment could conceivably result in the same number of employees working on the levee, the system of voluntary acceptance has one major normative advantage: it assures society that all employees working on the levee view the job as improving their welfare. When workers are drafted, at least some are being compelled to accept a transaction that they view as detrimental to their interests; allowing these workers to change employment would improve social welfare through simply reallocating (not increasing) resources. A system of voluntary recruitment, then, increases the welfare of society as compared with a system that relies on conscription.

5. a. This behavior is entirely consistent with the model of job quitting described in the text. Workers are assumed by economic theory to be attempting to maximize utility (happiness). If all other aspects of two

jobs are similar, this theory predicts that workers will prefer a higher-paying to a lower-paying job. However, two jobs frequently differ in many important respects, including the work environment, personalities of managers, and the stresses placed on employees. Thus, one way to interpret this woman's behavior is that she was willing to give up 50 cents an hour to be able to work in an environment freer of stress.

b. There is no way to prove that her behavior was grounded in "rationality." Economists define rationality as the ability to make considered decisions that are expected (at the time the decision is made) to advance one's self-interest. We cannot tell from any one individual act whether the person involved is being rational or not. Certainly, as described above, this woman's decision to quit could be interpreted as a move calculated to increase her utility (or level of happiness). However, it could also be that she became uncontrollably angry and made her decision without any thought of the consequences.

c. Economic theory does not predict that everyone will act alike. Since economic agents are assumed to maximize utility, and since each person can be assumed to have a unique set of preferences, it is entirely consistent with economic theory that some workers would respond to a given set of incentives and that others would not. Thus, it could not be correctly concluded from the situation described that economic theory applied to one group of workers but not to another. It might well be that the other workers were less bothered by stress and that they were not willing to give up 50 cents an hour to avoid this stress.

7. The prohibitions of child labor laws would seem to violate the principle of mutual benefit by outlawing certain transactions that might be voluntarily entered into. However, there are at least two conditions under which such prohibitions would be consistent with the principles of normative economics. First, the children entering into an employment transaction may be uninformed of the dangers or the consequences of their decision to work in a particular environment. By their very nature, children are inexperienced, and society frequently adopts legislation to protect them from their own ignorance.

Second, society may adopt child labor legislation to protect children from their parents. A child forced by a parent to work in a dangerous or unhealthy environment has not voluntarily agreed to the employment transaction. Thus, a law prohibiting such a child from engaging in certain employment would not be violating the principle of mutual benefit when parental compulsion was present.

Problems

1. (Appendix) Plotting the data shows that age and wage rise together. The appropriate linear model would be $W_i = a_0 + a_1 A_i + e_i$, where W_i is the

wage of the ith person, A_i is the age of the ith person, a_0 and a_1 are the parameters of the line, and e_i is the random error term for the ith person. Notice that wage must be the dependent variable and age the explanatory variable, not the other way around.

3. (Appendix) Yes, the t-statistic (the coefficient divided by the standard error) equals $.3/.1$, or 3. When the t-statistic exceeds 2, one can be fairly confident that the true value of the coefficient is not 0.

Chapter 2

Review Questions

1. As shown in the figure, the outflow of construction workers shifted the labor supply curve relevant to Egypt's construction sector to the *left* (from S_1 to S_2), while the demand curve for the services of construction workers shifted to the *right* (D_1 to D_2). Because both shifts, by themselves, tended to increase the equilibrium wage rate from W_1 to W_2, we would clearly expect wages in the Egyptian construction sector to have risen faster than average. However, the two shifts by themselves had opposite effects on employment, so the expected net change in employment is theoretically ambiguous.

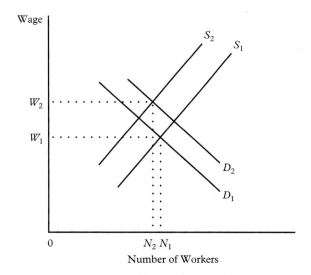

3. Many engineers are employed in research and development tasks. Therefore, if a major demander of research and development were to reduce its demand, the demand curve for engineers would shift left, causing their wages and employment to fall.
5. If the wages for arc welders are above the equilibrium wage, the company is paying more for its arc welders than it needs to and as a result is hiring

fewer than it could. Thus, the definition of overpayment that makes the most sense in this case is one in which the wage rate is above the equilibrium wage.

A ready indicator of an above-equilibrium wage rate is a long queue of applicants whenever a position in a company becomes available. Another indicator is an abnormally low quit rate as workers (in this case arc welders) who are lucky enough to obtain the above-equilibrium wage cling tenaciously to their jobs.

7.

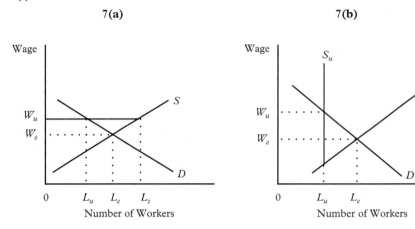

7(a)   7(b)

9. This regulation essentially increases the cost of capital and will have an ambiguous effect on the demand curve for labor. On the one hand, the increased cost of capital will increase the cost of production and cause a scale effect that tends to depress employment. On the other hand, this regulation will increase the cost of capital relative to labor and could stimulate the substitution of labor for capital. Thus, the substitution effect will work to increase employment while the scale effect will work to decrease it. Which effect is stronger cannot be predicted from theory alone.

Problems

1. Unemployment rate = $100 \times$ (number unemployed)/(number unemployed + number employed) = $100 \times$ (5 million)/(135 million) = 3.7 percent. Labor force participation rate = $100 \times$ (number employed + number unemployed)/adult population = $100 \times$ (135 million)/(210 million) = 64.3 percent.

3. The quickest places to find the relevant data are probably at http://www.bls.gov/ces/, "Tables from Employment and Earnings" (Table B-11), and http://www.bls.gov, Consumer Price Index. If average hourly earnings are rising faster than the CPI, then real wages have been rising. In addition, we should consider the impact of mismeasurement in the CPI. If the CPI overstates inflation (as discussed in the text), then

real wages have risen more rapidly than the official statistics suggest. The Bureau of Labor Statistics Web site contains links to recent research on changes in the construction of the CPI that are intended to remove some of the historical bias.

Chapter 3

Review Questions

1. Profit maximization requires that firms hire labor until marginal revenue productivity equals the market wage. If wages are low, a profit maximizer will hire labor in abundant quantity, driving the marginal revenue productivity down to the low level of the wage. This statement, then, seems to imply that firms are not maximizing profits.

3. The potential employment effects of OSHA standards differ with the type of approach taken. If the standards apply to capital (machinery), they will increase the cost of capital equipment. This increase in cost has a scale effect, which will reduce the quantity demanded of all inputs (including labor). On the other hand, it also provides employers with an incentive to substitute labor (which is now relatively cheaper) for capital in producing any given desired level of output. This substitution will moderate the decline in employment.

In contrast, requiring employers to furnish personal protective devices to employees increases the cost of labor. In this case, employers have an incentive to substitute now relatively cheaper capital for labor when producing any given level of output (as above, the increased cost of production causes a scale effect that also tends to reduce employment).

Other things equal, then, the employment reduction induced by safety standards will be greater if the personal protective device method is used. However, to fully answer the question requires information on the costs of meeting the standards using the two methods. For example, if the "capital" approach increases capital costs by 50 percent while the "personal protective" approach increases labor costs by only 1 percent, the scale effect in the first method will probably be large enough that greater employment loss will be associated with the first method.

5. The wage and employment effects in both service industries and manufacturing industries must be considered. In the service sector, the wage tax on employers can be analyzed in much the same way that payroll taxes are analyzed in the text. That is, a tax on wages, collected from the employer, will cause the demand curve to shift leftward if the curve is drawn with respect to the wage that employees take home. At any given hourly wage that employees take home, the cost to the employer has risen by the amount of the tax. An increase in cost associated with any employee

wage dampens the employer's appetite for labor and causes the demand curve to shift down and to the left.

The effects on employment and wages depend on the shape of the labor supply curve. If the labor supply curve is upward-sloping, both employment and the wage employees take home will fall. If the supply curve is vertical, employment will not fall but wages will fall by the full amount of the tax. If the supply curve is horizontal, the wage rate will not fall but employment will.

The reduced employment and/or wages in the service sector should cause the supply of labor to the manufacturing sector to shift to the right (as people formerly employed in the service sector seek employment elsewhere). This shift in the supply curve should cause employment in manufacturing to increase even if the demand curve there remains stationary. If the demand curve does remain stationary, the employment increase would be accompanied by a decrease in manufacturing wages. However, the demand for labor in manufacturing may also shift to the right as consumers substitute away from the now more expensive services and buy the now relatively cheaper manufactured goods. If this demand shift occurs, the increase in employment would be accompanied by either a wage increase or a smaller wage reduction than would occur if the demand curve for labor in manufacturing were to remain stationary.

7. The imposition of financial penalties on employers who are discovered to have hired illegal immigrants essentially raises the cost of hiring them. The employers now must pay whatever the prevailing wage of the immigrants is, and they also face the possibility of a fine if they are discovered to have illegally employed workers. This penalty can be viewed as increasing the cost of hiring illegal workers so that this cost now exceeds the wage. This effect can be seen as a leftward shift of the demand curve for illegal immigrants, thus reducing their employment and wages.

The effects on the demand for skilled "natives" depend on whether skilled and unskilled labor are gross substitutes or gross complements. Raising the cost of unskilled labor produces a scale effect that tends to increase the cost of production and reduce skilled employment. If skilled and unskilled labor are complements in production, the demand for skilled labor will clearly shift to the left as a result of the government's policy. However, if they are substitutes in production, the increased costs of unskilled labor would stimulate the substitution of skilled for unskilled labor. In this case, the demand for skilled labor could shift either right (if the substitution effect dominated the scale effect) or left (if the scale effect dominated).

Problems

1. The marginal product (as measured by these test scores) is 0.

3. See the figure below. Since the supply curve is vertical, the workers will bear the entire tax. The wage will fall by $1 per hour, from $4 to $3.

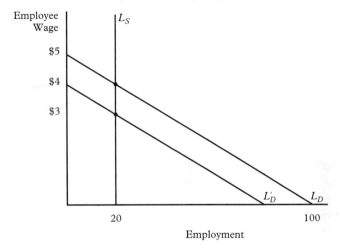

5. (Appendix) As the chapter explains, to minimize cost, the firm picks K and L so that $W/MP_L = R/MP_K$, where R is the rental cost of capital. Rearrange this to $W/R = MP_L/MP_K$ and substitute in the information from the problem:

$12/4 = 30K^{0.25}L^{-0.25}/10K^{-0.75}L^{0.75}$
$3 = 3K/L$
$K = L$

Chapter 4

Review Questions

1. The overall conditions making for a smaller employment loss among teenagers are (a) a small substitution effect, and (b) a small scale effect. The substitution effect is relatively small when it is difficult to substitute capital or adult workers for teenagers, or when those substitutes rise in price when the demand for them grows. A small scale effect is associated with having the labor cost of teenagers be a small part of overall cost, and with the industry's product demand curve being relatively inelastic.

3. The tax credit for capital purchases effectively lowers the cost of capital, so the question thus becomes under what conditions will a reduced price of capital increase employment the most? Employment will be most beneficially affected if a particular industry has a large scale effect, and a small substitution effect, associated with the tax credit. The scale effect will be

largest when the share of capital is relatively large (so that the reduced price of capital results in a relatively large reduction in product price) and when the product demand elasticity facing the industry is relatively large (the product price decline causes a large increase in product demand). The substitution effect will be nonexistent if labor and capital are complements in production; it will be relatively small when they are substitutes in production but capital is not easily substituted for labor, or when the supply of labor is inelastic (so that if the demand for labor goes down as capital is substituted for it, wages will also go down—which will blunt the substitution effect).

5. Both options increase the costs of firms not already providing employees with acceptable health coverage. Since noncoverage is a characteristic mostly of small firms, all options would increase costs of small firms relative to costs in large firms. This would create a scale effect, tending to reduce employment in small firms relative to that in large ones. The magnitude of this scale effect will be greater the more elastic product demand is and (usually) the greater labor's share is in total cost.

Option A has, in addition to the scale effect, a substitution effect that tends to decrease the number of workers a firm hires. This substitution effect will be larger the more easily capital can be substituted for labor and the more elastic the supply of capital is.

Option B is a tax on a firm's revenues, so it would have just a scale effect on the demand for labor, not a substitution effect. It would increase total costs and cause downward pressures on employment and wages, but it does not raise the ratio of labor costs to capital costs. Thus, its effects on wages and employment would be smaller than under option A.

7. a. An increased tariff on steel imports will tend to make domestic product demand, and therefore the demand for domestic labor, more inelastic.

b. A law forbidding workers from being laid off for economic reasons will discourage the substitution of capital for labor and therefore tend to make the own-wage elasticity of demand for labor more inelastic.

c. A boom in the machinery industry will shift the product demand curve in the steel industry to the right, thereby shifting the labor demand curve to the right. The effects of this shift on the own-wage elasticity of demand for labor cannot be predicted (except that a parallel shift to the right of a straight-line demand curve will reduce the elasticity at each wage rate).

d. Because capital and labor are most substitutable in the long run, when new production processes can be installed, a decision to delay the adoption of new technologies reduces the substitutability of capital for labor and makes the labor demand curve more inelastic.

e. An increase in wages will move the firm along its labor demand curve and does not change the shape of that curve. However, if the demand curve happens to be a straight line, movement up and to the left along the demand curve will tend to increase elasticity in the range in which firms are operating.

f. A tax placed on each ton of steel output will tend to shift the labor demand curve to the left, but will not necessarily change its elasticity. However, if the demand curve happened to be a straight line, this leftward shift would tend to increase the elasticity of demand for labor at each wage rate.

Problems

1. Elasticity of demand = %Δ (quantity demanded)/%Δ(wage) = $(\Delta L_D/L_D)/$ $(\Delta W/W) = (\Delta L_D/\Delta W) \times (W/L_D)$. At $W = 100$, $L_D = 3{,}000$, so that $W/L_D = 100/3{,}000$. You will note that $(\Delta L_D/\Delta W)$ is the slope of the labor demand function (the change in employment demanded brought about by a one-unit change in the wage). This slope equals –20. Therefore, own-wage elasticity of demand = $-20 \times (100/3{,}000) = -2/3$. The demand curve is inelastic at this point.

Use the same approach to calculate the elasticity at $W = 200$. In this case, the own-wage elasticity of demand = $-20 \times (200/1{,}000) = -4$. The demand curve is elastic at this point.

3. a. See the figure below. The higher wage will cause a movement along the demand curve, and L_D will fall from 220 (300 – 20 × 4) to 200 (300 – 20 × 5).

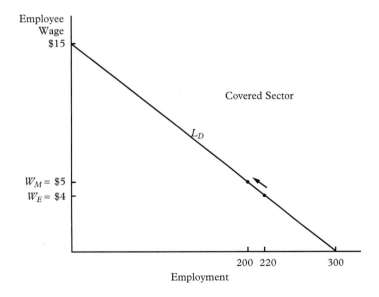

b. The initial equilibrium wage in the uncovered sector is $4 per hour and $L = 220$. Then the labor supply curve shifts over by 20 to $L_{S'} = -80 + 80W$. The new equilibrium is $W = \$3.80$ per hour and $L = 224$.

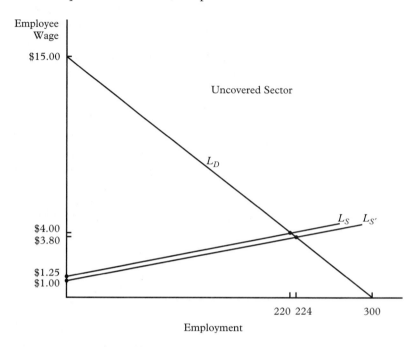

Chapter 5

Review Questions

1. The labor supply curve to a firm depicts how the number of workers will-ing to work for that firm responds to changes in the firm's offered wage. If workers can move from one employer to another without costs of any kind, then small changes in the wage will bring about large changes in labor supply (as workers seek out the highest-paying employer in their labor market). Thus, if mobility costs are truly zero, the wage a firm offers cannot differ from the market wage, and its labor supply curve is hori-zontal at the market wage.

   If workers find it costly to move among employers, then they will only move if the wage gains from the move are large enough to offset the costs of the move–and some wage changes will be too small to induce mobility. *Further, some workers are likely to find moving more costly–or less ben-eficial–than others* (they find it more difficult to generate offers of employ-ment, are less open to change, are more emotionally tied to their current workplaces, or have a shorter time horizon over which to collect the benefits). The differences among workers in the incentives for mobility produced by a given wage change mean that some workers will want to change employers and some will stay put.

Because not everyone in a labor market is lured to a firm that raises its wage, and because not all employees of a firm that reduces its wage will quit, the labor supply curve to the firm is not horizontal. Rather, it is upward-sloping. The positive slope indicates that the larger the wage increase is, the greater will be the number of workers attracted to the firm. Conversely, the larger the reduction in wages is, the greater will be the likelihood that an employer will lose its current workers to other firms.

3. One reason firms are slow to hire in expansions is that they are slow to lay off workers during a recession. Workers in whom the firm have made an investment are paid less than the value of their marginal product, so that the firm can recoup investment costs, and this difference offers employment protection when productivity falls in a recession (because investment costs are sunk and the firm will continue to employ a worker in the short run as long as marginal revenue productivity exceeds the wage). As productivity rises during expansion, firms will not hire workers (which involves an investment) until the gap between marginal revenue productivity and wages is again large enough so that the firm can recoup investment costs.

5. Low-wage jobs typically involve less training than high-wage jobs, and if the training in high-wage jobs is at least partly paid for by employers, the cost of training will induce employers to substitute longer hours of work for hiring more workers. Thus, it is consistent with economic theory for employers to require longer hours of work for workers with more skills.

7. This change would convert a quasi-fixed labor cost to a variable one, inducing employers to substitute added workers for weekly hours (especially overtime hours) of work. Because this new financing scheme increases the cost of higher-paid workers relative to lower-paid ones, it also induces firms to substitute unskilled for skilled workers. (Both these effects emphasize labor–labor substitution; scale effects are minimal if total premiums are held constant.)

Problems

1. a. $E = 5W$, so $W = 0.2E$. Thus, the wage must rise by 20 cents for every one-person increase in desired number of employees.
   b. Total labor costs (C) are $E \cdot W$, so $C = E(0.2E) = 0.2E^2$.
   c. The marginal expense of labor (ME_L) is found by taking the derivative of C with respect to E: $dC/dE = .4E$. Note that while wages must rise by 20 cents for every additional employee desired, the marginal expense of labor rises by 40 cents (refer back to footnote 7 in the text).

3. Given the lack of mobility costs for employees, the firm cannot recoup its costs of providing general training. Thus, the worker must pay for the training:

$$W = MRP_L - \text{cost of training} = \$3,000 - \$1,000 = \$2,000$$

Chapter 6

Review Questions

1. False. An inferior good is defined as one that people consume less of as their incomes rise (if the price of the good remains constant). A labor supply curve is drawn with respect to a person's wage rate. Thus, for a labor supply curve to be backward-bending, the supply curve must be positively sloped in some range and then become negatively sloped in another. A typical way of illustrating a backward-bending supply curve is shown below.

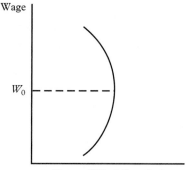

Along the positively sloped section of this backward-bending supply curve, the substitution effect of a wage increase dominates the income effect, and as wages rise, the person increases his or her labor supply. However, after the wage reaches W_0 in the figure, further increases in the wage are accompanied by a reduction in labor supply. In this negatively sloped portion of the supply curve, the income effect dominates the substitution effect.

We have assumed that the income effect is negative and that, therefore, leisure is a normal good. Had we assumed leisure to be an inferior good, the increases in wealth brought about by increased wages would have worked *with* the underlying substitution effect and caused the labor supply curve to be unambiguously positively sloped.

3. The graphs for each option are shown on the next page, with the new constraints shown as dashed lines. By mandating that 5 percent of each hour

be worked for free, option A reduces lawyers' wages, creating income and substitution effects that work in opposite directions on their desired labor supply.

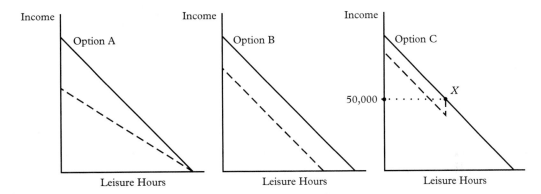

Option B essentially reduces the time lawyers have available for leisure and paid work, which shifts the budget constraint to the left in a parallel manner (keeping the wage rate constant). This creates an income effect that increases their incentives to work for pay.

Option C leaves unchanged the budget constraint of lawyers who work relatively few hours, but for those who work enough to earn over $50,000, there is an income effect that tends to increase work incentives. For some whose incomes were only slightly above $50,000, however, the $5,000 tax may drive them to reduce hours of work, thereby reducing their earnings to $50,000 and avoiding the tax. These lawyers find their utilities are maximized at point X in the graph of option C's budget constraint.

5. Absenteeism is one dimension of labor supply, so the proposals must be analyzed using labor supply theory. Both proposals increase worker income, because employees now have paid sick days; this increase in income will tend to increase absenteeism through the income effect. The first proposal also raises the *hourly wage*, however, because any unused sick leave can be converted to cash in direct proportion to the unused days. Thus, this first proposal will tend to have a substitution effect accompanying the income effect, so that the overall expected change in absenteeism is ambiguous.

The second proposal raises the cost of the *first* sick day because, if absent, the worker loses the entire promised insurance policy. Thus, there is a huge substitution effect offsetting the income effect for the first day of absence. However, once sick leave is used at all, *further* days of absence cause no further loss of pay; thus, after the first day, there is no substitution effect to offset the income effect, and this will tend to increase the incentives for absenteeism.

7. In the figure below, the straight line *AB* represents the person's market constraint (that is, the constraint in a world with no subsidies). *ACDEB* is the constraint that would apply if the housing subsidy proposal became effective.

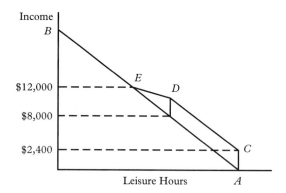

The effects on labor supply depend on which segment of *ACDEB* the person finds relevant. There are four possible cases. First, if the indifference curves are very steeply pitched (reflecting a strong desire to consume leisure), the housing subsidy proposal will not affect work incentives. The person strongly desiring leisure would continue to not work (would be at point *C*), but would receive the housing subsidy of $2,400. The second case occurs when the person has a tangency along segment *CD*. Along this segment, the person's effective wage rate is the same as the market wage, so there is a pure income effect tending to reduce work incentives.

If the person has a tangency point along segment *DE*, there are likewise reduced incentives to work because the income effect caused by the northeast shifting out of the budget constraint is accompanied by a reduction in the effective wage rate. Finally, those with tangency points along *EB* will not qualify for the housing subsidy program and therefore will not alter their labor supply behavior. (An exception to this case occurs when a person with a tangency point near point *E* before the initiation of the housing subsidy program now has a tangency point along segment *DE* and, of course, works less than before.)

Problems

1. a. See the figure below, where the initial budget constraint is given by *ACE*. After the new law is passed, the budget constraint bends upward after 8 hours of work. Thus, the new wage rate and overtime constraint is given by *ABCD*, which intersects the old constraint at point *C*—the

original combination of income and working hours (10 hours of work in this example).

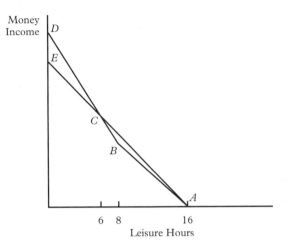

b. Initially, earnings were $11 \times 10 = \$110$. The new earnings formula is $8W + 2 \times 1.5W$, where W = the hourly wage. Pick W so that this total equals $110. Since $11W = \$110$, we calculate that $W = \$10$ per hour.

c. See the figure above. If the workers were initially at a point of utility maximization, their initial indifference curve was tangent to the initial budget constraint (line ACE) at point C. Since the new budget constraint (along segment BD) has a steeper slope ($15 per hour rather than $11 per hour), the workers' initial indifference curve cannot be tangent to the new constraint at point C. Instead, there will be a new point of tangency along segment CD, and hours of work must increase—tangency points along CD lie to the left of point C. (Income in the vicinity of point C is effectively being held constant, and the substitution effect always pulls in the direction of less leisure whenever the wage rate has risen.)

Chapter 7

Review Questions

1. a. 6,000 − 5,600, or 400.
   b. The labor force participation rate drops from 60 percent to 56 percent, a reduction of 4 percentage points.
   c. One implication of hidden unemployment is that the unemployment rate may not fully reflect the degree of joblessness. That is, some

people who want to work but do not have work are not counted as unemployed because they place such a low probability on obtaining employment that they stop looking for work. While this observation may suggest that hidden unemployment should be included in the published unemployment figures, to do so would call into question the theoretical underpinnings of our measure of unemployment. Economic theory suggests that unemployment exists if there are more people willing to work at the going wage than there are people employed at that wage. If economic conditions are such that at the going wage some decide that time is better spent in household production than in seeking market work, our theory suggests that they have in fact dropped out of the labor force.

3. Jimmy Carter's statement reflects the "additional-worker hypothesis." Stated briefly, this hypothesis suggests that, as the economy moves into a recession and some members of the labor force are thrown out of work, other family members currently engaged in household production or leisure will enter the labor force to try to maintain family income. While Carter's statement of the additional-worker hypothesis is an apt description of that hypothesis, his statement fails to reflect the fact that studies show the "discouraged-worker" effect dominates the added-worker effect (that is, as the economy moves into a recession and workers are laid off, the labor force shrinks, on balance).

5. To parents who must care for small children, this subsidy of day care is tantamount to an increase in the wage rate. For those parents who are currently out of the labor force, the increased wage will be accompanied by a dominant substitution effect that induces more of them to work outside the home (the substitution effect dominates in *participation* decisions). For those who are currently working outside the home, this increase in the take-home wage will cause both an income and a substitution effect, the net result of which is not theoretically predictable. If the substitution effect is dominant, then the change in policy would increase the hours of work. If the income effect is dominant, then this increase in the take-home wage rate might cause a reduction in work hours.

7. For workers close to retirement age, this change in government policy creates a significant decrease in postretirement income. The basic postretirement pension has been cut in half, so these workers experience a substantial income effect that would drive them in the direction of more work (delayed retirement).

For very young workers, the reduction in pension benefits facing them in their retirement years is offset by a reduction in payroll taxes (which, of course, acts as an increase in their take-home wage rate). Thus, if we assume that these workers will pay for their retirement benefits through the payroll taxes they pay over their careers, this change in Social

Security might leave their lifetime wealth unaffected. If so, the cut in pay-roll taxes would increase their wages without causing an increase in life-time wealth, which would create a "pure" substitution effect inducing more labor supply (and possibly later retirement).

9. a. The budget constraint facing this teenager is shown below, with line *ABC* representing the constraint associated with her job with the caterer, and *AD* the constraint as a babysitter (assuming she needs 8 hours per day for sleep and personal care).

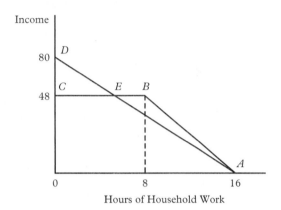

b. The value to her of studying and practicing would be shown by indif-ference curves, with more steeply sloped curves indicating a greater value. If she places a high value on her household activities, she will either not work (corner solution at point *A*) or choose to work as a caterer along constraint *AB*. In this case the state law has no effect. With a flatter indifference curve, however, she may maximize utility at point *B* (catering job) or along *ED*. In these cases, the state law reduces her earnings and her utility, but the effects on her hours at home are unclear. If she ends up at point *B*, she spends more time at home than she would if unconstrained, but along *ED*, the income and substitution effects of the law work in opposite directions, and the effects on hours at home are ambiguous.

Chapter 8

Review Questions

1. The demand curve shows how the marginal revenue product of labor (MRP_L) is affected by the number employed; if few workers are employed, they are placed in jobs in which their MRP_L is relatively high. The supply

curve indicates the number of workers willing to offer their services at each wage rate. Because fewer construction workers are willing to offer their services at any given wage if working conditions are harsh (as in Alaska), construction wages will be higher than in the continental United States. Further, the higher wage that must be paid restricts employment in harsh conditions to the performance of projects that have a very high MRP_L.

3. A society unwilling to use force or trickery to fill jobs that are dangerous, say, must essentially bribe workers into voluntarily choosing these jobs. To induce workers to choose a dangerous job over a safer one requires that the former be made more attractive than the latter in other dimensions, and one way is to have elevated compensation levels. These increased levels of compensation are what in this chapter we have called compensating wage differentials.

These compensating wage differentials will arise if workers are well informed and can select from an adequate number of job choices. If workers are without *choice*, then society essentially forces them to take what is offered through the threat of being jailed or of not being able to obtain a means of livelihood.

If, instead of lacking choice, workers lack information about working conditions in the jobs from which they have to choose, then society is in effect using trickery to allocate labor. That is, if workers are ignorant of true working conditions and remain ignorant of these conditions for a long period after they have taken a job, they have not made their choice with full information. They have been tricked into making the choice they have made.

5. False. Whether government policy is required in a particular labor market depends on how well that market is functioning. If the outcomes of the market take into account worker preferences (with full information and choice), then the labor market decisions will lead to utility maximization among workers. In this case, efforts by government to impose a level of safety greater than the market outcome could lead to a reduction in worker welfare (as argued in the text).

If the market fails to take full account of worker preferences, owing to either lack of information or lack of choice, then the private decision makers do not weigh all the costs and benefits of greater safety. There is a very good chance that the market outcome will not be socially optimal, and an appropriate setting of governmental standards could improve the utility of workers.

Of course, if society does not trust workers' preferences or seeks to change those preferences, it would not want to rely on the market even if it were functioning perfectly, because the market would reflect worker preferences.

7. Men and women who work in their homes do not have to bear the expenses of commuting and child care that factory workers do. Moreover, many prefer the flexibility of working at home to the regimen of a factory, because they can perform farming chores or do other household tasks that would be impossible to do during a factory shift. These intrinsically desirable or cost-saving aspects of working at home suggest that the same level of utility could be reached by homeworkers at a lower wage rate than factory workers receive. Thus, at least part of the higher wage paid to factory workers is a compensating wage differential for the cost and inconvenience of factory employment.

9. From the perspective of positive economics, banning Sunday work drives down the profits of employers, which will have a scale effect on employment, and drives up the cost of labor relative to capital (machines are not banned from running on Sunday). Overall, firms will tend to hire less labor.

   Further, in the absence of government prohibitions, most workers presumably preferred to celebrate a Sabbath, and in Germany, Sunday was most likely the typical choice. With most workers preferring Sunday off, employers who wanted to remain open had to hire from a small pool of workers who did not celebrate Sunday as a Sabbath. If this pool was small relative to the demand for Sunday workers, employers had to pay a compensating wage differential to lure workers into offering their services on Sundays. The workers most easily lured were those who cared least about having Sunday off. These workers will lose their premium pay (unless exempt from the law).

   Normatively, this law prevents some voluntary transactions. It makes society worse off by preventing workers who are willing to work on Sundays (for a price) from transacting with employers who want Sunday workers, and it thus discourages some mutually beneficial transactions.

Problems

1. See the figure on page 572. A's wage at 3 meters is $10 + .5 \times 3 = \$11.50$ per hour. At 5 meters, B's wage is $10 + .5 \times 5 = \$12.50$ per hour. A's indifference curve must be tangent to the offer curve at 3 meters—B's must be tangent at 5 meters. Because both indifference curves are tangent to a straight line, both must have the same slope at their points of tangency; therefore, both workers are willing to pay (or receive) 50 cents per hour for reduced (added) depth of one meter. Worker A, who chooses to work at 3 meters, has a steeper indifference curve (a greater willingness to pay

for reduced depth) at each level of depth; that is why worker *A* chooses to work at a shallower depth.

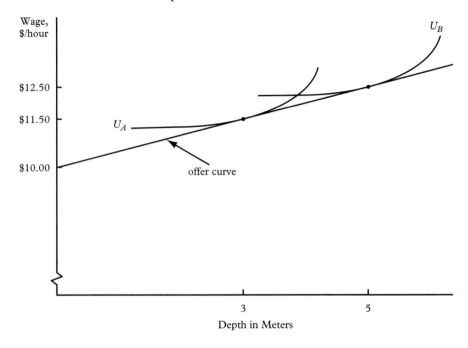

Depth in Meters

3. (Appendix) He will be fully compensated when his expected utility is the same on the two jobs.

Utility from the first job is $\sqrt{Y} = \sqrt{40,000} = 200$.

Utility from the second job is $U = .5 \times \sqrt{Y_{bad}} + .5 \times \sqrt{Y_{good}} = .5 \times \sqrt{22,500} + .5 \times \sqrt{Y_{good}}$. This equals the utility of the first job when $Y_{good} = 62,500$. ($.5 \times 150 + .5 \times \sqrt{Y_{good}} = 200$.) If he earns \$22,500 half the time, and \$62,500 half the time, his expected earnings are \$42,500. Thus, his expected extra pay for the layoff risk is \$2,500 per year.

Chapter 9

Review Questions

1. Understanding why women receive lower wages than men of comparable age requires an analysis of many possible causes, including discrimination. This answer will explore the insights provided by human capital theory.

Women have traditionally exhibited interrupted labor market careers, which shortens the time over which human capital investments can be recouped. Even recently, when educational attainment levels between relatively young men and women have equalized, women graduates are still bunched in occupations for which an interrupted working life is least damaging. Lower human capital investments and occupational bunching are undoubtedly associated with lower wages.

The fact that female age/earnings profiles are relatively flat, while men have age/earnings profiles that are more upward-sloping and concave, can also be explained by human capital analysis. If men acquire more on-the-job training in their early years than women do, their wages will be relatively depressed by these investments (this will cause wages of men and women at younger ages to be more equal than they would otherwise be). In their later years, those who have made human capital investments will be recouping them, and this will cause the wages of men and women to become less equal.

3. Delaying reduces tuition costs, but it also delays the benefits of a medical education (generally measured as the difference between what doctors earn and what can be earned without a medical degree). This difference in benefits will be greatest for those with the smallest alternative (pre-medical-school) earnings. Further, it reduces by one the number of years that the investment's payoff can be recouped. Thus, those expecting the greatest payoff to an investment in medical education, and those who are older and therefore have fewer years over which to recoup its returns, will be least likely to take this offer.

5. One cost of educational investment is related to the time students need to devote to studying in order to ensure success. People who can learn quickly are going to have lower costs of obtaining an education. If one assumes that learning ability and ability in general (including productive capacity in a job) are correlated, then the implication of human capital theory is that the most-able people, other things being equal, will obtain the most education.

7. Government subsidies will, of course, lower the costs to individuals of obtaining an education (of making a human capital investment). Reduced university costs will, from an individual perspective, raise the individual rate of return to making an investment in education. This will induce more people to attend college than would have attended otherwise. Students who would, in the absence of a college subsidy, have required a postcollege earnings differential (as compared with that of a high school graduate) of $2,000 per year may now be induced to attend college if the earnings differential is only $1,000 per year. From a social perspective, however, the increase in productivity of $1,000 per year may be insufficient to pay back society for its investments in college students.

Problems

1. She needs to compare the present value of the costs and benefits from getting the MBA. Costs equal forgone income at ages 48 and 49, plus tuition. The cost of an apartment is not included, because she will need to live somewhere whether she's working or in school. Benefits equal the $15,000 in extra wages that she'll get at ages 50 through 59. Present value of costs = $50,000 + $50,000/(1.06) = $97,170. Present value of benefits = $15,000/(1.06)^2 + $15,000/(1.06)^3 + ... + $15,000/(1.06)^{10} + $15,000/(1.06)^{11} = $104,152.

   Thus Becky enrolls in the MBA program, because the present value of the net benefits of doing so is $6,982.

Chapter 10

Review Questions

1. a. State licensing increases the costs of interstate mobility among licensed professionals, thus tending to reduce the overall supply to these occupations and to drive up their wages. In addition, the flows from low- to high-earnings areas are inhibited, which slows the geographic equalization of wages among these professionals.

   b. The gainers from federalization would be licensed professionals who are in low-earnings areas, because their labor market mobility is enhanced. (One could also argue that clients in high-earnings areas similarly gain from the enhanced mobility of the professionals from whom they purchase services.) The losers are already licensed professionals in high-earnings areas who face increased competition now because of enhanced mobility.

3. a. Immigrant workers create goods or perform services that have value to the rest of society. Thus, whether their presence enriches native-born Americans (in the aggregate) depends on the total value of these services, net of what they are paid. If immigrants receive no more than their marginal revenue product, the native-born cannot lose and in fact will reap inframarginal gains. If immigrants are subsidized by the native-born, so they are net consumers of goods and services, then the native-born could be worse off in the aggregate.

   b. There are two critical issues from a normative perspective. The first is whether immigrants are subsidized, on balance, by the native-born (as noted above). If they are not, then there is a second issue: are there mechanisms whereby the native-born gainers from immigration can compensate the losers? Many economists argue that compensation of losers must take place for a potentially Pareto-improving policy to be socially defensible, so identifying whose wages are reduced and by how much is a critical social issue.

5. One factor inducing quit rates to be low is that the cost of job changing may be high (pension losses, seniority losses, and difficulties finding information about other jobs are examples of factors that can increase the cost of quitting). If there are cost barriers to mobility, then employees are more likely to tolerate adverse conditions within the firm without resorting to leaving.

Firms also are more likely to provide their employees with firm-specific training if quit rates are low. Thus, if firms need to train their employees in firm-specific skills, they clearly prefer a low quit rate.

Finally, firms prefer low quit rates because hiring costs are kept to a minimum. Every time a worker quits, a replacement must be hired, and to the extent that finding and hiring a replacement is costly, firms want to avoid incurring these costs.

From a social perspective, the disadvantage of having a low quit rate is related to the failure of the market to adjust quickly to shortages and surpluses. Changing relative demands for labor require constant flux in the employment distribution, and factors that inhibit change will also inhibit adaptation to new conditions.

Further, high costs of quitting will be associated not only with lower quit rates but also with larger wage differentials across firms or regions for the same grade of labor. Since firms hire labor until marginal productivity equals the wage they must pay, these large wage differentials will also be accompanied by large differentials in marginal productivities within the same skill group. As implied by our discussion of job matching, if marginal productivities differ widely among workers with the same skills, national output could be increased by reallocating labor so that marginal productivities of the low-paid workers are enhanced.

7. It is possible that Japanese workers, say, do have stronger preferences for loyalty (meaning that they are more willing to pass up monetary gains from mobility for the sake of "consuming" loyalty to their current employers). It is also true that quit rates are affected by incentives as well as preferences, and incentives for lower quit rates can be altered by employer policies. Thus, quit rates do not by themselves allow us to measure differentials in inherent employee loyalties.

Lower quit rates in Japan, however, could result from poorer information flows about jobs in other areas, greater costs of changing jobs (employee benefits may be strongly linked to seniority within the firm so that when workers quit, they lose benefits that are not immediately replaced by their new employer), smaller wage differentials among employers, or other employer policies adopted because of a greater reliance on firm-specific human capital investments by Japanese employers.

Problems

1. The present value of net benefits from the move is given by equation 10.1 in the text. Assuming that the benefits of the two identical jobs are summarized by the real wage, the present value of the gains from moving are $20,000 + $20,000/1.1 + $20,000/1.1^2 + $20,000/1.1^3 + $20,000/1.1^4 = $83,397.

   Because she doesn't move, we know that the costs of moving outweigh the benefits. The direct cost of the move is only $2,000, so the psychic costs must be greater than $81,397.

Chapter 11

Review Questions

1. With an implicit labor-market contract, which is not legally enforceable, the punishment for cheating is that the other party terminates the employment relationship. Therefore, the principle underlying self-enforcement is that both parties must lose if the relationship is terminated. For both parties to lose, workers must be paid above what they could get elsewhere, but below what they are worth to the employer. The latter conditions imply the existence of a surplus (a gap between marginal revenue product and alternative wages) that is divided between employer and employee.

3. Compensation schemes such as efficiency wages, deferred payments, and tournaments are made feasible by an expected long-term attachment between worker and firm. If small firms do not offer long enough job ladders to provide for career-long employment, long-term attachments will become less prevalent and the above three schemes less feasible. The growth of small firms, then, may mean more reliance on individual or group output-based pay schemes (or on closer supervision).

5. If management already has power over workers because workers' ability to go to other jobs is severely limited by unemployment or monopsony, then low wages may result. However, paying low wages is definitely not the way to *acquire* power if management currently lacks it. Underpaid workers have no incentives to tolerate demanding requirements from management, because their current job is not better (and may be worse) than one they could find elsewhere. However, if workers are paid more by one firm than they could get elsewhere, they will tolerate heavy demands from their supervisors before deciding to quit. One way to acquire power over workers, therefore, is to overpay, not underpay, them.

7. The compensation scheme that pays workers less than they are worth initially, and more than they are worth later on, could result in this out-

come. Older workers end up getting pay that is high relative to their productivity, and when they have to find another employer, their pay drops substantially. Younger workers, who are lower paid under this scheme to begin with, do not experience such a drop in wages.

Problems

1. Charlie's employer will pay him $6 per hour. Increasing his wage from $5 to $6 per hour induces enough extra output to cause revenue to climb from $8 to $9.50—that is, a raise of $1 per hour yields $1.50 per hour in extra output, so the employer benefits from increasing his wage from $5 to $6. Increasing his wage beyond $6 per hour won't benefit his employer. An increase from $6 to $7 induces an increase in output from $9.50 to $10.25—only 75 cents per hour, not enough to pay for a $1 per hour increase in his wage.

Chapter 12

Review Questions

1. Labor market discrimination is said to exist when workers who are productively equivalent are systematically paid different wages based on their race or ethnicity (or some other demographic characteristic unrelated to productivity). Because simple averages of earnings do not control for these characteristics, we cannot tell from them if labor market discrimination exists (Chinese and Japanese Americans, for example, may have average productive characteristics that greatly exceed those of white Americans).

3. Wage discrimination in the labor market is present when workers with the same productive characteristics are systematically paid differently because of the demographic group to which they belong. The critical issue in judging discrimination in this case is whether male and female high school teachers have the same productive characteristics.

   One area of information we would want to obtain concerns the human capital characteristics: do male and female teachers have the same levels of education and experience, and do they teach in comparable fields? A second area of information concerns working conditions. Are male teachers working longer hours (coaching sports or sponsoring clubs) or working in geographical areas that are associated with compensating wage differentials?

5. a. A wage subsidy paid to employers who hire disadvantaged black workers will shift the demand curve for such workers (stated in terms of the employee wage) to the right. This shift can cause employment

to increase, the wage rate paid to black disadvantaged workers to increase, or both. The mix of wage and employment changes will depend on the shape of the supply curve of these workers. The changes in wages and employment induced by the subsidy will tend to overcome the adverse effect on unskilled blacks of labor market discrimination.

b. Increasing the wages and employment opportunities of unskilled black workers will reduce incentives of these workers to invest in the training required to become skilled. Thus, one consequence of a wage subsidy just for unskilled black workers is that the subsidy may induce more to remain unskilled than would otherwise have been the case.

7. When nursing wages are raised above market-clearing levels, a surplus of nursing applicants will arise. The high wages, of course, will attract not only a large number of applicants but also a large number of very high-quality applicants; the fact that applicants are so plentiful allows the city to select only the best. Therefore, comparable worth may reduce the number of nursing jobs available, but it will also tend to increase the employment of high-quality nurses.

Since the wages of nurses are tied to those of building inspectors, the city will be very reluctant to raise the wages of building inspectors even if there are shortages. Rather than raising wages as a recruiting device for building inspectors, the city may be tempted to lower its hiring standards and to employ building inspectors it would previously have rejected. Thus, employment opportunities for low-quality building inspectors may be enhanced by the comparable worth law.

9. a. Wage discrimination exists when compensation levels paid to one demographic group are lower than those paid to another demographic group that is exactly comparable in terms of productive characteristics. Using this definition, there would be no discrimination because both men and women would receive equal yearly compensation while working. This equal yearly compensation would, in fact, result in a pension fund for each man and woman that would have exactly the same present value at retirement age. However, because women live longer than men, this retirement fund would be paid out over a longer period of time and thus would be paid out to retired women in smaller yearly amounts. The Supreme Court decision would require employers to put aside more pension funds for women, and it thus requires that working women have greater yearly compensation (while working) than comparable men.

b. The decision essentially mandates greater labor costs for women than for men of comparable productive characteristics, and by raising the firm's costs of hiring women, it could give firms incentives to substitute male for female workers (or capital for female workers).

Problems

1. Assuming that workers of one gender remain in their jobs, the index of dissimilarity indicates the percentage of the other group that would have to change occupations for the two genders to have equal occupational distributions. Assume that the males stay in the same jobs and then find the number of females in each job that would give them the same percentage distribution as males.

Occupation	Actual Female Distribution	If Female % = Male %	No. Needing to Change
A	20	40% = 28	28 − 20 = 8
B	25	40% = 28	28 − 25 = 3
C	25	20% = 14	14 − 25 = −11

As this table shows, 11 females need to change jobs—these 11 leave occupation C and move into occupations A and B. Eleven females equals 15.7 percent of the total, which is the index of dissimilarity.

3. See the figure below.

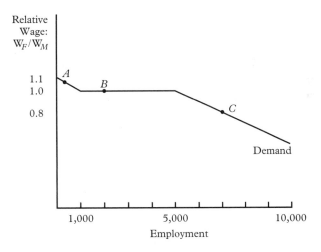

$W_F/W_M = 1.08$ when 200 women are hired at point A.

$W_F/W_M = 1$ when 2,000 women are hired at point B.

$W_F/W_M = 0.8$ when 7,000 women are hired at point C.

Discrimination only hinders female workers in this market if there are more than 5,000 hired. In fact, discrimination goes in favor of female workers when there are fewer than 1,000 hired.

Chapter 13

Review Questions

1. Since a reduction in the price of capital equipment will stimulate the purchase of capital equipment, a union should be concerned whether its members are gross complements or gross substitutes with capital. In the former case, the proposed policy (reducing the price of capital) would cause the demand for union members to rise, while in the latter, their demand would fall. Other things equal, the more rapidly the demand for labor is shifting out, the smaller will be the reduction in employment associated with any union-induced wage gain (assuming the collective bargaining agreement lies on the labor demand curve). Hence, unions representing groups that are gross complements (substitutes) with capital would benefit (lose) from the policy change.

   Evidence cited in the text suggests that capital and skilled labor may be gross complements, but capital and unskilled labor are gross substitutes. This suggests that union leaders representing the latter type of workers will be opposed to the legislation, while union leaders representing the former may favor it.

3. The provisions of the Jones Act affect the demand for labor in the U.S. shipping industry in at least two ways. First, the provision that 50 percent of all U.S. government cargo must be transported in U.S.-owned ships makes the price elasticity of demand for U.S. shipping in the output market less elastic. Second, the restriction that at least 90 percent of the crews of U.S. ships must be U.S. citizens reduces the ability of ship owners to substitute foreign seamen for U.S. citizens. Both changes cause the wage elasticity of demand for U.S. crew members to be less elastic than it would otherwise be.

   To the extent that the U.S. shipping industry is heavily unionized and there is little competition between union and nonunion crew members (a reasonable assumption), the wage elasticity of demand for union crew members would become less elastic under the Jones Act. As stressed in the text, inelastic labor demand curves permit unions to push for increases in their members' wages without large employment losses, at least in the short run.

5. This law makes it more difficult and more costly to substitute capital for labor. Any worker replaced by capital (or another substitute factor of production) must be retrained and employed elsewhere in the firm, which clearly raises the cost of this substitution. Thus, this law tends to reduce the elasticity of demand for union labor, and it increases the ability of unions to raise wages without reducing their members' employment very much.

7. Unions may raise worker productivity for several reasons. One of the more obvious is that, as wages are increased, firms cut back employment and substitute capital for labor. Both actions tend to raise the marginal productivity of labor. To survive in a competitive market, profit-maximiz-

ing firms must raise the marginal productivity of labor whenever wages increase.

Another reason unions raise productivity is that the high wages unionized employers offer attract a large pool of applicants, and employers are able to select the best applicants. Moreover, the reduction in turnover that we observe in unionized plants increases firms' incentives to provide specific training to their workers, and the seniority system that unions typically implement encourages older workers to help train younger workers (they can do so without fear that the younger workers will compete for their jobs when fully trained).

Because many of these sources of increased productivity are responses by firms to higher wages, they tend to mitigate the effects of unionization on costs. Some nonunion firms deliberately pay high wages to attract and retain able employees, and they often pursue this strategy even without the implicit threat of becoming unionized. However, the fact that firms generally pay the union wage only after their employees become organized suggests that they believe unions raise labor costs to a greater extent than they raise worker productivity.

What the quotation in question 7 overlooks is that increases in productivity must be measured against increases in costs. If unions enhance productivity to a greater extent than they increase costs of production, then clearly employers should take a much less antagonistic approach to unions. If, however, enhancements in labor productivity are smaller than increases in labor costs, employer profitability will decline under unionization.

Problems

1. Set the employer concession schedule equal to the union resistance curve and solve for W:

   $1 + .02S = 5 + .02S - .01S^2$ simplifies to $.01S^2 = 4$, or $S^2 = 400$, or $S = 20$ days. Plugging S into the equations yields $W = 1.4\%$.

3. The relative wage advantage is $R = (W_{union} - W_{nonunion})/W_{nonunion} = (\$10 - \$8)/\$8 = .25$. Union workers earn 25 percent more than nonunion workers. The absolute effect of the union cannot be determined because we don't know what the wage of the unionized workers would be in the absence of the union. We don't know the extent of spillover effects, threat effects, and wait unemployment, for example.

Chapter 14

Review Questions

1. Increasing the investment tax credit reduces the price of capital, and therefore has two possible effects on the demand for labor. If labor and capital

are complements in production or are gross complements, then the tax credit will shift the labor demand curve to the right and tend to increase wages and employment. If, however, capital and labor are gross substitutes, then this tax credit could result in a decreased demand for labor.

We learned from chapter 4 that capital and unskilled labor are more likely to be substitutes in production than are skilled labor and capital; therefore, this investment tax credit is more likely to negatively affect the demand for unskilled labor than for skilled labor. If so, there will be more downward pressure on the wages of unskilled workers, and the resulting decline in the relative wages of the lowest-paid workers tends to widen the dispersion of earnings.

3. Forbidding employers to replace striking workers will have ambiguous effects on the dispersion of earnings. On the one hand, we know that forbidding striker replacement should increase the power of unions to raise the wages of their members, and we know that unions have historically raised the wages of less-skilled members relative to the wages of those who are more skilled. Thus, if union power is enhanced, the primary beneficiaries will be lower-skilled union workers, and this effect should tend to equalize the distribution of earnings.

On the other hand, we need to consider the effects on those who would have worked as replacements. We know that unions are more prevalent in large firms, which pay higher wages anyway, and we can suppose that workers who wish to work as replacements are attracted to these jobs because they can improve their earnings. By encouraging higher wages in large, unionized firms, forbidding striker replacement could cause a spillover effect that reduces wages in the nonunionized sector. Thus, prohibiting striker replacement may actually drive down wages paid to those now in the small-firm, nonunion sector and create a greater dispersion in earnings.

5. Increasing the subsidy guaranteed to those who do not work, but holding constant a nonzero effective wage rate, will clearly cause a reduction in labor supply. This reduction will take two forms: some who worked before may decide to withdraw from the labor force, and some who worked before may reduce their hours of work. These two forms of labor supply reduction have quite different effects on the distribution of *earnings*.

It is reasonable to suppose that the expected labor supply reductions will come mainly from workers with the lowest level of earnings. Thus, when labor force *withdrawal* takes place, those with the lowest earnings are leaving the labor force, and this withdrawal will tend to equalize the distribution of earnings (those at the lower end exit from the distribution).

Reduced hours of work among those who continue in the labor force, however, will have the opposite effect on the distribution of earnings if this labor supply response is also focused among those with the lowest level of earnings. Reductions in working hours will lower the earnings of these low-wage workers further, which will tend to widen the dispersion of earnings. Therefore, while this increased generosity of the negative income tax program serves to equalize the distribution of *income* (which includes the subsidies), the labor supply responses can tend to either narrow or widen the dispersion of earnings.

7. Proposal "a" increases the cost of employing high-wage (skilled) labor and capital. This will have ambiguous effects on the demand curve for unskilled workers. On the one hand, it will tend to cause unskilled workers to be substituted for skilled workers and/or capital (assuming they are substitutes in production). On the other hand, the costs of production rise and the scale effect will tend to reduce both output and the demand for all workers (including the unskilled).

If the substitution effect dominates, the demand curve for the unskilled shifts to the right, tending to increase their employment and wage rate. If the scale effect dominates (or if the unskilled are complements in production with skilled labor and capital), then the demand curve for them shifts left, and their wage rate and employment level would decrease.

Proposal "b" cuts the cost of employing all labor, but the percentage decrease is greatest for the low-paid (unskilled). Thus, the proposal cuts the cost of unskilled labor relative to that of both capital and skilled labor. This will unambiguously shift the demand for unskilled labor to the right (keeping the employee wage on the vertical axis), because both the scale and the substitution effects work in the same direction. This will tend to increase both unskilled employment and the wages received by employees.

Proposal "b" is better for accomplishing the government's goal of improving the earnings of the unskilled, because the scale effect tends to increase, not reduce, the demand for their services.

Problems

1. (Appendix) First order the students by income to find the poorest 20 percent, next poorest 20 percent, middle 20 percent, next richest 20 percent, and richest 20 percent (see the table below). Then find the total income— in this case, $344,000. Divide the income in each 20 percent group by the total income to find its share of income. Finally, calculate the cumulative share of income.

Now graph this information, making sure that cumulative share of income goes on the vertical axis and cumulative share of households goes on the horizontal axis (see the figure on page 584). (An even more precise Lorenz curve can be graphed by breaking the data into tenths rather than fifths.)

Name	Income	Share of Income	Cumulative Share of Income
Bottom 20%			
Billy Bob	$20,000	$44,000/$344,000 = .128	.128
Kasia	$24,000		
2nd 20%			
Rose	$29,000	$60,000/$344,000 = .174	.128 + .174 = .302
Charlie	$31,000		
Middle 20%			
Yukiko	$32,000	$66,000/$344,000 = .192	.302 + .192 = .494
Nina	$34,000		
4th 20%			
Thomas	$35,000	$72,000/$344,000 = .209	.494 + .209 = .703
Raul	$37,000		
Top 20%			
Becky	$42,000	$102,000/$344,000 = .297	.703 + .297 = 1.000
Willis	$60,000		

To find the Gini coefficient, use the method outlined in the appendix to find the area below the Lorenz curve. This area equals .1 plus the area of the four rectangles whose bases are .2 and whose heights are the cumulative shares of income for the first four income groups. Area = .1 + (.2 × .128) + (.2 × .302) + (.2 × .494) + (.2 × .703) = .1 + .3254 = .4254. The Gini coefficient equals (0.5 − area under the Lorenz curve)/0.5 = (0.5 − .4254)/0.5 = .1492.

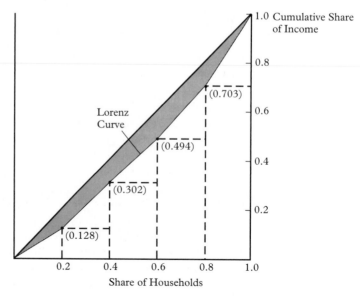

Chapter 15

Review Questions

1. The two policy goals are not compatible in the short run. An increase in unemployment compensation benefits reduces the costs to unemployed workers of additional job search; this will lead them to extend their duration of unemployment and search for better-paying jobs. In the short run, increasing unemployment compensation benefits will increase the unemployment rate.

   In the long run, however, the two policy goals may be compatible. If the prolonged durations of job search lead to better matches of workers and jobs, the chances that workers will become unemployed in the future will diminish. That is, the better matches will reduce both the probability that workers will quit their jobs and the probability that they will be fired. This reduced probability of entering unemployment will reduce the unemployment rate in the long run. Whether the reduction in the unemployment rate due to the smaller incidence of unemployment outweighs the increase due to the longer spells of unemployment is an open question.

3. When a worker first becomes unemployed, he or she may be optimistic about employment opportunities and set a high reservation wage. However, if over time only very low wage offers are received, the individual may realize that the distribution of wage offers is lower than initially assumed. This revision of expectations would also cause a downward revision of the reservation wage.

   In fact, even if workers' initial perceptions about the distribution of wage offers were correct, this distribution might systematically shift down over time. For example, employers might use the length of time an individual had been unemployed as a signal of the individual's relatively low productivity and might moderate wage offers accordingly. A systematically declining wage-offer distribution that arises for this reason would similarly cause reservation wages to decline as durations of unemployment lengthened.

5. This policy should have two effects on the unemployment rate. First, by reducing the value of benefits to unemployed workers, it should reduce the duration of their spells of unemployment. In other words, by taxing unemployment insurance benefits, the government is in effect reducing those benefits, and the reduction in benefits increases the marginal costs of remaining unemployed for an additional period of time. Thus, workers will tend to be less choosy about job offers they accept and should be induced to reduce the amount of time they spend searching for additional job offers. However, by reducing job search, the taxation of UI benefits may lead to poorer matches between worker and employer, thus creating higher turnover (and more unemployment) in the long run.

   Second, because unemployed workers are now receiving less compensation from the government, those in jobs in which layoffs frequently occur will find them less attractive than they previously did. Employers who offer these jobs will have more difficulty attracting employees unless they raise wages (assuming workers have other job options). This compensating wage differential will act as a penalty for high layoff rates, and this penalty should induce firms to reduce layoffs to some extent. A reduced propensity to lay off workers, of course, should reduce the unemployment rate (other things being equal).

7. The level of unemployment is affected by flows into and out of the pool of unemployed workers. Restricting employers' ability to fire workers will reduce the flow of workers *into* the pool, thus tending to reduce unemployment. However, because these restrictions increase the costs of hiring workers (the costs of firing them are a quasi-fixed cost of employment), firms will tend to reduce their *hiring* of labor. This reduction will slow the flows out of the unemployed pool, so that one cannot predict the overall effect of the restrictions on the unemployment rate.

Problems

1. To make the calculations easier, we can drop the millions terms. The initial unemployment rate is $100 \times U/(U + E) = 100 \times 10/(10 + 120) = 8.33\%$. The initial labor force participation rate is $100 \times (U + E)/(U + E + N) = 100 \times (10 + 120)/(10 + 120 + 70) = 65.0\%$.

   The new levels of the three measures (in millions) are:
   $U_1 = U_0 + EU + NU - UE - UN = 10 + 1.8 + 1.3 - 2.2 - 1.7 = 9.2$
   $E_1 = E_0 + UE + NE - EU - EN = 120 + 2.2 + 4.5 - 1.8 - 3.0 = 121.9$
   $N_1 = N_0 + EN + UN - NE - NU = 70 + 3.0 + 1.7 - 4.5 - 1.3 = 68.9$

   The new rates are:
   Unemployment rate $= 100 \times 9.2/(131.1) = 7.02\%$
   Labor force participation $= 100 \times 131.1/200 = 65.55\%$

3. See the figure below.

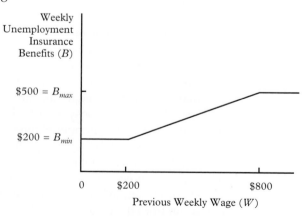

Case 1: If wage = $100, then the worker receives the minimum, B = $200, and the replacement rate, B/W = $200/$100 = 2.

Case 2: If wage = $500, then the worker receives B = .5 × 500 + 100 = $350, and the replacement rate is $350/$500 = .7.

Case 3: If wage = $2,000, then the worker receives the maximum, B = $500, and the replacement rate is $500/$2,000 = .25.

Name Index

Subject Index

Entries followed by *f, t, n,* and *e* refer to figures, tables, notes, and example boxes, respectively.

TABLE 6.1

Labor Force Participation Rates of Females in the United States over 16 Years of Age, by Marital Status, 1900–2002 (percentage)

Year	All Females	Single	Widowed, Divorced	Married
1900	20.6	45.9	32.5	5.6
1910	25.5	54.0	34.1	10.7
1920	24.0			9.0
1930	25.3	55.2	34.4	11.7
1940	26.7	53.1	33.7	13.8
1950	29.7	53.6	35.5	21.6
1960	37.7	58.6	41.6	31.9
1970	43.3	56.8	40.3	40.5
1980	51.5	64.4	43.6	49.8
1990	57.5	66.7	47.2	58.4
2002	59.6	67.4	49.2	61.0

Sources: 1900–1950: Clarence D. Long, *The Labor Force under Changing Income and Employment* (Princeton, N.J.: Princeton University Press, 1958), Table A-6.

1960–2002: U.S. Department of Labor, Bureau of Labor Statistics, *Handbook of Labor Statistics,* Bulletin 2340 (Washington, D.C.: U.S. Government Printing Office, 1989), Table 6; and Eva E. Jacobs, ed., *Handbook of U.S. Labor Statistics* (Lanham, Md.: Bernan Press, 2004), 12, 19.

TABLE 6.2

Labor Force Participation Rates for Males in the United States, by Age, 1900–2002 (percentage)

Year	Age Groups 14–19	16–19	20–24	25–44	45–64	Over 65
1900	61.1		91.7	96.3	93.3	68.3
1910	56.2		91.1	96.6	93.6	58.1
1920	52.6		90.9	97.1	93.8	60.1
1930	41.1		89.9	97.5	94.1	58.3
1940	34.4		88.0	95.0	88.7	41.5
1950	39.9	63.2	82.8	92.8	87.9	41.6
1960	38.1	56.1	86.1	95.2	89.0	30.6
1970	35.8	56.1	80.9	94.4	87.3	25.0
1980		60.5	85.9	95.4	82.2	19.0
1990		55.7	84.4	94.8	80.5	16.3
2002		47.5	80.7	92.3	80.9	16.7

Sources: 1900–1950: Clarence D. Long, *The Labor Force under Changing Income and Employment* (Princeton, N.J.: Princeton University Press, 1958), Table A-2.

1960: U.S. Department of Commerce, Bureau of the Census, *Census of Population, 1960: Employment Status,* Subject Reports PC(2)-6A, Table 1.

1970: U.S. Department of Commerce, Bureau of the Census, *Census of Population, 1970: Employment Status and Work Experience,* Subject Reports PC(2)-6A, Table 1.

1980–2002: Eva E. Jacobs, ed., *Handbook of U.S. Labor Statistics* (Lanham, Md.: Bernan Press, 2004), 26, 33.

TABLE 12.4

Employment Ratios, Labor Force Participation Rates, and Unemployment Rates, by Race and Gender,[a] 1970–2003

Year	Employment Ratio		Labor Force Participation Rate		Unemployment Rate	
	Blacks	Whites	Blacks	Whites	Blacks	Whites
Men						
1970	71.9%	77.8%	77.6%	81.0%	7.3%	4.0%
1980	62.5	74.0	72.1	78.8	13.3	6.1
1990	61.8	73.2	70.1	76.9	11.8	4.8
2000	63.4	72.9	69.0	75.4	8.1	3.4
2003	59.5	70.1	67.3	74.2	11.6	5.6
Women						
1970	44.9	40.3	49.5	42.6	9.3	5.4
1980	46.6	48.1	53.6	51.4	13.1	6.5
1990	51.5	54.8	57.8	57.5	10.8	4.6
2000	58.7	57.7	63.2	59.8	7.2	3.6
2003	55.6	56.3	61.9	59.2	10.2	4.8

[a]For 1970 and 1980, data on blacks include other racial minorities. Data in all years are for persons age 16 or older.

Sources: U.S. Bureau of Labor Statistics, *Employment and Earnings* 17 (January 1971), Table A-1; 28 (January 1981), Table A-3; 38 (January 1991), Table 3; 48 (January 2001), Table 3; 51 (January 2004), Table 3.

TABLE 13.1

Union Membership and Bargaining Coverage, Selected Countries, 2004

Country	Union Membership as a Percentage of Workers	Percentage of Workers Covered by a Collective Bargaining Agreement
Austria	37	98
France	10	93
Sweden	81	93
Australia	25	83
Italy	35	83
Netherlands	23	83
Germany	25	68
Switzerland	18	43
United Kingdom	31	33
Canada	28	32
Japan	22	18
United States	13	14

Source: Organisation for Economic Co-operation and Development, http://www.oecd.org; search under "union density, 2004."